詳解 国際税務

2020年版

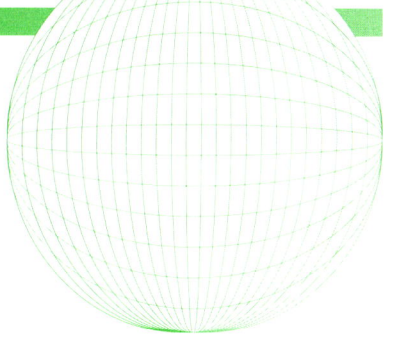

遠藤克博
多田雄司
幕内 浩
望月文夫
吉川保弘
［著］

INTERNATIONAL TAXATION

JN244194

清文社

改訂にあたって

　国際税務は、取引の当事者のいずれもが国内の事業者である場合の国内税制に比べると、日本が本来得られるであろう税収を確保するための特別の措置を講ずる必要があります。

　例えば、内国法人である親会社が外国法人である子会社に、製品を通常よりも低い価格で販売すれば、親会社の利益が減少します。内国法人である外国法人の子会社が資本金を少なくして親会社である外国法人から多額の借入金を受け入れて利息を支払う場合も子会社の利益が減少します。

　税をコストの1つと考えて、コストを減らすという感覚で意図的に租税負担が少ない国に利益を移すことも行われています。

　このような場合は、日本の税収は減少します。

　これらとは別に、外国法人の日本支店が得る利益には日本は法人税を課税しますが、課税する範囲を限定する必要があります。この課税する範囲については、租税条約で取り決めをしている場合があります。

　内国法人は外国に支店を設けるなどをして外国で利益を得た場合には、現地（外国）の法人税が課税されるとともに、同じ利益に対して日本の法人税も課税されます。しかし、何の調整も行わない場合は二重課税の問題が生じます。

　国際税務とは、このような問題に対処するための税制のことです。したがって、いずれの規定についても複雑で難解なものになっています。

＊　　　　　　　　　＊

　本書は、平成24年1月に初版を上梓し、平成30年に改訂しています。国際税務は、国内の事情のほか、主要国の間における国際的な租税回避等に対する対応、協調という視点で、国内法の改正が行われるという特徴があります。

　BEPS（税源浸食・利益移転）プロジェクトに沿った改正がこれに当たります。経済のデジタル化に伴う課税上の課題への対応の問題は、現在議論が行われて

います。

　国際税務への取り組み方としては、規定が複雑であればあるほどその規定を設けた趣旨と基本的な仕組みを理解することが、重要になります。本書は令和2年度までの主要な改正規定をカバーする内容になっており、それぞれの税制の趣旨、規定の概要などの全体像が理解できるように配慮しています。

　本書が、国際税務に携わる企業の担当者、税理士、公認会計士の方々のお役に立てば幸いです。

　最後に本書の刊行にあたりご協力をいただきました清文社の藤本優子氏にお礼を申し上げます。

2020年9月

著者を代表して

税理士　多田　雄司

まえがき

　近年、国際税務分野での大きな改正が続いています。平成21年度税制改正では、それまでの間接外国税額控除制度が廃止され外国子会社配当益金不算入制度が導入され、以来、外国税額控除制度の見直しは毎年続いています。平成22年度改正では、外国子会社合算税制（タックス・ヘイブン税制）について適用除外基準の見直しや資産性所得合算課税の導入等の抜本的改正がなされ、平成23年度改正では、移転価格税制の要というべき独立企業間価格の算定方式がOECD移転価格ガイドラインの改定に沿うように改められました。さらに、23年11月に成立した経済社会構造変化対応税制（23年度改正の積み残し部分）により、外国税額控除制度が大幅に改正され、国税通則法改正を受けて移転価格税制等の規定も改正されています。また、24年度改正でも国外関連者への一定の支払利子に対する損金算入を制限する制度の創設が予定されています。

　国際租税条約についても、平成15年の日米租税条約の改定（16年発効）を皮切りに、イギリス、フランスなど主要国との間の租税条約の改定や、アラブ諸国をはじめとする新規の締結が進められ、タックス・ヘイブンとされてきた国・地域との租税情報交換協定も着実に増えています。

　国際税務に関する制度改正が頻繁に行われていることには、企業の海外展開が大企業のみならず中堅企業にも及んでいることや、国際金融取引の拡大や手法の多様化など、国境を越える経済活動の進展が背景にあることは勿論です。また、OECDにおける議論や主要国の制度改正の潮流に対して国際的な整合性を図っていくための改正も当然に必要となります。

　しかし、その底流には、国際税務に対する課税当局の考え方の大きな変化がありそうです。その第1は、海外からわが国への資金の還流を促進するために税制を優遇し、逆にわが国から海外への資金や資産の流出は抑制するとの方向です。第2には、国際課税をめぐる世界の潮流に追随するだけではなく、むし

ろ積極的に国際的な制度構築を先導していこうとする姿勢です。

　国際課税は、「国際的な租税回避への対応等を通じて我が国の適切な課税権を確保しつつ、我が国経済の活性化のため投資交流を促進し、また、国際的な二重課税を調整するという役割」を担っているものとされています（政府税制調査会「国際課税に関する論点整理」平成22年11月9日）。すなわち、国際税務をめぐる様々な制度改正は、事業活動等をグローバルに展開するための環境整備としての納税者のニーズと、国際的な課税の空白や国境を越えた租税回避行為を防止し、さらにはわが国の内に課税ベースを止め置こうとする国家としてのニーズのせめぎ合いとして捉えることもできそうです。

　一方で、ますます複雑化・精緻化していく国際税務をめぐり、課税当局と納税者との争いも増加しています。近年の重要な国税審判や税務訴訟の事例をみるならば、国際税務に何らかの関わりをもつものが過半に至っている状態です。このことは、国際税務制度を使いこなし、租税回避に陥ることなく税負担の軽減を図っていくようにすることが、企業のタックス・プランニングの成否を握る鍵であることを示しています。

＊　　　　　　　　＊

　本書は、企業等で国際税務の現場に携わっている方々や、税理士、公認会計士をはじめとする実務家を読者に想定して、国際税務をめぐり、長年、第一線で活躍してきた専門家が、それぞれのもっとも得意とする分野について、実務の立場から国際税務を理解するために必要な事項を最新の情報をもとにできるだけ詳しく、かつ、わかり易く解説しています。

　本書が、国際税務を仕事とする方々の日々の手引として活用していただけるならば幸甚です。

平成23年11月

僭越ながら著者を代表して
(社)日本経済団体連合会経済基盤本部長　阿部　泰久

[詳解] 国際税務
CONTENTS

改訂にあたって

まえがき

<table>
<tr><td>第1章</td><td>国際税務の基礎的理解</td></tr>
</table>

第2章　非居住者・扶養親族（非居住者）を有する居住者・外国法人課税

第3章　国内源泉所得

第4章　国外転出時課税

第5章　租税条約

第1節　租税条約の概要 ———————————————— 343

第6章　外国税額控除

第7章　企業の国際投資と外国子会社合算税制

第9章　移転価格税制等に係る文書化

第10章　支払利子規制税制

第11章　国際税務に関するその他の制度

第１節　国外送金等調書提出制度 ——————————— 1109

【凡 例】

＊本書においては、本文中（　）内の参照法令等については以下の略記をしています。

［表示例］　所得税法第164条第1項第1号→所法164①一

国税通則法	国通法
所得税法	所法
同施行令	所令
同施行規則	所規
同基本通達	所基通
法人税法	法法
同施行令	法令
同施行規則	法規
同基本通達	法基通
相続税法	相法
同施行令	相令
同施行規則	相規
同基本通達	相基通
租税特別措置法	措法
同施行令	措令
同施行規則	措規
同関係通達	措通
地方税法	地法
同施行令	地令
同施行規則	地規
金融商品取引法	金商法
租税条約等の実施に伴う所得税法、法人税法 及び地方税法の特例等に関する法律	特例法
租税条約等の実施に伴う所得税法、法人税法 及び地方税法の特例等に関する法律の施行に 関する省令	実施特例省令
内国税の適正な課税の確保を図るための国外 送金等に係る調書の提出等に関する法律	国外送金等調書法
同施行令	国外送金等調書法令
同施行規則	国外送金等調書法規
同通達	国外送金等調書法通

＊本書の内容は、2020年8月末日現在の法令等によっています。

BEPS 最終報告書の実施及び電子経済課税への取り組み

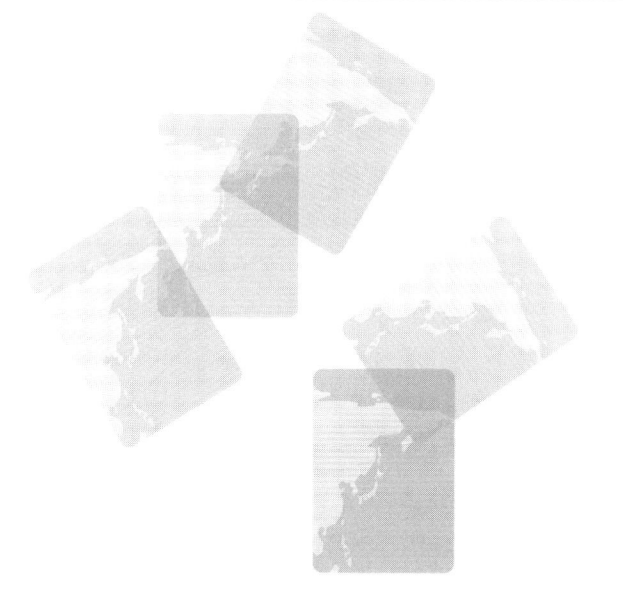

第1節 BEPS 最終報告書

1. はじめに

　国際課税制度は適切な課税権の確保（租税回避の防止）と諸外国との経済交流の促進（二重課税の排除）という2つの政策的要請のバランスの上に成り立っています。我が国の有する租税条約や国内法も例外ではありません。個別の制度の背景には、必ず双方に関する比較考量があります。加えて、課税当局にとっての執行可能性、納税者のコンプライアンス・コストも、制度設計において重要な考慮ポイントとなります。議論の経緯を知ることは、制度の正確な理解、将来の予測を助けます。

　序章では、BEPS最終報告書の実施及び足元の課題であるデジタル課税について説明します。

　なお、意見に関する部分には、筆者の個人的な見解が含まれています。

2. BEPS 最終報告書

　2015年10月にBEPS最終報告書が取りまとめられ、公表されました。同11月のG20サミットで各国首脳の支持を得ています。その内容は、性質によって4つのカテゴリーに分類できます。1つ目はミニマム・スタンダードと呼ばれるもので、すべてのOECD/G20加盟国が一貫した実施を約束するものです。拘束力は強く、行動5（有害税制への対抗）、行動6（条約の濫用防止）、行動13（移転価格文書化）のうちCountry by Country Report（CbCR）、行動14（紛争解決

メカニズムの効率化）が該当します。

　2つ目は既存のスタンダードの改正です。OECDモデル租税条約やOECD移転価格ガイドラインの改訂を伴うものですが、BEPS最終報告書の説明文では「全てのBEPSプロジェクト参加国がその基礎となる租税条約や移転価格税制のスタンダードを承認しているわけではないことに留意する」とされています。すなわち、各国が独自色を発揮する可能性のある分野で、拘束力はミニマム・スタンダードに比べ劣ります。行動7（PE認定の人為的回避の防止）と行動8〜10（移転価格と価値創造の一致）が該当します。

　3つ目は共通アプローチと呼ばれる国内法に関するもので、各国の慣行の統一を促進するものです。行動2（ハイブリッド・ミスマッチ取決めの無効化）と行動4（利子控除制限）が該当します。

　4つ目がベスト・プラクティスです。これは、新しく国内法を導入するなど、問題に対応しようとする国を支援するものです。行動3（効率的なCFC税制の設計）と行動12（義務的開示制度）が該当します。

　なお、行動11（BEPSの測定・モニタリング）については純粋なレポートであり、特段の勧告はなされていませんので、上記の分類には当てはまりません。BEPSによる法人税収の逸失額を全世界で約1,000〜2,400億ドル、法人税収全体に占める割合でみると約4〜10％と見積もっています。また、行動15（多国間協定の開発）も、BEPS最終報告書のうち租税条約の改訂に関する勧告についての実施手続を定めたものですので、同様に当てはまりません。行動1（電子経済への対応）については、消費税に関する勧告は行われましたが、法人税に関する勧告がないため、特に分類されていません。

3．BEPS最終報告書における勧告内容の実施

　BEPS最終報告書の公表後は、OECDが提案した包摂的枠組（Inclusive Framework）のもと、OECD/G20以外の国・地域の参加も得て、BEPS最終報告書のうち拘束力の強いミニマム・スタンダードに関する実施状況のモニタリング作

業が始まっています。現在の包摂的枠組参加国・地域は137です。多国間協定については2018年 7 月 1 日に発効しています。OECD モデル租税条約や OECD 移転価格ガイドラインも BEPS 最終報告書を踏まえ改訂版（2017年版）が公表されました。

　こうした動きと並行して、近年では税の安定性（Tax Certainty）の重要性が国際社会で強調されるようになっています。BEPS 最終報告書で勧告された内容を実施する際、予期せぬ混乱や二重課税が生じないよう、各国は税務紛争の予防・解決に努め、税の安定性を確保すべきというものです。2017年には税の安定性レポートが OECD から公表され、2018年にはその流れを汲んで ICAP（International Compliance Assurance Programme：国際的コンプライアンス保証プログラム）のパイロット・プログラムが開始されています。

　なお、2020年には、勧告の実施状況全体についてレビューが行われる見込みでしたが、デジタル課税の議論及び新型コロナウイルスの影響を受け、今のところ大々的な作業は行われていません。

　BEPS 最終報告書の段階では結論が出なかった積み残しの課題に関する検討も行われました。所得相応性基準や取引単位利益分割法、PE 帰属利得、金融取引といった移転価格税制に関係するものが多く、ガイダンスが公表されています。

　国内に目を転じると、BEPS 最終報告書のうち国内法に関する項目について、逐次、税制改正が行われています。まず、平成27年度税制改正では、BEPS 最終報告書を先取りするかたちで「電子経済への対応」（行動 1 ）に関連する措置を講じています。具体的には、国外の事業者が国内の消費者・事業者に対し国境を越えて行う電子書籍・音楽・広告の配信等の電子商取引に消費税を課税するものです。また、「ハイブリッド・ミスマッチ取決めの無効化」（行動 2 ）との関係で、支払国において損金算入される配当については外国子会社配当益金不算入制度の対象から外し、益金に算入することとされました。

　平成28年度税制改正では、「移転価格文書化」（行動13）の法制化が行われて

おり、国別報告事項、事業概況報告事項が導入されるとともに、独立企業間価格を算定するための書類について一定の条件のもと同時文書化が義務付けられました。

平成29年度税制改正では、行動 3 （効率的な CFC 税制の設計）を踏まえ、外国子会社合算税制の大幅な見直しが行われています。

平成30年度税制改正では、行動 7 （PE 認定の人為的回避の防止）や行動15（多国間協定の開発）を踏まえ、国内法に新たな PE の定義規定を導入することとなりました。また、外国子会社合算税制についても、一部、見直しが行われています。

令和元年度税制改正では、行動 4 （利子控除制限）を踏まえ、過大支払利子税制が厳格化されるとともに、行動 8 （移転価格と価値創造の一致）を踏まえ、所得相応性基準が導入されました。BEPS 最終報告書で勧告された内容のうち、国内法制化が未了なのは、今や行動12（義務的開示制度）のみとなっています。

次節以降では、国内における税制改正の順番に沿って議論の経緯を紹介し、その後、租税条約に関連する事項の説明を行います。このうち次節では、BEPS 最終報告書の実施に留まらず、経済の電子化に伴う国際課税原則の見直しについても言及します。

第2節 電子経済への対応
（行動1及び国際課税原則の見直しに向けた議論）

1. BEPS プロジェクトにおける議論

　現行の国際課税制度は物理的拠点（PE）の有無により事業所得に対する課税の有無を判断しています。このため、電子商取引等、デジタル化が進む現在の多国籍企業のビジネスモデルに適応できていないのではないかとの問題意識があり、BEPS プロジェクトの中で対応策が議論されました。

　検討の過程では、電子経済に関連し、様々な法人課税のオプションが浮上しました。1つ目は、重要な経済的拠点（Significant Economic Presence）の概念に基づく新たな課税です。これは、ある企業がある国に物理的拠点（PE）を保有していなくても、その国の経済と意図的かつ持続的なつながりを示す要素（ローカルドメイン名や収集されたデータ量等）があり、一定の売上額を計上していれば、その国に重要な経済的拠点を保有しているとして、その経済的拠点に帰属する所得に対し課税をするものです。2つ目は、「電子商取引における源泉徴収」であり、国内消費者が国外事業者からオンラインで購入した物品またはサービスに関して、その対価の支払に際し源泉徴収を行うことで国外事業者に課税するというものです。3つ目は「平衡税の導入」です。これは国内事業者には課税されているにもかかわらず、国外事業者には課税されないといった課税上の不公平を是正するために税を課すというものです。

　これらに対し、各国の経済界からは、電子経済を他の経済分野からリング・フェンスし、新たな国際課税原則を創出するのは時期尚早との意見が寄せられ

ました。結果、BEPS 最終報告書では、電子経済がもはや経済そのものになってきている現状において、電子経済を他の経済と切り離して考えるのは難しいこと、また、電子経済やそのビジネスモデルに固有の BEPS リスクは存在せず、電子経済によって BEPS リスクが増幅される側面はあるものの、他の BEPS 最終報告書の勧告内容を実施することで BEPS への対応は十分可能であるとの結論が出され、国際課税原則の大幅な見直しは現時点で不要とされました。議論の過程で検討された上記 3 つの課税オプションについても、他の BEPS 最終報告書の勧告内容が電子経済における BEPS の課題に対して実質的な効果を持つと思われること、各オプションともその対象となる範囲や条件の設定が困難であること、現行の国際課税原則の大幅な変更が必要となることなどから、勧告は行われませんでした。ただし、各国が現行の租税条約を遵守するという条件付きで、BEPS に対する追加防止措置として各国国内法において導入することができるとされています。

　一方、消費税等の付加価値税に関しては、2015年11月に公表された「OECD 国境を越えた取引に係る消費税ガイドライン」の原則を適用することが勧告されました。具体的には、課税地について、事業者間の取引（B to B 取引）は「顧客が所在する国」、事業者と個人消費者間の取引（B to C 取引）は「顧客が居住する国」の原則を適用するとともに、課税方式については B to B 取引ではリバースチャージ方式、B to C 取引では国外の事業者が事業者登録を行った上で徴収する方式の導入について検討することも勧告されています。日本でもこれに対応した改正が平成27年度税制改正で行われています。

2. 電子経済に関する OECD の中間報告

　BEPS 最終報告書では、今後も電子経済が発展し続けることを踏まえ、他の行動計画で勧告された内容が電子経済に与える影響をモニタリングしながら、電子経済における課税上の課題に対する作業を継続していくことが重要であり、2020年までに報告書を取りまとめることとされています。

　これを受け、G20のマンデートにより、OECD は2018年 3 月に中間報告を公表しています。そこでは、高度にデジタル化されたビジネス・モデルの特徴として、①物理的拠点がなくても国境を越えて大規模な活動が行われていること（scale without mass）、②無形資産への依存度が高いこと、③データやユーザの参加が果たす役割が高いことなどが共通点として掲げられる一方、それらに対する課税のあり方については各国でかなり考え方に開きがあることが描写されています。

3. 現在の議論の状況

　その後、2019年 1 月にはポリシー・ノートが、同年 5 月には作業計画が OECD から公表され、電子経済に係る課税問題については第 1 の柱（国家間の利益配分及びネクサスの見直し）と第 2 の柱（ミニマム課税の導入）に分けて検討することになりました。複数回の市中協議を経て、2020年 2 月には BEPS 包摂的枠組の名義でステートメントが公表され、議論の進捗状況が報告されています。また、7 月の G20財務大臣会合のコミュニケでは、2020年10月に 2 つの柱の「青写真」（詳細な制度案と理解されています）を提示するとの目標が示されるとともに、グローバルなコンセンサスに基づく解決策に今年至る旨のコミットメントが再確認されています。ここに至る間、米国のムニューシン財務長官による第 1 の柱に関するセーフハーバー提案（第 1 の柱の適用を企業の選択に委ねる案と解されています）や OECD における検討を一旦停止すべき旨の書簡、欧州諸国その他における一国主義的なデジタル課税の導入と米国からの対抗関税の動きなど、紆余曲折があったところですが、事務的には政府間での議論がだいぶ進展していることが伺えます。2020年 8 月末現在、以下の方向で検討が進んでいます。

(1)　第 1 の柱

　国家間の利益配分及びネクサスの見直しに係る第 1 の柱は、利益 A、B、税の安定性で構成されます。

【利益 A】

　利益 A は多国籍企業グループ（又はそのセグメント）の利益のうち通常利益を超える部分を残余利益として抽出し、その一定割合を売上等の比で市場国に配分するものです。伝統的な移転価格税制とは異なり、独立企業間価格を見ることなく、定式的に国家間の利益を配分するものであり、極めて斬新なアプローチと言えます。

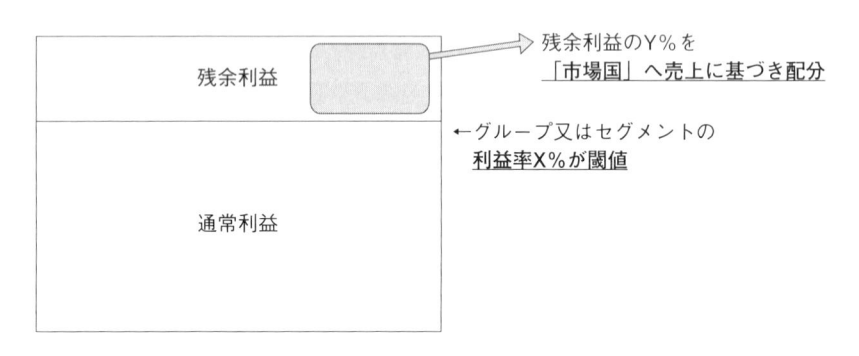

対象事業

　対象事業の範囲は自動化されたデジタルサービス（ADS：automated digital services）及び消費者向けビジネス（CFB：consumer facing business）とされています。ADS はオンライン広告サービス、ユーザーデータの販売又は譲渡、オンライン検索エンジン、ソーシャルメディアプラットフォーム、オンライン仲介プラットフォーム、デジタルコンテンツの配信、オンラインゲーム、標準化されたオンライン教授サービス、クラウドコンピューティングサービス、が対象となる見込みです。また、CFB は一般に消費者（即ち商業上又は職業上の目的ではなく個人利用のために財・役務を購入する個人）に販売されるタイプの財・役務からの収入を生み出すビジネスとされています。ここでいう販売には、消費者への財又は役務の直接販売のみならず、第三者たる再販事業者又は仲介事業者を経由しての販売も含まれます。また、商標登録された消費者向け製品

に係るライセンスの権利から得られる収入を生み出すビジネス及びフランチャイズ・モデルのように消費者ブランド（及び商業上のノウハウ）のライセンスにより収入を生み出す事業も対象となります。結果として、パーソナルコンピューティング製品(例えばソフトウェア、家電用品、携帯電話)、衣服、生活品、化粧品、贅沢品、ブランド飲食料品、フランチャイズ・モデル（レストラン・ホテル）、自動車が消費者向けビジネスとして例示されています。

　消費者に販売される最終製品に組み込まれる中間財及び部品を販売するビジネスはCFBの対象外とされています。ただし消費者が一般的に個人利用のために入手することのできるブランド化された中間財及び部品（例えばタイヤなどが念頭に置かれています)はその例外となる方向です。採掘事業、金融セクター（保険業を含む）の大部分、租税条約で課税権が明確に居住地国に割り振られている国際運輸に係る船舶及び航空は対象外となります。

　IoTビジネスなどのADSとCFBが重なる領域、医療用医薬品がCFBに該当するかなどについては、現在も議論が続いています。対象事業の確定には政治的な判断が必要とされるため、米国大統領選挙との関係もあり、10月の青写真の段階で確定するかどうかは現段階では明らかではありません。

閾値

　対象となる多国籍企業グループの規模についてはCbCRと同じ750百万€（連結総収入金額が約900億円）の閾値案が提示されています。これ加え、いくつかのカーブ・アウト（適用免除）案が検討されています。例えば、大規模グループではあるが、主として国内で事業活動を展開しており国外所得が僅少であるが故に、市場国に配分する利益が一定のデミニマス金額に満たない場合です。さらには、多国籍企業グループが分散化された（decentralized）ビジネス・モデルを採用する場合には、市場国にすでに利益が十分に配分されているとの見立ての下、利益Aの配分を行わないとの案（マーケティング及び販売利益セーフハーバー）も検討されています。いずれも現段階では具体的な数値基準が示さ

れたわけではありませんが、対象を絞り込む方向で議論が進んでいることは確かです。

ネクサス

　対象事業に係る収入金額がある市場国で一定の閾値以上となる場合、その市場国でネクサスが認定されます。今後、各国の市場規模なども考慮した上で、絶対額により最小値が示されることになります。ADS については収入金額がネクサス認定にあたり唯一の判定基準となり、市場国に PE がなくても課税されることになります（現在、仮置きで100万ユーロ）。一方の CFB については収入金額に加え追加の要素（例えば市場国において物理的な存在を有する場合など）を検討することとされています（現在、仮置きで300万ユーロ）。また、収入金額がどの法域で発生しているかを判定するソース・ルールの検討も行われています。第三者を経由して製品を販売した場合、厳密に最終消費者の所在地を特定するのは困難なため、柔軟な取り扱いが期待されます。現在、CFB については、まず当該第三者に最終消費地（販売先）の報告を求め、困難な場合は他の合理的に入手できる情報で判定するとのステップを踏んだアプローチが検討されています。

　新しいネクサス・ルールは独立のルールとして定められ、既存の他の税制及び税以外のルール（消費税や関税など）への波及効果は遮断されます。

配分利益の計算

　利益 A は連結財務諸表上の税引前利益を基礎に計算します。IFRS・USGAAP の他、日本基準（JGAAP）も認められます。利引前利益は、課税所得に近いこと、会計基準間の比較可能性が高いことから採用されました。ただし、そのまま使うのではなく、いくつかの永久差異項目その他の調整を加えることになります（配当や持分法投資損益の除外など）。また、利益 A は損失も考慮します。利益 A 導入前の損失及び導入後の損失の双方について、繰越ルールが検討さ

れています。

　対象ビジネスに係る利益をある程度正確に抽出する観点から、連結財務諸表についてセグメンテーションを行う案が検討されています。但し事務負担軽減の観点から、連結総収入金額に基づく閾値を設け、それに満たない場合はセグメンテーションが免除される見込みです。セグメンテーションを行う場合には、既存の開示セグメントに基づき一定の調整を行うことになります。なお、ステートメントの段階では、事業ごとのセグメンテーションの他、地域間でのセグメントについても検討課題として掲げられていましたが、現在は基本的に困難と考えられている模様です。

　今のところ通常利益率や残余利益のうち市場国への配分割合は提示されておりません。対象事業の範囲とならび、政治決着が必要な分野とされています。なお、企業のデジタル化の度合いによって市場国への配分割合を変えること（いわゆる "digital differentiation"）が引き続き検討課題とされています。電子経済の囲い込み（リング・フェンス）に通ずる論点であり、関係国間で議論が分かれています。

　残余利益のうち市場国に配分されるものとしてプールされた金額は、収入金額（売上）に基づき各国に按分します。収入金額に係るソース・ルールを定める必要があることはネクサス認定の場合と同様です。

申告・納付及び二重課税の排除

　利益Aが決定されたとして、それを市場国に実際に配分するのがグループ内のどの事業体となるのか、その場合、二重課税の救済方法はどうするのかについては、検討中です。配分を行うのは究極の親会社に限られない見込みです。まず、既存の移転価格文書を活用してグループ内企業の機能・リスクを検証し（活動テスト）、さらに数値基準なども用いて（収益性テスト）、残余利益を有し、かつ、税の支払能力のある者を特定する方向で議論が進められています。その上で、納税義務はその中でも市場国との関係があるグループ内企業に割り振ら

れ（市場関連プライオリティ・テスト）、残余の利益Aは他の企業の間で定式に基づき配分します（プロラタ配分）二重課税排除の方策としては、所得免除と税額控除の両案が掲げられています。

　なお、多数の法域で利益Aの申告・納付を行う事務負担を軽減する観点から、特定の税務当局のみに申告を行うワンストップショップ制度も検討されています。

実施関係

　利益Aについては関係国が膨大になることを踏まえ、既存の条約がない場合もカバーできる（BEPS防止措置実施条約とは異なる）新たな多国間協定の策定が検討されています。また、関係国による一貫性のある実施を目指しつつ、段階的な施行や経過措置の導入（例えばスコープやセグメンテーションに係る総収入金額の閾値を当初は高めに設定し、数年かけて除々に引き下げていく案）も検討されています。米国の提案したセーフハーバールールについても引き続き議論の対象となっています。

　利益Aの適用を概観すると次の通りです。

【ステップ1】
　グローバル収入金額テスト（多国籍企業グループの連結総収入金額が［　］ユーロ超の場合のみ利益Aの対象とする）

【ステップ2】
　デミニマステスト（対象事業に係る外国源泉の収入金額の合計額が［　］ユーロ超の場合のみ、利益Aの対象とする）

【ステップ3】
　適格会計基準に基づく連結財務諸表を基礎に一定の調整を行い、税引前利益を算出する

【ステップ4】
　連結総収入金額が［　］ユーロ超の場合のみ、多国籍企業グループは税引前利益

のセグメンテーションを実施する

【ステップ5】
　損失の考慮

【ステップ6】
　ネクサス・テスト（利益Aの配分を受けることのできる市場国の特定）

【ステップ7】
　定式に基づき、当該市場国に残余利益を配分

【ステップ8】
　マーケティング及び販売利益セーフハーバー（当該市場国に子会社等を有する場合に利益Aの配分額を調整）

【ステップ9】
　二重課税の調整及び利益Aの納付

【ステップ10】
　共通プラットフォームを通じた利益Aの自己査定の提出及び早期の税の安定性プロセス

【利益B】

　利益Bは基礎的なマーケティング・販売活動を行う市場国の販社等に一定の利益の最低保証を行うものです。これにより移転価格税制の簡素化と税の安定性の向上が期待されています。利益Aとは異なり、利益Bにおける固定リターンは独立企業原則に基づくものと整理されています。

　「基礎的な」の意義については、販社等の機能がルーティンなレベルに留まること、無形資産の所有がないこと、リスクがない又は限定的であることなどの要素を掲げた上で、今後、定性的・定量的にポジティブ方式でその内容を（対象外の活動・事業体のリストとともに）具体化するとされています。ただし利益Bの射程（例えば、コミッショネアやセールス・エージェントを含めるか否か）に

ついては、政府間で意見のギャップがあるようです。固定リターンを何%にするかは現段階では決まっておらず、産業別・地域別にどの程度、異なる取り扱いを行うかといった点も含め、検討されています。なお、制度の本格的な導入開始前に、アフリカを舞台に有志によるパイロットプロジェクトを実施することも検討されています。

【税の安定性】

　主たる内容は紛争の予防・解決です。今回の電子経済課税の議論では、新しい課税方式を導入するだけに、税の安定性の重要性が強調されています。利益Aについては、紛争の予防・解決において拘束力のある方策を開発するとされており、予防については、関係各国の代表者などからなる二段階のパネルが検討されています。これは既存のAPAやICAPからアイディアを得たものです。一方、利益A以外については、義務的な紛争防止・解決手段の採否や適用範囲等について引き続き検討が行われており、関係国の意見が分かれています。いずれにせよ、第1の柱の文脈では、仲裁の採用はハードルが高く、それ以外の方法が模索されているという状況です。

　第1の柱に対する日本企業の視点は、要約すれば「対象は狭く、計算は簡素に、利益配分は穏当に」というものです。経済の電子化に伴い新たな国際課税ルールを構築する必要性は理解できますが、あらゆる改革は比例原則に従う必要があります。10月に青写真が公表された後も、実施に向けて技術的な議論が続くと考えられるため、建設的に議論に関与していく必要があります。

(2)　第2の柱

　第2の柱は、軽課税国への税源浸食・利益移転を防止するとともに各国における法人税の引下げ競争に歯止めをかける観点から、多国籍企業グループに対し、国際的に合意されたミニマム税率まで課税を行うものです。所得合算ルール（IIR: Income Inclusion Rule）及び軽課税支払ルール（UTPR: Undertaxed Payment Rule）、Subject to Tax Rule（STTR）等から成ります。総称して GloBE（Global Anti-Base Erosion Proposal）と呼ばれます。

IIR

　IIR は租税負担割合がミニマム税率に満たない外国子会社の所得について、多国籍企業グループの親会社所在地国において当該ミニマム税率に達するまでトップアップで課税するものです。外国子会社合算税制と類似していますが、対象所得について日本の法人実効税率を適用するわけではない点が異なります。米国の GILTI（Global Intangible Low-Taxed Income）から着想を得た制度とされます。

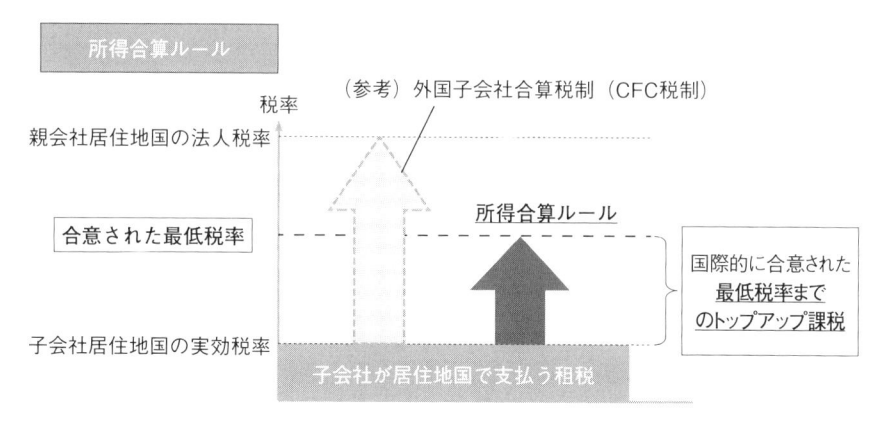

　対象となる多国籍企業グループについては、第 1 の柱と同様、連結総収入金額750百万€の閾値が設定される方向です。

　租税負担割合の分母である課税ベースは究極の親会社において使用する会計基準をベースに算定します。IFRS の他、JGAAP の利用も認められる見込みです。課税所得と近似させるため、配当や持分法投資損益を除外するなどいくつかの調整を行います。

　なお、租税負担割合は、国・地域ごとに行う方向で検討が進められています。各国の企業は簡素化の観点から全世界ベースでの計算を要望しましたが、この

方式だと高税率国と軽課税国の所得・税額が「ブレンド」され、ミニマム税が潜脱される恐れがあるため、採用される見込みがありません。

　国・地域別のブレンディングでは、当該国・地域に所在する子会社の所得・税額を一定の方式により集計し、租税負担割合を判定する必要があることから、事務負担の飛躍的増大が見込まれます。そこで、CbCR を用いた閾値を設定することにより、例えば租税負担割合が相応に高いと見られる国・地域については計算を免除することも考えられています。こうした簡素化措置については、今後、ビジネスへのコンサルテーションが予定されています。

　外国子会社合算税は能動的な所得については課税しないという建付けですが、IIR は外国子会社の経済実体を見ることなく、ミニマム税率に達するまで課税する制度です。しかしこれでは納税者にとって酷であり、また、IIR の厳格化を良しとしない国もあります。そこで、給与や有形資産の一定割合といった能動的所得見合いの部分を IIR の対象から免除することも検討されています。

UTPR

　UTPR はミニマム税率に達しない軽課税国に対する税源浸食的な支払を防止するための措置であり、IIR のバックストップとして位置づけられています。すなわち、多国籍企業グループの親会社所在地国において国際水準に達した IIR が整備されていれば、その外国子会社に対して TPR は発動されない一方、IIR が整備されていなければ TPR が発動されることになります。IIR と UTPR の同時適用は二重課税につながるため、制度間の関係が整理されたということです。

　UTPR の計算方法については、基本的には IIR と同様の方式により国・地域別に租税負担割合を計算し、ミニマム税率に達しない部分の税額をトップアップで計上、その額を一定の配分キー（第一ステップでは、軽課税のグループ企業に対する控除可能な支払いの比、第二ステップでは、グループ内のネットの支出の

比）により UTPR の導入国に按分することが検討されています。

STTR

　STTR はミニマム税率に達しない軽課税国への支払いについてトップ・アップで課税を行うもので、二国間の租税条約の分脈で定められます。親会社所在地国で IIR が整備されていれば子会社所在地国で TPR が発動されないという建付けからすると、子会社所在地国の税務当局からすると税収の増加があまり期待できないため、別途の税収確保策として STTR に期待が高まっているようです。但し IIR 及び UTPR との重複感が強いため、導入する場合でも利子及び使用料以外について、どのような支払いを対象とするかについて、政府間で議論が分かれています。なお、導入する場合は、IIR 及び UTPR に優先して適用されます。

　日本企業の第 2 の柱に対する見方は懐疑的です。平成29年度税制改正で抜本的に強化された外国子会社合算税制に加えて IIR を導入する趣旨が明確ではなく、税負担・事務負担の両面で強い懸念があるためです。そこで、導入が仮に不可避な場合も一定の能動的所得見合いの部分を除外すること、また、閾値の導入や計算のできる限りの簡素化を求めています。令和 3 年度改正で議論する段階にはありませんが、ひとたび OECD での議論が決着すれば、国内法制化が待ち受けています。IIR を導入しなかったとしても諸外国で UTPR が待ち受けていることからすれば、何も手当てをしないというのは困難かもしれません。こちらについても10月の青写真の内容が注目されます。

第3節 ハイブリッド・ミスマッチ取決めの無効化（行動 2）

1. BEPS プロジェクトにおける議論

　多国籍企業による節税策の代表例として紹介されることの多いダブル・アイリッシュ・ダッチ・サンドウィッチでは、ハイブリッド・ミスマッチ取決め、すなわち、金融商品や事業体に関する各国の税務上の取扱いの差異を利用したスキームが利用されたといわれています。

　金融商品に関するハイブリッド・ミスマッチ取決めの典型例は資本と負債に関する取扱いの差異を利用したものです。例えば、一方の国では親会社から子会社に対する資金提供が資本投下と取り扱われるため、資本に対するリターンは配当と見なされ、配当免税が適用される一方、他方の国では負債とされるため、対応する支払は利子と見なされ、損金算入となり、どちらの国でも課税されない事態が生じます。

　また、事業体に関するハイブリッド・ミスマッチ取決めは、ある事業体を法人と見なすか、透明な事業体と見なすかということに関する各国の税務上の取扱の差異を利用したものです。一方の国において損金算入された額が他方の国においても損金算入されるという「二重控除」の原因とされています。

　BEPS 最終報告書では、こうした問題に対処するため、自国における金融商品や事業体に関する税務上の取扱いを相手国における取扱いを踏まえて定める「リンキング・ルール」が勧告されました。上記の金融商品の例では、親会社からみて、配当の支払国で、その配当が損金算入される場合には、親会社にお

いて配当免税を適用せず、益金に算入することが勧告されました。また、事業体の例では、仮に国内親会社—海外子会社という関係の中で、子会社において発生した費用を親会社も同様に費用として認識するという二重控除が生じている場合には、まず、第1ルールとして、親会社所在地国が親会社による費用の損金算入を否認することになり、仮に親会社所在地国がそのようなルールを整備していない場合、第2ルールとして、子会社所在地国が、子会社の損金算入を否認することになりました。この事業体に関するルールは親子の資本関係が50％以上である場合に適用されます。

2. 国内法改正

　行動2については、BEPSプロジェクトのなかでも検討が早く進み、2014年9月の段階で中間報告が公表されたことを受け、日本としては平成27年度税制改正で対応しています。具体的には、損金算入配当について外国子会社配当益金不算入制度を適用しない措置が講じられました。豪州やブラジルの子会社からの配当のうち現地において損金算入されるものが対象となり、豪州については償還優先株式（Mandatory Redeemable Preference Share）からの配当が該当します。平成28年4月1日から適用が開始されています。

　リンキング・ルールとして勧告された内容は多岐に渡りますが、日本としてはこのように一部、措置しているため、当面、行動2に関連した大きな国内法の改正は予定されていません。

 第4節　移転価格文書化（行動13）

1. BEPSプロジェクトにおける議論

　移転価格文書化の議論が行われた背景には、いわゆる「情報の非対称」の問題があります。従来、各国の課税当局は、企業の国外関連者との個々の取引に関する情報（BEPS最終報告書ではローカルファイルと呼ばれる文書）の提供を求めることで、移転価格税制の適正な執行を実現しようとしていました。しかし、一部の多国籍企業は、第三国を含め複数の国を介在させる複雑なスキームを利用します。このため、課税当局としては、個々の国外関連取引に関する情報のみでは、移転価格が適正であるかどうかの判断が困難であり、多国籍企業グループの全体像（Big Picture）を把握するための資料が不可欠と考えるようになっていました。

　そこで提案されたのがCountry by Country Report（CbCR）とマスターファイルです。前者は、多国籍企業グループの活動概況を定量的に説明するものです。親会社、子会社等が所在する国・地域ごとに、総収入金額、税引前利益、法人税額、資本金、利益剰余金、従業員数、有形資産等の情報を表示します。課税当局としては、CbCRを確認すれば、多国籍企業グループの利益がどの国に滞留しているか、状況が分かることになります。

　後者は、多国籍企業グループの活動概況を定性的に記載するものです。組織構造、事業概況、無形資産に関する情報、金融活動に関する情報、財務・税務に関する説明が必要とされます。これにより、課税当局としては、ある企業の

行った国外関連取引をローカルファイルをもとに単なる点として検証するのではなく、グループ全体のビジネスの文脈のなかで理解し、検証できるようになります。

　CbCR は BEPS 最終報告書においてミニマム・スタンダードに分類され、提出方法については機密情報を適切に管理する等の観点から、提出先を親会社所在地国の課税当局に限定し、関連する他の課税当局に対しては租税条約に基づく情報交換により共有する方法（条約方式）が採用されました。進出先の子会社を経由した提出方法は（子会社方式）は、条約方式が機能しない場合の第2方式と整理されています。

　また、CbCR については、提供された数値情報が各国の課税当局によってどのように利用されるのか企業において懸念があったため、BEPS 最終報告書では目的が明確化されました。すなわち、CbCR は、あくまでも多国籍企業グループに BEPS の疑いがあるか否かというハイレベルなリスク評価を行うための資料であり、記載された情報をもって安易に移転価格課税を行ったり定式配分を行ったりしてはならないとされました。

　マスターファイルについては、ミニマム・スタンダードには分類されず、BEPS 最終報告書でテンプレートが示されたものの、導入するか否か、また、導入する場合の実際のフォーマットをどうするかについては、各国の判断に委ねることとなりました。

2．国内法改正

　BEPS 最終報告書を踏まえ、OECD 移転価格ガイドラインの第5章（文書化）が全面改訂されることになり、日本でも平成28年度税制改正において、新たな移転価格文書化制度が導入されました。

　国別報告事項（CbCR）と事業概況報告事項（マスターファイル）については、平成28年4月1日以降開始事業年度分から作成義務が課されることとなりました。対象となる多国籍企業グループは、連結財務諸表を作成すべき企業集団で

2以上の国で事業を行うものです。ただし、グループの直前会計年度の連結総収入金額が1,000億円未満であれば、両文書の作成は免除されます。国別報告事項についてはBEPS最終報告書で定められたテンプレートと同様のものを作成することになります。最終親会社の会計年度終了の翌日から1年以内に、e-Taxを通じてオンラインで所轄の税務署長に提出します。必ず各国に共有されるという性質を踏まえ、使用言語は英語です。期限内に提出がない場合には30万円以下の罰金が科されます。

　事業概況報告事項についても、BEPS最終報告書で定められた内容に準拠することになります。提出期限や罰則は国別報告事項と同じです。使用言語は日本語または英語です。ただし、国別報告事項とは異なり、当局間で共有されるものではなく、立地している各国課税当局へそれぞれの国の法制に基づいて提出することになるため、それぞれの国の制度に沿って内容の調整が必要となります。

　BEPS最終報告書では、ローカルファイルについてもテンプレートが定められましたが、これは日本の移転価格税制における独立企業間価格を算定するために必要な書類に相当します。平成28年度税制改正以前は、法律上は作成義務がありませんでしたが、現在は、OECDの勧告に従い、確定申告書の提出期限までに作成することが義務付けられています（同時文書化）。そして、その後の税務調査でそれら書類が求められた場合において、一定期限までに提示または提出がない場合には、推定課税が行われるおそれがあります。ただ、すべての国外関連取引について同時文書化が求められるわけではなく、重要性基準が設けられています。平成29年4月1日以降に開始する事業年度分から適用されています。

3. 今後の課題

　CbCRはミニマム・スタンダードに該当するため、BEPS最終報告書における合意事項が守られるのか、すなわち、テンプレートで定められている以上の

追加情報が請求されないか、情報漏洩がされないか、不適切に利用されないかなど、包摂的枠組においてピアレビューの対象となっており、基準に満たない法域は勧告の対象となっています。守秘等の基準に満たないがゆえに、条約方式の基礎となる権限のある当局間合意が結ばれず、結果として子会社方式となっている法域も散見され、早期の改善が期待されます。

　税の安定性との関係では、2018年から ICAP（International Compliance Assurance Programme：国際的コンプライアンス保証プログラム）のパイロット・プログラムが始まっています。多国籍企業が提出した CbCR 等の情報をもとに多国間で移転価格等のリスク評価を行うもので、当該企業のリスクが低いと判断された場合には関係国から保証レターが発行されます。税務紛争を予防し、予見可能性を高めるツールの 1 つとして課税当局及び納税者の双方から期待が寄せられています。2019年には、日本を含む先進19カ国の参加を得てパイロット・プロジェクトの第 2 期（ICAP 2.0）が始まっており、新興国・途上国も含め、取り組みがさらに広がっていくことが期待されます。

　CbCR については、2020年に再度見直すこととされており、その市中協議が始まっています。そこでは、国別報告事項の記載内容を国ごとではなく事業体ごとにする案、国ごとの合計データ（事業体のデータを単純に積み上げたもの）ではなく連結データ（同一国内の事業体間の取引等を相殺消去したもの）とする案、利子・使用料・役務提供に係る所得及び費用等、記載項目を拡大する案などが提示されております。これらは、BEPS 最終報告書の取りまとめに至る段階でも活発な議論が行われた論点であり、議論の繰り返しともいえるものです。加えて NGO 等は、そもそも CbCR を公開すべきと主張しています。さらに関係者からは、電子経済課税に関する議論の結果によっては、CbCR の役割を見直すべきとの指摘も出始めています。税務当局によるハイレベルなリスク評価という CbCR の本来の趣旨・目的が変容する可能性があり、引き続き国際的な議論の動向に注視する必要がありそうです。

　なお、マスターファイルについても市中協議の対象となっており、各国の経

済界からは、ミニマム・スタンダード化までは求めないまでも、その内容を各国で標準化するとともに、申告期限を柔軟なものにすべきとの意見が提出されています。法域によっては独自のマスターファイルを法制化しており、BEPS最終報告書のテンプレートを超える追加的な情報要求が行われるとともに、多国籍企業グループの親会社所在地国における申告期限よりも早い申告期限が設定されているケースもあるためです。

第5節 効率的な CFC 税制の設計
（行動3）

1. BEPS プロジェクトにおける議論

　多国籍企業による節税策のうち、とりわけ問題視されていたのがキャッシュ・ボックス・スキームと呼ばれるものです。特段の経済活動は行わないものの資金は豊富である子会社（キャッシュ・ボックス）を軽課税国に設置し、そこに利益を集中させる手法であり、このスキームへの対応が今回の BEPS プロジェクトが始まったきっかけの1つとされています。

　対応策は様々な切り口から議論されました。例えば行動13では、前述の通り CbCR によってキャッシュ・ボックスにおける利益の滞留状況を可視化することとされ、行動8〜10の移転価格税制では、後に見るように、親会社とキャッシュ・ボックスとの取引において利益の移転を起こりにくくさせる方向で議論が行われました。これに対し、行動3の狙いは、キャッシュ・ボックスの所得を一定の場合、親会社の所得に合算するというものです。すでに先進諸国が様々な形態の CFC 税制を採用する一方、制度を導入していない国もある中で、BEPS 対策の観点から効率的な CFC 税制とはどのようなものか、検討が行われました。

　BEPS 最終報告書では、CFC 税制について以下の通り6つの構成要素を提示しつつ、各国による柔軟な制度設計を許容することとなりました。ベスト・プラクティスと位置づけられ、核心部である合算対象所得の定義についても、幅の広い選択肢が示されました。

(1)　CFC 税制の対象となる外国子会社

　基本的に親会社等が直接・間接に法的・経済的持分を50％超保有している外国子会社が CFC 税制の対象となります。

(2)　適用除外基準

　外国子会社等の租税負担割合が一定水準（トリガー税率）を上回る場合には、CFC 税制を適用しないことが勧告されています。BEPS 最終報告書では特段、トリガー税率の具体的な水準について言及はありませんが、親会社所在地国の法人実効税率よりも有意に低い（meaningfully lower）水準とすることが勧告されています。

(3)　合算対象所得の定義

　(1)、(2)により、CFC 税制の適用対象となる外国子会社の絞り込みを行った上で、BEPS 最終報告書では、合算対象とすべき所得（以下、CFC 所得）の特定方法について、3つのオプションが勧告されました。

　1つはカテゴリカル分析と呼ばれるもので、配当、利子、保険所得、ロイヤルティ等、一般的に所得移転の蓋然性が高いとされる所得を法的形式等に基づき分類し、そのうち一定のものを合算する方法です。もう1つは実質分析と呼ばれるもので、実質的な経済活動が伴っている所得かどうかで合算の有無を判定するものです。3つ目は超過利得分析と呼ばれる方法で、外国子会社等の所得のうち、通常所得を超えるとされる部分を一定の算式によりいわば機械的に抽出し、超過利得として合算するものです。BEPS 最終報告書では、これらを単独または複合的に用いて、CFC 所得を特定することとしています。

　その上で、CFC 所得の合算の考え方として2つのアプローチが提唱されています。1つ目は、外国子会社等の総所得に占める CFC 所得の相対的な多寡に応じてその外国子会社等の総所得を全部合算または全部非合算とするもの（エンティティ・アプローチ）です。2つ目は、あくまでも特定された CFC 所得のみを合算するもの（トランザクショナル・アプローチ）です。諸外国の税制もどちらか一方に統一されているわけではありません。BEPS 最終報告書では、

これらを並列的に位置付けており、各国が国内の政策的枠組みと整合性のある方法を策定できるとしています。

(4)　合算所得の計算ルール

企業及び課税当局の事務負担を軽減すべく、外国子会社等の所在地国の法令ではなく、親会社所在地国の法令に基づき合算所得を計算することが勧告されました。

(5)　親会社所得への合算方法

合算所得は、外国子会社等に対する親会社の持分割合に応じて合算されることとなります。

(6)　二重課税の排除

合算課税がなされた場合、外国子会社等の所在地国と親会社の所在地国で同一所得に対する二重課税が発生するため、BEPS 最終報告書では、二重課税を排除・調整することが重要であると強調されています。具体的には、外国子会社等が納付した法人税額を親会社が自ら払ったと見なして親会社の法人税額から控除できる外国税額控除制度が勧告されています。また、合算課税された外国子会社等からの配当に対する親会社での課税免除等も推奨されています。

2. 国内法改正

日本の CFC 税制である外国子会社合算税制は、BEPS 最終報告書の内容と平仄の取れたものになっています。上記のビルディング・ブロックのうち、(1)、(2)、(4)～(6)は日本と大きく異なるところがなく、(3)の「合算対象所得」についても同様の解釈が可能です。すなわち、軽課税国に所在する子会社に経済実体がない場合、会社単位で所得が全部合算されるという局面を捉えれば、実質分析を経てエンティティ・アプローチにより CFC 所得を特定・合算しているといえます。また、その子会社に経済実体がある場合でも一定の資産性所得については合算課税されることに着目するならば、カテゴリカル分析を経てトランザクショナル・アプローチにより CFC 所得を特定・合算しているといえます。

　事実、最終報告書でも、日本の制度はエンティティ・アプローチとトランザクショナル・アプローチのハイブリッド型であり、実質的にはトランザクショナル・アプローチの一種と整理されています。

　他方、日本の CFC 税制には、かねてより、いくつか過剰合算・過少合算の問題が指摘されていました。例えば、航空機リース事業は、事業実体があったとしても適用除外基準を満たすことができず、一律に合算の対象となっていました（過剰合算）。一方、租税負担率が20％以上の外国子会社の場合は、事業実体がまったくない場合でも合算を免れる状態となっていました（過少合算）。

　そこで、平成29年度税制改正では、既存の CFC 税制の基本構造を維持しつつ、これらの問題に対処することとなりました。具体的には、外国関係会社の判定方法の見直し（実質支配基準の導入、間接保有割合の計算方法の見直し）、トリガー税率の廃止と制度適用免除基準の導入、ペーパーカンパニーやキャッシュ・ボックス等に係る全部合算制度の導入、適用除外基準から経済活動基準への切り替え及び要件の一部緩和（航空機リース事業を一律に合算対象としない等）、資産性所得合算課税の範囲拡大及びデミニマス基準の拡充などが行われています。資産性所得合算課税のうち、新たに導入された「異常所得」は、BEPS 最終報告書における超過利得分析の一形態ともいえるものです。

　新制度は平成30年4月1日以降に開始する外国関係会社の事業年度から適用されています。

　なお、平成30年度税制改正でも、一定の外国関係会社で生じるキャピタルゲインの合算免除、外国金融子会社等の範囲見直しなど、追加的な改正が行われました。特に前者については、企業の競争力強化に資するものとして、評価されています。令和元年度税制改正では、連邦法人税率の大幅な引き下げ（35％→21％）を行った米国を念頭に、一定のペーパーカンパニーを合算対象から除く措置が講じられました。また、令和2年度税制改正では、一定のユーザンス金利を資産性所得合算課税の対象から除外することとされました。このように、平成29年度改正における抜本改正後も、適宜、制度のチューニングを行ってい

る状況です。

　2020年は、3月決算法人にとっては平成29年度税制改正を踏まえた外国子会社合算税制の初めての申告の年です。予想されていた通り、情報収集等に係る事務工数の増加が課題として浮かび上がってきており、産業界全体への影響が大きい項目については、今後も税制改正で議論が行われるものと思われます。

第6節　利子控除制限（行動4）

1. BEPS プロジェクトにおける議論

　多国籍企業グループによる過大な利払いを制限する観点から、利子控除制限の議論が行われました。基本的な発想は、「グループ全体の第三者への純支払利子を超えた損金算入は行うべきではない」というものです。この結果、議論の過程では、グループ比率ルール、すなわち、グループ全体の純支払利子を資産や所得など一定の配分キーに基づきグループの構成会社に按分し、その金額をもって各構成会社における支払利子の損金算入限度額とする制度が推奨されていました。

　グループ比率ルールは、納税者の事務負担が著しく増加する恐れがあり、また、各国で経済環境や金利が異なり、企業の資金調達ニーズも様々である中で、グループ全体の純支払利子を一律に構成会社に按分することが適切なのか、という問題もありました。こうした懸念を踏まえ、BEPS 最終報告書では、グループ比率ルールではなく、固定比率ルールが制度の骨格として提案されました。

　固定比率ルールは、企業の純支払利子がその企業の EBITDA(Earnings Before Interest, Taxes, Depreciation and Amortization：利子・税金・減価償却費計上前の利益) に固定比率（10〜30％の範囲の中で各国が設定）を乗じた額を超える場合、その超える部分に相当する金額の支払利子を損金算入しないもので、平成24年度税制改正で導入された日本の過大支払利子税制（関連者純支払利子等の額が調整所得金額の50％を超える場合、その超える部分の金額は損金不算入）と基本構造

が類似しています。固定比率に選択の幅があるのは、極限まで利子控除制限を厳しくしたい国とそこまで深刻な BEPS リスクには直面していない国で考え方にギャップがあったためです。

　その上で、グループ比率ルールは、固定比率ルールを補完するオプションとして位置づけられました。具体的には、固定比率ルールにおいて損金算入できないとされた部分についても、その企業の EBITDA にグループ比率（グループ全体の第三者に対する純支払利子÷グループ全体の EBITDA）を乗じた金額までは支払利子の損金算入を容認するものです。

　BEPS 最終報告書では、この他、デミニマス基準、特別ルール、損金不算入額の繰越、銀行・保険業における利子控除制限、経過措置のあり方等に関し、考え方やオプションを提示しています。この勧告は共通アプローチとして位置づけられています。

2．国内法改正

　令和元年度税制改正では、既存の過大支払利子税制を踏まえつつ、BEPS 最終報告書の趣旨をどのように取り込むかが課題となりました。主たる論点及びその結論は次の通りです。

⑴　制限対象となる利子の範囲

　過大支払利子税制では、実質的に国外の関連者への純支払利子のみが制限対象となるところ、固定比率ルールでは、国内・国外／関連者・非関連者の区分を問わず、すべての純支払利子が対象です。BEPS 最終報告書をそのまま採用すると、租税回避とは関係のない国内の銀行借り入れ等も制限の対象となることから、最終的には事実上、国外への純支払利子等（第三者に対するものを含む）のみが制限対象となりました。

⑵　固定比率の水準

　過大支払利子税制では調整所得金額の50％まで支払利子の損金算入を許容していますが、固定比率ルールでは EBITDA の10〜30％の間で各国が設定した

比率までしか支払利子の損金算入ができません。下記(3)の通り調整所得金額と
EBITDA は範囲が異なりますが、固定比率ルールが適用されると、50%から10
〜30%に変わることから、損金算入の範囲が狭まります。

　米国や EU は制限対象利子をすべての純支払利子としつつ固定比率について
は上限の30%を適用しましたが、日本では(1)で見た通り、制限対象利子の範囲
を BEPS 最終報告書の勧告よりも狭めたため、そのこととのバランスから、固
定比率は20%で設定することになりました。

(3)　EBITDA の範囲

　過大支払利子税制における調整所得金額は、簡略化して説明するならば課税
所得に国外関連者への純支払利子、受取配当（国内・国外）益金不算入額、減
価償却費を加算した金額ですが、BEPS 最終報告書における EBITDA は、課税
所得にすべての純支払利子、減価償却費を加算して算出することとされており、
調整所得金額には含まれている受取配当（国内・国外）益金不算入額を含みま
せん。こちらについても、(1)で制限対象利子の範囲を限定したこととの兼ね合
いで、BEPS 最終報告書の通り、受取配当（国内・国外）に加算しないことと
しました。

　なお、改正前の過大支払利子税制では、関連者純支払利子等の額が1000万円
以下の場合又は関連者への支払利子等の額が総支払利子等の額の50%未満の場
合、適用が免除されますが、改正後は、純支払利子等の額が2000万円以下等の
場合、適用が免除されることになります。新制度は、令和2年4月1日に開始
する事業年度から適用されています。

　通常の企業であれば、基本的には改正後の過大支払利子税制には抵触しない
と見込まれ、現実的な制度と評価することができます。新型コロナウイルスの
感染拡大を踏まえ企業業績が悪化する中、調整所得金額が減少し、損金不算入
額が生じる恐れがありますが、損金不算入額については7年間の繰越しが認め
られています。現時点では、過大支払利子税制についてさらなる大幅な改正を
行う動きはありません。

第7節 移転価格と価値創造の一致
（行動 8 〜10）

1. BEPS プロジェクトにおける議論

　一部の多国籍企業は、移転価格を調整して軽課税国に利益を移転し、グループ全体として節税を図っていたとされています。とりわけ問題とされていたのが CFC 税制の項でも説明したキャッシュ・ボックスです。軽課税国に所在するキャッシュ・ボックスに無形資産の法的所有権や契約上のリスクを帰属させ、利益を集中させる手法に対し、どのように対抗するかが中心的な課題となりました。

　ただし、移転価格課税をめぐる争いは、高課税国と軽課税国の間のみならず、法人税率が同程度である国同士でも生じていました。各国の移転価格課税に対する立場の違い等に起因するもので、多額の課税事案も発生しています。また、独立企業原則の適用に当たっては、企業が果たした機能について、使用する資産、引き受けるリスクを含めて分析・検討することになりますが、リスク分析についてはあまり詳細に議論されることがなく、その分析手法は明確になっていませんでした。移転価格税制の機能強化も課題となっていたということです。

　結果、BEPS 最終報告書では、「移転価格の結果と価値創造の一致」、すなわち価値創造（value creation）のあるところに利益をつけるべきである、という原則が打ち出されました。この原則を無形資産の関連する取引に当てはめるとどうなるのか、ということを検討したのが行動 8 であり、契約上のリスク配分や資本の豊富な子会社との関係ではどう考えるかということを分析したのが行

動9です。一方、行動10では、多国籍企業グループ内の企業が相互に貢献し合い、より大きな利益を生み出している場合に、価値創造に合致した最適な課税手法として期待される取引単位利益分割法の適用の可能性、あるいは低付加価値グループ内役務提供に関する検討が行われました。

(1)　リスク分析

　BEPS最終報告書では、リスク分析に関するガイダンスが拡充されました。この結果、OECD移転価格ガイドラインの第1章（独立企業原則）Dが大幅に改訂されています。

　およそ企業が事業を行う際にはリスクがつきものであり、ハイリスク・ハイリターン、ローリスク・ローリターンとの言葉が示すように、リスクの引受けと利益の帰属には対応関係があるとされています。しかし、リスクとはなかなか可視化できず、資産と比べ特定が難しい概念です。こうしたリスクの特性を利用し、本当はリスクを引き受けていないにもかかわらず、契約上リスクを負っているようにみせかけ、それに対応する利益をグループ内の特定の企業に配分しようとするケースが見られました。キャッシュ・ボックス・スキームが典型です。

　そこでBEPS最終報告書では、ある企業が契約上リスクを引き受けている、または、資本を提供しているという理由だけでは、不適切な利益がその企業に帰属することがないよう明確化することとなりました。具体的には、ある企業にリスクが配分されているといえるためには、その企業がリスクを支配し、かつ、リスク引受けのための財務能力を有することが必要であると明確化されました。リスクが顕在化し、損失が生じるような場合において、それを金銭的に補てんできるだけの能力がなければ、リスクを引き受けることができないので、財務能力は重要です。ただ、キャッシュ・ボックスとの関係で重要なのはリスクの支配です。リスクを支配しているというためには、概念的には、リスクを伴う事業機会を引き受けるか否かの決定を行う権限を有し、それを実際に行使することが必要であり、かつ、その引き受けたリスクに対応するか否か、対応

する場合にはどのように対応するかを決定する権限を有し、それを実際に行使することが必要ということになります。この要件が満たせない場合、キャッシュ・ボックスが得られるリターンは、無リスクに対応するリターン（リスク・フリー・リターン、せいぜい国債利回り程度）となります。

なお、BEPS 最終報告書では、このようなリスク分析は、実際には 6 つのステップ（経済的に重要なリスクの特定、契約上のリスク引受けの状況、リスクに関連した機能分析、契約上のリスクの引受けと実際の行動との整合性の検証、適切なリスク配分、リスク配分を踏まえた対価の修正）を経ることとされました。このように、関連者間の契約を移転価格分析の開始点としつつも実際の行動で検証することを BEPS 最終報告書では「実際の取引の正確な描写」と呼んでいます。

(2) 否認

通常はこの作業が終われば、あとは取引の価格付けの問題だけとなりますが、BEPS 最終報告書では、例外的に取引自体が否認されることもあるとされました。すなわち、独立企業間ではみられず、かつ、商業合理性がない国外関連取引については移転価格税制上、無視するというものです。ここで重要な点は、取引が比較可能な経済環境における非関連者間での取引と比較して商業上の合理性を有するかどうかであって、同じ取引が独立企業間でみられるかどうかではありません。言い方を変えれば、独立企業間ではみられないかもしれなくても、商業合理性があれば、取引が否認されることはないということです。

(3) 無形資産

知的財産権等の無形資産は、それぞれがユニークであり、また、企業グループ内で取引されることが多いことから、比較可能な独立企業間取引のないケースが多く、適正価格の算定が困難です。このため、無形資産を軽課税国に所在する経済実体のない関連会社に低い対価で移転し、そこで多額の利益をあげることで節税する多国籍企業がありました。そこで、BEPS 最終報告書では、無形資産の定義付けを行うとともに、無形資産に関するリターンの帰属や価格の算定方法についてガイダンスを充実させることになりました。この結果、移転

価格ガイドラインの第 6 章（無形資産に対する特別の配慮）が全面的に改訂され
ています（なお、第 6 章に対応して、ガイドライン第 8 章（費用分担取決）も改訂
されています）。

① 定義

　BEPS 最終報告書では、無形資産の定義について幅の広い概念を採用しつつ、
何が無形資産に該当するか（あるいはしないか）について、限定列挙ではなく
「例示」するという構成がとられました。具体的には、無形資産とは「有形資
産または金融資産ではないもので、商業活動における使用目的で所有・管理で
き、比較可能な独立当事者間取引で使用・移転するときに対価が支払われる資
産」であると定義された上で、特許、ノウハウ・企業秘密、商標・商号・ブラ
ンド、契約上の権利等が例として該当するとされました。

　一方、低コスト国で事業活動を行う場合に生じるメリットであるロケーショ
ン・セービング等の市場固有の特徴、規模の利益や統合マネジメントのメリッ
トがある場合のグループ・シナジーについては、所有・管理することができな
いことから無形資産に当たらないとされました。のれん・継続企業の価値につ
いては、無形資産に該当するかは明示されていません。

② リターンの帰属

　無形資産に関するリターンの帰属については、単に法的所有権を有するのみ
では、必ずしも無形資産に由来する収益の配分を受けることができないことが
明確化され、無形資産の開発（Development）・改善（Enhancement）・維持（Main-
tenance）・保護（Protection）・使用（Exploitation）に伴い創造した価値に基づき、
リターンを受けることとされました。創造した価値を検証する際、各企業が果
たした機能、使用した資産、引き受けたリスクを含め、詳細に分析することと
なります。なお、開発・改善・維持・保護・使用は、それぞれの英語の頭文字
を繋げて DEMPE（デンピー）と呼ばれています。無形資産の DEMPE に関連
するリスク分析の枠組みは、基本的に先ほど説明した内容と同様です。

③　DCF

　知的財産権は、類似するものがないからこそ知的財産権といえるため、一般的に信頼できる比較対象取引を特定するのが困難です。そこで BEPS 最終報告書では、そのような場合における関連者間での無形資産の譲渡価格の算定方法として、評価技法(valuation technique)が使用可能とされました。具体的には、DCF 法（Discounted Cash Flow）、すなわち無形資産から生じる将来キャッシュ・フローを現在価値に割り引いたものをもって、その無形資産の譲渡価格とすることを認めるというものです。

④　所得相応性基準

　また、いわゆる「所得相応性基準」と呼ばれるルールが OECD 移転価格ガイドライン第6章に組み込まれることになりました。譲渡時にこれまでにない新たな方法での利用が見込まれる無形資産のように、取引時点で事前の正確な評価が困難な無形資産については、事前の予測と事後の実績に著しい差異が生じると考えられます。このような状況においては、事後の結果に基づいて事前予測の評価を行うことができるとされました。独立企業原則の枠内の措置であると整理されています。

　ただし、課税当局に強い更正権限を与える手法であるため、一定の歯止めが組み込まれています。すなわち、企業が取引時において価格決定のために用いた事前の予測について、リスクをどのように考慮したのかという点も含め、詳細な文書化を行い、かつ、実際に生じた差異が取引時に当事者によって予測できず価格決定後に生じた特異な事象によるものであることを示す十分な証拠を有している場合、所得相応性基準は発動されません。また、事前予測と実績の差異が当初対価の20%を超えない場合、または無形資産の商業化後5年が経過し、その間における差異が予測額の20%を超えない場合等にも免除されます。

　所得相応性基準については2018年に OECD から実施ガイダンスが公表され、評価困難な無形資産の譲渡取引に関する事後の結果を用いた更正の方法について、当初譲渡価格の引き直し、後年度における所得の増額更正の2つの事例が

提供されました。また、二重課税が生じた場合でも、相互協議へのアクセスが保証されるべきとされています。

(4)　取引単位利益分割法等

　多国籍企業は現在、グローバルバリューチェーンを構築して、グループ内の多くの企業が相互に携わり、貢献し合うことで、シナジー効果を創出し、より大きな利益を生み出しています。こうしたなかで、それら多国籍企業の個別の国外関連取引に関する比較対象取引がなかなか見つからないという懸念が特に新興国の間で強まっています。取引単位利益分割法（PS法）は、比較対象取引に頼らなくても済むという性質もあり、このようなグローバルバリューチェーンにおける価値創造に合致した最適な課税手法として新興国等から期待されています。しかし、PS法は、適切な利益分割ファクターの選定など、課税当局にとっても企業にとっても適用が容易ではありません。日本企業には安易な PS法の適用拡大に対する警戒感もあります。BEPS 最終報告書では PS法に関する作業は積み残しの課題とされました。

　その後、2回の市中協議を経て、2018年に PS法の適用に関するガイダンスが公表されました。PS法が最適法となることを示唆する指標として、各関連者によるユニークで価値ある貢献、高度に統合された事業活動、経済的に重要なリスクの引き受けのシェアが例示されるなど、一定の明確化がなされる一方、比較対象取引の欠如だけでは独立企業原則のもとでの実際利益分割法の適用を保証するには不十分ともされるなど、PS法の抑制的な適用を促す内容も含まれています。

　この他、BEPS 最終報告書では、グループ内役務提供（IGS）のうち低付加価値と認められる一定のものについては、コンプライアンス・コスト低減等の観点から、費用に対する5％のマークアップを基礎に対価を計算することを選択的に認める取り扱いを定めました。これにより、移転価格ガイドライン第7章（グループ内役務提供に対する特別の配慮）が改訂されています。

2. 国内法改正

　令和元年度税制改正では、OECD の改定移転価格ガイドラインを踏まえ、所得相応性基準が導入されることになりました。産業界としては、税務当局が問題視する情報の非対称は、2018年から提出が始まった国別報告事項や事業概況報告事項等によって一定程度、緩和される見込みであること、また、立法事実（評価困難な無形資産を通じた BEPS リスクの顕在化）が乏しいことから、日本における導入は拙速と主張しましたが、米独以外にも英国、オランダ、豪州などで導入が進んでいること、また、日本は2019年の G20議長国として国際課税に係る議論をリードする立場にある等の理由により、導入が決まったものです。

　具体的には、まず、移転価格税制上の無形資産の定義が法令上、明確に位置づけられるとともに、比較対象取引が特定できない無形資産取引に対する価格算定方法として新たにディスカウント・キャッシュ・フロー法（DCF 法）が加えられました。その上で、DCF 法は、評価の前提となる予測が恣意的なものとなりやすいため、そのバック・ストップとして、評価困難な無形資産（特定無形資産）に係る取引については、事後の結果を勘案して当初の価格を再評価することになりました。ただし、OECD 移転価格ガイドラインに倣い、予測と実際の乖離幅が一定の水準に収まっていること、取引に係る予測の詳細を提出すること等、いくつかの適用免除要件も設けられました。

　なお、所得相応性基準の導入に伴い、移転価格税制に係る更正期間等が 6 年から 7 年に延長されました。また、上記の各種「ムチ」（移転価格税制の厳格化）に伴う「アメ」（緩和策）として、四分位法による差異調整が認められることとなりました。

　一般的に、日本企業は無形資産を海外に譲渡することは稀であり、かつ、無形資産取引に DCF 法を利用するケースは多くないとされていることから、所得相応性基準の適用は限定的と見られます。一方、移転価格税制に係る更正期

間等の延長は、DCF 法が適用される取引に限らず、すべての国外関連取引に適用されるため、租税回避に無縁な企業にも影響が及ぶこととなり、この部分については、企業にとっての「税の安定性」は低下する恐れがあります。

　以上の改正は、令和 2 年 4 月 1 日以後に開始する事業年度から施行されています。

第8節 義務的開示制度 (行動12)

1. BEPS プロジェクトにおける議論

　課税当局が税務調査等によって企業の租税回避スキームを発見したとしても、直ちに否認できるとは限らず、また、ループホールを塞ぐための立法措置を講ずるとしても施行まで一定期間が必要なため、課税当局の対応は後手に回らざるを得ません。

　そこで、課税当局がより適切な対応を取れるよう、プロモーター（租税回避スキームの設計・販売・企画または管理に関与する者）等から租税回避スキームに関する一定の情報を早期に入手し、ひいてはスキームの販促・利用を抑止すべく、義務的開示制度の導入が議論されました。

　結果、BEPS 最終報告書では、各国の実情にあわせ、以下の構成要素を組み合わせる「モジュラー方式」が勧告されています。勧告の性質は、ベスト・プラクティスです。

(1) 報告対象の範囲

　どのような取引が報告対象となるかについては、ホールマーク（報告基準）を満たしているかどうかが判定要素とされました。報告基準には、租税回避スキームが一般的に持っている特徴に注目した基準（一般基準）と租税回避スキームのうち特定の取引や要素に注目した基準（個別基準）があり、いずれか1つを満たせば報告対象となります。

　一般基準の例としては、ある取引で納税者からプロモーターに支払われる報

酬が、その取引で納税者が得られるであろう租税利益（節税額）と連動していること（成功報酬）や、取引に係る税の仕組みや得られるであろう租税利益に関し、プロモーターが納税者に対し守秘義務を課しているもの（守秘義務）などがあります。

　一方、個別基準の例としては、「年間1,000万ドル以上の損失を計上するスキーム」（米国）、「軽課税法域に所在する事業体が関与するスキーム」（ポルトガル）といった法人税に関するものから、所得税や贈与税に関するものもあります。

(2)　誰が、いつ報告するか

　報告義務者について、2つの案が提示されています。第1は、プロモーター及び納税者の双方とするものです。第2は、プロモーターに第一開示義務を課し、ある一定の状況において納税者に開示義務を転嫁するもので、一定の状況とは、ⅰ）取引にプロモーターが存在しない場合（例えば企業が租税回避スキームを「自己開発」している場合）、ⅱ）プロモーターが国外に存在する場合、ⅲ）プロモーターが顧客との通信の秘密を守る、いわゆる秘匿特権を主張する場合です。

　スキームの報告時期は、報告義務が誰にあるかによって異なります。報告義務者をプロモーター及び納税者の双方とする案の場合、プロモーターはスキームが「利用可能」となってから一定期間内に、納税者はスキームを「実行」してから一定期間内に、それらを課税当局に報告することになります。また、プロモーターに第一開示義務を課す案の場合、プロモーターはスキームが「利用可能」となってから一定期間内に課税当局に報告することになりますが、プロモーターが不在等の状況では納税者に開示義務が転嫁されますので、その場合、納税者はスキームを「実行」してから一定期間内に課税当局に報告することになります。

(3)　何を報告するか、開示しなかった場合にはどうなるか

　課税当局に報告すべき情報としては、プロモーターや利用者の情報、該当した報告基準、スキームの詳細、租税利益が関係する法令、租税利益の詳細、顧

客リスト（プロモーターのみ）、予想される租税利益の金額等が示されています。なお、報告したからといって、当該スキームが税務上、適切なものと認められるわけではありません。また、報告義務に違反した場合、金銭的な制裁として、早期報告を促す観点から日々定額の罰則や、租税回避スキームを抑止する観点から租税利益または受取報酬額に応じた罰則が提示されています。

　BEPS報告書では、このような構成要素を掲げた上で、国際的な租税回避スキームへの制度の応用についても、考慮ポイントを提示しています。例えば、複数の国に跨る国際的なスキームの場合は、国内で完結するスキームと比べ、スキームの当事者に関する情報が入手しにくいため、税務当局間の情報交換が推奨されています。

2. 国内法改正の展望

　直近では、平成31年度与党税制改正大綱において、「義務的開示制度については、BEPSプロジェクトにおける勧告や諸外国の制度・運用実態等を踏まえ、制度導入の可否等につき引き続き検討を進める」とされたものの、令和2年度与党税制改正大綱では特段の記述はなく、現在も国内法制化に向けた動きはありません。

　日本には義務的開示制度が存在しませんが、関連する制度としては、個別の取引に係る税務上の取扱いについて、課税当局が納税者の事前照会に対し文書で回答する制度（事前照会に対する文書回答手続）や、大企業を対象に、課税当局と経営責任者等の意見交換を通じ、税務に関するコーポレートガバナンスの充実が認められた場合には信頼関係に基づき税務調査の間隔を延長する制度（協力的コンプライアンス）が実施されています。今後、仮に義務的開示制度の国内法制化を検討する場合には、これらの既存制度との関係をどう位置付けて、どのような制度を導入していくのか、議論の動向を注視していく必要があります。

　なお、英国やドイツ等、海外の一部の国では、一般的否認規定（GAAR）に

より、租税回避行為があった場合等にその効果を否認することが認められています。今後日本においても、義務的開示制度の国内法制化に関する議論に際し、一般的否認規定の導入が検討される可能性もありますので、こちらの動向も注目されます。

 # 第9節 有害税制への対応（行動5）

1. BEPS プロジェクトにおける議論

　各国は自らの立地競争力を強化するため、様々な優遇税制を講じています。しかし、その程度が度を越すと、他国から企業が移転するなど他国の税源が不当に浸食されかねません。そこで OECD では、かねてより一定の基準を設けて各国の優遇税制の有害性を審査し、有害であると判定されたものについては改廃を勧告してきました。具体的には、その優遇税制が国境を越えて付け替えが容易な金融所得に対しゼロまたは低い税率を適用していないか、外国企業だけを優遇し、国内企業を差別していないか、透明性が欠如していないか、といった点を審査しています。

　行動5では、知的財産権に関する各国の優遇税制が審査対象となりました。この作業を進めるなかで、有害性の判定のための基準として、新たに "substantial activity（実質的な活動）" の基準が合意されています。例えば現在、いくつかの国がパテント・ボックスと呼ばれる、知的財産権に起因する所得に軽減税率を適用する優遇税制を導入していますが、企業がパテント・ボックスの恩恵を享受するためには、その企業が自ら研究開発費を支出するなど、実質的な活動を行っていることが必要とされました。行動8～10における「価値創造」の議論とも通ずるところがありますが、行動5における知的財産権の優遇税制の文脈では「ネクサス・アプローチ」と呼んでいます。

　この他、BEPS 最終報告書では、他国の税源を浸食するおそれのある政府と

企業の取決め等を広く「ルーリング」と括ることとし、透明性を高める観点から、それらを関係する課税当局に対し自発的に情報交換することを義務付けることとなりました。移転価格税制に関するユニラテラル APA も対象となります。

2．国内法改正の展望

　現在、日本には研究開発税制があります。これは、企業が支出した試験研究費の一定割合を法人税額から控除するもので、知的財産を開発する「前の」段階における優遇措置です。一方、パテント・ボックスのような、知的財産を開発した「後の」、その知的財産権に起因する所得を優遇する税制はありません。

　BEPS 最終報告書では、パテント・ボックスの導入が勧告されているわけではありませんが、「有害ではない」パテント・ボックスの意義について国際合意が得られたということも事実です。日本でも研究開発拠点としての立地競争力を維持・強化するため、パテント・ボックスを導入することが理論上は考えられますが、その場合には、現行の研究開発税制との関係、役割分担に関する検討が必要になると思われます。現時点では、既存の研究開発税制の維持・拡充（法人税額の控除上限の引き上げ、試験研究費の範囲の見直し、オープン・イノベーション型の拡充）が国内の税制改正における主たる課題であり、パテント・ボックスの導入に向けた動きはありません。

 **第10節** # 条約の濫用防止（行動6）

　ある企業が投資所得に対する源泉地国課税の減免を受けるなど、租税条約上の特典を得ることができるのは、その企業が条約締結国の居住者だからです。しかし、関係のない第三国の居住者がその条約の特典を不当に得ようと試みる場合があります。これを租税条約の濫用といい、条約漁り（treaty shopping）とも呼んでいます。BEPSプロジェクトでは、こうした行為を防止するための措置が検討されました。

1. 特典資格条項

　BEPS最終報告書では、租税条約の濫用防止のため、「特典資格条項」の創設が勧告されました。ミニマム・スタンダードに分類され、拘束力の強い内容となっています。各国は今後、自国の租税条約において、特典資格条項として以下3つのうち1つを組み込むことが求められます。

① 　特典制限規定（Limitation on Benefits：LOB）と
　　主要目的テスト（Principal Purposes Test：PPT）の両方
② 　PPTのみ
③ 　LOB及び導管取決防止メカニズム

　なお、特典資格条項は、最新のOECDモデル租税条約では29条（特典を受ける権利）で規定され、第1項～第7項がLOBの規定、第9項がPPTの規定となっています。

2．LOB

　LOB は企業の「属性」に着目し、特典資格の有無を判定する条項です。まず、第1項では、「適格者」に該当しない企業には条約の特典を付与しない、とされています。その上で、第2項では適格者の範囲が定められており、公開法人（上場会社）等が該当するとされています。上場会社が適格者とされるのは、内外を問わず複数の株主が想定され、特定の第三国の居住者に支配されているとは考えにくいからです。第3項は、能動的事業活動基準と呼ばれるものです。第2項で適格者に該当しなくても、「能動的な活動」に起因する一定の所得については条約の特典を付与するとされています。第4項は、派生的受益者基準と呼ばれるものです。第5項は本拠法人（headquarters company）、第6項は権限のある当局による認定について定めています。このうち、第6項では、当局に対する個別の申請によって条約の特典が付与される場合があるとしており、LOB における最終手段と位置付けられています。第7項では、LOB の各種用語が定義されています。

3．PPT

　PPT は取引等の「目的」に着目し、特典資格の有無を判定する条項です。条約の特典は、その特典を得ることが取引または仕組みの主たる目的の1つであると判断することが妥当である場合には与えられないとされました。ただし、そのような状況の下で、その特典を与えることが条約の規定の目的に合致すると認められる場合は除かれます。

　OECD モデル租税条約では、コメンタリーで PPT について具体的に説明しています。それによれば、LOB と PPT を併用する場合には、仮に LOB の規定により特典資格が付与された者であっても、PPT によって特典資格が否認されることはあり得るとされました。すなわち、上場会社であるなど「属性」は白でも、個々の取引等についてはその「目的」によっては黒と判定されるこ

とがあります。

　また、課税当局は、企業の意図について決定的な証拠を見つける必要はないものの、条約の特典を得ることが主たる目的の１つであると結論付けることが合理的でなければならないとされました。条約の特典を得ることは、取引等の唯一のまたは支配的な目的である必要はなく、少なくとも主たる目的の一つであれば足ります。もっとも、ある取引等が中核的な商業活動に不可分に結びついている場合には、主たる目的が条約特典を得ることであるとはいい難いとされました。このように、PPT は解釈の幅がある、非常に間口の広い内容となっています。

　なお、特典資格条項を個別の租税条約に組み込む際の３つの選択肢のうち、LOB を用いるのは①の LOB と PPT の両方、③の LOB ＋導管取決防止メカニズムですが、①でいう PPT と③でいう導管取決防止メカニズムに期待される役割は、実質的には同じです。すなわち、ある企業が上場会社であるなど、特典資格条項の第２項で適格者とされる企業であっても、個別の取引においては条約の濫用があり得るため、①のように PPT を用いるか、あるいは③のように PPT と類似の効果を持つ規定（導管取決防止メカニズム）を何らか整備する必要があるということです。では、①と③の本質的な違いは何かというと、LOB の厳格さです。あくまでも相対的な問題ですが、①における LOB の内容は③に比べれば多少緩やかで、場合によっては PPT の機能に対する期待もそれなりにあります。他方、③においては LOB 自体が詳細かつ厳格です。例えば適格者である「上場会社」の意義についてみてみると、①では単に（第三国も含め）証券取引所で上場していれば良いとされる一方、③では企業が所在する国の証券取引所での上場に限られています。③の方が、適格者に該当する要件として、締約国との結びつきを強く求めています。

　現在、OECD では、行動６のピアレビューが行われています。条約の濫用防止規定は多国間協定（MLI）によって個別の租税条約に導入することが期待

されているところ、2020年 5 月現在、94の法域が MLI に署名、49の法域が批准しており、すでに300の二国間条約を修正しています。ひとたび MLI の署名国がすべて MLI を批准するならば、1600の条約にインパクトが生じ、包摂的枠組み参加国間のすべての租税条約等の約65％が修正され、ミニマム・スタンダードを導入することになると見込まれています。

PE 認定の人為的回避の防止
（行動7）

PE については、BEPS の原因として大きく2つの問題が指摘されていました。1つはいわゆるコミッショネアです。外国における販売子会社（自らのリスクで仕入・販売を行う会社）を、機能・リスクの低いコミッショネア（自己の名義で契約を行うが、親会社のために親会社が所有する物品等を販売する者であり、在庫リスクを負わない）等の業態に置き換え、子会社の課税所得を減少させ、さらに、そのコミッショネアが親会社の代理人 PE に認定されないというケースもみられました。

もう1つは、準備的・補助的活動に関するものです。グローバルなオンライン通販会社が、外国における巨大倉庫を出荷等の物流拠点として活用し、本質的な事業活動を営んでいるにもかかわらず、外形的に準備的・補助的と判定され、PE と認定されず、その外国において法人税が課税されないというケースもみられました。

こうした状況を踏まえ、BEPS プロジェクトは、代理人 PE に関する規定、準備的・補助的活動に関する規定の見直しが行われました。

1. コミッショネア契約

改正前の OECD モデル租税条約第5条5項では、「企業に代わって行動する者（第6項の場合を除く）が、一方の締約国内で、当該企業の名において契約を締結する権限を有し、かつ、この権限を反復して行使する場合には、当該企業は、その者が当該企業のために行うすべての活動について、当該一方の締約

53

国内に恒久的施設を有するもの」とされていました。例えば、X国にA社、Y国にB社があるとします。これを改正前の第5項にあてはめると、B社がA社の名において契約を締結する権限を有し、かつ、この権限を反復して行使する場合には、…A社はY国にPEを有する（すなわち、B社はA社の代理人PEとなる）、ということになります。

　この現行の第5項がタックス・プランニング、すなわちPE認定の人為的回避に利用されたため、今回、改訂を行う必要に迫られました。ポイントは2つあります。1つは「A社の名において」との文言です。この文言を逆手に取れば、A社の名においてではなく「B社の名において」契約を締結する、しかし、実際の物品・役務の提供は依然としてA社が行う、という形態をとることで、PE認定を回避できます。もう1つは「契約を締結する権限を…行使する」との文言です。B社が顧客との実質的な交渉を行い、契約をまとめたといってよいような場合でも、契約の締結を最終的にB社ではなくA社自身が行うよう形式さえ整えれば、権限を「行使」したことにはならないので、PE認定を免れることができます。

　そこで、BEPS最終報告書では、OECDモデル租税条約の条文を要旨以下の通り改訂することとされました。2017年版OECDモデル租税条約に反映済みです。

　このため、先ほどの例では、契約がA社の名においてではなく、B社の名において締結された場合であっても、A社による物品・役務の提供に関するものである場合には、代理人PEの要件を充たすこととしました。また、B社が契約を締結する権限を実際に行使していなくても、「締結される契約のために主要な役割」を担っていれば代理人PEに該当することとなりました。これらの結果、いずれのケースにおいても今後、B社の活動はA社の代理人PEとして認定されることになります。

　また、代理人PEから除外するものを定める改正前の第5条6項では、「企業は、通常の方法でその業務を行う仲立人、問屋その他の独立の地位を有する

> **（第 5 条 5 項）**
>
> 　一方の締約国において企業に代わって行動する者（第 6 項の場合を除く）が、その行動において反復して、次のいずれかに該当する契約を締結し、または、当該企業による重要な修正が行われることなく日常的に締結される契約のために主要な役割を果たす場合には、当該企業は、その者が当該企業のために行うすべての活動について、当該一方の締約国内に恒久的施設を有するものとされる。
>
> 　a ）　当該企業の名において締結する契約
>
> 　b ）　当該企業が所有し、または企業が使用の権利を有している財産について、その所有権を移転し、又は使用の権利を与えるための契約
>
> 　c ）　当該企業による役務の提供のための契約

代理人を通じて一方の締約国内で事業を行っているという理由のみでは、当該一方の締約国内に恒久的施設を有するものとはされない」とされており、代理人業を通常業務として行う者（独立代理人）は代理人 PE にならないとされていました。しかし、BEPS 最終報告書では、第 6 項の全面改訂が勧告されました。それによれば、仲立人、問屋等の独立代理人の例示が削除されるとともに、専属的に又はほとんど専属的に一又は二以上の密接に関連する企業のためにのみ業務を行う者は、代理人 PE となる（独立代理人には当たらない）とされました。そして、「密接に関連する」とは、外国親会社との関係等、50％超の支配関係がある場合であるとされました。

2. 準備的・補助的活動

　これまでは、OECD モデル租税条約の第 5 条 4 項により、商品の保管、展示、引渡しや購入、情報収集のみを行う場所等は、準備的・補助的活動であるとして、PE の例外とされていました。しかし、インターネット取引が活発化し、倉庫等の機能が高度化するなかで、グローバルなオンライン通販会社が、他の国においてその事業の本質的かつ重要な部分を構成する活動を行っている

場合でも、当該他の国における拠点が保管や引渡しのための倉庫でしかないために、PE の例外とされ、課税が及ばず、倉庫の所在地国の課税権が不当に損なわれているのではないかと指摘がなされていました。そこで、このような新しいビジネスの実態に対応し、事業活動を行う国での適切な課税を確保すべく、第 5 条 4 項を改訂し、企業の活動が準備的・補助的活動であるか否かを、活動の性質から実質的に判断するようにして、課税できることとしました。すなわち、商品の保管、展示、引渡しや購入、情報収集のみを行う場所等であっても、その活動が企業全体の活動の本質的かつ重要な部分を構成するのであれば、準備的・補助的活動ではなく、PE に該当することになりました。ただし、特定の活動についてのみ準備的・補助的でない場合に PE 認定の例外としないことも可能、とされています。

3．PE 帰属利得ガイダンス及び国内法改正

　BEPS 最終報告書を踏まえ PE の範囲が拡大することになりますが、PE に帰属する利得をどのように計算するのか、ということについては、積み残しの課題となっていたため、OECD は 2 度の市中協議を経て、帰属利得ガイダンスを2018年 3 月に公表しました。

　ガイダンスでは、主として居住地国親会社－仲介者たる源泉地国子会社という構図の中で、子会社の活動が親会社の代理人 PE を源泉地国で創出するという事例に重点が置かれており、AOA に基づく PE の帰属利得の計算プロセスが紹介されています（AOA の採用を各国に慫慂しているわけではありません）。子会社の所得が移転価格税制上、適切に算定されているからといって PE に帰属する利得がなくなるわけではないという意味でダブル・タックスペイヤー・アプローチが維持されており、企業サイドからするとやや納得感に欠ける内容となっている一方、子会社の所得と PE 帰属利得との間で二重課税が生じないようにすることの重要性が説かれている点、子会社の活動に係る移転価格分析が適当である場合には PE の帰属利得は極小またはゼロになり得るとの記述があ

る点、PE 認定に伴う納税者の事務負担に配慮した執行上の簡便アプローチが提案されている点などについては、一定の評価ができるものと考えられます。

　国内では、平成30年度税制改正で、BEPS 最終報告書や多国間協定の開発を踏まえ、新たな PE の定義規定が国内法に盛り込まれました。平成31年１月１日から施行されています。

紛争解決メカニズムの効率化
（行動14）

第12節

　BEPS プロジェクトでは、上記の通り様々な措置が検討されましたが、これらの勧告に従って新ルールが導入されると、移転価格税制や PE 課税等において、租税条約の規定に適合しない予期せぬ二重課税が新たに発生する恐れがあります。こうした二重課税を排除するとともに、ビジネスを行う上での確実性と予測可能性を確保するための手段として、事前確認制度も含めた相互協議があるのですが、現状、国によっては、移転価格税制において対応的調整が行われていない、事前確認合意について過年度への遡及適用が行われていない、納税者が申立てを行う際に過剰な情報提出を要求されるなど、相互協議が様々な障壁により必ずしも有効に機能していないとの指摘があります。

　そこで、相互協議の利用を妨げている障壁を取り除き、より実効的なものとすること、また、その実効性を更に強化するためには仲裁制度の導入を促すことも考えられる、というのが議論の背景です。ただし、仲裁制度については、第三者である仲裁人の決定に拘束されることは課税主権の侵害であると考える国もあり、当初から BEPS プロジェクトの参加国間でコンセンサスが取れていなかったため、まずは相互協議の利用を妨げている障壁を取り除き、有効に機能させるという方針で OECD での議論は進められました。

　結果、BEPS 最終報告書では、相互協議を効果的に実施するため、次の３分類からなるミニマム・スタンダードが勧告されました。１つ目は、相互協議に係る租税条約上の義務の誠実な履行と相互協議事案の迅速な解決に関する措置で、相互協議に関する条項をすべての租税条約において導入し相互協議の機会

を提供するとともに、その合意内容を実施することや、平均24ヵ月以内で相互協議事案の解決を図ることを目標とすること等が挙げられています。

　2つ目は、租税条約に関連する紛争の防止及び迅速な解決を促進するための行政手続の実施に係る措置で、相互協議を利用するための明確なガイダンスを課税当局のウェブサイト等で公表すること、一定の場合に事前確認合意を過年度へ遡及適用することを認めること等が挙げられています。

　3つ目は、相互協議の要件を満たした納税者に申立ての機会を保証するための措置で、申立ての際に納税者が提出すべき情報及び文書をガイダンスのなかで特定すること等が挙げられています。

　そして、これらの効果的な実施を保証するため、各国におけるミニマム・スタンダードの実施状況をモニタリングすることとされました。また、ベスト・プラクティスも、対応的調整の実施を含め、いくつか策定されています。

　なお、経済界の関心が高かった仲裁制度については、ミニマム・スタンダードとしては、各国が単に仲裁制度を導入するかどうかの立場を表明することを求められるだけにとどまっているものの、日本を含む先進20ヵ国が二国間租税条約に仲裁条項を入れることを約束し、多国間協定の中で具体的な条項が策定されました。

　現在はミニマム・スタンダードに関するピアレビューが行われており、BEPSプロジェクトの加盟国をいくつかのグループ（バッチとよんでいます）に分け、順番に審査を行っています。2020年7月現在、70の法域が審査を受け、約1500の勧告がなされています。

　加えて、2020年の見直しでは、電子経済の議論も踏まえ、相互協議等の更なる機能強化も検討されています。

第13節　多国間協定 (行動15)

　BEPS 最終報告書では、行動 2 （ハイブリッド・ミスマッチ取決めの無効化）、行動 6 （条約の濫用防止）、行動 7 （PE 認定の人為的回避の防止）、行動14 （紛争解決メカニズムの効率化） において、OECD モデル租税条約の改訂に関する様々な勧告がなされました。通常であれば、OECD モデル租税条約が改訂されると、各国は 1 つひとつ、個別の租税条約の改訂交渉を行うことになります。しかし、世界には3,000本以上の租税条約があるとされ、しかも一本の条約の改訂には通常、数年かかります。せっかく勧告を出したのに実施が十数年後ということでは意味がありません。そこで行動15では、本来、二国間で改訂すべき内容を一気に多国間の枠組みで実施することができないか検討が行われ、多国間協定を開発することとなりました。

　多国間協定（日本では BEPS 防止措置実施条約と呼びます）は2016年 6 月の署名式を経て、2018年 7 月 1 日に発効、現在、94の法域が署名しています（ただし米国は不参加）。日本との関係では2019年 1 月 1 日に発効しています。

　なお、各国が、多国間協定によって既存の条約のうちどの条約を更新の対象とするのか、また、各種勧告のうち、どの規定を選択するのか（あるいはしないのか）、さらには、各国の選択の結果、どの条約のどの規定が更新されるのかについては、OECD のホームページで閲覧可能となっています。また、日本の財務省ホームページでは、多国間協定によっていわば「読み替えられた」既存の二国間条約の条文（統合条文）が公開されています。

（執筆：幕内 浩）

第 1 章

国際税務の基礎的理解

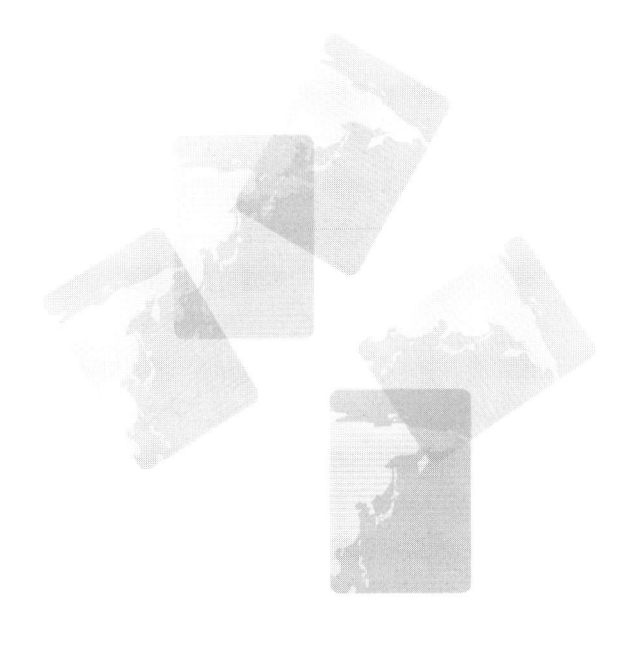

# 第1節　国際税務の基本的な考え方

　本章では、次章以下の個別、具体的な規定を理解するための基本的な考え方やその内容を概説します。なお、本書では主として所得税、法人税及びこれらに関連する税制を取り上げます。

1．国際税務の必要性

　日本をはじめとする各国は、その国の行政経費等を賄うために税を課税します。この課税権は、それぞれの国の独自の権限に属するものです。

　一方、経済のグローバル化が進行し、ヒト、モノ、カネが世界中を自由に行き来する現代においては、企業が行う経済活動に伴う利益は、一国だけにとどまらず、複数の国に及ぶことが多くなります。

　もし、各国が独自の考えでその国の課税を貫くならば、企業の税負担が大きくなることがあります。つまり、このような状況が続くと、各国の税制が企業の経済活動に大きな影響を与えるということです。それは、世界的な規模での経済発展を阻害することにもなり、各国の法人税の税収を停滞又は減少させるおそれがあります。

　上記の理由は、国際税務の必要性を示す一つの例ですが、この必要性については、次の点を指摘することができます。

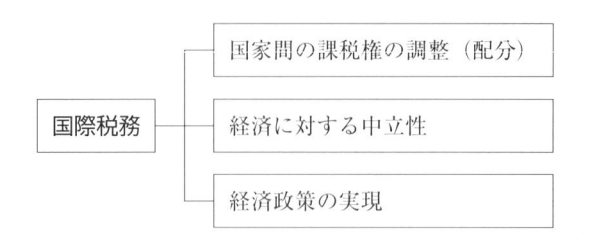

(1)　国家間の課税権の調整（配分）

　企業が複数の国における経済活動を通じて得た利益について、その関係する国のそれぞれが満足するルールを策定することが必要です。

① 租税条約による調整

　その方法としては、二国間で行う租税条約での取り決めがあります。租税条約は、二国間の交渉により合意した場合に発効します。日本の場合はOECDモデル租税条約をベースに相手国と交渉をして成立させています。

② 国内法の整備

　しかし、租税条約はすべての国と結ぶことはありません。租税条約を結んでいない場合は、国家間で課税権の調整は行わないので、それぞれの国がそれぞれの国の国内法に基づき課税します。しかし、その場合でも、租税条約を結んでいない国の企業と日本の企業との間で持続的な経済活動を発展させることが必要です。そのためには、国内法はこれまで各国で形成された国際税務の考え方から大きく逸脱しない範囲内で定めるべきです。その考え方は租税条約の定め、OECD モデル租税条約に見ることができます。国内法の整備が国家間の課税権の調整につながります。

③ 自国の課税権の確保

　一方、例えば法人税率をゼロにするとか、著しく低い税率にとどめている、いわゆるタックス・ヘイブンといわれる国・地域があります。これらの国・地域は、外国の資金の流入を図るなどの目的で、国際税務の一般的な常識からかなりかけ離れた考え方に基づき税制を策定しています。これは、これらの国・

地域の税制が日本を含めた関係国の課税権を侵していることでもあります。

したがって、これらの国・地域との間では国家間の課税権の調整を図る必要はありません。日本においても、日本の課税権を確保するための措置を国内法で定めることにより対処しています（外国子会社合算税制＝タックス・ヘイブン対策税制）。

別のケースとしては、例えば日本の親会社が外国の販売子会社に日本で製造した製品を販売する場合に、その販売価格が国家間の課税権の調整という点で問題になります。企業の立場では、例えば販売子会社が所在する外国の法人税率が25％の場合は、日本の法人税率が約30％（住民税率等を含みます）ですので、親会社は販売子会社に対する販売価格を抑えることが、グループ全体での税負担を減少させることになり、利益の獲得を目的とする企業としては、当然の判断とも考えられます。

しかし、日本の立場では、その業界の類似した物品の輸出価格よりも販売子会社に対する輸出価格がかなり下回る場合は、日本の課税権が侵害されたと考えます。この対応策としては、世界の各国の法人税率を統一する方法が考えられます。しかし、税制の決定は各国が持つ大権の一つであり、他国が意見を述べることは許されるものではありません。

したがって、この場合は日本の課税権を確保するために、国内法で定めた移転価格税制により対処しています。

さらに、類似した考え方により国内法で規定しているものに過少資本税制等があります。

(2) 経済に対する中立性

租税原則の一つに、「中立性の原則」があります。これは、国際税務においては、企業が活動する国や場所の選択（投資先を国内とするか国外とするか）に影響を与えない税制であるべきというものです。企業が行う経済活動は、その経営者の意思決定を通じて行いますが、税制がその意思決定に強い誘因を与えるべきではないという考え方でもあります。

　外国に支店を設置すれば、外国の法人税を負担しなければなりません。一方、日本は外国の支店で得た所得を含めた全世界所得に法人税を課税します。

　この場合、何の措置も講じない場合は、外国に支店を設置した企業はその外国の支店が稼得した所得について、外国と日本の二つの国において二重に課税されることになります。この状態が続く場合は、企業は外国に対する投資には消極的になります。

　納税者の立場からは、この二重課税を排除することが、国際税務において最大の関心事になります。この問題点を解消する手段としては、外国で支払った法人税を日本の法人税から控除する外国税額控除方式と、日本は外国にある支店が得た所得に対する課税を免除（放棄）する手法（国外所得免除方式）があります。いずれの方法によるかは、その国の方針によります。

⑶　経済政策の実現

　租税の目的は、一義的には国家の収入を得ることにあります。しかし、租税は、資金を納税者（民間部門）から国庫（公的部門）へ移転するものです。そして、その過程を通じて、富の再分配、景気の調整、経済政策の推進などの役割を果たしています。

　国際税務においても、これらの機能を内在しています。例えば、平成21年度の改正で創設された外国子会社から受ける配当等の益金不算入制度（法法23の2。「外国子会社配当益金不算入制度」といいます）は、外国にある子会社が外国で留保している資金を日本に還流させる施策であると考えられます。

2.　居住地国課税と源泉地国課税

　国際税務には、外国が関わらない国内だけの規定に比べて、いくつかの特徴があります。ここでは、最も特徴がある居住地国課税と源泉地国課税、両国に課税されることによる二重課税の排除についての基本的な考え方について説明します。

⑴　居住地国と源泉地国

　国が租税を課税することができる根拠は、古くから研究されていますが、代表的なものとして、利益説と義務説があります。

　「利益説」は、納税者は国からいろいろなサービスを受けているので、応分の負担をする意味で、税を支払うという考え方です。これを国際課税の場面で考えますと、日本は外国で働いている日本人（居住者、内国法人）に対して、現地の大使館などを通じて様々なサービスを提供しています。したがって、日本人に対しては、日本で得た所得だけではなく、外国で得た所得を含めた全世界所得について課税することができると考えます。

　一方、義務説は、国はその機能を維持するために、当然の課税権を有しているとの前提に立ちます。その課税する範囲は、外国で得た所得にも及ぶと考えます。利益説や義務説は、一般には居住者、内国法人に対する課税（居住地国課税）の根拠とされています。

　これらの考え方とは別に、投資に対する中立性の観点からも説明できます。これによると、居住者、内国法人は、国内に投資をしても、外国に投資をしても税負担は同じであるべきということになります。したがって、外国で所得を得た居住者、内国法人には外国での所得を含めた全世界所得に課税します。

　非居住者、外国法人に対する源泉地国課税については、利益説ではこれらの者も源泉地国における公共サービスを受けていることが根拠になります。

　「義務説」では非居住者、外国法人も源泉地国で活動する限りは、納税の義務を負うと考えます。

　中立性の観点からは、源泉地国における経済活動については、居住者、内国法人と非居住者、外国法人は平等に取り扱うべきであると考えます。したがって、非居住者、外国法人においても、その経済活動の結果生ずる利益については、源泉地国の税を負担しなければならないという結論になります。

①　居住地国での課税

　上記の利益説、義務説、中立性の観点からの説明のいずれの理論が最も妥当

するかという点を措いても、各国は、現実に多くの税収を確保するために、自国の居住者、内国法人に対しては、世界中で得た所得に課税しています。日本も同様です。

　つまり、居住地国である日本は、その納税者（居住者、内国法人）に対し、全世界所得に所得税又は法人税を課税するということです。なお、居住者はその国の国籍の有無とは無関係です。

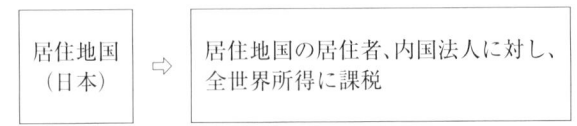

②　源泉地国での課税

　これに対し、日本の居住者（外国では非居住者）が、例えば短期の出稼ぎで外国（源泉地国）に滞在し、その源泉地国で所得が発生した場合には、その所得に対し、源泉地国は課税します。

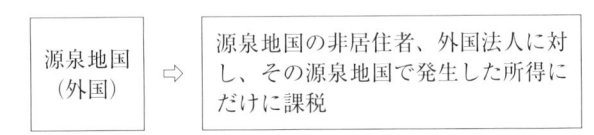

③　二重課税の排除

　この場合、源泉地国で発生した所得には、居住地国と源泉地国で重複して課税されます（二重課税）。この二重課税は、原則として居住地国で排除します。

　調整の方法には、外国税額控除方式又は国外所得免除方式があります。

　なお、外国税額控除方式の一つとして、源泉地国が発展途上国である場合のみなし外国税額控除がありますが、実質的には国外所得免除方式の一種と考えることができます。

　これらとは別に、例えば租税条約で親子会社間の配当の源泉徴収税率をゼロとすることにより、つまり、子会社が所在する源泉地国で二重課税を排除する

方法もあります。

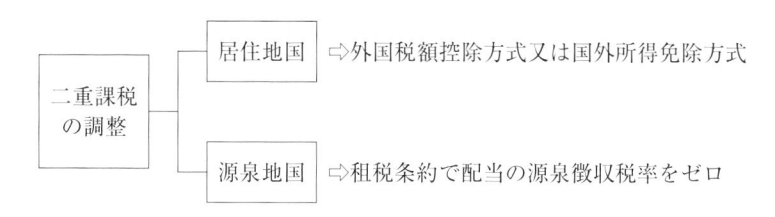

⑵　居住地国の認定

　実務においては、個人が問題になることが多いのですが、個人である納税義務者が日本と外国のいずれの居住者に該当するかという問題があります。

　このような問題が生じるのは、日本と外国では、居住者の範囲が異なるからです。もし、日本でも外国でも居住者とされた場合は、両国がその居住者の全世界所得について課税することになり、二重課税の排除が困難になります。

　法人については、日本は本店所在地主義により居住地国と源泉地国に振り分けます。しかし、法人の実質的な経営や管理の場所で判定する管理支配地主義を採用している国もあり、居住地国の認定について競合する場合があります。

　このような場合は、租税条約を結んでいることが前提になりますが、租税条約で一定の基準を設け、いずれか一方の国の居住者又は内国法人とします。

⑶　居住地国における二重課税の排除

　居住地国における二重課税の排除の方法には、外国税額控除方式と国外所得免除方式がありますが、その差異について考えましょう。

　この点については、平成12年8月の税制調査会の「わが国税制の現状と課題—21世紀に向けた国民の参加と選択—」では、「（外国税額控除方式は）居住者が投資を国内で行うか国外で行うかについての選択に課税が影響を及ぼさないという『資本輸出中立性』と、ある国に対して国外から投資を行う者が当該国における競争について課税の影響を受けないという『資本輸入中立性』に寄与するものであると考えられています」と述べています。

上記の答申でいう、「資本輸出中立性」と「資本輸入中立性」とは何を意味するのでしょうか。また、納税者にとっていずれの方式が有利なのでしょうか。

なお、現行の日本の税制においては、外国税額控除方式を採用していますが、国外所得免除方式として、外国子会社配当益金不算入制度（法法23の2）があります。

① 「資本輸出中立性」の意味

まず、「資本輸出中立性」ですが、次のケースで考えましょう。

> **（ケース1：外国税額控除方式）**
> ⑴ 外国の支店の所得　100
> ⑵ 日本の法人税率は30%、外国の法人税率は25%

【説明】　まず、支店が所在する外国に25（100×25%）の法人税を支払います。

一方、日本は支店の所得に対して30（100×30%）の法人税を課税しますが、外国税額控除として外国に支払った25を控除するので、納付は5（30−25）になります。

したがって、日本と外国に支払った法人税を合計すると30（25＋5）になりますが、これは日本の法人税率30%に相当する法人税を日本と外国に分けて支払ったことを意味します。

> **（ケース2：外国税額控除方式）**
> ⑴ 外国の支店の所得　100
> ⑵ 日本の法人税率は30%、外国の法人税率は35%

【説明】　まず、支店が所在する外国に35（100×35%）の法人税を支払います。

一方、日本は支店の所得に対して30（100×30%）の法人税を課税しますが、外国税額控除として外国に支払った30を控除するので、納付はゼロ（30−30）

になります。したがって、**ケース1**と同様に日本の法人税率30%に相当する法人税を外国に支払ったことを意味します。

　この場合は、外国に支払った法人税のうち、控除できなかった5（35−30）は、打ち切りになります。

　ただし、現行の日本の外国税額控除制度は、上記の計算を国別ではなく、一括して計算します。そして、翌期以降3年以内の事業年度で控除枠がある場合は、まだ未控除分の法人税5についても控除を認める措置を講じています。さらに、その所得に対する負担が高率な部分（35%超の部分）についても外国税額控除の対象から除外しています。

　つまり、上記の翌期以降3年以内の事業年度の控除枠の流用制度や外国法人税額の流用制度という措置はありますが、外国税額控除制度（方式）の本質は、日本の法人税率の範囲内で外国で課された法人税の控除を認めるものです。

　これは、日本企業が、例えばタイやベトナムに工場を持っても、国内に工場を持っても、法人税の負担は変わらないことを意味します。

　これが上記の答申でいう「資本輸出中立性」の意味です。

② 「資本輸入中立性」の意味

　「資本輸入中立性」についても、次のケースで考えます。

> **（ケース3：国外所得免除方式）**
> ⑴　外国の支店の所得　100
> ⑵　日本の法人税率は30%、外国の法人税率は25%

【説明】　このケースにおいても、支店が所在する外国に25（100×25%）の法人税を支払います。

　一方、日本は外国の支店の所得については免除するので、日本の法人税はゼロになります。

　したがって、日本と外国に支払った法人税を合計すると25になりますが、こ

れを**ケース1**の場合と比較すると、納税額は5（30－25）少なくなります。

　この例から、国外所得免除方式による場合は、外国の支店の所得についての法人税の負担は、外国の法人税率に従うことを意味しています。

　したがって、国外所得免除方式を採用した場合は、日本の法人税率より低い国に工場を設ける誘因を与えることになります。つまり、日本の産業の空洞化に拍車をかける原因の一つになる可能性がある点に留意が必要です。

> （ケース4：国外所得免除方式）
> (1)　外国の支店の所得　100
> (2)　日本の法人税率は30%、外国の法人税率は35%

【説明】　このケースは、支店が所在する外国の法人税率は35%なので、外国に35（100×35%）の法人税を支払います。

　このケースも**ケース3**と同様に、外国の支店の所得については日本は課税しません。

　しかし、**ケース1**の場合と比較すると、納税額は5（35－30）多くなります。

　このように、国外所得免除方式による税負担は、投資先である外国の税制（税率）によります。したがって、投資先（外国）の現地企業との競争においては、中立性が確保できるという点に特徴があります。外国を日本に置き換えれば（外国法人が所在する国が国外所得免除方式を採用していれば）、日本法人と外国法人は、日本国内において、同じ日本の法人税の負担をすることにより競争することができます。

　これが、「資本輸入中立性」の意味です。

　現在の日本の法人税率は、世界的には高い水準にあります。したがって、日本が外国税額控除方式から国外所得免除方式に変更した場合は、**ケース3**でも述べましたが、内国法人が事業の拠点を法人税率の低い国に移す誘因になります。

　なお、外国税額控除方式と国外所得免除方式の選択の問題は、居住者、内国法人についての二重課税の排除の問題を解決するための手法です。したがって、外国からの日本への投資の促進の是非は、外国の税制も判断要因になるので、両国の税制を比較検討する必要があります。

⑷　源泉地国における二重課税の排除

　源泉地国における二重課税の排除には、次の2つのケースがあります。

①　非居住者、外国法人に対する課税の免除

　源泉地国において非居住者、外国法人の国内源泉所得に課税しない（免税）か、軽減する方法があります。ただし、すべての非居住者、外国法人を対象とするのは税収が大幅に減るので、租税条約で合意した場合に限り実施されます。

　例えば、日米租税条約では、持株割合が50％超の親子会社間の配当については、源泉地国において免税としています。

　源泉地国における免税又は軽減は、源泉地国に対する投資を促進する効果がありますが、一方、税の減収につながるので、租税条約の当事国は、自国の国益を考えて交渉します。

②　源泉地国間の国内源泉所得の重複

　源泉地国においては、国内源泉所得を独自に定めています。この場合、ある特定の所得に対しA国もB国もそれぞれの国の国内源泉所得と定めた場合は、二重課税が生じ、調整が必要になります。この調整は租税条約で行います。

3. 国内法と租税条約

　国際税務に関係する定めには、国内法と租税条約があります。

⑴　国内法

　国内法とは、所得税法、法人税法、租税特別措置法などの法律と施行令、施行規則などのことです。

　国際税務は、外国と取引をする者であれば、非居住者、外国法人だけではなく、居住者、内国法人も関係します。

　国内法における代表的な規定を、基本法である所得税法、法人税法と、特別法である租税特別措置法に区分して、対比すると次のようになります。

① 　所得税法の定め

非居住者（外国法人）に対する主要規定	居住者（内国法人）に対する主要規定
・非居住者、外国法人の納税義務（所法5②、④）	・居住者、内国法人の納税義務（所法5①、③）
・非居住者、外国法人の課税所得の範囲（所法7①三、五）	・居住者、内国法人の課税所得の範囲（所法7①一、二、四）
・国内源泉所得（所法161） ・租税条約に異なる定めがある場合の国内源泉所得（所法162）	・全世界所得が課税の対象
・非居住者に対する課税方法（所法164）	
・総合課税に係る所得税の課税標準（所法165。右記の大部分の規定を準用）	・居住者に対する課税標準（所法22） ・各種所得の金額の計算（所法23〜71） ・所得控除（所法72〜87）
・恒久的施設に帰せられるべき純資産に対応する負債の利子の必要経費不算入（所法165の3） ・配賦経費に関する書類の保存がない場合における配賦経費の必要経費不算入（所法165の5） ・特定の内部取引に係る恒久的施設帰属所得に係る所得の金額の計算（所法165の5の2）	
・総合課税に係る所得税の税率（所法165）	・居住者に係る所得税の税率（所法89）
・非居住者に係る外国税額控除（所法165の6）	・居住者に係る外国税額控除（所法95）
・非居住者に対する分離課税に係る所得税の課税標準、税率（所法169、170） ・外国法人に係る所得税の課税標準、税率（所法178、179）	
・恒久的施設に係る取引に係る文書化（所法166の2）	

・非居住者、外国法人に対する源泉徴収義務、徴収税額（所法212①、②、④、⑤、213①）	・居住者に対する源泉徴収義務、徴収税額（所法181〜211） ・内国法人に対する源泉徴収義務、徴収税額（所法212③、④、213②）

②　法人税法の定め

外国法人に対する主要規定	内国法人に対する主要規定
・外国法人の納税義務（法法4③）	・内国法人の納税義務（法法4①、②、4の2）
・外国法人の課税所得の範囲（法法9）	・内国法人の課税所得の範囲（法法5〜8）
・国内源泉所得（法法138） ・租税条約に異なる定めがある場合の国内源泉所得（法法139）	・全世界所得が課税の対象
・外国法人の各事業年度の所得に対する法人税の課税標準（法法141）	・内国法人の各事業年度の所得に対する法人税の課税標準（法法21）
・恒久的施設帰属所得に係る所得の金額の計算（法法142。右記の大部分の規定を準用） ・恒久的施設に帰せられるべき資本に対応する負債の利子の損金不算入（法法142の4） ・本店配賦経費に関する書類の保存がない場合における本店配賦経費の損金不算入（法法142の7） ・恒久的施設の閉鎖に伴う資産の時価評価損益（法法142の8） ・特定の内部取引に係る恒久的施設帰属所得に係る所得の金額の計算（法法142の9）	・各事業年度の所得の金額の計算（法法22〜65）
・外国法人に係る各事業年度の所得に対する法人税の税率（法法143）	・内国法人に係る各事業年度の所得に対する法人税の税率（法法66）
・外国法人に係る外国税額控除（法法144の2）	・内国法人に係る外国税額控除（法法69）
・恒久的施設に係る取引に係る文書化（法法146の2）	

③　租税特別措置法の定め

　租税特別措置法では、次の規定が設けられています。

　イ　移転価格税制（措法66の4）

　ロ　過少資本税制（措法66の5）

　ハ　過大支払利子税制（措法66の5の2）

　ニ　外国子会社合算税制（措法66の6）

④　まとめ

　非居住者、外国法人と居住者、内国法人の規定は、所得税法と法人税法で規定しています。非居住者、外国法人は国内源泉所得を有する場合に納税義務が生じます。

　国内源泉所得の規定は、外国法人については、平成26年度の改正で、平成28年4月1日以後に開始する事業年度からそれまでの総合主義の考え方から帰属主義に変わりました。非居住者は平成29年分以後の所得税から適用されています。

　この帰属主義への改正により、恒久的施設は外国の本店等から独立したものと考えることになりました。その結果、国内源泉所得という名称は変わりませんが、恒久的施設で事業を行う支店等の課税対象は、外国で稼得した所得を含むことになりました（恒久的施設帰属所得）。居住者、内国法人と同様に課税するということです。

　このように国外所得も課税の対象になるので、これまで非居住者、外国法人に認められていなかった外国税額控除は、認められることになりました。

　また、恒久的施設と外国にある本店等は、課税上は別組織と考えます。すなわち、本店等との内部取引については、特定の取引を除いて、外部の者と同様の取扱いを定めるなど居住者、内国法人にない特別の規定を設けています。

　更に、恒久的施設を設けていない非居住者、外国法人であっても、日本と係わりのある所得を得た場合は、納税義務が生じます。これには、申告をして納税するタイプと源泉徴収で終了する場合があります。

　租税特別措置法における代表的な特例としては、上記③イ～ニの規定があります。このうち、移転価格税制（措法66の4）と過大支払利子税制（措法66の5の2）は内国法人だけではなく、外国法人にも適用があります。

　これに対し、過少資本税制（措法66の5）と外国子会社合算税制（措法66の6）は、内国法人についてだけ適用があります。

(2)　租税条約

①　租税条約の目的

　租税条約は、租税に関し当事国間で締結する約束のことですが、次の目的があります。

　イ　二重課税の排除

　ロ　当事国間の課税権の配分

　イ、ロについては、上記1、2で説明した国際税務についての基本的な考え方を当事国間で締結する租税条約で実現しようとするものです。

　ハ　租税回避、租税逋脱（ほだつ）の防止

　多国籍企業を中心に近年に問題にされており、租税条約での取決めが重要になっています。例えば、トリーティ・ショッピング（条約漁り）の問題があります。租税条約は国内法に比べて源泉税率を減免しています。この減免措置を享受するために、本来適用を受ける資格がない者が、当事国の居住者になることが考えられます。日本が新たな租税条約の締結及び既存の租税条約の改定に際しては、適用対象となる居住者について、トリーティ・ショッピングを狙っている者を排除する規定に変更しています。

　ニ　政府間の協議等

　租税の課税・徴収に関する手続に関し、政府間で同時調査、代行調査、徴収共助を実施し、また調査官の相手国への派遣をスムーズに実施するなどの協調体制を租税条約を通じて実現させます。

　さらに、各国は移転価格税制により、各国の課税権を確保しようとしています。移転価格税制は、ある国が課税すれば、他国は課税額を減額する関係にな

りますが、租税条約により協議する場を確保します。

　ホ　発展途上国の経済開発に対する貢献

　先進国と発展途上国との租税条約において、「みなし外国税額控除」を規定する場合があります。この規定は、日本企業が発展途上国に工場等を持った場合には、発展途上国において法人税を減免した場合においても、日本の法人税を計算する場合には、発展途上国において減免がなかったものとして外国税額控除を認めるものです。

　ヘ　当事国間の経済の活性化

　租税条約が相手国の居住者、内国法人に対して不利な取扱いをしないという内外無差別の取扱い（OECD モデル租税条約第24条）を規定しています。その結果、当事国間の資本移動、企業活動、人的交流などを活発化させることになり、租税条約は経済発展の基盤となっています。

②　租税条約と国内法

　租税条約を国内で適用する場合には、国内法との関係が問題になり、次の点を理解する必要があります。

　イ　優先適用

　租税条約には、居住者及び恒久的施設の定義、各種所得の範囲などを定めていますが、各国の国内法の定めと食い違うことがあります。この場合には、租税条約と国内法のいずれを優先するかの問題が生じます。

　この点に関し、日本は憲法第98条第 2 項において、「日本国が締結した条約及び確立された国際法規は、これを誠実に遵守することを必要とする。」と規定しており、この規定から条約が法律に優先すると考えられています。

　日本では、条約は一般に国内法の制定なしで国内で適用されます。租税条約については、国際的な二重課税を調整するために結ばれています。したがって、租税条約により新たな課税を創設したり、拡大することは許されないと考えられています。

　例えば、国内法では課税する範囲に含まれていない場合で、租税条約により

日本の課税権が拡大する場合があります。この場合には、国内法で規定する必要があります。

　ロ　所得の源泉地の置換え

　日本は、所得の源泉地の定めに関して租税条約の規定によるべき所得の源泉地の置換え規定（所法162、法法139）を設けています。この規定により、国内法で定めた国内源泉所得（所法161、法法138）の範囲を変更します。

　ハ　租税条約を遵守するための国内法

　さらに、例えば日本の非居住者で、租税条約の相手国では居住者とされる者に対し、日本国内で配当を支払い、その配当が相手国においては居住者の所得として取り扱われるものについて、租税条約において定めた限度税率が国内法で定めた税率を上回るものでない限り、限度税率で源泉徴収する旨の法律（租税条約等実施特例法）を設けて、租税条約と国内法の規定を調整しています。

　換言すれば、租税条約で定める源泉徴収税率（限度税率）を国内法（租税条約等実施特例法）で明確にしているということです。

10%を超えない（租税条約）	⇨	10%（租税条約等実施特例法）

③　租税条約の内容

　日本はOECDモデル租税条約をベースにして租税条約を締結しています。しかし、相手国により規定する項目は異なっています。ここでは、日英租税条約を例として紹介します。

　イ　人的範囲（第1条）

　一方又は双方の居住者だけを対象とします。

　ロ　対象税目（第2条）

　日本は所得税、法人税、復興特別所得税、復興特別法人税、住民税を、イギリスは所得税、法人税、譲渡収益税を対象にしています。

　ハ　定義（第3条〜第5条）

基本的な用語とともに、居住者、恒久的施設を定義しています。

ニ　種類別の所得に対する課税（第6条～第22条）

不動産所得、事業所得など所得の種類別に、日本とイギリスのいずれで課税するかなどを規定しています。

ホ　二重課税の排除（第23条）

日本もイギリスも、原則として外国税額控除により二重課税を排除することとしています。

ヘ　その他（第24条～第29条）

無差別取扱い、相互協議、情報交換、外交官、発効、終了を規定しています。

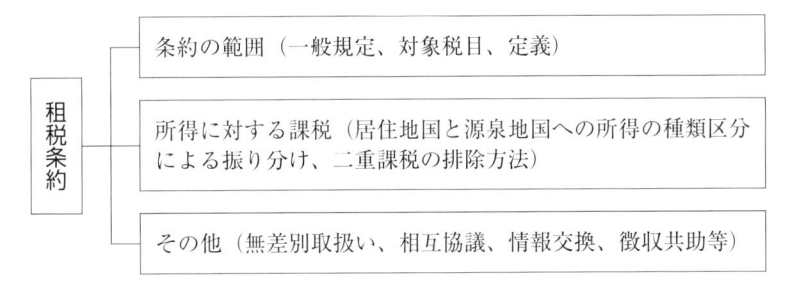

④　有利選択

例えば、日米租税条約第1条第2項では、次のイ又はロによって、現在又は将来認められる非課税、免税、所得控除、税額控除その他の租税の減免をいかなる態様においても制限するものと解してはならない、と規定しています（プリザーベーション条項）。

イ　一方の締約国が課する租税の額を決定するにあたって適用される当該一方の締約国の法令

ロ　両締約国間の他の二国間協定又は両締約国が当事国となっている多数国間協定

このプリザーベーション条項は、納税者は国内法の規定に比べ租税条約の規定を適用した場合に不利になる場合は、租税条約の適用をしないことを確認す

るもので、租税条約の基本的な位置づけを表すものです。

⑤　相手国の居住者、内国法人に対する恩恵

　租税条約は、二重課税の排除を主要な目的としていますが、その対象者は、原則として相手国の居住者、内国法人（自国の非居住者、外国法人）です。この点を確認するのが、セービング条項です。具体的には、条約に特別の定めがない限り、締約国は自国の居住者に国内法に基づき課税する権利を留保するというものです。

⑥　モデル租税条約

　モデル租税条約の代表的なものとして、OECDモデル租税条約と国連モデル租税条約があります。OECDモデル租税条約は、先進国の間での締結を前提とするもので、相互主義により、居住地国課税による（源泉地国免税）という原則を打ち立てています。

　先進国と発展途上国がOECDモデル租税条約をベースにして租税条約を締結した場合は、投資をする企業にとっては、先進国が居住地国になり、発展途上国が源泉地国になることが多いので、発展途上国の利益が損なわれることが多くなります。

　国連モデル租税条約は、発展途上国のためのモデル租税条約で、発展途上国の税収の確保を重視した内容になっています。例えば、OECDモデル租税条約に比べて恒久的施設の範囲を広く定義しています。

　日本は、OECDモデル租税条約をベースして、租税条約の交渉をしています。

⑦　租税法の解釈

　租税法の解釈にあたっては、OECDモデル租税条約とそのコメンタリーが、解釈資料になります。

　納税者と租税条約の一方の当事国の間で、租税条約の解釈を巡って対立した場合は、その一方の当事国の裁判所の判断に委ねられることになります。

　ただし、事案によっては、他の当事国の課税に影響をもたらす場合があり、

そのような場合は、当事国の相互協議により解決の途を探ることになります。

⑧　租税条約の種類

　日本が結んでいる租税条約は、そのほとんどが所得に対する所得税条約です。ただし、アメリカとの間に相続税条約を結んでいます。

4. BEPS プロジェクト

　BEPS（Base Erosion and Profit Shifting：税源浸食と利益移転）プロジェクトは、多国籍企業が各国の税制の差異を巧みに利用して租税回避をすることに対する対抗策として平成24年に OECD が立ち上げたプロジェクトです。15項目の行動計画が検討され、平成27年10月に最終報告がとりまとめられて公表されました（BEPS プロジェクトの詳細については序章参照）。

　日本もこの BEPS プロジェクトに沿ったいくつかの改正がなされています。

第2節 非居住者、外国法人の取扱いに関する基本的な考え方

本節では、非居住者、外国法人に関する規定のうち、基本的な考え方を説明します。

1. 非居住者、外国法人

居住者、内国法人は、全世界所得に課税し、非居住者、外国法人は恒久的施設を通じて及び国内で発生した所得にだけに課税します。非居住者、外国法人は、納税義務者である居住者、内国法人と区分する概念です。

(1) 居住者、非居住者

① 居住者（所法2①三）

国内に住所を有し、又は現在まで引き続いて1年以上居所を有する個人をいいます。居住者は、さらに永住者と非永住者に分かれます。

② 非永住者（所法2①四）

居住者のうち、次のイ、ロの要件を満たす個人のことです。

- イ 日本の国籍を有していない
- ロ 過去10年以内において国内に住所又は居所を有していた期間の合計が5年以下

③ 非居住者（所法2①五）

居住者以外の個人をいいます。具体的には、外国から日本に短期の出稼ぎに来た外国人や、海外勤務のために外国で生活している日本人などが非居住者になります。

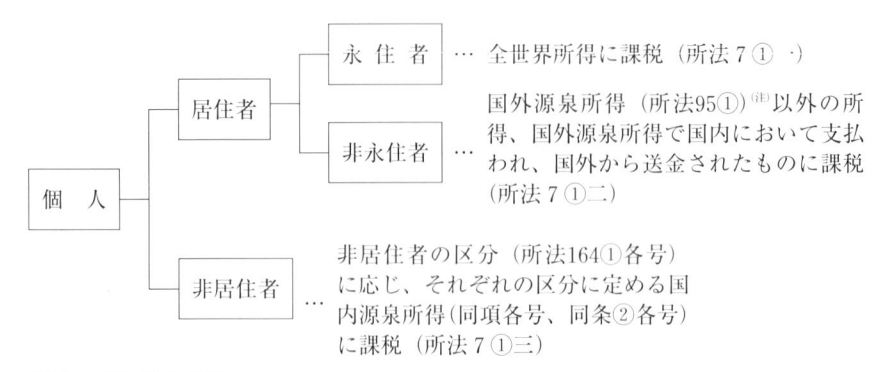

（注）　国外源泉所得

　　　国外源泉所得には、有価証券でその取得の日がその譲渡の日の10年前の日の翌日から、その譲渡の日まで、非永住者であった期間内にないもののうち、一定の譲渡により生ずる所得を含みます（所令17①）。

(2)　内国法人、外国法人

① 　内国法人（法法2三）

　内国に本店又は主たる事務所を有する法人をいいます。

② 　外国法人（法法2四）

　内国法人以外の法人をいいます。

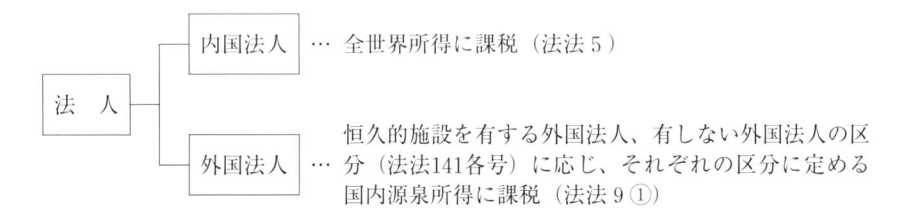

2．恒久的施設

　恒久的施設（permanent establishment：PE）は、非居住者、外国法人に課税する根拠となる概念で、国内法と租税条約で規定しています。

⑴　国内法

　非居住者、外国法人の日本に対する関わり方に応じて、次の3つのタイプがあります（所法2①八の四、法法2十二の十九）。

> 事業管理場所等

> 長期建設工事現場等

> 契約締結代理人等[注]

　（注）　代理人
　　　　独立代理人は代理人PEに該当しません。

　なお、「恒久的施設なければ課税なし」という原則がありますが、これは事業所得についてのものです。

　さらに、非居住者、外国法人が、国内に恒久的施設を有しない場合でも、国内源泉所得を有するときは、日本は課税権を有します。

⑵　租税条約

　恒久的施設は、歴史的にはモデル租税条約を作成する過程の中で形成された概念です。しかし、自国の税収確保の観点からは、先進国と発展途上国では恒久的施設に対する認識も異なります。

　すなわち、投資先である発展途上国においては、源泉地国課税を充実させるために恒久的施設を広く定義することを考えます。各国はその国内法において恒久的施設の範囲を自由に定めることができます。

　日本が租税条約を締結する場合は、日本の国内法で規定している恒久的施設の範囲と異なる場合があります。

　例えば、長期建設工事現場等（PE）について日中租税条約では、「建築工事現場又は建設、組立工事若しくは据付工事若しくはこれらに関連する監督活動は、6箇月を超える期間存続する場合に限り、『恒久的施設』とする。」（同条約第5条第3項）と規定しています。

　日本の国内法では、1年超の建設作業を長期建設工事現場等（PE）としていますが、租税条約の規定が優先します。

3. 国内源泉所得

(1) 国内法

　日本は、非居住者、外国法人に対してこれらの者に帰属した又は日本で発生した所得に対して課税します。これを国内源泉所得といいます。国内源泉所得は、所得税法では17、法人税法では6に分類して規定しています（所法161、法法138）。

　例えば、事業所得は「恒久的施設に帰せられるべき所得」、不動産所得は「国内にある不動産…の貸付け」と規定し、帰属又は発生した所得に限定しています。

　この国内源泉所得の種類を整理することと、その課税関係（非課税、総合課税、源泉分離課税、源泉徴収）を確認することが、国際税務の出発点になります。

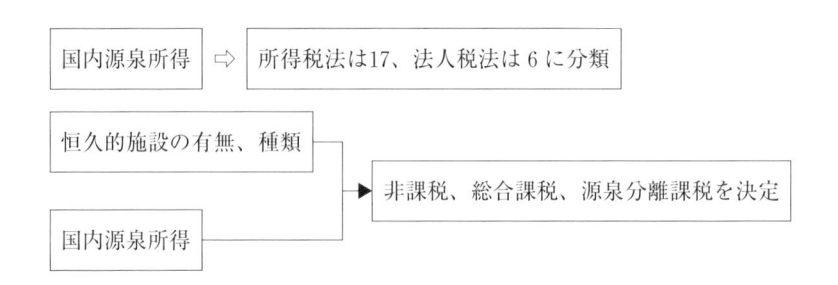

(2) 租税条約

　租税条約では、各種の所得についての条約当事国で配分する所得の取決めをします。

　平成26年度の改正前は、国内源泉所得としての事業所得（所法161①一、法法138①一）についての国内法は、総合主義（entire income principle）によってい

ました。

　しかし、外国法人は平成28年4月1日以後に開始する事業年度から、非居住者は平成29年分以後の所得税から帰属主義（attributable income principle）に変更しました。

　日本が結ぶ租税条約は帰属主義によっているので、上記の改正により、国内法と租税条約の計上方法は一致することになりました。

　また、国内源泉所得のうち、例えば工業権の使用料については、日本は使用地主義によりますが、租税条約では債務者主義によります。

　このように国内法と租税条約で定めが異なる場合は、租税条約の規定によります。この場合は、所得の源泉地の置換え規定（所法162、法法139）を設けており、この規定により租税条約で取り込んだ所得を国内源泉所得とみなします。

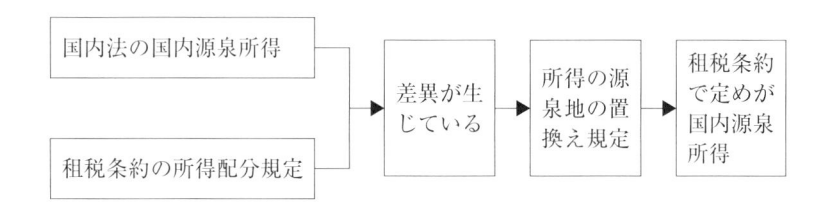

4. 総合主義と帰属主義

⑴　総合主義

　「総合主義」とは、国内の恒久的施設に着目し、すべての国内源泉所得に対し課税する考え方をいいます。帰属主義との差異は、事業所得に顕著に現れます。

　なお、国内の恒久的施設から所得を分類すると、国内源泉所得(注)と国外源泉所得に分類されますが、総合主義は国内源泉所得についてだけ課税するということです。

（注）　国内源泉所得

　　　この項では、国内で発生した属地的な所得（国内発生分）を意味します。

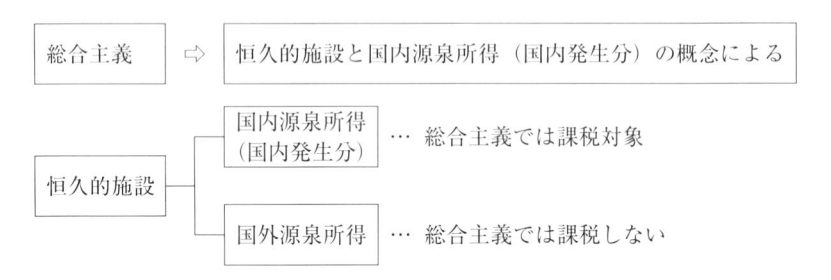

(2)　帰属主義

　「帰属主義」とは、国内の恒久的施設に帰属する所得について課税する考え方をいいます。日本は、租税条約においては、帰属主義によっています。

　なお、帰属主義に改正した後の税法で規定する国内源泉所得は、恒久的施設が稼得する国外源泉所得と国内で発生した所得を合わせた概念になっています。

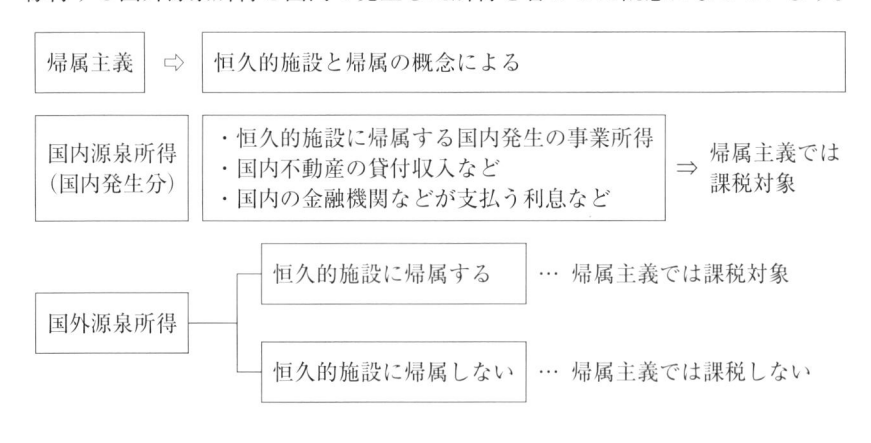

(3)　両者の差異

　次の場合には、差異が生じます。

　①　外国法人が日本に支店を置いているが、今回の取引は日本の支店を通さ

ずに外国法人の本店が日本の顧客に販売した場合　（外国法人の本店直取引）

イ　総合主義

日本に恒久的施設（支店）があるので、国内源泉所得（国内発生分）として課税します。

ロ　帰属主義

この所得は、日本の恒久的施設（支店）に帰属しないので、日本は課税しません。

②　外国法人の日本支店が第三国の取引先に商品を販売した場合

イ　総合主義

日本で生じた国内源泉所得（国内発生分）にだけに課税しますので、課税対象外になります。

ロ　帰属主義

国内源泉所得（国内発生分）には該当しませんが、外国法人の日本支店に帰属するので、日本は課税します。

5. 使用地主義と債務者主義

(1)　使用地主義

国内において業務を行う者に対する貸付金で、その業務に係るものの利子(所法161①十)は、国内源泉所得とされています。

具体例としては、外国法人である親会社が国内において業務を行う内国法人である子会社に貸し付けた場合の子会社が親会社に支払う利子が該当します。

また、国内において業務を行う者から受ける工業所有権や著作権の使用料なども国内源泉所得とされています（所法161①十一）。

これらの利子や使用料は、国内において業務を行う者が消費し、使用する点に着目するもので、「使用地主義」と呼んでいます。

これは、源泉地国課税を意味します。

⑵　債務者主義

　日本が締結している租税条約では、貸付金の利子や特許権の使用料などは、債務者の居住地国で課税すると規定しているものがあります。これを債務者主義といいます。

　例えば、外国法人が日本の企業に第三国で使用する事業資金を貸し付けた場合には、債務者主義による場合は、日本の国内源泉所得になります。使用地主義による場合は、事業資金の使用は国外なので日本の国外源泉所得になります。

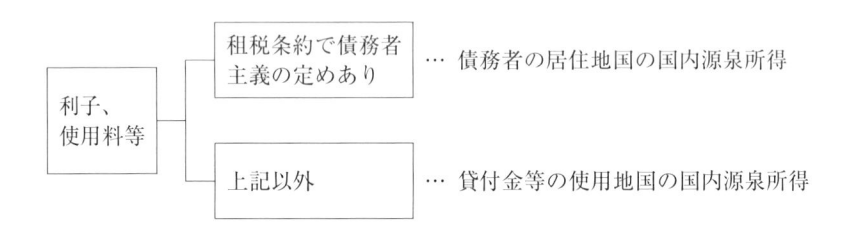

6.　独立企業の原則

　例えば外国の法人が日本に支店（恒久的施設）を置いた場合は、日本の支店において事業所得を計算する必要があります。日本の支店で獲得した収益や支出した費用は、当然日本の支店の所得計算に含めます。この場合、販売のための商品を外国の本店から日本の支店に転送した場合の価格の付け方が問題になります。この場合の基本的な考え方が、独立企業の原則です。

　独立企業の原則は、支店を独立した企業とみなして所得計算をするものです。具体的には、本店と支店は第三者間で取引される価格でやり取りをしたものとして、支店の所得金額を計算します。また、本店と支店の両方に共通する費用を支出した場合は、そのうち支店分は、支店の販売費、一般管理費とします。

　さらに、親子会社間など特殊関連企業の間の取引については、独立した企業の間で設定する価格によらなければならないという考え方も独立企業の原則で

す。移転価格税制（措法66の4）は、この考え方に基づきます。

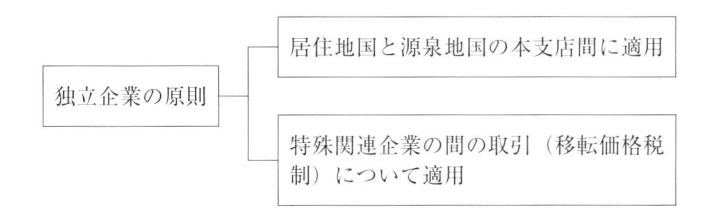

7．文書化

　例えば、内国法人が国外関連者である子会社に販売した製品の販売価格が、第三者に販売する価格に比べて低いと考えるときは、移転価格税制（措法66の4）の適用を検討します。これに対し、内国法人は正当な価格であると反論することになりますが、それには証拠が必要になります。

　このような問題が生ずるのは、内国法人と国外関連者は特殊関係がある間柄であるからです。つまり、取引に相互牽制が働きません。このような特殊関係者間では、税負担を少なくするために価格を決定することが多いと考えられます。

　そこで、移転価格税制を始めとするいくつかの規定においては、日本と外国が関わっている親子会社間、本支店間の取引などについて、例えば取引価格をどのように決定したかなどの説明ができる資料の作成が義務付けられています。これを、「文書化」といいます。

　国際課税の実務では、この「文書化」が重要な作業になります。

（主要な文書化の規定）

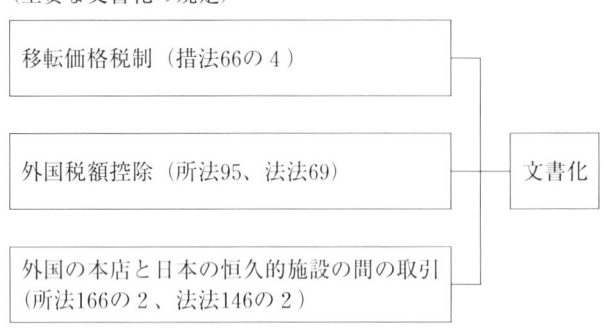

第3節 内国法人の取扱いに関する基本的な考え方

　本節では、主として内国法人に関する規定について、基本的な取扱いを説明します。

1. 外国税額控除

⑴　概要（法法69）

　国際的な二重課税を排除するために設けられた規定で、次の規定があります。所得税も同様の規定を設けています（所法95）。

外国税額控除	直接税額控除	⇨	外国で納付した税額を所得税、法人税から控除
	間接税額控除	⇨	廃止。経過措置として存続（平成21年度改正）
	みなし外国税額控除	⇨	発展途上国へ進出した企業が現地で減免された税を納付したものとみなして外国税額控除を適用

⑵　直接税額控除

① 　対象となる外国法人税

　外国の法令に基づき外国、その地方公共団体により、法人の所得を課税標準として課される税が外国税額控除の対象になります。

　ただし、一定のものは除外します（控除対象外国法人税の額）。

② 　控除限度額

　次の算式により計算した金額をいいます。

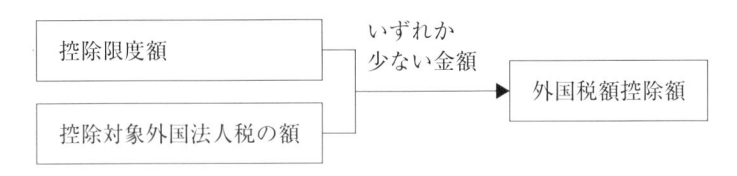

③　外国税額控除額

　控除限度額と控除対象外国法人税の額のいずれか少ない金額が、外国税額控除額になります。

④　法人税、地方法人税、住民税からの控除

　外国税額控除額は、まず法人税から控除し、控除しきれない場合は地方法人税、住民税から控除します。

⑤　繰越控除限度額と繰越控除対象外国法人税額がある場合

　③の控除限度額と控除対象外国法人税の額は、同じ事業年度に発生するとは限りません。また、控除限度額は国別ではなく一括して計算します。

　このようなことから、繰り越される控除限度額（控除限度額が控除対象外国法人税の額を上回る部分の金額）、繰り越される控除対象外国法人税額（控除対象外国法人税の額が控除限度額を上回る部分の金額）については、翌期から3年以内の事業年度で外国税額控除の対象とします。

2. 外国子会社配当益金不算入制度

(1)　概要（法法23の2）

　外国子会社から受け取る配当金（剰余金の配当等の額）については、間接税額控除により二重課税を排除してきました。しかし、現在の日本の法人税率（住民税率、事業税率を含みます）は、アメリカやフランス、ドイツとともに世界で

高い水準にあります。したがって、企業にとっては、間接税額控除よりも、本制度により外国子会社から受け取る配当金を益金不算入とすることにより、税負担が軽減されることが多いと考えられます。

　本制度は、平成21年度の改正で間接税額控除の廃止に合わせて創設しました。その狙いは、日本企業の海外子会社が留保している資金の国内への還流を促すという経済政策の観点によるものです。

⑵　外国子会社

　次の①、②の要件を満たす外国法人をいいます。

① 持株割合要件

　次のいずれかの要件を満たすこと。

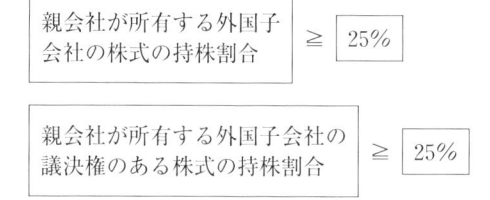

② 持株の継続保有要件

　①の状態が、外国子会社から受ける配当金の支払義務が確定する日以前6か月以上継続していること。

⑶　益金不算入

　次の算式で計算した金額は、益金不算入とします。

3.　国外転出時課税

(1)　制度創設の趣旨（所法60の2、60の3）

　株式など有価証券の譲渡益の課税は、譲渡時に譲渡した人が居住する国で課税するのが原則です。このような仕組みを利用して、譲渡益を非課税とする国に移住して株式を譲渡することが行われていました。

　そこで、平成27年度の税制改正で国外転出時課税制度を創設しました。

(2)　国外転出時課税の納税義務者、課税時期

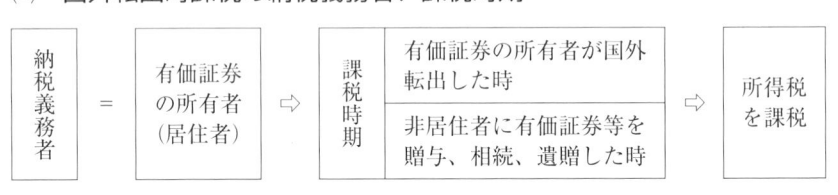

(3)　課税対象

　次の3つが課税の対象になります。

課税対象	有価証券等（有価証券、匿名組合契約の出資の持分）
	未決済信用取引等（未決済の信用取引、発行日取引）
	未決済デリバティブ取引

(4)　適用除外

　次の居住者には、国外転出時課税はありません。

適用除外	課税対象額が、1億円未満の場合
	国外転出の日、贈与・相続・遺贈の日前10年以内に国内に住所、居所を有していた期間の合計が、5年以下の居住者

⑸　課税の特例（主要なもの）

次の特例が設けられています。

課税の特例	国外転出をする場合、贈与等があった場合の譲渡所得等の特例を受けた有価証券等をその後譲渡、決済した場合	⇨	国外転出課税された未実現利益は、その後譲渡、決済した場合の譲渡原価等になる
	国外転出の日、贈与等の日から5年（10年に延長可）を経過する日までに帰国等した場合	⇨	譲渡、決済の全てがなかったものとする（課税の取り消し）
	納税猶予の適用者が譲渡等した有価証券等の時価が下落している場合	⇨	譲渡、決済時の時価での再計算できる
	納税猶予の適用者が保有する有価証券等の納税猶予の期間満了日（5年後、10年後）の時価が下落している場合	⇨	国外転出日から5年（10年）経過日の時価で再計算できる

⑹　その他の特例

次の特例があります。

- ・外国転出時課税の規定の適用を受けた場合の譲渡所得等の特例（所法60の4）
- ・国外転出をする場合の譲渡所得等の特例に係る外国税額控除の特例（所法95の2）
- ・国外転出をする場合、贈与等の場合の譲渡所得等の特例の適用がある場合の納税猶予（所法137の2、137の3）

⑺　更正の請求、修正申告の特例、期限後申告の特例

事由に応じて、多くの特例が設けられています。

4.　外国子会社合算税制

(1)　概要（措法66の 6 ）

　外国子会社合算税制は、タックス・ヘイブン対策税制とも呼ばれています。

　タックス・ヘイブンとは、法人税の負担がゼロ又は著しく低い国・地域のことです。企業がタックス・ヘイブンに子会社を設立して、その子会社に所得を発生させ、留保するという租税回避行為が顕著になったので、日本は昭和53年に創設しました。その内容は、一定の要件を満たす子会社の所得を日本法人である内国法人の所得に合算して課税するものです。

　外国子会社合算税制は、次の 2 つの規定から成り立っています。この規定は、居住者にも適用しますが、ここでは適用対象者を内国法人として説明します。

外国子会社合算税制	会社単位の合算課税
	受動的所得の合算課税

(2)　内国法人

　外国関係会社を支配している内国法人のことで、一定の外国子会社などの所得を合算し、課税を受けます。支配をしているか否かの判断基準は 4 タイプあります。

所得を 合算する 内国法人　⇨	①　内国法人の外国関係会社に対する持株割合が10％以上の場合のその内国法人。持株割合の算定方法は 3 タイプ（③、④に同じ）。 ②　外国関係会社との間に実質支配関係[注]がある内国法人 ③　内国法人との間に実質支配関係がある外国関係会社の他の外国関係会社に対する持株割合が10％以上の場合のその内国法人 ④　外国関係会社に係る持株割合が10％以上である一の同族株主グループに属する内国法人

（注）　実質支配関係

　　　居住者又は内国法人が、外国法人の残余財産のおおむね全部を請求する権利を有している場合におけるその居住者又は内国法人とその外国法人との間の関係などをいいます。

（3）　外国関係会社

　次の①～③の基準のいずれかを満たす外国法人をいいます。

①　持株割合50%超基準

外国関係会社	居住者等株主等の外国法人に対する持株割合が50%[注1]を超える場合におけるその外国法人。この場合の持株割合の算定方法は3タイプ。
居住者等株主等	居住者、内国法人、特殊関係非居住者[注2]、②の居住者、内国法人との間に実質支配関係がある外国法人

（注）1　持株割合が50%

　　　　平成29年度の改正により、間接の持株割合は、改正前の掛け算方式から、50%を超える連鎖関係が連続しているか否かで判定する方式に改正されました。

　　　2　特殊関係非居住者

　　　　居住者又は内国法人と特殊の関係のある非居住者をいいます。

②　実質支配基準

外国関係会社	居住者、内国法人との間に実質支配関係がある外国法人

③　外国金融機関についての経営管理基準

外国関係会社	部分対象外国関係会社、外国金融子会社等の規定を適用した場合に、部分対象外国関係会社との間に、部分対象外国関係会社が経営管理を行っている特定外国金融機関で、その本店所在地国の法令又は慣行その他やむを得ない理由により、その発行済株式等の100分の50を超える数・金額の株式等を有することが認められないもののうち、その議決権の総数の100分の40以上の数の議決権を有すること等の要件に該当する外国法人

(4)　外国子会社合算税制の対象となる外国関係会社^(注)

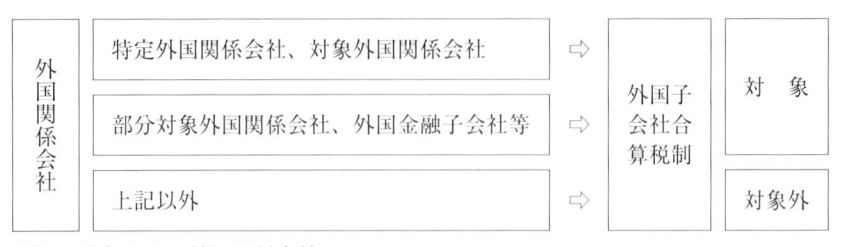

（注）　対象となる外国関係会社

平成29年度の税制改正で、外国関係会社への税率がゼロ又は20％未満（トリガー税率）であることの要件を廃止しました。

(5)　特定外国関係会社

次の３つのタイプのいずれかに該当する外国関係会社をいいます。

ペーパーカンパニー	右のいずれにも該当しない	主たる事業の遂行に必要な事務所、店舗、工場等の固定施設を有している外国関係会社
		本店所在地国で事業の管理、支配、運営を自ら行っている外国関係会社
事実上のキャッシュボックス		総資産額に対する次の①～⑩の合計額の割合が30％を超える外国関係会社 　①剰余金の配当等の利益、②受取利子等の利益、③有価証券の貸付利益、④有価証券の譲渡損益、⑤デリバティブ取引の利益・損失、⑥外国為替の売買相場の変動に伴う利益・損失、⑦　①～⑥の利益・損失を生じさせる資産の運用、保有、譲渡、貸付け等により生ずる利益・損失、⑧固定資産（無形固定資産等を除く）の貸付けによる利益、⑨無形固定資産等の使用料の利益、⑩無形固定資産等の譲渡損益
ブラックリスト国所在		租税に関する情報の交換に関する国際的な取組への協力が著しく不十分な国、地域として財務大臣が指定する国、地域に本店、主たる事務所を有する外国関係会社

(6)　対象外国関係会社

　次の経済活動基準の要件のいずれかに該当せず、かつ、特定外国関係会社に該当しない外国関係会社をいいます。経済活動基準は、外国関係会社が、「能動的所得」を得るために必要な経済活動の実体があるか否かを判定する基準です。

（経済活動基準）

事業基準	次の①～③を主たる事業とするものでないこと。 ①　株式等、債券の保有^(注) ②　工業所有権その他の技術に関する権利、特別の技術による生産方式、これらに準ずるもの、著作権の提供 ③　船舶、航空機の貸付け

（注）　株式等、債券の保有

　　　次の(1)～(3)を除きます。つまり、事業基準を満たします。

　(1)　外国関係会社が他の法人の事業活動の総合的な管理及び調整を通じてその収益性の向上に資する業務（統括業務）を行う場合におけるその他の法人の株式等の保有を行うもの

　(2)　部分対象外国関係会社の定義を「外国法人」に変えて外国金融子会社等の定義に当てはめた場合に外国金融機関に該当することとなる外国法人で、外国金融子会社等に該当することとなるもの。ただし、外国金融機関に該当することとなるものと、(1)の法人は除きます。

　(3)　役員又は使用人が、本店所在地国において航空機の貸付けを的確に遂行するために通常必要と認められる業務の全てに従事していることなどの要件を満たすもの

実体基準	本店所在地国において、主たる事業を行うに必要と認められる事務所、店舗、工場その他の固定施設を有していること。
管理支配基準	本店所在地国において、その事業の管理、支配、運営を自ら行っていること。

非関連者基準	各事業年度において、その行う主たる事業が、次の①、②の事業のいずれに該当するかに応じ、①、②の定めに該当すること。 ①　卸売業、銀行業、信託業、金融商品取引業、保険業、水運業、航空運送業、航空機の貸付けが主となる物品賃貸業 　その事業を主としてその外国関係会社に係る居住者、内国法人、連結法人等以外の者との間で50%を超える取引があること
所在地国基準	②　不動産業、物品賃貸業、製造業、その他の事業 　その事業を主としてその本店所在地国において行っていること

(7)　会社単位の合算課税の対象となる課税対象金額

　内国法人の所得に合算する特定外国関係会社、対象外国関係会社の所得金額のことで、次の順序で計算した課税対象金額を内国法人の所得金額に加算（益金算入）します。

基準所得金額 ⇨	特定外国関係会社、対象外国関係会社の各事業年度の決算に基づく所得の金額につき、次の①、②のいずれかの規定を適用して計算した所得金額 ①　日本の法人税法、租税特別措置法（一定の加算項目、減算項目を調整） ②　特定外国関係会社、対象外国関係会社の本店所在地国の法人所得税に関する法令（一定の加算項目、減算項目を調整。ただし、企業集団等所得課税規定^(注)は適用しない）

適用調整対象金額	＝	基準所得金額	－	前7年以内の事業年度の欠損金額	－	納付することとなる法人所得税の額
課税対象金額	＝	適用調整対象金額	×	請求権等勘案合算割合	＝	内国法人の所得金額への合算額

（注）　企業集団等所得課税規定
　　　　外国法人の属する企業集団の所得に対して法人所得税を課することとし、かつ、その企業集団に属する一の外国法人のみがその法人所得税に係る納税申告書に相当する申告書を提出することとするその外国法人の本店所在地国の法令の規定など3つが規定されている。

(8)　会社単位の合算課税

(注)　租税負担割合
　　　次の割合をいいます。

$$\frac{\text{所得に対して課される租税の額}}{\text{所得の金額}} = \text{租税負担割合}$$

(9)　受動的所得の合算課税の対象となる部分課税対象金額

　内国法人の所得に合算する部分対象外国関係会社（外国金融子会社等を除く）の所得金額のことで、次の順序で計算した部分課税対象金額を内国法人の所得金額に加算（益金算入）します。

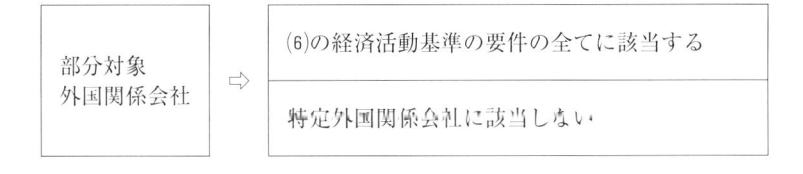

外国金融 子会社等^(注) ⇨	本店所在地国の法令に準拠して銀行業、金融商品取引業、保険業を行う部分対象外国関係会社（同様の状況にある会社を含む）である
	本店所在地国において、役員又は使用人がこれらの事業を的確に遂行するために通常必要と認められる業務の全てに従事している又は同様の状況にある外国金融機関及び外国金融機関に準ずる部分対象外国関係会社

（注）　外国金融子会社等

外国金融子会社等は別の規定で、受贈的所得の合算課税が行われます。

特定所得 の金額 ⇨	部分対象外国関係会社の各事業年度の次の①〜⑫を合計した金額。 　①剰余金の配当等の利益、②受取利子等の利益、③有価証券の貸付利益、④有価証券の譲渡損益、⑤デリバティブ取引の利益・損失、⑥外国為替の売買相場の変動に伴う利益・損失、⑦　①〜⑥の利益・損失を生じさせる資産の運用、保有、譲渡、貸付け等により生ずる利益・損失、⑧収入保険料から支払保険金を減算した金額、⑨固定資産（無形固定資産等を除く）の貸付けによる利益、⑩無形固定資産等の使用料の利益、⑪無形固定資産等の譲渡損益、⑫受取剰余金の配当等、受取利子等などの金額がないものとした場合の各事業年度の所得の金額から、総資産の額（調整計算後）に人件費等の費用の額を加算した金額の50％を控除した残額^(注)

（注）　解散により外国金融子会社等に該当しないこととなった部分対象外国関係会社(清算外国金融子会社等)の取扱いは省略します。

部分適用 対象金額	＝	特定所得の金額の①〜③、⑨、⑩、⑫の利益の合計額^(注1)	＋	特定所得の金額の④〜⑧、⑪の合計額（マイナスの場合はゼロ）^(注1)	－	各事業年度開始の日前7年以内に開始した事業年度において生じた部分適用対象損失額^(注2)の合計額

（注）1　清算外国金融子会社の取扱い

省略します。

　　　2　部分適用対象損失額

上記特定所得の金額の④〜⑧、⑪の合計額がマイナスの場合のそのマイナスの金額をいい、各事業年度前の事業年度において控除されたものを除いたものです。

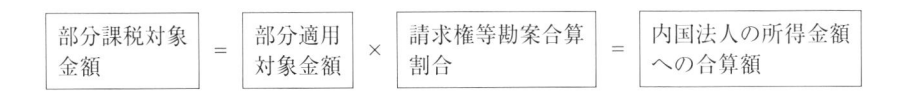

⑽　受動的所得の合算課税

（注）　20％未満

部分適用対象金額が2,000万円以下、各事業年度の決算に基づく所得の金額のうちに、その各事業年度における部分適用対象金額の占める割合が5％以下の場合は、受動的所得の合算課税の適用はありません。

5. 移転価格税制

⑴　概要（措法66の4）

次の①、②の要件を満たす場合には、その国外関連取引は、独立企業間価格で行われたものとみなします。つまり、売上代金が独立企業間価格に比べて少ない場合はその差額に課税します。また、仕入代金が独立企業間価格を上回る場合はその差額に課税します。

① 法人がその国外関連者との間で、資産の販売、資産の購入、役務の提供その他の取引（一定の取引を除き、「国外関連取引」といいます）を行ったこと。

② 国外関連取引が、次のイ、ロのいずれかに該当すること。

イ　その法人の国外関連者から支払を受ける対価の額が、独立企業間価格に満たないこと

ロ　その法人の国外関連者に支払う対価の額が、独立企業間価格を超えること

売上代金150、独立企業間価格200	受取人は内国法人 支払人は国外関連者	⇨内国法人に50を追加課税
仕入代金200、独立企業間価格150	支払人は内国法人 受取人は国外関連者	⇨内国法人に50を追加課税

⑵　移転価格税制の対象者

法人だけが対象になり、個人には適用しません。

⑶　国外関連者

次の要件を満たす者をいいます。

国外関連者	外国法人であること
	その法人との間に、いずれか一方の法人が他方の法人の発行済株式等の50％以上を直接・間接に保有すること（5タイプあり）

⑷　独立企業間価格

棚卸資産の販売又は購入の場合と、それ以外の場合に分けて規定されています。

ただし、これらの方法のうち、その国外関連取引の内容及びその国外関連取引の当事者が果たす機能その他の事情を勘案して、その国外関連取引が独立の事業者の間で通常の取引の条件に従って行われるとした場合に、その国外関連取引につき支払われるべき対価の額を算定するための最も適切な方法により算定した金額によります。

棚卸資産の販売又は購入	①　独立価格比準法
	②　再販売価格基準法
	③　原価基準法
	④　①～③に準ずる方法 （利益分割法など）
上記以外	上記①～④の方法と同等の方法

6. 過少資本税制

(1)　概要（措法66の5）

　例えば、外国法人の日本の子会社は、資本金を少なくし、外国の親会社から多くの借入金により事業を運営していることがあります。このようにするのは、支払う配当金は資本等取引（法法22）に該当するので損金不算入とされ、一方、支払利息は損金算入されるからです。

　もし、支払先（親会社）が内国法人の場合は、その親会社において同額の受取利息が益金算入されるので、支払う子会社において過少資本、過大借入金であっても原則として日本の法人税の減収は生じません。しかし、外国法人に対しては、その支払利子に対して源泉徴収する規定を設けていますが、租税条約で更に減免する規定を設けていることが多くなっています。

　そこで、過少資本税制により、一定の支払利息については、損金不算入としています。

⑵　適用要件

次の要件を満たす場合には、過少資本税制を適用します。

① 　内国法人が、国外支配株主等、資金供与者等に負債の利子等を支払うこと。

② 　その事業年度において、次の算式を満たすこと。

$$\boxed{\begin{array}{l}\text{国外支配株主等、}\\\text{資金供与者等の平}\\\text{均負債残高}\end{array}} \; - \; \boxed{\begin{array}{l}\text{国外支配株}\\\text{主等の資本}\\\text{持分の3倍}\end{array}} \;（A）＞0$$

⑶　損金不算入

国外支配株主等、資金供与者等に支払う負債の利子等の額のうち、A （⑵②）に対応する金額は、その内国法人のその事業年度の所得の金額の計算上、損金の額に算入しません。

⑷　定 義

① 　国外支配株主等

その内国法人の発行済株式等の50％以上を保有しているなどの場合の非居住者、外国法人をいいます。

② 　資金供与者等

内国法人に資金を供与する者などをいいます。

③ 　平均負債残高

その事業年度の負債の帳簿価額の平均的な残高として、合理的な方法により計算した金額をいいます。

④ 　国外支配株主等の資本持分

次の算式で計算した金額をいいます。

$$\boxed{\begin{array}{l}\text{内国法人}\\\text{の自己資}\\\text{本の額}\end{array}} \times \frac{\text{期末における国外支配株主等の有するその}\text{内国法人に係る直接・間接保有の株式等}}{\text{その内国法人の発行済株式等}} = \boxed{\begin{array}{l}\text{国外支配株}\\\text{主等の資本}\\\text{持分}\end{array}}$$

7. 過大支払利子税制

(1) 制度の趣旨（措法66の5の2）

　過大支払利子税制は、平成24年度の税制改正で創設されました。親子会社間などの金銭消費貸借契約に基づく支払利子の問題は、主として支払側が日本の子会社、受取側が外国の親会社の場合に生じます。この問題については、これまで移転価格税制と過少資本税制で対応してきました。

　しかし、移転価格税制は、第三者と金銭消費貸借契約を結んだ場合の利率との比較の中で日本の子会社が外国の親会社に過大な利率に基づく利息を支払っている場合に適用するものです（過大利率の視点からの規定）。

　一方、外国の親会社が日本に子会社を設立する場合に、その事業規模に比べて資本を少なくし、それを上回る運転資金は子会社に貸し付けることにより、子会社の支払利子が過大になっている場合に過少資本税制を適用します（資本に対する過大負債の視点からの規定）。

　更に、日本の子会社が稼得する利益との比較において支払利子が過大になる場合も考えられます。経営の視点からは経営効率の悪さを検討すべきケースに当たりますが、移転価格税制と過少資本税制の適用要件に該当しない中で、税負担を回避するスキームを組むことが考えられます。

　このような租税回避に対抗するために導入したのが過大支払利子税制です。

(2) 主要な適用要件

　次の要件を満たす必要があります。

① 対象支払利子等の額の合計額（対象支払利子等合計額）があること。

② 次の不等算式を満たす場合であること。

$$\boxed{\begin{array}{c}対象純支払\\利子等の額\end{array}} > \boxed{\begin{array}{c}調整所\\得金額\end{array}} \times 20\%$$

(3) 損金不算入

　次の算式で計算した金額は、損金の額に算入しません。

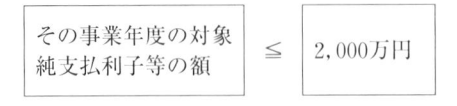

(4)　適用除外

次のいずれかに該当する場合は、過大支払利子税制を適用しません。

① 　対象準支払利子等の額が少額の場合

その事業年度の対象 純支払利子等の額	≦	2,000万円

② 　内国法人、特定資本関係のある他の内国法人について、下記の不等算式を充足した場合

対象純支払 利子等の額 の合計額	－	対象純受取 利子等の額 の合計額	≦	調整所得 金額の合 計額	－	調整損失 金額の合 計額	×20%

(5)　定　義

① 　対象支払利子等の額（その合計額が、対象支払利子等合計額）

支払利子等の額のうち、対象外支払利子等の額以外の金額をいいます。

支払利子 等の額	対象外支払利子等の額
	対象支払利子等の額

イ 　支払利子等の額

法人が支払う負債の利子、これに準ずるものの金額をいいます。

ロ 　対象外支払利子等の額

例えば、支払利子等を受ける者の課税対象所得に含まれる支払利子等の場合は、その課税対象所得に含まれる支払利子等の額をいいます（他に3タイプあり）。

② 　対象純支払利子等の額

次の算式で計算した金額をいいます。

$$\boxed{\begin{array}{c}\text{対象支払利}\\\text{子等合計額}\end{array}} - \boxed{\begin{array}{c}\text{控除対象受取}\\\text{利子等合計額}\end{array}} = \boxed{\begin{array}{c}\text{対象純支払}\\\text{利子等の額}\end{array}}$$

③　対象純受取利子等の額

次の算式で計算した金額をいいます。

$$\boxed{\begin{array}{c}\text{控除対象受取}\\\text{利子等合計額}\end{array}} - \boxed{\begin{array}{c}\text{対象支払利}\\\text{子等合計額}\end{array}} = \boxed{\begin{array}{c}\text{対象純受取}\\\text{利子等の額}\end{array}}$$

④　控除対象受取利子等合計額

次の算式で計算した金額をいいます。

$$\boxed{\begin{array}{c}\text{受取利子}\\\text{等の額の}\\\text{合計額}\end{array}} \times \frac{\text{対象支払利子等合計額}}{\text{支払利子等の額の合計額}} = \boxed{\begin{array}{c}\text{控除対象受}\\\text{取利子等合}\\\text{計額}\end{array}}$$

⑤　調整所得金額、調整損失金額

対象純支払利子等の額と比較するための基準とすべき所得、損失の金額をいいます。

⑥　特定資本関係

次のイ、ロの関係をいいます。

イ　一の内国法人が他の内国法人の発行済株式等の総数・総額の100分の50を超える数・金額の株式・出資を直接・間接に保有する関係（当事者間の特定資本関係）

ロ　一の内国法人との間に、イの当事者間の特定資本関係がある内国法人相互の関係

(6)　過少資本税制との関係

①　過大支払利子税制と過少資本税制の両方が適用される場合は、いずれか多い金額が損金不算入額になります。

②　過大支払利子税制に適用除外の規定が適用される場合は、過少資本税制を適用します。

(7)　外国子会社合算税制との関係

①　過大支払利子税制の適用を受けるのが日本の親会社、関連者等が外国子会社合算税制の適用を受ける外国関係会社の場合に、過大支払利子税制と外国子会社合算税制との重複適用の問題が発生します。

②　この場合は、過大支払利子税制で損金不算入額の一部を減額調整します。

③　超過利子額の損金算入の規定にも類似の規定が設けられています。

(8)　超過利子額の損金算入（措法66の5の3）

①　超過利子額

各事業年度開始の日前7年以内に開始した事業年度において過大支払利子税制の規定により、損金の額に算入されなかった金額（超過利子額）がある場合の特例です。

②　損金算入額

下記のいずれか少ない金額が、損金算入額です。

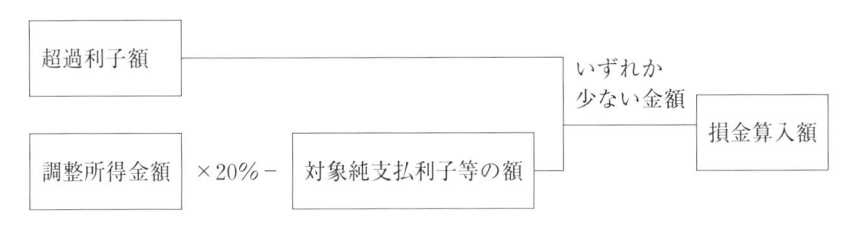

（執筆：多田雄司）

第2章

非居住者・扶養親族(非居住者)を有する居住者・外国法人課税

 # 第1節 非居住者に対する課税

1. 概要

　本節は、非居住者に対する課税と源泉徴収など所得税法の規定を取り上げます。

　非居住者は、居住者以外の個人のことです。したがって、居住者とは、どのような個人のことであるかを知る必要があります。

　非居住者は、国内源泉所得（所法161）を有するときには、所得税の納税義務を負います。課税の方法は、総合課税又は源泉分離課税です。非居住者が恒久的施設（permanent establishment：PE）を有するか否かで総合課税に取り込む範囲が異なります（所法164①）。源泉分離課税は、日本国債等の利子などの特定の国内源泉所得を対象にします。ただし、恒久的施設に帰属するものは総合課税の対象になります（同条②）。

　外国法人については、所得税が課税される場合があります（所法178）。

　これらとは別に、源泉徴収の規定が設けられています（所法212）。

　その全体像は、下図のとおりです（所基通164-1の表を一部加工）。なお、租税条約の定めが次ページの内容と異なる場合は、租税条約の定めが優先します。

【非居住者に対する課税】

所得の種類 ＼ 非居住者の区分	恒久的施設あり		恒久的施設なし	所得税の源泉徴収	
	恒久的施設帰属所得	その他の所得		非居住者	外国法人
① 恒久的施設帰属所得（事業所得）		課税対象外		無	無
② 国内にある資産の運用又は保有により生ずる所得 （⑧〜⑯を除く）	総合課税	総合課税（一部）		無	無
③ 国内にある資産の譲渡により生ずる所得				無	無
④ 組合契約に基づいて恒久的施設を通じて行う事業から生ずる利益		課税対象外		20%	20%
⑤ 国内にある土地等の譲渡による対価		源泉徴収の上、総合課税		10%	10%
⑥ 国内における人的役務の提供に係る対価				20%	20%
⑦ 国内にある不動産等の貸付けによる対価				20%	20%
⑧ 日本国債等の利子等	源泉徴収の上、総合課税	源泉分離課税		15%	15%
⑨ 内国法人から受ける配当等				20%	20%
⑩ 国内において業務を行う者に対する貸付金の利子				20%	20%
⑪ 国内において業務を行う者から受ける工業所有権等の使用料、譲渡による対価				20%	20%
⑫ 国内において行う勤務等に基づく給与、報酬、年金				20%	―
⑬ 国内において行う事業の広告宣伝のための賞金				20%	20%
⑭ 国内にある営業所等を通じて締結した保険契約等に基づいて受ける年金				20%	20%
⑮ 国内の営業所が受け入れ等した定期積金等に係る給付補填金、利息、利益、差益				15%	15%
⑯ 国内で事業を行う者に対する出資で匿名組合契約に基づいて受ける利益の分配				20%	20%
⑰ その他の国内源泉所得	総合課税	総合課税		無	無

(注) 1　恒久的施設帰属所得が、上記の表②から⑰までの国内源泉所得に重複して該当する場合があります。

　　 2　上記③の「国内にある資産の譲渡により生ずる所得」のうち、恒久的施設帰属所得に該当する所得以外のものについては、所得税法施行令第281条第1項第1号から第8号までに掲げるもののみ課税されます。

　　 3　措置法の規定により、上記の表において総合課税の対象とされる所得のうち一定のものについては、申告分離課税又は源泉分離課税の対象とされる場合があります。

　　 4　措置法の規定により、上記の表における源泉徴収税率のうち、一定の所得については、軽減又は免除される場合があります。

　　 5　源泉徴収に関しては、復興特別所得税として所得税率の2.1%が別に課税されます。

2. 居住者、非居住者

⑴　定　義

　非居住者とは、居住者以外の個人のことです（所法2①五）。

　居住者とは、国内に住所を有し、又は現在まで引き続いて1年以上居所を有する個人をいいます（同項三）。さらに、居住者は、非永住者以外の居住者と非永住者に分かれます。

　非永住者とは、居住者のうち、日本の国籍を有しておらず、かつ、過去10年以内[注1]において国内に住所又は居所を有していた期間[注2]の合計が5年以下である個人をいいます（同項四）。

| 居住者 | 非永住者以外の居住者 | ……住所又は1年以上の居所がある個人 |
| | 非永住者 | ……居住者のうち、外国の国籍取得者で過去10年以内の住所又は居所がある期間が5年以下の個人 |

| 非居住者 | ……居住者以外の個人 |

(注)　1　過去10年以内（所基通2－4の2）
　　　　判定する日の10年前の同日から、判定する日の前日までをいいます。
　　　2　国内に住所又は居所を有していた期間（所基通2－4の3）
　　　　暦に従って計算し、1月に満たない期間は日をもって数えます。
　　　　また、その期間が複数ある場合には、これらの年数、月数、日数をそれぞれ合計し、日数は30日をもって1月とし、月数は12月をもって1年とします。なお、過去10年以内に入国の日と出国の日がある場合には、その期間は、入国の日の翌日から出国の日までとなります。

(2)　住　所

上記(1)の定義から、居住者と非居住者を区別するポイントは、「住所」にあります。

①　民法における住所（民法22）

所得税法では、住所について定義を置いていませんので、民法における住所、居所の概念に従います。民法では、「各人の生活の本拠をその者の住所とする」と規定しています。

この規定をどのように解釈するかですが、まず「形式主義」か「実質主義」かの問題があります。形式主義は、例えば住民登録地を住所と考えるものです。しかし、住民登録地が生活の本拠でないことはあり得ますので、実質主義によるということになります。

次に、「主観主義」か「客観主義」のいずれで考えるかという問題があります。主観主義は、本人の定住の意思に基づき住所を決定する考え方です。客観主義は、その人の生活面をいろいろな角度から観察し、生活の中心になってい

る場所を客観的に判断するという考え方です。かつての判例は、主観主義によっていました。しかし、主観は外部からはわかりにくく、定住の意思は常に一定で変わらないというものではないので、客観主義を支持する考え方が多いと思われます。判例は客観主義に向かっているとされています。

さらに、「単一説」と「複数説」の問題があります。住所は1つに限ると考えるのが、単一説です。しかし、我々の生活が複雑になるにつれて、問題になる法律関係に最もふさわしい場所を住所とするのがよいという考え方が主張されました。これが複数説です。最高裁判決は、見解が分かれています。

② 住所の意義（所基通2－1）

所得税の基本通達では、住所とは各人の生活の本拠をいい、生活の本拠であるかどうかは客観的事実によって判定する、と規定しています。

③ 裁判例（東京地裁平成25年5月30日判決）

住所について次のように判示しています。

「『住所』とは、反対の解釈をすべき特段の事由がない以上、生活の本拠すなわち、その者の生活に最も関係の深い一般的生活、全生活の中心を指し、一定の場所がその者の住所に当たるか否かは、客観的に生活の本拠たる実体を具備しているか否かにより決すべきであると解される。

そして、生活の本拠たる実体を具備しているか否かを判断する際には、①その者の所在、②職業、③生計を一にする配偶者その他の親族の居所、④資産の所在等の客観的事実に基づき総合的に判定すべきであり、これに対し、主観的な居住の意思は、客観的な居住の事実に具体化されていることが通常であるため、生活の本拠の判定において無関係であるとはいえないが、居住の意思は必ずしも常に存在するものではなく、しかも、外部から認識し難い場合が多いことによれば、補充的な考慮要素にとどまるというべきである。」

(3) 居住期間についての留意点

居住者か非居住者かを判定する場合の居住期間等については、次の点に留意する必要があります。

① 引き続き国内に住所を有すると考える場合（所基通2－2）

　次のイ～ハの場合のように、明らかにその国外に赴いた目的が一時的なものであると認められるときは、国外に赴いていた期間（在外期間）中も引き続き国内に居所を有するものと考えます。

　　イ　国内に居所を有していた者が国外に赴き再び入国したこと

　　ロ　在外期間中、国内に配偶者その他生計を一にする親族を残していること

　　ハ　再入国後、起居する予定の家屋、ホテルの一室等を保有し、又は生活用動産を預託している事実があること

② 居住期間の計算の起算日（所基通2－4）

　居住者の定義における「1年以上」の期間の計算の起算日は、入国の日の翌日になります。

(4)　住所についての推定規定

　所得税法では、住所について推定規定を設けています。

　この規定の適用にあたっては、納税者が反証すれば下記の定めを覆すことができます。

① 国内に住所を有する者の推定（所令14）

　国内に居住することとなった個人が、次のイ、ロのいずれかに該当する場合には、その者は、国内に住所を有する者と推定します。

　　イ　その者が国内において、継続して1年以上居住することを通常必要とする職業を有すること。

　　ロ　その者が日本の国籍を有し、かつ、その者が国内において生計を一にする配偶者その他の親族を有することその他国内におけるその者の職業及び資産の有無等の状況に照らし、その者が国内において継続して1年以上居住するものと推測するに足りる事実があること。

　なお、上記の規定により、国内に住所を有する者と推定される個人と生計を一にする配偶者その他その者の扶養する親族が国内に居住する場合には、これらの者も国内に住所を有する者と推定します。

② 国内に住所を有しない者の推定（所令15）

国外に居住することとなった個人が、次のイ、ロのいずれかに該当する場合には、その者は、国内に住所を有しない者と推定します。

イ　その者が国外において、継続して1年以上居住することを通常必要とする職業を有すること。

ロ　その者が外国の国籍を有し、又は外国の法令により、その外国に永住する許可を受けており、かつ、その者が国内において生計を一にする配偶者その他の親族を有しないことその他国内におけるその者の職業及び資産の有無等の状況に照らし、その者が再び国内に帰り、主として国内に居住するものと推測するに足りる事実がないこと。

なお、上記の規定により、国内に住所を有しない者と推定される個人と生計を一にする配偶者その他その者の扶養する親族が国外に居住する場合には、これらの者も国内に住所を有しない者と推定します。

③ 船舶、航空機の乗組員の住所の判定（所基通3－1）

船舶又は航空機の乗組員の住所が国内にあるかどうかは、その者の配偶者その他生計を一にする親族の居住している地又はその者の勤務外の期間中通常滞在する地が国内にあるかどうかにより判定します。

④ 学術、技芸を習得する者の住所の判定（所基通3－2）

学術、技芸の習得のため国内又は国外に居住することとなった者の住所が国内又は国外のいずれにあるかは、その習得のために居住する期間その居住する地に職業を有するものとして、上記①、②の規定により推定します。

⑤ 国内に居住することとなった者等の住所の推定（所基通3－3）

国内又は国外において事業を営み、職業に従事するため国内又は国外に居住することとなった者は、その地における在留期間が契約等によりあらかじめ1年未満であることが明らかであると認められる場合を除き、上記①、②の規定に該当するものとします。

(5)　設　例

> 　当社の使用人であるAは、昨年の9月に3年の予定でB国にある営業所に出国しました。しかし、今年の6月に社内体制が大きく変わり、国内勤務になりました。海外赴任後1年未満で日本に戻りましたが、海外赴任直後に遡って居住者とすべきでしょうか。

【回答】　その者が国外において、継続して1年以上居住することを通常必要とする職業を有している場合は、その者は国内に住所を有しないと推定します（所令15①一）。

　昨年の9月の時点では、3年の予定でB国に赴任しているので、日本の非居住者に該当します。したがって、今年の6月の帰国後からは居住者になります。

(6)　国家公務員、地方公務員の特例（所法3①）

　国家公務員、地方公務員は、国内に住所を有しない期間についても国内に住所を有するものとみなして、所得税法の規定を適用します。

　この場合、次の者は除きます。

①　日本の国籍を有しない者

②　日本の国籍を有する者で、現に国外に居住し、かつ、その地に永住すると認められるもの（所令13）

なお、所得税法の次の規定の適用に当たっては、本規定は適用しません。

・障害者等の少額預金の利子所得等の非課税（所法10）

・納税地（所法15）

・納税地の特例（所法16）

(7)　民法における居所（民法23）

　民法では、居所について次のように規定しています。

①　住所が知れない場合には、居所を住所とみなす。

②　日本に住所を有しない者は、その者が日本人又は外国人のいずれである

かを問わず、日本における居所をその者の住所とみなす。

③　ただし、準拠法を定める法律に従い、その者の住所地法によるべき場合は、この限りでない。

居所は、居住する場所であることは住所と同じですが、住所ほど密接でない場所をいいます。民法的には、住所に比べて論点は少ないとされています。

(8)　居住者、非永住者、非居住者の区分（所基通 2 − 3 ）

国内に居住する者については、次により区分します。

①　入国後 1 年を経過する日まで住所を有しない場合

入国後 1 年を経過する日までの間は非居住者、 1 年を経過する日の翌日以後は居住者

②　入国直後には国内に住所がなく、入国後 1 年を経過する日までの間に住所を有することとなった場合

住所を有することとなった日の前日までの間は非居住者、住所を有することとなった日以後は居住者

③　日本の国籍を有していない居住者で、過去10年以内において国内に住所又は居所を有していた期間の合計が 5 年を超える場合

5 年以内の日までの間は非永住者、その翌日以後は非永住者以外の居住者

3. 恒久的施設

国際税務を考える場合に、事業所得は国内に恒久的施設（PE）があることが前提になります。この恒久的施設を所得税法の規定で説明します。なお、法人税における定義も同様です。

恒久的施設とは、次の(1)〜(3)の場所をいいます。

ただし、我が国が締結した所得に対する租税に関する二重課税の回避又は脱税の防止のための条約（租税条約）の定めと下記(1)、(2)及び(6)の規定が異なる場合には、その条約の適用を受ける非居住者又は外国法人については、その条

約において恒久的施設と定められたもの（国内にあるものに限る）とします（所法2①八の四）。

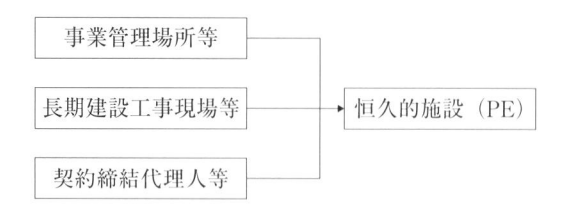

(1)　事業管理場所等（所法2①八の四イ、所令1の2①）

非居住者又は外国法人の国内にある次の①～③の場所をいいます。

① 事業の管理を行う場所、支店、事務所、工場又は作業場

② 鉱山、石油又は天然ガスの坑井、採石場その他の天然資源を採取する場所

③ その他事業を行う一定の場所

　具体的には、倉庫、サーバー、農園、養殖場、植林地、貸ビル等のほか、非居住者又は外国法人が国内においてその事業活動の拠点としているホテルの一室、展示即売場その他これらに類する場所が含まれます（所基通161－1）。

(2)　長期建設工事現場等

① 規定（所法2①八の四ロ、所令1の2②）

国内にある長期建設工事現場等が恒久的施設になります。

長期建設工事現場等とは、非居住者又は外国法人が国内において長期建設工事等を行う場所をいいます。

長期建設工事等とは、建設、据付けの工事又はこれらの指揮監督の役務の提供（建設工事等）で、1年を超えて行われるものをいいます。

これには、非居住者又は外国法人の国内における長期建設工事等を含みます。

| 建設工事等の期間は1年超 | ⇨ | 長期建設工事等 | ⇨ | 左の工事等を行う場所 | ⇨ | 長期建設工事現場等 | ⇨ | 恒久的施設 |

② 契約分割後建設工事等が1年を超えて行われない場合の1年を超えるかか否かの判定（所令1の2③）

　イ　前提

　　　次のa～eの場合に該当すること。

　　a　2以上に分割をして建設工事等に係る契約が締結されたこと。

　　b　非居住者又は外国法人の国内におけるその分割後の契約に係る建設工事等（契約分割後建設工事等）が1年を超えて行われないこととなったこと。

　　c　その契約分割後建設工事等を行う場所を長期建設工事現場等に該当しないこととすることがその分割の主たる目的の1つであったと認められるときに限ること。

　　d　cの契約分割後建設工事等を行う場所には、その契約分割後建設工事等を含むこと。

　　e　その契約分割後建設工事等が1年を超えて行われるものであるかどうかの判定についての取扱いであること。

　ロ　取扱い

　　　その契約分割後建設工事等の期間に国内におけるその分割後の他の契約に係る建設工事等の期間（その契約分割後建設工事等の期間と重複する期間を除く）を加算した期間により行います。

　　　ただし、正当な理由に基づいて契約を分割したときは、この限りではありません。

③ 1年を超える建設工事等（所基通161－2）

　建設工事等で1年を超えて行われるものには、次のイ、ロが含まれます。

　イ　建設工事等に要する期間が1年を超えることが契約等からみて明らかで

　　　あるもの

　ロ　一の契約に基づく建設工事等に要する期間が1年以下であっても、これ
　　　に引き続いて他の契約等に基づく建設工事等を行い、これらの建設工事等
　　　に要する期間を通算すると1年を超えることになるもの

④　建設工事等に含まれるもの等（所基通161−2（注1、2））

　イ　建設工事等は、その建設工事等を独立した事業として行うものに限りま
　　　せん。したがって、例えば、非居住者又は外国法人が機械設備等を販売し
　　　たことに伴う据付けの工事等であっても、その建設工事等に該当します。

　ロ　③イ、ロに該当しない建設工事等であっても、②（所令1の2③）の規
　　　定の適用により、1年を超えて行われるものに該当する場合があります。

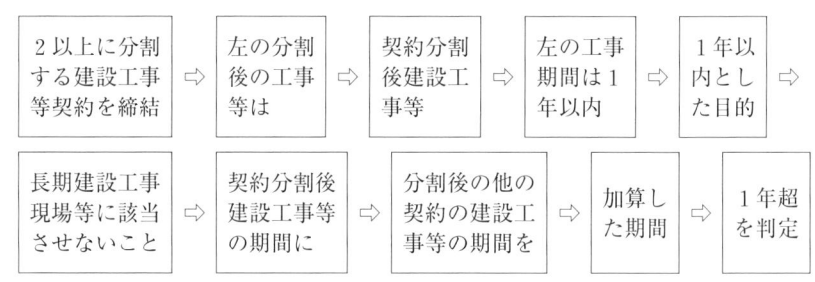

(3)　事業管理場所等、長期建設工事現場等である恒久的施設に該当しな
　　い場所

①　規定（所令1の2④）

　非居住者又は外国法人の国内における次のイ〜ヘの活動の区分に応じ、イ〜
ヘに定める場所（イ〜ヘの活動を含む）は、(1)の事業管理場所等、(2)の長期建
設工事現場等に含まれないものとします。

　ただし、イ〜ヘの活動（ヘの活動は、ヘの場所における活動の全体）が、その
非居住者又は外国法人の事業の遂行にとって準備的、補助的な性格のものであ
る場合に限ります。

　イ　その非居住者又は外国法人に属する物品又は商品の保管、展示又は引渡
　　　しのためにのみ施設を使用すること

その施設

ロ　その非居住者又は外国法人に属する物品又は商品の在庫を保管、展示又は引渡しのためにのみ保有すること

その保有することのみを行う場所

ハ　その非居住者又は外国法人に属する物品又は商品の在庫を事業を行う他の者による加工のためにのみ保有すること

その保有することのみを行う場所

ニ　その事業のために物品、商品を購入し、又は情報を収集することのみを目的として、事業管理場所等（所令1の2①各号）を保有すること

その場所

ホ　その事業のためにイ〜ニの活動以外の活動を行うことのみを目的として、事業管理場所等（所令1の2①各号）を保有すること

その場所

ヘ　イからニまでの活動、その活動以外の活動を組み合わせた活動を行うことのみを目的として、事業管理場所等（所令1の2①各号）を保有すること

その場所

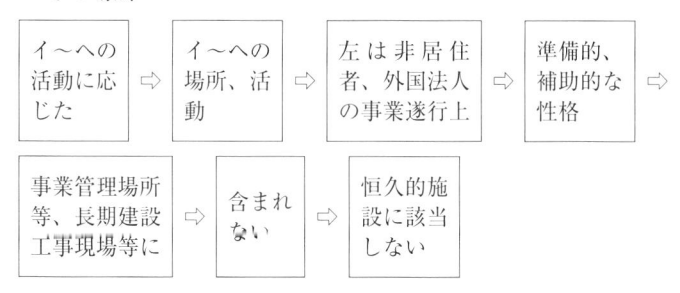

② 　準備的な性格のものの意義（所基通161−1の2）

本質的かつ重要な部分を構成する活動の遂行を予定し、その活動に先行して行われる活動をいいます。なお、先行して行われる活動に該当するかどうかの判定は、その活動期間の長短によりません。

③　補助的な性格のものの意義（所基通161－1の3）

　本質的かつ重要な部分を構成しない活動で、その本質的かつ重要な部分を支援するために行われるものをいいます。

　したがって、例えば、次のイ〜への活動はこれに該当しません。

　イ　事業を行う一定の場所の事業目的が、非居住者又は外国法人の事業目的と同一である場合のその事業を行う一定の場所において行う活動

　ロ　非居住者又は外国法人の資産又は従業員の相当部分を必要とする活動

　ハ　顧客に販売した機械設備等の維持、修理等（その機械設備等の交換部品を引き渡すためだけの活動を除く）

　ニ　専門的な技能又は知識を必要とする商品仕入れ

　ホ　地域統括拠点としての活動

　ヘ　他の者に対して行う役務の提供

(4)　**事業管理場所等、長期建設工事現場等に該当するもの（所令1の2⑤）**

　(3)の恒久的施設に該当しない場所の規定は、次の①〜③の場所については、適用しません。

①　事業を行う他の場所が非居住者又は外国法人の恒久的施設に該当する等の場合（所令1の2⑤一）

　イ　適用要件

　　次のa〜dの要件を満たすことが必要です。

　　a　非居住者又は外国法人は、国内にある事業管理場所等（所令1の2①各号）の場所（事業を行う一定の場所）を使用し、又は保有していること。

　　b　恒久的施設に該当しない場所を有する非居住者又は外国法人（所令1の2④）が、事業を行う一定の場所において事業上の活動を行う場合であること。

　　c　下記(a)の活動及び(b)の細分化活動が、一体的な業務の一部として補完的な機能を果たすときに限ること。

　　(a)　その非居住者又は外国法人が、その事業を行う一定の場所において

　　行う事業上の活動

　(b)　その非居住者又は外国法人が、その事業を行う一定の場所以外の国
　　　内にある他の場所において行う事業上の活動（細分化活動）

　　　　この場合の非居住者又は外国法人には、国内においてその非居住者
　　　又は外国法人に代わって活動をする場合におけるその活動をする者を
　　　含むこと。

　d　次の(a)、(b)のいずれかに該当すること（所令1の2⑤一イ・ロ）。

　(a)　その他の場所が、その非居住者又は外国法人の恒久的施設に該当す
　　　ること。

　　　　この場合、その他の場所には、その他の場所においてその非居住者
　　　又は外国法人が行う建設工事等及びその活動をする者を含むこと。

　(b)　その細分化活動の組合せによる活動の全体が、その事業の遂行に
　　　とって準備的又は補助的な性格のものでないこと。

ロ　取扱い

　その事業を行う一定の場所は、恒久的施設に該当します。

② 事業を行う一定の場所が関連者の恒久的施設に該当する等の場合（所令1の2⑤二）

　イ　適用要件

　　　次のa～cの要件を満たすことが必要です。

　　a　次の(a)の非居住者又は外国法人及び(b)の関連者についての取扱いであること。

　　　(a)　事業を行う一定の場所を使用し、又は保有する恒久的施設に該当しない場所を有する非居住者又は外国法人（所令1の2④）

　　　(b)　その非居住者又は外国法人と特殊の関係にある者（関連者）

　　　　　上記の特殊の関係にある者には、国内においてその者に代わって活動をする場合におけるその活動をする者（代理人）を含むこと。

　　b　その非居住者又は外国法人及びその関連者がその事業を行う一定の場所において行う事業上の活動（細分化活動）が、これらの者による一体的な業務の一部として補完的な機能を果たすときに限ること。

　　c　aの非居住者又は外国法人及び関連者が、その事業を行う一定の場所において事業上の活動を行う場合において、次の(a)、(b)の要件のいずれかに該当すること（所令1の2⑤二イ・ロ）。

　　　(a)　その事業を行う一定の場所が、その関連者の恒久的施設（その関連者が居住者又は内国法人である場合にあっては、恒久的施設に相当するもの）に該当すること。

　　　　　この場合の一定の場所には、その事業を行う一定の場所において、その関連者（代理人を除く）が行う建設工事等及びその関連者に係る代理人を含むこと。

　　　(b)　その細分化活動の組合せによる活動の全体が、その非居住者又は外国法人の事業の遂行にとって準備的又は補助的な性格のものでないこと。

　ロ　取扱い

　　その事業を行う一定の場所は、恒久的施設に該当します。

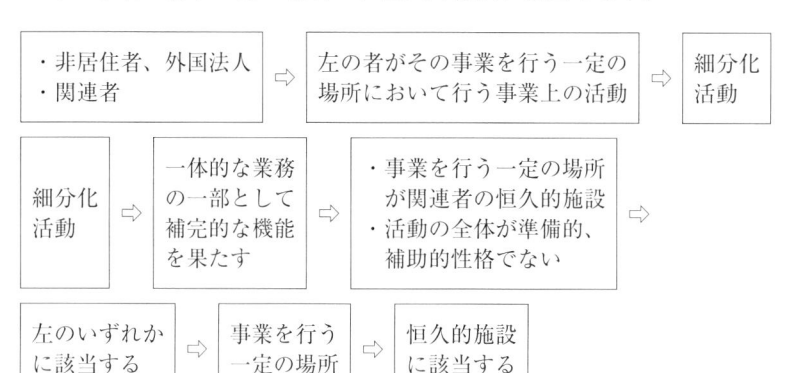

③　他の場所が関連者の恒久的施設に該当する場合等（所令1の2⑤三）

　イ　適用要件

　　　次のa～dの要件を満たすことが必要です。

　　a　事業を行う一定の場所を使用し、又は保有する恒久的施設に該当しない場所を有する非居住者又は外国法人（所令1の2④）が、その事業を行う一定の場所において事業上の活動を行う場合であること。

　　b　その非居住者又は外国法人に係る関連者が、他の場所において事業上の活動を行う場合でること。

　　c　次の(a)の事業上の活動及び(b)の細分化活動が、これらの者による一体的な業務の一部として補完的な機能を果たすときに限ること。

　　　(a)　その非居住者又は外国法人が、その事業を行う一定の場所において行う事業上の活動

　　　(b)　その関連者が、その他の場所において行う事業上の活動（細分化活動）

　　d　次の(a)、(b)の要件のいずれかに該当すること(所令1の2⑤三イ・ロ)。

　　　(a)　その他の場所が、その関連者の恒久的施設（その関連者が居住者又は内国法人である場合にあっては、恒久的施設に相当するもの）に該当す

ること。

　この場合のその他の場所には、その他の場所においてその関連者（代理人を除く）が行う建設工事等及びその関連者に係る代理人を含むこと。

(b)　その細分化活動の組合せによる活動の全体が、その非居住者又は外国法人の事業の遂行にとって準備的又は補助的な性格のものないこと。

ロ　取扱い

　その事業を行う一定の場所は、恒久的施設に該当します。

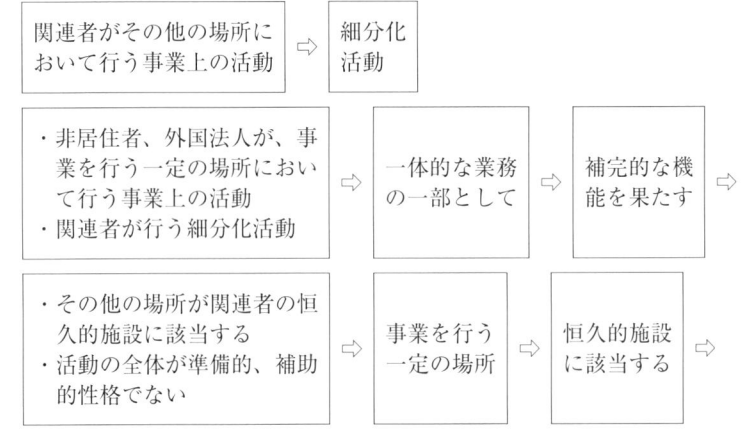

(5)　長期建設工事現場等についての(3)、(4)の規定の適用（所令１の２⑥）

　非居住者又は外国法人が長期建設工事現場等を有する場合には、次の①～⑤に定めるところにより、(3)の恒久的施設に該当しない規定（所令１の２④）、(4)の恒久的施設に該当する規定（同条⑤）を適用します。

① 　長期建設工事現場等

　(3)①ニ～ヘ（所令１の２④四～六）の場所を事業管理場所等（同条①各号）とみなす。

② 長期建設工事現場等に係る長期建設工事等を行う場所（その長期建設工事等を含む）

　⑷①～③（所令1の2⑤一～三。以下③～⑤に同じ）の事業を行う一定の場所とみなす。

③ 長期建設工事現場等を有する非居住者又は外国法人

　⑷①～③の事業を行う一定の場所を使用し、又は保有する⑶（所令1の2④）の非居住者又は外国法人とみなす。

④ 長期建設工事等を行う場所において事業上の活動を行う場合（その長期建設工事等を行う場合を含む）

　⑷①～③の事業を行う一定の場所において事業上の活動を行う場合とみなす。

⑤ 長期建設工事等を行う場所において行う事業上の活動（その長期建設工事等を含む）

　⑷①～③の事業を行う一定の場所において行う事業上の活動とみなす。

⑹　契約締結代理人等

① 規定（所法2①八の四ハ、所令1の2⑦）

　非居住者又は外国法人が国内に置く自己のために契約を締結する権限のある者で、次のイ～ニの要件を満たす者が契約締結代理人等に該当します。

　イ　契約の締結権の保有要件

　　　国内において、次のa又はbの行為を行う者であること。

　　a　非居住者又は外国法人に代わって、その事業に関し、反復してする次のロで定める契約を締結すること

　　b　非居住者又は外国法人によって重要な修正が行われることなく日常的に締結される次のロで定める契約の締結のために反復して主要な役割を果たすこと

　ロ　契約の内容要件

　　　次のa～cの契約であること（所令1の2⑦一～三）。

　　　a　その非居住者又は外国法人の名において締結される契約

　　　b　その非居住者又は外国法人が所有し、又は使用の権利を有する財産について、所有権を移転し、又は使用の権利を与えるための契約

　　　c　その非居住者又は外国法人による役務の提供のための契約

　ハ　除外する代理人の活動要件1

　　　その者の国内におけるその非居住者又は外国法人に代わって行う活動（その活動が複数の活動を組み合わせたものである場合は、その組合せによる活動の全体）が、その非居住者又は外国法人の事業の遂行にとって準備的又は補助的な性格のもののみである場合におけるその者を除くこと。

　ニ　除外する代理人の活動要件2

　　　その非居住者又は外国法人に代わって行う活動を、(4)①～③の事業管理場所等、長期建設工事現場等に該当するもの（所令1の2⑤一～三）に規定する非居住者又は外国法人が、(4)①～③の事業を行う一定の場所において行う事業上の活動とみなして、(4)の規定を適用した場合に、(4)の規定により、その事業を行う一定の場所につき、(3)の事業管理場所等、長期建設工事現場等である恒久的施設に該当しない場所（所令1の2④）の規定を適用しないこととされるときにおけるその活動を除くこと。

②　契約の締結の意義（所基通161-3）

　①の契約の締結には、契約書に調印することのほか、契約内容につき実質的に合意することが含まれます。

③　契約の締結のために主要な役割を果たす者の意義（所基通161-4）

　①ロa～cの契約が締結されるという結果をもたらす役割を果たす者をいいます。例えば、非居住者又は外国法人の商品について販売契約を成立させるために営業活動を行う者がこれに該当します。

④　反復して非居住者又は外国法人に代わって行動する者の範囲（所基通161-5）

　契約締結代理人等には、次のイ、ロの者が含まれます。

イ　長期の代理契約に基づいて非居住者又は外国法人に代わって行動する者

ロ　個々の代理契約は短期的であるが、2以上の代理契約に基づいて反復して一の非居住者又は外国法人に代わって行動する者（注：特定の非居住者又は外国法人のみに代わって行動する者に限られません）

⑤　独立代理人

イ　規定（所令1の2⑧）

国内において非居住者又は外国法人に代わって行動する者が、その事業に係る業務を、次のa、bのように行う場合は、その者は契約締結代理人等に含まれません。

ただし、その者が専ら又は主として一又は二以上の自己と特殊の関係にある者に代わって行動する場合は、この限りではありません。

a　その非居住者又は外国法人に対し独立して行うこと。

b　通常の方法により行うこと。

| 独立代理人 | ⇨ | 契約締結代理人等に該当しない |

ロ　独立代理人の要件（所基通161 - 6）

独立代理人は、次のa～cの要件のいずれも満たす必要があります。

a　代理人としてその業務を行う上で、詳細な指示や包括的な支配を受けず、十分な裁量権を有するなど本人である非居住者又は外国法人から法的に独立していること。

b　その業務に係る技能と知識の利用を通じてリスクを負担し、報酬を受領するなど本人である非居住者又は外国法人から経済的に独立していること。

c　代理人としてその業務を行う際に、代理人自らが通常行う業務の方法又は過程において行うこと。

(7)　**特殊の関係（所令1の2⑨）**

(4)②（所令1の2⑤二）、(6)⑤（所令1の2⑧）の特殊の関係とは、一方の者

が他方の法人の発行済株式[注]又は出資（その他方の法人が有する自己の株式（投資口を含む）又は出資を除く）の総数・総額の100分の50を超える数・金額の株式・出資を直接又は間接に保有する関係その他の財務省令（所規1の2）で定める特殊の関係をいう。

> （注）　発行済株式
> 　　　投資法人（投資信託及び投資法人に関する法律2⑫）にあっては、発行済みの投資口（同条⑭）をいいます。

4. 居住者、非居住者の納税義務

納税義務は、居住者、非居住者の区分に応じて、次のように規定されています。

⑴　居住者（所法5①）

居住者は、所得税法の規定により、所得税を納める義務があります。

⑵　非居住者（所法5②）

非居住者は、次の①、②の場合には、所得税法の規定により、所得税を納める義務があります。

① 　国内源泉所得（所法161①）を有する場合（②の場合を除く）

② 　その引受けを行う法人課税信託の信託財産に帰せられる内国法人課税所得の支払を国内において受けるとき又はその信託財産に帰せられる外国法人課税所得（所法161①四〜十一、十三〜十六）の支払を受ける場合

　　上記の内国法人課税所得とは、利子等、配当等、給付補塡金、利息、利益、差益、利益の分配又は賞金（所法174各号）をいいます。

5. 居住者、非居住者の課税所得の範囲

次の⑴〜⑶の者の区分に応じ、⑴〜⑶に定める所得について課税します。

⑴　非永住者以外の居住者（所法7①一）

全ての所得（全世界所得）

⑵　非永住者（所法7①二）

　国外源泉所得（所法95①）以外の所得及び国外源泉所得で国内において支払われ、又は国外から送金されたもの。

　この場合、国外源泉所得には、有価証券でその取得の日がその譲渡(注1)の日の10年前の日の翌日から、その譲渡の日までの期間（その者が非永住者であった期間に限る）内にないもの（特定有価証券）のうち、次の①～③の譲渡により生ずる所得を含みます（所令17①）。

① 　外国金融商品市場（金商法2⑧三ロ）において譲渡がされるもの

② 　外国金融商品取引業者(注2)への売委託（その外国金融商品取引業者がその業務として受けるものに限る）により譲渡が行われるもの

③ 　外国金融商品取引業者又は国外において登録金融機関（金商法2⑪）、投資信託委託会社（投資信託及び投資法人に関する法律2⑪）と同種類の業務を行う者の営業所、事務所その他これらに類するもの（国外にあるものに限る）に開設された口座に係る国外における社債、株式等の振替に関する法律に規定する振替口座簿に類するものに記載、記録がされ、又はその口座に保管の委託がされているもの

(注)　1　譲渡（所令17①）

　　　　　一般株式等に係る譲渡所得等に係る収入金額とみなす場合（措法37の10③、④）又は上場株式等に係る譲渡所得等に係る収入金額とみなす場合（同法37の11③、④）の規定により、その額及び価額の合計額が、一般株式等に係る譲渡所得等（同法37の10①）又は上場株式等に係る譲渡所得等（同法37の11①）に係る収入金額とみなされる金銭及び金銭以外の資産の交付の基因となった事由（同法37の10③（同項8号・9号に係る部分を除く。）、所令17④一から三まで、同法37の11④一、二）に基づく株式等（同法37の10②一～五。受益権（同項四）にあっては、公社債投資信託以外の証券投資信託の受益権及び証券投資信託以外の投資信託で、公社債等運用投資信託に該当しないものの受益権に限る）についてのその金銭の額及びその金銭以外の資産の価額に対応する権利の移転又は消滅を含みます。

　　　2　外国金融商品取引業者

　　　　　　　国外において金融商品取引業者（金商法２⑨。第一種金融商品取引業
　　　　　　　（同法28①）又は第二種金融商品取引業（同条②）を行う者に限る。）と
　　　　　　　同種類の業務を行う者をいいます。

(3)　非居住者（所法７①三）

　恒久的施設を有する非居住者（所法164①一）、恒久的施設を有しない非居住
者（同項二）の区分に応じ、それぞれに定める国内源泉所得（同項各号、同条②
各号）

6. 非居住者に対する課税の方法

　非居住者に対する課税の方法は、国内源泉所得の種類に応じて総合課税と源
泉分離課税に分かれます。

(1)　総合課税（所法164①）

　次の①、②の非居住者の区分に応じ、①、②に定める国内源泉所得について、
総合課税（所法165〜165の６）の規定を適用して計算したところによります。

①　恒久的施設を有する非居住者

　次のイ、ロの国内源泉所得

イ　恒久的施設帰属所得（所法161①一）、組合契約に基づいて恒久的施設を
　　通じて行う事業[注]から生ずる利益（同項四）

ロ　次のa〜fの国内源泉所得。ただし、イの恒久的施設帰属所得に該当す
　　るものを除きます。

　　a　国内にある資産の運用又は保有により生ずる所得（所法161①二）

　　b　国内にある資産の譲渡により生ずる所得（同項三）

　　c　国内にある土地等の譲渡による対価（同項五）

　　d　国内における人的役務の提供に係る対価（同項六）

　　e　国内にある不動産等の貸付けによる対価（同項七）

　　f　その他の国内源泉所得（同項十七）

　(注)　組合契約に基づいて恒久的施設を通じて行う事業（所基通164－4）

　　　　　組合員である非居住者が恒久的施設を有する非居住者に該当するかどう
　　　　かについては、各組合員がそれぞれ組合契約事業を直接行っているものと
　　　　して判定します。

②　恒久的施設を有しない非居住者

　①ロa～fの国内源泉所得

(2)　内部取引（措法40の3の3）

　非居住者の事業場等（所法161①一）と、恒久的施設との間の内部取引価格が
独立企業間価格と異なる場合は、独立企業間価格により計算します。

(3)　源泉分離課税（所法164②）

　次の①、②の非居住者が、①、②に定める国内源泉所得を有する場合には、
その非居住者に対して課する所得税の額は、(1)の総合課税の規定によるものの
ほか、①、②に定める国内源泉所得について、源泉分離課税（所法169～173）
の規定を適用します。

①　恒久的施設を有する非居住者

　次のイ～リの国内源泉所得。ただし、恒久的施設帰属所得（所法161①一）に
該当するものを除きます。

　イ　日本国債等の利子等（所法161①八）

　ロ　内国法人から受ける配当等（同項九）

　ハ　国内において業務を行う者に対する貸付金の利子（同項十）

　ニ　国内において業務を行う者から受ける工業所有権等の使用料、譲渡によ
　　　る対価（同項十一）

　ホ　国内において行う勤務等に基づく給与、報酬、年金（同項十二）

　ヘ　国内において行う事業の広告宣伝のための賞金（同項十三）

　ト　国内にある営業所等を通じて締結した保険契約等に基づいて受ける年金
　　　（同項十四）

　チ　国内の営業所が受け入れ等した定期積金等に係る給付補塡金、利息、利
　　　益、差益（同項十五）

　リ　国内で事業を行う者に対する出資で匿名組合契約に基づいて受ける利益
　　の分配（同項十六）

②　恒久的施設を有しない非居住者

　①イ〜リの国内源泉所得

7. 非居住者に対する所得税の総合課税

(1)　所得金額、税額等の計算（所法165①）

　非居住者（所法164①各号）の国内源泉所得について課する総合課税に係る所
得税の課税標準及び所得税の額は、その国内源泉所得について、別段の定めが
あるものを除き、居住者の納税義務（第２編）の第１章（通則。同法21）から第
４章（税額の計算の特例。同法103）までの規定に準じて計算した金額とします。

　ただし、次の①〜⑨の規定を除きます。

　　①　減額された外国所得税額の総収入金額不算入等（所法44の３）

　　②　所得税額から控除する外国税額の必要経費不算入（同法46）

　　③　外国転出時課税の規定の適用を受けた場合の譲渡所得等の特例（同法60
　　　の４）

　　④　医療費控除等（同法73〜77）

　　⑤　障害者控除等（同法79〜85）

　　⑥　分配時調整外国税相当額控除（所法93）

　　⑦　外国税額控除（同法95）

　　⑧　国外転出をする場合の譲渡所得等の特例に係る外国税額控除の特例（同
　　　法95の２）

(2)　恒久的施設帰属所得に係る所得の金額の計算（所法165②）

　恒久的施設を有する非居住者（所法164①一）の恒久的施設帰属所得（同号イ、
同法161①一、四）に係る各種所得の金額につき、(1)の規定により、利子所得（同
法23）から譲渡所得の金額の計算上控除する取得費（同法38）までの規定に準
じて計算する場合には、次の①、②に定めるところによります。

① 　内部取引（所法165②一）

　次のイ、ロの費用のうち、内部取引（所法161①一）に係るものは、債務の確定しないものを含みます。

　　イ　販売費、一般管理費その他所得を生ずべき業務について生じた費用（所法37①。「販売費等」といいます）

　　ロ　山林の植林費、取得に要した費用、管理費、伐採費その他その山林の育成又は譲渡に要した費用（所法37②。「育成費等」といいます）

② 　共通する販売費等の恒久的施設を通じて行う事業への配分（所法165②二）

　次のイ～ハの費用等には、非居住者の恒久的施設を通じて行う事業、それ以外の事業に共通する販売費等、育成費等、支出した金額のうち、その恒久的施設を通じて行う事業に係るものとして、非居住者のその年の販売費等、育成費等、支出した金額につき、その非居住者の恒久的施設を通じて行う事業、それ以外の事業に係る収入金額、資産の価額、使用人の数その他の基準のうち、これらの事業の内容及びその費用の性質に照らして合理的と認められる基準を用いてその非居住者の恒久的施設を通じて行う事業に配分した金額（所令292③）を含みます。

　　イ　販売費等

　　ロ　育成費等

　　ハ　一時所得の計算における支出した金額（所法34②）

(3)　非居住者の事業場等と恒久的施設との間で、その恒久的施設における資産の購入その他資産の取得に相当する内部取引がある場合（所令292④）

　その内部取引の時に、その内部取引に係る資産を取得したものとして、その非居住者の恒久的施設帰属所得に係る所得の金額の計算に関する所得税に関する法令の規定を適用します。

(4)　別段の定め

　所得金額、税額控除について、次の別段の定めが規定されています。

　　①　減額された外国所得税額の総収入金額不算入等（所法165の２）

② 恒久的施設に帰せられるべき純資産に対応する負債の利子の必要経費不算入（同法165の3）

③ 所得税額から控除する外国税額の必要経費不算入（同法165の4）

④ 配賦経費に関する書類の保存がない場合における配賦経費の必要経費不算入（同法165の5）

⑤ 特定の内部取引に係る恒久的施設帰属所得に係る所得の金額の計算（同法165の5の2）

⑥ 非居住者に係る分配時調整外国税相当額の控除（所法165の5の3）

⑦ 非居住者に係る外国税額の控除（所法165の6）

⑸　申告、納付、還付

居住者の申告、納付、還付の規定（所法104～151の6）の規定は、非居住者の総合課税に係る所得税についての申告、納付及び還付について準用します（所法166。読み替え規定あり）。

8. 恒久的施設に係る取引に係る文書化

非居住者と特殊関係者との間の取引は、相互牽制が働かないことから、例えば取引価格をどのように決定したかなどの説明ができる資料の作成が義務付けられています。これが、「文書化」です。

非居住者については、次の⑴、⑵が規定されています。

なお、外国法人についても非居住者と同様の規定が設けられています（法法146の2）。

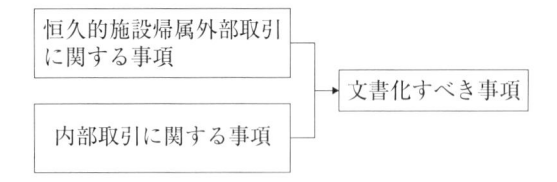

(1)　恒久的施設帰属外部取引に関する事項

① 適用要件（所法166の２①）

次のイ、ロの要件を満たす場合に適用があります。

イ　恒久的施設を有する非居住者が、恒久的施設帰属所得（所法161①一）を有すること。

ロ　その非居住者が、他の者との間で行った取引のうち、その非居住者のその年の恒久的施設帰属所得に係る各種所得の金額の計算上、その取引から生ずる所得がその非居住者の恒久的施設に帰せられるものがあること。

② 取扱い（所法166の２①、所規68の２）

次のイ〜ニの書類を作成しなければなりません。

イ　非居住者の恒久的施設に帰せられる取引（恒久的施設帰属外部取引）の内容を記載した書類

ロ　非居住者の恒久的施設及び事業場等[注1]が、恒久的施設帰属外部取引において使用した資産の明細、その恒久的施設帰属外部取引に係る負債の明細を記載した書類

ハ　非居住者の恒久的施設及び事業場等が、恒久的施設帰属外部取引において果たす機能[注2]、その機能に関連するリスクに係る事項を記載した書類

(注)　1　事業場等（所法161①一、所令279）

法人税における本店等（法法138①一、法令176）に相当する非居住者についての概念です。具体的には、次の(1)〜(4)に定めるもので、恒久的施設以外のものをいいます。

(1)　非居住者又は外国法人の国内にある事業管理場所等（所法２①八の四イ）に相当するもの

(2)　非居住者又は外国法人の国内にある長期建設工事現場等（所法２①八の四ロ）に相当するもの

(3)　契約締結代理人等（所法２①八の四ハ）に相当する者

(4)　(1)〜(3)に準ずるもの

2　機能

リスクの引受け、管理に関する人的機能、資産の帰属に係る人的機能その他の機能をいいます。リスクとは、為替相場の変動、市場金利の変

　　　　　動、経済事情の変化その他の要因によるその恒久的施設帰属外部取引に
　　　　　係る利益又は損失の増加又は減少の生ずるおそれをいいます。ニにおい
　　　　　て同じです。

　ニ　非居住者の恒久的施設及び事業場等が、恒久的施設帰属外部取引におい
　　　て果たした機能に関連する部門、その部門の業務の内容を記載した書類

(2)　内部取引に関する事項（所法166の２②）

①　適用要件

　次のイ～ハの要件を満たす場合に適用があります。

　イ　恒久的施設を有する非居住者が、恒久的施設帰属所得を有すること。

　ロ　その非居住者の事業場等（所法161①一）と恒久的施設との間の資産の移
　　　転、役務の提供その他の事実が内部取引に該当すること。

　ハ　ロの内部取引とは、非居住者の恒久的施設と事業場等との間で行われた
　　　資産の移転、役務の提供その他の事実で、独立の事業者の間で同様の事実
　　　があったとしたならば、これらの事業者の間で、資産の販売、資産の購入、
　　　役務の提供その他の取引が行われたと認められるものであること（所法161
　　　①一、②）。

　　　　ただし、資金の借入れに係る債務の保証、保険契約に係る保険責任につ
　　　いての再保険の引受けその他これらに類する取引として、資金の借入れそ
　　　の他の取引に係る債務の保証（債務を負担する行為であって債務の保証に準
　　　ずるものを含む。所令290）を除きます（所法162②）。

②　取扱い（所規68の３）

　イ～ホの書類を作成しなければなりません。

　イ　非居住者の恒久的施設と事業場等との間の内部取引（同法161①一）に該
　　　当する資産の移転、役務の提供その他の事実を記載した注文書、契約書、
　　　送り状、領収書、見積書その他これらに準ずる書類、これらに相当する書
　　　類又はその写し

　ロ　非居住者の恒久的施設及び事業場等が内部取引において使用した資産の

明細、その内部取引に係る負債の明細を記載した書類

ハ　非居住者の恒久的施設及び事業場等が内部取引において果たす機能[注]、その機能に関連するリスクに係る事項を記載した書類

　（注）　機能

　　　リスクの引受け、管理に関する人的機能、資産の帰属に係る人的機能その他の機能をいいます。ニにおいて同じです。リスクとは、為替相場の変動、市場金利の変動、経済事情の変化その他の要因によるその内部取引に係る利益又は損失の増加又は減少の生ずるおそれをいいます。

ニ　非居住者の恒久的施設及び事業場等が内部取引において果たした機能に関連する部門、その部門の業務の内容を記載した書類

ホ　その他内部取引に関連する事実（資産の移転、役務の提供その他内部取引に関連して生じた事実をいいます）が生じたことを証する書類

9. 非居住者の源泉分離課税に係る所得税の課税標準、税率

(1)　源泉分離課税、課税標準（所法169）

非居住者に対する源泉分離課税（所法164②）の対象となる国内源泉所得は、他の所得と区分します。その所得税の課税標準は、その支払を受けるべきその国内源泉所得の金額になります。

ただし、次の①～⑤の国内源泉所得については、①～⑤に定める金額によります。

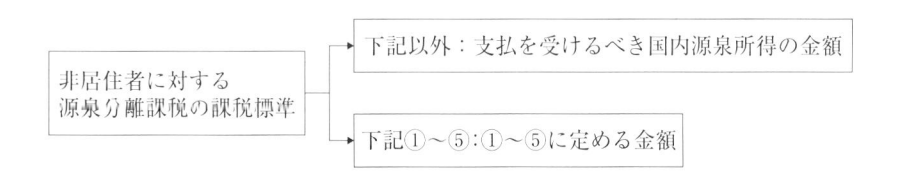

① 利子等（所法161①八）のうち、無記名の公社債の利子、無記名の貸付信託、公社債投資信託、公募公社債等運用投資信託の受益証券に係る収益の分配（同法169一）

その支払を受けた金額

② 配当等（所法161①九）のうち、無記名株式等の剰余金の配当（同法24①）、無記名の投資信託（公社債投資信託及び公募公社債等運用投資信託を除く）、特定受益証券発行信託の受益証券に係る収益の分配（同法169二）

その支払を受けた金額

③ 公的年金等（所法161①十二ロ、169三）

その支払を受けるべき年金の額から、5万円にその支払を受けるべき年金の額に係る月数を乗じて計算した金額を控除した金額

④ 賞金（所法161①十三、169四）

その支払を受けるべき金額から、50万円を控除した金額

⑤ 保険契約等に基づいて受ける年金（所法161①十四、169五）

その契約に基づいて支払を受けるべき金額から、その契約に基づいて払い込まれた保険料、掛金の額のうち、その支払を受けるべき金額に対応する金額（所令296）を控除した金額

(2) 源泉分離課税に係る所得税額（所法170）

次の①、②の区分に応じ、①、②で定める金額が源泉分離課税に係る所得税額になります。

① ②以外

② 日本国債等の利子等（所法161①八）、国内の営業所が受け入れ等した定期積金等に係る給付補塡金、利息、利益、差益（同項十五）

⑶　退職所得についての選択課税

①　適用要件（所法171）

　非居住者（所法169）が退職手当等（同法161①十二ハ、30①）の支払を受けること。

②　取扱い（所法171）

　その者は、その退職手当等について、その支払の基因となった退職^(注)を事由として、その年中に支払を受ける退職手当等の総額を居住者として受けたものとみなして、退職所得（所法30）と税率（同法89）の規定を適用するものとした場合の税額に相当する金額により、所得税を課されることを選択することができます。

(注)　退職

　　その年中に支払を受けるその退職手当等が２以上ある場合には、それぞれの退職手当等の支払の基因となった退職をいいます。

⑷　給与等につき源泉徴収を受けない場合の申告納税等

①　適用要件（所法172①）

　次のイ～ハの要件を満たすこと。

　イ　非居住者（所法169）が次のa、bの支払を受けること。

　　a　俸給、給料、賃金、歳費、賞与、これらの性質を有する給与その他人的役務の提供に対する報酬のうち、国内において行う勤務その他の人的役務の提供に基因するもの（所法161①十二イ）

　　b　退職手当等（所法30①）のうち、その支払を受ける者が居住者であった期間に行った勤務その他の人的役務の提供に基因するもの（同法161①十二ハ）

　ロ　その給与、報酬について非居住者又は法人の所得に係る源泉徴収（所法212～215）の規定の適用を受けない場合であること。

　ハ　その者が、退職所得の選択課税による還付（所法173）の規定による申告書を提出することができる場合を除くこと。

② 取扱い（所法172①）

その年の翌年3月15日（同日前に国内に居所を有しないこととなる場合には、その有しないこととなる日）までに、税務署長に対し、確定申告書を提出する必要があります。

10. 外国法人に係る所得税の課税標準、税率

外国法人に対し所得税を課税する場合の定めが本規定です。外国法人に法人税が課税される場合は、法人税の申告で支払った所得税の清算を行います。法人税が課税されない場合は、本規定と源泉徴収の規定（所法212）により課税・納税関係は終了します。

(1) 課税標準（所法178）

外国法人に対して課する所得税の課税標準は、その外国法人が支払を受けるべき次の①、②の国内源泉所得の金額とします。

① 組合契約に基づいて恒久的施設を通じて行う事業から生ずる利益（所法161①四）から、国内において業務を行う者から受ける工業所有権等の使用料、譲渡による対価（同項十一）

② 国内において行う事業の広告宣伝のための賞金（同項十三）から、国内で事業を行う者に対する出資で匿名組合契約に基づいて受ける利益の分配（同項十六）

(2) (1)の国内源泉所得から除外するもの（所法178、所令303の2）

次の①、②の国内源泉所得は、(1)の国内源泉所得から除外します。

① 映画、演劇の俳優、音楽家その他の芸能人又は職業運動家の役務の提供に係る国内における人的役務の提供に係る対価（所法161①六）で不特定多数の者から支払われるもの

② 外国法人が有する土地、土地の上に存する権利、家屋（土地家屋等）に係る国内にある不動産等の貸付けによる対価（所法161①七）で、その土地家屋等を自己又はその親族の居住の用に供するために借り受けた個人から

支払われるもの

(3) (1)の課税標準と異なる金額を課税標準とするもの（所法178）

上記9(1)の非居住者に対する源泉分離課税に係る課税標準のうち、利子等、配当等、賞金、保険契約等に基づいて受ける年金（所法169一、二、四、五）については、上記9(1)に定めるそれぞれの金額を課税標準とします。

(4) 所得税の税率（所法179）

外国法人に対して課する所得税の額は、次の①〜③の区分に応じ、①〜③に定める金額とします。

① ②、③以外の(1)に規定する国内源泉所得

$$\boxed{課税標準額^{(注)}} \times 20\% = \boxed{外国法人の所得税額}$$

（注） 課税標準額

(3)の国内源泉所得のうち、配当等、賞金、保険契約等に基づいて受ける年金（所法169二、四、五）については、(3)に定める金額（9(1)②、④、⑤）によります。

② 国内にある土地等の譲渡による対価（所法161①五）

$$\boxed{課税標準額} \times 10\% = \boxed{外国法人の所得税額}$$

③ 日本国債等の利子等（所法161①八）、国内の営業所が受け入れ等した定期積金等に係る給付補塡金、利息、利益、差益（同項十五）

$$\boxed{課税標準額^{(注)}} \times 15\% = \boxed{外国法人の所得税額}$$

（注） 課税標準額

(3)の国内源泉所得のうち利子等（所法169一）については、(3)に定める金額（9(1)①）によります。

11. 居住者が非居住者に、非居住者が居住者になった場合の課税

(1) 出国（所法2①四十二）

次の①、②の場合の区分に応じ、①、②に定めることをいいます。

① 居住者

納税管理人の届出（国通法117②）をしないで国内に住所及び居所を有しないこととなること。

② 非居住者

納税管理人の届出をしないで国内に居所を有しないこととなることで、次のイ、ロの場合の区分に応じ、イ、ロに定めることをいいます。

　イ　国内に居所を有しない非居住者で恒久的施設を有するもの

　　　恒久的施設を有しないこととなること

　ロ　国内に居所を有しない非居住者で恒久的施設を有しないもの

　　　国内において行う人的役務の提供を主たる内容とする事業（所法161①六）を廃止すること

(2) 納税管理人

① 納税管理人を定めなければならない場合（国通法117①）

　イ　適用要件

　　　次のa、bの要件を満たす場合の取扱いです。

　　a　次の(a)、(b)の場合に該当すること

　　　(a)　個人である納税者が、この法律の施行地に住所、居所（事務所、事業所を除く）を有せず、有しないこととなる場合

　　　(b)　この法律の施行地に本店、主たる事務所を有しない法人である納税者が、この法律の施行地にその事務所、事業所を有せず、有しないこととなる場合

　　b　納税申告書の提出その他国税に関する事項を処理する必要があること

　ロ　納税管理人の定め

　　イに該当する者は、国税に関する事項を処理させるため、この法律の施
　　行地に住所、居所を有する者で、その事項の処理につき便宜を有するもの
　　のうちから納税管理人を定めなければなりません。

② 納税管理人の届出（国通法117②）

　納税者は、①により納税管理人を定めたときは、その納税管理人に係る国税
の納税地を所轄する税務署長（保税地域からの引取りに係る消費税等又は国際観
光旅客税（徴収して納付すべきもの（国際観光旅客税法16①）を除く）に関する事
項のみを処理させるため、納税管理人を定めたときは、これらの国税の納税地を所
轄する税関長）にその旨を届け出なければなりません。

　その納税管理人を解任したときも同様です。

(3) 納税義務者の区分が異動した場合の課税所得の範囲（所法8）

① 適用要件

　その年において、個人が非永住者以外の居住者、非永住者、非居住者（所法
164①各号。恒久的施設を有する非居住者、恒久的施設を有しない非居住者）のうち、
二以上のものに該当した場合についての取扱いです。

② 取扱い

　その者がその年において、非永住者以外の居住者、非永住者、①の非居住者
であった期間に応じ、それぞれの期間内に生じた所得に対し、所得税を課税し
ます。

(4) 年の中途で非居住者が居住者となった場合の税額の計算

① 適用要件（所法102）

　次のイ、ロの要件を満たす居住者に適用します。

　イ　その年12月31日（その年の中途において死亡した場合には、その死亡の日）
　　において居住者である者で、その年において非居住者であった期間を有す
　　るもの

　ロ　その年の中途において出国をする居住者で、その年1月1日からその出
　　国の日までの間に非居住者であった期間を有するもの

② 総合課税（所法102、所令258①一～五）

次のイ～ヘにより計算します。

イ　所得の範囲

次のa～cの金額の合計額によります。

a　その者がその年において非永住者以外の居住者であった期間（居住者期間）

その期間内に生じた全世界所得（所法7①一）

b　その者がその年において居住者期間のうちに、非永住者であった期間

非永住者であった期間内に生じた国外源泉所得（所法95①）以外の所得及び国外源泉所得で国内において支払われ、又は国外から送金されたもの（所法7①二）

c　その者がその年において非居住者であった期間（非居住者期間）

非居住者期間内に生じた非居住者（所法164①各号。恒久的施設を有する非居住者、恒久的施設を有しない非居住者）の区分に応ずる総合課税の対象となる国内源泉所得に係る所得

ロ　各種所得の金額

イの所得の金額を、各種所得に区分し、その各種所得ごとに所得の金額を計算します。

ハ　課税標準額

ロの各種所得の金額に基づき、総所得金額、退職所得金額、山林所得金額を計算します。

ニ　課税所得金額

ハの課税標準額から所得控除額を控除して、課税総所得金額、課税退職所得金額、課税山林所得金額を計算します。

ホ　所得税額

ニの課税所得金額に基づき所得税の額を計算します。

ヘ　税額控除

　　配当控除、分配時調整外国税額相当額控除、外国税額控除の適用がある

場合は、これらの規定の適用後の所得税の額を計算します。

③　源泉分離課税（所法102、所令258①六）

　非居住者期間内に支払を受けるべき恒久的施設を有する非居住者、恒久的施

設を有しない非居住者（所法164②各号）の区分に応ずる源泉分離課税の対象に

なる国内源泉所得がある場合には、その国内源泉所得につき、分離課税に係る

所得税の額（同法169、170）を計算します。

④　居住者の所得税額（所法102、所令258①六）

　②と③で計算した所得税額の合計額が、居住者の所得税額になります。

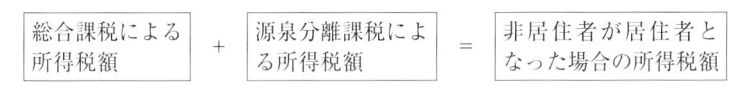

| 総合課税による所得税額 | ＋ | 源泉分離課税による所得税額 | ＝ | 非居住者が居住者となった場合の所得税額 |

⑤　各種所得の金額が居住者期間と非居住者期間の双方に生じる場合の所得計

　　算（所令258②）

　②の総合課税の計算をする場合に、次のイ〜トの規定は、居住者期間内、非

居住者期間内に生じたこれらの所得をそれぞれ合算した所得につき計算しま

す。

　イ　給与所得控除額（所法28③、④）

　ロ　特定支出控除額（同法57の 2 ①）

　ハ　退職所得控除額（同法30②）

　ニ　公的年金等控除額（同法35④）

　ホ　山林所得の特別控除額（同法32④）

　ヘ　譲渡所得の特別控除額（同法33④）

　ト　一時所得の特別控除額（同法34③）

⑥　所得控除（所令258③）

　②の総合課税の計算をする場合の所得控除の取扱いは、次のとおりです。

　イ　雑損控除

居住者期間内に生じた損失と非居住者期間内に生じた損失（所令292①十三）との合計額について適用します。

　ロ　医療費控除

居住者期間内に支払った医療費の金額（所法73①）について適用します。

　ハ　社会保険料控除

居住者期間内に支払った又はその給与から控除される社会保険料の金額（所法74②）について適用します。

　ニ　小規模企業共済等掛金控除

居住者期間内に支払った又はその給与から控除される小規模企業共済等掛金の額（所法75②）について適用します。

　ホ　生命保険料控除

居住者期間内に支払った新生命保険料・旧生命保険料（所法76①）、介護医療保険料（同条②）、新個人年金保険料・旧個人年金保険料（同条③）について適用します。

　ヘ　地震保険料控除

居住者期間内に支払った地震保険料（所法77①）について適用します。

(5)　年の中途で居住者が非居住者となった場合の税額の計算

①　年の中途で非居住者が居住者となった場合の規定の準用（所基通165－1）

　その年12月31日（その年の中途において死亡し、出国をした場合には、その死亡、出国の日）において非居住者である者で、その年において居住者であった期間を有するもの（居住者期間を有する非居住者）に対して課する所得税の額は、上記(4)の年の中途で非居住者が居住者となった場合の税額の計算（所法102）の規定に準じて計算します。

②　居住者期間を有する非居住者に係る扶養親族等の判定の時期等

　　（所基通165－2）

　上記①の規定を適用する場合の障害者控除（所法79）から扶養控除（同法84）の規定における扶養親族等の判定の時期等は、次のイ、ロの場合の区分に応じ

て、イ、ロに定める時とします。

イ　その者が納税管理人の届出（国通法117②）をして居住者でないこととなっ
た場合

その年12月31日（その者がその年中に死亡したときは、その死亡の時）

ロ　その者が納税管理人の届出をしないで居住者でないこととなった場合

その居住者でないこととなる時

(6)　居住者が翌年3月15日までに出国をする場合の確定申告

①　確定所得申告（所法126①）

確定所得申告（所法120①）をすべき居住者は、その年の翌年1月1日から、
その申告書の提出期限までの間に出国をする場合には、確定損失申告書（所法
123①）を提出する場合を除き、その出国の時までに、税務署長に対し申告書
を提出しなければなりません。

②　確定損失申告（所法126②）

確定損失申告書（所法123①）を提出することができる居住者は、その年の翌
年1月1日から2月15日までの間に出国をする場合には、その期間内において
も、申告書を提出することができます。

(7)　居住者が年の中途で出国をする場合の確定申告

①　確定所得申告（所法127①）

居住者は、次のイ～ハの要件を満たす場合には、その出国の時までに、その
時の現況により申告書を提出しなければなりません。

イ　居住者について、年の中途において出国をする場合であること。

ロ　その年1月1日から、その出国の時までの間における総所得金額、退職
所得金額、山林所得金額について、確定所得申告書（所法120①）を提出し
なければならない場合に該当すること。

ハ　確定損失申告書（所法127③）を提出する場合を除くこと。

②　還付を受けるための申告（所法127②）

居住者は、次のイ～ハの要件を満たす場合には、その時の現況により申告書

を提出することができます。

　イ　居住者について、年の中途において出国をする場合であること。

　ロ　その年1月1日から、その出国の時までの間における総所得金額、退職所得金額、山林所得金額について、還付を受けるための申告書（所法122①）を提出することができる場合に該当すること。

　ハ　確定所得申告書（所法127①）及び確定損失申告書（同条③）を提出する場合を除くこと。

③　確定損失申告（所法127③）

　居住者は、次のイ、ロの要件を満たす場合には、その出国の時までに、その時の現況により申告書を提出することができます。

　イ　居住者について、年の中途において出国をする場合であること。

　ロ　その年1月1日から、その出国の時までの間における純損失の金額、雑損失の金額、その年の前年以前3年内の各年において生じたこれらの金額について、確定損失申告書（所法123①）を提出することができる場合に該当すること。

(8)　年末調整（所法190）

　居住者である給与所得者について、支払うべき給与等が確定した場合には、年末調整をします。ここでいう確定には、給与等の支払を受ける者が海外支店等に転勤したことにより非居住者となった場合が該当します（所基通190－1(2)）。

(9)　設　例

　当社の使用人が、3年の予定で国外の支店に転勤（出国）します。当社の給与の計算期間、給与の支給日は次のとおりです。

　①　給与の計算期間は、3月1日〜3月31日

　②　給与支払日は、4月10日

（問）　3月25日に出国した場合と4月5日に出国した場合の取扱いを教えてくだ

さい。

【回答】 上記(3)で説明していますが、その年の中途で居住者が非居住者に異動した場合は、それぞれの期間内に生じた所得に対し、所得税を課税します（所法8）。出国する使用人は、出国日までは居住者に当たり、その後は非居住者になります。この場合、居住者期間に得た所得については、確定申告をするか年末調整をする必要があります（所法127、190）。

これには、出国直前に得る給与も含めなければなりませんが、給与の計算期間と出国日の関係で、取り込む収入金額は異なります。

(1) 出国日が3月25日の場合

3月1日〜3月25日の期間は日本国内の勤務に対する国内源泉所得に該当し、年末調整の対象になりますが、下記①又は②の取扱いによります。

これに対し、3月26日〜3月31日の期間は、日本国外の勤務に対する国外の所得になるので、日本では課税対象外になります。

① 日数あん分（所基通161−41）

この例のように、勤務等が国内及び国外の双方にわたって行われた場合について、非居住者が国内及び国外の双方にわたって行った勤務又は人的役務の提供に基因して給与又は報酬の支払を受ける場合におけるその給与又は報酬の総額のうち、国内において行った勤務又は人的役務の提供に係る部分の金額は、国内における公演等の回数、収入金額等の状況に照らし、その給与又は報酬の総額に対する金額が著しく少額であると認められる場合を除き、次の算式により計算します。

| 給与又は報酬の総額 | × | 国内において行った勤務又は人的役務の提供の期間 |
| | | 給与又は報酬の総額の計算の基礎となった期間 |

(注)　1　国内において勤務し又は人的役務を提供したことにより特に給与又は報酬の額が加算されている場合等には、上記算式は適用しません。

　　　2　退職手当等（所法161①十二ハ）については、上記の算式中「給与又は報酬」とあるのは「退職手当等」と、「国内において行った勤務又は人的役務の提供の期間」とあるのは「居住者であった期間に行った勤務等の期間及び非居住者（所令285③）であった期間に行った勤務等の期間」と読み替えて計算します。

　この取扱いによる場合は、上記の算式で計算した金額を年末調整の対象とします。

②　給与等の計算期間の中途で非居住者となった者の給与等（所基通212－5）

　①の取扱いに対し、給与等の計算期間の中途において居住者から非居住者となった者に支払うその非居住者となった日以後に支給期の到来するその計算期間の給与等のうち、その計算期間が1か月以下であるものについては、その給与等の全額がその者の国内において行った勤務に対応するものである場合を除き、その総額を国内源泉所得に該当しないことができる、という取扱いが認められています。

(注)　1　この取扱いは、その者の非居住者としての勤務が国内における勤務等とみなされる国外での勤務（所令285①各号）に該当する者に支払う給与等については、適用しません。

　　　2　給与等の計算期間の中途において国外にある支店等から国内にある本店等に転勤したため帰国した者に支払う給与等で、その者の居住者となった日以後に支給期の到来するものについては、その給与等の金額のうちに非居住者であった期間の勤務に対応する部分の金額が含まれているときであっても、その総額を居住者に対する給与等として源泉徴収義務（所法183①）の規定を適用します。

　この取扱いによる場合は、年末調整に加えないことができます。

⑵　出国日が4月5日の場合

　給与の計算期間のすべてが、居住者期間に含まれているので、3月分の給与

は年末調整の対象になります。

12. 非居住者、外国法人に対する源泉徴収

(1)　概　要

　非居住者に対する課税方法（総合課税、源泉分離課税）とは別に、非居住者に対し国内源泉所得を支払う者には、所得税を源泉徴収する義務が課せられています。

　ただし、恒久的施設帰属所得（所法161①一）、国内にある資産の運用又は保有により生ずる所得（同項二）、国内にある資産の譲渡により生ずる所得（同項三）、その他の国内源泉所得（同項十七）については、源泉徴収をしないことになっています。

　これに対し、上記以外の国内源泉所得に対しては、支払者は源泉徴収をしなければなりません（所法212、213）。ただし、一定の場合は源泉徴収を要しないという措置も設けられています（所法214）。

　外国法人に対しては、国内において行う勤務等に基づく給与、報酬、年金(所法161①十二）を除いて、非居住者に対し支払う場合と同様の源泉徴収の規定が設けられています。

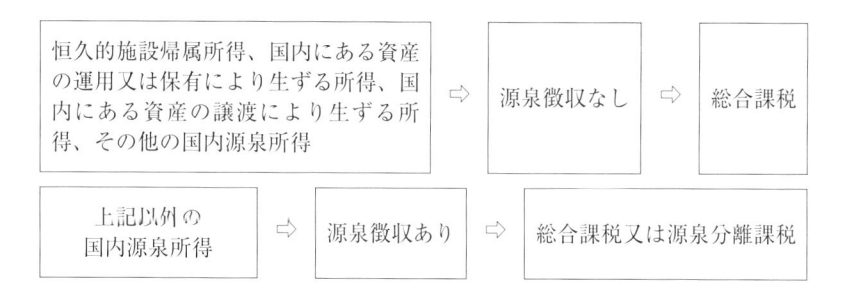

(2)　適用要件（所法212①）

　次の①〜④の要件を満たす必要があります。

　①　非居住者に対し、次の国内源泉所得の支払をする者であること。

組合契約に基づいて恒久的施設を通じて行う事業から生ずる利益（所法161①四）から、国内で事業を行う者に対する出資で匿名組合契約に基づいて受ける利益の分配（同項十六）まで

② 外国法人に対し、国内において上記①の国内源泉所得のうち、国内において行う勤務等に基づく給与、報酬、年金（所法161①十二）を除いた国内源泉所得の支払をする者であること。

③ ①の非居住者に対し支払う国内源泉所得からは、次のイ～ハの国内源泉所得（所令328）を除くこと。

イ　映画、演劇の俳優、音楽家その他の芸能人又は職業運動家の役務の提供に係る次のa、bの対価又は報酬で不特定多数の者から支払われるもの

a　国内における人的役務の提供に係る対価（所法161①六）

b　俸給、給料、賃金、歳費、賞与、これらの性質を有する給与その他人的役務の提供に対する報酬のうち、国内において行う勤務その他の人的役務の提供に基因するもの（所法161①十二イ）

ロ　非居住者又は外国法人が有する土地、土地の上に存する権利又は家屋（土地家屋等）に係る国内にある不動産等の貸付けによる対価（所法161①七）で、その土地家屋等を自己又はその親族の居住の用に供するために借り受けた個人から支払われるもの

ハ　非居住者（所法169）に対し支払われる次のa、bの給与又は報酬で、その者が給与等につき源泉徴収を受けない場合の申告納税等（同法172）の規定により、その支払の時までに既に納付した所得税の額の計算の基礎とされたもの

a　上記イbの人的役務の提供（所法161①十二イ）

b　退職手当等（所法30①）のうち、その支払を受ける者が居住者であった期間に行った勤務その他の人的役務の提供に基因するもの（同法161①十二ハ）

④ ②の国内源泉所得からは、次のイ～ハの規定の適用を受ける国内源泉所

得を除くこと。

　　イ　恒久的施設を有する外国法人の受ける国内源泉所得に係る課税の特例
　　　（所法180①）

　　ロ　信託財産に係る利子等の課税の特例（所法180の2①、②）

　　ハ　③イ～ハの国内源泉所得（所令328）

⑶　取扱い（所法212①）

　⑵①、②の支払いをする者は、その支払の際、これらの国内源泉所得について所得税を徴収し、その徴収の日の属する月の翌月10日までに、これを国に納付しなければなりません。

⑷　国内源泉所得の支払が国外において行われる場合（所法212②）

① 適用要件

　次のイ、ロの要件を満たすこと。

　　イ　⑵の国内源泉所得の支払が国外において行われる場合であること。

　　ロ　その支払をする者が、国内に住所、居所を有し、又は国内に事務所、事業所その他これらに準ずるものを有すること。

② 取扱い

　その者がその国内源泉所得を国内において支払うものとみなして、⑵、⑶の規定を適用します。

　この場合、⑶の納付する期日について、「翌月10日まで」は、「翌月末日まで」になります。

⑸　配当等、役員に対する賞与を支払の確定した日から1年を経過した日までにその支払がされない場合のみなし支払の規定の準用（所法212④）

　その1年を経過した日においてその支払があったものとみなす規定（所法181②、183②）は、⑵、⑶の規定を適用する場合に準用します。

⑹　組合契約に基づいて恒久的施設を通じて行う事業から生ずる利益（所法161①四）の配分を受ける国内源泉所得の特例（所法212⑤）

① 適用要件

　次のイ～ニの要件を満たす必要があります。

　イ　組合契約に基づいて恒久的施設を通じて行う事業から生ずる利益（所法161①四）の配分を受ける国内源泉所得についての取扱いであること。

　ロ　組合契約を締結している組合員である非居住者又は外国法人についての取扱いであること。

　ハ　ロの組合員には、次のa、bの者を含むこと（所令328の2）。

　　a　組合契約を締結していた組合員

　　b　外国における次の(a)～(c)の契約に類する契約（所令281の2①三）を締結している者、その契約を締結していた者

　　　(a)　組合契約（民法667①）

　　　(b)　投資事業有限責任組合契約（投資事業有限責任組合契約に関する法律3①）

　　　(c)　有限責任事業組合契約（有限責任事業組合契約に関する法律3①）

　ニ　その組合契約に定める計算期間その他これに類する計算期間[注]において生じたその国内源泉所得につき、金銭その他の資産（金銭等）の交付を受けること。

　　（注）　計算期間

　　　　これらの期間が1年を超える場合は、これらの期間をその開始の日以後1年ごとに区分した各期間をいい、最後に1年未満の期間を生じたときは、その1年未満の期間をいいます。

② 取扱い

　次のイ、ロの者、日については、それぞれイ、ロに規定する者、日とみなして所得税法の規定を適用します。

　イ　その配分をする者

　　その国内源泉所得の支払をする者

　ロ　その金銭等の交付をした日（その計算期間の末日の翌日から2月を経過する日までにその国内源泉所得に係る金銭等の交付がされない場合には、同日）

　　その交付をした日をその支払があった日

⑺　源泉徴収税額（所法213①）

　⑵、⑶の規定により徴収すべき所得税の額は、次の①〜③の区分に応じ、①〜③に定める金額になります。

① 　②、③以外の国内源泉所得

　　イ　ロ〜ニ以外

$$\boxed{その金額} \times 20\% = \boxed{源泉徴収税額}$$

　　ロ　公的年金等（所法161①十二ロ）

$$\left(\boxed{\begin{array}{c}支払われる\\年金の額\end{array}} - 5万円 \times \boxed{\begin{array}{c}支払われる年金\\の額に係る月数\end{array}} \right) \times 20\% = \boxed{源泉徴収税額}$$

　　ハ　国内において行う事業の広告宣伝のための賞金（所法161①十三）

$$\left(\boxed{その金額^{(注)}} - 50万円 \right) \times 20\% = \boxed{源泉徴収税額}$$

　　　（注）　その金額（所令329①、321）

　　　　　金銭以外のもので支払われる場合には、金銭以外のものの支払を受ける者が、その受けることとなった日において、その金銭以外のものを譲渡するものとした場合に、その対価として通常受けるべき価額に相当する金額（その金銭以外のものと金銭とのいずれかを選択することができる場合には、その金銭の額）によります。

　　ニ　国内にある営業所等を通じて締結した保険契約等に基づいて受ける年金（所法161①十四）

$$\left(\boxed{\begin{array}{c}支払われる\\年金の額\end{array}} - \begin{array}{c}支払われる年金の額に対応す\\る保険料、掛金の金額（所令\\329②、296）\end{array} \right) \times 20\% = \boxed{源泉徴収税額}$$

② 　国内にある土地等の譲渡による対価（所法161①五）

$$\boxed{その金額} \times 10\% = \boxed{源泉徴収税額}$$

③　日本国債等の利子等（所法161①八）、国内の営業所が受け入れ等した定期
　積金等に係る給付補塡金、利息、利益、差益（同法161①十五）

$$\boxed{\text{その金額}} \quad \times \quad 15\% \quad = \quad \boxed{\text{源泉徴収税額}}$$

(8)　非居住者の国内源泉所得につき源泉徴収を要しない場合

①　適用要件（所法214①）

　次のイ〜ヘの要件を満たすこと。

　イ　恒久的施設を有する非居住者は、次のa〜fの要件（所令330）を備え
　　ていること。

　　a　開業の届出書（所法229）を提出していること。

　　b　納税地に現住しない非居住者については、その者が納税管理人の届出
　　　（国通法117②）をしていること。

　　c　その年の前年分の所得税に係る確定申告書を提出していること。

　　d　本規定（所法214①）の適用を受けようとするロの対象国内源泉所得が、
　　　所得税法その他所得税に関する法令（日本国が締結した所得に対する租税
　　　に関する二重課税防止のための条約を含む）の規定により、総合課税（所
　　　法165①）に係る所得税を課される所得のうちに含まれるものであるこ
　　　と。

　　e　偽りその他不正の行為により所得税を免れたことがないこと。

　　f　本規定（所法214①）の適用を受けるために、証明書をロの対象国内源
　　　泉所得の支払者に提示する場合において、その支払者の氏名、名称、そ
　　　の住所、事務所、事業所その他その対象国内源泉所得の支払の場所、そ
　　　の提示した年月日を帳簿に記録することが確実であると見込まれるこ
　　　と。

　ロ　その非居住者の恒久的施設に帰せられるハの国内源泉所得からニの国内
　　源泉所得を除いた対象国内源泉所得の支払を受けるものについての取扱
　　いであること。

| ハの国内源泉所得 | ニの国内源泉所得 |
| | 対象国内源泉所得 |

ハ　次のa～gである国内源泉所得であること。

　a　組合契約に基づいて恒久的施設を通じて行う事業から生ずる利益（所法161①四）

　b　国内における人的役務の提供に係る対価（同項六）

　c　国内にある不動産等の貸付けによる対価（同項七）

　d　国内において業務を行う者に対する貸付金の利子（同項十）

　e　国内において業務を行う者から受ける工業所有権等の使用料、譲渡による対価（同項十一）

　f　俸給、給料、賃金、歳費、賞与、これらの性質を有する給与その他人的役務の提供に対する報酬のうち、国内において行う勤務その他の人的役務の提供に基因するもの（同項十二イ）のうち、給与に係る部分を除いたもの

　g　国内にある営業所等を通じて締結した保険契約等に基づいて受ける年金（同項十四）

ニ　次のa～cの国内源泉所得（所令332）は、ハの国内源泉所得から除外すること。

　a　ハe（所法161①十一）の使用料、対価で報酬又は料金（同法204①一）に該当するもの

　b　ハf（所法161①十二イ）の報酬で、映画、演劇の芸能人等の役務の提供に関する報酬又は料金（同法204①五）に該当するもの以外のもの

　c　ハg（所法161①十四）の年金で、その支払額が25万円以上のもの

ホ　ロの対象国内源泉所得は、組合契約に基づいて恒久的施設を通じて行う事業から生ずる利益（所法161①四）にあっては、その事業に係る恒久的施

設以外の恒久的施設に帰せられるものに限ること。

　ヘ　次のa～hの事項を記載した申請書を納税地の所轄税務署長に提出する（所令331①）ことにより、その支払を受けるものが、その要件を備えていること、その支払を受けることとなる国内源泉所得が対象国内源泉所得に該当することにつき、納税地の所轄税務署長の証明書の交付を受け、その証明書をその国内源泉所得の支払をする者に提示すること。

　　a　その者の氏名、住所、国内に居所があるときはその居所

　　b　その者の恒久的施設を通じて行う事業に係る事務所、事業所その他これらに準ずるもの（これらが二以上あるときは、そのうち主たるもの。「国内にある事務所等」という）の名称、所在地、その代表者その他の責任者の氏名、届け出た納税管理人（国通法117②）がその責任者と異なるときは、納税管理人の氏名

　　c　イa（所令330一）の届出書を提出した年月日

　　d　イd（所令330四）の要件に該当する事情の概要

　　e　イf（所令330六）の記録を確実に行う旨

　　f　その証明書により、本規定（所法214①）の適用を受けようとする対象国内源泉所得のうち、主たるものの支払者の氏名、名称、その住所、事務所、事業所その他その対象国内源泉所得の支払の場所、その支払の宛先、その対象国内源泉所得の種類、その対象国内源泉所得の支払を受ける見込期間

　　g　その証明書により、本規定（所法214①）の適用を受けようとする国内源泉所得がその者の対象国内源泉所得に該当する事情

　　h　その他参考となるべき事項

②　源泉徴収の不適用（所法214①）

　その支払をする者は、その証明書が効力を有している間に、その証明書を提示した者に対して支払うその国内源泉所得については、所得税を徴収して納付することを要しません。

③　留意点

本規定（所法214①）は、恒久的施設を有する非居住者についての特例です。したがって、本規定により源泉徴収の免除を受ける国内源泉所得は、非居住者の総合課税の対象になります。つまり、源泉徴収の規定の適用を受けませんが、確定申告により所得税を支払うことになります。

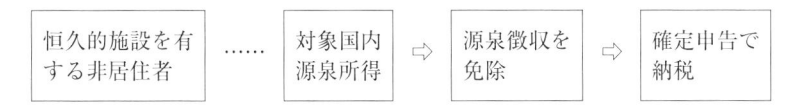

⑼　非居住者の人的役務の提供による給与等に係る源泉徴収の特例

①　適用要件（所法215）

次のイ～ハの要件を満たすことが必要です。

イ　国内における人的役務の提供に係る対価（所法161①六）の事業を行う非居住者、外国法人についての源泉徴収の特例であること。

ロ　イの対価につき、源泉徴収義務（所法212①）の規定により所得税を徴収されたこと。

ハ　イの事業を国内において行う者が支払を受けた対価の総額（所法161①六）が、その国内において行う事業のために人的役務の提供をする各非居住者に対し、その人的役務の提供につき支払うべき次のa、bの給与、報酬の金額の合計額に満たなかったこと（所令334）。

　　a　俸給、給料、賃金、歳費、賞与、これらの性質を有する給与その他人的役務の提供に対する報酬のうち、国内において行う勤務その他の人的役務の提供に基因するもの（所法161①十二イ）

　　b　退職手当等（所法30①）のうち、その支払を受ける者が居住者であった期間に行った勤務その他の人的役務の提供に基因するもの（同号ハ）

事業を行う非居住者、外国法人が国内における人的役務の提供に係る事業につき受け取った対価の総額	＜	支払うべき給与、報酬の金額の合計額

②　取扱い（所法215、所令334）

　その非居住者、外国法人が、その所得税を徴収された対価のうちから、その事業のために人的役務の提供をする非居住者に対して、その人的役務の提供につき支払う給与、報酬（所法161①十二イ、ハ）について、その支払の際、次の算式で計算した金額につき、所得税の徴収（同法212①）が行われたものとみなします。

人的役務の提供に係る事業につき受け取った対価の総額	×	各非居住者に対し支払うべき給与、報酬の金額
		支払うべき給与、報酬の金額の合計額

第2節 扶養親族（非居住者）を有する居住者に対する課税

1. 概要

　日本社会は高齢化が進んでいます。そのために、外国からの労働者の受入れを拡大する政策を進めています。受け入れた労働者は、居住者（所法2①三）になるので、年末調整（所法190）又は確定申告（同法120）により納税をします。

　この場合、出身国に残した配偶者、両親、子供（子供等）に仕送りをしており、かつ、子供等の所得が48万円以下であれば配偶者控除や扶養控除などの所得控除の適用を受けることができます。

　しかし、例えば子供等が、その労働者の扶養親族に当たることや、生活費を送金している事実の確認などは、国内に住んでいる日本人の場合に比べると難しい場合が多いと考えられます。

　このような状況の中で、子供等が所得控除の対象になる配偶者や扶養親族などに該当することを確認するための規定が整備されてきました。

　令和2年の税制改正では、この確認するための規定のうち、扶養親族について画期的に整備されました。

2. 扶養親族、扶養控除

⑴　扶養親族（所法2①三十四）

　次の①～③の者で、その居住者と生計を一にするもののうち、合計所得金額

が48万円以下である者をいいます。

　ただし、青色事業専従者（所法57①）に該当するもので、給与の支払を受けるもの及び事業専従者（同条③）に該当するものを除きます。

　①　居住者の親族（その居住者の配偶者を除く）

　②　里親（児童福祉法6の4）に委託された児童（同法27①三）

　③　養護受託者（老人福祉法11①三）に委託された老人

(2)　控除対象扶養親族（所法2①三十四の二）

　扶養親族のうち、扶養控除（所法84）の規定が適用される者を控除対象扶養親族といいます。

①　親族が非居住者の場合

　次のイ～ハの者をいいます。

　イ　年齢16歳以上30歳未満の者

　ロ　年齢70歳以上の者

　ハ　年齢30歳以上70歳未満の者であって、次のa～cの者のいずれかに該当するもの

　　a　留学により国内に住所及び居所を有しなくなった者

　　b　障害者

　　c　その居住者からその年において生活費又は教育費に充てるための支払を38万円以上受けている者

②　経過措置（令2改正法附則3）

　次のイ～ホの規定は、令和5年分以後の所得税又は同年1月1日以後に支払を受けるべき給与等（所法183①）、公的年金等（同法203の2）について適用します。

　イ　控除対象扶養親族の定義（所法2①三十四の二）

　ロ　給与等に係る源泉徴収義務及び徴収税額（所法183～189）

　ハ　年末調整（所法190）、別表第二から別表第四まで（国外居住親族（所法185①一）に係る部分に限る）

ニ　公的年金等に係る徴収税額（所法203の3。国外居住親族（同条一ホ）に係る部分に限る）

ホ　扶養控除（所法84）

③　解説

親族が居住者の場合は、「年齢16歳以上の者」とされ、改正されていません。

これに対し、親族が非居住者の場合で、年齢30歳以上70歳未満の者については、3つのケース（上記①ハa〜c）に該当する者を除いて、控除対象扶養親族から除外しました。

このうち、「留学により国内に住所及び居所を有しなくなった者」は、例えば親子が日本人で日本に住んでいましたが、子供が海外留学のために外国に住んでいる場合を想定しています。

一方、年齢30歳以上70歳未満の者を控除対象扶養親族にするためには、生活費又は教育費として、38万円以上を送金していることの証明が必要になります。

(3)　扶養控除（所法84）

居住者が控除対象扶養親族を有する場合には、その居住者のその年分の総所得金額、退職所得金額又は山林所得金額から、その控除対象扶養親族1人につき、次の①〜③の場合の区分に応じ、①〜③で定める金額を扶養控除として控除します。

①　②、③以外の控除対象扶養親族

38万円

②　特定扶養親族（控除対象扶養親族のうち、年齢19歳以上23歳未満の者。所法2①三十四の三）

63万円

③　老人扶養親族（控除対象扶養親族のうち、年齢70歳以上の者。所法2①三十四の四）

48万円

3. 非居住者である扶養親族等がいる場合の給与所得者の扶養控除等申告書

　給与所得者は、勤務先に給与所得者の扶養控除等申告書を提出します。非居住者である扶養親族がいる居住者もこの申告書を提出しなければなりません。

　この点について、令和2年の税制改正で、控除対象扶養親族になる非居住者の範囲を限定したことと併せて、給与所得者の扶養控除等申告書の規定においても、確認のための規定を厳格化しました。

(1)　給与所得者の扶養控除等申告書への記載事項（所法194①）

　記載事項のうち、控除対象扶養親族になる非居住者に関連する記載事項（該当規定のみ示します）は、次のとおりです。

　なお、下記の規定は、令和5年1月1日以後に支払を受けるべき給与等について提出する給与所得者の扶養控除等申告書（新所法194⑦）について適用します（令2改正法附則8⑧）。

①　同一生計配偶者又は扶養親族のうちに同居特別障害者、その他の特別障害者又は特別障害者以外の障害者がある場合（所法194①三）

　その旨、その数、その者の氏名及び個人番号（個人番号を有しない者は氏名）、その該当する事実

②　源泉控除対象配偶者（所法194①四）

　氏名及び個人番号（個人番号を有しない者は氏名）

③　控除対象扶養親族（所法194①五）

　氏名及び個人番号（個人番号を有しない者は氏名）、控除対象扶養親族のうちに特定扶養親族又は老人扶養親族がある場合には、その旨及びその該当する事実

④　二以上の給与等の支払者から給与等の支払を受ける場合（所法194①六）

　源泉控除対象配偶者又は控除対象扶養親族のうち、主たる給与等の支払者から支払を受ける給与等について源泉徴収義務（所法183①）の規定により徴収

される所得税の額の計算の基礎としようとするものの氏名

⑤　同居特別障害者（①）、その他の特別障害者（①）、特別障害者以外の障害者（①）又は源泉控除対象配偶者（②。④に規定する場合に該当するときは、④に規定する源泉控除対象配偶者に限る）が非居住者である親族である場合（同居特別障害者等が非居住者である親族である場合）（所法194①七）

　非居住者である親族である旨及び③の控除対象扶養親族（④に該当するときは、④の控除対象扶養親族に限る）が非居住者である親族である場合には、非居住者である親族である旨及び控除対象扶養親族に該当する事実

　　(注)　⑤について、令和5年1月1日前に支払を受けるべき給与等について提出した給与所得者の扶養控除等申告書（旧所法194⑦）では、③の控除対象扶養親族のうち非居住者に該当する者が含まれ、「非居住者である親族である旨」だけを記載します。

⑵　同居特別障害者等が非居住者である親族である場合　（所法194①七）の提出書類

①　規定（所法194④、所令316の2②）

　⑴⑤の同居特別障害者等が非居住者である親族である場合（所法194①七）に規定する居住者は、給与所得者の扶養控除等申告書の申告書（記載事項に異動が生じた場合の申告書を含む）に、次のイ～ハの国外居住親族（所法194④）の区分に応じ、イ～ハに定める旨を証する書類として、②で定めるものを各人別にその申告書に添付し、又はその申告書の提出の際提示しなければなりません。

　イ　同居特別障害者、その他の特別障害者又は特別障害者以外の障害者である国外居住親族（所法194①七。ロ、ハの国外居住親族を除く）（所令316の2②一）

　　　その国外居住親族が、その居住者の親族に該当する旨

　ロ　源泉控除対象配偶者（所法194①七）である国外居住親族（所令316の2②二）

　　　その国外居住親族が、その居住者の配偶者に該当する旨

　　ハ　控除対象扶養親族（所法194①七）である国外居住親族（所令316の 2 ②三）

　　　　次の a 、 b の場合の区分に応じて、 a 、 b に定める事項

　　　a　b 以外

　　　　　その国外居住親族が、その居住者の配偶者以外の親族に該当する旨

　　　b　その国外居住親族の控除対象扶養親族に該当する事実が、留学により国内に住所及び居所を有しなくなった者（所法 2 ①三十四の二ロ（ 1 ））に該当することである場合

　　　　　その国外居住親族が、その居住者の配偶者以外の親族に該当する旨及びその者に該当する旨

　　（注）　令和 5 年 1 月 1 日前に支払を受けるべき給与等について提出した給与所得者の扶養控除等申告書（旧所法194④）では、上記ハ a の規定だけが設けられています。

② 　書類（所規73の 2 ②）

　次のイ、ロの国外居住親族の区分に応じ、イ、ロに定める書類をいいます。

　　イ　同居特別障害者、その他の特別障害者、特別障害者以外の障害者、源泉控除対象配偶者（所令316の 2 ②一・二）である国外居住親族

　　　　その国外居住親族に係る次の a 、 b のいずれかの書類であって、①イ、ロ（所令316の 2 ②一・二）の国外居住親族の区分に応じ、①イ、ロに定める旨を証するもの（その書類が外国語で作成されている場合には、その翻訳文を含む）

　　　a　戸籍の附票の写しその他の国又は地方公共団体が発行した書類及び旅券（出入国管理及び難民認定法 2 五）の写し

　　　b　外国政府又は外国の地方公共団体が発行した書類（その国外居住親族の氏名、生年月日、住所、居所の記載があるものに限る）

　　ロ　控除対象扶養親族（所令316の 2 ②三）である国外居住親族

　　　　次の a 、 b の場合の区分に応じ、 a 、 b で定める書類

a b以外

その国外居住親族に係る次の(a)、(b)のいずれかの書類であって、その国外居住親族が居住者の配偶者以外の親族に該当する旨を証するもの（その書類が外国語で作成されている場合には、その翻訳文を含む）

(a) 戸籍の附票の写しその他の国又は地方公共団体が発行した書類及び旅券の写し

(b) 外国政府又は外国の地方公共団体が発行した書類（その国外居住親族の氏名、生年月日及び住所又は居所の記載があるものに限る）

b その国外居住親族の控除対象扶養親族（所法194①七）に該当する事実が、留学により国内に住所及び居所を有しなくなった者（所法2①三十四の二ロ（1））に該当することである場合

その証する書類及び外国政府又は外国の地方公共団体が発行したその国外居住親族に係る次の(a)、(b)（所規47の2⑨各号）のいずれかの書類であって、その国外居住親族が外国における出入国管理及び難民認定法別表第一の四の表（在留資格）の留学の在留資格に相当する資格をもってその外国に在留することにより国内に住所及び居所を有しなくなった旨を証するもの（その書類が外国語で作成されている場合には、その翻訳文を含む）

(a) 外国における査証に類する書類の写し

(b) 在留カード（外国における出入国管理及び難民認定法19の3）に相当する書類の写し

（注） 令和5年1月1日前に支払を受けるべき給与等について提出した給与所得者の扶養控除等申告書（旧所規73の2②）では、確定申告書に記載すべき書類等（旧所規47の2⑤）の規定を準用しています。これは、上記a(a)、(b)の規定に相当するものです。令和2年の改正で上記bの規定が追加されました。

(3)　国外居住親族が障害者控除、扶養控除を受ける場合の申告書の提出（所法194⑤）

①　適用要件

次のイ～ハの要件を満たすこと。

イ　(1)⑤の同居特別障害者等が非居住者である親族である場合（所法194①七）に規定する居住者についての取扱いであること。

ロ　年末調整（所法190）に規定する過不足の額の計算上、国外居住親族に係る障害者控除の額又は扶養控除の額（同条二ハ）に相当する金額の控除を受けようとする場合であること。

ハ　その年最後に給与等の支払を受ける日の前日までの取扱いであること。

②　取扱い

給与等の支払者から、次のイの事実及びロ～ニ（所規73③）の事項を記載した申告書を、その支払者を経由して、その給与等に係る所得税の納税地（所法17）の所轄税務署長に提出しなければなりません。

イ　次のa、bの事実

　　a　b以外の場合

　　　その国外居住親族がその居住者と生計を一にする事実

　　b　その国外居住親族が、その居住者からその年において生活費又は教育費に充てるための支払を38万円以上受けている者（所法2①三十四の二ロ（3））として扶養控除の額に相当する金額の控除を受けようとする場合

　　　その国外居住親族がその者に該当する事実

ロ　申告書を提出する者の氏名、住所及び個人番号

ハ　給与等の支払者の氏名又は名称

ニ　その他参考となるべき事項

(注)　令和5年1月1日前に支払を受けるべき給与等について提出した給与所得者の扶養控除等申告書（旧所法194⑤）では、上記イaの規定だけが設けられ

ています。つまり、令和２年の改正で上記イ ｂ の規定が追加されました。

⑷　⑶の場合の書類の提出、提示（所法194⑥、所令316の２③）

⑶の規定による申告書を提出する居住者は、次の①、②の場合の区分に応じ、①、②に定める書類を各人別にその申告書に添付し、又はその申告書の提出の際提示しなければなりません。

① 　国外居住親族がその居住者と生計を一にすることを明らかにする書類（所規73の２③）

次のイ、ロのいずれかの書類であって、居住者がその年において国外居住親族の生活費又は教育費に充てるための支払を必要の都度、各人に行ったことを明らかにするもの（その書類が外国語で作成されている場合には、その翻訳文を含む）

イ 　金融機関（国外送金等調書法２三）の書類又はその写しで、その金融機関が行う為替取引によってその居住者からその国外居住親族に支払をしたことを明らかにするもの

ロ 　クレジットカード等購入あっせん業者（所規47の２⑥二）の書類又はその写しで、クレジットカード等（同号）をその国外居住親族が提示し又は通知して、特定の販売業者から商品、権利を購入し、又は特定の役務提供事業者（同号）から有償で役務の提供を受けたことにより支払うこととなるその商品、権利の代金又はその役務の対価に相当する額の金銭をその居住者から受領し、又は受領することとなることを明らかにするもの

② 　その国外居住親族が、その居住者からその年において生活費又は教育費に充てるための支払を38万円以上受けている者（所法２①三十四の二ロ（３））であることを明らかにする書類（所規73の２④）

①に規定する書類であって、居住者から国外居住親族である各人へのその年における支払の金額の合計額が38万円以上であることを明らかにする書類

(注)　令和５年１月１日前に支払を受けるべき給与等について提出した給与所得者の扶養控除等申告書（旧所規73の２②）では、確定申告書に記載すべき書類等

（旧所規47の2⑥）の規定を準用しています。これは、上記①イ、ロの規定に相当するものです。令和2年の改正で上記②の規定が追加されました。

4.　非居住者である扶養親族等がいる場合の確定所得申告時に提出、提示すべき書類

　居住者は、確定申告（所法120）に際して、一定の書類をその確定申告書に添付し、その申告書の提出の際提示しなければなりません（同条③）。

　この点については、上記3の給与所得者の扶養控除等申告書についての令和2年の税制改正と同様に非居住者については、確認のための規定を厳格化しました。

　なお、下記の規定は、令和5年分以後の所得税に係る確定申告書を提出する場合について適用します（令2改正法附則7①）。

(1)　確定申告時に提出、提示すべき書類の提示（所法120③）

　居住者は、その親族につき、配偶者控除、扶養控除等の適用を受ける場合は、これらの規定の適用があることが確認できる書類を確定申告書に添付し、その申告書の提出の際に提示しなければなりません。

　居住者に非居住者である親族がいる場合も同様で、この場合の書類は、次の①、②の場合の区分に応じ、①、②に定めるものになります。

①　非居住者である親族が障害者控除、配偶者控除、配偶者特別控除を受ける居住者（所法120③二）

　次のイ、ロの書類

　イ　これらの控除に係る非居住者である親族が、その居住者の親族に該当する旨を証する書類

　ロ　その非居住者である親族が、その居住者と生計を一にすることを明らかにする書類

　（注）　令和4年分以前における上記の規定については、扶養控除についても適用します。

178

② 確定申告書に、非居住者である親族に扶養控除を適用する居住者（所法120
③三）

次のイ～ハの書類

イ　扶養控除に係る非居住者である親族が、その居住者の親族に該当する旨
を証する書類

ロ　その非居住者である親族が、その居住者と生計を一にすることを明らか
にする書類

ハ　その非居住者である親族が年齢30歳以上70歳未満の者である場合（その
非居住者である親族が障害者である場合を除く）

次のa又はbの書類

a　留学により国内に住所及び居所を有しなくなった者（所法2①三十四
の二ロ(1)）に該当する旨を証する書類

b　その居住者からその年において生活費又は教育費に充てるための支払
を38万円以上受けている者（所法2①三十四の二ロ（3））に該当する
ことを明らかにする書類

⑵ (1)①の障害者控除、配偶者控除、配偶者特別控除の対象になる非居
住者であることを証明する書類（所令262③）

(1)①（所法120③二）の居住者は、その親族に係る次の①、②の書類を、そ
の記載がされる障害者控除に係る障害者（確定申告書に控除対象配偶者又は控
除対象扶養親族として記載がされる者を除く。「国外居住障害者」という）又
はその記載がされる控除対象配偶者、配偶者特別控除に係る配偶者（国外居住
配偶者）の各人別に確定申告書に添付し、又はその申告書の提出の際提示しな
ければなりません。

ただし、年末調整（所法190）の規定により、給与所得控除後の給与等の金
額から控除されたその国外居住障害者に係る障害者控除の額に相当する金額、
その国外居住配偶者に係る配偶者控除、配偶者特別控除の額に相当する金額に
係る次の①、②の書類又はその給与等の金額から控除されたこれらの相当する

金額に係る国外居住障害者、国外居住配偶者以外の者について、給与所得者の扶養控除等申告書（所法194④）、従たる給与についての扶養控除等申告書（同法195④）、公的年金等の受給者の扶養親族等申告書（同法203の6③）の規定により提出し、提示した①の書類については、この限りではありません。

①　国外居住障害者（証明事項：その国外居住障害者がその居住者の親族に該当する旨）、国外居住配偶者（証明事項：その国外居住配偶者がその居住者の配偶者に該当する旨）を証する次のイ、ロのいずれかの書類（その書類が外国語で作成されている場合には、その翻訳文を含む）（所規47の2⑤）

　　イ　戸籍の附票の写しその他の国又は地方公共団体が発行した書類及び旅券（出入国管理及び難民認定法2五）の写し

　　ロ　外国政府又は外国の地方公共団体が発行した書類（氏名、生年月日、住所又は居所の記載があるものに限る）

②　その国外居住障害者、国外居住配偶者がその居住者と生計を一にすることを明らかにする書類として、次のイ、ロの書類であって、居住者がその年において国外居住障害者、国外居住配偶者（国外居住障害者等）の生活費又は教育費に充てるための支払を必要の都度、各人に行ったことを明らかにするもの（その書類が外国語で作成されている場合には、その翻訳文を含む）（所規47の2⑥）

　　イ　金融機関（国外送金等調書法2三）の書類又はその写し

　　　　その金融機関が行う為替取引によってその居住者からその国外居住障害者等に支払をしたことを明らかにするもの

　　ロ　クレジットカード等購入あっせん業者の書類又はその写し

　　　　クレジットカード等をその国外居住障害者等が提示し又は通知して、特定の販売業者から商品、権利を購入し、又は特定の役務提供事業者から有償で役務の提供を受けたことにより支払うこととなるその商品、権利の代金又はその役務の対価に相当する額の金銭をその居住者から受領し、又は受領することとなることを明らかにするもの

ハ　クレジットカード等購入あっせん業者

次のa～eの要件を満たす者をいう。

a　クレジットカード等をこれにより商品、権利を購入しようとする者又は役務の提供を受けようとする者（利用者たる顧客）に交付し、付与する業者であること。

b　クレジットカード等とは、それを提示し又は通知して、特定の販売業者から商品、権利を購入し、又は特定の役務提供事業者（役務の提供の事業を営む者をいう）から有償で役務の提供を受けることができるカードその他の物又は番号、記号その他の符号をいうこと。

c　その利用者たる顧客が、そのクレジットカード等を提示し、通知して特定の販売業者から商品、権利を購入し、又は特定の役務提供事業者から有償で役務の提供を受けること。

d　その販売業者又は役務提供事業者にその商品、権利の代金又はその役務の対価に相当する額の金銭を直接に又は第三者を経由して交付すること。

e　その利用者たる顧客から、あらかじめ定められた時期までに、その代金、その対価の合計額の金銭を受領し、又はあらかじめ定められた時期ごとにその合計額を基礎としてあらかじめ定められた方法により算定して得た額の金銭を受領する業務を行う者であること。

（注）　令和4年分以前は国外居住扶養親族にも適用します。

⑶　⑴②の扶養控除の対象になる非居住者であることを証明する書類（所令262④）

⑴②（所法120③三）の居住者は、控除対象扶養親族（国外居住扶養親族）の各人別に、次の①～③の場合の区分に応じ、①～③に定める書類を確定申告書に添付し、又はその申告書の提出の際提示しなければなりません。

ただし、年末調整（所法190）の規定により、給与所得控除後の給与等の金額から控除された扶養控除の額に相当する金額に係るその国外居住扶養親族又

は国外居住扶養親族以外の者のそれぞれについて、次の①〜③の場合の区分に応じ、①〜③に定める書類のうち、給与所得者の扶養控除等申告書（同法194④）、従たる給与についての扶養控除等申告書（同法195④）、公的年金等の受給者の扶養親族等申告書（同法203の6③）の規定により提出し、提示した次の①イ、②イ・ハ、③イの書類については、この限りではありません。

① 　②、③以外の場合（所令262④一）

　次のイ、ロの書類

　イ　その国外居住扶養親族がその居住者の配偶者以外の親族に該当する旨を証する書類

　　　国外居住扶養親族に係る次のa、bのいずれかの書類であって、その国外居住扶養親族が居住者の配偶者以外の親族に該当する旨を証するもの（その書類が外国語で作成されている場合には、その翻訳文を含む）（所規47の2⑦）

　　a　戸籍の附票の写しその他の国又は地方公共団体が発行した書類及び旅券の写し

　　b　外国政府又は外国の地方公共団体が発行した書類（その国外居住扶養親族の氏名、生年月日、住所又は居所の記載があるものに限る）

　ロ　その国外居住扶養親族がその居住者と生計を一にすることを明らかにする書類

　　　次のa、bの書類であって、居住者がその年において国外居住扶養親族の生活費又は教育費に充てるための支払を必要の都度、各人に行ったことを明らかにするもの（その書類が外国語で作成されている場合には、その翻訳文を含む）（所規47の2⑧）

　　a　金融機関（国外送金等調書法2三）の書類又はその写し

　　　その金融機関が行う為替取引によって、その居住者からその国外居住扶養親族に支払をしたことを明らかにするもの

　　b　クレジットカード等購入あっせん業者の書類又はその写し

　　　クレジットカード等をその国外居住扶養親族が提示し又は通知して、特定の販売業者から商品、権利を購入し、又は特定の役務提供事業者から有償で役務の提供を受けたことにより支払うこととなるその商品、権利の代金又はその役務の対価に相当する額の金銭をその居住者から受領し、又は受領することとなることを明らかにするもの

② 　その国外居住扶養親族が留学により国内に住所及び居所を有しなくなった者（所法2①三十四の二ロ（1））に該当するものとして扶養控除に関する事項を記載する場合（所令262④二）

次のイ～ハの書類

イ　①イの書類

ロ　①ロの書類

ハ　その国外居住扶養親族が留学により国内に住所及び居所を有しなくなった者（所法2①三十四の二ロ（1））に該当する旨を証する書類（所規47の2⑨）

　　外国政府又は外国の地方公共団体が発行した国外居住扶養親族に係る次のa、bのいずれかの書類であって、その国外居住扶養親族が外国における出入国管理及び難民認定法別表第一の四の表（在留資格）の留学の在留資格に相当する資格をもってその外国に在留することにより国内に住所及び居所を有しなくなった旨を証するもの（その書類が外国語で作成されている場合には、その翻訳文を含む）

a　外国における査証に類する書類の写し

b　在留カード（外国における出入国管理及び難民認定法19の3）に相当する書類の写し

③ 　その国外居住扶養親族がその居住者からその年において生活費又は教育費に充てるための支払を38万円以上受けている者（所法2①三十四の二ロ（3））に該当するものとして扶養控除に関する事項を記載する場合（所令262④三）

次のイ、ロの書類

イ　①イの書類

ロ　その国外居住扶養親族がその居住者からその年において生活費又は教育費に充てるための支払を38万円以上受けている者（所法2①三十四の二ロ（3））に該当することを明らかにする書類（所規47の2⑩）

　　①ロ（所規47の2⑧）に規定する書類であって、居住者から国外居住扶養親族である各人へのその年における①ロに規定する支払の金額の合計額が38万円以上であることを明らかにする書類

 **第3節 外国法人に対する課税**

1. 概 要

　本節は、外国法人に対する課税の規定を取り上げます。

(1) 外国法人 (法法2四)

　外国法人とは、内国法人以外の法人をいいます。

　内国法人とは、国内に本店又は主たる事務所を有する法人をいいます（法法2三）。

　日本は本店所在地主義により内国法人と外国法人の区分をしています。

(2) 納税義務 (法法4③)

　外国法人は、国内源泉所得（法法138①）を有するとき（人格のない社団等は、国内源泉所得で収益事業から生ずるものを有するときに限る)は、この法律により、法人税を納める義務[注]があります。

(注)　義務

　　上記以外にも、法人課税信託の引受けを行うとき、退職年金業務等（法法145の3）を行うときも法人税を納める義務があります。

(3) 外国法人の課税所得の範囲 (法法9)

　外国法人に対しては、恒久的施設を有する外国法人、恒久的施設を有しない外国法人（法法141各号）の区分に応じ、それぞれに定める国内源泉所得に係る所得について、各事業年度の所得に対する法人税を課税します。

　なお、外国法人とされる人格のない社団等に対しては、国内源泉所得に係る

所得のうち、収益事業から生じた所得にだけ、各事業年度の所得に対する法人税を課税します。

さらに、外国法人の一定の国内源泉所得については、支払の際に所得税を源泉徴収して課税関係を終了させるものがあります（所法178、179）。

その全体像は、下図のとおりです。なお、租税条約の定めが下記の表の内容と異なる場合は、租税条約の定めが優先します。

【外国法人に対する課税】

所得の種類 ＼ 外国法人の区分	恒久的施設あり		恒久的施設なし	所得税の源泉徴収[注1]
	恒久的施設帰属所得	その他の所得		
①　恒久的施設帰属所得（事業所得）（法法138①一）[注2]	法人税	課税対象外		無
②　国内にある資産の運用又は保有により生ずる所得（⑥〜⑬を除く）（同項二）		法人税		無
③　国内にある資産の譲渡により生ずる所得（同項三）[注3]				無
④　国内における人的役務の提供に係る対価（同項四）				20%
⑤　国内にある不動産等の貸付けによる対価（同項五）				20%
⑥　日本国債等の利子等[注4]		源泉徴収で課税関係終了		15%
⑦　内国法人から受ける配当等				20%
⑧　国内において業務を行う者に対する貸付金の利子				20%
⑨　国内において業務を行う者から受ける工業所有権等の使用料、譲渡による対価				20%
⑩　国内において行う事業の広告宣伝のための賞金				20%
⑪　国内にある営業所等を通じて締結した保険契約等に基づいて受ける年金				20%
⑫　国内の営業所が受け入れ等した定期積金等に係る給付補填金、利息、利益、差益				15%

⑬　国内で事業を行う者に対する出資で匿名組合契約に基づいて受ける利益の分配		20%
⑭　その他の国内源泉所得（同項六）	法人税	無

（注）　1　源泉徴収に関しては、復興特別所得税として所得税率の2.1%が別に課税されます。

　　　　2　法人税では、組合契約に基づいて恒久的施設を通じて行う事業から生ずる利益については上記表の①の恒久的施設帰属所得に含まれます。この利益については、所得税率20%で源泉徴収がされます。

　　　　3　国内にある土地等の譲渡による対価については、所得税率20%で源泉徴収がされます。

　　　　4　上記表の⑥日本国債等の利子等から、⑬国内で事業を行う者に対する出資で匿名組合契約に基づいて受ける利益の分配までの国内源泉所得は、所得税法上の区分であり、法人税法では規定されていません。

2. 外国法人に対する課税標準

⑴　考え方

　帰属主義においては、恒久的施設を有する外国法人には、恒久的施設に帰属する所得（恒久的施設帰属所得）に課税します。これには、本店等との間の内部取引などから生じる所得も含まれます。

　ただし、恒久的施設を有する外国法人であっても、その外国法人の本店等が日本の事業者や消費者と直接取引をしたことに基づいて国内源泉所得が発生する場合があります。日本にある恒久的施設は関わらないので、恒久的施設帰属所得にはなりません。これが、恒久的施設に帰属しない国内源泉所得です。例えば、本店等が直接管理している国内にある不動産を譲渡した場合の所得が該当します。この場合は、不動産の譲渡益（所得）と恒久的施設帰属所得とは別の課税標準であるとして別々に課税します。したがって、これらの所得の間では損益通算を行いません。

　恒久的施設を有しない外国法人についての課税標準は、恒久的施設を有する外国法人の恒久的施設に帰属しない国内源泉所得と同じ範囲になります。これは、改正前の総合主義の下における範囲と同じです。

　なお、外国法人の本店等と恒久的施設との間の内部取引の対価の額が独立企業間価格と異なる場合は、独立企業間価格により所得の金額の計算をします（措法66の４の３①）。

⑵　規定（法法141）

　外国法人に対して課する各事業年度の所得に対する法人税の課税標準は、次の①、②の外国法人の区分に応じ、①、②に定める国内源泉所得に係る所得の金額とします。

①　恒久的施設を有する外国法人（法法141一）

　各事業年度の次のイ、ロの国内源泉所得。

　イ　恒久的施設帰属所得（法法138①一）

　　これには、恒久的施設に帰せられる次のa〜cの国内源泉所得が含まれます。

　　a　下記ロの国内源泉所得

　　b　日本国債等の利子等（所法161①八）から、国内において業務を行う者から受ける工業所有権等の使用料、譲渡による対価（同項十一）までの国内源泉所得

　　c　国内において行う事業の広告宣伝のための賞金（同項十三）から、国内で事業を行う者に対する出資で匿名組合契約に基づいて受ける利益の分配（同項十六）までの国内源泉所得

　ロ　次のa〜eの国内源泉所得

　　ただし、イの恒久的施設帰属所得に該当するものを除きます。

　　a　国内にある資産の運用又は保有により生ずる所得（法法138①二）

　　b　国内にある資産の譲渡により生ずる所得（同項三）

　　c　国内における人的役務の提供に係る対価（同項四）

　　d　国内にある不動産等の貸付けによる対価（同項五）

　　e　その他の国内源泉所得（同項六）

② 恒久的施設を有しない外国法人（法法141二）

各事業年度の①ロ a ～ e の国内源泉所得。

①イ b 、 c の国内源泉所得は、受け取り時の所得税の源泉徴収で課税関係は終了します。

3. 恒久的施設帰属所得に係る所得の金額の計算

⑴　規定（法法142①）

外国法人の各事業年度の恒久的施設帰属所得（法法141一イ）に係る所得の金額は、外国法人のその事業年度の恒久的施設を通じて行う事業に係る益金の額から、その事業年度のその事業に係る損金の額を控除した金額とします。

その事業年度の恒久的施設を通じて行う事業に係る益金の額	−	その事業年度の恒久的施設を通じて行う事業に係る損金の額	=	所得金額

⑵　益金の額、損金の額の計算（法法142②）

益金の額、損金の額は、別段の定めがあるものを除き、外国法人の恒久的施設を通じて行う事業につき、内国法人に対し適用する各事業年度の所得の金額の計算（法法22）から法人課税信託に係る所得の金額の計算（法法64の3）まで及び各事業年度の所得の金額の計算の細目（法法65）の規定に準じて計算します。

ただし、次の①～⑯の別段の定めは適用しません。

① 外国子会社から受ける配当等の益金不算入（法法23の2）

② 受贈益の益金不算入（法法25の2）

③ 還付金等の益金不算入（法法26）

④ 中間申告における繰戻しによる還付に係る災害損失欠損金額の益金算入（法法27）

⑤ 資産の評価損の損金不算入等（法法33⑤）

⑥ 寄附金の損金不算入（法法37②）

⑦ 外国子会社から受ける配当等に係る外国源泉税等の損金不算入（法法39の2）

⑧ 法人税額から控除する外国税額の損金不算入（法法41）

⑨ 分配時調整外国税相当額の損金不算入（法法41の2）

⑩ 非出資組合が賦課金で取得した固定資産等の圧縮額の損金算入（法法46）

⑪ 青色申告書を提出した事業年度の欠損金の繰越し（法法57②。残余財産の確定に係る部分に限る）

⑫ 青色申告書を提出しなかった事業年度の災害による損失金の繰越し（法法58②。残余財産の確定に係る部分に限る）

⑬ 協同組合等の事業分量配当等の損金算入（法法60の2）

⑭ 有価証券の譲渡益又は譲渡損の益金又は損金算入（法法61の2⑰）

⑮ 連結納税の開始等に伴う資産の時価評価損益（法法61の11、61の12）

⑯ 完全支配関係がある法人の間の取引の損益（法法61の13）

⑶ 具体的な恒久的施設帰属所得に係る所得の金額の計算（法令184①）

次の①～㉑の規定は、①～㉑に定めるところによります。

① 各事業年度の所得の金額の計算（法法22）

その事業年度の収益の額（法法22②）及び原価、販売費、一般管理費、損失（同条③）は、外国法人の恒久的施設を通じて行う事業に係るものに限ります。

② 受取配当等の益金不算入（法法23）

負債の利子（法法23④）は、外国法人の恒久的施設を通じて行う事業に係るその負債の利子に限ります。

③ 資産の評価益の益金不算入等（法法25）

評価益の益金算入の対象となる資産（法法25②、③）は、外国法人の有する資産のうち、恒久的施設を通じて行う事業に係るものに限ります。

④ 棚卸資産の売上原価等の計算及びその評価の方法（法法29）

棚卸資産（法法29①）は、外国法人の棚卸資産のうち、恒久的施設を通じて

行う事業に係るものに限ります。

⑤　減価償却資産の償却費の計算及びその償却の方法（法法31）

　減価償却資産（法法31①）は、外国法人の減価償却資産のうち、恒久的施設を通じて行う事業に係るものに限ります。

⑥　繰延資産の償却費の計算及びその償却の方法（法法32）

　繰延資産（法法32①）は、外国法人の繰延資産のうち、恒久的施設を通じて行う事業に係るものに限ります。

⑦　資産の評価損の損金不算入等（法法33）

　評価損の損金算入の対象となる資産（法法33②〜④）は、外国法人の有する資産のうち、恒久的施設を通じて行う事業に係るものに限ります。

⑧　役員給与の損金不算入（法法34）

　使用人兼務役員としての使用人（法法34①）は、外国法人の使用人のうち、その外国法人が恒久的施設を通じて行う事業のために常時勤務する者に限ります。

⑨　寄附金の損金不算入（法法37）

　資本金等の額（法法37①）は、次の算式で計算した金額とします。

　所得の金額（法法37①）は、恒久的施設帰属所得に係る所得の金額とします。

$$
\boxed{\begin{array}{c}\text{外国法人の}\\\text{資本金等の額}\end{array}} \times \dfrac{\begin{array}{c}\text{恒久的施設を通じて行う}\\\text{事業に係る資産の帳簿価額}\end{array}}{\text{貸借対照表の総資産の帳簿価額}^{(注)}} = \boxed{\begin{array}{c}\text{寄附金の損金算入}\\\text{限度額を計算する}\\\text{資本金等の額}\end{array}}
$$

（注）　総資産の帳簿価額（法基通20−5−12）
　　　　その事業年度終了の時における貸借対照表に計上されている外国通貨表示の金額を　その事業年度終了の日の電信売買相場の仲値（法基通13の2−1−2）により換算した円換算額によります。

⑩　法人税額等の損金不算入（法法38）

　法人税（法法38①）及び租税（同条②各号。「法人税等」という）の額は、外国又はその地方公共団体により課される法人税等に相当するものの額（外国法人に係る控除対象外国法人税の額（同法144の2①）を除く）を含みます。

⑪　法人税額から控除する所得税額の損金不算入（法法40）

　控除又は還付をされる金額に相当する金額（法法40）は、所得税額控除・還付（同法68①、144の11、147の3①）の規定の適用を受けた場合における控除・還付をされる金額に相当する金額とします。

⑫　保険金等で取得した固定資産等の圧縮額の損金算入（法法47）

　代替資産（法法47①、②。損壊をした所有固定資産の改良をした場合におけるその固定資産を含む）は、取得、改良又は交付の時において国内にあるその代替資産（外国法人の恒久的施設を通じて行う事業に係るものに限る）に限ります。

⑬　交換により取得した資産の圧縮額の損金算入（法法50）

　次のイ、ロによります。

　イ　取得資産（法法50①）は、交換の時において国内にある固定資産（外国法人の恒久的施設を通じて行う事業に係るものに限る）に限ります。

　　　その取得資産には、本店等（法法138①一）からその交換により取得したものとされる固定資産を含みます。

　ロ　譲渡資産（法法50①）は、交換の時において国内にある固定資産（外国法人の恒久的施設を通じて行う事業に係るものに限る）に限ります。

⑭　貸倒引当金（法法52）

　次のイ、ロによります。

　イ　金銭債権（法法52①、②）は、外国法人の恒久的施設を通じて行う事業に係るその金銭債権に限ります。

　　　恒久的施設と本店等との間の内部取引（法法138①一）に係る金銭債権に相当するものは、その金銭債権に含まれません。

　ロ　各事業年度（法法52①、②）には、恒久的施設を有する外国法人が恒久的施設を有しないこととなった場合におけるその有しないこととなった日の属する事業年度（国内事業終了年度）は、含まれません。

⑮　不正行為等に係る費用等の損金不算入（法法55）

　損金の額に算入しない延滞税等（法法55③各号）の額には、外国又はその地

方公共団体により課される延滞税等に相当する額を含むものとします。

⑯　青色欠損金額、災害損失金額（法法57・58）

次のイ～ハによります。

イ　各事業年度開始の日前10年以内に開始した事業年度（法法57①、58①）
において生じた欠損金額は、外国法人の恒久的施設帰属所得に係る欠損金
額に限ります。

欠損金の繰戻しによる還付（法法144の13）の規定により還付を受けるべ
き金額の計算の基礎となったものを除きます。

ロ　連続して確定申告書を提出している場合（法法57⑩、58⑤）は、外国法
人の恒久的施設帰属所得に係る欠損金額の生じた事業年度後の各事業年度
（確定申告書の提出を要しない事業年度（同法144の6①但書）を除く）につい
て連続して確定申告書を提出している場合とします。

ハ　普通法人（法法57⑪一イ）のうち、資本又は出資を有しないものには、
外国相互会社（保険業法2⑩）は、含まれません。

⑰　会社更生等による債務免除等があった場合の欠損金の損金算入（法法59）

各事業年度（法法59①～③）において生じた欠損金額は、外国法人の恒久的
施設帰属所得に係る欠損金額に限ります。

⑱　保険会社の契約者配当の損金算入（法法60）

保険契約（法法60①）は、外国法人の国内にある営業所又は契約の締結の代
理をする者を通じて締結された保険契約に限ります。

⑲　有価証券の譲渡益又は譲渡損の益金又は損金算入（法法61の2②、④、⑧、
⑨）

旧株又は所有株式を発行した法人（法法61の2②、④、⑧、⑨）が内国法人で
ある場合には、これらの規定（同条8項を除く）に規定する特定無対価合併（同
条②）の場合の各株主の持株割合が同じである関係（法令4の3②二ロ）、完全
支配関係、株式交換（同条⑨）の場合の株主均等割合保有関係（同令4の3⑱二）
（法令119の7の2②）がある法人又は完全子法人（法法61の2⑧）の株式、出資

には、外国法人の株式は含まれません。

　つまり、外国法人の株式には、これらの特例（法法61の２②、④、⑧、⑨）を適用しません。

　ただし、外国法人の株式からは、恒久的施設を有する外国法人が交付を受けた恒久的施設管理外国株式を除きます。

　恒久的施設管理外国株式とは、外国法人の恒久的施設において管理する株式に対応して、金銭等不交付合併（法法61の２②）、金銭等不交付分割型分割（同条④）、金銭等不交付株式分配（同条⑧）、金銭等不交付株式交換（同条⑨）により交付を受けた交付外国株式等をいいます（法令184④）。これらは、いずれも内国法人が行うものに限ります。

　交付外国株式等とは、次のイ〜ニの株式をいいます（法令184④）。

　イ　合併の直前に、その合併に係る合併法人とその合併法人以外の法人（親法人）との間に、その親法人による完全支配関係がある場合のその完全支配関係（法法61の２②、法令119の７の２①）がある親法人（外国法人に限る）の株式

　ロ　分割型分割の直前に、その分割型分割に係る分割承継法人とその分割承継法人以外の法人（親法人）との間に、その親法人による完全支配関係がある場合のその完全支配関係（法法61の２④、法令119の７の２③）がある場合の親法人（外国法人に限る）の株式

　ハ　株式分配により交付を受けた完全子法人（外国法人に限る）の株式（法法61の２⑧）

　ニ　株式交換の場合の株主均等割合保有関係関係（法令４の３⑱二）がある法人（外国法人に限る）の株式（法法61の２⑨、法令119の７の２⑤）

⑳　リース譲渡の特例（法法63）

　次のイ、ロによります。

　イ　リース譲渡（法法63①）は、外国法人が恒久的施設を通じて行う事業に係るそのリース譲渡に限ります。

延払基準によるリース譲渡（法法63①）、利息20％・元本80％の区分方式によるリース譲渡（同条②）に規定するリース譲渡の日の属する事業年度以後の各事業年度には、外国法人の国内事業終了年度は、含まれません。

ロ　外国法人が国内事業終了年度[注1]において、外国法人についての所得金額の計算（法法142②）の規定により、リース譲渡（同法63）の規定に準じて計算する場合の延払基準によるリース譲渡（同法63①）、利息20％・元本80％の区分方式によるリース譲渡（同条②）の規定の適用を受けているときは、その適用を受けているこれらの規定に規定するリース譲渡に係る収益の額及び費用の額[注2]は、その国内事業終了年度の恒久的施設帰属所得に係る所得の金額の計算上、益金の額及び損金の額に算入します。

(注)　1　国内事業終了年度

その外国法人を被合併法人、分割法人又は現物出資法人とする適格合併、適格分割又は適格現物出資により、恒久的施設を有しないこととなった場合におけるその有しないこととなった日の属する事業年度を除きます。

2　収益の額及び費用の額

次の(1)、(2)の場合を除きます。

(1)　その国内事業終了年度前の各事業年度の恒久的施設帰属所得に係る所得の金額の計算上益金の額及び損金の額に算入されるもの

(2)　外国法人についての所得金額の計算（法法142②）の規定により、リース譲渡（同法63）の規定に準じて計算する場合の延払基準によるリース譲渡（同条①）、利息20％・元本80％の区分方式によるリース譲渡（同条②）の規定により、その国内事業終了年度の恒久的施設帰属所得に係る所得の金額の計算上益金の額及び損金の額に算入されるもの

㉑　リース取引に係る所得の金額の計算（法法64の2）

リース取引（法法64の2①）は、外国法人が恒久的施設を通じて行う事業に係るそのリース取引に限ります。

(4)　内部取引の取扱い

① 　販売費、一般管理費等における債務の確定（法法142③一）

　販売費、一般管理費その他の費用（法法22③二）のうち、内部取引（同法138①一）に係るものについては、債務の確定しないものを含みます。

② 　内部取引の計上時期、取引価額（法令184⑥）

　　イ　考え方

　　　帰属主義に移行したことにより、例えば棚卸資産を本店等から移入した場合の恒久的施設における取得価額は、本店等における帳簿価額ではなく、内部取引としてその時の価額で受け入れます。ただし、特例が設けられています（法法142③三、142の９等）。

　　ロ　適用要件

　　　外国法人の本店等と恒久的施設との間で、その恒久的施設における資産の購入その他資産の取得に相当する内部取引があったこと。

　　ハ　取扱い

　　　その内部取引の時に、その内部取引に係る資産を取得したものとして、その外国法人の恒久的施設帰属所得に係る所得の金額の計算に関する法人税に関する法令の規定を適用します。

③ 　内部取引（販売費、一般管理費等）の損金算入の時期（法基通20－5－8）

　販売費、一般管理費その他の費用のうち、内部取引に係るものは、別に定めるものを除き、次のイ～ハの要件の全てに該当することとなった日の属する事業年度の損金の額に算入します。

　　イ　その事業年度終了の日までに、その費用に係る注文等が行われていること。

　　ロ　その事業年度終了の日までに、その注文等に基づいてその本店等から資産の引渡し又は役務提供等を受けていること。

　　ハ　その事業年度終了の日までに、その金額を合理的に算定することができるものであること。

⑸　本店配賦経費

①　規定（法法142③二、法令184②）

　販売費、一般管理費その他の費用（法法22③二）には、次のイ〜ハの要件を満たすその外国法人の恒久的施設を通じて行う事業に配分した金額を含みます。

　　イ　販売費、一般管理費その他の費用（法法22③二）であること。

　　ロ　外国法人の恒久的施設を通じて行う事業及びそれ以外の事業に共通するこれらの費用であること。

　　ハ　ロの事業に係る収入金額、資産の価額、使用人の数その他の基準のうち、これらの事業の内容及びその費用の性質に照らして合理的と認められる基準を用いること。

②　本店配賦経費の配分の基礎となる費用の意義（法基通20− 5 − 9 ）

　①ロの「共通するこれらの費用」とは、例えば、次のイ、ロの業務に関する費用のうち、恒久的施設を通じて行う事業とそれ以外の事業に共通する費用で、その恒久的施設を有する外国法人の本店等において行われる事業活動の重要な部分に関連しないものをいいます。

　　イ　外国法人全体に係る情報通信システムの運用、保守又は管理

　　ロ　外国法人全体に係る会計業務、税務業務又は法務業務

③　本店配賦経費の計算（法基通20− 5 −10）

　①ロの「共通するこれらの費用」の額（引当金勘定への繰入額、準備金の積立額及び負債の利子の額を除く。「共通費用の額」という）については、次のように取り扱います。

　　イ　ロ以外の場合

　　　　個々の業務ごと、かつ、個々の費目ごとに合理的と認められる基準により、その恒久的施設を通じて行う事業に配分します。

　　ロ　個々の業務ごと、かつ、個々の費目ごとに計算をすることが困難な場合

　　　　全ての共通費用の額を一括して、次の算式により計算した金額をその恒

久的施設に配賦する共通費用の額とすることができます。

この場合、共通費用の額には、内部取引に係るものは含まれません。

$$\boxed{\begin{array}{c}\text{全ての共通}\\\text{費用の額}\end{array}} \times \dfrac{\begin{array}{c}\text{その恒久的施設を通じて行う}\\\text{事業に係る売上総利益の額}\end{array}}{\begin{array}{c}\text{その外国法人のその事業}\\\text{年度の売上総利益の額}\end{array}} = \boxed{\begin{array}{c}\text{その恒久的施設に}\\\text{配賦する共通費用}\\\text{の額}\end{array}}$$

④ 負債の利子の額の配賦（法基通20－5－10の2）

①ロの「共通するこれらの費用」の額に含まれる次のイの負債の利子の額（共通利子の額）については、外国法人の営む主たる事業が、次のロ～ニのいずれに該当するかに応じ、それぞれロ～ニにより、恒久的施設帰属所得に係る所得の金額の計算上損金の額として配分すべき金額を計算することができます。

　イ　負債の利子の額

　　a　負債の利子に含まれるもの

　　　次の(a)～(c)は、負債の利子に含まれます。

　　　(a)　金銭債務に係る債務者となった場合の金銭債務に係る収入額が債務額に満たない部分の金額（法令136の2①）のうち、その事業年度の費用の額として金銭債務の償還期間（その金銭債務に係る債務者となった日から、その金銭債務に係る償還の日までの期間をいう）に応じて合理的に計算された金額

　　　(b)　手形の割引料

　　　(c)　貿易商社における輸入決済手形借入金の利息等

　　b　負債の利子に含まれないもの

　　　外国銀行等の資本に係る負債の利子の損金算入（法法142の5①）に規定する負債の利子は、含まれません。

　ロ　卸売業、製造業

$$\boxed{\begin{array}{c}\text{その事業年}\\\text{度における}\\\text{共通利子の}\\\text{額の合計額}\end{array}} \times \frac{\begin{array}{c}\text{分母の各事業年度終了の時における}\\\text{恒久的施設に係る資産の帳簿価額の合計額}\end{array}}{\begin{array}{c}\text{その事業年度終了の時及びその事業年度の直前事業}\\\text{年度終了の時における総資産の帳簿価額}^{(*1)}\text{の合計額}\end{array}}$$

ハ　銀行業

$$\boxed{\begin{array}{c}\text{恒久的施設}\\\text{に係る貸付}\\\text{金、有価証}\\\text{券のその事}\\\text{業年度中の}\\\text{平均残高}\end{array}} \times \frac{\text{その事業年度における共通利子の額の合計額}}{\boxed{\begin{array}{c}\text{預金、借入}\\\text{金等のその}\\\text{事業年度中}\\\text{の平均残高}\end{array}} + \boxed{\begin{array}{c}\text{その事業年度終了の}\\\text{時及びその事業年度}\\\text{の直前事業年度終了}\\\text{の時における自己資}\\\text{本の額}^{(*2)}\text{の合計額}\end{array} - \begin{array}{c}\text{左の各事業年度}\\\text{終了の時におけ}\\\text{る固定資産の帳}\\\text{簿価額}^{(*3)}\text{の合}\\\text{計額}\end{array}} \times 0.5}$$

ニ　ロ、ハ以外の事業

　　その事業の性質に応じ、ロ又はハの方法に準ずる方法

ホ　留意点

　a　（＊1）総資産の帳簿価額

　　　確定した決算に基づく外国法人の貸借対照表に計上されている総資産
　　の帳簿価額につき、受取配当等の益金不算入（法法23）の規定における
　　株式等に係る負債の利子の計算（法令22①一）の規定の例により計算し
　　た金額によります。

　b　（＊2）自己資本の額

　　　その貸借対照表の純資産の部に計上されている金額によるものとしま
　　す。

　c　（＊3）固定資産の帳簿価額

　　　その貸借対照表に計上されている固定資産（法法2二十二）の帳簿価
　　額によります。

⑤　本店配賦経費に含まれる減価償却費等（法基通20－5－11）

イ　適用要件

　　①の規定の適用上、恒久的施設を有する外国法人が、その恒久的施設を

通じて行う事業に係るものとして配分した金額のうちに、減価償却資産に係る償却費の額が含まれていること。

ロ　取扱い

その償却費の額につき、その外国法人の本店又は主たる事務所の所在する国の法人税に相当する税（外国法人税）に関する法令（その外国法人税に関する法令が二以上ある場合には、そのうち主たる外国法人税に関する法令）の規定の適用上認められている方法により計算しているときは、この計算が認められます。

ハ　その償却費の額が、その減価償却資産の取得価額を各事業年度の償却限度額として償却する方法により計算されたものである場合

その償却費の額のうち、日本の減価償却費（法法31）の規定の例によるものとした場合に損金の額に算入されることとなる金額を超える部分の金額については、ロの取扱いは認められません。

ニ　繰延資産の取扱い

恒久的施設を通じて行う事業に係るものとして配分した金額のうちに繰延資産に係る償却費の額が含まれている場合のその償却費の額の計算についても、上記と同様の取扱いになります。

⑹　資本等取引に含むもの

①　考え方

下記②に規定する恒久的施設を開設するための本店等からの資金の供与や本店等への剰余金の送金などは、内部取引ですが、これらの取引からは所得は生じないこととしています。

例えば、恒久的施設の設置に伴い本店等から資産を恒久的施設に持ち込んだ場合は、現物出資があったと考えて、その取得価額（時価）を認識するとともに、資本等取引（法法22⑤）とします。

②　規定（法法142③三）

資本等取引には、恒久的施設を開設するための外国法人の本店等（法法138

①一）から恒久的施設への資金の供与又は恒久的施設から本店等への剰余金の送金その他これらに類する事実を含みます。

(7)　恒久的施設管理外国株式の管理を行わなくなった場合（法令184③）

①　適用要件

　恒久的施設を有する外国法人が恒久的施設管理外国株式（181ページ）の全部又は一部につき、その交付の時に、その外国法人の本店等に移管する行為その他その恒久的施設を通じて行う事業に係る資産として管理しなくなる行為を行ったこと。

②　取扱い

　その行為に係る恒久的施設管理外国株式について、その交付の時に、その恒久的施設において管理した後、直ちにその外国法人の恒久的施設と本店等との間で移転が行われたものとみなして、恒久的施設帰属所得（法法138①一）の規定を適用します。

(8)　複数の事業活動の拠点を有する場合（法基通20−5−1）

　外国法人の事業活動の拠点が国内に複数ある場合には、複数のその事業活動の拠点全体を一の恒久的施設として恒久的施設帰属所得（法法141一イ）を認識します。

(9)　外国法人における損金経理等（法基通20−5−3）

①　適用要件

　次のイ、ロの場合であること。

　イ　外国法人が恒久的施設帰属所得に係る所得の金額を計算する場合の取扱いであること。

　ロ　例えばa〜dのように、法又は措置法の規定により決算又は確定した決算において経理することを要件として適用することとされていること。

　　a　減価償却費

　　b　引当金又は準備金の繰入額等の損金算入

　　c　延払基準の方法による収益及び費用の計上

　　d　契約効力発生日基準（法法22の2②）に準ずる収益の計上

②　取扱い

　その外国法人が恒久的施設帰属所得に係る事業等に関して作成する帳簿及び
その帳簿に基づいて作成する貸借対照表及び損益計算書（法規61の3一ハ、61
の5一ヘ）に計上することをもって、その要件を満たすものとして取り扱いま
す。

⑽　外国法人における短期保有株式等の判定（法基通20－5－4）

　外国法人の恒久的施設帰属所得に係る所得の金額の計算上、受取配当等の益
金不算入（法法23②）の規定に準じて計算する場合における「取得」（同項）に
は、恒久的施設を有する外国法人の本店等に帰せられていた株式等（同条①）
が、その恒久的施設に帰せられることとなった場合の取得に相当する内部取引
が含まれます。

　「譲渡」（法法23②）には、その恒久的施設に帰せられていた株式等（同条①）
が、その本店等に帰せられることとなった場合の譲渡に相当する内部取引が含
まれます。

⑾　損金の額に算入できない保証料（法基通20－5－5）

　外国法人の恒久的施設帰属所得に係る所得の金額の計算上、恒久的施設とそ
の本店等との間の資金の借入れに係る債務の保証に相当する事実に基づく保証
料（これに準ずるものを含む）の額は、損金の額に算入することはできません。

　上記の通達の取扱いは、恒久的施設と本店等との内部取引からは、資金の借
入れに係る債務の保証、保険契約に係る保険責任についての再保険の引受けそ
の他これらに類する取引を除く（法法138②、法令181）という規定に基づくも
のです。

⑿　国際海上運輸業における運送原価の計算（法基通20－5－6）

　国際海上運輸業における運送原価の計算（法基通16－3－19の8）の取扱い
は、国内及び国外にわたって船舶による運送の事業を営む外国法人のその事業
年度の恒久的施設帰属所得に係る所得の金額の計算上損金の額に算入される運

送の原価の額の計算について準用します。

⒀　**事業税及び特別法人事業税の取扱い（法基通20－5－8の2）**

　恒久的施設を有する外国法人の事業税の額及び特別法人事業税の額については、これらの金額のうち、恒久的施設帰属所得に係る所得の金額に対応する部分の金額として合理的に計算された金額が、恒久的施設帰属所得に係る所得の金額の計算上損金の額に算入されます。

⒁　**租税条約等により法人税が課されない所得に係る欠損金（法基通20－5－13）**

　外国居住者等の所得に対する相互主義による所得税等の非課税等に関する法律の規定又は租税条約により法人税が課されないこととされている所得について欠損金額が生じた場合においても、その欠損金額は恒久的施設帰属所得に係る所得の金額の計算上損金の額に算入されません。

4. 恒久的施設に帰せられるべき資本に対応する負債の利子の損金不算入

⑴　**趣　旨**

　2010年に改定されたOECDモデル租税条約第7条（新7条）は、恒久的施設帰属所得により恒久的施設の事業所得を計算することにしています。この規定によると、日本国内にある恒久的施設は、外国にある本店や他の恒久的施設とは別の主体であると考えて恒久的施設帰属所得を計算します（分離実体の原則）。

　日本の帰属主義は、新7条の規定を前提にしており（法法138①一）、この考え方に基づき日本国内の恒久的施設に資本が帰属していると考えます。この場合、外国法人が日本国内の恒久的施設の資本として経理した金額が、法人税法で定める事業を行うために必要と考える金額に満たない場合は、その差額については、過大な負債を配賦していると考えて、過大な負債に対応する利子を損金不算入とします。

(2)　適用要件（法法142の４①）

次の①～⑤の要件を満たす場合の取扱いです。

①　外国法人の各事業年度の②の恒久的施設に係る自己資本の額（法令188
①）が、その外国法人の資本に相当する額のうち、その恒久的施設に帰せ
られるべき金額である③の恒久的施設帰属資本相当額（法令188②～⑥）に
満たないこと。

恒久的施設に係る 自己資本の額（②）	＜	恒久的施設帰属 資本相当額（③）

②　恒久的施設に係る自己資本の額（法令188①）

その外国法人について、次の算式で計算した金額のことです。

その事業年度の恒久的施設に係る資産の帳簿価額^(*1)の平均的な残高として合理的な方法により計算した金額^(*2)	－	その事業年度の恒久的施設に係る負債の帳簿価額^(*1)の平均的な残高として合理的な方法により計算した金額^(*2)	＝	恒久的施設に係る自己資本の額^(*3)

イ　（＊1）資産の帳簿価額、負債の帳簿書類（法令188⑬）

その外国法人がその会計帳簿に記載した資産又は負債の金額によります。

ロ　（＊2）合理的な方法により計算した金額(法基通20－5－18)

例えば、恒久的施設に係る資産の帳簿価額の日々の平均残高又は各月末の平均残高等、その事業年度を通じた恒久的施設に係る資産の帳簿価額の平均的な残高をいいます。

ただし、その事業年度の開始の時及び終了の時における恒久的施設に係る資産の帳簿価額の平均額、恒久的施設に係る負債の帳簿価額の平均額、恒久的施設に帰せられる資産の帳簿価額の平均額又は恒久的施設に帰せられる負債の帳簿価額の平均額は、平均的な残高として合理的な方

法により計算した金額に該当しません。

ハ　（＊3）自己資本の額

　　計算結果がマイナスの場合はゼロとします。

| 資産の帳簿価額 | 負債の帳簿価額 |
| | 恒久的施設に係る自己資本の額 |

③　恒久的施設帰属資本相当額（法令188②〜⑥）

　　恒久的施設帰属資本相当額は、資本配賦法等と同業法人比準法等のいずれかによります。

　　この場合、外国銀行等と外国銀行等以外の外国法人により計算方法が異なります。

　　ここでいう外国銀行等とは、外国銀行支店（銀行法47②）に係る外国銀行（同法10②八）又は金融商品取引業者（金商法2⑨。第一種金融商品取引業（同法28①）を行う外国法人に限る）である外国法人をいいます（法令188②一ロ）。

イ　資本配賦法等

　　外国法人の自己資本の額（総資産の帳簿価額−総負債の帳簿価額）に、外国法人の総資産に対する恒久的施設に帰せられる資産の割合を乗じて恒久的施設帰属資本相当額を求める方式をいいます。

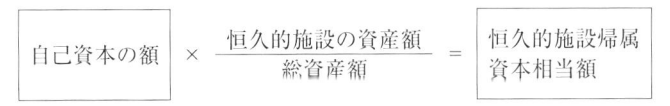

ロ　同業法人比準法等

　　外国法人の恒久的施設に帰せられる資産の額に、国内で同種の事業を行う比較対象法人の純資産比率を乗じて恒久的施設帰属資本相当額を求める方式をいいます。

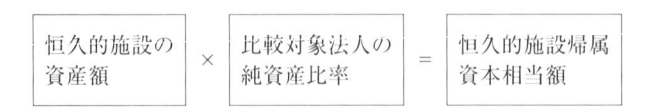

【恒久的施設帰属資本相当額の計算方法】

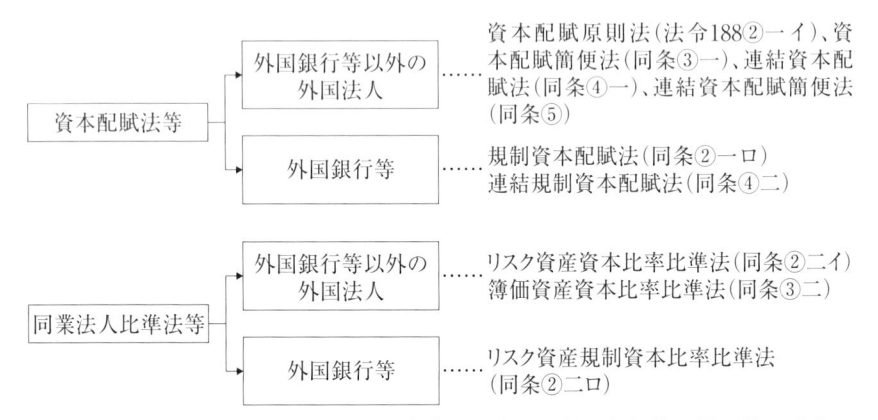

(注)　所得税の場合は、上記の外国銀行等の規定及び外国銀行等以外の外国法人の規定のうち、連結資本配賦法、連結資本配賦簡便法の規定は設けられていません（所法165の3、所令292の3）。

④　負債の利子（法法142の4①、法令188⑩）

その外国法人のその事業年度の恒久的施設を通じて行う事業に係る負債の利子があること。

負債の利子には、手形の割引料、社債の発行その他の事由により金銭債務に係る債務者となった場合（一定の場合を除く）の金銭債務に係る収入額が債務額に満たない部分の金額（法令136の2①）その他経済的な性質が利子に準ずるものを含みます。

⑤　損金不算入の対象となる負債の利子（法令188⑪）

④の負債の利子の金額のうち、次のイ～ハの金額の合計額から、ニの金額を控除した残額が、損金不算入の対象となる負債の利子になります。

$$\boxed{イ〜ハの合計額} \quad - \quad \boxed{ニの金額} \quad = \quad \boxed{損金不算入の対象となる負債の利子}$$

イ　恒久的施設を通じて行う事業に係る負債の利子の額（ロ、ハの金額を除く）

ロ　内部取引（法法138①一）において、外国法人の恒久的施設から、その外国法人の本店等（同号）に対して支払う利子に該当することとなるものの金額

ハ　恒久的施設（法法142③二）を通じて行う事業に係るものとして、3(5)の本店配賦経費（184ページ参照）の規定により配分した金額（法令184②）に含まれる負債の利子の額（ニの金額を含む）

ニ　外国銀行等の資本に係る負債の利子の損金算入（法法142の5①）の規定により、外国銀行等のその事業年度の恒久的施設帰属所得（法法141一イ）に係る所得の金額の計算上損金の額に算入される金額

(3)　損金不算入額

①　規定（法法142の4①、法令188⑫）

次の算式で計算した金額は、その外国法人のその事業年度の恒久的施設帰属所得に係る所得の金額の計算上、損金の額に算入しません。

$$\boxed{\begin{array}{c}損金不算入の\\対象となる負\\債の利子（法\\令188⑪）\end{array}} \times \frac{\begin{array}{c}その事業年度の(4)〜(10)の\\恒久的施設帰属資本相当額\end{array} - \begin{array}{c}その事業年度の恒久的施設に係る\\自己資本の額（法法142の4①）\end{array}}{\begin{array}{c}その事業年度の恒久的施設に帰せられる負債^{(*1)}の帳簿価額の\\平均的な残高として合理的な方法により計算した金額^{(*2)}\end{array}}$$

$$= \quad \boxed{損金不算入額}$$

②　算式の留意点

イ　分子の金額

分母の金額を限度とします。分子の計算結果がマイナスの場合はゼロと

します。

　ロ　（＊1）その事業年度の恒久的施設に帰せられる負債

　　　利子（法法142の４①）の支払の基因となるものに限ります。

　ハ　（＊2）合理的な方法により計算した金額（法基通20－5－18）

　　　上記(2)②ロと同じです（204ページ参照）。

(4)　資本配賦原則法（分類：資本配賦法等）

① 　規定（法令188②一イ）

　その外国銀行等以外の外国法人について、次の算式で計算した金額を恒久的施設帰属資本相当額とする方法をいいます。

$$
\left[\begin{array}{c} \text{その事業年度の} \\ \text{総資産の帳簿価} \\ \text{額}^{(*1)}\text{の平均的} \\ \text{な残高として合} \\ \text{理的な方法によ} \\ \text{り計算した金} \\ \text{額}^{(*2)} \end{array} - \begin{array}{c} \text{その事業年度の} \\ \text{総負債の帳簿価} \\ \text{額}^{(*1)}\text{の平均的} \\ \text{な残高として合} \\ \text{理的な方法によ} \\ \text{り計算した金} \\ \text{額}^{(*2)} \end{array} \right] \times \frac{\begin{array}{c} \text{その事業年度末の恒久的施設に帰せられ} \\ \text{る資産の額}^{(*3)}\text{について、取引の相手方} \\ \text{の契約不履行等の理由により発生し得る} \\ \text{危険}^{(*4)}\text{を勘案して計算した金額} \end{array}}{\begin{array}{c} \text{その事業年度末の総資産の額について、} \\ \text{発生し得る危険}^{(*4)}\text{を勘案して計算した} \\ \text{金額}^{(*5)} \end{array}}
$$

$$= \boxed{\text{恒久的施設帰属資本相当額}}$$

② 　算式の留意点

　イ　（＊1）総資産の帳簿価額、総負債の帳簿価額（法令188⑬）

　　　その外国法人がその会計帳簿に記載した資産又は負債の金額によります。

　ロ　（＊2）合理的な方法により計算した金額（法基通20－5－19）

　　　例えば、総資産の帳簿価額の日々の平均残高又は各月末の平均残高等、その事業年度を通じた総資産の帳簿価額の平均的な残高をいいます。

　　　この場合、その事業年度の開始の時及び終了の時における総資産の帳簿価額の平均額又は総負債の帳簿価額の平均額は、平均的な残高として合理的な方法により計算した金額に該当しません。

　なお、平均残高を計算する場合において、日々の平均残高によるときは、その日々の電信売買相場の仲値により換算した円換算額により、各月末の平均残高によるときは、その各月末の電信売買相場の仲値により換算した円換算額により、それぞれ計算します。

ハ　(＊3)恒久的施設に帰せられる資産（法基通20－5－21）

　次のa～cの資産は、おおむねa～cに定めるところによります。なお、上記の考え方は、以下説明する各規定（法令188②～⑤）についても、同様に取り扱います。

a　有形資産（棚卸資産、固定資産）

　有形資産を恒久的施設において使用する場合には、その有形資産はその恒久的施設に帰せられます。

　固定資産からは、無形固定資産（法令13八イ～ツ）を除きます（法基通20－2－4）。

b　無形資産

　無形資産の内容に応じて、恒久的施設がその無形資産の開発・取得に係るリスクの引受け、その無形資産に係るリスクの管理に関する人的機能を果たす場合には、その無形資産はその恒久的施設に帰せられます。

　無形資産とは、次の(a)～(c)の資産（法令183③一イ～ハ）のほか、顧客リスト、販売網等の重要な価値のあるものをいいます（法基通20－2－4）。

(a)　工業所有権その他の技術に関する権利、特別の技術による生産方式又はこれらに準ずるもの

(b)　著作権（出版権及び著作隣接権その他これに準ずるものを含む）

(c)　無形固定資産（法令13八イ～ツ。国外における専用側線利用権（同号ワ）から電気通信施設利用権（同号ツ）に相当するものを含む）

c　金融資産（平成20年3月10日付企業会計基準第10号「金融商品に関する会計基準」の適用対象となる金融資産（現金預金を除く）をいう）

　　　恒久的施設を通じて行う事業の内容及び金融資産の内容に応じて、その恒久的施設がその金融資産に係る信用リスク、市場リスク等のリスクの引受け又はこれらのリスクの管理に関する人的機能を果たす場合には、その金融資産はその恒久的施設に帰せられます。

ニ　（＊4）発生し得る危険（法規60の6）

　　信用リスク、市場リスク、業務リスク、これに類するリスクのことで、次のa〜dをいいます。

　a　取引の相手方の契約不履行により発生し得る危険

　b　保有する有価証券等（有価証券その他の資産及び取引をいう）の価格の変動により発生し得る危険

　c　事務処理の誤りその他日常的な業務の遂行上発生し得る危険

　d　a〜cに類する危険

ホ　（＊5）危険を勘案して計算した金額（法基通20－5－20）

　　その計算により算出した外国通貨表示の金額を、その事業年度末[注]における電信売買相場の仲値により換算した円換算額によります。

　（注）　その事業年度末
　　　　確定申告期限までに危険勘案資産額を計算することが困難な常況にあると認められる場合（法令188⑦）の規定の適用がある場合（225ページ参照）には、その規定に規定する一定の日をいいます。

⑸　規制資本配賦法（分類：資本配賦法等）

①　考え方

　「銀行等についてはバーゼル銀行監査委員会が公表した基準等に沿って、各国の法令において、利子を生じない資本だけではなく、一定の劣後債のような利子が生ずる負債も、自己資本比率規制上の自己資本に含められています。このような自己資本比率規制上の自己資本に含められる負債及びその負債に係る利子についても恒久的施設に適切に帰属させる必要があります。そこで、外国銀行等である外国法人の恒久的施設に帰せられるべき資本の額については、こ

のような自己資本比率規制上の自己資本を恒久的施設に係るリスクウェイト資産に応じて配分する規制資本配賦法によって計算することとされています。その上で、別途、自己資本比率規制上の自己資本の額でわが国の税務上負債とされるものに係る利子について、（省略）、恒久的施設に帰せられるべき自己資本比率規制上の自己資本の額に応じて、損金算入をすることとしています」

　（平成26年度版改正税法のすべて704頁、一般財団法人日本税務協会）。

②　規定（法令188②一ロ）

　その外国銀行等について、次の算式で計算した金額を恒久的施設帰属資本相当額とする方法をいいます。

$$
\boxed{\begin{array}{c}\text{規制上の}\\\text{自己資本}\\\text{の額}^{(*1)(*2)}\end{array}} \times \dfrac{\text{その事業年度末の恒久的施設に帰せられる資産の額について、}}{\text{その事業年度末の総資産の額について、発生し得る危険を勘案して計算した金額}^{(*3)}}
$$

$$
= \boxed{\text{恒久的施設帰属資本相当額}}
$$

③　算式の留意点

　イ　（＊1）規制上の自己資本の額（法令188②一ロ）

　　　次のa、bに該当する自己資本の額に相当する金額をいいます。

　　a　その外国銀行等のその事業年度の銀行法に相当する外国の法令の規定による自己資本の額（銀行法14の2一）に相当する金額

　　b　その外国銀行等の金融商品取引法に相当する外国の法令の規定による自己資本規制比率（金商法46の6①）に係る自己資本の額に相当する金額

　ロ　（＊2）規制上の自己資本の額、規制上の連結自己資本の額の円換算（法基通20−5−22）

　　　規制上の自己資本の額は、外国法人のその事業年度末における外国通貨

表示のその規制上の自己資本の額を、その事業年度末の電信売買相場の仲値により換算した円換算額によります。

規制上の連結自己資本の額（法令188④二）の円換算（223ページ参照）についても同様です。

ハ　（＊3）危険を勘案して計算した金額（法基通20−5−20）

上記(4)②ホと同じです（210ページ参照）。

(6)　リスク資産資本比率比準法（分類：同業法人比準法等）

①　規定（法令188②二イ）

その外国銀行等以外の外国法人について、次の算式で計算した金額を恒久的施設帰属資本相当額とする方法をいいます。

その事業年度末の恒久的施設に帰せられる資産の額について発生し得る危険を勘案して計算した金額	×	その事業年度末以前3年内に終了した比較対象法人[*1]の各事業年度のうち、いずれかの事業年度（比較対象事業年度）[*2]末の貸借対照表に計上されているその比較対象法人の純資産の額[*3]
		比較対象法人の比較対象事業年度[*2]末の総資産の額[*4]について、発生し得る危険を勘案して計算した金額

＝　恒久的施設帰属資本相当額

②　算式の留意点

イ　（＊1）比較対象法人（法令188②二イ(1)）

その外国法人の恒久的施設を通じて行う主たる事業と同種の事業を国内において行う法人（その法人が外国法人である場合には、恒久的施設を通じてその同種の事業を行うものに限る）で、その同種の事業に係る事業規模その他の状況が類似するものをいいます。

ロ　（＊2）比較対象事業年度（法規60の7①）

下記(a)の比較対象法人の純資産割合1号が、下記(b)の2号同種事業を行

う法人の平均的な純資産割合のおおむね2分の1に満たない事業年度を除いた事業年度をいいます。

比較対象法人の純資産割合(a)	<	同種事業を行う法人の平均的な純資産割合(b)	×	おおむね50%	⇨	リスク資産資本比率比準法の適用なし

(a)　比較対象法人の純資産割合（法規60の7①一）

外国銀行等以外の外国法人に係る比較対象法人についての次の割合をいいます。

$$\frac{その事業年度末の貸借対照表に計上されている純資産の額^{(注1)}}{その事業年度末の貸借対照表に計上されている総資産の額^{(注2)}} = \text{比較対象法人の純資産割合}$$

(注)　1　貸借対照表に計上されている純資産の額

その比較対象法人の貸借対照表に計上されている総資産の帳簿価額から総負債の帳簿価額を控除した金額をいいます（法基通20-5-23）。

その比較対象法人が外国法人である場合には、その比較対象法人である外国法人の恒久的施設に係る純資産の額（資産の額－負債の額）をいいます（法規60の7①一イ、法基通20-5-23）。

2　貸借対照表に計上されている総資産の額（法規60の7①一ロ）

その比較対象法人が外国法人である場合には、その比較対象法人である外国法人の恒久的施設に係る資産の額をいいます。

(b)　同種事業を行う法人の平均的な純資産割合

外国銀行等以外の外国法人の恒久的施設を通じて行う主たる事業と同種の事業を国内において行う法人の次の割合をいいます（法規60の7①二）。

この割合は、同種の事業を国内において行う法人の貸借対照表（外国法人の事業年度末以前3年内に終了したその法人の事業年度に係るものに限る）に基づき合理的な方法により計算します（法規60の7②）。

$$\frac{平均的な純資産の額}{平均的な総資産の額} = \boxed{\begin{array}{l}同種事業を行う法人についての\\平均的な純資産割合\end{array}}$$

ハ　（＊3）貸借対照表に計上されているその比較対象法人の純資産の額

　　　その比較対象法人の貸借対照表に計上されている総資産の帳簿価額から総負債の帳簿価額を控除した金額をいいます（法基通20－5－23）。

　　　また、その比較対象法人が外国法人である場合には、純資産の額は、その比較対象法人である外国法人の恒久的施設に係る純資産の額（資産の額－負債の額）によります（法令188②二イ(1)、法基通20－5－23）。

ニ　（＊4）総資産の額（法令188②二イ(2)）

　　　その比較対象法人が外国法人である場合には、その比較対象法人である外国法人の恒久的施設に係る資産の額をいいます。

(7)　リスク資産規制資本比率比準法（分類：同業法人比準法等）

①　規定（法令188②二ロ）

　その外国銀行等について、次の算式で計算した金額を恒久的施設帰属資本相当額とする方法をいいます。

$$\boxed{\begin{array}{l}その事業年度\\末の恒久的施\\設に帰せられ\\る資産の額に\\ついて発生し\\得る危険を勘\\案して計算し\\た金額\end{array}} \times \frac{\begin{array}{l}その事業年度末以前3年内に終了した比較対象法人^{(*1)}の各事\\業年度のうち、いずれかの事業年度（比較対象事業年度）^{(*2)}末\\の次のa～cの金額^{(*3)}\\\quad a\quad 規制上の自己資本の額に相当する金額\\\quad b\quad 自己資本の額（銀行法14の2一）に相当する金額\\\quad c\quad 自己資本規制比率に係る自己資本の額（金商法46の6①）\\\qquad に相当する金額\end{array}}{\begin{array}{l}比較対象法人の比較対象事業年度末の総資産の額^{(*4)}\\について、発生し得る危険を勘案して計算した金額\end{array}}$$

$$=\boxed{恒久的施設帰属資本相当額}$$

② 算式の留意点

イ　（＊1）比較対象法人（法令188②ニロ(1)）

その外国銀行等の恒久的施設を通じて行う主たる事業と同種の事業を国内において行う法人（その法人が外国法人である場合には、恒久的施設を通じてその同種の事業を行うものに限る）で、その同種の事業に係る事業規模その他の状況が類似するものをいいます。

ロ　（＊2）比較対象事業年度（法規60の7③）

下記(a)の比較対象法人の純資産割合が、下記(b)の同種事業を行う法人の平均的な純資産割合のおおむね2分の1に満たない事業年度を除いた事業年度をいいます。

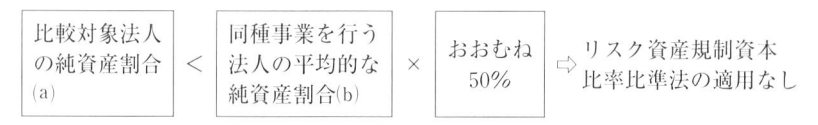

(a)　比較対象法人の純資産割合（法規60の7③一）

外国銀行等に係る比較対象法人についての次の割合をいいます。

$$\frac{その事業年度末の貸借対照表に計上されている純資産の額^{(注1)}}{その事業年度末の貸借対照表に計上されている総資産の額^{(注2)}} = \boxed{比較対象法人の純資産割合}$$

（注）　1　貸借対照表に計上されている純資産の額

その比較対象法人の貸借対照表に計上されている総資産の帳簿価額から総負債の帳簿価額を控除した金額をいいます（法基通20−5−23）。

その比較対象法人が外国法人である場合には、その比較対象法人である外国法人の恒久的施設に係る純資産の額（資産の額−負債の額）をいいます（法規60の7③一イ、法基通20−5−23）。

　　　　2　貸借対照表に計上されている総資産の額（法規60の7③一ロ）

その比較対象法人が外国法人である場合には、その比較対象法人である外国法人の恒久的施設に係る資産の額をいいます。

(b)　同種事業を行う法人の平均的な純資産割合

　　外国銀行等の恒久的施設を通じて行う主たる事業と同種の事業を国内において行う法人の次の割合をいいます(法規60の７③二)。この割合は、同種の事業を国内において行う法人の貸借対照表（外国銀行等の事業年度末以前３年内に終了したその法人の事業年度に係るものに限る）に基づき合理的な方法により計算します（法規60の７④）。

$$\frac{平均的な純資産の額}{平均的な総資産の額} = \boxed{\begin{array}{l}同種事業を行う法人の\\平均的な純資産割合\end{array}}$$

ハ　（＊３)次のａ〜ｃの金額（法令188②二ロ⑴)

　　その比較対象法人が外国法人である場合には、これらａ〜ｃの金額のうち、その比較対象法人である外国法人の恒久的施設に係る部分に限ります。

ニ　（＊４)総資産の額（法令188②二ロ⑵)

　　その比較対象法人が外国法人である場合には、その比較対象法人である外国法人の恒久的施設に係る資産の額をいいます。

(8)　資本配賦簡便法、簿価資産資本比率比準法による代替（法令188③）

　外国銀行等以外の外国法人（外国保険会社等(保険業法２⑦)を除く）は、⑷の資本配賦原則法（法令188②一イ）に代えて下記①の資本配賦簡便法を、⑹のリスク資産資本比率比準法（同項二イ）に代えて下記②の簿価資産資本比率比準法によることができます。

① 　資本配賦簡便法（分類：資本配賦法等)

イ　考え方

　　資本配賦原則法は、発生し得る危険を勘案して計算します。これに対し、資本配賦簡便法は、その外国法人の恒久的施設に帰せられる資産及び総資産を帳簿価額によることで、計算の簡素化を図っています。

ロ　規定（法令188③一)

　　次の算式により計算する方法をいいます。

$$
\left[
\begin{array}{c}
\text{その事業年度の} \\
\text{総資産の帳簿価} \\
\text{額}^{(*1)}\text{の平均的} \\
\text{な残高として合} \\
\text{理的な方法によ} \\
\text{り計算した金額}
\end{array}
-
\begin{array}{c}
\text{その事業年度の} \\
\text{総負債の帳簿価} \\
\text{額}^{(*1)}\text{の平均的} \\
\text{な残高として合} \\
\text{理的な方法によ} \\
\text{り計算した金額}
\end{array}
\right]
\times
\dfrac{\text{その事業年度末の恒久的施設に帰せ}}{\text{その事業年度末の貸借対照表に計上}}
$$

その事業年度末の恒久的施設に帰せられる資産の帳簿価額
──────────
その事業年度末の貸借対照表に計上されている総資産の帳簿価額$^{(*2)}$

= 恒久的施設帰属資本相当額

ハ　(＊1)総資産の帳簿価額、総負債の帳簿価額（法令188⑬）

　　その外国法人がその会計帳簿に記載した資産又は負債の金額によります。

ニ　(＊2)総資産の帳簿価額（法基通20－5－24）

　　その事業年度末の貸借対照表に計上されている外国通貨表示の金額を、その事業年度末の電信売買相場の仲値により換算した円換算額によります。

② 簿価資産資本比率比準法（分類：同業法人比準法等）

イ　考え方

　　簿価資産資本比率比準法は、リスク資産資本比率比準法が前提とする発生し得る危険の勘案をしないで、簡便法として帳簿価額に基づき恒久的施設帰属資本相当額の計算を認めるものです。

ロ　規定（法令188③二）

　　次の算式により計算する方法をいいます。

$$\boxed{\begin{array}{l}\text{その事業年度の恒久的施設}\\\text{に帰せられる資産の帳簿価}\\\text{額の平均的な残高として合}\\\text{理的な方法により計算した}\\\text{金額}^{(*1)}\end{array}} \times \frac{\text{比較対象法人の比較対象事業年度末の貸借}}{\text{対照表に計上されている純資産の額}^{(*2)}}\bigg/\frac{\text{比較対象法人の比較対象事業年度末の貸借}}{\text{対照表に計上されている総資産の額}^{(*3)}}$$

$$= \boxed{\text{恒久的施設帰属資本相当額}}$$

ハ　（＊1）合理的な方法により計算した金額（法基通20－5－18）

　　上記(2)②ロと同じです（204ページ参照）。

ニ　（＊2）純資産の額

　　その比較対象法人の貸借対照表に計上されている総資産の帳簿価額から総負債の帳簿価額を控除した金額をいいます（法基通20－5－23）。

　　その比較対象法人が外国法人である場合には、その比較対象法人である外国法人の恒久的施設に係る純資産の額（資産の額－負債の額）をいいます（法令188③ニイ、法基通20－5－23）。

ホ　（＊3）総資産の額（法令188③ニロ）

　　その比較対象法人が外国法人である場合には、その比較対象法人である外国法人の恒久的施設に係る資産の額をいいます。

(9)　連結資本配賦法、連結規制資本配賦法（法令188④）（分類：資本配賦法等）

① 考え方

　資本配賦法（法令188②一）又は資本配賦簡便法（法令188③一）は、外国銀行等以外の外国法人の恒久的施設に帰せられる資産と総資産の比率に基づき恒久的施設帰属資本相当額を計算します。

　しかし、例えばその外国法人の自己資本がマイナスの場合は、恒久的施設帰属資本相当額の計算ができません。

　このような場合は、連結ベースの自己資本に基づく連結資本配賦法により恒

久的施設帰属資本相当額の計算を行います。

　外国銀行等については、「銀行法又は金融商品取引法に相当する外国の法令の規定により外国銀行等の属する企業集団に係る規制上の連結自己資本の額の算定が義務付けられている場合（省略）には、単体ベースの規制上の自己資本の額を新たに算出する事務負担に配慮して、規制資本配賦法に代えて連結ベースの規制上の自己資本の額を基礎とする連結規制資本配賦法により恒久的施設帰属資本相当額を計算することとされています」（平成26年度版改正税法のすべて705頁、一般財団法人日本税務協会）。

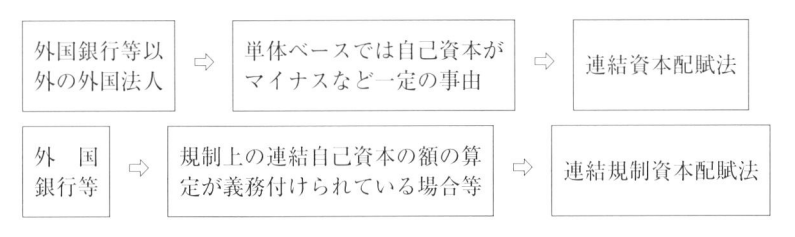

② 　適用要件（法令188④）

　次のイ、ロの要件を満たすことが必要です。

　イ　資本配賦法（法令188②一。資本配賦原則法、規制資本配賦法）又は資本配
　　　賦簡便法（同条③一）の方法により恒久的施設帰属資本相当額を計算する
　　　場合の取扱いであること。

　ロ　次のa～cのいずれかに該当すること。

　　a　資本配賦原則法（法令188②一イ）を適用する外国銀行等以外の外国法
　　　　人について、その事業年度の総資産の帳簿価額の平均的な残高として合
　　　　理的な方法により計算した金額（同号イ(1)）から、その事業年度の総負
　　　　債の帳簿価額の平均的な残高として合理的な方法により計算した金額
　　　　（同号イ(2)）を控除する場合に控除しきれない金額があること。

その事業年度の総資産の帳簿価額の平均的な残高として合理的な方法により計算した金額	＜	その事業年度の総負債の帳簿価額の平均的な残高として合理的な方法により計算した金額

b　銀行法、金融商品取引法に相当する外国の法令の規定により、規制資本配賦法（法令188②一ロ）を適用する外国銀行等の属する企業集団に係る規制上の連結自己資本の額の算定が義務付けられていること。

　規制上の連結自己資本の額とは、銀行法に相当する外国の法令の規定による自己資本の額（銀行法14の2二、52の25）に相当する金額又は金融商品取引法に相当する外国の法令の規定による自己資本の額（金商法57の5①、57の17①）に相当する金額をいいます。

　ただし、これらの外国の法令の規定により、その外国銀行等の属する企業集団の規制上の連結自己資本の額に加えて、その外国銀行等の規制上の自己資本の額の算定が義務付けられている場合を除きます。

銀行法、金融商品取引法に相当する外国の法令	⇒	規制上の連結自己資本の額の算定の義務付けあり

c　a、bの外国法人の純資産の額の総資産の額に対する割合が、これらの外国法人の恒久的施設を通じて行う主たる事業と同種の事業を行う法人のその割合に比して著しく低いものとして、下記の(a)の割合が下記の(b)の割合のおおむね2分の1に満たないとき（法規60の8①）。

その外国法人の純資産割合(a)	＜	同種事業を国内において行う法人の純資産割合(b)	×	おおむね50%

(a)　その外国法人の純資産割合（法規60の8①一）

　　次の算式で計算した割合をいいます。

$$\frac{\left[A - \begin{array}{l}\text{その事業年度の総負債の帳簿価}\\\text{額の平均的な残高として合理的}\\\text{な方法により計算した金額}^{(注)}\end{array}\right]\begin{array}{l}\text{（平均的な}\\\text{純資産の額）}\end{array}}{\begin{array}{l}\text{その事業年度の総資産の帳簿価額の平均的な残高}\\\text{として合理的な方法により計算した金額（A）}^{(注)}\end{array}} = \boxed{\begin{array}{l}\text{その外国法人}\\\text{の純資産割合}\end{array}}$$

(注)　合理的な方法により計算した金額（法基通20－5－19）

上記(4)②ロと同じです（208ページ参照）。

(b)　同種事業を国内において行う法人の純資産割合（法規60の8①二）

外国法人の恒久的施設を通じて行う主たる事業と同種の事業を国内において行う法人の次の割合をいいます。

$$\frac{\text{平均的な純資産の額}}{\text{平均的な総資産の額}}^{(注)} = \boxed{\begin{array}{l}\text{同種事業を国内において行う}\\\text{法人の純資産割合}\end{array}}$$

(注)　割合計算（法規60の8②）

同種の事業を国内において行う法人の貸借対照表（外国法人の事業年度末以前3年内に終了したその法人の事業年度に係るものに限る）に基づき合理的な方法により計算します。

③　資本配賦原則法、資本配賦簡便法に代えての連結資本配賦法の適用

イ　連結資本配賦法（法令188④一）

②の適用要件を満たす場合は、資本配賦原則法（法令188②一イ）又は資本配賦簡便法（同条③一）を適用する外国銀行等以外の外国法人は、次の算式による連結資本配賦法によります。

$$
\left[
\begin{array}{c}
\text{外国銀行等以外} \\
\text{の外国法人の属} \\
\text{する企業集団の} \\
\text{その事業年度の} \\
\text{財産の状況を連} \\
\text{結して記載した} \\
\text{貸借対照表にお} \\
\text{ける総資産の帳} \\
\text{簿価額}^{(*1)}\text{の平} \\
\text{均的な残高とし} \\
\text{て合理的な方法} \\
\text{により計算した} \\
\text{金額}^{(*2)}
\end{array}
-
\begin{array}{c}
\text{外国銀行等以外} \\
\text{の外国法人の属} \\
\text{する企業集団の} \\
\text{その事業年度の} \\
\text{財産の状況を連} \\
\text{結して記載した} \\
\text{貸借対照表にお} \\
\text{ける総負債の帳} \\
\text{簿価額}^{(*1)}\text{の平} \\
\text{均的な残高とし} \\
\text{て合理的な方法} \\
\text{により計算した} \\
\text{金額}^{(*2)}
\end{array}
\right]
\times
\frac{\begin{array}{c}\text{外国銀行等以外の外国法人のそ}\\\text{の事業年度末の恒久的施設に帰}\\\text{せられる資産の額について、発}\\\text{生し得る危険を勘案して計算し}\\\text{た金額}\end{array}}{\begin{array}{c}\text{外国銀行等以外の外国法人の属}\\\text{する企業集団のその事業年度末}\\\text{の財産の状況を連結して記載し}\\\text{た貸借対照表における総資産の}\\\text{額について、発生し得る危険を}\\\text{勘案して計算した金額}^{(*3)}\end{array}}
$$

$$= \boxed{\text{恒久的施設帰属資本相当額}}$$

ロ　（＊1）総資産の帳簿価額、総負債の帳簿価額　（法令188⑬）

　　その外国銀行等以外の外国法人がその会計帳簿に記載した資産又は負債の金額によります。

ハ　（＊2）合理的な方法により計算した金額　（法基通20－5－25）

　　例えば、財産の状況を連結して記載した連結貸借対照表に計上されている総資産の帳簿価額の日々の平均残高又は各月末の平均残高等、その事業年度を通じた連結貸借対照表に計上されている総資産の帳簿価額の平均的な残高をいいます。総負債も同様の考え方によります。

　　なお、その事業年度の開始の時及び終了の時における連結貸借対照表における総資産の帳簿価額の平均額又は総負債の帳簿価額の平均額は、合理的な方法により計算した金額に該当しません。

　　また、平均残高を計算する場合において、日々の平均残高によるときは、その日々の電信売買相場の仲値により換算した円換算額により、各月末の平均残高によるときは、その各月末の電信売買相場の仲値により換算した円換算額により、それぞれ計算します。

ニ　（＊3）危険を勘案して計算した金額（法基通20－5－20）

上記(4)②ホと同じです（210ページ）。

④　規制資本配賦法に代えて連結規制資本配賦法の適用

イ　連結規制資本配賦法（法令188④二）

②の適用要件を満たす場合は、規制資本配賦法（法令188②一ロ）を適用する外国銀行等は、次の算式による連結規制資本配賦法によります。

		外国銀行等のその事業年度末の恒久的施設に帰せられる資産の額について、発生し得る危険を勘案して計算した金額
外国銀行等の属する企業集団のその事業年度の規制上の連結自己資本の額[＊1]	×	外国銀行等の属する企業集団のその事業年度末の財産の状況を連結して記載した貸借対照表における総資産の額について、発生し得る危険を勘案して計算した金額[＊2]

＝　恒久的施設帰属資本相当額

ロ　（＊1）規制上の連結自己資本の額の円換算（法基通20－5－22）

上記(5)③ロと同じです（211ページ参照）。

ハ　（＊2）危険を勘案して計算した金額（法基通20－5－20）

上記(4)②ホと同じです（210ページ参照）。

⑽　連結資本配賦法に代えての恒久的施設に帰せられる連結資本配賦簡便法の適用（法令188⑤）（分類：資本配賦法等）

①　考え方

連結資本配賦法（法令188④一）は、発生し得る危険を勘案した恒久的施設に帰せられる資産、総資産により按分計算をしますが、連結資本配賦簡便法は資産、総資産の帳簿価額により按分計算をすることにより簡素化を図るものです。

②　適用要件

次のイ、ロの要件を満たすことが必要です。

イ　外国保険会社等（保険業法2⑦）を除いた外国銀行等以外の外国法人についての取扱いであること。

ロ　連結資本配賦法（法令188④一）に代わる配賦方法であること。

③　取扱い

外国銀行等以外の外国法人の属する企業集団について、次の算式により計算した金額とすることができます。

$$
\left(
\begin{array}{c}
\text{外国銀行等以外の} \\
\text{外国法人の属する} \\
\text{企業集団のその事} \\
\text{業年度の財産の状} \\
\text{況を連結して記載} \\
\text{した貸借対照表に} \\
\text{おける総資産の帳} \\
\text{簿価額の平均的な} \\
\text{残高として合理的} \\
\text{な方法により計算} \\
\text{した金額}
\end{array}
-
\begin{array}{c}
\text{外国銀行等以外の} \\
\text{外国法人の属する} \\
\text{企業集団のその事} \\
\text{業年度の財産の状} \\
\text{況を連結して記載} \\
\text{した貸借対照表に} \\
\text{おける総負債の帳} \\
\text{簿価額の平均的な} \\
\text{残高として合理的} \\
\text{な方法により計算} \\
\text{した金額}
\end{array}
\right)
\times
\dfrac{
\begin{array}{c}
\text{その外国銀行等以外の外国} \\
\text{法人の事業年度末の恒久的} \\
\text{施設に帰せられる資産の帳} \\
\text{簿価額}
\end{array}
}{
\begin{array}{c}
\text{その外国銀行等以外の外国} \\
\text{法人の属する企業集団のそ} \\
\text{の事業年度末の財産の状況} \\
\text{を連結して記載した貸借対} \\
\text{照表に計上されている総資} \\
\text{産の帳簿価額}^{(注)}
\end{array}
}
$$

＝　恒久的施設帰属資本相当額

（注）　総資産の帳簿価額（法基通20-5-24）
その事業年度末の貸借対照表に計上されている外国通貨表示の金額を、その事業年度末の電信売買相場の仲値により換算した円換算額によります。

⑾　連結資本配賦法、連結資本配賦簡便法によることができない場合（法令188⑥）

①　適用要件

次のイ及びロの要件を満たす場合の取扱いです。

イ　外国銀行等以外の外国法人（法令188②一イ）の連結資本配賦法（同条④一イ）を計算する場合のその外国法人の属する企業集団のその事業年度の財産の状況を連結して記載した貸借対照表における次のaの金額からbの金額を控除した場合に控除しきれない金額があること。

　　　a　総資産の帳簿価額の平均的な残高として合理的な方法により計算した
　　　　金額（法令188④一イ）

　　　b　総負債の帳簿価額の平均的な残高として合理的な方法により計算した
　　　　金額（同号ロ）

　　ロ　その外国銀行等以外の外国法人の属する企業集団のその事業年度の財産
　　　の状況を連結して記載した貸借対照表がないこと。

②　取扱い

　その外国銀行等以外の外国法人の恒久的施設帰属資本相当額の計算について
は、連結資本配賦法（法令188④一）、連結資本配賦簡便法（同条⑤）を用いる
ことはできません。

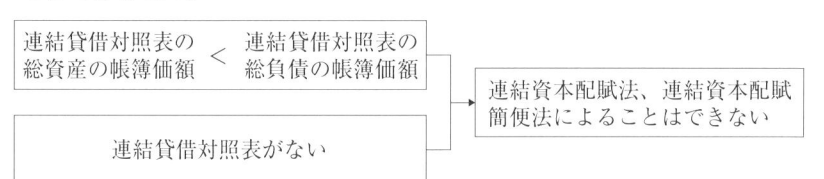

⑫　**確定申告期限までに危険勘案資産額を計算することが困難な常況に
　　あると認められる場合の危険勘案資産額の算定（法令188⑦）**

①　適用要件

　次のイ、ロの要件を満たす場合の取扱いです。

　イ　次のa〜dの金額又はe、fの資産の額について発生し得る危険を勘案
　　して計算した危険勘案資産額があること。

　　　a　資本配賦原則法を適用する外国銀行等以外の外国法人について、(a)又
　　　　は(b)の金額

　　　(a)　その事業年度末の恒久的施設に帰せられる資産の額について、取引
　　　　　の相手方の契約不履行等の理由により発生し得る危険を勘案して計算
　　　　　した金額（法令188②一イ(3)）

　　　(b)　その事業年度末の総資産の額について、発生し得る危険を勘案して

計算した金額（法令188②一イ(4)）

b　規制資本配賦法を適用する外国銀行等について、(a)又は(b)の金額

(a)　その事業年度末の恒久的施設に帰せられる資産の額について、発生し得る危険を勘案して計算した金額（法令188②一ロ(1)）

(b)　その事業年度末の総資産の額について、発生し得る危険を勘案して計算した金額（法令188②一ロ(2)）

c　連結資本配賦法を適用する外国銀行等以外の外国法人について、(a)又は(b)の金額

(a)　その事業年度末の恒久的施設に帰せられる資産の額について、発生し得る危険を勘案して計算した金額（法令188④一ハ）

(b)　外国銀行等以外の外国法人の属する企業集団のその事業年度末の財産の状況を連結して記載した貸借対照表における総資産の額について、発生し得る危険を勘案して計算した金額（法令188④一ニ）

d　連結規制資本配賦法を適用する外国銀行等について、(a)又は(b)の金額

(a)　その事業年度末の恒久的施設に帰せられる資産の額について、発生し得る危険を勘案して計算した金額（法令188④二イ）

(b)　外国銀行等の属する企業集団のその事業年度末の財産の状況を連結して記載した貸借対照表における総資産の額について、発生し得る危険を勘案して計算した金額（法令188④二ロ）

e　リスク資産資本比率比準法を適用する外国銀行等以外の外国法人のその事業年度末の恒久的施設に帰せられる資産の額（法令188②二イ）

f　リスク資産規制資本比率比準法を適用する外国銀行等のその事業年度末の恒久的施設に帰せられる資産の額（法令188②二ロ）

ロ　外国法人の行う事業の特性、規模その他の事情により、その事業年度以後の各事業年度の確定申告書の提出期限（法法144の6①）[注]までに、その危険勘案資産額を計算することが困難な状況にあると認められること。

　　（注）　確定申告書の提出期限

　　　　　仮決算による中間申告書（法法144の4①各号）を提出する場合には、その中間申告書の提出期限をいいます。

②　取扱い

　その各事業年度末^(注)前6月以内の一定の日における上記a～fの資産の額、総資産の額について発生し得る危険を勘案して計算した金額をもって、その危険勘案資産額とすることができます。

　　（注）　各事業年度末

　　　　　各事業年度の仮決算による中間申告書（法法144の4①各号）を提出する場合には、その中間申告書の係る期間終了の日をいいます。

（対象となる資本配賦法、同業法人比準法）

外国銀行等以外の外国法人	……	・資本配賦原則法（法令188②一イ） ・連結資本配賦法（法令188④一） ・リスク資産資本比率比準法（法令188②ニイ）
外国銀行等	……	・規制資本配賦法（法令188②一ロ） ・連結規制資本配賦法（法令188④二） ・リスク資産規制資本比率比準法（法令188②ニロ）

（取扱い）

確定申告期限までに危険勘案資産額の計算が困難	⇒	期末前6月以内の一定の日の発生し得る危険を勘案した金額を危険勘案資産額とすることができる

③　手続規定（法令188⑧）

　①、②（法令188⑦）の規定は、その規定の適用を受けようとする最初の事業年度の確定申告書の提出期限（法法144の6①）^(注)までに、納税地の所轄税務署長に対し、①、②の提出期限までに、危険勘案資産額を計算することが困難である理由、上記②に規定する一定の日その他の財務省令（法規60の9）で定め

る事項を記載した届出書を提出した場合に限り、適用します。

（注）　確定申告書の提出期限

　　　　仮決算による中間申告書（法法144の4①各号）を提出する場合には、その中間申告書の提出期限をいいます。

⒀　資本配賦法等から同業法人比準法等への変更、同業法人比準法等から資本配賦法等への変更（法令188⑨）

①　考え方

　資本配賦法等、同業法人比準法等の選択は、外国法人が自由に選択することができますが、一旦選択すると継続適用をする必要があります。したがって、例えば資本配賦法等から同業法人比準法等への変更は原則としてすることができません。

　ただし、資本配賦法等は自己資本や連結自己資本はプラスであることを前提としているので、マイナスになると計算できなくなります。また、外国法人の恒久的施設で行う事業の種類を変更した場合も変更を認める事由にしています。この事由は、同業法人比準法等から資本配賦法等への変更を認める事由にもなっています。

　これに対し、資本配賦法等内での変更（例えば、資本配賦原則法から資本配賦簡便法へ）や、同業法人比準法等内での変更（例えば、リスク資産資本比率比準法から簿価資産資本比率比準法へ）は、条件を定めて変更を認める規定を置いていないので、無条件で認められます。

②　資本配賦法等から同業法人比準法等への変更

イ　適用要件

　　次のa〜dの要件を満たすことが必要です。

　　a　前事業年度の恒久的施設帰属資本相当額を資本配賦法等により計算した外国法人であること。

　　b　資本配賦法等とは、次の(a)〜(e)の方法をいうこと。

　　(a)　資本配賦法（法令188②一。資本配賦原則法、規制資本配賦法）

　　　(b)　資本配賦簡便法（同条③一）

　　　(c)　連結資本配賦法（同条④一）

　　　(d)　連結規制資本配賦法（同条④二）

　　　(e)　連結資本配賦簡便法（同条⑤）

　　c　その事業年度の恒久的施設帰属資本相当額を計算する場合の取扱いで
　　　あること。

　　d　次の(a)又は(b)に該当すること（変更を認める事由）。

　　　(a)　連結資本配賦法、連結規制資本配賦法による場合（法令188④）及び
　　　　連結資本配賦法、連結資本配賦簡便法によることができない場合（法
　　　　令188⑥）の規定により資本配賦法等により計算することができない
　　　　場合であること。

　　　(b)　その外国法人の恒久的施設を通じて行う事業の種類の変更その他こ
　　　　れに類する事情があること。

　ロ　取扱い

　　　同業法人比準法等（下記③イc）により計算することができます。

③　同業法人比準法等から資本配賦法等への変更

　イ　適用要件

　　　次のa～cの要件を満たすことが必要です。

　　a　前事業年度の恒久的施設帰属資本相当額を同業法人比準法等により計
　　　算した外国法人が、その事業年度の恒久的施設帰属資本相当額を計算す
　　　ること。

　　b　その外国法人の恒久的施設を通じて行う事業の種類の変更その他これ
　　　に類する事情があること（変更を認める事由）。

　　c　同業法人比準法等とは、次の(a)、(b)の方法をいうこと。

　　　(a)　同業法人比準法（法令188②二。リスク資産資本比率比準法、リスク資
　　　　産規制資本比率比準法）

　　　(b)　簿価資産資本比率比準法（法令188③二）

　　ロ　取扱い

　　　資本配賦法等により計算することができます。

⑭　受取配当等益金不算入の負債利子控除との関係（法令188⑭）

　受取配当等の益金不算入（法法23）の規定における負債利子控除の規定は、損金の額に算入した負債利子を前提とします。したがって、恒久的施設に帰せられるべき資本に対応する負債の利子の損金不算入（法法142の4①）の規定により損金不算入とされる負債利子は、受取配当等の益金不算入の規定における負債利子に含めません。

5. 本店配賦経費に関する書類の保存がない場合における本店配賦経費の損金不算入

(1)　適用要件（法法142の7①）

　次の①、②の要件を満たす場合の取扱いです。

　①　外国法人が恒久的施設帰属所得に係る販売費、一般管理費等の計算（法法142③二）の規定の適用を受ける場合であること。

　②　本店配賦経費（同号。197ページ参照）につき、次のイ〜ハの書類（法規60の10）の保存がないこと。

　　イ　本店配賦経費の配分の基礎となる費用が、外国法人（同項）の恒久的施設を通じて行う事業及びそれ以外の事業に共通するものであることについての説明、その明細、その内容を記載した書類

　　ロ　合理的と認められる基準（法令184②。197ページ参照）により配分するための計算方法の明細を記載した書類

　　ハ　ロの計算方法が合理的であるとする理由を記載した書類

(2)　取扱い（法法142の7①）

　その書類の保存がなかった本店配賦経費については、その外国法人の各事業年度の恒久的施設帰属所得に係る所得の金額の計算上、損金の額に算入しません。

⑶　宥恕規定（法法142の 7 ②）

　税務署長は、本店配賦経費の全部又は一部につき、書類の保存がない場合においても、その保存がなかったことについてやむを得ない事情があると認めるときは、その書類の提出があった場合に限り、その書類の保存がなかった本店配賦経費につき、⑴、⑵の規定を適用しないことができます。

6. 恒久的施設の閉鎖に伴う資産の時価評価損益

⑴　考え方

　恒久的施設を有する外国法人が恒久的施設を閉鎖した場合は、これまで課税を留保していた含み益や含み損を清算して課税します。

⑵　適用要件（法法142の 8 ①）

　次の①、②の要件を満たす場合の取扱いです。

　①　恒久的施設を有する外国法人が恒久的施設を有しないこととなったこと。

　②　次のイ、ロの事由（法令190①）により恒久的施設を有しないこととなった場合を除くこと。

　　イ　恒久的施設の他の者への譲渡

　　ロ　恒久的施設を有する外国法人を被合併法人、分割法人とする適格合併、適格分割型分割

⑶　取扱い（法法142の 8 ①、法令190②）

　恒久的施設閉鎖事業年度[注1]終了の時に恒久的施設に帰せられる資産[注2]の評価益[注3]又は評価損[注4]は、その外国法人のその恒久的施設閉鎖事業年度の恒久的施設帰属所得に係る所得の金額の計算上、益金の額又は損金の額に算入します。

　(注)　1　恒久的施設閉鎖事業年度
　　　　　　恒久的施設を有しない外国法人になった日の属する事業年度をいいます。
　　　　2　恒久的施設に帰せられる資産

売買目的有価証券（法法61の3①一）、償還有価証券（法令119の14、190②）を除きます。

3　評価益

その終了の時の価額が、その時の帳簿価額を超える場合のその超える部分の金額をいいます。

4　評価損

その終了の時の帳簿価額が、その時の価額を超える場合のその超える部分の金額をいいます。

7. 特定の内部取引に係る恒久的施設帰属所得に係る所得の金額の計算

(1)　適用要件（法法142の9①）

外国法人の恒久的施設と本店等（法法138①一）との間で、次の①、②の国内源泉所得を生ずべき資産のその恒久的施設による取得、譲渡に相当する内部取引（同号）があったこと。

①　国内にある資産の譲渡により生ずる所得（法法138①三）

②　国内にある不動産等の貸付けによる対価（同項五）

(2)　取扱い（法法142の9①、法令190の2①）

その内部取引は、その資産のその内部取引の直前の帳簿価額に相当するものとして、外国法人の恒久的施設と本店等との間の内部取引が、次の①、②の内部取引のいずれに該当するかに応じ、①、②に定める金額により行われたものとして、その外国法人の各事業年度の恒久的施設帰属所得に係る所得の金額を計算します。

①　恒久的施設による資産（法法142の9①）の取得に相当する内部取引

その内部取引の時に、その内部取引に係る資産の他の者への譲渡があったものとみなして、恒久的施設を有する法人の恒久的施設帰属所得以外の国内源泉所得（法法141一ロ）の金額を計算するとした場合に、その資産の譲渡に係る原価の額とされる金額に相当する金額

②　恒久的施設による資産（法法142の9①）の譲渡に相当する内部取引

　　その内部取引の時に、その内部取引に係る資産の他の者への譲渡があったものとみなして、その資産の譲渡により生ずべきその外国法人の各事業年度の恒久的施設帰属所得（法法141一イ）の金額を計算するとした場合に、その資産の譲渡に係る原価の額とされる金額に相当する金額

(3)　**恒久的施設における取得価額（法令190の2②）**

①　適用要件

次のイ、ロの要件を満たすこと。

　イ　(1)、(2)（法法142の9①）の規定の適用がある場合の取扱いであること。

　ロ　外国法人の恒久的施設と本店等との間におけるその恒久的施設による資産の取得に相当する内部取引についての取扱いであること。

②　取扱い

その資産のその恒久的施設における取得価額は、上記(2)①に定める金額（その内部取引による取得のために要した費用がある場合には、その費用の額を加算した金額）とします。

8. その他の所得金額の計算に係る別段の定め

(1)　**恒久的施設帰属所得**

次の別段の定めが規定されています。

①　還付金等の益金不算入（法法142の2）

②　中間申告における繰戻しによる還付に係る災害損失欠損金額の益金算入（法法142の2の2）

③　保険会社の投資資産及び投資収益（法法142の3）

④　外国銀行等の資本に係る負債の利子の損金算入（法法142の5）

⑤　法人税額から控除する外国税額の損金不算入（法法142の6）

⑥　外国法人に係る分配時調整外国税相当額の損金不算入（法法142の6の2）

(2)　その他の国内源泉所得（法法142の10）

次の①、②に係る所得の金額は、恒久的施設帰属所得に係る所得の金額の計算（法法142）から、中間申告における繰戻しによる還付に係る災害損失欠損金額の益金算入（同法142の2の2）までの規定に準じて計算した金額とします。

① 外国法人の各事業年度の恒久的施設を有する外国法人の恒久的施設帰属所得以外の国内源泉所得（法法141一ロ）

② 恒久的施設を有しない外国法人の国内源泉所得（法法141二）

9. 税額の計算

(1)　法人税率（法法143①）

外国法人に対して課する各事業年度の所得に対する法人税の額は、次の①〜③の国内源泉所得の区分ごとに、これらの国内源泉所得に係る所得の金額に23.2%を乗じて計算した金額とします。

① 恒久的施設を有する外国法人の恒久的施設帰属所得（法法141一イ）

② 恒久的施設を有する外国法人の恒久的施設帰属所得以外の国内源泉所得（法法141一ロ）

③ 恒久的施設を有しない外国法人の国内源泉所得（法法141二）

(2)　中小法人等の法人税率の特例（法法143②）

普通法人のうち、各事業年度終了の時において資本金の額、出資金の額が1億円以下であるもの、資本・出資を有しないもの、人格のない社団等の(1)①〜③の国内源泉所得の区分ごとに、これらの国内源泉所得に係る所得の金額のうち、年800万円以下の金額については、19%の税率によります。

租税特別措置法の軽減税率も適用されます（措法42の3の2）。

ただし、内国法人と同様に、完全支配関係にある親会社の資本金が5億円以上などの子法人については、これらの特例の適用はありません（法法143⑤）。

(3)　その他の税額の計算に係る別段の定め

次の別段の定めが規定されています。

① 　外国法人に係る所得税額の控除（法法144）

② 　外国法人に係る外国税額の控除（法法144の2）

③ 　外国法人に係る分配時調整外国税相当額の控除（法法144の2の2）

④ 　税額控除の順序（法法144の2の3）

（執筆：多田雄司）

第 **3** 章

国内源泉所得

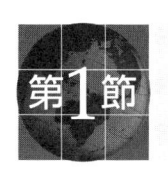 # 第1節 国内源泉所得の概要

非居住者、外国法人に対しては、「国内源泉所得」に課税します。

1. 全体像

非居住者の国内源泉所得は所得税法第161条、外国法人のそれは法人税法第138条で規定しています。その概要は下表のとおりです。

所得税法第161条		法人税法第138条	
1号	恒久的施設帰属所得（事業所得）	1号	左に同じ
2号	国内にある資産の運用又は保有により生ずる所得（8号〜16号を除く）	2号	左に同じ（12号は元々対象外）
3号	国内にある資産の譲渡により生ずる所得	3号	左に同じ
4号	組合契約に基づいて恒久的施設を通じて行う事業から生ずる利益		
5号	国内にある土地等の譲渡による対価		
6号	国内における人的役務の提供に係る対価	4号	左に同じ
7号	国内にある不動産等の貸付けによる対価	5号	左に同じ
8号	日本国債等の利子等		
9号	内国法人から受ける配当等		
10号	国内において業務を行う者に対する貸付金の利子		
11号	国内において業務を行う者から受ける工業所有権等の使用料、譲渡による対価		

12号	国内において行う勤務等に基づく給与、報酬、年金	
13号	国内において行う事業の広告宣伝のための賞金	
14号	国内にある営業所等を通じて締結した保険契約等に基づいて受ける年金	
15号	国内の営業所が受け入れ等した定期積金等に係る給付補塡金、利息、利益、差益	
16号	国内で事業を行う者に対する出資で匿名組合契約に基づいて受ける利益の分配	
17号	その他の国内源泉所得	6号　左に同じ

2. 考え方

(1) 総合主義から帰属主義への変更

　非居住者、外国法人の国内源泉所得については、これまでの総合主義から帰属主義に変更しました。すなわち、事業所得（1号所得）における総合主義では、「国内において行う事業から生じる所得」に限定していました（旧所法161一、旧法法138一）。

　これに対して、帰属主義では、「恒久的施設に帰せられるべき所得」（恒久的施設帰属所得）になります（新所法161①一、新法法138①一）。

　すなわち、恒久的施設が稼得した所得は、その源泉が国の内外を問わず日本の課税の対象にするものです。換言すれば、外国法人の日本支店（恒久的施設）は本店等から独立したものと考えて、内国法人と同様に全世界所得に課税するということです。

　一方、外国にある本店等が日本の顧客に直接販売した売上げは、課税対象外になります。

(2) 恒久的施設帰属所得と他の国内源泉所得との関係

　総合主義においては、旧1号所得（事業所得等）を網羅的に規定するとともに、源泉徴収すべき所得を所得税法の旧1号の2（組合契約に基づいて事業から

生ずる利益）から旧12号（国内で事業を行う者に対する出資で匿名組合契約に基づいて受ける利益の分配）まで規定し、かつ、これらの所得を旧1号所得から除外していました。

　帰属主義においては、旧1号所得を新1号〜3号所得（恒久的施設帰属所得、国内にある資産の運用又は保有により生ずる所得、国内にある資産の譲渡により生ずる所得）とその他の所得（所得税法は新17号、法人税法は新6号）に分割しました。これらの所得は、非居住者、外国法人とも所得税の源泉徴収は行いません。

　帰属主義における所得税法の新4号（組合契約に基づいて恒久的施設を通じて行う事業から生ずる利益）から新16号（国内で事業を行う者に対する出資で匿名組合契約に基づいて受ける利益の分配）までの所得は、総合主義の場合と同様に所得税の源泉徴収をします。

　帰属主義における所得税法の新2号（国内にある資産の運用又は保有により生ずる所得）以下の所得は、国内に恒久的施設があるか否かに関係なく、日本と密接に関係がある場所、取扱者等があることを根拠にして国内源泉所得としています。法人税法も同様です（法人税法の新2号〜新6号所得）。

　つまり、課税当局は非居住者や外国法人による日本の不動産の所有、日本の会社や金融機関などによる非居住者や外国法人への利子、配当、給与などの支払いを通して税の徴収が可能である所得を国内源泉所得としているのです。

　次は、恒久的施設帰属所得と他の国内源泉所得との関係です。

　帰属主義においては、所得税法、法人税法のいずれにおいても新1号（恒久的施設帰属所得）と新2号（国内にある資産の運用又は保有により生ずる所得）以下の所得の関係については、総合主義で規定していた例えば旧2号所得に該当するものは旧1号所得には含めない旨の文言を置いていません。つまり、新1号所得と新2号以下の所得は重複する規定になっています。

　これは、恒久的施設に帰属する所得には、恒久的施設が行う事業から生ずる所得のほか、恒久的施設に帰属する新2号以下の所得も含むことを意味します。

　ただし、恒久的施設がある場合でも、例えば新 2 号所得が恒久的施設に帰属しないことがあります。この場合は、例えば法人税の恒久的施設帰属所得には当たりませんが、法人税の国内源泉所得になります。恒久的施設を有しない外国法人も同様で、新 2 号所得について法人税の申告をしなければなりません。

　更に、例えば所得税法の新 8 号（日本国債等の利子等）の所得は、総合主義においては法人税法の国内源泉所得とされていました。しかし、帰属主義においては法人税法の国内源泉所得から除外しています。

　その理由は、新 8 号所得が恒久的施設に帰属する場合は、法人税法の新 1 号所得に含まれること、恒久的施設に帰属しない場合又は恒久的施設を有しない場合は、所得税法の国内源泉所得（新 8 号）に該当するので、所得税の源泉徴収だけで課税関係を終了させることができます。このようなことから、法人税における国内源泉所得から除外しているのです。

　なお、総合主義から帰属主義に変更した改正後の規定は、外国法人は平成28年 4 月 1 日以後に開始する事業年度から（平26− 3 −31改正法附則25）、非居住者は平成29年分以後の所得税について適用されます（同法附則10①）。

 ## 第2節　恒久的施設帰属所得

　恒久的施設帰属所得（所法161①一、法法138①一）は、所得税法及び法人税法に規定されていますが、本節では法人税法の規定に基づき説明します。

　次節で解説する国内にある資産の運用又は保有により生ずる所得（所法161①二、法法138①二）及び第4節で解説する国内にある資産の譲渡により生ずる所得（所法161①三、法法138①三）についても同様に法人税法の規定に基づき説明します。

1. 定 義

⑴　規定（法法138①一）

　恒久的施設帰属所得とは、外国法人が恒久的施設を通じて事業を行う場合において、その恒久的施設がその外国法人から独立して事業を行う事業者であるとしたならば、その恒久的施設が果たす機能、その恒久的施設において使用する資産、その恒久的施設とその外国法人の本店等との間の内部取引その他の状況を勘案して、その恒久的施設に帰せられるべき所得をいいいます。

　これには、その恒久的施設の譲渡により生ずる所得を含みます。

| 恒久的施設の事業活動 | ⇨ | 独立事業者と仮定する | ⇨ | 恒久的施設が果たす機能等を勘案 | ⇨ | 恒久的施設に帰属すると考えられる所得 | ⇨ | 恒久的施設帰属所得 |

(2)　恒久的施設が果たす機能（法基通20−2−3）

(1)の恒久的施設が果たす機能には、恒久的施設が果たすリスクの引受け又はリスクの管理に関する人的機能[注]、資産の帰属に係る人的機能、研究開発に係る人的機能、製造に係る人的機能、販売に係る人的機能、役務提供に係る人的機能等が含まれます。

(注)　恒久的施設が果たすリスクの引受け又はリスクの管理に関する人的機能
　　　　その恒久的施設を通じて行う事業に従事する者が行うリスクの引受け又はリスクの管理に関する積極的な意思決定が必要とされる活動をいいます。

(3)　恒久的施設において使用する資産（法基通20−2−4）

(1)の恒久的施設において使用する資産には、恒久的施設に帰せられる資産の意義（法基通20−5−21。第2章209ページ参照）の規定により帰せられることとなる資産のほか、例えば、次の①、②で、その恒久的施設において使用するものが含まれます。

　①　賃借[注]している固定資産。ただし、無形固定資産（法令13ハイ〜ツ）を除きます。

　②　使用許諾[注]を受けた無形資産（法令183③一イ〜ハ）等。これには、顧客リスト、販売網等の重要な価値のあるものを含みます。

　(注)　賃借、使用許諾
　　　　賃借、使用許諾に相当する内部取引が含まれます。

(4)　本店等（法法138①一、法令176）

その外国法人の本店、支店、工場その他これらに準ずる次の①〜④に定めるもので、恒久的施設以外のものをいいます。

　①　支店、工場その他事業を行う一定の場所（法法2十二の十九イ）に相当するもの

　②　建設、据付けの工事又はこれらの指揮監督の役務の提供を行う場所（法法2十二の十九ロ）に相当するもの

　③　自己のために契約を締結する権限のある者（法法2十二の十九ハ）に相

　　当する者

　④　①〜③に準ずるもの

⑸　内部取引（法法138②、法令181）

　外国法人の恒久的施設と本店等との間で行われた資産の移転、役務の提供その他の事実で、独立の事業者の間で同様の事実があったとしたならば、これらの事業者の間で、資産の販売、資産の購入、役務の提供その他の取引が行われたと認められるものをいいます。

　ただし、資金の借入れに係る債務の保証、保険契約に係る保険責任についての再保険の引受けその他これらに類する取引として、資金の借入れその他の取引に係る債務の保証（債務を負担する行為であって債務の保証に準ずるものを含む）を除きます。

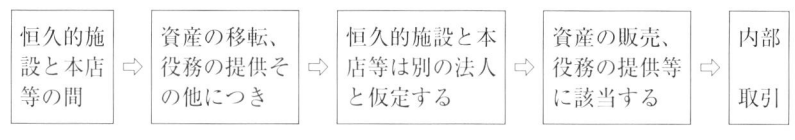

⑹　⑴に規定する「その他の状況」の意味（法基通20−2−1）

　恒久的施設に帰せられる次のリスク及び外部取引が含まれます。

①　リスク

　為替相場の変動、市場金利の変動、経済事情の変化その他の要因による利益又は損失の増加又は減少の生ずるおそれをいいます。

②　リスクの引受け又はリスクの管理に関する人的機能を恒久的施設が果たす場合

　そのリスクはその恒久的施設に帰せられます。

③　外部取引

　恒久的施設を有する外国法人が他の者との間で行った取引をいいます。

⑺　国際運輸業所得

①　規定（法法138③、法令182）

　恒久的施設を有する外国法人が、国内及び国外にわたって船舶又は航空機に

245

よる運送の事業を行う場合には、その事業から生ずる所得のうち、次のイ、ロの事業の区分に応じ、イ、ロに定める収入金額等の基準により判定したその外国法人の国内業務につき生ずべき所得をもって、恒久的施設帰属所得とします。

　イ　船舶による運送の事業

　　　国内において乗船し又は船積みをした旅客又は貨物に係る収入金額

　ロ　航空機による運送の事業

　　　その国内業務（国内において行う業務をいう）に係る収入金額又は経費、その国内業務の用に供する固定資産の価額その他その国内業務がその運送の事業に係る所得の発生に寄与した程度を推測するに足りる要因

② 　恒久的施設を有する外国法人のいわゆる定期用船（機）契約又は航海用船（機）契約に基づいて支払を受ける対価（法基通20－2－13（注1））

　　　上記①の運送の事業に係る所得に該当します。

2．算定の仕方

　上記(1)の定義は、外国法人の恒久的施設（日本支店）を外国にある本店等から独立した事業体と仮定して所得を計算します。所得の計算に当たっては、外部取引のほか、本店等との内部取引も対象になります。

　恒久的施設帰属所得を算定する場合には、その所得が恒久的施設と本店等のいずれに帰属すべきであるかの判断と、恒久的施設と本店等の間における内部取引についての取引価格を適正に算定する必要があります。

　これらの判断、算定は、次の2段階で行います。

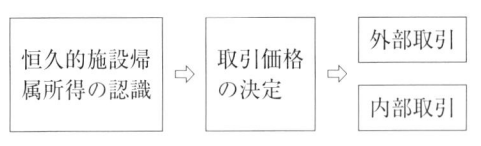

(1)　恒久的施設帰属所得の認識（法基通20－2－2）

　次の機能、事実の分析及び状況の特定をすることにより、これらの状況を総合的に勘案して恒久的施設帰属所得を認識します。

① 機能、事実の分析

外国法人の恒久的施設及びその本店等が果たす機能[注]、その恒久的施設及びその本店等に関する事実の分析を行います。

この場合において、その機能及びその事実の分析は、その外国法人が行った外部取引ごと又はその恒久的施設とその本店等との間で行われた資産の移転、役務の提供等の事実ごとに、かつ、その恒久的施設がその外国法人から独立して事業を行う事業者であるものとして行います。

(注)　機能
　　　リスクの引受け又はリスクの管理に関する人的機能、資産の帰属に係る人的機能その他の機能をいいます。

② 状況の特定

その恒久的施設が果たす機能、その恒久的施設に帰せられるリスク、その恒久的施設において使用する資産、その恒久的施設に帰せられる外部取引、内部取引その他の恒久的施設帰属所得の認識に影響を与える状況を特定します。

(2) 取引価格の決定

次により取引価格を決定します。

①　外部取引は、原則として契約金額などに基づきます。

②　恒久的施設と国外関連者との取引については、移転価格税制の考え方によります。

③　本店等との内部取引についても、②と同様です。

ただし、国内に恒久的施設となる拠点が複数ある場合は、その拠点相互間においては内部取引は認識されません。この場合は、複数の拠点を1つの恒久的施設として取り扱います。

 **第3節　国内にある資産の運用又は保有により生ずる所得**

1. 考え方

　国内にある資産の運用又は保有により所得が生ずる場合は、国内に恒久的施設があるか否かにかかわらず法人税の申告が必要になります。この点は、改正前の総合主義における規定と同様です。

　ただし、総合主義の下で規定していた以下の2(2)①〜⑧の源泉徴収する特定の所得は所得税の源泉徴収だけで課税関係を終了させる（法人税の申告を不要とする）ために除外しました。

　なお、恒久的施設に帰属する2(2)①〜⑧の源泉徴収する特定の所得は、恒久的施設帰属所得（法法138①一）として法人税の国内源泉所得になります。

2. 国内にある資産の運用又は保有により生ずる所得

(1)　規定（法法138①二）

　国内にある資産の運用又は保有により生ずる所得が、国内源泉所得になります。

　ただし、下図のように分類されます。

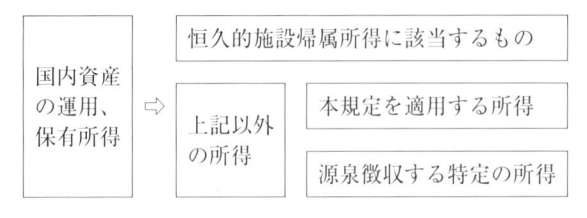

⑵　源泉徴収する特定の所得（法法138①二）

次の①〜⑧の所得に該当するものは、本規定の所得から除外します。

① 利子等（所法23①）のうち、日本国債等の利子等（同法161①八）

② 配当等（同法24①）のうち、内国法人から受ける配当等（同法161①九）

③ 国内において業務を行う者に対する貸付金の利子（同項十）

④ 国内において業務を行う者から受ける工業所有権等の使用料、譲渡による対価（同項十一）

⑤ 国内において行う事業の広告宣伝のための賞金（同項十三）

⑥ 国内にある営業所等を通じて締結した保険契約等に基づいて受ける年金（同項十四）

⑦ 国内の営業所が受け入れ等した定期積立金等に係る給付補塡金、利息、利益、差益（同項十五）

⑧ 国内で事業を行う者に対する出資で匿名組合契約に基づいて受ける利益の分配（同項十六）

(注)　所得税の場合は、国内において行う勤務等に基づく給与、報酬、年金（同項十二）の所得に該当するものも除外されます（同項二）。

3．資産の運用又は保有により生ずる所得に含まれるもの

⑴　規定（法令177①）

次の①〜③の資産の運用又は保有により生ずる所得（2⑵①〜⑧の源泉徴収する特定の所得を除く）は、上記2の国内源泉所得に含まれます。

① 公社債（所法2①九）のうち、日本国の国債、地方債、内国法人の発行する債券(注)、約束手形（金商法2①十五）

(注)　債券（法基通20－2－6）

社債、株式等の振替に関する法律又は廃止前の社債等登録法の規定により振替口座簿に記載、記録、登録されたため債券の発行されていない公社債が含まれます。

②　居住者（所法2①三）に対する貸付金に係る債権で、その居住者の行う業務に係るもの以外のもの

③　国内にある営業所、事務所その他これらに準ずるもの又は国内において契約の締結の代理をする者を通じて締結した生命保険契約[注1]、旧簡易生命保険契約（所令30一）、損害保険契約[注2]その他これらに類する契約に基づく保険金の支払又は剰余金の分配（これらに準ずるものを含む）を受ける権利

（注）1　生命保険契約

生命保険会社（保険業法2③）、外国生命保険会社等（同条⑧）の締結した保険契約、少額短期保険業者（同条⑱）の締結したこれに類する保険契約をいいます。

2　損害保険契約

損害保険会社（保険業法2④）、外国損害保険会社等（同条⑨）の締結した保険契約、少額短期保険業者の締結したこれに類する保険契約をいいます。

居住者に対する非業務使用貸付金の利子	⇨	国内にある資産の運用又は保有により生ずる所得（所法161①二、法法138①二）	⇨	源泉徴収なし

業務を行う者に対する貸付金の利子	⇨	国内において業務を行う者に対する貸付金の利子（所法161①十）	⇨	源泉徴収あり

⑵　資産の運用又は保有により生ずる所得に含まれない利子（法令177②）

①　規定

次のイ、ロの債権のうち、その発生の日から、その債務を履行すべき日までの期間が6月を超えないものの利子（所令283①）は、資産の運用又は保有により生ずる所得に含まれません。

イ　国内において業務を行う者に対してする資産の譲渡又は役務の提供の対価に係る債権

ロ　その対価の決済に関し、金融機関が国内において業務を行う者に対して
　有する債権

② 解説

国内にある資産の運用又は保有により生ずる所得（法法138①二）は、居住者
に対する非業務資金の貸付金から生ずる利子だけを対象にします（法令177①）。

その理由は、借主が業務を行う者の場合は、利子の支払時に源泉徴収をさせ
ることが可能であるからです。したがって、業務用資金の貸付けから生ずる利
子は、資産の運用又は保有により生ずる所得から除外しています。

さらに、本規定（法令177①）は、国内源泉所得とされる国内において業務を
行う者に対する貸付金の利子（所法161①十）から除外される貸付期間が６月以
下の業務用の貸付金の利子については、国内にある資産の運用又は保有により
生ずる所得（所法161①二、法法138①二）にも該当しないことを確認するもので
す（270ページ参照）。

つまり、貸付期間が６月以下の業務用の貸付金の利子は、恒久的施設帰属所
得（法法138①一）に該当する場合に限り、国内源泉所得に該当します。

⑶　資産が国内にあるか否かの判定（法基通20－2－5）

国内にある資産の運用又は保有により生ずる所得（法法138①二）又は国内に
ある資産の譲渡により生ずる所得（法法138①三）の規定の適用上、外国法人の
有する資産（棚卸資産である動産を除く）が国内にあるかどうかは、資産の運用
又は保有により生ずる所得に含まれるもの（法令177）又は国内にある資産の
譲渡により生ずる所得（法令178）に定めるところによるもののほか、おおむ
ね次の①～④の資産の区分に応じ、それぞれ①～④の場所が国内にあるかどう
かにより判定します。

①　動産

その所在地。ただし、国外又は国内に向けて輸送中の動産については、
その目的地とします。

②　不動産又は不動産の上に存する権利

251

その不動産の所在地

③　登録された船舶又は航空機

その登録機関の所在地

④　鉱業権、租鉱権又は採石権（これらの権利に類する権利を含む）

その権利に係る鉱区又は採石場の所在地

(4)　資産の運用又は保有により生ずる所得の例示（法基通20－2－7）

次の①〜④のようなものが国内にある資産の運用又は保有により生ずる所得に該当します。

①　公社債、約束手形

イ　公社債を国内において貸し付けた場合の貸付料

ロ　国債、地方債、債券、資金調達のために発行する約束手形に係る償還差益又は発行差金（法令177①一）

②　債権

イ　居住者（所法2①三）に対する貸付金に係る債権で、その居住者の行う業務に係るもの以外に係るもの（法令177①二）の利子

ロ　イの貸付金に係る債権又は国内において業務を行う者に対する貸付金に係る債権（所法161①十）をその債権金額に満たない価額で取得した場合におけるその満たない部分の金額

③　国内にある供託金について受ける利子

④　個人から受ける動産（その個人が国内において生活の用に供するものに限る）の使用料

第4節 国内にある資産の譲渡により生ずる所得

1. 考え方

　国内源泉所得を帰属主義に変更したことに伴い、資産の譲渡についても恒久的施設を有する法人の恒久的施設に帰属するものが恒久的施設帰属所得になります。

　恒久的施設を有しない法人については、日本との属地的な繋がりが強い不動産や、株式を通じて支配している内国法人の株式を譲渡したなどの場合は、その譲渡所得については、法人税の申告をする必要があります。

2. 規定（法法138①三、法令178①）

　次の(1)〜(7)の所得が、国内にある資産の譲渡により生ずる所得になります。

　なお、所得税では、非居住者が国内に滞在する間に行う国内にある資産の譲渡による所得（所令281①八）も本規定に含まれます。

　例えば、転勤で海外に住んでいる人が、出張で日本に戻っている時に上場株式を譲渡した場合は、国内にある資産の譲渡により生ずる所得（所法161①三）に該当します。

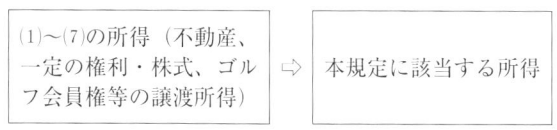

(1)　国内にある不動産の譲渡による所得（法令178①一）

(2)　国内にある不動産の上に存する権利、鉱業権（鉱業法）、採石権（採石法）の譲渡による所得（同項二）

(3)　国内にある山林の伐採、譲渡による所得（同項三）

(4)　内国法人の発行する株式等の譲渡による所得

① 　規定（法令178①四）

　内国法人の発行する株式[注1]その他内国法人の出資者の持分[注2]（株式等）の譲渡による所得で、次のイ、ロに該当するもの

　　イ　同一銘柄の内国法人の株式等の買集めをし、その所有者である地位を利用して、その株式等をその内国法人、その特殊関係者に対し、又はこれらの者、その依頼する者のあっせんにより譲渡をすることによる所得

　　ロ　内国法人の特殊関係株主等である外国法人が行うその内国法人の株式等の譲渡による所得

買集めた株式等のその内国法人、特殊関係者などに対する譲渡所得	
特殊関係株主等である外国法人によるその内国法人の株式等の譲渡所得	⇨　本規定に該当する所得

(注)　1　株式
　　　　　社債的受益権（資産の流動化に関する法律230①二）を除き、株主となる権利、株式の割当てを受ける権利、新株予約権及び新株予約権の割当てを受ける権利を含みます。
　　　2　持分
　　　　　特例旧特定目的会社（会社法の施行に伴う関係法律の整備等に関する法律230①）の出資者の持分及び社債的受益権を除きます。

② 　株式等の買集め（法令178②）

　金融商品取引所（金商法2⑯）又は認可金融商品取引業協会（同条⑬）が、その会員、取引参加者（同条⑲）に対し、特定の銘柄の株式につき、価格の変動その他売買状況等に異常な動きをもたらす基因となると認められる相当数の

株式の買集めがあり、又はその疑いがあるものとしてその売買内容等につき報告又は資料の提出を求めた場合における買集めその他これに類する買集めをいいます。

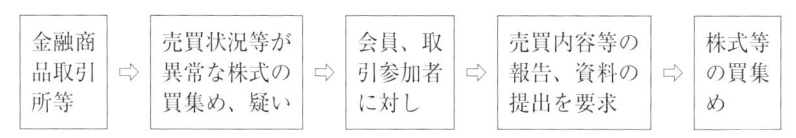

③　特殊関係者（法令178③）

　内国法人の役員又は主要な株主等[注]、これらの者の親族、これらの者の支配する法人、その内国法人の主要な取引先その他その内国法人とこれらに準ずる特殊の関係のある者をいいます。

（注）　株主等

　　　株式等の買集めをした者から、その株式等を取得することにより、その内国法人の主要な株主等となることとなる者を含みます。

④　特殊関係株主等（法令178④）

　次のイ〜ハの者をいいます。

　イ　①ロの内国法人（法令178①四ロ）の一の株主等

　ロ　イの一の株主等と特殊の関係(法令4)その他これに準ずる関係のある者[注]

　　（注）　その他これに準ずる関係のある者（法基通20－2－8）

　　　　　会社以外の法人で特殊の関係のある者（法令4②各号、④）が含まれます。したがって、例えば、株主の1人及びこれと特殊の関係のある個人又は法人（法令4）が有する会社以外の法人の出資の金額が、その法人の出資の総額の50%を超える金額に相当する場合におけるその会社以外の法人はこれに該当します（法基通2－3－20）。

　ハ　イの一の株主等が締結している組合契約（次のa〜cを含む）に係る組合財産である①ロの内国法人の株式等につき、その株主等に該当することとなる者（イ、ロの者を除く）

　　a　その一の株主等が締結している組合契約による組合（これに類するものを含む。b、cに同じ）が締結している組合契約

　　b　a 又は c の組合契約による組合が締結している組合契約

　　c　b の組合契約による組合が締結している組合契約

⑤　組合契約、組合財産（法令178⑤）

　組合契約とは次のイ〜ニの契約をいい、組合財産とは次のイ〜ニの契約の区分に応じ、イ〜ニに定めるものをいいます。(5)③ハ（法令178⑩三）において同じです。

　イ　組合契約（民法667①）

　　　組合財産（同法668）

　ロ　投資事業有限責任組合契約（投資事業有限責任組合契約に関する法律 3 ①）

　　　民法の準用（同法16）の規定において準用する組合財産（民法668）

　ハ　有限責任事業組合契約（有限責任事業組合契約に関する法律 3 ①）

　　　民法の準用（同法56）の規定において準用する組合財産（民法668）

　ニ　外国におけるイ〜ハの契約に類する契約（外国組合契約）

　　　その外国組合契約に係るイ〜ハに規定する組合財産に類する財産

⑥　株式等の譲渡（法令178⑥）

　①ロの株式等の譲渡は、次のイ、ロの要件を満たす場合の①ロの外国法人のその譲渡の日の属する事業年度（譲渡事業年度）におけるロに規定する株式・出資の譲渡に限ります。

　イ　譲渡事業年度終了の日以前 3 年内のいずれかの時において、①ロの内国法人の特殊関係株主等が、その内国法人の発行済株式・出資（社債的受益権を除く。「発行済株式等」という）の総数・総額の100分の25以上に相当する数、金額の株式・出資[注]を所有していたこと。

| 譲渡事業年度終了の日以前 3 年内 | ⇒ | 内国法人の特殊関係株主等 | ⇒ | 内国法人の発行済株式等の25％以上所有 |

　（注）　株式・出資

　　　　社債的受益権を除き、その特殊関係株主等が④ハの者である場合には、

その組合財産であるものに限ります。

ロ　譲渡事業年度において、①ロの外国法人を含む①ロの内国法人の特殊関係株主等が最初にその内国法人の株式・出資の譲渡をする直前のその内国法人の発行済株式等の総数・総額の100分の5^(注1)以上に相当する数・金額の株式・出資の譲渡をしたこと^(注2)。

譲渡事業年度	⇨	内国法人の特殊関係株主等	⇨	譲渡直前の内国法人の発行済株式等の5％以上を譲渡

（注）　1　100分の5

　　　　　その譲渡事業年度が1年に満たない場合には、100分の5にその譲渡事業年度の月数を乗じたものを12で除して計算した割合になります。

　　　　　この場合の月数は、暦に従って計算し、1月に満たない端数を生じたときは、これを1月とします（法令178⑪）。

　　　2　特殊関係株主等が譲渡した発行済株式・出資の総数・総額に占める割合の判定時期（法基通20−2−9）

　　　　　譲渡事業年度の中途においてその内国法人が行った増資等により、その発行済株式・出資の総数・総額に異動があった場合においても、その譲渡事業年度において最初に、その株式・出資を譲渡した直前のその発行済株式・出資の総数・総額に基づいて計算します。

⑸　不動産関連法人の株式・出資（社債的受益権を除く）の譲渡による所得（法令178①五）

①　不動産関連法人（法令178⑧）

　その株式の譲渡の日から起算して365日前の日から、その譲渡の直前の時までの間のいずれかの時において、その有する資産の価額の総額のうちに、次のイ〜ニの資産の価額の合計額の占める割合が100分の50以上である法人をいいます。

$$\frac{\text{イ〜ニの資産の価額の合計額}}{\text{資産の価額の総額}} \geq 50\% \Rightarrow \boxed{\text{不動産関連法人}}$$

イ　国内にある土地等

土地等とは、土地、土地の上に存する権利、建物、その附属設備、構築物をいいます。

ロ　土地等を所有する法人の株式1

その有する資産の価額の総額のうちに、国内にある土地等の価額の合計額の占める割合が100分の50以上である法人の株式

ハ　土地等を所有する法人の株式2

ロ又はニの株式を有する法人で、その有する資産の価額の総額のうちに、国内にある土地等、ロ～ニの株式の価額の合計額の占める割合が100分の50以上であるものの株式（ロの株式に該当するものを除く）

ニ　土地等を所有する法人の株式3

ハの株式を有する法人で、その有する資産の価額の総額のうちに、国内にある土地等、ロ～ニの株式の価額の合計額の占める割合が100分の50以上であるものの株式（ロ、ハの株式に該当するものを除く。）

② 株式の譲渡（法令178⑨）

不動産関連法人の株式の譲渡は、次のイ、ロの株式・出資の譲渡に限ります。

イ　譲渡事業年度開始の日の前日において、上場株式等[注1]に係る不動産関連法人の特殊関係株主等が、その不動産関連法人の発行済株式・出資（発行済株式等）[注2]の総数・総額の100分の5を超える数・金額の株式・出資[注3]を有し、かつ、その株式・出資の譲渡をした者がその特殊関係株主等である場合のその譲渡

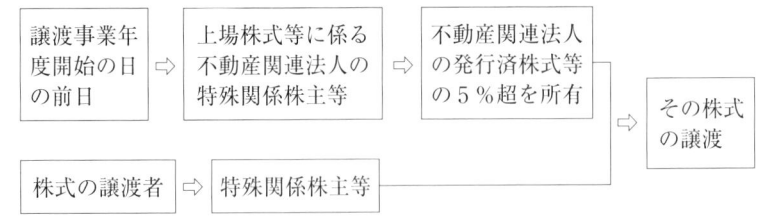

（注）　1　上場株式等（法規60の3）

次の⑴～⑷の株式をいいます。

⑴　金融商品取引所に上場されているもの

⑵　店頭売買登録銘柄として登録された株式

店頭売買登録銘柄とは、株式（出資を含む）で、認可金融商品取引業協会（金商法2⑬）が、その定める規則に従い、その店頭売買につき、その売買価格を発表し、かつ、その株式の発行法人に関する資料を公開するものとして登録したものをいいます。

⑶　店頭管理銘柄株式

店頭管理銘柄株式とは、金融商品取引所（金商法2⑯）への上場が廃止され、又は⑵に規定する店頭売買登録銘柄としての登録が取り消された株式のうち、認可金融商品取引業協会が、その定める規則に従い指定したものをいいます。

⑷　外国金融商品市場（金商法2⑧三ロ）において売買されている株式

2　発行済株式等

社債的受益権及びその不動産関連法人が有する自己の株式・出資を除きます。

3　株式・出資

社債的受益権を除き、その特殊関係株主等が組合契約に係る組合財産である不動産関連法人の株式につき、その株主等に該当することとなる者（法令178⑩三）である場合には、その組合財産（同号）であるものに限ります。

ロ　譲渡事業年度開始の日の前日において、その株式・出資（上場株式等を除く）に係る不動産関連法人の特殊関係株主等が、その不動産関連法人の発行済株式等の総数・総額の100分の2を超える数・金額の株式・出資^{（注）}を有し、かつ、その株式・出資の譲渡をした者がその特殊関係株主等である場合のその譲渡

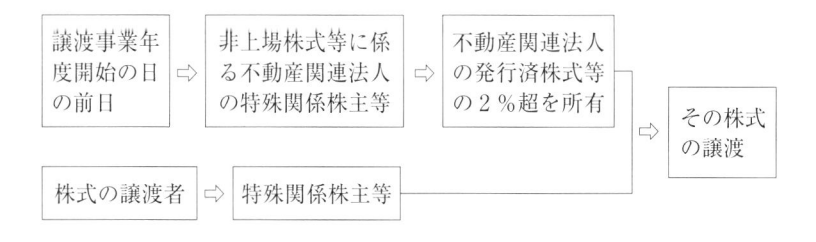

（注）　株式・出資

　　　　社債的受益権を除き、その特殊関係株主等が③ハの組合契約に係る組合財産
　　　である不動産関連法人の株式につき、その株主等に該当することとなる者（法
　　　令178⑩三）である場合には、③ハの組合財産（同号）であるものに限ります。

③　特殊関係株主等（法令178⑩）

　②の株式の譲渡（法令178⑨）に規定する特殊関係株主等とは、次のイ～ハの
者をいいます。

　イ　不動産関連法人の一の株主等

　ロ　イの一の株主等と特殊の関係(法令4)その他これに準ずる関係のある者^(注)

　　（注）　その他これに準ずる関係のある者（法基通20－2－8）
　　　　　　(4)④ロ(注)の取扱いを適用します（法基通2－3－20）。

　ハ　イの一の株主等が締結している組合契約（次のa～cを含む）に係る組
　　　合財産である不動産関連法人の株式につき、その株主等に該当すること
　　　なる者（イ、ロの者を除く）

　　　a　その一の株主等が締結している組合契約による組合（これに類するも
　　　　のを含む。b、cにおいて同じ）が締結している組合契約

　　　b　a又はcの組合契約による組合が締結している組合契約

　　　c　bの組合契約による組合が締結している組合契約

⑹　ゴルフ場優先利用株式の譲渡による所得（法令178①六）

　国内にあるゴルフ場の所有又は経営に係る法人の株式・出資を所有すること
が、そのゴルフ場を一般の利用者に比して有利な条件で継続的に利用する権利
を有する者となるための要件とされている場合におけるその株式・出資の譲渡
による所得

⑺　ゴルフ会員権の譲渡による所得（同項七）

　国内にあるゴルフ場その他の施設の利用に関する権利の譲渡による所得

第5節 源泉徴収の対象となる国内源泉所得等

　本節では、組合契約に基づいて恒久的施設を通じて行う事業から生ずる利益（所法161①四、法法138①四）から、その他の国内源泉所得（所法161①十七、法法138①六）までの国内源泉所得の内容を所得税法の規定に基づき解説します。

　なお、本節で解説する国内源泉所得は、その他の国内源泉所得を除き、外国法人を含めて所得税の源泉徴収の対象となる所得の規定でもあります。

1. 組合契約に基づいて恒久的施設を通じて行う事業から生ずる利益

(1) 考え方

　組合契約に基づく事業から生ずる利益は、本来は恒久的施設帰属所得（所法161①一、法法138①一）に当たります。つまり、本規定は源泉徴収を目的として恒久的施設帰属所得に該当する利益を独立した国内源泉所得としているのです。

　したがって、恒久的施設を有しない非居住者、外国法人は本規定に該当する所得を得ることはありません。

(2) 規定（所法161①四）

　次の①の組合契約等に基づいて恒久的施設を通じて行う事業から生ずる利益で、②の組合契約に基づく配分額が、国内源泉所得になります。

① 組合契約等（所法161①四、所令281の2①）

　次のイ～ニの契約をいいます。

　イ　組合契約（民法667①）

　ロ　投資事業有限責任組合契約（投資事業有限責任組合契約に関する法律3①）

　ハ　有限責任事業組合契約（有限責任事業組合契約に関する法律3①）

　ニ　外国における組合契約（民法667①）、ロ、ハの契約に類する契約

② 組合契約に基づく配分額（所令281の2②）

　組合契約に基づいて恒久的施設を通じて行う事業から生ずる収入から、その収入に係る費用[注1]を控除したものについて、その組合契約を締結している組合員[注2]が、その組合契約に基づいて配分を受けるものをいいます。

（注）　1　費用

　　　　　　国内にある土地等の譲渡による対価（所法161①五）から、国内で事業を行う者に対する出資で匿名組合契約に基づいて受ける利益の分配（同項十六）までの国内源泉所得につき徴収された所得税（所法212①）を含みます。

　　　　2　組合員

　　　　　　その組合契約を締結していた組合員、外国における組合契約（民法667①）、投資事業有限責任組合契約、有限責任事業組合契約に類する契約（所令281の2①三）を締結している者及び締結していた者を含みます。

2. 国内にある土地等の譲渡による対価

⑴　考え方

　上記1の規定と同様に、本規定は所得税法第161条だけで規定されており、所得税における源泉徴収のための規定です。

　ただし、本規定は土地等の譲渡により生ずる所得に当たるので、上記1の規定と異なり、恒久的施設を有しない非居住者、外国法人についても所得税の源泉徴収をします（所法212①）。

⑵　規定（所法161①五、所令281の3）

　国内にある土地、土地の上に存する権利、建物、その附属設備、構築物（土地等）の譲渡による対価が、国内源泉所得になります。

　ただし、土地等の譲渡による対価（その金額が1億円を超えるものを除く）で、その土地等を自己又はその親族の居住の用に供するために譲り受けた個人から

支払われるものは、除外します。

(3)　土地等の範囲（所基通161−16）

　土地等には、鉱業権（租鉱権、採石権その他土石を採掘し、採取する権利を含む）、温泉を利用する権利、借家権、土石（砂）などは含まれません。

(4)　自己又はその親族の居住の用に供するために該当するかどうかの判定（所基通161−17）

　(2)の「自己又はその親族の居住の用に供するため」には、土地等を譲り受けた者が事業の用、貸付の用その他居住の用以外の用に供するため、又は他への譲渡のために譲り受けた場合は含まれません。

　ただし、例えば、その土地等を譲り受けた後居住の用に供していない場合でも、その土地等を譲り受ける時の現況において自己又はその親族の居住の用に供するために譲り受けたことについて、合理的な理由があるときはこれに含まれます。

(5)　譲渡対価が1億円を超えるかどうかの判定（所基通161−18）

　例えば、その土地等を居住の用と居住の用以外の用途に供するために譲り受けた個人から支払われるものである場合には、居住の用に供する部分に係る対価の金額及び居住の用以外の用に供する部分に係る対価の金額の合計額により1億円を超えるかどうかを判定します。

3.　国内における人的役務の提供に係る対価

(1)　考え方

　人的役務の提供を行う事業は、恒久的施設を有しなくても国内で行うことが可能で、その本質は事業所得です。そこで、この事業を行う非居住者、外国法人については、恒久的施設の有無にかかわらず、非居住者は総合課税、外国法人には各事業年度の所得に対する法人税を課税します。

　このような課税方式とは別に、所得税の源泉徴収をすることにしています（所法212①）。

(2)　規定（所法161①六、所令282、法法138①四、法令179）

　国内において人的役務の提供を主たる内容とする次の①～③の事業を行う者が受けるその人的役務の提供に係る対価が、国内源泉所得になります。

- ①　映画、演劇の俳優、音楽家その他の芸能人、職業運動家の役務の提供を主たる内容とする事業

- ②　弁護士、公認会計士、建築士その他の自由職業者の役務の提供を主たる内容とする事業

- ③　科学技術、経営管理その他の分野に関する専門的知識、特別の技能を有する者のその知識、技能を活用して行う役務の提供を主たる内容とする事業。

　　　ただし、次のイ、ロの事業を除きます。

- イ　機械設備の販売その他事業を行う者の主たる業務に附随して行われる場合におけるその事業

- ロ　建設、据付けの工事又はこれらの指揮監督の役務の提供を主たる内容とする事業（所法2①八の四ロ、法法2十二の十九ロ）

(3)　旅費、滞在費等

　(2)の対価には、非居住者、外国法人が人的役務を提供するために要する往復の旅費、国内滞在費等の全部又は一部をその対価の支払者が負担する場合におけるその負担する金額が含まれます（所基通161-19、法基通20-2-10）。

　ただし、その費用として支出する金銭等が、その人的役務を提供する者に対して交付されるものでなく、その対価の支払者から航空会社、ホテル、旅館等に直接支払われ、かつ、その金額がその費用として通常必要であると認められる範囲内のものであるときは、その金銭等については課税しないことになっています（所基通161-19）。

(4)　人的役務の提供事業の判定単位（所基通161-20）

　人的役務の提供事業は、国内における人的役務の提供に関する契約ごとで判定します。

　この場合、国内において人的役務の提供を主たる内容とする事業を行う者には、国内において、その事業を行う他の非居住者、外国法人に対し、人的役務の提供を主たる内容とする事業を行う非居住者、外国法人も含まれます。

⑸　**人的役務の提供を主たる内容とする事業の意義（所基通161－21）**

　「人的役務の提供を主たる内容とする事業」とは、次の①、②の事業で⑵①〜③に該当するものをいいます。

　①　非居住者が営む自己以外の者の人的役務の提供を主たる内容とする事業

　②　外国法人が営む人的役務の提供を主たる内容とする事業

　　したがって、非居住者が次のイ〜ニのような者を伴い、国内において自己の役務を主たる内容とする役務の提供をした場合に受ける報酬は、国内において行う勤務その他の人的役務の提供に基因するもの（所法161①十二イ）に該当します。

　　イ　弁護士、公認会計士等の自由職業者の事務補助者

　　ロ　映画、演劇の俳優、音楽家、声楽家等の芸能人のマネージャー、伴奏者、美容師

　　ハ　プロボクサー、プロレスラー等の職業運動家のマネージャー、トレーナー

　　ニ　通訳、秘書、タイピスト

⑹　**芸能人等の役務の提供に係る対価の範囲**

　⑵①の芸能人、職業運動家の役務の提供を主たる内容とする事業に係る対価には、国内においてその事業を行う非居住者、外国法人がその芸能人、職業運動家の実演・実技、その実演・実技の録音・録画につき放送・放映その他これらに類するものの対価として支払を受けるもので、その実演・実技に係る役務の提供に対する対価とともに支払を受けるものが含まれます（所基通161－22、法基通20－2－11）。

　なお、国内においてその事業を行う者が著作隣接権の対価として支払を受けるもので、上記の取扱いにより国内における人的役務の提供に係る対価とされ

るもの以外のものは、著作隣接権の使用料（所法161①十一ロ）に該当します（所基通161−22注書）。

(7)　職業運動家の範囲（所基通161−23）

(2)①の「職業運動家」には、運動家のうち、いわゆるアマチュア、ノンプロ等と称される者であっても、競技等の役務を提供することにより報酬を受ける場合には、これに含まれます。

運動家には、陸上競技などの選手に限られず、騎手、レーサーのほか、大会などで競技する囲碁、チェス等の競技者等が含まれます。

(8)　人的役務の提供に係る対価に含まれるもの（所基通161−24）

人的役務の提供に係る対価には、国内においてその事業を行う者がその人的役務の提供に関して支払を受ける全ての対価が含まれます。

例えば、職業運動家の役務の提供を受けるため、その職業運動家の所属していた法人その他の者に支払われる対価は、移籍料、仲介料、レンタル料、保有権の譲渡対価、賃貸料等その名称のいかんにかかわらず人的役務の提供に係る対価に該当します。

(9)　人的役務の提供事業から除外される機械設備の販売等に付随して行う技術役務の提供

次の①、②の事業は、人的役務の提供事業から除外されます（所基通161−25、法基通20−2−12）。

①　機械設備の販売業者が、機械設備の販売に伴い、その販売先に対し、その機械設備の据付け、組立て、試運転等のために技術者等を派遣する行為

②　工業所有権、ノーハウ等の権利者が、その権利の提供を主たる内容とする業務を行うことに伴い、その提供先に対し、その権利の実施のために技術者等を派遣する行為

さらに、①、②の行為に係る事業のために派遣された技術者が国内において行った勤務に関して受ける給与は、国内において行う勤務その他の人的役務の提供に基因するもの（所法161①十二イ）に該当します（所基通161

−25注書）。

4. 国内にある不動産等の貸付等による対価

(1)　考え方

　本規定（所法161①七、法法138①五）は、日本と密接に結びついた不動産等という資産に着目したものです。

　国内にある不動産等の貸付等は、国内にある資産の運用又は保有により生ずる所得（所法161①二、法法138①二）にも含まれますが、本規定を適用します。

　本規定を適用する場合は、源泉徴収の対象になり（所法212①）、かつ、非居住者は恒久的施設の有無にかかわらず総合課税により確定申告をすることになります（所法164①）。外国法人も源泉徴収の上、各事業年度の所得に対する法人税が課税されます（法法141）。

(2)　規定（所法161①七、法法138①五）

　次の①〜⑥の資産についての貸付、設定の対価が、国内源泉所得になります。

　①　国内にある不動産の貸付

　②　国内にある不動産の上に存する権利の貸付

　③　採石権（採石法）の貸付

　④　地上権、採石権の設定その他他人に不動産、不動産の上に存する権利、採石権を使用させる一切の行為

　⑤　租鉱権（鉱業法）の設定

　⑥　居住者、内国法人に対する船舶、航空機の貸付

(3)　船舶、航空機の貸付（所基通161−26、法基通20−2−13）

①　裸用船（機）契約

　船体又は機体の賃貸借であるいわゆる裸用船（機）契約に基づいて支払を受ける対価は、船舶、航空機の貸付による対価（所法161①七、法法138①五）に当たります。

　この場合、たとえその居住者、内国法人が、その貸付を受けた船舶、航空機

267

を専ら国外において事業の用に供する場合であっても、本規定の適用を受ける国内源泉所得に該当します。

② 定期用船（機）契約又は航海用船（機）契約

乗組員とともに船体又は機体を利用させるいわゆる定期用船（機）契約又は航海用船（機）契約に基づいて支払を受ける対価は、本規定の対象外になります。

恒久的施設を有する非居住者、外国法人のいわゆる定期用船（機）契約又は航海用船（機）契約に基づいて支払を受ける対価は、国際運輸業所得（所法161③、法法138③）に該当し、国内業務につき生ずべき所得が恒久的施設帰属所得になります。

(4) 船舶等の貸付に伴う技術指導等の対価（所基通161－27、法基通20－2－14）

非居住者、外国法人が船舶、航空機の貸付をしたことに伴い、その船舶、航空機の運航、整備に必要な技術指導をするための役務の提供をした場合には、その貸付に係る契約書等において、その貸付に係る対価の額とその役務の提供に係る対価の額とが明確に区分されているときを除き、その対価の額の全部が船舶、航空機の貸付による対価の額に該当します。

5. 日本国債等の利子等

(1) 考え方

金融取引から生ずる利子等については、取り扱う金融機関の営業所が日本にある場合は、その営業所を通じて所得税を徴収することができるので、国内源泉所得として課税します。

(2) 規定（所法161①八）

利子所得（所法23①）に規定する利子等のうち、次の①～④が、国内源泉所得になります。

① 日本国の国債、地方債、内国法人の発行する債券の利子

② 外国法人の発行する債券の利子のうち、その外国法人の恒久的施設を通じて行う事業に係るもの

③ 国内にある営業所、事務所その他これらに準ずるもの（営業所）に預け入れられた預貯金の利子

④ 国内にある営業所に信託された合同運用信託、公社債投資信託、公募公社債等運用投資信託の収益の分配

6. 内国法人から受ける配当等

(1) 考え方

　配当等についても、支払者が日本にいる場合は、その支払者を通じて所得税を徴収することができるので、国内源泉所得として課税します。

(2) 規定（所法161①九）

　配当所得（所法24①）に規定する配当等のうち、次の①、②が、国内源泉所得になります。

① 内国法人から受ける剰余金の配当、利益の配当、剰余金の分配、金銭の分配、基金利息（所法24①）

② 国内にある営業所に信託された投資信託（公社債投資信託、公募公社債等運用投資信託を除く）、特定受益証券発行信託の収益の分配

7. 国内において業務を行う者に対する貸付金の利子

(1) 考え方

　本規定は、業務用の貸付金を対象にし、国内業務に係る利子を対象にしています。

　この貸付金の利子の支払者は業務を行っており、支払者に所得税の源泉徴収の義務を課しています。

　なお、所得の源泉地は、使用地主義（第1章89ページ参照）によっています。

(2)　規定（所法161①十）

国内において業務を行う者に対する貸付金（これに準ずるものを含む）で、その業務に係るものの利子^(注)が、国内源泉所得になります。

これには、債券現先取引から生ずる差益も含みます。

(注)　その業務に係るものの利子（所基通161－29）
　　　国内において業務を行う者に対する貸付金のうち、その国内において行う業務の用に供されている部分の貸付金に対応するものをいいます。

(3)　除外する利子（所令283①）

次の①、②の債権のうち、その発生の日から、その債務を履行すべき日までの期間（履行期間^(注1)）が 6 月を超えないもの^(注2)の利子を除きます。

①　国内において業務を行う者に対してする資産の譲渡又は役務の提供の対価に係る債権^(注3)

②　①に規定する対価の決済に関し、金融機関が国内において業務を行う者に対して有する債権^(注4)

(注)　1　期間
　　　　期間の更新その他の方法（期間の更新等）により、その期間が実質的に延長されることが予定されているものについては、その延長されたその期間をいいます。
　　　2　6 月を超えないもの
　　　　その成立の際の履行期間が 6 月を超えなかったその債権について期間の更新等により、その履行期間が 6 月を超えることとなる場合のその期間の更新等が行われる前の履行期間におけるその債権を含みます。
　　　3　具体例（所基通161－32）
　　　　商品の輸入代金についてのシッパーズユーザンスに係る債権又は商品の輸入代金、出演料、工業所有権、機械・装置等の使用料に係る延払債権のようなものが該当します。
　　　4　具体例（所基通161－32）
　　　　銀行による輸入ユーザンスに係る債権のようなものが該当します。

なお、この除外する業務用の貸付金の利子は、恒久的施設帰属所得（法法138①一）に該当する場合に限り、国内源泉所得に該当します。

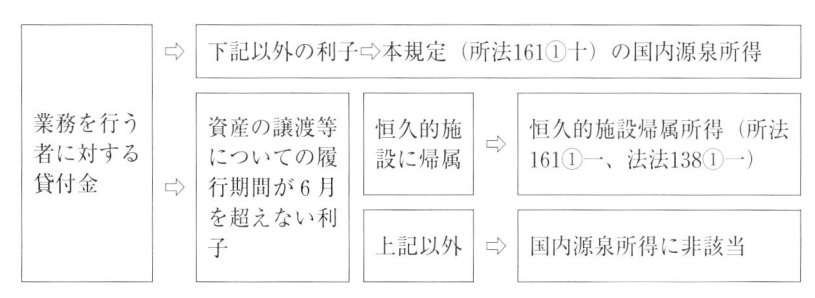

(4)　船舶、航空機の購入のための貸付金（所令283②）

船舶、航空機の購入のための貸付金は、次の①、②の場合の区分に応じ、①、②で定める貸付金とします。

①　居住者、内国法人の業務の用に供される船舶、航空機の購入のために、その居住者、内国法人に対して提供された貸付金

本規定（所法161①十）に該当する貸付金とします。

②　非居住者、外国法人の業務の用に供される船舶、航空機の購入のために、その非居住者、外国法人に対して提供された貸付金

本規定（所法161①十）に該当する貸付金以外の貸付金とします。

(5)　債券現先取引と差益（所法161①十）

本規定（同号）の利子には、次の①の債券現先取引から生ずる差益として、②で定めるものを含みます。

①　債券現先取引（所令283③）

次のイ、ロの要件を満たす債券現先取引をいいます。

イ　債券をあらかじめ約定した期日にあらかじめ約定した価格（注）で買い戻し、又は売り戻すことを約定して譲渡し、又は購入すること。

ロ　その約定に基づき、その債券と同種及び同量の債券を買い戻し、又は売り戻すこと。

(注)　価格

あらかじめ期日及び価格を約定することに代えて、その開始以後期日及び価格の約定をすることができる場合にあっては、その開始以後約定した

　　　　期日に約定した価格をいいます。

② 　差益（所令283④）

　国内において業務を行う者との間で行う債券現先取引で、その業務に係るものにおいて、債券を購入する際のその購入に係る対価の額を、その債券と同種及び同量の債券を売り戻す際のその売戻しに係る対価の額が上回る場合におけるその売戻しに係る対価の額から、その購入に係る対価の額を控除した金額に相当する差益をいいます。

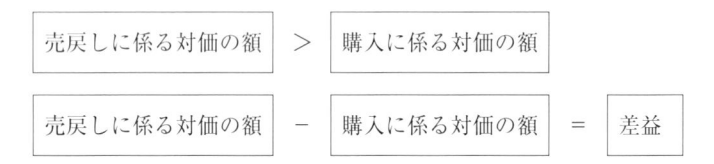

⑹　貸付金に準ずるもの（所基通161-30）

　国内において業務を行う者に対する債権で、次の①～⑧のようなものは、⑵の貸付金に準ずるものに該当します。

① 　預け金のうち預貯金（所法161①八ハ）以外のもの

② 　保証金、敷金その他これらに類する債権

③ 　前渡金その他これに類する債権

④ 　他人のために立替払をした場合の立替金

⑤ 　取引の対価に係る延払債権

⑥ 　保証債務を履行したことに伴って取得した求償権

⑦ 　損害賠償金に係る延払債権

⑧ 　当座貸越に係る債権

⑺　商品等の輸入代金に係る延払債権の利子相当額（所基通161-31）

① 　本規定の適用

　　　商品等の輸入代金に係る延払債権の利子相当額は、⑶の除外する利子（所令283①）に規定するものを除き、本規定（所法161①十）の利子に該当します。

②　その利子相当額が商品等の代金に含めて関税の課税標準とされるもので
ある場合

その利子相当額は、貸付金の利子（同号）に該当しないものとして差し
支えありません。

8. 国内において業務を行う者から受ける工業所有権等の使用料、譲渡による対価

⑴　考え方

工業所有権等の使用料、譲渡による対価についても、上記7の貸付金の利子
の場合と同様に使用地主義が採用されています。

⑵　規定（所法161①十一）

国内において業務を行う者から受ける次の①〜③の使用料、対価で、その業
務に係るものが、国内源泉所得になります。

①　工業所有権その他の技術に関する権利、特別の技術による生産方式、こ
れらに準ずるもの（工業所有権等）の使用料、その譲渡による対価

②　著作権（出版権、著作隣接権その他これに準ずるものを含む）の使用料、
その譲渡による対価

③　機械、装置、車両運搬具、工具、器具・備品（所令284①）の使用料

⑶　船舶、航空機において使用されるものの使用料（所令284②）

上記⑵②、③の資産のうち、船舶、航空機については、①、②の場合の区分
に応じ、①、②に定める使用料とします。

①　居住者、内国法人の業務の用に供される船舶、航空機において使用され
るものの使用料

本規定（所法161①十一）に該当する使用料とします。

②　非居住者、外国法人の業務の用に供される船舶、航空機において使用さ
れるものの使用料

本規定（同号）に該当する使用料以外の使用料とします。

(4)　その業務に係るものの意義（所基通161−33）

① ⑵のその業務に係るもの

　国内において業務を行う者に対し提供された⑵①〜③に規定する資産の使用料又は対価で、その資産のうち、国内において行う業務の用に供されている部分に対応するものをいいいます。

② 使用料に該当しないもの

　例えば、居住者、内国法人が、非居住者、外国法人から提供を受けた工業所有権等を国外において業務を行う他の者（再実施権者）のその国外における業務の用に提供することにより、その非居住者、外国法人に対して支払う使用料のうち、再実施権者の使用に係る部分の使用料[注]は、本規定（所法161①十一）の使用料に該当しません。

（注）　使用料
　　　　その居住者、内国法人が再実施権者から受領する使用料の額を超えて支払う場合には、その受領する使用料の額に達するまでの部分の金額に限ります。

(5)　工業所有権等の意義（所基通161−34）

① 意義

　工業所有権等とは、次のイ、ロをいいます。

　イ　特許権、実用新案権、意匠権、商標権の工業所有権及びその実施権等
　ロ　イの権利の目的にはなっていないが、生産その他業務に関し繰り返し使用し得るまでに形成された創作、すなわち、特別の原料、処方、機械、器具、工程によるなど独自の考案又は方法を用いた生産についての方式、これに準ずる秘けつ、秘伝その他特別に技術的価値を有する知識及び意匠等

② 工業所有権等に該当するもの

　ノーハウ、機械、設備等の設計及び図面等に化体された生産方式、デザインは、工業所有権等に該当します。

③ 工業所有権等に該当しないもの

　海外における技術の動向、製品の販路、特定の品目の生産高等の情報又は機

械、装置、原材料等の材質等の鑑定、性能の調査、検査等は、工業所有権等に該当しません。

(6) 使用料の意義 （所基通161－35）

① 工業所有権等の使用料

工業所有権等の実施、使用、採用、提供、伝授又は工業所有権等に係る実施権、使用権の設定、許諾、その譲渡の承諾につき支払を受ける対価の一切をいいます。

② 著作権の使用料

著作物（著作権法2①一）の複製、上演、演奏、放送、展示、上映、翻訳、編曲、脚色、映画化その他著作物の利用又は出版権の設定につき支払を受ける対価の一切をいいます。

③ 頭金、権利金等

これらの使用料には、契約を締結するに当たって支払を受けるいわゆる頭金、権利金等のほか、これらのものを提供し、又は伝授するために要する費用に充てるものとして支払を受けるものも含まれます。

(7) 図面、人的役務等の提供の対価として支払を受けるものが使用料に該当するかどうかの判定 （所基通161－36）

① 前提

次のイ、ロに該当する場合の取扱いです。

　イ　工業所有権等を提供し、伝授するために図面、型紙、見本等の物又は人的役務を提供したこと

　ロ　その工業所有権等の提供又は伝授の対価の全てをその提供した物又は人的役務の提供の対価として支払を受ける場合であること

② 取扱い

その対価として支払を受けるもののうち、次のイ、ロのいずれかに該当するものは、上記(2)①の工業所有権等の使用料に該当するものとします。

　イ　その対価として支払を受ける金額が、その提供し又は伝授した工業所有

権等を使用した回数、期間、生産高又はその使用による利益の額に応じて算定されるもの

ロ　その対価として支払を受ける金額が、その図面その他の物の作成又はその人的役務の提供のために要した経費の額に、通常の利潤の額[注]を加算した金額に相当する金額を超えるもの

(注)　利潤の額
個人が自己の作成した図面その他の物を提供し、又は自己の人的役務を提供した場合には、その者がその物の作成又は人的役務の提供につき通常受けるべき報酬の額を含みます。

③　②に該当しないものの取扱い

①イ、ロに該当し、②イ、ロに該当しないものは、その物又は人的役務の提供の対価に該当します。

この場合は、通常その図面等が作成された地又は人的役務の提供が行われた地に源泉がある所得となります。

なお、これらの所得のうち、国内源泉所得とされるものは、恒久的施設帰属所得（所法161①一）、国内における人的役務の提供に係る対価（同項六）、国内において行う勤務等に基づく給与、報酬、年金（同項十二）の所得のいずれかに該当します。

(8)　使用料に含まれないもの（所基通161−37）

①　前提

次のイ、ロに該当する場合の取扱いです。

イ　工業所有権等又は著作権の提供契約に基づき支払を受けるものであること

ロ　次のa〜dの費用又は代金であること

a　工業所有権等の提供契約に基づき、工業所有権等の提供者が自ら又は技術者を派遣して国内において人的役務を提供するために要する費用
（例：派遣技術者の給与、通常必要と認められる渡航費、国内滞在費、国内旅費）

b　工業所有権等の提供契約に基づき、工業所有権等の提供者のもとに技術習得のために派遣された技術者に対し技術の伝授をするために要する

　費用

　　c　工業所有権等の提供契約に基づき提供する図面、型紙、見本等の物の
　　　　代金で、その作成のための実費の程度を超えないと認められるもの

　　d　映画フィルム、テレビジョン放送用のフィルム又はビデオテープの提
　　　　供契約に基づき、これらの物とともに提供するスチール写真等の広告宣
　　　　伝用材料の代金で、その作成のための実費の程度を超えないと認められ
　　　　るもの

　ハ　その契約の目的である工業所有権等又は著作権の使用料として支払を受
　　　ける金額と明確に区分されていること

② 　取扱い

　上記(2)①、②（所法161①十一イ、ロ）の使用料に該当しません。

(9)　工業所有権等の現物出資があった場合（所基通161−38）

① 　前提

　非居住者又は外国法人が、内国法人に対し、その内国法人の国内において行
う業務に係る工業所有権等の現物出資をしたこと。

② 　取扱い

　その出資により取得する株式又は持分は、それぞれ次のイ、ロにより権利の
譲渡の対価又は使用料に該当するものとします。

　イ　現物出資をしたものが工業所有権又はその出願権である場合

　　　これらの権利の譲渡の対価とします。

　ロ　現物出資をしたものが、例えば工業所有権の実施権、工業所有権・その
　　　出願権の目的となっていない特別の技術による生産方式等で、イ以外のも
　　　のである場合

　　　その出資をした権利又は技術の使用料とします。

③ 　工業所有権等を提供することにより取得するものが権利の譲渡の対価に該
　　当するか又は使用料に該当するかの区別

　租税条約（例えば、日本メキシコ租税条約第12条、日本ブラジル租税条約第11条

等）において軽減税率の適用上、譲渡の対価と使用料とを区別している場合に限り行えば足ります。

つまり、譲渡の対価であっても使用料であっても本規定（所法161①十一）の適用を受けるので、譲渡の対価の場合と使用料の場合の税率が異なる場合にだけ、譲渡の対価に該当するか、使用料に該当するかの区別をする必要があります。

⑽　備品の範囲（所基通161-39）

美術工芸品、古代の遺物等のほか、観賞用、興行用その他これらに準ずる用に供される生物が含まれます。

9. 国内において行う勤務等に基づく給与、報酬、年金

⑴　考え方

本規定は、個人が受け取る人的役務の提供の対価の取扱いですので、法人に適用されることはありません。

⑵　規定（所法161①十二）

次の①～③の給与、報酬、公的年金等、退職手当等が、国内源泉所得になります。

①　給与、報酬

イ　規定

次のａ、ｂの給与、報酬のうち、国内において行う勤務その他の人的役務の提供に基因するもの。

ａ　俸給、給料、賃金、歳費、賞与、これらの性質を有する給与

ｂ　その他人的役務の提供に対する報酬

ロ　イの人的役務の提供に基因するもの（所令285①）

次のａ、ｂの勤務その他の人的役務の提供を含みます。

ａ　内国法人の役員としての勤務で、国外において行うもの。ただし、その役員としての勤務を行う者が、同時にその内国法人の使用人として常

時勤務を行う場合のその役員としての勤務を除きます。

　　ｂ　居住者、内国法人が運航する船舶、航空機において行う勤務その他の
　　　人的役務の提供。ただし、国外における寄航地において行われる一時的
　　　な人的役務の提供を除きます。

②　公的年金等（所法35③）

　ただし、外国の法令に基づく保険又は共済に関する制度で、法律の規定によ
る社会保険又は共済に関する制度（所法31一、二）に類するものに基づいて支
給される一時金で、その制度に係る被保険者、被共済者の退職により支払われ
るもの（所令72③八）に基づいて支給される年金（これに類する給付を含む）を
除きます（所令285②）。

③　退職手当等（所法30①）のうち、その支払を受ける者が居住者であった期
　間に行った勤務その他の人的役務の提供に基因するもの

　この場合、勤務その他の人的役務の提供（上記①ロａ、ｂ）で、その勤務そ
の他の人的役務の提供を行う者が非居住者であった期間に行った人的役務の提
供を含みます（所令285③）。

(3)　旅費、滞在費等（所基通161－40）

　旅費、滞在費等（所基通161－19、上記３(3)（264ページ））の取扱いは、(2)①の
報酬の支払者が、その人的役務を提供する非居住者のその人的役務を提供する
ために要する往復の旅費、国内滞在費等の全部又は一部を負担する場合につい
て準用します。

(4)　勤務等が国内及び国外の双方にわたって行われた場合の国内源泉所
　　得の計算（所基通161－41）

①　前提

　次のイ～ハが前提になります。

　イ　非居住者が、国内及び国外の双方にわたって行った勤務又は人的役務の
　　提供に基因して給与又は報酬の支払を受ける場合であること

　ロ　その給与又は報酬の総額のうち、国内において行った勤務又は人的役務

の提供に係る部分の金額を求めること

ハ　国内における公演等の回数、収入金額等の状況に照らし、その給与又は報酬の総額に対する金額が著しく少額であると認められる場合を除くこと

② 取扱い

次の算式により計算します。この場合、下記イ、ロの留意点があります。

$$
\boxed{\begin{array}{c}給与又\\は報酬\\の総額\end{array}} \times \frac{\text{国内において行った勤務又は人的役務の提供の期間}}{\text{給与又は報酬の総額の計算の基礎となった期間}} = \boxed{\begin{array}{c}国内勤務\\対応額\end{array}}
$$

イ　国内において勤務し又は人的役務を提供したことにより、特に給与又は報酬の額が加算されている場合等

上記の算式は適用しません。

ロ　(2)③の退職手当等の場合

次の算式によります。

$$
\boxed{\begin{array}{c}退職手当\\等の総額\end{array}} \times \frac{\begin{array}{c}\text{居住者であった期間に行った勤務等の期間及び}\\ \text{非居住者であった期間（所令285③）に行った}\\ \text{勤務等の期間}\end{array}}{\text{退職手当等の総額の計算の基礎となった期間}} = \boxed{\begin{array}{c}国内勤務\\対応額\end{array}}
$$

⑸ 内国法人の使用人として常時勤務を行う場合の意義（所基通161-42）

内国法人の役員が、内国法人の海外にある支店の長として常時その支店に勤務するような場合をいいます。

例えば、非居住者である内国法人の役員が、その内国法人の非常勤役員として海外において情報の提供、商取引の側面的援助等を行っているにすぎない場合は、これに該当しません。

⑹ 内国法人の役員が国外にあるその法人の子会社に常時勤務する場合（所基通161-43）

内国法人の役員が、国外にあるその法人の子会社に常時勤務する場合において、次の①、②の要件のいずれをも備えているときは、その者の勤務は、同時

にその内国法人の使用人として常時勤務を行う場合のその役員としての勤務
（上記(2)①ロ a）に該当するものとします。

① 　その子会社の設置が、現地の特殊事情に基づくものであって、その子会
　社の実態が内国法人の支店、出張所と異ならないものであること。

② 　その役員の子会社における勤務が、内国法人の命令に基づくものであっ
　て、その内国法人の使用人としての勤務であると認められること。

(7)　内国法人等が運航する船舶、航空機において行う勤務等(所基通161-44)

　勤務その他の人的役務の提供（上記(2)①ロ b）に関しては、次の①～③に留
意する必要があります。

① 　その勤務その他の人的役務の提供は、居住者、内国法人が主体となって
　行う運航及びこれに付随する業務のために行われるものであること^{(注1)(注2)}。

> （注）　1 　運航者が子会社等に船内、機上における物品販売を行わせている場合
> 　　　　には、その販売のため乗船し、搭乗する子会社等の使用人の勤務等も国
> 　　　　内における勤務等とされます。
> 　　　2 　乗客が船舶、航空機において行う次の(1)、(2)のような勤務、人的役務
> 　　　　の提供は、国内における勤務等とはされません。
> 　　　　(1)　給与所得者が転勤、出張のため乗船し、搭乗して旅行をしている期
> 　　　　　間におけるその給与所得者としての勤務
> 　　　　(2)　医療、芸能等の人的役務の提供で、その船舶、航空機の運航又はこ
> 　　　　　れに付随する業務を行う者との契約等に基づかないもの

② 　その勤務、人的役務の提供をするため乗船し、搭乗する船舶、航空機に
　は、国内と国外との間、国内のみを運航するもののほか、国外のみを運航
　するものを含み、また、その勤務、人的役務を提供する者の国籍、住所、
　居所のいかんを問わないこと。

③ 　その勤務、人的役務の提供により受ける給与その他の報酬は、その者が
　乗船し、搭乗する順番の到来するまでの間、有給休暇等の勤務外の期間中
　下船（機）して国外に滞在する場合であっても、その下船（機）して国外
　に滞在する期間に対応する部分を区分することなく、その全額を国内源泉
　所得とすること。

(8)　国外の寄航地において行われる一時的な人的役務の提供（所基通161
　　－45）

　国外における寄航地において行われる一時的な人的役務の提供（上記(2)①ロ
ｂ）とは、国外の寄航地における地上勤務員等が荷物の積卸しを行う場合、船
（機）内の清掃、整備を行う場合等において、一時的に乗船し、搭乗して行う
人的役務の提供をいいます。

10. 国内において行う事業の広告宣伝のための賞金

　国内において事業を行う者から、その事業の広告宣伝のために賞として支払
を受ける金品その他の経済的な利益（旅行その他の役務の提供を内容とするもの
で、金品との選択をすることができないものとされているものを除く）が、国内源
泉所得になります（所法161①十三、所令286）。

11. 国内にある営業所等を通じて締結した保険契約等に基づい
　　　て受ける年金

(1)　考え方

　保険契約等に基づいて受ける年金についても、日本国債等の利子等（所法161
①八）、内国法人から受ける配当等（同項九）と同様の考え方により、日本国内
の事業者が取り扱っている場合に国内源泉所得とします。

(2)　規定（所法161①十四、所令287）

　次の①〜⑤の要件を満たす年金が、国内源泉所得になります。

　①　国内にある営業所又は国内において契約の締結の代理をする者を通じて
　　　締結した生命保険会社（保険業法2③）、損害保険会社（同条④）の締結す
　　　る保険契約その他の年金に係る契約であること。

　②　生命保険契約等（所令183③）、損害保険契約等（所令184①）であって、
　　　年金を給付する定めのあるもの（所令287）に基づいて受ける年金である
　　　こと。

③　源泉徴収を要しない年金で年金の支払を受ける者と保険契約者とが異なる契約に基づく年金（所法209二）に該当するものを除くこと。

④　公的年金等（所法161①十二ロ）に該当するもの以外のものであること。

⑤　年金の支払の開始の日以後に、その年金に係る契約に基づき分配を受ける剰余金、割戻しを受ける割戻金、その契約に基づき年金に代えて支給される一時金を含むこと。

12. 国内の営業所が受け入れ等した定期積金等に係る給付補填金、利息、利益、差益

(1)　考え方

日本国債等の利子等（所法161①八）、内国法人から受ける配当等（同項九）、国内にある営業所等を通じて締結した保険契約等に基づいて受ける年金（同項十四）と同様の考え方により、定期積金等を国内にある営業所が受け入れることを前提として、国内源泉所得を規定しています。

(2)　規定（所法161①十五）

次の①～⑥の給付補填金、利息、利益、差益が、国内源泉所得になります。

①　定期積金に係る契約に基づく給付補填金（所法174三）のうち、国内にある営業所が受け入れた定期積金に係るもの

②　定期積金等（銀行法2④）についての給付補填金（所法174四）のうち、国内にある営業所が受け入れた掛金（同号）に係るもの

③　抵当証券についての利息（所法174五）のうち、国内にある営業所を通じて締結された契約（同号）に係るもの

④　金貯蓄口座についての利益（所法174六）のうち、国内にある営業所を通じて締結された契約（同号）に係るもの

⑤　外貨建預金等についての差益（所法174七）のうち、国内にある営業所が受け入れた預貯金に係るもの

⑥　保険期間が5年以下等の保険契約についての差益（所法174八）のうち、

国内にある営業所、国内おいて契約の締結の代理をする者を通じて締結された契約（同号）に係るもの

13. 国内で事業を行う者に対する出資で匿名組合契約に基づいて受ける利益の分配

　国内において事業を行う者に対する出資につき、匿名組合契約（当事者の一方が相手方の事業のために出資をし、相手方がその事業から生ずる利益を分配することを約する契約を含みます）に基づいて受ける利益の分配が、国内源泉所得になります（所法161①十六、所令288）。

14. その他の国内源泉所得

(1) 考え方

　恒久的施設帰属所得（第2節）から本節（第5節）の13までの国内源泉所得以外の日本で獲得した所得のうち、一定のものについても国内源泉所得として課税の対象にします。

　その他の国内源泉所得は、非事業者から受け取ることもあるので、源泉徴収の対象にはしていません。

　また、恒久的施設の有無にかかわらず、非居住者は総合課税、外国法人には各事業年度の所得に対する法人税を課税します。

(2) 規定（所法161①十七、所令289）

　その源泉が国内にある次の①～⑥の所得は、国内源泉所得に該当します。

①　国内において行う業務又は国内にある資産に関し受ける保険金、補償金又は損害賠償金（これらに類するものを含む）に係る所得

②　国内にある資産の法人からの贈与により取得する所得

③　国内において発見された埋蔵物又は国内において拾得された遺失物に係る所得

④　国内において行う懸賞募集に基づいて懸賞として受ける金品その他の経

　済的な利益（旅行その他の役務の提供を内容とするもので、金品との選択ができ
　ないものとされているものを除く）に係る所得

⑤　国内においてした行為に伴い取得する一時所得

⑥　国内において行う業務又は国内にある資産に関し供与を受ける経済的な
　利益に係る所得

　法人税の場合は、②は「国内にある資産の贈与を受けたことによる所得」と
され、④は「旅行その他の役務の提供を内容とするもので、金品との選択ができ
ないものとされているものを除く」の文言は規定されていません。更に、⑤
の一時所得の規定は設けられていません（法法138①六、法令180）。

第6節　国内源泉所得と租税条約の定めが異なる場合

1. 租税条約による所得の是正

　日本は、多くの国と租税条約を締結しています。租税条約では、条約締結当事国間でどのように所得を配分するかを取り決めています。

　日本は国内法（所得税法、法人税法）において、OECD で2010年（平成22年）に採用された OECD 承認アプローチ（Authorised OECD Approach：AOA）に沿った帰属主義に改正しました（OECD モデル租税条約 7 条）。

　具体的には、非居住者、外国法人が恒久的施設を通じて事業を行う場合には、恒久的施設帰属所得によることにしています（所法161①一、法法138①一）。

　この恒久的施設帰属所得は、恒久的施設の果たす機能及び事実関係に基づいて、外部取引、資産、リスク、資本を恒久的施設に帰属させます。また、恒久的施設を本店等とは別の主体と考えることにより、内部取引を認識し、その内部取引が独立企業間価格で行われたものとして、恒久的施設帰属所得を算定します。

　一方、日本が締結した租税条約は帰属主義によっていますが、OECD モデル租税条約旧 7 条に基づくものもあり、国内法と食い違っている場合があります。

　貸付金の利子や工業所有権の使用料などについて、日本は使用地主義によっています。しかし、租税条約では債務者主義によっている場合があります。

　日本は、憲法第98条第 2 項で、租税条約が国内法に優先する旨を規定してい

ます。

このようなことから、国内法において、租税条約で定めた所得を国内源泉所得とみなす旨の規定を置いています。

次に、国内法と租税条約が異なる定めをしている場合の調整規定である法人税法第139条の規定を解説します。所得税法では、同様の定めを第162条で規定しています。

2. 租税条約に異なる定めがある場合の国内源泉所得

⑴　規定（法法139①前段）

① 適用要件

日本国が締結した所得に対する租税に関する二重課税防止のための租税条約において、国内源泉所得につき、国内源泉所得（法法138）の規定と異なる定めがあること。

② 取扱い

その租税条約の適用を受ける外国法人については、国内源泉所得は、その異なる定めがある限りにおいて、その租税条約に定めるところによります。

⑵　租税条約で国内における人的役務の提供に係る対価、国内にある不動産等の貸付けによる対価を定めている場合（法法139①後段）

① 適用要件

その租税条約が国内における人的役務の提供に係る対価（法法138①四）、国内にある不動産等の貸付けによる対価（同項五）の規定に代わって国内源泉所得を定めていること[注]。

（注）　所得税法の規定（所法162①後段）

その租税条約が国内における人的役務の提供に係る対価（所法161①六）から国内で事業を行う者に対する出資で匿名組合契約に基づいて受ける利益の分配（同項十六）までの規定に代わって国内源泉所得を定めていること、と規定されています。

②　取扱い

　その租税条約により国内源泉所得とされたものをもって、国内源泉所得とみなします。

(3)　内部取引から所得が生ずる旨の定めがない租税条約を適用する場合

① 　考え方

　2008年（平成20年）に改正した OECD モデル租税条約の旧 7 条（事業所得）では、無形の権利は、同一の企業の部門間の関係には適用し得ないと解釈されています（同条コメンタリー34）。利子費用については、銀行のような金融機関を除き、本店からその恒久的施設へ行われる内部貸付けに関して、内部利子は認識される必要がないことが一般に合意されているとしていました（同条コメンタリー41）。

　このようなことから、OECD モデル租税条約の旧 7 条に基づき締結された租税条約を適用する場合は、これらの費用に関する内部取引を認識しません。

② 　適用要件（法法139②）

　次のイ、ロの要件を満たすこと。

　　イ　恒久的施設を有する外国法人の恒久的施設帰属所得（法法138①一）を算定する場合の取扱いであること。

　　ロ　租税条約の適用があること。

　　ハ　租税条約は、その外国法人の恒久的施設帰属所得に対して租税を課することができる旨の定めのあるものに限ること。

　　ニ　租税条約は、その外国法人の恒久的施設と本店等との間の内部取引（同号）から所得が生ずる旨の定めのあるものを除くこと。

③ 　取扱い（法法139②）

　内部取引には、次のイ〜ハの事実は含まれません。つまり、恒久的施設と本店等の間の内部取引（損益）は認識しません。

　　イ　利子の支払に相当する事実

　　　その外国法人の恒久的施設と本店等との間の利子の支払に相当する事

実。

　この場合、利子には手形の割引料、社債の発行その他の事由により金銭債務に係る債務者となった場合の金銭債務に係る収入額が債務額に満たない部分の金額（法令136の2①）その他経済的な性質が利子に準ずるもの（法令183①）を含みます。

　ただし、外国銀行支店（銀行法47②）に係る外国銀行（同法10②八）、外国保険会社等（保険業法2⑦）、金融商品取引業者（金商法2⑨。ただし、第一種金融商品取引業（同法28①）を行う外国法人に限る）（法令183②）に該当する外国法人の恒久的施設と本店等との間の利子の支払に相当する事実を除きます。

ロ　使用料の支払に相当する事実（法令183③）

　　次のa〜cについての使用料の支払に相当する事実

a　工業所有権その他の技術に関する権利、特別の技術による生産方式又はこれらに準ずるもの（工業所有権等）

b　著作権（出版権及び著作隣接権その他これに準ずるものを含む）

c　無形固定資産（法令13ハイ〜ツ。国外における専用側線利用権（同号カ）から電気通信施設利用権（同号ツ）に相当するものを含む）

ハ　ロa〜cの無形固定資産の譲渡又は取得に相当する事実

⑷　利子の範囲（法基通20−3−1）

　支払利子の範囲（法基通3−2−1。但し同通達⑷、⑸、⑺を除く）の規定は、本規定（法法139②）における利子の範囲について準用します。

　具体的には、次の①〜④が該当します。

①　受取手形の手形金額とその受取手形の割引による受領金額との差額を手形売却損として処理している場合のその差額（手形に含まれる金利相当額を会計上別処理する方式を採用している場合には、手形売却損として帳簿上計上していない部分を含む）

②　買掛金を手形によって支払った場合において、相手方に対してその手形

の割引料を負担したときにおけるその負担した割引料相当額

③　従業員預り金、営業保証金、敷金その他これらに準ずる預り金の利子

④　相互掛金契約により給付を受けた金額が掛け込むべき金額の合計額に満たない場合のその差額に相当する金額

(5)　工業所有権等の意義（法基通20－3－2）

工業所有権等とは、特許権、実用新案権、意匠権、商標権の工業所有権及びその実施権等のほか、これらの権利の目的にはなっていないが、生産その他業務に関し繰り返し使用し得るまでに形成された創作、すなわち、特別の原料、処方、機械、器具、工程によるなど独自の考案又は方法を用いた生産についての方式、これに準ずる秘けつ、秘伝その他特別に技術的価値を有する知識及び意匠等をいいます。

したがって、ノーハウはもちろん、機械、設備等の設計及び図面等に化体された生産方式、デザインもこれに含まれるが、海外における技術の動向、製品の販路、特定の品目の生産高等の情報又は機械、装置、原材料等の材質等の鑑定、性能の調査、検査等は、これに該当しません。

(6)　使用料の意義（法基通20－3－3）

工業所有権等の使用料とは、工業所有権等の実施、使用、採用、提供、伝授又は工業所有権等に係る実施権、使用権の設定、許諾、その譲渡の承諾に相当する事実に係る対価の一切をいいます。

著作権の使用料とは、著作物（著作権法2①一）の複製、上演、演奏、放送、展示、上映、翻訳、編曲、脚色、映画化その他著作物の利用又は出版権の設定に相当する事実に係る対価の一切をいいます。したがって、これらの使用料には、契約締結に相当する事実に係るいわゆる頭金、権利金等のほか、これらのものの提供又は伝授のために要する費用に充てるものも含まれます。

なお、工業所有権等の提供又は伝授に係る対価の全てを人的役務の提供に係る対価とした場合であっても、その対価のうち、次の①、②のいずれかに該当するものは工業所有権等の使用料に該当します。

① その対価が、その提供又は伝授に係る工業所有権等を使用した回数、期間、生産高又はその使用による利益に応じて算定されるもの

② ①のほか、その対価が、その人的役務の提供のために要した経費に通常の利潤を加算した金額を超えるもの

(7) 損金の額に算入できない償却費等（法基通20－5－7）

(3)③ロの使用料の支払に相当する事実（法令183③）に基づく償却費又は評価損等の額は、損金の額に算入することはできません。

（執筆：多田雄司）

第4章

国外転出時課税

 ## 第1節 概 要

1. 制度創設の趣旨と考え方

有価証券の譲渡益に対する課税は、譲渡した人が居住する国が課税することになっています。一方、譲渡益に課税しない国があります。このような各国の課税の仕組みの差異を利用して、多額の株式などを保有している人は、日本の譲渡所得税を回避するために住所を譲渡益に課税しない国に移転することが考えられます。

このような課税回避の行為に対する対抗策として、国外転出時課税が、平成27年度の税制改正で創設されました。

ただし、国外に住所を移転する人は、その理由が例えば外国にある支店や関連会社への転勤によるなど税逃れが目的でないケースも多く見受けられます。このような人は、一定期間の勤務が終わると日本に戻ることが多いと考えられます。

したがって、このような人に対しては、外国に住所を移した時に強いて課税する必要がないという考え方もあり得るところです。しかし、譲渡益に課税しない国に転勤した場合は、転勤期間中に株式を譲渡することも考えられます。

別法として、譲渡益を非課税とする国に住所を移す人に限定して課税することも考えられます。しかし、当初は譲渡益に課税する国に住んでいても、その後非課税の国に住所を移転することもできます。

このようなことから、外国に住所を移転する個々の事情を斟酌して課税関係

を定めることは難しいことが分かります。

2. 国外転出時課税の概要

　国外転出時課税は、個々の人の事情を考慮しないで課税することを原則としながら、未実現の利益に課税する点に配慮した課税体系になっています。

　主な規定をまとめると次のようになります。

⑴　有価証券その他の取引（所法60の 2 ①〜③、60の 3 ①〜③）

　①有価証券等、②未決済信用取引等、③未決済デリバティブ取引の 3 種類の資産（有価証券その他の取引）が課税の対象になります。

⑵　納税義務（所法60の 2 ①〜③、60の 3 ①〜③）

　①所有者が国外転出する場合と、②所有者が贈与等（贈与、相続、遺贈）により非居住者に有価証券その他の取引を移転した場合に、その所有者がその有価証券その他の取引の未実現利益について所得税の納税義務を負います。

⑶　関連する規定

　上記⑵①と②の 2 つの場合の規定に関して関連する規定が定められています。主要な規定は次のとおりです。

①　国外転出をする場合、贈与等があった場合の譲渡所得等の特例を受けた有価証券その他の取引をその後譲渡、決済した場合（所法60の 2 ④、60の 3 ④）

②　適用除外（所法60の 2 ⑤、60の 3 ⑤）

③　国外転出の日、贈与等の日から 5 年を経過する日までに帰国等した場合（所法60の 2 ⑥、60の 3 ⑥）

④　国外転出をする場合、贈与等の場合の譲渡所得等の特例の適用がある場合の 5 年間の納税猶予（所法137の 2 、137の 3 ）

⑤　④の納税猶予の期間を10年に延長する特例（所法60の 2 ⑦、60の 3 ⑦）

⑥　④の納税猶予の適用者が譲渡等した有価証券その他の取引の時価が下落している場合の課税所得の修正（所法60の 2 ⑧、60の 3 ⑧）

⑦　④の納税猶予の適用者が保有する有価証券その他の取引の納税猶予の期間満了日の時価が下落している場合の課税所得の修正（所法60の2⑩、60の3⑪）

⑧　外国転出時課税の規定の適用を受けた場合の譲渡所得等の特例（所法60の4）

⑨　国外転出をする場合の譲渡所得等の特例に係る外国税額控除の特例（所法95の2）

⑩　国外転出をする場合の譲渡所得等の特例の適用がある場合の納税猶予（所法137の2）

⑪　贈与等の場合の譲渡所得等の特例の適用がある場合の納税猶予（所法137の3）

⑷　当初申告を修正するための手続き

　国外転出時課税は、国外転出時又は贈与等があった時に譲渡所得等について課税をしますが、上記⑶の課税の特例規定により課税対象額が変動することがあります。

　これらの規定により所得金額が変動する場合は、国外転出時又は贈与等があった当初の申告内容を変更する手続きが必要になります。以下が変更のための手続規定です。

①　国外転出をした者が帰国をした場合等の修正申告の特例（所法151の2）

②　非居住者である受贈者等が帰国をした場合等の修正申告の特例（所法151の3）

④　相続により取得した有価証券等の取得費の額に変更があった場合等の修正申告の特例（所法151の4）

⑤　遺産分割等があった場合の期限後申告等の特例（所法151の5）

⑥　遺産分割等があった場合の修正申告の特例（所法151の6）

⑦　国外転出をした者が帰国をした場合等の更正の請求の特例（所法153の2）

⑧　非居住者である受贈者等が帰国をした場合等の更正の請求の特例（所法

153の 3)

⑨　相続により取得した有価証券等の取得費の額に変更があった場合等の更正の請求の特例（所法153の 4)

⑩　遺産分割等があった場合の更正の請求の特例（所法153の 5)

⑪　国外転出をした者が外国所得税を納付する場合の更正の請求の特例（所法153の 6)

このように、国外転出時課税は、所有者が国外転出する場合と、贈与等により有価証券その他の取引が非居住者に移転した場合に分かれます。

ただし、共通する規定が多いので、次節以降では、所有者が国外転出する場合を中心に解説することとします。なお、(4)の申告手続の解説は省略します。

 **第2節 国外転出時課税の基本的な取扱い**

本節では、国外転出時課税の骨格となる基本的な規定を解説します。

1. 対象資産、取引

次の(1)～(3)の資産、取引が、国外転出時課税の対象になります。

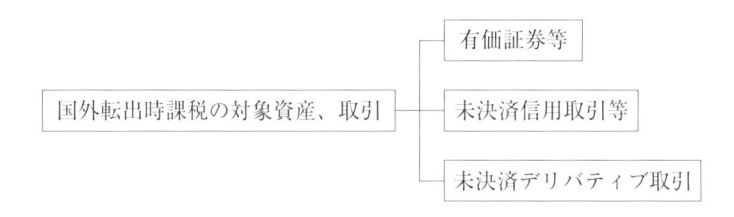

(1) 有価証券等（所法60の2①）

① 規定

有価証券又は匿名組合契約（所法174九）の出資の持分をいいます。

ただし、株式を無償又は有利な価額により取得することができる権利を表示する有価証券（次のイ、ロの有価証券（所令170①）で、国内において勤務等に基づく給与、報酬、年金（所法161①十二）の所得を生ずべきもの）を除きます。

イ　特定譲渡制限付株式又は承継譲渡制限付株式（所令84①）で、譲渡（同項）についての制限が解除されていないもの

ロ　権利（所令84②各号）で、その権利の行使をしたならば、この規定（同項）の適用のあるものを表示する有価証券

② 国外転出直前に譲渡した有価証券等（所基通60の2－2）

本規定（所法60の2①）の対象になる有価証券等に該当するかの判断基準は、次のとおりです。

　イ　国外転出をする居住者が譲渡した有価証券等で、その国外転出の日までに引渡しの行われていないもの

　　　原則として、本規定の適用があります。

　ロ　有価証券等の譲渡に関する契約の効力発生の日により実際に譲渡したことによる譲渡所得等として申告をする場合

　　　その処理が認められます。

　ハ　国外転出をする居住者が取得した有価証券等で、その国外転出の日までに引渡しを受けていないもの

　　　原則として、本規定の適用はありません。

　ニ　有価証券等の取得に関する契約の効力発生の日を取得をした日としてその有価証券等について本規定を適用して申告する場合

　　　その処理が認められます。

③ 有価証券等に含まれるもの（所基通60の2－3）

例えば、次のイ～ハの有価証券など、その譲渡による所得がその居住者の譲渡所得等として課税されるものについては、本規定が適用される有価証券等に含まれます。

　イ　受益者等課税信託（受益者（所法13①、②）がその信託財産に属する資産及び負債を有するものとみなされる信託）の信託財産に属する有価証券

　ロ　任意組合等（所基通36・37共－19）の組合財産である有価証券

　ハ　質権や譲渡担保の対象となっている有価証券

④ 非課税有価証券の取扱い（所基通60の2－5）

次のイ～ハの譲渡による所得が非課税とされる有価証券についても、国外転出の時に有している有価証券に含まれます。

　イ　非課税口座内上場株式等（措法37の14①）

ロ　未成年者口座内上場株式等（措法37の14の2①）

ハ　譲渡による所得が非課税とされる有価証券（措法37の15①）

(2)　未決済信用取引等（所法60の2②）

次の①、②の取引をいいます。

①　決済していない信用取引（金商法156の24①）

②　決済していない発行日取引[注]

(注)　発行日取引（所規37の2①、23の4）

有価証券が発行される前にその有価証券の売買を行う取引であって、金融商品取引法第161条の2に規定する取引及びその保証金に関する内閣府令第1条第2項に規定する発行日取引をいいます。

(3)　未決済デリバティブ取引（所法60の2③）

①　規定

決済していないデリバティブ取引（金商法2⑳）をいいます。

②　未決済デリバティブ取引に含まれるもの（所基通60の2－4）

例えば、次のイ、ロの未決済デリバティブ取引等など、その取引に係る決済による所得がその居住者の事業所得又は雑所得として課税されるものについては、本規定が適用される未決済デリバティブ取引に含まれます。

イ　受益者等課税信託に係る信託契約に基づき受託者が行う未決済デリバティブ取引等

ロ　任意組合等（所基通36・37共－19）の組合事業として行われる未決済デリバティブ取引等

2.　国外転出をする場合の譲渡所得等の特例

これから取り上げる規定は、課税の対象となる有価証券等を所有し、信用取引等、デリバティブ取引を行う本人が国外転出をした場合に所得税を課税するものです。

⑴　有価証券等についての課税（所法60の 2 ①）

① 　国外転出

国内に住所及び居所を有しないこととなることをいいます^(注)。

（注）　出国との差異

国外転出に類似する概念に、出国があります。出国とは、例えば居住者については、納税管理人の届出（国通法117②）をしないで国内に住所及び居所を有しないこととなることをいいます（所法 2 ①四十二）。 2 つの定義を比較すると、国外転出は、納税管理人の届出の有無に関わらないことが分かります（第 2 章150ページ参照）。

② 　適用要件

国外転出をする居住者が、その国外転出の時において有価証券等を有すること。つまり、有価証券等を所有していれば、後述する適用除外に当たる場合を除いて、国外転出時課税の適用要件を満たすことになります。

③ 　取扱い

その者の事業所得の金額、譲渡所得の金額又は雑所得の金額の計算については、その国外転出の時に、次のイ、ロの場合の区分に応じ、イ、ロに定める金額により、その有価証券等の譲渡があったものとみなします。

イ　その国外転出をする日の属する年分の確定申告書の提出の時までに納税管理人の届出をした場合、納税管理人の届出をしないでその国外転出をした日以後に、その年分の確定申告書を提出する場合又はその年分の所得税につき決定がされる場合

その国外転出の時におけるその有価証券等の価額に相当する金額

ロ　イ以外の場合

その国外転出の予定日から起算して 3 月前の日（同日後に取得をした有価証券等にあっては、その取得時）におけるその有価証券等の価額に相当する金額

④ 　解説

③の取扱いでは、有価証券等の価額（時価）の算定日が 2 つに分かれます。

その理由は、例えば年の中途で出国をする場合で、その年1月1日からその出国の時までの間の期間について確定所得申告（所法120①）をしなければならないときは、その出国の時までに、その時の現況により申告書を提出しなければならないからです（所法127①）。

上記③ロの場合がこれに該当します。有価証券等の時価算定は、上記のとおり出国時の時価によらなければなりませんが、申告書の提出日にその日の時価に基づく申告を要求することはできません。そこで上記③ロは、国外転出の予定日から起算して3月前の日の時価に基づくことにしました。

これに対し、③イの場合は、年の中途で出国しても確定申告期限は、翌年3月15日になるので、国外転出の日の時価に基づき申告します。

なお、本規定（所法60の2①）の適用を受けた場合は、その時価で取得したものとみなします（所法60の2④）。下記(2)、(3)についても同様です。

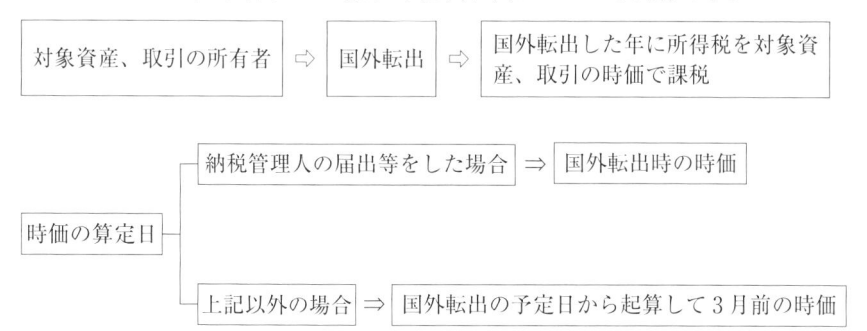

(2)　未決済信用取引等についての課税（所法60の2②）

① 適用要件

国外転出をする居住者が、その国外転出の時において未決済信用取引等に係る契約を締結していること。

② 取扱い

その者の事業所得の金額又は雑所得の金額の計算については、その国外転出の時に、利益の額又は損失の額が生じたものとみなします。

　時価の算定日は、有価証券等の場合（(1)③イ・ロ）と同様に、国外転出日又は国外転出の予定日から起算して 3 月前の日のいずれかによります。

　なお、未決済信用取引等の利益、損失の具体的な計算は、財務省令（所規37の 2 ②、③）で定められています。

(3)　未決済デリバティブ取引についての課税（所法60の 2 ③）

①　適用要件

　国外転出をする居住者が、その国外転出の時において未決済デリバティブ取引に係る契約を締結していること。

②　取扱い

　その者の事業所得の金額又は雑所得の金額の計算については、その国外転出の時に、利益の額又は損失の額が生じたものとみなします。

　時価の算定日は、有価証券等の場合（(1)③イ・ロ）と同様に、国外転出日又は国外転出の予定日から起算して 3 月前の日のいずれかによります。

　なお、未決済デリバティブ取引の利益、損失の具体的な計算は、財務省令（所規37の 2 ④、⑤）で定められています。

(4)　国外転出をする場合の譲渡所得等の特例を受けた有価証券その他の取引をその後譲渡、決済した場合（所法60の 2 ④）

①　適用要件

　次のイ〜ハの要件を満たすこと。

　イ　国外転出の日の属する年分の所得税につき国外転出をする場合の譲渡所得等の特例（所法60の 2 ①〜③、⑧〜⑩）の適用を受けた個人（その相続人を含む）についての取扱いであること。

　ロ　イの個人が、その国外転出の時に有していた有価証券等、契約を締結していた未決済信用取引等、未決済デリバティブ取引の譲渡、決済をした場合における事業所得の金額、譲渡所得の金額又は雑所得の金額の計算についての取扱いであること。

　ハ　ロの譲渡には、一般株式等のみなし譲渡収入金額（措法37の10③、④）、

上場株式等のみなし譲渡収入金額（措法37の11③、④）とされる金銭、金銭以外の資産の交付の基因となった事由（措法37の10③、④各号、措法37の11④各号）に基づく株式等（措法37の10②）についてのその金銭の額、その金銭以外の資産の価額に対応する権利の移転又は消滅を含むこと（所令170②）。

② 取扱い

次のイ、ロに定めるところによります。

イ　有価証券等

国外転出の時におけるその有価証券等の価額に相当する金額又は国外転出の予定日から起算して3月前の日におけるその有価証券等の価額に相当する金額（所法60の2①各号）で取得したものとみなします。

納税猶予の適用者が譲渡等した有価証券その他の取引の時価が下落している場合の課税所得の修正（所法60の2⑧）の規定の適用を受けた場合には、その取得価額は、その規定を適用した譲渡に係る譲渡価額又は限定相続等の時におけるその有価証券等の価額に相当する金額になります。

ロ　未決済信用取引等、未決済デリバティブ取引の決済

決済した金額は、 a 、 b によります。

a　その決済によって生じた利益の額、損失の額（決済損益額）から、その未決済信用取引等、未決済デリバティブ取引に係る国外転出の時又は国外転出の予定日から起算して3月前の日における利益の額に相当する金額を減算します。

b　決済損益額に、その未決済信用取引等、未決済デリバティブ取引に係る国外転出の時又は国外転出の予定日から起算して3月前の日における損失の額に相当する金額を加算します。

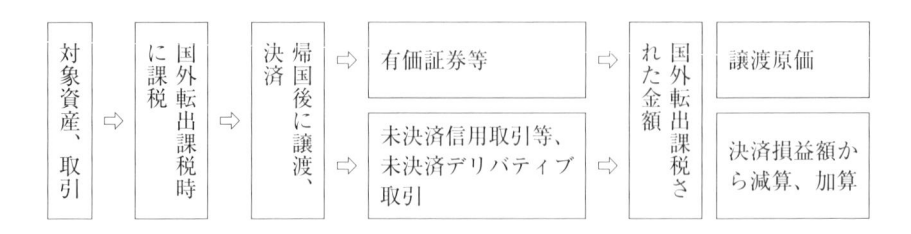

③　①、②の規定を適用しない場合

　次のイ〜ハの場合の有価証券等、未決済信用取引等、未決済デリバティブ取引については①、②の規定を適用しません。

　イ　国外転出の日の属する年分の所得税につき、確定申告書の提出、決定がされていない場合

　ロ　国外転出の日の属する年分の事業所得の金額、譲渡所得の金額又は雑所得の金額の計算上、有価証券等、未決済信用取引等、未決済デリバティブ取引につき本来計上すべき金額（所法60の2①各号、②各号、③各号）が総収入金額に算入されていない場合

　ハ　国外転出の日から5年を経過する日までに帰国等をした場合（所法60の2⑥本文、⑦）の規定の適用があった場合

(5)　適用除外（所法60の2⑤）

① 　適用要件

　次のイ又はロのいずれかの要件を満たすこと。

　イ　国外転出をする時に有している有価証券等、契約を締結している未決済信用取引等、未決済デリバティブ取引のその国外転出をする時における次のa、bの場合の区分に応じ、a、bに定める金額が1億円未満である居住者

　　a　その国外転出をする日の属する年分の確定申告書の提出の時までに、納税管理人の届出等をした場合（所法60の2⑤一、同条①一）

　　　　国外転出の時における有価証券等の価額、その時に未決済信用取引等、未決済デリバティブ取引を決済したものとみなした利益の額又は損失の

　額の合計額

b　a以外の場合（所法60の2⑤二、同条①二）

　　国外転出の予定日から起算して3月前の日（同日後に取得、契約をした場合は取得、契約時）におけるその有価証券等の価額、同日に未決済信用取引等、未決済デリバティブ取引を決済したものとみなした利益の額又は損失の額の合計額

ロ　その国外転出をする日前10年以内に国内に住所、居所を有していた期間としてa〜c（所令170③）の期間の合計が5年以下である居住者

a　国内に住所又は居所を有していた期間。ただし、出入国管理及び難民認定法別表第一（在留資格）の上欄の在留資格をもって在留していた期間を除きます。

b　国外転出をした日の属する年分の所得税につき、納税の猶予（所法137の2①、②）を受けた個人（その相続人を含む）に係る国外転出をした日[注1]から、その納税の猶予に係る期限[注2]までの期間（aの期間を除きます）

　（注）　1　国外転出をした日
　　　　　　納税猶予分の所得税額に係る納付の義務を承継した場合（所法137の2⑬）には、その承継した日をいいます。
　　　　　2　その納税の猶予に係る期限
　　　　　　納税猶予（所法137の2①、⑤、⑧、⑨、財務省令（所規37の2⑥））の規定による期限のうち最も遅いものに限ります。

c　贈与、相続、遺贈により、対象資産（所法137の3①）の移転を受けた日の属する年分の所得税につき、納税猶予（同条①〜③）を受けた個人（その相続人を含む）に係るその贈与の日又は相続の開始の日[注1]から、その納税の猶予に係る期限[注2]までの期間（a、bの期間を除きます）

　（注）　1　その贈与の日又は相続の開始の日
　　　　　　納税猶予分の所得税額に係る納付の義務を承継した場合（所法137の3⑮）には、その承継した日になります。
　　　　　2　その納税の猶予に係る期限
　　　　　　納税猶予（所法137の3①、②、⑥、⑨、⑪、財務省令（所規37の

　　２⑦））の規定による期限のうち最も遅いものに限ります。

② 取扱い

　①の要件を満たす居住者には、上記(1)～(4)（所法60の２①～④）の規定は適用しません。

| 右のいずれかを満たす | ⇨ | 時価の合計が１億円未満 | ⇨ | 国外転出時課税なし |
| | | 国外転出前10年以内の国内の住所の期間が５年以下 | | |

(6) 国外転出の日から５年を経過する日までに帰国等をした場合（所法60の２⑥）

① 適用要件（所法60の２⑥本文）

　次のイ、ロの要件を満たすこと。

イ　国外転出の日の属する年分の所得税につき国外転出をする場合の譲渡所得等の特例（所法60の２①～③）の規定の適用を受けるべき個人についての取扱いであること。

ロ　その国外転出の時に有していた有価証券等、契約を締結していた未決済信用取引等、未決済デリバティブ取引のうち、次のa～cの場合の区分に応じ、a～cに定めるものについての取扱いであること。

　　a　その個人が、その国外転出の日から５年を経過する日までに、帰国[注]をした場合（所法60の２⑥一）

　　　その帰国の時まで引き続き有している有価証券等、決済していない未決済信用取引等、未決済デリバティブ取引

　　（注）　帰国

　　　　　国内に住所を有し、又は現在まで引き続いて１年以上居所を有することとなることをいいます。

b　その個人が、その国外転出の日から 5 年を経過する日までに、その国外転出の時に有していた有価証券等、締結していた未決済信用取引等、未決済デリバティブ取引に係る契約を贈与により居住者に移転した場合（所法60の 2 ⑥二）

その贈与による移転があった有価証券等、未決済信用取引等、未決済デリバティブ取引

c　その国外転出の日から 5 年を経過する日までに、その個人が死亡したことにより、その国外転出の時に有していた有価証券等、締結していた未決済信用取引等、未決済デリバティブ取引に係る契約の相続（限定承認に係るものを除く）、遺贈（包括遺贈のうち限定承認に係るものを除く）による移転があり、かつ、次の(a)、(b)に該当することとなった場合（所法60の 2 ⑥三）

その相続、遺贈による移転があった有価証券等、未決済信用取引等、未決済デリバティブ取引

(a)　その国外転出の日から 5 年を経過する日までに、その相続、遺贈により有価証券等、未決済信用取引等、未決済デリバティブ取引に係る契約の移転を受けた相続人、受遺者である個人(注)の全てが居住者となった場合

(注)　個人

その個人から相続、遺贈により、その有価証券等、未決済信用取引等、未決済デリバティブ取引に係る契約の移転を受けた個人を含みます。

(b)　その個人について生じた遺産分割等の事由(所法151の 6 ①)により、その相続、遺贈により有価証券等、未決済信用取引等、未決済デリバティブ取引に係る契約の移転を受けた相続人、受遺者である個人に非居住者(注)が含まれないこととなった場合

(注)　非居住者

その国外転出の日から 5 年を経過する日までに帰国をした者を除きます。

② 　取扱い（所法60の2⑥本文）

　居住者（所法60の2①～③）のその年分の事業所得の金額、譲渡所得の金額又は雑所得の金額の計算上、これらの規定により行われたものとみなされた有価証券等の譲渡、未決済信用取引等の決済、未決済デリバティブ取引の決済の全てがなかったものとすることができます。

> | 国外転出の日から5年
経過日までの帰国等 | | 国外転出時課税が
なかった |
> | --- | --- | --- |

③ 　隠蔽、仮装した場合の課税（所法60の2⑥但書）

　イ　適用要件

　　次のa、bの要件を満たすこと。

　　a　有価証券等に係る譲渡所得等の金額[注1]につき、その計算の基礎となるべき事実の全部又は一部を隠蔽し、仮装し、その隠蔽し・仮装したところに基づき確定申告書を提出し、又は確定申告書を提出していなかったこと。

　　b　その個人のその国外転出の日から5年を経過する日までに決定、更正がされ、期限後申告書、修正申告書を提出した場合[注2]であること。

　（注）　1　有価証券等に係る譲渡所得等の金額

　　　　　　その有価証券等の譲渡による事業所得の金額、譲渡所得の金額又は雑所得の金額、その未決済信用取引等の決済による事業所得の金額、雑所得の金額又はその未決済デリバティブ取引の決済による事業所得の金額、雑所得の金額をいいます。

　　　　　2　提出した場合

　　　　　　その国外転出の日から5年を経過する日までに期限後申告書、修正申告書の提出があった場合において、その提出が、所得税についての調査があったことにより、その所得税について、決定又は更正があることを予知してなされたものでないときを除きます。

　　ロ　取扱い

　　　その隠蔽し、仮装した事実に基づく有価証券等に係る譲渡所得等の金額については、上記②の譲渡がなかったものとみなす取扱いを適用しません。

④　納税猶予の特例の適用がある場合の納税猶予の適用者の「5年」の「10年」への延長（所法60の2⑦）

　10年間の納税猶予（所法137の2②）の規定により納税の猶予を受けている場合には、上記の①〜③の適用については、「5年」を「10年」とします。

⑺　納税猶予の適用者が譲渡等した有価証券その他の取引の時価が下落している場合の課税所得の修正（所法60の2⑧）

①　趣旨

　納税猶予の適用を受けている場合に、実際に譲渡、決済、限定相続等による移転をした時の金額が、国外転出時の時価、含み益を下回る場合は、実際の取引金額により国外転出時課税を適用することができる規定です。

②　適用要件

　次のイ〜ホの要件を満たすこと。

　　イ　国外転出の日の属する年分の所得税につき、国外転出をする場合の譲渡所得等の特例（所法60の2①〜③）の適用を受けた個人についての取扱いであること。

　　ロ　納税猶予（所法137の2①、②）の規定による納税の猶予を受けていること（その相続人を含む）。

　　ハ　その納税の猶予に係る満了基準日（所法137の2①）までに、その国外転出の時から引き続き有している有価証券等、決済していない未決済信用取引等、未決済デリバティブ取引に係る契約の譲渡[注]、決済、限定相続等による移転をしたこと。

　　　（注）　譲渡
　　　　　　次の①、②の譲渡を除きます（所令170④）。
　　　　　①　有価証券等の譲渡で、その譲渡の時における価額より低い価額によ

りされるもの

② 有価証券等の譲渡をすることにより、個人（所法60の2⑧。その相続人を含む）の国外転出の日の属する年分の所得税の負担を不当に減少させる結果となると認められる場合におけるその譲渡

ニ 上記ハの限定相続等とは、贈与、限定承認に係る相続、包括遺贈のうち限定承認に係る遺贈をいうこと。

ホ 譲渡、決済、限定相続等時の時価（a～e）が、国外転出時の時価との比較の要件（f～l）に該当すること。

〈譲渡、決済、限定相続等時の時価〉

a 上記ハの譲渡に係る譲渡価額

b その限定相続等の時におけるその有価証券等の価額

c その決済によって生じた利益の額、損失の額

d 限定相続等時みなし信用取引等損益額[注1]

e 限定相続等時みなしデリバティブ取引損益額[注2]

(注) 1 限定相続等時みなし信用取引等損益額
その限定相続等の時に、その未決済信用取引等を決済したものとみなして財務省令（所規37の2⑧、同条②）で定めるところにより算出した利益の額、損失の額をいいます。
2 限定相続等時みなしデリバティブ取引損益額
その限定相続等の時に、その未決済デリバティブ取引を決済したものとみなして財務省令（所規37の2⑨、同条④）で定めるところにより算出した利益の額、損失の額をいいます。

〈国外転出時の時価との比較の要件〉

f その有価証券等の譲渡に係る譲渡価額又は限定相続等の時におけるその有価証券等の価額が、その国外転出の時におけるその有価証券等の価額又は国外転出の予定日から起算して3月前の日におけるその有価証券等の価額[注]を下回るとき（所法60の2⑧一）。

(注) 有価証券等の価額
その国外転出の時後に、その有価証券等を発行した法人の合併、分割

　　　　その他の政令（所令170⑤）で定める事由が生じた場合には、その金額を
　　　基礎として政令（所令170⑤）で定めるところにより計算した金額により
　　　ます。

g　その未決済信用取引等の決済によって生じた利益の額又は限定相続等
　時みなし信用取引等利益額^(注1)が、国外転出時みなし信用取引等利益額^(注2)
　を下回るとき（所法60の2⑧二）。

　（注）　1　限定相続等時みなし信用取引等利益額
　　　　　　　その限定相続等の時に、その未決済信用取引等を決済したものとみ
　　　　　　なして財務省令（所規37の2⑧、同条②）で定めるところにより算出
　　　　　　した利益の額をいいます。
　　　　　2　国外転出時みなし信用取引等利益額
　　　　　　　国外転出日又は国外転出の予定日から起算して3月前の日の未決済
　　　　　　信用取引等の利益の額をいいます。

h　信用取引等損失額^(注1)が、国外転出時みなし信用取引等損失額^(注2)を上
　回るとき（所法60の2⑧三）。

　（注）　1　信用取引等損失額
　　　　　　　その未決済信用取引等の決済によって生じた損失の額又は限定相続
　　　　　　等時みなし信用取引等損失額をいいます。
　　　　　　　限定相続等時みなし信用取引等損失額とは、その限定相続等の時に、
　　　　　　その未決済信用取引等を決済したものとみなして財務省令（所規37の
　　　　　　2⑧、同条②）で定めるところにより算出した損失の額をいいます。
　　　　　2　国外転出時みなし信用取引等損失額
　　　　　　　その国外転出の時における国外転出日又は国外転出の予定日から起
　　　　　　算して3月前の日の未決済信用取引等の損失の額をいいます。

I　信用取引等損失額が生じた未決済信用取引等につき、国外転出時みな
　し信用取引等利益額が生じていたとき（所法60の2⑧四）。

j　その未決済デリバティブ取引の決済によって生じた利益の額又は限定
　相続等時みなしデリバティブ取引利益額^(注1)が、国外転出時みなしデリ
　バティブ取引利益額^(注2)を下回るとき（所法60の2⑧五）。

　（注）　1　限定相続等時みなしデリバティブ取引利益額
　　　　　　　その限定相続等の時に、その未決済デリバティブ取引を決済したも

　　　　のとみなして財務省令（所規37の 2 ⑨、同条④）で定めるところによ

　　　　り算出した利益の額をいいます。

　　　 2 　国外転出時みなしデリバティブ取引利益額

　　　　その国外転出の時における国外転出日又は国外転出の予定日から起

　　　　算して 3 月前の日の未決済デリバティブ取引の利益の額をいいます。

　k　デリバティブ取引損失額(注1)が、国外転出時みなしデリバティブ取引

　　損失額(注2)を上回るとき（所法60の 2 ⑧六）。

　（注）　1 　デリバティブ取引損失額

　　　　その未決済デリバティブ取引の決済によって生じた損失の額又は限

　　　　定相続等時みなしデリバティブ取引損失額をいいます。

　　　　限定相続等時みなしデリバティブ取引損失額とは、その限定相続等の

　　　　時に、その未決済デリバティブ取引を決済したものとみなして財務省

　　　　令（所規37の 2 ⑨、同条④）で定めるところにより算出した損失の額

　　　　をいいます。

　　　 2 　国外転出時みなしデリバティブ取引損失額

　　　　その国外転出の時における国外転出日又は国外転出の予定日から起

　　　　算して 3 月前の日の未決済デリバティブ取引の損失の額をいいます。

　 l　デリバティブ取引損失額が生じた未決済デリバティブ取引につき、国

　　外転出時みなしデリバティブ取引利益額が生じていたとき（所法60の 2

　　⑧七）。

③　取扱い

　譲渡、決済、限定相続等により移転した場合のその時の時価によることがで

きます。

| 国外転出時課税（当初） | ⇨ | 納税猶予を適用 | ⇨ | 満了基準日までに譲渡、決済、限定相続等 | ⇨ | 譲渡、決済、限定相続等時の時価が | ⇨ |

| 国外転出時の時価との比較の要件を充足 | ⇨ | 国外転出時課税（譲渡等時） | ⇨ | 譲渡、決済、限定相続等時の時価で再計算 | ⇨ |

⑻ 納税猶予の適用者が保有する有価証券その他の取引の納税猶予の期間満了日の時価が下落している場合の課税所得の修正（所法60の2⑩）

① 趣旨

納税猶予の適用を受けている場合に、納税猶予の期間満了日に所有している有価証券その他の取引の納税猶予の期間満了日の時価が国外転出時課税時の時価を下回る場合に、下回った金額により国外転出時課税を適用することができる規定です。

② 適用要件

次のイ～ハの要件を満たすこと。

イ　国外転出の日の属する年分の所得税につき、国外転出をする場合の譲渡所得等の特例（所法60の2①～③）の適用を受けた個人についての取扱いであること。

ロ　納税猶予（所法137の2①）を受けていること（その相続人を含む）。

ハ　国外転出の日から5年を経過する日^(注)において、その国外転出の時から引き続き有している有価証券等、決済していない未決済信用取引等、未決済デリバティブ取引が次のa～g（所法60の2⑩一～七）に該当すること。

> （注）　5年を経過する日
> 　　　　その者が10年間の納税猶予（所法137の2①、②）を受けている場合は、10年を経過する日になります。

a　その5年を経過する日におけるその有価証券等の価額が、その国外転出の時におけるその有価証券等の価額又は国外転出の予定日から起算して3月前の日におけるその有価証券等の価額を下回るとき。

b　その5年を経過する日に、その未決済信用取引等を決済したものとみなして財務省令（所規37の2⑩、同条②）で定めるところにより算出した利益の額が、国外転出時みなし信用取引等利益額を下回るとき。

c　その5年を経過する日に、その未決済信用取引等を決済したものとみなして財務省令（所規37の2⑩、同条②）で定めるところにより算出し

　　　　た損失の額（5年経過日みなし信用取引等損失額）が、国外転出時みなし
　　　　信用取引等損失額を上回るとき。

　　　d　その5年経過日みなし信用取引等損失額が生じた未決済信用取引等に
　　　　つき、国外転出時みなし信用取引等利益額が生じていたとき。

　　　e　その5年を経過する日に、その未決済デリバティブ取引を決済したもの
　　　　とみなして財務省令（所規37の2⑪、同条④）で定めるところにより
　　　　算出した利益の額が、国外転出時みなしデリバティブ取引利益額を下回
　　　　るとき。

　　　f　その5年を経過する日に、その未決済デリバティブ取引を決済したもの
　　　　とみなして財務省令（所規37の2⑪、同条④）で定めるところにより
　　　　算出した損失の額（5年経過日みなしデリバティブ取引損失額）が、国外
　　　　転出時みなしデリバティブ取引損失額を上回るとき。

　　　g　その5年経過日みなしデリバティブ取引損失額が生じた未決済デリバ
　　　　ティブ取引につき、国外転出時みなしデリバティブ取引利益額が生じて
　　　　いたとき。

③　取扱い

　その個人の国外転出の日の属する年分の所得税につき、国外転出をする場合
の譲渡所得等の特例（所法60の2①〜③）の適用については、その国外転出の
日から5年を経過する日に譲渡、決済等をしたものとみなすことができます。

　つまり、国外転出の日から5年を経過する日の時価とすることができます。

　なお、10年間の納税猶予（所法137の2①、②）を受けている場合は、10年を
経過する日の時価とすることができます。

| 国外転出時
課税（当初） | ⇨ | 納税猶予
を適用 | ⇨ | 国外転出日から5年
（10年）経過日の時価が | ⇨ | 国外転出時課税時
の時価を下回る | ⇨ |

| 国外転出時課税
（納税猶予満了時） | ⇨ | 国外転出日から5年（10年）
経過日の時価で再計算 |

3. 贈与等により非居住者に資産が移転した場合の譲渡所得等の特例

　これから取り上げる規定は、課税の対象となる有価証券等、未決済信用取引等、未決済デリバティブ取引の権利（課税対象物）を非居住者に贈与等（贈与、相続、遺贈）をした場合に、贈与等をした課税対象物を所有していた居住者に対して、その未実現利益について所得税を課税するものです。

　なお、本規定（所法60の3）は、国外転出をする場合の譲渡所得等の特例（所法60の2）の規定と類似する部分が多いので、重要と思われる規定や差異が生じている規定を中心に解説をします。

(1) 有価証券等、未決済信用取引等、未決済デリバティブ取引についての課税（所法60の3①〜③）

① 適用要件

　居住者の有する有価証券等、未決済信用取引等、未決済デリバティブ取引に係る契約が、贈与等により非居住者に移転したことが適用要件になります（参考規定：299ページ〜301ページ）。

② 取扱い

　その居住者の事業所得の金額、譲渡所得の金額又は雑所得の金額の計算については、別段の定めがあるものを除き、その有価証券等の譲渡、未決済信用取引等、未決済デリバティブ取引について、その贈与等の時に、その時の価額に相当する金額、利益の額又は損失の額に相当する金額により課税します。

③ 非居住者である相続人等が限定承認をした場合（所基通60の3−1）

　居住者の有する有価証券等が、相続（限定承認に係るものに限る）、遺贈（包括遺贈のうち限定承認に係るものに限る）により非居住者である相続人又は受遺者へ移転した場合には、本規定（所法60の3）の適用はなく、贈与等の場合の譲渡所得等の特例（所法59①一）が適用されます。

⑵　贈与等があった場合の譲渡所得等の特例を受けた有価証券その他の取引をその後譲渡、決済した場合（所法60の3④）

　贈与等の日（贈与の日又は相続の開始の日）の属する年分の所得税について、有価証券等、未決済信用取引等、未決済デリバティブ取引についての課税（所法60の3①〜③、⑧、⑩、⑪）を受け、その後これらの移転を受けた個人（その相続人を含む）がこれらを譲渡、決済した場合については、国外転出をする場合の譲渡所得等の特例を受けた有価証券その他の取引をその後譲渡、決済した場合（所法60の2④、304ページ参照）と同様の取扱いをします。

　すなわち、有価証券等については贈与等があった時の価額（時価）が譲渡原価になります。未決済信用取引等、未決済デリバティブ取引については、決済損益額から贈与等があった時の利益の額を減算し、決済損益額に贈与等があった時の損失の額を加算します。

⑶　適用除外（所法60の3⑤）

　次の①又は②の要件を満たす居住者については、本規定（所法60の3）を適用しません（参考規定：306ページ）。

　　①　贈与等の時に有している有価証券等の価額、契約を締結している未決済信用取引等、未決済デリバティブ取引の利益の額、損失の額の合計額が1億円未満である居住者

　　②　その贈与等の日前10年以内に国内に住所、居所を有していた期間の合計が5年以下である居住者

⑷　贈与等の日から5年を経過する日までに帰国等をした場合（所法60の3⑥）

①　適用要件

　次のイ、ロの要件を満たすこと。

　　イ　贈与等の日の属する年分の所得税につき、⑴の有価証券等、未決済信用取引等、未決済デリバティブ取引についての課税（所法60の3①〜③）の適用を受けるべき居住者についての取扱いであること。

ロ　イの居住者からの贈与等により、非居住者である受贈者、相続人、受遺者に移転した有価証券等、未決済信用取引等、未決済デリバティブ取引に係る契約のうち、次のa～cの場合の区分に応じ、a～cに定めるものについての取扱いであること。

　a　その非居住者である受贈者又は同一の被相続人から相続、遺贈により財産を取得した全ての非居住者（受贈者等）が、その贈与等の日から5年を経過する日までに帰国をした場合

　　その受贈者等が、その帰国の時まで引き続き有している有価証券等、決済していない未決済信用取引等、未決済デリバティブ取引

　b　その贈与等に係る非居住者である受贈者、相続人、受遺者が、その贈与等の日から5年を経過する日までに、その贈与等により移転を受けた有価証券等、未決済信用取引等、未決済デリバティブ取引に係る契約を贈与により居住者に移転した場合

　　その贈与による移転があった有価証券等、未決済信用取引等、未決済デリバティブ取引

　c　その贈与等の日から5年を経過する日までに、その贈与等に係る非居住者である受贈者、相続人、受遺者が死亡したことにより、その贈与等により移転を受けた有価証券等、未決済信用取引等、未決済デリバティブ取引に係る契約の相続（限定承認に係るものを除く）、遺贈（包括遺贈のうち限定承認に係るものを除く）による移転があった場合において、次の(a)、(b)に該当することとなったとき

　　その相続、遺贈による移転があった有価証券等、未決済信用取引等、未決済デリバティブ取引

　　(a)　その贈与等の日から5年を経過する日までに、その相続、遺贈により有価証券等、未決済信用取引等、未決済デリバティブ取引に係る契約の移転を受けた相続人、受遺者である個人（注）の全てが居住者となった場合

　　　　（注）　個人

　　　　　　　その個人から相続、遺贈によりその有価証券等、未決済信用取引等、未決済デリバティブ取引に係る契約の移転を受けた個人を含みます。(b)についても同様です。

　(b)　その非居住者について生じた遺産分割等の事由（所法151の6①）により、その相続、遺贈により有価証券等、未決済信用取引等、未決済デリバティブ取引に係る契約の移転を受けた相続人、受遺者である個人に非居住者^(注)が含まれないこととなった場合

　　　　（注）　非居住者

　　　　　　　その贈与等の日から5年を経過する日までに帰国をした者を除きます。

②　取扱い

　その居住者（所法60の3①〜③）のその年分の事業所得の金額、譲渡所得の金額又は雑所得の金額の計算上これらの規定により行われたものとみなされた有価証券等の譲渡、未決済信用取引等の決済、未決済デリバティブ取引の決済の全てがなかったものとすることができます。

贈与等の日から5年経過日までの帰国、贈与による居住者への移転等	⇨	国外転出時課税がなかった

③　準用

　上記の①、②の規定に関して、隠蔽、仮装した場合の課税（所法60の2⑥但書）の規定を準用します（参考規定：310ページ）。

④　納税猶予の特例の適用がある場合の納税猶予の適用者の「5年」の「10年」への延長（所法60の3⑦）

　次のイ、ロの要件を満たす場合の上記①〜③の適用については、「5年」を「10年」とします。

　　イ　贈与の日の属する年分の所得税につき、(1)の有価証券等、未決済信用取引等、未決済デリバティブ取引についての課税（所法60の3①〜③）の適

用を受けた個人で、納税猶予（所法137の3①、③）を受けているもの

ロ　相続の開始の日の属する年分の所得税につき、⑴の有価証券等、未決済信用取引等、未決済デリバティブ取引についての課税（所法60の3①～③）の適用を受けた個人で、その者の相続人が納税猶予（所法137の3②、③）を受けているもの

⑸　納税猶予の適用者が譲渡等した有価証券その他の取引の時価が下落している場合の課税所得の修正（所法60の3⑧）

　上記2⑺（所法60の2⑧。311ページ参照）に類似した規定が設けられており、譲渡、決済、限定相続等により移転した場合のその時の時価によることができます。

⑹　納税猶予の適用者が保有する有価証券その他の取引の納税猶予の期間満了日の時価が下落している場合の課税所得の修正（所法60の3⑪）

　上記2⑻（所法60の2⑩。315ページ参照）に類似した規定が設けられており、その贈与等の日から5年を経過する日の時価とすることができます。

　なお、10年間の納税猶予（所法137の3①～③）を受けている場合は、10年を経過する日の時価とすることができます。

その他の国外転出時課税の取扱い

1. 外国転出時課税の規定の適用を受けた場合の譲渡所得等の特例

⑴　趣　旨

　外国においても国外転出時課税に類似した含み益に課税する制度を設けている場合があります。もし、外国の居住者であった人が日本に転入した場合で、元の居住国である外国で有価証券その他の取引が日本の国外転出時課税に類似する規定により課税され、その後日本で譲渡、決済等をすると、外国で課税された含み益相当額は二重に課税されることになります。

　この二重課税を回避する措置が本規定です。

⑵　有価証券等の譲渡をした場合（所法60の 4 ①）

①　前提

　居住者が外国転出時課税の規定の適用を受けた有価証券等の譲渡（所法60の 2 ④）をした場合における事業所得の金額、譲渡所得の金額又は雑所得の金額の計算についての取扱いです。

②　取扱い

　その外国転出時課税の規定により課される外国所得税（所法95①）の額の計算において、その有価証券等の譲渡をしたものとみなして、その譲渡に係る所得の金額の計算上収入金額に算入することとされた金額をもって、その有価証券等の取得に要した金額とします。

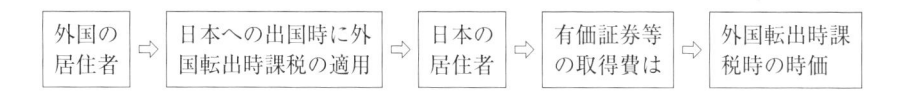

(3)　未決済信用取引等、未決済デリバティブ取引の決済をした場合（所法60の4②）

① 前提

　居住者が外国転出時課税の規定の適用を受けた未決済信用取引等、未決済デリバティブ取引の決済をした場合における事業所得の金額又は雑所得の金額の計算についての取扱いです。

② 取扱い

　その決済によって生じた利益の額、損失の額（決済損益額）から、その外国転出時課税の規定により課される外国所得税の額の計算において、その未決済信用取引等、未決済デリバティブ取引の決済をしたものとみなして算出された利益の額を減算し、又はその決済損益額にその外国所得税の額の計算においてその決済をしたものとみなして算出された損失の額を加算します。

(4)　外国転出時課税の規定の意義（所法60の4③）

　次の①～④の事由が生じた場合に、国外転出をする場合の譲渡所得等の特例（所法60の2①～③）に相当するその外国の法令の規定により、その有している有価証券等、契約を締結している未決済信用取引等、未決済デリバティブ取引の譲渡、決済があったものとみなして外国所得税を課することとされている場合におけるその外国の法令の規定をいいます。

① 外国における国外転出（所法60の2①）に相当する事由

② 国籍その他これに類するものを有しないこととなること（所令170の3②一）

③ 外国が締結した所得に対する租税に関する二重課税の回避のための条約の規定により、その条約の締約国又は締約者のうち、一方の締約国又は締約者において外国所得税（所法95の2①）を課される者でないものとみな

されることとなること（所令170の3②二）

④　双方居住者の取扱い（外国居住者等の所得に対する相互主義による所得税等の非課税等に関する法律（外国居住者等の所得税等非課税法）3①各号）の規定に掲げる場合に相当する場合その他これに類する場合に該当することにより、外国[注]において外国所得税（所法95の2①）を課される者でないものとみなされることとなること（所令170の3②二）。

(注)　外国（外国居住者等の所得税等非課税法2三）
　　　　相互主義（同法5各号）の規定のいずれかに該当しない場合におけるその外国を除きます。

2. 国外転出をする場合の譲渡所得等の特例に係る外国税額控除の特例

(1)　趣　旨

国外転出は、ある国（日本）の居住者が、別の国（外国）の居住者になることです。

国外転出時課税は、未実現利益に元の居住国（日本）が課税します。課税された有価証券その他の取引について、元居住者が移り住んだ現在の居住国（外国）で譲渡、決済することになりますが、この場合、何の調整もしなければ二重課税が生じます。

この調整は、現在の居住国（外国）で行うべきです。日本は外国転出時課税の規定の適用を受けた場合の譲渡所得等の特例（所法60の4）を設けています。

しかし、国によっては上記の特例（所法60の4）の相当する規定を設けていない場合も考えられます。そこで、このような特例規定を設けていない国に国外転出した場合には、日本で調整する規定を設けました。それが本規定です。

(2)　外国税額控除（所法95の2①）

①　適用要件

次のイ～への要件を満たすこと。

イ　国外転出の日の属する年分の所得税につき、国外転出をする場合の譲渡
　　所得等の特例（所法60の2①～③）の規定の適用を受けた個人であること。

ロ　イの個人は、納税猶予（所法137の2①、②）を受けていること（その相
　　続人を含む）。

ハ　その納税の猶予に係る満了基準日（所法137の2①）までに、aの譲渡、
　　決済、bの移転をしたこと。

　　a　その国外転出の時から引き続き有している有価証券等（所法60の2①）、
　　　決済していない未決済信用取引等（同条②）、未決済デリバティブ取引
　　　（同条③）に係る契約の譲渡（同条④）、決済

　　b　限定相続等（同条⑧）による移転

ニ　その譲渡、決済、限定相続等による移転により生ずる所得に係る外国所
　　得税を納付することとなること。

ホ　ニの外国所得税とは、外国税額控除（所法95①）に規定する外国所得税
　　をいい、個人が住所を有し、一定の期間を超えて居所を有し、又は国籍そ
　　の他これに類するものを有することにより、その住所、居所又は国籍その
　　他これに類するものを有する国又は地域において課されるものに限るこ
　　と。

ヘ　その外国所得税に関する法令において、その外国所得税の額の計算に当
　　たって、国外転出をする場合の譲渡所得等の特例（所法60の2）の規定の
　　適用を受けたことを考慮しないものとされている場合に限ること。

②　取扱い（所法95の2①、所令226の2①）

　次のイの該当法令に基づき、ロの外国税額控除の対象となる外国所得税の額
は、その者がその国外転出の日の属する年において納付することとなるものと
みなして、外国税額控除（所法95）の規定を適用します。

イ　該当法令

　　有価証券等、未決済信用取引等、未決済デリバティブ取引に係る契約（こ
　　れらを「対象資産」といいます）の譲渡（所法60の2④）、決済、限定相続等

（同条⑧）による移転（譲渡等）により生ずる所得に対して課される外国所得税（所法95の2①）に関する法令の規定によります。

ロ　外国税額控除の対象となる外国所得税の額

次のa～cのうち最も少ない金額が、外国税額控除の対象となる外国所得税の額になります。

a　次の算式で計算した外国所得税

| 外国所得税の課税標準の計算の基礎となる期間の所得に対して課される外国所得税の額 | － | 対象資産の譲渡等により生ずる所得^(注)がないものとした場合の左の期間の所得に対して課される外国所得税の額 | ⇨ | 本規定の対象となる外国所得税の額① |

（注）　所得

恒久的施設を有する非居住者（所法164①一）、恒久的施設を有しない非居住者（所法164①二）に規定する国内源泉所得に該当するものを除きます。

b　その外国所得税が、その対象資産の譲渡等[注1]により生ずる所得に対して課される場合であって、aの控除した金額がその対象資産に係る納税猶予分の所得税額[注2]を超えるとき（所令226の2①一）

| その納税猶予分の所得税額 | ⇨ | 本規定の対象となる外国所得税の額② |

（注）1　対象資産の譲渡等

限定承認に係る相続又は包括遺贈のうち限定承認に係る遺贈による移転に限ります。

2　納税猶予分の所得税額（所法137の2①）

既に納税猶予にかかる期限の一部が確定する場合（同条⑤）の規定の適用があった場合には、その規定の適用があった金額を除きます。

c　その外国所得税が、その対象資産の譲渡等（譲渡、決済、贈与による移転に限る）により生ずる所得に対して課されるものである場合であって、aの控除した金額がその対象資産に係る次の算式で計算した金額（その金額が零を下回る場合には、零）を超えるとき（所令226の2①二、266の2

④。331ページ参照)

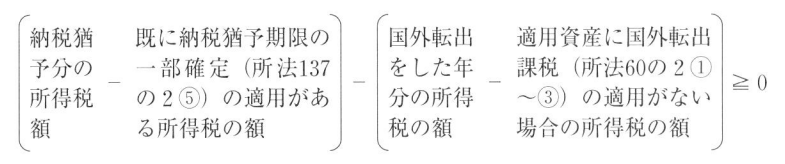

| 上記の算式で計算した金額 | ⇨ | 本規定の対象となる外国所得税の額③ |

③　外国税額控除を適用する場合の国外源泉所得（所令226の2②）

　イ　適用要件

　　　次のa、bの要件を満たすこと。

　　a　外国税額控除（所法95の2①）の規定の適用がある場合の取扱いであること。

　　b　国外転出の日の属する年の外国税額控除の控除限度額（所法95①）の計算についての取扱いであること。

　ロ　取扱い

　　　国外転出をする場合の譲渡所得等の特例（所法60の2①～③、⑧、⑨）の規定により行われたものとみなされた対象資産の譲渡、決済により生ずる所得は、国外源泉所得（所令221の2各号）に該当するものとします。

⑶　**納税管理人の届出（国通法117②）をしている場合の準用（所法95の2②）**

①　適用要件

　　次のイ～ハの要件を満たすこと。

　イ　国外転出の日の属する年分の所得税につき、国外転出をする場合の譲渡所得等の特例（所法60の2①～③）の規定の適用を受けるべき個人であること。

　ロ　その国外転出の時までに納税管理人の届出（国通法117②）をしているこ

と。

ハ　国外転出の日の属する年分の所得税に係る確定申告期限までに、同日か
ら引き続き有している有価証券等、決済していない未決済信用取引等、未
決済デリバティブ取引に係る契約の譲渡、決済、限定相続等による移転を
したこと。

② 取扱い

上記(2)の外国税額控除の特例（所法95の2①）の規定を準用します。

3. 国外転出をする場合の譲渡所得等の特例の適用がある場合の納税猶予

(1) 趣 旨

国外転出時課税は、居住者が国外転出した場合に、適用除外に該当するとき
を除いて、個々の居住者の事情を考慮することなく、有価証券その他の取引の
含み益に課税します。

ただし、一時的に国外転出する場合があるので、5年又は10年以内に日本の
居住者に戻った場合は、課税を免除しています。この場合の原則的な処理は、
国外転出時に課税し、日本の居住者に戻った時点で税を還付する方法です。

別法としては、5年又は10年以内に日本の居住者に戻ることが確実な場合は、
国外転出時の課税を見合わせる方法が考えられます。これが本規定（所法137
の2）です。

(2) 5年間の納税猶予（所法137の2①）

① 適用要件

次のイ～への要件を満たすこと。

イ　国外転出（所法60の2①）をする居住者についての取扱いであること。

ロ　その国外転出の時に有している有価証券等（同条①）、契約を締結して
いる未決済信用取引等（同条②）、未決済デリバティブ取引（同条③）（対
象資産）につき、これらの規定の適用を受けたもの（その相続人を含む）が、

その国外転出の日の属する年分の所得税で、次のa、bの規定により納付すべきものの額についての取扱いであること。

a　確定申告による納付（所法128）

b　死亡の場合の確定申告による納付（所法129）

ハ　ロの税額のうち、その対象資産（適用資産）^(注)に係る納税猶予分の所得税額に相当する所得税を対象とすること。

（注）　対象資産

その年分の所得税に係る確定申告期限まで引き続き有し、又は決済をしていないものに限ります。「適用資産」といいます。

ニ　ハの納税猶予分の所得税額とは、aの金額から、bの金額を控除した金額をいうこと。この納税猶予分の所得税額に100円未満の端数があるとき、又はその全額が100円未満であるときは、その端数金額又はその全額を切り捨てる（所令266の2②）。

aの金額	－	bの金額	＝	納税猶予分の所得税額

a　その国外転出の日の属する年分の課税所得金額の年税額（所法120①三）

b　その適用資産につき、国外転出をする場合の譲渡所得等の特例（所法60の2①～③）の規定の適用がないものとした場合におけるその国外転出の日の属する年分の課税所得金額の年税額（所法120①三）

ホ　その居住者が、その国外転出の時までに納税管理人の届出（国通法117②）をしていること。

ヘ　その年分の所得税に係る確定申告期限までに、その納税猶予分の所得税額に相当する担保を供すること。

②　取扱い

その国外転出の日から満了基準日の翌日以後4月を経過する日まで、その納税を猶予します。

③　満了基準日

　満了基準日とは、その国外転出の日から 5 年を経過する日又は帰国等の場合に該当することとなった日のいずれか早い日をいいます。

　帰国等の場合とは、次のイ～ハの場合をいいます。

　イ　個人が国外転出の日から 5 年を経過する日までに、帰国（国内に住所を有し、又は現在まで引き続いて 1 年以上居所を有することとなること）をした場合（所法60の 2 ⑥一）

　ロ　国外転出の日から 5 年を経過する日までにその個人が死亡した場合（同項三）

　ハ　国外転出の日から 5 年を経過する日^(注)までに、本規定（所法137の 2 ①、②）による納税の猶予を受けている個人が死亡したことにより、その国外転出の時に有していた有価証券等、締結していた未決済信用取引等、未決済デリバティブ取引に係る契約の相続（限定承認に係るものに限る）、遺贈（包括遺贈のうち限定承認に係るものに限る）による移転があったこと（所令266の 2 ①）。

　（注）　5 年を経過する日

　　　　10年間の納税猶予（所法137の 2 ②）を受けている場合には、10年を経過する日をいいます。

(3)　10年間の納税猶予（所法137の 2 ②）

① 適用要件

　5 年間の納税猶予（所法137の 2 ①）の規定の適用を受ける個人が、国外転出の日から 5 年を経過する日^(注)までに、納税猶予に係る期限の延長を受けたい旨その他財務省令（所規52の 2 ①）で定める事項を記載した届出書を、納税地の所轄税務署長に提出したこと。

（注）　5 年を経過する日

　　　国外転出の日から 5 年を経過する日前に帰国等の場合に該当することとなった場合には、その該当することとなった日の前日をいいます。

②　取扱い

　納税猶予の期間は10年に延長されます。

⑷　納税猶予に係る期限の一部が確定する場合（所法137の2⑤）

①　適用要件

　次のイ、ロの要件を満たすこと。

　イ　5年間の納税猶予（所法137の2①）を受けている個人についての取扱い
　　であること。

　ロ　納税の猶予に係る満了基準日までに、国外転出の時において有していた
　　適用資産の譲渡⁽注⁾、決済、贈与による移転をしたこと。

　　（注）　譲渡（所令266の2③、所令170②）
　　　　　一般株式等のみなし譲渡収入金額（措法37の10③、④）、上場株式等のみ
　　　　なし譲渡収入金額（措法37の11③、④）とされる金銭、金銭以外の資産の
　　　　交付の基因となった事由（措法37の10③、④各号、措法37の11④各号）に
　　　　基づく株式等（措法37の10②）についてのその金銭の額、その金銭以外の
　　　　資産の価額に対応する権利の移転又は消滅を含みます。

②　取扱い

　これらの事由が生じた適用資産に係る納税猶予分の所得税額のうち、これら
の事由が生じた適用資産に対応する部分の額として、イの金額からロの金額を
控除した金額（その金額が零を下回る場合には、零）（所令266の2④）に相当する
所得税については、これらの事由が生じた日から4月を経過する日をもって納
税の猶予に係る期限（所法137の2①）とします。

　この場合において、その計算した金額に100円未満の端数があるとき、又は
その全額が100円未満であるときは、その端数金額又はその全額を切り捨てま
す（所令266の2④）。

　イ　納税猶予分の所得税額（所法137の2①。既に本規定（同条⑤）の適用があっ
　　た場合には、本規定の適用があった金額を除く）

　ロ　その国外転出の日の属する年分の所得税の年税額（所法120①三）から適
　　用資産⁽注⁾につき国外転出をする場合の譲渡所得等の特例（所法60の2①〜

③）の適用がないものとした場合におけるその年分の所得税の年税額（所法120①三）を控除した金額（その金額が零を下回る場合には、零）

(注)　適用資産（所法137の2①）

既に本規定の事由が生じたものを除きます。

$$\left[\begin{array}{l}納税猶予\\分の所得\\税額\end{array} - \begin{array}{l}既に本規定（所\\法137の2⑤）\\の適用がある所\\得税の額\end{array}\right] - \left[\begin{array}{l}国外転出をし\\た年分の所得\\税の額\end{array} - \begin{array}{l}適用資産に国外転出\\課税（所法60の2①\\～③）の適用がない\\場合の所得税の額\end{array}\right]$$

$$= \begin{array}{l}納税の猶予に係る期\\限が確定する所得税\\の額\end{array}$$

③　適用資産についての明細書の提出（所令266の2⑤）

イ　適用要件

納税猶予（所法137の2①）に係る満了基準日までに、個人が国外転出の時において有していた適用資産につき、譲渡、決済、贈与（同条⑤）が生じたこと。

ロ　明細書の提出

その個人は、その事由が生じた適用資産の種類、名称、銘柄、単位数、②の算式による計算に関する明細その他参考となるべき事項を記載した書類を、その事由が生じた日から4月を経過する日までに、納税地の所轄税務署長に提出しなければなりません。

(5)　継続適用届出書の提出（所法137の2⑥）

5年間の納税猶予（所法137の2①）の規定の適用を受ける個人は、国外転出の日の属する年分の所得税について、確定申告期限から納税猶予分の所得税額の全部について、納税の猶予（同条①、⑤、⑧、⑨）に係る期限が確定する日までの間の各年の12月31日において有し、又は契約を締結している適用資産について、引き続き5年間の納税猶予（同条①）の規定の適用を受けたい旨その

他財務省令（所規52の2③）で定める事項を記載した継続適用届出書を、各年の12月31日の属する年の翌年3月15日（提出期限）までに、納税地の所轄税務署長に提出しなければなりません。

⑹　**継続適用届出書が提出期限までに所轄税務署長に提出されない場合（所法137の2⑧）**

その提出期限における納税猶予分の所得税額[注1]に相当する所得税については、その提出期限から4月を経過する日[注2]をもって納税の猶予に係る期限（所法137の2①）とします。

（注）　1　納税猶予分の所得税額

　　　　　既に納税猶予にかかる期限の一部が確定する場合（所法137の2⑤）の規定の適用があった場合には、その規定の適用があった金額を除きます。

　　　　2　4月を経過する日

　　　　　その提出期限からその4月を経過する日までの間に、その所得税に係る個人が死亡した場合には、その個人の相続人がその個人の死亡による相続の開始があったことを知った日から6月を経過する日とします。

4. 贈与等の場合の譲渡所得等の特例の適用がある場合の納税猶予

⑴　**趣　旨**

規定を設けた理由は、有価証券その他の取引の所有者が国外転出をする場合の納税猶予（所法137の2）と同じです。

例えば、たまたま転勤で外国に住んでいた時に父親が死亡し、贈与等により非居住者に資産が移転した場合の譲渡所得等の特例（所法60の3）の適用を受ける場合があります。この場合、例えば5年以内に海外勤務が終了して日本に戻った場合は、国外転出時課税が取り消されますが、日本に戻ることが確実な場合は、本規定（所法137の3）の適用を受けることにより、相続が開始した時の納税を避けることができます。

(2)　贈与の場合の 5 年間の納税猶予（所法137の 3 ①）

①　適用要件

次のイ〜ハの要件を満たすこと。

イ　贈与[注]により非居住者に移転した有価証券等（所法60の 3 ①）、未決済信用取引等（同条②）、未決済デリバティブ取引（同条③）に係る契約（対象資産）についての取扱いであること。

（注）　贈与

贈与をした者の死亡により効力を生ずる贈与を除きます。

ロ　贈与等により非居住者に資産が移転した場合の譲渡所得等の特例（所法60の 3 ①〜③）の規定の適用を受けた者（その相続人を含む）が、その贈与の日の属する年分の所得税で確定所得申告（死亡の場合、出国の場合の確定申告を含む）で納付すべきものの額（所法128〜130）のうち、その対象資産（適用贈与資産）[注]に係る贈与納税猶予分の所得税額である次の a の金額から、 b の金額を控除した金額についての取扱いであること。この納税猶予分の所得税額に100円未満の端数があるとき、又はその全額が100円未満であるときは、その端数金額又はその全額を切り捨てる（所令266の 3 ⑦）。(3)①ロの算式に同じ。

（注）　対象資産

その年分の所得税に係る確定申告期限まで引き続き有し、又は決済をしていないものに限ります。「適用贈与資産」といいます。

$$\boxed{\text{a の金額}} - \boxed{\text{b の金額}} = \boxed{\text{贈与納税猶予分の所得税額}}$$

a　その贈与の日の属する年分の課税所得金額の年税額（所法120①三）

b　その適用贈与資産につき、贈与等により非居住者に資産が移転した場合の譲渡所得等の特例（所法60の 3 ①〜③）の規定の適用がないものとした場合におけるその贈与の日の属する年分の課税所得金額の年税額（所法120①三）

　ハ　その適用を受けた者が、その年分の所得税に係る確定申告期限までに、
　　その贈与納税猶予分の所得税額に相当する担保を供すること。

②　取扱い

　その贈与の日から贈与満了基準日の翌日以後4月を経過する日まで、その納税を猶予します。

③　贈与満了基準日

　贈与満了基準日とは、その贈与の日から5年を経過する日又は受贈者帰国等の場合に該当することとなった日のいずれか早い日をいいます。

　受贈者帰国等の場合とは、次のイ〜ハの場合をいいます。

　イ　その非居住者である受贈者又は同一の被相続人から相続、遺贈により財産を取得した全ての非居住者（受贈者等）が、その贈与等の日から5年を経過する日までに帰国をした場合（所法60の3⑥一）

　ロ　その贈与等の日から5年を経過する日までに、その贈与等に係る非居住者である受贈者、相続人、受遺者が死亡した場合（所法60の3⑥三）

　ハ　贈与の日から5年を経過する日[注]までに、その贈与に係る非居住者である受贈者が死亡したことにより、その贈与により移転を受けた有価証券等、未決済信用取引等、未決済デリバティブ取引に係る契約の相続（限定承認に係るものに限る）、遺贈（包括遺贈のうち限定承認に係るものに限る）による移転があった場合（所令266の3①）

　　（注）　5年を経過する日
　　　　　10年間の納税猶予（所法137の3③）を受けている場合には、10年を経過する日をいいます。

(3)　相続、遺贈の場合の5年間の納税猶予（所法137の3②）

①　適用要件

　次のイ〜ニの要件を満たすこと。

　イ　相続、遺贈[注]により非居住者に移転した対象資産についての取扱いであること。

　（注）　遺贈
　　　　　贈与をした者の死亡により効力を生ずる贈与を含みます。

ロ　贈与等により非居住者に資産が移転した場合の譲渡所得等の特例（所法
60の3①～③）の規定の適用を受けた者の全ての相続人が、その相続の開
始の日の属する年分の所得税で死亡の場合の確定申告による納付（所法
129）の規定により納付すべきものの額のうち、その対象資産（適用相続等
資産）(注)に係る相続等納税猶予分の所得税額である次のaの金額から、b
の金額を控除した金額についての取扱いであること。

　（注）　対象資産
　　　　　その年分の所得税に係る確定申告期限まで引き続き有し、又は決済をし
　　　　ていないものに限ります。この場合、遺産分割等があった場合の期限後申
　　　　告等の特例（所法151の5①）の規定による期限後申告書を提出する場合に
　　　　あっては、その提出期限まで引き続き有し、又は決済をしていないものに
　　　　限ります。「適用相続等資産」といいます。

$$\boxed{\text{aの金額}} \quad - \quad \boxed{\text{bの金額}} \quad = \quad \boxed{\text{相続等納税猶予分の所得税額}}$$

a　その相続の開始の日の属する年分の課税所得金額の年税額（所法120
①三）。ただし、その金額につき遺産分割等があった場合の修正申告の
特例（所法151の6①）の規定による修正申告書の提出があった場合に
は、その申告後の金額。

b　その適用相続等資産につき、贈与等により非居住者に資産が移転した
場合の譲渡所得等の特例（所法60の3①～③）の規定の適用がないもの
とした場合におけるその相続の開始の日の属する年分の課税所得金額の
年税額（所法120①三）

ハ　その相続人がa、bの場合の区分に応じ、a、bで定めるところにより
その相続等納税猶予分の所得税額に相当する担保を供すること（所令266
の3②）。

a　相続の開始の日の属する年分の所得税に係る確定申告期限

相続等納税猶予分の所得税額（ｂの相続等納税猶予分の所得税額を除く）

　ｂ　その相続の開始の日の属する年分の所得税に係る遺産分割等があった場合の修正申告の特例（所法151の6①）の規定による修正申告書の提出期限

　　　その修正申告書の提出により増加した相続等納税猶予分の所得税額

ニ　その年分の所得税に係る確定申告期限までに、その相続、遺贈によりその対象資産を取得した非居住者の全てが納税管理人の届出（国通法117②）[注]をすること。

　（注）　納税管理人の届出（所令266の3③、④）

　　　　納税管理人の届出をする場合において、対象資産を取得した非居住者が2人以上あるときは、その届出は、各非居住者が連署による一の書面で行わなければなりません。

　　　　ただし、その取得した他の非居住者の氏名を付記して各別に行うことを妨げません。この場合は、遅滞なく、その取得した他の非居住者に対し、その届出の際に提出した書面に記載した事項の要領を通知しなければなりません。

②　取扱い

　その相続の開始の日から相続等満了基準日の翌日以後4月を経過する日まで、その納税を猶予します。

　上記の相続等満了基準日とは、その相続の開始の日から5年を経過する日又は相続人帰国等の場合に該当することとなった日のいずれか早い日をいいます。

　相続人帰国等の場合とは、次のイ～ハの場合をいいます。

イ　その非居住者である受贈者又は同一の被相続人から相続、遺贈により財産を取得した全ての非居住者（受贈者等）が、その贈与等の日から5年を経過する日までに帰国をした場合（所法60の3⑥一）

ロ　その贈与等の日から5年を経過する日までに、その贈与等に係る非居住者である受贈者、相続人、受遺者が死亡した場合（所法60の3⑥三）

ハ　相続の開始の日から5年を経過する日[注]までに、その相続、遺贈に係る

　非居住者である受贈者、相続人、受遺者の全てが死亡したことにより、その相続、遺贈により移転を受けた有価証券等、未決済信用取引等、未決済デリバティブ取引に係る契約の全てについて相続（限定承認に係るものに限る）、遺贈（包括遺贈のうち限定承認に係るものに限る）による移転があった場合（所令266の３⑥）。

（注）　５年を経過する日
　　　　10年間の納税猶予（所法137の３③）を受けている場合には、10年を経過する日をいいます。

⑷　10年間の納税猶予（所法137の３③）

①　適用要件

　次のイ、ロの者が、イ、ロに定める日又は期限までに、贈与の場合の５年間の納税猶予（所法137の３①）、相続、遺贈の場合の５年間の納税猶予（同条②）の規定による納税の猶予に係る期限の延長を受けたい旨その他財務省令（所規52の３①）で定める事項を記載した届出書を、納税地の所轄税務署長に提出すること。

　　イ　贈与の場合の５年間の納税猶予（所法137の３①）、相続、遺贈の場合の５年間の納税猶予（同条②）の規定の適用を受けている者
　　　　贈与の日又は相続の開始の日から５年を経過する日（同日前に受贈者帰国等の場合又は相続人帰国等の場合に該当することとなった場合には、その該当することとなった日の前日）

　　ロ　遺産分割等があった場合の期限後申告等の特例（所法151の５①）の規定による期限後申告書の提出期限が相続の開始の日から５年を経過する日後である者
　　　　その提出期限

②　取扱い

　納税猶予の期間は10年に延長されます。

⑸　納税猶予に係る期限の一部が確定する場合（所法137の3⑥）

　国外転出をする場合の譲渡所得等の特例の適用がある場合の納税猶予の規定における納税猶予にかかる期限の一部が確定する場合（所法137の2⑤）の規定に類似した規定が設けられています（参考規定：331ページ）。

⑹　継続適用届出書の提出（所法137の3⑦）

　国外転出をする場合の譲渡所得等の特例の適用がある場合の納税猶予の規定における継続適用届出書の提出（所法137の2⑥）の規定と同様の規定が設けられています（参考規定：332ページ）。

⑺　継続適用届出書が提出期限までに所轄税務署長に提出されない場合（所法137の3⑨）

　国外転出をする場合の譲渡所得等の特例の適用がある場合の納税猶予の規定における継続適用届出書が提出期限までに所轄税務署長に提出されない場合（所法137の2⑧）の規定に類似した規定が設けられています（参考規定：333ページ）。

（執筆：多田雄司）

第 5 章

租税条約

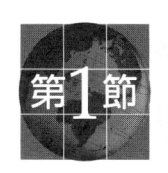 # 第1節 租税条約の概要

1. 国際的二重課税と租税条約

　企業や個人が、居住地国を離れて外国（又は地域）に拠点を設けるなどして事業活動を行い所得を得ると、その所得に対して外国や地域の税務当局から課税を受ける場合があります（源泉地国課税）。一方、企業や個人の居住地国でもその国内で稼得した所得だけでなく、外国等で稼得した所得に課税を受けることもあります（居住地国課税）。こうなると、企業や個人は、外国等で稼得する所得に関しては、居住地国だけでなく事業を行う源泉地国からも課税されることになります。これが"国際的二重課税"です。企業や個人の側からすれば、自己の稼得した所得に課税されることは理解することができても、二重に課税されることは心情的に納得できないだけでなく、経済的な影響が非常に深刻なものとなります。

　そこで、民間の側から各国政府に対して国際的二重課税の排除をするよう要請がなされました。これが租税条約制定の背景です。1920年、当時発足したばかりの国際連盟に対して、国際商業会議所（International Chamber of Commerce）が統一的な租税条約を策定することを要請することで、租税条約の議論は質・量ともに飛躍的に増大していきました。その後、第二次世界大戦後には経済協力開発機構（OECD）租税委員会で先進国間のモデル租税条約を策定していく一方、国際連合（UN）では新興国・開発途上国と先進国との間のモデル租税条約を策定してきています。

2．租税条約の目的

　租税条約による国家間の合意を行うのは、経済活動の促進を図る目的があるからです。すなわち租税が経済活動の障害とならないということが、国際的な国家間の合意の必要性の根源にあるのです。

　そして、それを実現するための一つの手段として租税条約を締結することになりますが、租税条約の目的は次の3つです。

　まず、租税条約を締結することにより、二国間における国際的二重課税を排除することができます。そうすると、企業の経済活動が活発になる一方、各国の税制の差異を利用した国際的な脱税や租税回避が生じることになるため、その防止を関係する国家間で行う必要が出てきます。そこで、租税条約の第2の目的として、国際的な脱税や租税回避の防止が明確化されました。最近のBEPS行動計画に基づくBEPS防止措置実施条約はこれに該当します。これにより、正常な経済活動を保護し、脱税等を目的とする異常な経済活動を監視することができるようになります。第3に、上の2つの目的を早急に実現するために、各国税務当局間の国際協力を行うことです。国際的二重課税が発生した場合にこれを排除するための手続、一方、国際的租税回避への共同した対処などが行われるようになってきたのです。その意味で、税務当局間の国際協力も租税条約のきわめて重要な目的ということになります。

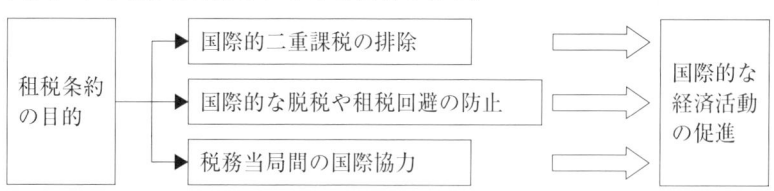

3．租税条約の歴史とモデル条約の必要性

　一般に、今のような租税条約が最初に締結されたのは、19世紀末のオーストリア・ハンガリーとプロシアの間といわれていますが、さらに古く遡れるとい

う説もあります。いずれにしても、経済活動が活発になり、これが国境に関係なく国境内においても、また国境を越えて幅広く行われるようになりました。そこでは、国境に関係なく所得が生み出されることになります。一方で、経済活動が増大し大量に行われることになり、他方で国家によるそれぞれの課税が行われていました。このように、経済活動の活発化、グローバル化により、国際的な二重課税が生じることになったわけです。

　租税条約は、二国間で締結されることでこれまで発展してきました。ただし、それぞれの国同士が自国の規定に沿った内容の租税条約を締結することになると、租税条約の内容はそれぞれに異なることになりかねません。そうなると、複数の国で事業活動や投資活動を行う納税者は混乱するだけでなく、国際的二重課税が排除されなくなってしまいます。そこで、各国の模範となるようなモデル租税条約を作成することとしたわけです。これが上述したように1920年代に設けられた国際連盟の場であり、そこでは理論的実践的な研究が行われ、1928年に最初のモデル租税条約が誕生しました。その後、以下に掲げるモデル租税条約が策定され、現在に至っています。

　OECDモデル租税条約は先進国間のもの、一方、国際連合（UN）モデル租税条約は先進国と開発途上国との間のもの、と位置づけられています。ただUNモデル租税条約には開発途上国に有利な規定が多すぎることから、日本のような先進国ではあまり省みられていないのが実情です。しかし、租税条約を締結する相手国等により、適宜UNモデル租税条約の内容を取り入れる場合もあります。

　近年、BEPSプロジェクトの進展を受けて、OECDモデル租税条約が大幅に見直されましたが、UNモデル租税条約もこれに呼応するように改定されています。

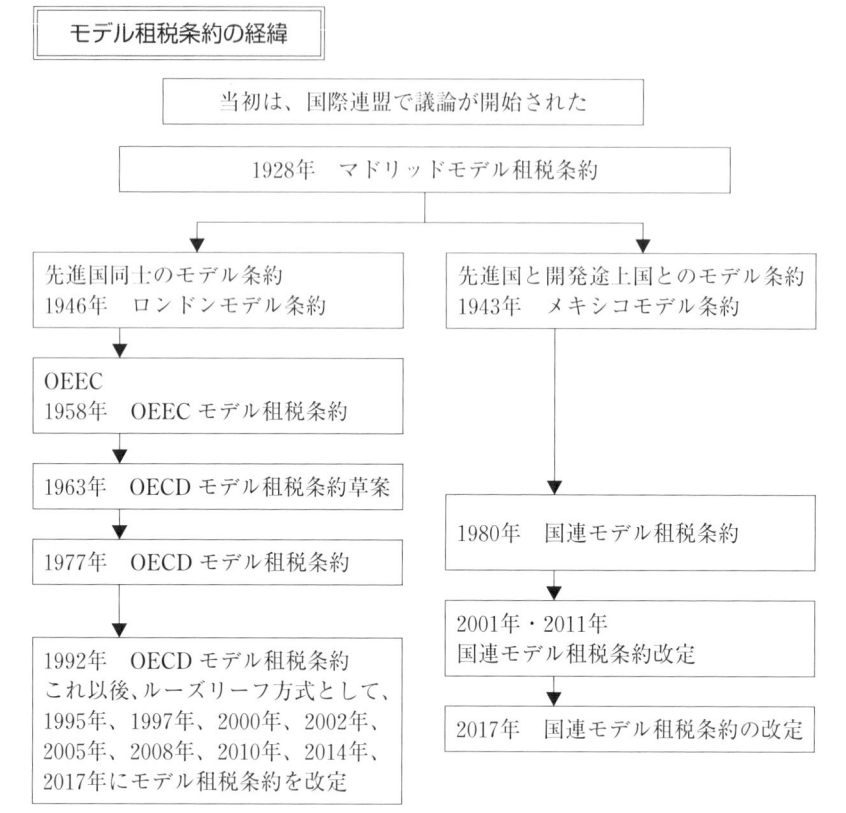

| モデル租税条約の経緯 |

当初は、国際連盟で議論が開始された

1928年　マドリッドモデル租税条約

先進国同士のモデル条約
1946年　ロンドンモデル条約

OEEC
1958年　OEEC モデル租税条約

1963年　OECD モデル租税条約草案

1977年　OECD モデル租税条約

1992年　OECD モデル租税条約
これ以後、ルーズリーフ方式として、
1995年、1997年、2000年、2002年、
2005年、2008年、2010年、2014年、
2017年にモデル租税条約を改定

先進国と開発途上国とのモデル条約
1943年　メキシコモデル条約

1980年　国連モデル租税条約

2001年・2011年
国連モデル租税条約改定

2017年　国連モデル租税条約の改定

（注）　OEEC とは、1948年に第二次世界大戦後の欧州復興のために設立された「ヨーロッパ経済協力機構（Organization for European Economic Cooperation）」をいいます。OECD は、OEEC が母体となりこれに米国とカナダを加えて1961年に設立されました。

4．OECD モデル租税条約、国連モデル租税条約及びその他の モデル租税条約の位置づけ

⑴　OECD モデル租税条約と国連モデル租税条約

　各国は、独自の法制度の中で国内租税法を規定しています。一方、各国それぞれが租税条約を締結することで国際的二重課税が排除されなくなり、さらに

複雑な制度となって納税者が混乱する場面も生じてきます。そこで、国際機関の一つである OECD 租税委員会がモデル租税条約を策定し、頻繁に改正することにより、二国間条約の典型的ひな型を用意することにしていました。OECD は、モデル租税条約についての解釈が各国でバラバラにならないよう、適用や解釈を統一するためにその解釈指針であるコメンタリーを策定してきました。これに対して、国際連合ではモデル租税条約も条約とコメンタリーを策定し公表しています。

これまでは、先進国の経済力が強く、したがって OECD モデル租税条約の影響力が大きかったといえます。しかし、21世紀に入るといわゆる新興国が大きく台頭してきましたが、これら新興国は OECD 非加盟国であり、それまでの OECD モデル租税条約優位の情勢に変化が起きつつあるように思えます。また一方、国連では OECD ほど活発な議論が展開されてはいなかったのですが、新興国のプレゼンスの増大を踏まえ、今後の国連での組織改革も予想されるなど、その動向が注目されています。

さて、OECD モデル租税条約は、国際的二重課税を排除するために加盟国（先進国）の税務当局代表が議論し、合意したものです。OECD 租税委員会は、モデル租税条約を公表すると同時にモデル租税条約の具体例やその公式解釈であるコメンタリーを作成しています。コメンタリーを公表することで、モデル租税条約の適用や解釈を統一することができるからです。

なお、日本を含む各国は、それぞれの国内法との関係等でモデル租税条約の規定に従えない場合には留保（reservation）を、モデル租税条約のコメンタリーに従えないような場合には所見（observation）を表明することになります。

OECD モデル租税条約は、経済社会情勢の変化に対応して頻繁に改正されています。これまでのところ、多くの国では OECD モデル租税条約に基づいて租税条約を締結しており、OECD モデル租税条約は国際的な課税ルールを形成しているといっても過言ではありません。

なお、当然のことですが、OECD モデル租税条約及び国連モデル租税条約

は、租税条約のモデルであり、現実に二国間で締結される租税条約ではありません。したがって、これらのモデル条約には法的拘束力はありません。

　ただし、上述したように OECD モデル租税条約は、先進国の税務当局代表で議論した結果合意に達したものであることから、実践性は高いものと考えられ、現実には多くの租税条約に影響を与えています。日本は OECD モデル租税条約に準拠して租税条約交渉に当たっているといわれているだけでなく、最近は裁判例に OECD モデル租税条約及び同コメンタリーに基づく主張がなされることがあります。

　国連モデル条約は、OECD の動きに続いて議論される傾向があります。使用料の項では、新しく12条 A が創設されています。

(2)　米国モデル租税条約と中星租税条約に係る通達75

　国際機関に限らず、個別にモデル租税条約を策定して公表している国もあります。この中で最も注目すべきなのは、米国モデル租税条約です。米国は、租税条約を締結する際の指針として、1977年にモデル租税条約を策定し、1981年に改正しました。その後、1996年と2006年に改正され、最近では2016年 2 月に新モデル租税条約（United States Model Income Tax Convention）を公表しています。また、2006年11月に公表された米国モデル租税条約には、92ページにわたる技術的説明文書(United States Model Technical Explanation Accompanying The United States Model Income Tax Convention of November 15, 2006) も添付されています。2016年 2 月の改定時には「前文」（Preamble）として 9 ページの文書を公開し、2006年の技術的説明文書を補っています。これらは、モデル租税条約の解釈指針となるべきものです。

　一方、中国にはモデル租税条約はありませんが、2010年 7 月に国家税務総局通達75を発遣しました。これは、2007年に締結された中国とシンガポールとの租税条約（中星租税条約）に係る解釈指針です。中国当局は、通達75の中で中星租税条約の解釈指針は、その他の中国を当事者とする租税条約にも適用されると明示しました。

　以下では、これらを一部参照した上で租税条約の個別の規定の説明を行いたいと思います。

5. 租税条約の意義と区分

　租税条約は、二国間で締結されるのが一般的です。これは、条約を締結する2つの国の一方の国の居住者（これには内国法人等も含まれる。）が、他方の国で所得を稼得する場合等の課税方法等についての、両国間の合意ということになります。なお、租税条約で居住者という場合には、個人だけでなく内国法人などの事業体を含むことに留意する必要があります。

　経済のグローバル化を受けて、わが国は初の多国間条約に署名しました。租税条約は、次の4つに区分することができます。

(1)　所得税条約

　多くの租税条約は、正式には「所得に対する租税に関する二重課税の回避及び脱税の防止のための日本国政府と○○国政府との間の条約（協定）」といいます。「租税条約」という用語は通称であり、租税協定といわれることのほうが多いです。しかし、憲法第98条第2項の規定では条約という用語が用いられていることから、本章では「租税条約」と呼ぶことにします。

　さて、上の名称からは、租税条約が「所得」に対する租税に関するものであることがわかります。所得に対する租税ということで、日本が締結する租税条約においては、所得税と法人税がその対象となるケースが多くなります。ただし、条約によっては、地方税も所得を基準とするものもあることから、相手国との関係で地方税が租税条約の対象に含まれている場合もあります。

(2)　租税情報交換協定

　租税情報交換協定（Tax Information Exchange Agreement：TIEA）とは、各国税務当局間における租税情報の交換を主目的とする租税条約を意味します。規定の数及び内容ともに、上に述べた租税条約に比して相当簡易といっても過言ではありません。例えば、2011年（平成23年）8月25日に発効した日本とバハ

マ国との間の租税情報交換協定は全19か条で構成されており、そのうちの多く
の規定が租税情報の交換のためのものです。

　租税情報交換協定は、タックス・ヘイブンが2008年9月のリーマン・ショッ
クに端を発した世界的金融危機の遠因であるとされたことにより、2009年4月
のロンドンでのG20首脳会議においてOECDを中心としてタックス・ヘイブ
ンに圧力をかけることとされました。一方、タックス・ヘイブンに対しては、
各国との間で12以上の条約を締結しなければブラック・リストに掲載して公表
するとしました。このため、2009年以降、タックス・ヘイブンは各国と租税情
報交換協定の締結を行ってきました。我が国はこれまで、タックス・ヘイブン
との間では、香港との間で上に述べた租税条約を締結した（発効は2011年8月）
他、バミューダ、バハマ国、マン島、ケイマン諸島、ジャージー、ガーンジー、
英領バージン諸島、パナマ、リヒテンシュタイン、サモア、マカオの11の国（地
域）との間で租税情報交換協定を締結しました。

　なお、⑷で述べる税務行政執行共助条約に参加してからは、情報交換等につ
いてはこちらを用いることになったことで、租税情報交換協定を新たに締結す
ることはなくなってきました。

⑶　相続税条約

　租税条約には、もう一つ相続税に関する租税条約があり、日本は米国とだけ
この条約を締結しています。しかし、国際税務で主に問題となるのが「所得に
対する」条約、つまり所得税条約であることから、ここでは相続税条約につい
ての説明は省略します。

⑷　多数国間条約

　近年、多数国間における租税条約が締結されています。まず、2011年11月4
日に署名した「税務行政執行共助条約」です。本条約は、本条約の締約国間で、
租税に関する様々な行政支援（情報交換、徴収共助、送達共助）を相互に行うこ
とを規定しており、本条約を締結することにより、本条約を締結しています。
多くの国の税務当局との協力を通じ、国際的な脱税及び租税回避行為に適切に

対処していくことが可能になります。詳細は後述しますが、本条約は情報交換、徴収共助及び送達共助といった行政支援を相互に行うための多数国間条約であり、これにより国際的な脱税及び租税回避行為に適切に対処していくことが可能になりました。

次に、いわゆる「税源浸食と利益移転（BEPS）プロジェクト」の行動15において、BEPS行動計画を通じて策定される各種措置の実施のために二国間租税条約においてBEPS対抗措置を効率的に実現するための多数国間協定を策定することとされました。この多数国間協定を「BEPS防止措置実施条約」といいます。BEPS防止措置実施条約の規定は、全加盟国が採用する中核的規定と、加盟国が選択できる規定とで構成され、その規定に従って、加盟国間の二国間租税条約の規定が部分的に改正又は追加されることになっています。この多国間協定は、2016年11月24日に策定され、解釈指針を作成した上で、2017年6月、パリにおいて署名式が開催され、2018年7月1日に発効しました。本章では、このBEPS防止措置実施条約についても後述します。

以上のように、租税条約は以下に掲げるように5つのパターンに区分することができます。

租税条約 の種類	二国間 租税条約	① 所得に対する租税条約（所得税条約）
		② 租税の情報交換を主目的とする租税条約（租税情報交換協定）
		③ 相続に対する租税条約（相続税条約）
	多数国間 租税条約	④ 税務当局間の税務行政執行を共助する租税条約（税務行政執行共助条約）
		⑤ BEPSプロジェクトを実施するための租税条約（BEPS防止措置実施条約）

6. プリザベーション・クローズ

プリザベーション・クローズとは、国内法などが認める非課税（exclusion）、

免税（exemption）、所得控除（deduction）、税額控除（credit）等の租税の減免がある場合に、租税条約の規定がそれらの特典を制限するものではない、という原則であると理解されています。よりわかりやすくいえば、租税条約よりも国内法の規定を適用したほうが有利になる場合があるときには、租税条約の規定ではなく国内法の規定を優先適用することができることを意味します。

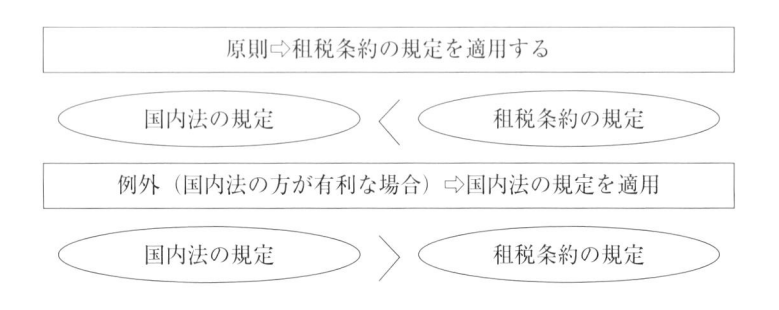

プリザベーション・クローズがいわれる背景には、租税条約の機能として租税負担の減免があることから、租税条約の規定によりかえって納税者の租税負担が増加するということは、租税条約の趣旨に反する、ということがあると思われます。

日本が締結している租税条約の中で、プリザベーション・クローズは、日米租税条約（第1条第2項）、日中租税条約（第27条）をはじめ多くの租税条約に規定されています。

例えば、日本の内国法人AがブラジルB社に使用料を支払う場合、日本・ブラジル租税条約によると商標権の使用料に係る源泉徴収税率は25％と規定されています。しかし、日本の租税条約等実施特例法第3条の2第1項の規定により、源泉徴収税率は20％とされます。このように、租税条約に規定する限度税率が国内法に規定する税率よりも高い場合には、国内法による税率が適用されることとなるというわけです。これがプリザベーション・クローズが適用される最も典型的な事例ということになります。

　プリザベーション・クローズは、租税条約上の基本原則であるといわれている一方、OECD モデル租税条約に明文の規定がなく、米国モデル租税条約には規定されています。プリザベーション・クローズは、日本ではこれらが租税条約の基本原則であるといわれています。日本においては、これらの原則は、国際的に受け入れられたものであり、明文の規定がなくとも適用されるという考え方が優勢であるということです。要は、租税条約上の規定は、確認規定にすぎないという考え方を採用しているのです。

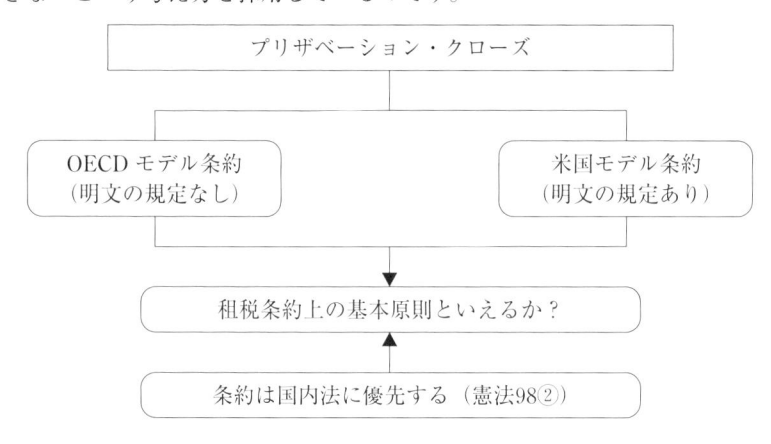

　しかし、例えば、プリザベーション・クローズを適用し、国内法と租税条約の規定のうち、納税者にとって都合の良いほうの規定を適用することができるということになると、憲法の定める「条約は国内法に優先する」という規定に反することになるのではないか、という疑問が生じます。この点については、例えば、二重課税の排除を目的とする租税条約によって国内法上の課税上の軽減規定を無効とされることは、租税条約の趣旨に反することになり、したがって、このような場合にはより税負担の軽い規定を適用すべきであるから、仮に租税条約の規定があったとしても国内法の規定を適用することは、条約が国内法の規定に優先することに反するものではない、ということになります。

　これに対する考え方としては、プリザベーション・クローズや後述するセー

ビング・クローズがともに、OECD モデル租税条約に規定がない一方、米国
モデル租税条約に規定されていることから、米国の考え方である「後法優先の
原則」がその基礎にあるので、そのような考え方を採用しない日本においては
不適切である、という主張もあります。

7. セービング・クローズ

　セービング・クローズとは、「条約に別の規定がない限り、自国の居住者（内
国法人や米国でいう市民を含む。）に対する自国での課税は、租税条約の規定に
影響されない。」というものです。

【セービング・クローズの具体例】

日米租税条約第1条第4項	a）この条約は、5 の場合を除くほか、第 4 条の規定に基づき一方の締約国の居住者とされる者に対する当該一方の締約国の課税及び合衆国の市民に対する合衆国の課税に影響を及ぼすものではない。
	b）この条約の他の規定にかかわらず、合衆国の市民であった個人又は合衆国において長期居住者とされる個人に対しては、当該個人が合衆国の法令において租税の回避を主たる目的の一つとして合衆国の市民としての地位を喪失したとされる場合（合衆国の法令において合衆国の市民としての地位を喪失した個人と同様の取扱いを受ける場合を含む。）には、その市民としての地位を喪失した時から10年間、合衆国において、合衆国の法令に従って租税を課することができる。

　なお、日米租税条約第 1 条第 5 項においては、次のものが適用外とされてい
ます。

セービング・クローズの適用外	①	特殊関連者条項
	②	政府職員の報酬への課税
	③	退職金その他これに類する報酬
	④	外国税額控除
	⑤	内外無差別条項
	⑥	相互協議条項
	⑦	外交官特権
	⑧	離婚等に伴う扶養料等
	⑨	学生・事業修習者の給付への課税

　また、日本の締結している租税条約のうち、セービング・クローズを規定しているのは、日米条約（第1条第4項）だけです。後述するように、2017年版OECDモデル租税条約は、第1条3でセービング・クローズを採用することになりましたが、執筆日現在では日本が締結する租税条約にはまだ採用されていません。

 第2節　**日本の租税条約の概要**

1. 概　要

　日本は、1954年（昭和29年）4月に米国との間で租税条約を締結して以降、経済活動の活発化と足並みをそろえるように、租税条約網を整備してきました。2020年8月1日現在、以下の表にあるように、76の租税条約が締結されており、139の国（地域を含みます）との間で適用されています。これは、日本の対外投資金額ベースでいえば、90％を上回るものです。

【日本の租税条約締結国一覧（76か国締結、139か国適用）】

欧州地域(45)	
アイスランド	ラトビア
アイルランド	リトアニア
イギリス	ルクセンブルク
イタリア	ルーマニア
エストニア	ガーンジー（＊）
オーストリア	ジャージー（＊）
オランダ	マン島（＊）
クロアチア	リヒテンシュタイン（＊）
スイス	（税務行政執行共助
スウェーデン	条約のみ）
スペイン	アルバニア
スロバキア	アンドラ
スロベニア	北マケドニア
チェコ	キプロス

ロシア・NIS 諸国(12)	
アゼルバイジャン	ジョージア
アルメニア	タジキスタン
ウクライナ	トルクメニスタン
ウズベキスタン	ベラルーシ
カザフスタン	モルドバ
キルギス	ロシア

アジア・大洋州(25)	
インド	ベトナム
インドネシア	香港
オーストラリア	マレーシア
韓国	サモア（＊）
シンガポール	マカオ（＊）

デンマーク	ギリシャ
ドイツ	グリーンランド
ノールウェー	サンマリノ
ハンガリー	ジブラルタル
フィンランド	セルビア
フランス	フェロー諸島
ブルガリア	マルタ
ベルギー	モナコ
ポルトガル	モンテネグロ
ポーランド	

中東(9)	
アラブ首長国連邦	トルコ
イスラエル	（税務行政執行共助
オマーン	条約のみ）
カタール	バーレーン
クウェート	レバノン
サウジアラビア	

アフリカ(13)	
エジプト	カメルーン
ザンビア	セーシェル
南アフリカ	セネガル
（税務行政執行共助	チュニジア
条約のみ）	ナイジェリア
ウガンダ	モーリシャス
ガーナ	モロッコ
ガーボベルデ	

スリランカ	台湾[注3]
タイ	（税務行政執行共助
中国	条約のみ）
ニュージーランド	クック諸島
パキスタン	ナウル
バングラデシュ	ニウエ
フィジー	バヌアツ
フィリピン	マーシャル諸島
ブルネイ	モンゴル

北米中南米(34)	
アメリカ	グアテマラ
エクアドル	グレナダ
カナダ	コスタリカ
チリ	コロンビア
ブラジル	ジャマイカ
メキシコ	セントクリスト
ケイマン諸島（＊）	ファー・ネーヴィ
英領バージン諸島	ス
（＊）	セントビンセント
パナマ（＊）	及びグレナディー
バハマ（＊）	ン諸島
バミューダ（＊）	セントマーティン
（税務行政執行共助	セントルシア
条約のみ）	ターコス・カイコ
アルゼンチン	ス諸島
アルバ	ドミニカ共和国
アンギラ	ドミニカ国
アンティグア・	バルバドス
バーブーダ	ベリーズ
ウルグアイ	ペルー
エルサルバドル	モンセラット
キュラソー	

(注1)　税務行政執行共助条約が多数国間条約であること、及び旧ソ連・旧チェコ
　　　スロバキアとの条約が複数国へ承継されていることから条約数と国・地域数
　　　が一致しない。

(注2)　条約等の数、国・地域数の内訳は以下のとおり。

　　　・二重課税の回避、脱税及び租税回避等への対応を主たる内容とする条約（い

わゆる租税条約）：63本、73か国・地域
・租税に関する情報交換を主たる内容とする条約（いわゆる情報交換協定）：
11本、11か国・地域（上の表で（＊）で表示）
・税務行政執行共助条約（締約国は日本を除いて全84か国（上の表で国名に
下線）、適用拡張により99か国・地域に適用(図中、適用拡張地域名に点線)。
このうち我が国と二国間条約を締結していない国・地域は51か国・地域。
・日台民間租税取決め：１本、１地域
(注３)　台湾については公益財団法人交流協会（日本側）と亜東関係協会（台湾側）
との間の民間租税取決め及びその内容を日本国内で実施するための法令に
よって、全体として租税条約に相当する枠組みを構築

（出典：財務省資料）

2. 日本の租税条約の締結方針と「税源浸食と利益移転（BEPS）プロジェクト」

(1)　BEPS プロジェクト以前

　平成16年（2004年）に新しい日米租税条約が発効し、それまでの利子や配当、
使用料といった投資所得に対する源泉徴収税率を一定以上確保するという源泉
地国課税を放棄する姿勢に転換しました。それまでは、日本は非居住者や外国
法人に対して源泉地国として課税権を主張していました。

　しかし、日米租税条約を契機として、これら投資所得の源泉税率の減免を行
うことで、源泉地国としての課税というよりは、国際的な経済活動（投資交流）
の促進を重視するようになりました。

　一方、日米租税条約を契機として新たに特典制限条項（LOB）を導入し、そ
の後の先進国（英、仏、豪、独など）との条約改定の際にも導入しました。こ
れは、後述するように、租税条約の減免規定を適正に適用するために、すなわ
ち租税条約の濫用を防止するために、真の適格者のみを対象に租税の減免を図
ることを明確にすることを意味します。

　次に、平成20年（2008年）９月のリーマンショックを契機とした各国のタッ
クス・ヘイブンへの情報開示への圧力と歩調を合わせるため、タックス・ヘイ
ブンとの間に租税情報交換協定を締結することとし、これまでにバミューダを

はじめとしていくつかの国との間で同協定を締結するとともに、これまで情報交換に消極的だったスイス、ルクセンブルクなどとの間でOECDが定めた国際標準に基づく規定に変更するなどしてきました。ただし、平成25年11月に発効した税務行政執行共助条約（多国間条約）にも情報交換条項があるため、こちらに参加する国（地域）に対してはこちらでカバーできることもあり、その後我が国と租税情報交換協定を締結する国（地域）はあまり増加していません。

　さらに近年、OECDモデル条約において、相互協議が一定期間内に合意に達しない場合の手続としての仲裁が導入されたことにより、平成23年に改定されたオランダとの租税条約や新規締結された香港との租税条約において仲裁を導入しました。

(2)　BEPSプロジェクト以後

　平成27年（2015年）10月に公表されたBEPSプロジェクト最終報告書は、租税条約にも非常に大きな影響を与えました。

　まず、BEPSプロジェクト行動6は、「租税条約の濫用防止」と題して、条約漁り（第三国の居住者が不当に条約の特典を得ようとする行為）をはじめとした租税条約の濫用は、BEPSの最も重要な原因の一つとの認識に基づき、これを防止するための「OECDモデル条約」の改定及び国内法の設計について検討することとしています。その中で、最低限必要な措置（ミニマムスタンダード）として、以下の1及び2の措置を採用することを勧告しました。

1	租税条約のタイトル・前文に、租税条約は、租税回避・脱税（条約漁りを含む。）を通じた二重非課税又は税負担軽減の機会を創出することを意図したものでないことを明記すること。
2	租税条約に、一般的濫用防止規定として次のいずれかを規定すること。 ①主要目的テスト（Principal Purpose Test：PPT）のみ ②PPT及び簡素版LOB（特典制限規定（Limitation on Benefit））との両方 ③厳格版LOB及び導管取引防止規定（限定的PPT） ※LOBとは、租税条約の適用を受けることができる者を一定の適格者に制限する規定をいいます。また、PPTとは、租税条約の濫用を主たる目的とする取引から生ずる所得に対する租税条約の特典を否認する規定をいいます。

　このうち、1については、平成28年10月に発効した日独租税条約（全面改正）前文で以下のように記述された（下線は筆者）ことで、日本とドイツはBEPSプロジェクトを忠実に履行していることがわかります。

> 日本国及びドイツ連邦共和国は、
> 　両国間の経済関係の一層の発展を図ること及び租税に関する両国間の協力を強化することを希望し、
> 　所得に対する租税及びある種の他の租税に関し、脱税又は租税回避を通じた非課税又は課税の軽減（第三国の居住者の間接的な利益のためにこの協定において与えられる租税の免除又は軽減を得ることを目的とする条約漁りの仕組みを通じたものを含む。）の機会を生じさせることなく、二重課税を除去するための新たな協定を締結することを意図して、
> 　次のとおり協定した。

　また、租税条約に、租税条約上の特定の要件の適用回避を防止するための個別的濫用防止規定（双方居住者の振分けルールを実質管理地基準から個別判定方式に変更、配当に対する軽減税率適用のための持株保有期間要件の追加等）を設けることを勧告しています。

　日本は、これらの施策を既に取り入れております。特典条項は上述した通りですが、PPTについては同じく日独租税条約第21条第8項で初めて採用しました。具体的には、租税条約の他の規定にかかわらず、全ての関連する事実及び状況を考慮して、その租税条約の特典を受けることがその特典を直接又は間接に得ることとなる仕組み又は取引の主たる目的の一つであったと判断することが妥当である場合には、その所得については、特典を与えないこととしています（特典を与えることがこの協定の関連する規定の目的に適合することが立証されるときを除きます）。

　そして、2017年6月に署名されたBEPSプロジェクト行動15「BEPS防止措置実施条約」を批准することにより、二国間租税条約が締結されていない国（地

域）との間で上で示した内容が適用されています。

　次に、行動7「恒久的施設（PE）認定の人為的回避の防止」も、行動15の多国間協定で導入されることになりました。PE認定の人為的回避とは、次のような事例を指します。

【代理人PEの認定を回避する例：　販売委託契約（コミッショネア契約)】

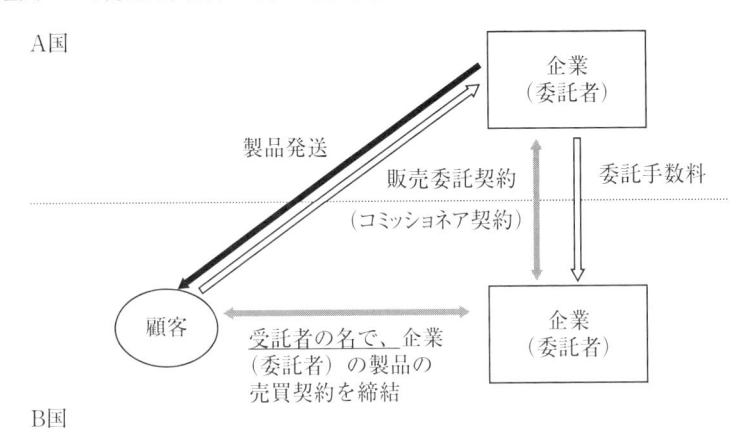

＊上の図では、

イ）企業がB国に支店を設けて製品を販売すると、B国にPEを有することとなり、B国において製品の販売利益に課税されることになります。

ロ）また、企業がB国に代理人を置いて、代理人が企業（本人）の名において企業の製品の販売契約を締結すると、企業がB国に代理人PEを有することとなり、B国において企業が製品の販売利益に課税されます。

ハ）これに対し、企業はB国の受託者と販売委託契約（コミッショネア契約）を締結し、受託者（コミッショネア）が受託者の名において企業（委託者）の製品の販売契約を締結すると、代理人PEの要件に該当しないため、企業はB国にPEを有しないこととなり、B国において製品の販売利益に課税されません。

　この問題については、BEPSプロジェクト行動15のBEPS防止措置実施条約に導入され、2017年版OECDモデル租税条約にも取り入れられました。

　さらに、BEPSプロジェクト行動14の「相互協議の効果的実施」において、BEPS対抗措置による新たなルールの導入に伴う予期せぬ二重課税の発生等の不確実性を排除し、ビジネスにとっての確実性と予測可能性を確保するためには、租税条約に関連する紛争を解決するための相互協議手続をより実効的なものとすることが必須であるとされました。そこで、多国間協定の中で実効的な相互協議の実施を妨げる障害を除去するため、相互協議を通じた適時・効果的な紛争解決に対し強く政治的にコミットし、以下の3項目を実現するために各国が最低限実施すべき措置（ミニマムスタンダード：MS）及び実施することが望ましいとされる措置（ベストプラクティス）を勧告することとされました。

1	・相互協議に係る条約上の義務の誠実な履行と、相互協議事案の迅速な解決 ・（MSの例）相互協議事案を平均24か月以内に解決することを目標化すること
2	・租税条約に関連する紛争の予防及び迅速な解決を促進するための行政手続の実施 ・（MSの例）相互協議の利用のためのガイダンス公表、相互協議担当職員の人員及び独立性の確保
3	・納税者に対する相互協議の機会の保証 ・（MSの例）いずれの締約国の権限のある当局に対しても相互協議の申立てをできるように租税条約の規定を改正

　このほか、相互協議手続の実効性は、強制的・拘束的仲裁制度の導入によって一層強化されるとして、仲裁制度を導入する意思のある国において、強制的・拘束的仲裁に関する具体的な規定の策定作業を継続することとされました。

　日本は、ミニマムスタンダード及びベストプラクティスを概ね実施しています。今後、多国間協定に参加することを含め、租税条約に関連する措置（仲裁を含む。）を規定する租税条約を拡充していくとしています。

3. 最近の租税条約の改正

　財務省のホームページによると、平成16年（2004年）日米租税条約の改定以降の改正状況は次のようになっています（2020年 7 月 1 日現在）。

【発効】

年 月	相手国（地域）	改正状況
2004年 3 月	米国	全面改正
2006年 6 月	インド	部分改正
2006年10月	英国	全面改正
2007年12月	フランス	部分改正
2008年11月	パキスタン	全面改正
2008年12月	オーストラリア	全面改正
2008年12月	フィリピン	部分改正
2009年12月	ブルネイ	新規締結
2009年12月	カザフスタン	新規締結
2010年 7 月	シンガポール	部分改正
2010年 8 月	バミューダ＊	新規締結
2010年12月	マレーシア	部分改正
2011年 8 月	香港	新規締結
2011年 8 月	バハマ＊	新規締結
2011年 9 月	サウジアラビア	新規締結
2011年 0 月	マン島＊	新規締結
2011年11月	ケイマン諸島＊	新規締結
2011年12月	オランダ	全面改正
2011年12月	スイス	部分改正
2011年12月	ルクセンブルク	部分改正

2012年12月	リヒテンシュタイン＊	新規締結
2013年 6 月	クウェート	新規締結
2013年 7 月	サモア＊	新規締結
2013年 7 月	ポルトガル	新規締結
2013年 8 月	ガーンジー＊	新規締結
2013年 8 月	ジャージー＊	新規締結
2013年10月	税務行政執行共助条約	新規締結
2013年10月	ニュージーランド	全面改正
2013年12月	ベルギー	部分改正
2014年 5 月	マカオ＊	新規締結
2014年 9 月	オマーン	新規締結
2014年10月	英領バージン諸島＊	新規締結
2014年10月	スウェーデン	部分改正
2014年12月	英国	部分改正
2014年12月	アラブ首長国連邦	新規締結
2015年12月	カタール	新規締結
2016年10月	ドイツ	全面改正
2016年10月	インド	部分改正
2016年12月	チリ	新規締結
2017年 3 月	パナマ＊	新規締結
2017年 7 月	ラトビア	新規締結
2017年 8 月	スロベニア	新規締結
2018年 8 月	リトアニア	新規締結
2018年 9 月	エストニア	新規締結
2018年10月	ロシア	全面改正
2018年10月	オーストラリア	全面改正

2018年10月	アイスランド	新規締結
2018年12月	バハマ	部分改正
2018年12月	デンマーク	全面改正
2019年 1 月	ベルギー	全面改正
2019年 8 月	アメリカ	部分改正
2019年 9 月	クロアチア	新規締結
2019年12月	エクアドル	新規締結
2020年 9 月	ジャマイカ	新規締結

【署名・未発効】

年　　　月	相手国（地域）	改正状況
2018年10月	スペイン	全面改正
2018年12月	コロンビア	新規締結
2019年 6 月	アルゼンチン	新規締結
2019年 9 月	ウルグアイ	新規締結
2019年11月	ペルー	新規締結
2019年12月	ウズベキスタン	全面改正
2020年 1 月	モロッコ	新規締結
2020年 7 月	セルビア	新規締結

〔現在の正式交渉国〕

・チュニジア・ギリシャ・フィンランド・ナイジェリア

（注）　相手国（地域）に＊印が付されているのは、租税情報交換協定を主体とする
　　　ものです。

租税条約の内容［その1］
（条約の範囲と定義）

1．概要

　以下では、租税条約の具体的内容を見ていくことにします。その際、日本はOECD モデル租税条約に則って租税条約を締結していることから、OECD モデル租税条約の規定に沿った形で説明します。OECD モデル租税条約については、2014年版に基づいて説明します。また、最近はいわゆる新興国の力が色々な場面で強くなっていますが、租税条約でいえば先進国と開発途上国とのモデル条約である国際連合モデル租税条約の重要性が増しており、これにも触れていくこととします。

　次に、日本にとって最も重要な貿易相手国との条約である日米租税条約及び日中租税条約を中心として、最近改定された先進国及び新興国・発展途上国との租税条約について解説することにします。

　なお、現行の日米租税条約は平成16年（2004年）に発効しましたが、その後の経済社会及び OECD などにおける議論の成果を取り入れるため、平成23年（2011年）6 月に改正交渉が開始され、2013年 1 月に改正議定書が署名されました。その後、2019年批准書の交換が行われ、2020年 1 月に発効しました。

　このほか、上述したように、平成22年（2010年）7 月に中星租税条約に関する中国国家税務当局（日本の国税庁に相当）から通達75が公表されました。これは、中国当局の中星租税条約の解釈指針を示しているだけでなく、中国が締結しているすべての租税条約に関する中国当局の考え方を示しているもので

す。日中租税条約は中星租税条約とは異なる規定を有する場合がありますが、中国当局の租税条約の解釈指針が公表されたことから、我が国居住者（個人及び法人等）にも類似の考え方で対応してくる可能性が高いと思われます。そこで、本章においては、この通達75にも必要に応じ触れていくことにします。

また本章では、次の表に掲げる租税条約に関して、次の順序で説明をしていくこととします。

	対先進国条約		対途上国、アジア諸国との条約
1	OECD モデル租税条約 （2017年版）	2	国連モデル租税条約 （2017年版）
3	日米租税条約 （平成16年条約第2号、 平成25年一部改正を含みます）	8	日中租税条約 （昭和59年条約第5号）
4	日英租税条約 （平成18年10月発効、 平成26年12月発効）	9	日印租税条約 （平成18年6月発効、 平成28年10月発効）
5	日仏租税条約 （平成8年3月発効、 平成19年12月発効）	10	日韓租税条約 （平成11年11月発効）
6	日豪租税条約 （平成20年12月発効）	11	日タイ租税条約 （平成2年8月発効）
7	日独租税条約 （平成28年10月発効）	12	日シンガポール租税条約 （平成7年4月発効、 平成22年7月発効）

（注）　以下、日本とシンガポールとの租税条約は、「日シ条約」ということがあります。

2. 対象となる者等（人的範囲）

(1) 対象となる者

租税条約は、はじめに条約が適用される者の範囲及び課税上存在しないものとして取り扱われる事業体の取扱い、そしてセービング・クローズを規定しています。OECD モデル租税条約第1条では、次のように規定されています。

OECD モデル租税条約第1条（人的範囲）

1．この条約は、一方又は他方の締約国の居住者である者に適用する。

2．この条約の適用上、いずれかの締約国の租税に関する法令の下において全面的若しくは部分的に課税上存在しないものとして取り扱われる団体若しくは仕組みによって又はこのような団体若しくは仕組みを通じて取得される所得は、一方の締約国における課税上当該一方の締約国の居住者の所得として取り扱われる限りにおいて、当該一方の締約国の居住者の所得とみなす。

3．この条約は、第7条3、第9条2、第19条、第20条、第23［A］［B］条、第24条、第25条及び第28条の規定に基づいて認められる特典に関する場合を除くほか、一方の締約国の居住者に対する当該一方の締約国の課税に影響を及ぼすものではない。

　このうち、1は、租税条約が適用される人的範囲（居住者）について規定しています。これによると、租税条約を締結する2つの国を「一方の締約国」と「他方の締約国」という用語で示しています。

　国連モデル租税条約第1条も、同様の規定を置いています。

　次に、2の規定ですが、いずれかの締約国において課税上存在しないものとして取り扱われる事業体へ条約を適用するものです。例えば、源泉地国ではある事業体を納税義務者として認識（事業体課税）する一方、その事業体の所在地国では事業体ではなくその構成員を納税義務者として課税（構成員課税）する場合のように、ある事業体に関する課税上の取扱いが両国で異なる場合には、両国で条約の特典を受ける者に関する認識が異なるため、実質的な二重課税が生じているにもかかわらず条約が適用できないこととなります。

　そこで、第1条2は、いずれか一方の締約国の租税に関する法令の下において全面的若しくは部分的に課税上存在しないものとして取り扱われる団体若しくは仕組みによって又はこのような団体若しくは仕組みを通じて取得される所得は、一方の締約国における課税上当該一方の締約国の居住者の所得として取

り扱われる限りにおいて、当該一方の締約国の居住者の所得とみなすことを規定することにより、ある事業体に関する課税上の取扱いが両国で異なる場合における条約の適用を確保しています。

また、3の規定ですが、いわゆるセービング・クローズを規定するものです。租税条約は、相手国の居住者に対して適用されるものであり、自国の納税者に対して適用するものではないという原則です。

2017年版 OECD モデル租税条約において、上記の2及び3が新たに追加されました。

(2)　国連モデル租税条約

国連モデル租税条約第1条は、OECD モデル租税条約第1条1のみ規定されています。

(3)　日本が締結した租税条約

日米条約（第1条第1項）、日英条約（第1条）、日仏条約（第1条）、日豪条約（第1条）、日独条約（第1条）、日中条約（第1条）、日印条約（第1条）、日韓条約（第1条）、日タイ条約（第1条）、日シ条約（第1条）とも類似の規定となっています。

3.　対象税目

(1)　OECD モデル租税条約

OECD モデル租税条約第2条（対象税目）

1．この条約は、一方の締約国又は当該一方の締約国の地方政府若しくは地方公共団体のために課される所得又は財産に対する租税（課税方法を問わない。）について適用する。（77年改正）

2．総所得、総財産又は所得若しくは財産の要素に対するすべての租税（動産又は不動産の譲渡から生ずる収益に対する租税、企業が支払う賃金又は給料の総額に対する租税及び財産の価格の増加に対する租税を含む。）は、所得及び財産に対する租税とされる。

3．この条約が適用される現行の租税は、特に、次のものとする。（77年改正）

a）（A国においては）：……

b）（B国においては）：……

4．この条約は、現行の租税に加えて又はこれに代わってこの条約の署名の日の後に課される租税であって、現行の租税と同一であるもの又は実質的に類似するものについても、適用する。両締約国の権限のある当局は、各締約国の租税に関する法令について行われた重要な改正を相互に通知する。（77、2000年改正）

　これを見て明らかなように、OECDモデル租税条約の対象税目は、所得及び財産に関する税で、国又は地方により課されるものを対象としています。国連モデル租税条約第2条も同様の規定を有しています。

(2)　国連モデル租税条約

国連モデル租税条約第2条（対象税目）

1．この条約は、一方の締約国又は当該一方の締約国の地方政府若しくは地方公共団体のために課される所得又は財産に対する租税（課税方法を問わない。）について適用する。（2001年改正。OECDと同様）

2．総所得、総財産又は所得若しくは財産の要素に対するすべての租税（動産又は不動産の譲渡から生ずる収益に対する租税、企業が支払う賃金又は給料の総額に対する租税及び財産の価格の増加に対する租税を含む。）は、所得及び財産に対する租税とされる。（2001年改正。OECDと同様）

3．この条約が適用される現行の租税は、特に、次のものとする。

a）（A国においては）：……

b）（B国においては）：……

4．この条約は、現行の租税に加えて又はこれに代わってこの条約の署名の日の後に課される租税であって、現行の租税と同一であるもの又は実質的に類似するものについても適用する。両締約国の権限のある当局は、各締約国の租税に関する法令について行われた重要な改正を相互に通知する。（2001年改正。

OECD と同様）

　国連モデル租税条約は、OECD モデル租税条約と同様の規定を置いています。

⑶　日本の締結した租税条約

　日本の租税条約は、所得に対する租税を対象税目としており、財産に関する租税は租税条約の対象とはされていません。ただし、相手国との関係で地方税が対象税目として含まれているものがあります。

	日本の対象税目	相手国の対象税目
日米条約	所得税、法人税	内国歳入法典によって課される連邦所得税（社会保障税を除く。）
日英条約	所得税、法人税、住民税	所得税、法人税、譲渡収益税
日仏条約	所得税、法人税、住民税	所得税、法人税、法人概算税、給与税、一般社会保障税及び社会保障債務返済税（これらの租税に係る源泉徴収される租税又は前払税を含む。）
日豪条約	所得税、法人税	所得税、石油資源使用税
日独条約	所得税、法人税、地方法人税、住民税、事業税	所得税、法人所得税、営業税、連帯付加税
日中条約	所得税、法人税、住民税	個人所得税、合弁企業所得税、外国企業所得税、地方所得税
日印条約	所得税、法人税	所得税（加重税を含む。）
日韓条約	所得税、法人税、住民税	所得税、法人税、所得税又は法人税の課税標準に対し直接又は間接に課される地方振興特別税
日タイ条約	所得税、法人税	所得税、石油所得税
日シ条約	所得税、法人税、住民税	所得税

　ここで留意すべきことは、相手国に「法人税」と記載されていなくとも、所得税の中に法人税が含まれている場合が多いことです。例えば、米国では内国歳入法典の中に個人所得税、法人税、資産税（遺産税・贈与税）など連邦税が

一括して含まれています。日米条約では、このうちの所得税と法人税が対象になるとしています。また、上の表のオーストラリア、インド、タイ及びシンガポールでは所得税となっていますが、その中に日本における法人税と同様の租税が含まれています。

4. 定　義

(1)　OECD モデル租税条約

> OECD モデル租税条約（一般的定義）
>
> 第3条1．この条約の適用上、文脈により別に解釈すべき場合を除くほか、
>
> 　a)「者」（以下、略）

以下、次に掲げる用語に関する定義を定めています。

用　語	定　義　内　容
「者」	個人、法人及び法人以外の団体を含む。
「法人」	法人格を有する団体又は租税に関し法人格を有する団体として取り扱われる団体をいう。
「企業」	あらゆる事業の遂行について用いる。（2000年改正）
「一方の締約国の企業」及び「他方の締約国の企業」	それぞれ一方の締約国の居住者が営む企業及び他方の締約国の居住者が営む企業をいう。
「国際運輸」	一方の締約国内にその事業の実質的管理の場所を有する企業が運用する船舶又は航空機による運送（他方の締約国内の地点の間においてのみ運用される船舶又は航空機による運送を除く。）をいう。
「権限のある当局」	(A 国においては)、…… (B 国においては)、……
「国民」	一方の締約国との関連において、次の(i)及び(ii)に掲げる者をいう。（2000年、2003年改正） 　(i)　当該一方の締約国の国籍又は市民権を有するすべての個人

	(ii)　当該一方の締約国の法令によりその地位を与えられたすべての法人、パートナーシップ及び団体
「事業」	自由職業その他の独立の性格を有する活動を含む。 （2000年改正）

　なお、国連モデル租税条約においては、最後の「事業」に関する定義がないほかは、すべて同様の規定となっています。

　次に、第3条第2項においては、次のように規定しています。

OECD モデル租税条約

第3条2. 一方の締約国によるこの条約の適用に際しては、この条約において定義されていない用語は、文脈により別に解釈すべき場合または25条の規定に従って両国の権限のある当局が異なる意義に合意する場合を除くほか、この条約の適用を受ける租税に関する当該一方の締約国の法令において当該用語がその適用の時点で有する意義を有するものとする。当該一方の締約国において適用される租税に関する法令における当該用語の意義は、当該一方の締約国の他の法令における当該用語の意義に優先するものとする。（77、95年改正）

　なお、国連モデル租税条約第3条第2項は、OECD モデル租税条約と同様の規定となっています。

(2)　日本の租税条約

①　日米租税条約

　日本の租税条約は、原則として、OECD モデル租税条約に準じた定義規定を置いています。定義規定を置く場合には、「文脈により別に解釈すべき場合を除く」ということとしています。以下には、日米条約における定義規定を記載することとします。

用　語	定　義　内　容
「日本国」	地理的意味で用いる場合には、日本国の租税に関する法令が施行されているすべての領域（領海を含む。）及びその領域の外

	側で日本が国際法に基づき管轄権を有し日本の租税法令が施行されているすべての区域（海底及びその下を含む。）をいう。
「合衆国」	地理的意味では、アメリカ合衆国の諸州及びコロンビア特別区をいう。また、その領海並びにその領海に隣接し、合衆国が国際法に基づき主権的権利を行使する海底区域の海底及びその下を含む。ただし、プエルトリコ、バージン諸島、グアムその他の属地又は準州を含まない。
「一方の締約国」及び「他方の締約国」	日本又は合衆国をいう。
「租税」	日本の租税又は合衆国の租税をいう。
「者」	個人、法人及び法人以外の団体を含む。この「法人以外の団体」には、遺産、信託財産及びパートナーシップが含まれる（議定書2）。
「法人」	法人格を有する団体又は租税に関し法人格を有する団体として取り扱われる団体をいう。
「企業」	あらゆる事業の遂行について適用する。
「一方の締約国の企業」及び「他方の締約国の企業」	それぞれ一方の締約国の居住者が営む企業及び他方の締約国の居住者が営む企業をいう。
「国際運輸」	一方の締約国の企業が運用する船舶又は航空機による運送（他方の締約国内の地点の間においてのみ行われる運送を除く。）をいう。
一方の締約国の「国民」	(i) 日本国の国籍を有するすべての個人及び日本国において施行されている法令によってその地位を与えられたすべての法人その他の団体 (ii) 合衆国の市民権を有するすべての個人及び合衆国において施行されている法令によってその地位を与えられたすべての法人、パートナーシップその他の団体
「権限のある当局」	(i) 日本国については、財務大臣又は権限を与えられたその代理者 (ii) 合衆国については、財務長官又は権限を与えられたその代理者
「事業」	自由職業その他の独立の性格を有する活動を含む。
「年金基金」	次の(i)から(iii)までに掲げる要件を満たす者をいう。 (i) 一方の締約国の法令に基づいて組織されること。 (ii) 当該一方の締約国において主として退職年金その他これに類する報酬（社会保障制度に基づく給付を含む。）の管

| | 理又は給付のために設立され、かつ、維持されること。
(iii)　(ii)にいう活動に関して当該一方の締約国において租税を免除されること。 |

　なお、上で定義されていない用語は、日米租税条約の適用を受ける租税に関する一方の締約国の法令において当該用語がその適用の時点で有する意義を有するとしています。しかし、文脈により別に解釈すべき場合又は両締約国の権限のある当局が相互協議に基づいて別に合意した場合は、そちらを優先することになります（日米条約第3条第2項）。

② 日中租税条約

　日中租税条約第3条第1項においても、「文脈により別に解釈すべき場合を除くほか」とし、以下に掲げる定義規定を有しています。

用　語	定　義　内　容
「中華人民共和国」	地理的意味で用いる場合には、中国の租税に関する法令が施行されているすべての領域（領海を含む。）及びその領域の外側に位置する水域で中華人民共和国が国際法に基づき管轄権を有し中国の租税に関する法令が施行されているすべての水域（海底及びその下を含む。）をいう。
「日本国」	地理的意味で用いる場合には、日本国の租税に関する法令が施行されているすべての領域（領海を含む。）及びその領域の外側で日本が国際法に基づき管轄権を有し日本の租税法令が施行されているすべての区域（海底及びその下を含む。）をいう。
「一方の締約国」及び「他方の締約国」	文脈により日本国又は中華人民共和国をいう。
「租税」	日本の租税又は中国の租税をいう。
「者」	個人、法人及び法人以外の団体を含む。
「法人」	法人格を有する団体又は租税に関し法人格を有する団体として取り扱われる団体をいう。
「一方の締約国の企業」及び「他方の締約国の企業」	それぞれ一方の締約国の居住者が営む企業及び他方の締約国の居住者が営む企業をいう。
「国民」	いずれか一方の締約国の国籍を有するすべての個人並びに当該一方の締約国の法令に基づいて設立され又は組織されたすべて

	の法人及び法人格を有しないが当該一方の締約国の租税に関し当該一方の締約国の法令に基づいて設立され又は組織された法人として取り扱われるすべての団体をいう。
「国際運輸」	一方の締約国の企業が運用する船舶又は航空機による運送（他方の締約国内の地点の間においてのみ運用される船舶又は航空機による運送を除く。）をいう。
「権限のある当局」	日本国については、大蔵大臣又は権限を与えられたその代理者をいい、中華人民共和国については、財務部又は権限を与えられたその代理者をいう。

　租税条約上明文の規定はありませんが、日中租税条約が適用されるのは、中国のうち香港、マカオ及び台湾を除く地域です。

　なお、一方の締約国によるこの条約の適用上、この条約において定義されていない用語は、文脈により別に解釈すべき場合を除くほか、この条約の適用を受ける租税に関する当該一方の締約国の法令における当該用語の意義を有するものとします（日中条約第3条第2項）。

③　その他の租税条約

　その他の租税条約においても、上に掲げた日米条約及び日中条約と類似したものとなっています。日米条約に規定がある、定義されていない用語について相互協議で合意した場合にそちらを優先する、という条項は他の租税条約にはありません。

5.　居住者

(1)　OECD モデル租税条約

　OECD モデル租税条約第4条は、次のように規定しています。

OECD モデル租税条約第4条（居住者）

1.　この条約の適用上、「一方の締約国の居住者」とは、当該一方の締約国の法令の下において、住所、居所、事業の管理の場所その他これらに類する基準に

より当該一方の締約国において課税を受けるべきものとされる者（当該一方の締約国及び当該一方の締約国の地方政府又は地方公共団体を含む。）をいう。ただし、一方の締約国の居住者には、当該一方の締約国内に源泉のある所得又は当該一方の締約国に存在する財産のみについて当該一方の締約国において租税を課される者を含まない。（77、95年改正）

2．1の規定により双方の締約国の居住者に該当する個人については、次のとおりその地位を決定する。（77、95年改正）

　a）当該個人は、その使用する恒久的住居が存在する締約国の居住者とみなす。その使用する恒久的住居を双方の締約国内に有する場合には、当該個人は、その人的及び経済的関係がより密接な締約国（重要な利害関係の中心がある締約国）の居住者とみなす。

　b）その重要な利害関係の中心がある締約国を決定することができない場合又はその使用する恒久的住居をいずれの締約国にも有しない場合には、当該個人は、その有する常用の住居が所在する締約国の居住者とみなす。

　c）その常用の住居を双方の締約国内に有する場合又はこれをいずれの締約国にも有しない場合には、当該個人は、当該個人が国民である締約国の居住者とみなす。

　d）当該個人が双方の締約国の国民である場合又はいずれの締約国の国民でもない場合には、両締約国の権限のある当局は、合意により当該事案を解決する。

3．1の規定により双方の締約国の居住者に該当する者で個人以外の者については、その者の事業の実質的管理の場所が所在する締約国の居住者とみなす。（77、95年改正）

居住者の定義は、それぞれの締約国の国内法によることから、租税条約の締約国の双方の規定により居住者となる場合があり、これを「双方居住者」と呼んでいます。第4条第2項では「双方居住者」の振り分け順位を規定しています。

なお、国連モデル租税条約第4条は、おおむね同様の規定を有していますが、

第4条第1項に「法人の設立場所」が含まれています。

(2)　国連モデル租税条約

国連モデル租税条約第4条（居住者）

1．この条約の適用上、「一方の締約国の居住者」とは、当該一方の締約国の法令の下において、住所、居所、法人の設立場所、事業の管理の場所その他これらに類する基準により当該一方の締約国において課税を受けるべきものとされる者をいう（当該一方の締約国及び当該一方の締約国の地方政府又は地方公共団体を含む。）。ただし、当該一方の締約国内に源泉のある所得又は当該一方の締約国に存在する財産のみについて当該一方の締約国において租税を課される者を含まない。（2001年改正。OECDと類似）

2．1の規定により双方の締約国の居住者に該当する個人については、次によりその課税上の地位を決定する。

a) 当該個人は、その使用する恒久的住居が存在する締約国の居住者とみなす。その使用する恒久的住居が双方の締約国内に存在する場合には、当該個人は、その人的及び経済的関係がより密接な締約国（重要な利害関係の中心がある締約国）の居住者とみなす。

b) その重要な利害関係の中心がある締約国を決定することができない場合又はその使用する恒久的住居をいずれの締約国にも有しない場合には、当該個人は、その常用の住居が所在する締約国の居住者とみなす。

c) 常用の住居が双方の締約国内に存在する場合又はいずれの締約国にも存在しない場合には、当該個人は、自己が国民である締約国の居住者とみなす。

d) 当該個人が双方の締約国の国民である場合又はいずれの締約国の国民でもない場合には、両締約国の権限のある当局は、合意により問題を解決する。（OECDと類似）

3．1の規定により双方の締約国の居住者に該当する者で個人以外の者については、その者の事業の実質的管理の場所が所在する締約国の居住者とみなす。（OECDと同様）

　国連モデル租税条約第4条はOECDモデル租税条約と類似した規定を置いています。

(3)　日本が締結した租税条約

①　居住者の定義

(イ)　概　要

　日本の租税条約において、居住者の定義は、OECDモデル租税条約とほぼ同様となっていますが、OECDモデル租税条約でいう「事業の管理の場所」の代わりに「本店又は主たる事務所の所在地等」という基準が設けられています。これは、日本の法人の居住地国の判断が、管理支配主義ではなく、本店所在地主義を採用しているからです。

　具体的には、以下のような基準により居住者の判断がなされます。

条　約	判　断　基　準
日米条約	住所、居所、市民権、本店又は主たる事務所の所在地、法人の設立の場所その他これらに類する基準
日英条約	住所、居所、本店又は主たる事務所の所在地、事業の管理の場所、法人の設立場所その他これらに類する基準
日仏条約	住所、居所、本店又は主たる事務所の所在地、事業の管理の場所その他これらに類する基準
日豪条約	日本―住所、居所、本店又は主たる事務所の所在地その他これらに類する基準 豪州―オーストラリアの租税に関し、オーストラリアの居住者とされるもの
日独条約	住所、居所、事業の管理の場所、本店又は主たる事務所の所在地その他これらに類する基準
日中条約	住所、居所、本店又は主たる事務所の所在地その他これらに類する基準
日印条約	住所、居所、本店又は主たる事務所の所在地その他これらに類する基準
日韓条約	住所、居所、本店又は主たる事務所の所在地その他これらに類する基準
日タイ条約	住所、居所、本店又は主たる事務所の所在地その他これらに類する基準
日シ条約	住所、居所、本店又は主たる事務所の所在地、事業の管理支配の場所その他これらに類する基準

　上の表にあるように、日米条約に「市民権」が、日英・日仏・日独・日シ条約では「事業の管理の場所」がそれぞれ含まれています。一方、日豪条約においては、日本と豪州とをそれぞれ別個に規定しています。これは、それぞれの国の考え方を反映したものといえます。

　㈹　日米条約の規定

　日米条約においては、居住者には次に掲げる者を含むとされています。

①　当該一方の締約国及び当該一方の締約国の地方政府又は地方公共団体

②　当該一方の締約国の法令に基づいて組織された年金基金

③　当該一方の締約国の法令に基づいて組織された者で、専ら宗教、慈善、教育、科学、芸術、文化その他公益のために当該一方の締約国において設立され、かつ、維持されるもの（当該一方の締約国において租税を免除される者を含む。）

　ただし、一方の締約国の居住者には、当該一方の締約国内に源泉のある所得又は当該一方の締約国内にある恒久的施設に帰せられる利得のみについて当該一方の締約国において租税を課される者を含まないこととされています。

　㈹　米国の居住者の特例

　上記㈹の原則に対する例外として、米国の居住者になることができる日本人について、次に掲げる規定があります。

<table>
<tr><td rowspan="4">米国における永住を適法に認められた外国人である個人</td><td>米国の居住者となる要件</td></tr>
<tr><td>①　当該個人が、上記(イ)により日本の居住者に該当する者でないこと</td></tr>
</table>

②　当該個人が、米国内に実質的に所在し、又は恒久的住居若しくは常用の住居を有すること

③　当該個人が、日本と米国以外の国との租税条約の適用上当該米国以外の国の居住者とされる者でないこと

④　当該個人が双方の国の国民である場合又はいずれの国の国民でもない場合には、両締約国の権限のある当局は、問題を合意により解決する。

（ニ）　中国の考え方

中国の居住者（個人）に対する考え方は、通達75に記載されています。

まず、住所については、その者が常習的に中国国内に家族と離れて又は経済上の理由から居住する場合、その者の住所は中国国内にあると取り扱われます。中国市民は、通常の場合、中国国内に住所を有しているとされますが、海外に居住する中国市民は通達121（2009年）により、次の2つのいずれかに分類されます。

①	外国に永続的又は長期間居住する権利を有し又は2年間連続してその国に居住（その間、通算して18か月以上実際に居住したこと）した中国市民
②	外国に永続的に又は長期間居住する権利はない場合、その国に5年間居住する資格を有し、その間通算して30か月以上実際に居住した中国市民

また、中星租税条約に係る通達75は、中国に物理的に存在している個人は、住所を有していなくとも1年以上滞在していれば居住者になり得るとしています。この1年の基準を算定する場合、1度につき30日以下の期間中国を一時的に離れる期間は中国に存在していることとし、複数回離れる場合には年間トータルで90日以内の場合も同様に中国内に存在していると取り扱われます。

② 双方居住者の振り分け

(イ) 個人の場合

① 日米租税条約

日米租税条約においては、双方居住者である個人については、次に掲げる振り分け基準が適用されます。

双方居住者の振り分け基準
① 当該個人は、その使用する恒久的住居が所在する締約国の居住者とみなす。その使用する恒久的住居を双方の締約国内に有する場合には、当該個人は、その人的及び経済的関係がより密接な締約国（重要な利害関係の中心がある締約国）の居住者とみなす。
② その重要な利害関係の中心がある締約国を決定することができない場合又はその使用する恒久的住居をいずれの締約国内にも有しない場合には、当該個人は、その有する常用の住居が所在する締約国の居住者とみなす。
③ その常用の住居を双方の締約国内に有する場合又はこれをいずれの締約国内にも有しない場合には、当該個人は、当該個人が国民である締約国の居住者とみなす。
④ 当該個人が双方の締約国の国民である場合又はいずれの締約国の国民でもない場合には、両締約国の権限のある当局は、合意により当該事案を解決する。

（日米租税条約第4条第3項）

② 日中租税条約

日中租税条約第4条第2項は、「1の規定により双方の締約国の居住者に該当する個人については、両締約国の権限のある当局は、合意により、この協定の適用上その個人が居住者であるとみなされる締約国を決定する。」と規定し、他の国との間で見られるような「振り分け基準」が規定されていません。

これに対して、中星租税条約は、日米租税条約とほぼ同様の振り分け基準を有しています。また、通達75によると、中星租税条約の適用上、シンガポール居住者（個人）が第三国の居住者とされた場合、その者の中国源泉所得にはど

の租税条約が適用されるか問題となるとされています。その所得がその者の当
該国における活動から得られた場合、中国と当該国との間の租税条約が適用さ
れます。しかし、中国と当該国との間に租税条約がない場合、中国は国内法に
基づき当該中国源泉所得に課税することができるとされています。

③　その他の租税条約

　日仏・日独条約においてはOECDモデル租税条約と同様の規定があり、日
印条約は日中条約と同様の規定を有しています。

㈹　個人以外の場合

　個人以外の者については、次のように規定されています。

条　約	振り分け基準
日米条約	権限のある当局間の合意により居住地国とみなされる締約国を決定する。両締約国の権限のある当局による合意がない場合には、その者は、この条約により認められている特典を要求する上で、いずれの締約国の居住者ともされない。
日英条約	権限のある当局間の合意により居住地国とみなされる締約国を決定する。両締約国の権限のある当局による合意がない場合には、その者は、この条約により認められている特典を要求する上で、いずれの締約国の居住者ともされない。
日仏条約	権限のある当局間の合意により居住地国であるとみなされる締約国を決定する。
日豪条約	両締約国の権限のある当局は、その者の本店又は主たる事務所の所在地、事業の実質的な管理の場所その他関連するすべての要因について考慮した上で、合意により居住地国とみなされる締約国を決定する。
日独条約	両締約国の権限のある当局は、その者の事業の実質的な管理の場所、その者の本店又は主たる事務所の所在地、その者が設立された場所その他関連する全ての要因について考慮した上で、合意により居住地国とみなされる締約国を決定するよう努める。合意がない場合、協定により認められる特典を要求する上でいずれの締約国の居住者ともされない。
日中条約	本店又は主たる事務所が存在する締約国の居住者とみなす。
日印条約	権限のある当局間の合意により居住地国を決定する。
日韓条約	本店又は主たる事務所が存在する締約国の居住者とみなす。
日タイ条約	権限のある当局間の合意により居住地国であるとみなされる締約国を決

	定する。
日シ条約	権限のある当局間の合意により居住地国であるとみなされる締約国を決定する。

③　日米条約における課税上の取扱いが異なる事業体への条約の適用

　日米条約においては、課税上の取扱いが異なる事業体（LLC、パートナーシップ等）に関する規定があります。例えば、米国のLLCは、日本ではLLCを納税義務者として取り扱う場合がありますが、米国ではLLCそのものには課税されずにその構成員に課税することがあります。この場合、日本から見ると、LLCは米国の居住者ではないことから、日本において日米条約が適用されず、したがって条約上の減免措置（源泉所得税の税率の軽減など）が受けられないこととなってしまいます。

　そこで、こうした事態を避けるため、日米条約においては、LLCやパートナーシップといった事業体に関して、源泉地国での取扱いにかかわらず居住地国での課税の取扱いをベースとして、条約上の減免措置を受けられるようにしました。具体的には、日米条約第4条第6項に次のような規定を設けました。

規　定	所得の発生地（源泉地）国	団体が組織された国	組織された国での取扱い	条約上の特典が付与される所得
4条6項a	日本	米国	構成員課税	米国の居住者である構成員の所得として取り扱われる部分について特典を付与する
4条6項b	日本	米国	団体課税	米国の居住者である団体の所得として取り扱われる部分について特典を付与する
4条6項c	日本	第三国	構成員課税	米国の居住者である構成員の所得として取り扱われる部分について特典を付与する
4条6項d	日本	第三国	団体課税	特典なし
4条6項e	日本	日本	団体課税	特典なし

　なお、日仏条約にも日米条約と同じような事業体課税に関する規定があります（日仏条約第4条第6項）。日米条約との差異は、日仏条約には、第三国の事業体を通じて所得を得る場合の定め（日米条約でいえば、cとdの規定）がないことです。また、日中条約、日印条約には、このような規定はありません。

6. 恒久的施設 (permanent establishment：PE)

(1)　OECDモデル租税条約

　OECDモデル租税条約第5条は、次のように規定しています。

OECDモデル租税条約第5条（恒久的施設：PE）

1．この条約の適用上、「恒久的施設」とは、事業を行う一定の場所であって企業がその事業の全部又は一部を行っている場所をいう。（77年改正）

2．「恒久的施設」には、特に、次のものを含む。（77年改正）
 a）事業の管理の場所
 b）支店
 c）事務所
 d）工場
 e）作業場
 f）鉱山、石油又は天然ガスの坑井、採石場その他天然資源を採取する場所

3．建築工事現場又は建設若しくは据付けの工事については、これらの工事現場又は工事が12箇月を超える期間存続する場合には、恒久的施設を構成するものとする。（77年追加）

4．1から3までの規定にかかわらず、次のことを行う場合は、「恒久的施設」に当たらないものとする。（77年改正）
 a）企業に属する物品又は商品の保管、展示又は引渡しのためにのみ施設を使用すること。
 b）企業に属する物品又は商品の在庫を保管、展示又は引渡しのためにのみ保有すること。
 c）企業に属する物品又は商品の在庫を他の企業による加工のためにのみ保有

すること。

　　d）企業のために物品若しくは商品を購入し、又は情報を収集することのみを目的として、事業を行う一定の場所を保有すること。

　　e）企業のためにその他の準備的又は補助的な性格の活動を行うことのみを目的として、事業を行う一定の場所を保有すること。

　　f）a）からe）までに掲げる活動を組み合わせた活動を行うことのみを目的として、事業を行う一定の場所を保有すること。ただし、当該一定の場所におけるこのような組み合わせによる活動の全体が準備的又は補助的な性格のものである場合に限る。

4.1　　4の規定は、事業を行う一定の場所を使用し、若しくは保有する企業又は当該企業と密接に関連する一若しくは二以上の企業が当該一定の場所又は当該一定の場所が存在する締約国内の一若しくは二以上の他の場所において事業活動を行う場合において、次の(a)又は(b)の規定に該当するときは、当該一定の場所については、適用しない。ただし、当該企業及び当該企業と密接に関連する一若しくは二以上の企業が当該一定の場所において行う事業活動又は当該企業若しくは当該企業と密接に関連する一若しくは二以上の企業が当該一定の場所及び当該一若しくは二以上の他の場所において行う事業活動が、一体的な業務の一部として補完的な機能を果たす場合に限る。

　　(a)　この条の規定に基づき、当該一定の場所又は当該一若しくは二以上の他の場所のうちの一の場所が当該企業又は当該企業と密接に関連する一若しくは二以上の企業の恒久的施設を構成すること

　　(b)　当該企業及び当該企業と密接に関連する一若しくは二以上の企業が当該一定の場所において行う活動の組合せ又は当該企業若しくは当該企業と密接に関連する一若しくは二以上の企業が当該一定の場所及び当該一若しくは二以上の他の場所において行う活動の組合せによる活動の全体が準備的又は補助的な性格のものではないこと。

5　　1及び2の規定にかかわらず、6の規定が適用される場合を除くほか、一方の締約国内において企業に代わって行動する者が、そのように行動するに当たって、反復して契約を締結し、又は当該企業によって重要な修正が行われる

ことなく日常的に締結される契約の締結のために反復して主要な役割を果たす場合において、これらの契約が次の(a)から(c)までの規定のいずれかに該当するときは、当該企業は、その者が当該企業のために行う全ての活動について、当該一方の締約国内に恒久的施設を有するものとする。ただし、その者の活動が4に規定する活動（事業を行う一定の場所で行われたとしても、4.1の規定により当該一定の場所が恒久的施設であるものとされないようなもの）のみである場合は、この限りでない。

(a) 当該企業の名において締結される契約

(b) 当該企業が所有し、又は使用の権利を有する財産について、所有権を移転し、又は使用の権利を与えるための契約

(c) 当該企業による役務の提供のための契約

6　5の規定は、一方の締約国内において他方の締約国の企業に代わって行動する者が、当該一方の締約国内において独立の代理人として事業を行う場合において、当該企業のために通常の方法で当該事業を行うときは、適用しない。ただし、その者は、専ら又は主として一又は二以上の自己と密接に関連する企業に代わって行動する場合には、当該企業につき、本項に規定する独立の代理人とはされない。

7　一方の締約国の居住者である法人が、他方の締約国の居住者である法人若しくは他方の締約国内において事業（恒久的施設を通じて行われるものであるか否かを問わない。）を行う法人を支配し、又はこれらに支配されているという事実のみによっては、いずれの一方の法人も、他方の法人の恒久的施設とはされない。

8　この条約の規定の適用上、ある者又は企業とある者又は企業とは、全ての関連する事実及び状況に基づいて、一方が他方を支配している場合又は両者が同一の者若しくは企業によって支配されている場合には、密接に関連するものとする。いかなる場合にも、ある者又は企業とある者又は企業とは、一方が他方の受益に関する持分の50パーセントを超えるもの（法人の場合には、当該法人の株式の議決権及び価値の50パーセント又は当該法人の資本に係る受益に関する持分の50パーセントを超えるもの）を直接若しくは間接に所有する場合又は

> 他の者若しくは企業がその者及びその企業の若しくはその二の者若しくは企業の受益に関する持分の50パーセントを超えるもの（法人の場合には、当該法人の株式の議決権及び価値の50パーセント又は当該法人の資本に係る受益に関する持分の50パーセントを超えるもの）を直接若しくは間接に所有する場合には、密接に関連するものとする。

　上の OECD モデル租税条約第 5 条のうち、4.1以下は2017年版で改正されました。これは、BEPS プロジェクトの行動 7 「恒久的施設（PE）認定の人為的回避の防止」を受けたものです。これについては、平成30年度税制改正で我が国の所得税法及び法人税法の恒久的施設の定義に関して所要の改正が行われています。具体的には、代理人 PE の範囲の拡大、独立代理人の範囲からの除外、特定の活動を行う場所の PE からの除外及び建設 PE の期間要件の厳格化などです。

① 　恒久的施設の意義

　OECD モデル租税条約第 5 条によると、「恒久的施設」とは、次の場所をいうことになります。

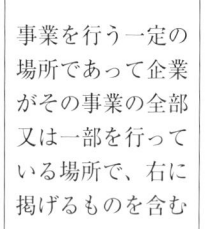

恒久的施設	事業を行う一定の場所であって企業がその事業の全部又は一部を行っている場所で、右に掲げるものを含む	①　事業の管理の場所
		②　支店
		③　事務所
		④　工場
		⑤　作業場
		⑥　鉱山、石油又は天然ガスの抗井、採石場その他天然資源を採取する場所
		⑦　建築工事現場又は建設若しくは据付工事は、12か月を超える期間存続する場合に限り、恒久的施設となる

② 恒久的施設に含まれない活動

OECD モデル租税条約第5条第4項によると、次の場合には、事業を行う一定の場所であっても恒久的施設には含まれません。

恒久的施設にならない活動

① 企業に属する物品又は商品の保管、展示又は引渡しのためにのみ施設を使用すること

② 企業に属する物品又は商品の在庫を保管、展示又は引渡しのためにのみ保有すること

③ 企業に属する物品又は商品の在庫を他の企業による加工のためにのみ保有すること

④ 企業のために物品若しくは商品を購入し、又は情報を収集することのみを目的として、事業を行う一定の場所を保有すること

⑤ 企業のために、その他の準備的又は補助的な性格の活動を行うことのみを目的として、事業を行う一定の場所を保有すること

⑥ ①から⑤までに掲げる活動を組み合わせた活動を行うことのみを目的として、事業を行う一定の場所を保有すること。ただし、当該一定の場所におけるこのような組み合わせによる活動の全体が準備的又は補助的な性格のものである場合に限る。

③ 代理人 PE

企業が事業を行う一定の場所を有していなくとも、企業に代わって行動する者が、一方の締約国内において、当該企業の名において契約を締結する権限を有し、かつ、この権限を反復して行使する場合には、当該企業は、その者が当該企業のために行うすべての活動について、当該一方の国内に恒久的施設を有するものとされます。これを「代理人 PE」といいます。

ただし、その者の活動が上記②に掲げる活動のみである場合には、恒久的施

設とはされません。

　また、企業は、通常の方法でその業務を行う仲立人、問屋その他の独立の地位を有する代理人（これを「独立代理人」という。）を通じて一方の締約国内において事業活動を行っているという理由のみでは、当該一方の国内に恒久的施設を有するものとはされません。

④　支配関係にある法人の取扱い

　一方の締約国の居住者である法人が、他方の締約国の居住者である法人若しくは他方の締約国内において事業を行う法人を支配し、又はこれらに支配されている事実のみによっては、いずれの一方の法人も、他方の法人の恒久的施設とはされません。

(2)　国連モデル租税条約

　国連モデル租税条約第5条は、次のように規定しています。

国連モデル租税条約第5条（恒久的施設）

1．この条約の適用上、「恒久的施設」とは、事業を行う一定の場所であって企業がその事業の全部又は一部を行っている場所をいう。（OECDと全く同じ）

2．「恒久的施設」には、特に、次のものを含む。（OECDと全く同じ）

　　a）事業の管理の場所

　　b）支店

　　c）事務所

　　d）工場

　　e）作業場

　　f）鉱山、石油又は天然ガスの坑井、採石場その他天然資源を採取する場所

3．「恒久的施設」には、次のものも含まれる。（OECDとは大きく異なる）

　　a）建築工事現場若しくは建設、組立て、据付工事又はこれらに関連する監督活動でその現場、工事若しくは活動が6箇月を超える期間存続するもの。

　　b）企業が使用人その他の職員を通じて行う役務の提供（コンサルタントの役務の提供を含む。）であって、このような活動が単一の工事又は関連する工事

について引き続く12箇月の間に合計6箇月を超える期間一方の締約国内に存続するもの。

4．1から3までの規定にかかわらず、「恒久的施設」には次のことは含まれないものとする。（2001年改正）

　a）企業に属する物品又は商品の保管及び展示のためにのみ施設を利用すること。

　b）企業に属する物品又は商品の在庫を保管及び展示のためにのみ保有すること。

　c）企業に属する物品又は商品の在庫を他の企業による加工のためにのみ保有すること。

　d）企業のために物品若しくは商品を購入し、又は情報を収集することのみを目的として、事業を行う一定の場所を保有すること。

　e）企業のためにその他の準備的又は補助的な性格の活動を行うことのみを目的として、事業を行う一定の場所を保有すること。

　f）a）からe）までに掲げる活動を組み合わせた活動を行うことのみを目的として、事業を行う一定の場所を保有すること。ただし、当該一定の場所におけるこのような組合せによる活動の全体が準備的又は補助的な性格のものである場合に限る。

5．1及び2の規定にかかわらず、一方の締約国において他方の締約国の企業に代わって行動する者（7の規定が適用される独立の地位を有する代理人を除く。）が、次のいずれかの活動を行う場合には、当該企業は、その者が当該企業のために行うすべての活動について、当該一方の締約国内に恒久的施設を有するものとされる。（OECDとはかなり異なる）

　a）当該一方の締約国内で、当該企業の名において契約を締結する権限を有し、かつ、この権限を反復して行使すること。ただし、その者の活動が4に掲げる活動（事業を行う一定の場所で行われたとしても、4の規定により当該一定の場所が恒久的施設とされない活動）のみである場合は、この限りでない。

　b）a）にいう権限は有しないが、当該一方の締約国内において、当該企業に属する物品又は商品の在庫を常習的に保有し、かつ、当該企業に代わって反復

して当該在庫の引渡しを行うこと。

6．この条の1から5までの規定にかかわらず、保険業を営む一方の締約国の企
業が7の規定が適用される独立の地位を有する代理人以外の者を通じて、他方
の締約国内において保険料の受領（再保険に係る保険料の受領を除く。）を
する場合又は当該他方の国内で生ずる危険の保険（再保険を除く。）をする場合
には、当該企業は、当該他方の国内に恒久的施設を有するものとされる。

7．一方の締約国の企業は、通常の方法でその業務を行う仲立人、問屋その他の
独立の地位を有する代理人を通じて他方の締約国内において事業を行っている
との理由のみでは、当該一方の締約国内に恒久的施設を有するものとされない。
もっとも、当該代理人の活動がもっぱら又は主として当該企業に代わって行わ
れる場合であって、商業上又は資金上の関係において、当該企業と当該代理人
の間に、独立の企業の間に設けられる条件と異なる条件が設けられ、又は課さ
れているときは、当該代理人はこの項にいう独立の地位を有する代理人とはさ
れない。（2001年改正。OECDとはかなり異なる）

8．一方の締約国の居住者である法人が、他方の締約国の居住者である法人若し
くは他方の締約国内において事業（恒久的施設を通じて行われるものであるか
否かを問わない。）を行う法人を支配し、又はこれらに支配されているという
事実のみによっては、いずれの一方の法人も、他方の法人の恒久的施設とはさ
れない。（OECDと同じ）

　ここで明らかなように、国連モデル租税条約における「恒久的施設」の概念
は、OECDモデル租税条約の恒久的施設の概念に比して、より広範囲のもの
となっており、源泉地国におけるより広範な課税を容認していると理解するこ
とができます。

(3)　日本の租税条約

①　恒久的施設の意義

　日本が締結した租税条約においては、恒久的施設の意義については、先進国（米国、英国、フランス、豪州、ドイツ）との間ではOECDモデル租税条約の規定に準拠し、途上国（中国、インド等）との間では国連モデル租税条約に類似しています。

　まず、ほとんどの条約においては、「恒久的施設が事業を行う一定の場所であって企業がその事業の全部又は一部を行っている場所をいう。」とされています。恒久的施設の例示としては、先進国との租税条約では次のようになっています。

日米条約	日英条約	日仏条約	日豪条約	日独条約
①　事業の管理の場所	①　事業の管理の場所	①　事業の管理の場所	①　事業の管理の場所	①　事業の管理の場所
②　支店	②　支店	②　支店	②　支店	②　支店
③　事務所	③　事務所	③　事務所	③　事務所	③　事務所
④　工場	④　工場	④　工場	④　工場	④　工場
⑤　作業場	⑤　作業場	⑤　作業場	⑤　作業場	⑤　作業場
⑥　鉱山、石油又は天然ガスの抗井、採石場その他天然資源を採取する場所	⑥　鉱山、石油又は天然ガスの抗井、採石場その他天然資源を採取する場所	⑥　鉱山、石油又は天然ガスの抗井、採石場その他天然資源を採取する場所	⑥　鉱山、石油又は天然ガスの抗井、採石場その他天然資源を採取する場所	⑥　鉱山、石油又は天然ガスの抗井、採石場その他天然資源を採取する場所
			⑦　農業、牧畜業又は林業の用に供されている財産	

　一方、アジア諸国との間の租税条約では、「恒久的施設」について次のように例示されています。

日中条約	日印条約	日韓条約	日タイ条約	日シ条約
① 事業の管理の場所	① 事業の管理の場所	① 事業の管理の場所	① 事業の管理の場所	① 事業の管理の場所
② 支店	② 支店	② 支店	② 支店	② 支店
③ 事務所	③ 事務所	③ 事務所	③ 事務所	③ 事務所
④ 工場	④ 工場	④ 工場	④ 工場	④ 工場
⑤ 作業場	⑤ 作業場	⑤ 作業場	⑤ 作業場	⑤ 作業場
⑥ 鉱山、石油又は天然ガスの抗井、採石場その他天然資源を採取する場所	⑥ 鉱山、石油又は天然ガスの抗井、採石場その他天然資源を採取する場所	⑥ 鉱山、石油又は天然ガスの抗井、採石場その他天然資源を採取する場所	⑥ 鉱山、石油又は天然ガスの抗井、採石場その他天然資源を採取する場所	⑥ 鉱山、石油又は天然ガスの抗井、採石場その他天然資源を採取する場所
	⑦ 保管のための施設を他の者に提供する者に係る倉庫		⑦ 農場又は栽培場	
	⑧ 農業、林業、栽培又はこれらに関連した活動を行う農場、栽培場その他の場所		⑧ 保管のための施設を他の者に提供する者に係る倉庫	
	⑨ 店舗その他の販売所			
	⑩ 天然資源の探査のために使用する設備又は構築物（6か月を超える期間使用する場合に限る）			

　上の表に見たように、各国との租税条約においては、基本的には OECD モデル租税条約に準拠しつつも、相手国の要請に基づいて若干異なる規定があります。

≪中国における「事業の場所」についての考え方≫

　中星租税条約の解釈指針である通達75によると、事業を行う場所とは物理的に存在しなければならない。しかし、大きさや範囲についての最低限の要請はない。その企業が関係する店舗、設備又は施設を所有しているか賃借しているかを問わない。また、その店舗、設備又は施設が他の活動のために使用されているか否かも問わない。

　事業を行う場所は、市場の中にある屋台、（課税貨物の保管のための）賃借倉庫の区域で永続的に使用される場所、他の企業の事業施設であっても構わない。また、企業が単に一定の管理をしているスペースを有する場合であっても PE になる場合がある。

　このほか、事業を行う「固定的」という場合には、事業活動を行うための駐在員事務所、支店その他一方の締約国で登録された他方の締約国の企業のいかなる固定的施設、又は、他方の締約国の企業が一方の締約国内において役務提供を行うために用いられる事務所又は事務所類似の施設（例えば、ホテルの一室の長期契約）を含む。

　もし、企業の事業活動が隣接する地域の間をしばしば移動し、その移動がその活動の性格から首尾一貫している場合、その移動する区域内で事業を行う一つの固定的場所が PE とみなされる。例えば、事務所として賃借しているホテルの部屋やフロアは、事業を行う場所とみなされる。別の例としては、トレーダーが屋外市場又は市の異なった場所に販売所を設けた場合、その市場または市はそのトレーダーが事業を行う一定の場所となる場合がある。

　また、事業の場所には一定の永続性がなければならない。しかし、活動を一時的に中断したからといって、PE が存在しなくなったわけではない。ほんのわずかな期間使用するためだけの事業の場所は、事業の固定的場所になり得るとともに、長期間にわたり使用されている場合には遡及して PE となる。永続的な事業の場所として計画された場所は、特殊事情によって短期間だけしか実際には存在しなかった（例えば、投資の失敗による清算）としても、当初から PE であったとし得る。

② 建築工事 PE

建築工事等については、先進国との間の租税条約では次のように規定されています。

日米条約	日英条約	日仏条約	日豪条約	日独条約
建築工事現場、建設若しくは据付工事又は天然資源の探査のため使用される設備、掘削機器若しくは掘削船で、これらの工事現場、工事又は探査が12か月を超える期間存続するものとする。	建築工事現場又は建設若しくは据付の工事については、これらの工事現場又は工事が12か月を超える期間存続する場合には、恒久的施設を構成するものとする。	建築工事現場又は建設若しくは据付の工事は、12か月を超える期間存続する場合に限り、恒久的施設とする。	建築工事現場又は建設若しくは据付の工事については、これらの工事現場又は工事が12か月を超える期間存続する場合には、恒久的施設を構成するものとする。	建築工事現場又は建設若しくは据付の工事であって12か月を超える期間存続するものは恒久的施設を構成する。

上の表から明らかなように、対先進国では12か月を超えるか否かにより恒久的施設であるか否かが決定されます。

一方、建設工事 PE について、途上国との租税条約では次のように規定されています。

日中条約	日印条約	日韓条約	日タイ条約	日シ条約
＜5条3＞ 建築工事現場又は建設、組立工事若しくは据付工事若しくはこれらに関連する監督活動は、6か月を超える期間存続する場合に限り、恒久的施設とする。	＜5条3＞ 建築工事現場又は建設、据付工事若しくは組立工事は、6か月を超える期間存続する場合に限り、恒久的施設とする。 ＜5条4＞ 企業が一方の締	＜5条3＞ 建築工事現場若しくは建設若しくは据付の工事又はこれらに関連する監督活動については、6か月を超える期間存続する場合には、「恒久的施設」を構成す	＜5条3＞ 建築工事現場若しくは建設、据付若しくは組立ての工事又はこれらに関連する監督活動は、3か月を超える期間存続する場合には、「恒久的施設」とする。	＜5条3＞ 建築工事現場若しくは建設、据付若しくは組立ての工事又はこれらに関連する監督活動は、3か月を超える期間存続する場合に限り、「恒久的施設」とする。

約国内における建築工事現場又は建設、据付若しくは組立工事に関連して、6か月を超える期間、当該一方の締約国内において監督活動を行う場合には、当該企業は当該一方の締約国内に「恒久的施設」を有し、当該「恒久的施設」を通じて事業を行うものとされる。	るものとする。		

　これでわかるように、多くのアジア諸国との間では建設工事PEについては途上国との間では6か月を超えるか否かで恒久的施設であるか否かが判定されますが、タイのみ3か月とされています。このほか、インドとの租税条約では監督活動を別個に規定している点に特徴があるといえます。

≪中国における建設期間と監督活動の解釈指針（通達75）≫

　建設、組立、据付又は監督活動の期間は、その作業が履行された最初の日に始まり、すべての作業が完了し、使用する準備が整った日に終了することとされる。活動が他方の締約国内で6か月超継続した場合、一方の締約国の企業が他方の締約国内にPEを有したことになる。

　中星租税条約で用いられる監督活動という用語は、契約者が下請けの作業、独立した活動、監督会社における活動、建設場所又は組立て又は据付けに関係する監督活動を含む。契約者の監督活動の期間は、建設場所又はプロジェクト全体から成り立っている。また、監督企業が独立して行う監督活動は、その活動の期間によって決まり、建設プロジェクトの期間とは関係ない。

> 　なお、建設場所又はプロジェクト若しくは関係する監督活動が一定の理由（気象条件、原材料不足など）で延期される場合、そのプロジェクトが遅延している期間は、その作業が終了していない場合、また関連する人材、設備及び原材料がすべて撤退しない限り、PE の判定の期間に算入される。

③　サービス PE

　国連モデル租税条約第5条第3項の b）は、「企業が使用人その他の職員を通じて行う役務の提供（コンサルタントの役務の提供を含む。）であって、このような活動が単一の工事又は関連する工事について引き続く12か月の間に合計6か月を超える期間一方の締約国内に存続するもの。」が PE になるとしています。

　このように、途上国との間の租税条約では、通常、サービス PE と呼ばれる規定が存在します。日本が締結した租税条約では、米国、英国、フランス、豪州といった先進国とのものでは規定はありませんが、アジア諸国との間の租税条約には次のような規定があります。

日中条約	日印条約	日韓条約	日タイ条約	日シ条約
＜5条5＞ 一方の締約国の企業が他方の締約国内において使用人その他の職員（7の規定が適用される独立の地位を有する代理人を除く。）を通じてコンサルタントの役務を提供する場合には、このような活動が単一の工事又は	＜5条5＞ 3及び4の規定にかかわらず、企業が一方の締約国内における石油の探査、開発又は採取に関連して、6か月を超える期間、当該一方の締約国内において役務又は施設を提供する場合には、当該企業は、当該一方の締約	規定なし	＜5条5＞ 一方の締約国の企業が他方の締約国内において使用人その他の職員を通じて役務の提供（コンサルタントの役務の提供を含む。）を行う場合には、このような活動が単一の工事又は複数の関連工事について12か月の間	規定なし

複数の関連工事について12か月の間に合計6か月を超える期間行われているときに限り、当該企業は、当該他方の締約国内に「恒久的施設」を有するものとされる。	国内に「恒久的施設」を有し、当該「恒久的施設」を通じて事業を行うものとされる。		に合計6か月を超える期間行われているときに限り、当該企業は、当該他方の締約国内に「恒久的施設」を有するものとされる。

　上の表で明らかなように、日中租税条約及び日タイ租税条約では国連モデル租税条約に準拠してサービスPEについて規定がされていますが、日印租税条約ではもっぱら石油に限定した役務又は施設の提供を行う場合にPEを構成するとしています。一方、日韓・日シ条約にはサービスPEの規定はありません。

> ≪中星租税条約における役務提供の事例（通達75から）≫
>
> 　中星租税条約第5条3⒝に規定する役務提供活動は、工学、技術、マネジメント、デザイン、トレーニング、コンサルティングなどをいうが、次に掲げるものを含む。
> ・工学プロジェクト（土木工事を除く）を履行するのに関連する技術ガイダンス、援助及びコンサルティング
> ・製造技術の使用と改良のための役務提供、企業管理の改善、計画実現可能性の分析、スキームの立案
> ・企業の運営と経営における職業的役務提供

　また、日中租税条約、日印租税条約及び日タイ租税条約及び日シ租税条約でいう6か月について、中国には以下のような指針があります。

≪中星租税条約の解釈指針（通達75）の考え方≫

183日ルール

　シンガポール法人の従業員が中国のプロジェクトのために役務提供を行う場合、そのシンガポール法人の従業員の中国国内での滞在日数は、役務提供を行うために中国に入国した最初の日から、その役務提供プロジェクトが完成し引き渡された日まで、とする。日数は、同一期間内の同一プロジェクトに従事する従業員の数を乗じないものとする。換言すれば、シンガポール法人の従業員が10名いて3日間作業を行う場合は、3日とし、30日とはカウントしない。

　次に、複数年度継続するプロジェクトについては、シンガポール法人がいかなる12か月の期間のうちの183日を超える日数、その指名した者により中国国内で役務提供を行う場合には、そのプロジェクトの183日を下回る日数についても、そのプロジェクトの全期間中中国国内にPEがあるものとみなされる。これは、PEの認定は中国国内における全プロジェクトに関するすべての役務提供に適用され、12か月の期間に限定されないためである。

④　恒久的施設に含まれない準備的・補助的活動

　日米条約、日英条約、日仏条約、日豪条約、日独条約、日中条約、日印条約、日韓条約、日タイ条約、日シ条約ともに、2017年版OECDモデル租税条約に準拠した規定となっています。

≪中星租税条約における解釈指針（通達75）≫

　通達75は、準備的・補助的活動を行うために用いられる事業の固定的場所は、次のような性格を有するべきであると明確にした。

・事業の場所は、独立して事業活動を行ってはならず、またその活動はその企業の全体の活動の基本的または重要な部分を構成してはならない。

・中星租税条約5条4に規定する事業の場所で行われる活動は、その企業のためだけになされなければならない。

・事業の場所は、利得を獲得する上で直接的な役割を有してはならない。

⑤ 代理人 PE

代理人 PE については、次に掲げるような規定があります。

日米条約 （5条5）	日英条約 （5条5）	日仏条約 （5条5）	日豪条約 （5条7）	日独条約 （5条5）
企業に代わって行動する者（6の規定が適用される独立の地位を有する代理人を除く。）が、一方の締約国内で、当該企業の名において契約を締結する権限を有し、かつ、この権限を反復して行使する場合には、当該企業は、その者が当該企業のために行うすべての活動について、当該一方の締約国内に恒久的施設を有するものとされる。ただし、その者の行動が4に掲げる活動（事業を行う一定の場所で行われたとしても、1の規定により当該一定の場所が恒久的施設であるものとされない活動）のみである場合は、この限りで	企業に代わって行動する者（6の規定が適用される独立の地位を有する代理人を除く。）が、一方の締約国内で、当該企業の名において契約を締結する権限を有し、かつ、この権限を反復して行使する場合には、当該企業は、その者が当該企業のために行うすべての活動について、当該一方の締約国内に恒久的施設を有するものとされる。ただし、その者の行動が4に掲げる活動（事業を行う一定の場所で行われたとしても、4の規定により当該一定の場所が恒久的施設であるものとされない活動）のみである場合は、この限りで	企業に代わって行動する者（6の規定が適用される独立の地位を有する代理人を除く。）が、一方の締約国内で、当該企業の名において契約を締結する権限を有し、かつ、この権限を反復して行使する場合には、当該企業は、その者が当該企業のために行うすべての活動について、当該一方の締約国内に恒久的施設を有するものとされる。ただし、その者の行動が4に掲げる活動（事業を行う一定の場所で行われたとしても、4の規定により当該一定の場所が「恒久的施設」とされない活動）のみである場合は、この限りでない。	企業に代わって行動する者（8の規定が適用される独立の地位を有する代理人を除く。）が、次のいずれかの活動を行う場合には、当該企業は、その者が当該企業のために行うすべての活動について、一方の締約国内に恒久的施設を有するものとされる。ただし、その者の行動が6に規定する活動（事業を行う一定の場所で行われたとしても、1の規定により当該一定の場所が恒久的施設であるものとされないようなもの）のみである場合は、この限りでない。 (a) 当該一方の締約国内において、当該企業に代わって実質的	企業に代わって行動する者（6の規定が適用される独立の地位を有する代理人を除く。）が、一方の締約国内で、当該企業の名において契約を締結する権限を有し、かつ、この権限を反復して行使する場合には、当該企業は、その者が当該企業のために行う全ての活動について、当該一方の締約国内に恒久的施設を有するものとされる。ただし、その者の活動が4に規定する活動（事業を行う一定の場所で行われたとしても、4の規定により当該一定の場所が恒久的施設であるものとされないようなもの）のみである場合は、この

ない。	ない。		に交渉する権限を有し、かつこの権限を反復して行使すること。 (b) 当該一方の締約国内において、当該企業のために当該企業に属する物品又は商品を製造し、又はこれを加工すること。	限りでない。

　上の表のように、いわゆる従属代理人については、恒久的施設とされることになります。

　次に、アジア諸国との間の租税条約を見てみます。

日中条約 （5条6）	日印条約 （5条7）	日韓条約 （5条5）	日タイ条約 （5条6）	日シ条約 （5条5）
一方の締約国内において他方の締約国の企業に代わって行動する者（7の規定が適用される独立の地位を有する代理人を除く。）が、次のいずれかの活動を行う場合には、当該企業は、その者が当該企業のために行うすべての活動について、当該一	一方の締約国内において他方の締約国の企業に代わって行動する者（8の規定が適用される独立の地位を有する代理人を除く。）が次のいずれかの活動を行う場合には、当該企業は、当該一方の締約国内に恒久的施設を有するものとされる。	一方の締約国内において他方の締約国の企業に代わって行動する者（6の規定が適用される独立の地位を有する代理人を除く。）が、当該一方の締約国内で、当該企業の名において契約を締結する権限を有し、かつ、この権限を反復して行使する場	一方の締約国内において他方の締約国の企業に代わって行動する者（7の規定が適用される独立の地位を有する代理人を除く。）が次のいずれかの活動を行う場合には、当該企業は、当該一方の締約国内に恒久的施設を有するものとされる。	企業に代わって行動する者（6の規定が適用される独立の地位を有する代理人を除く。）が、一方の締約国内で、当該企業の名において契約を締結する権限を有し、かつ、この権限を反復して行使する場合には、当該企業は、その者が当該企業のため

に行うすべての活動について、当該一方の締約国内に恒久的施設を有するものとされる。ただし、その者の行動が4に掲げる活動（事業を行う一定の場所で行われたとしても、4の規定により当該一定の場所が「恒久的施設」とされない活動）のみである場合は、この限りでない。

(a) 当該一方の締約国内で、当該企業に代わって契約を締結する権限を有し、かつ、この権限を反復して行使すること。ただし、その者の活動が5に掲げる活動（事業を行う一定の場所で行われたとしても、5の規定により当該一定の場所が「恒久的施設」とされない活動）のみである場合は、この限りでない。

(b) (a)の権限は有しないが、当該一方の締約国内で、当該企業に属する物品又は商品の在庫を反復して保有し、かつ、当該在庫により当該企業に代わって規則的に注文に応じ又は引き渡すこと。

(c) (a)の権限は

合には、当該企業は、その者が当該企業のために行うすべての活動について、当該一方の締約国内に恒久的施設を有するものとされる。ただし、その者の行動が4に掲げる活動（事業を行う一定の場所で行われたとしても、4の規定により当該一定の場所が「恒久的施設」とされない活動）のみである場合は、この限りでない。

(a) 当該一方の締約国内で、当該企業に代わって契約を締結する権限を有し、かつ、この権限を反復して行使すること。ただし、その者の活動が6に掲げる活動（事業を行う一定の場所で行われたとしても、6の規定により当該一定の場所が「恒久的施設」とされない活動）のみである場合は、この限りでない。

(b) (a)の権限は有しないが、当該一方の締約国内で、物品又は商品の在庫を反復して保有し、かつ、当該在庫により当該企業に代わって物品又は商品を規則的に引き渡すこと。

(c) 当該一方の締約国内で、専ら又は主と

方の締約国内に恒久的施設を有するものとされる。

(a) 当該一方の締約国内において、当該企業の名において契約を締結する権限を有し、かつ、この権限を反復して行使すること。ただし、その者の活動が4に掲げる活動（事業を行う一定の場所で行われたとしても、4の規定により当該一定の場所が「恒久的施設」とされない活動）のみである場合は、この限りでない。

(b) 当該一方の締約国内において、専ら又は主として当該企業のため又は当該企業及び当該企業を支配し若しくは当該企業に支配されている他の企業のため、反復

して注文を取得すること。	して当該企業自体のため又は当該企業を支配し、当該企業により支配され若しくは同一の共通の支配下に当該企業と共に置かれている他の企業のため、反復して注文を取得すること。		有しないが、当該一方の締約国内で、専ら又は主として当該企業自体のために、又は当該企業又は当該企業を支配し若しくは当該企業に支配的利益を有している他の企業のために反復して注文を取得すること。

　上の表で見る限り、日韓・日シ条約は先進国との間の租税条約となっていますが、その他については、国連モデル租税条約に類似しています。

　次に、中星租税条約に係る通達75における従属代理人の考え方をまとめると以下のとおりとなります。

　　通達75号は、従属代理人がその企業から代理権を付与されたか、また従業員若しくはその企業の一部門であるか否かにかかわらず、個人、事務所、会社その他の事業体になり得ることを規定する。また、そのような従属代理人はその活動を行う課税管轄の居住者である必要はなく、その課税管轄内で事業の場所を有する必要はないとする。

　　次に、企業の名における契約の終了という用語は、企業がサインはしなかったものの拘束される、という意味であるが、より広く解釈されるべきである。終了という用語は、例えば、契約書へのサインそのもの、適正な権限下でその企業のために代理人として契約条件を交渉することも含む。契約は、企業の事業活動に関連する合意事項である。もし、代理人が企業のために内部契約（internal contract）を締結する権限のみを有している場合、その権限の行使はその代理人を従

属代理人とするのに十分ではない。

　さらに、常習的に、という用語についての標準はなく、色々な要素、すなわち企業の契約の性質、代理人の活動の頻度、などにより決定される。例えば、一つの販売契約を企業に代わってサインする場合、それが準備に時間を要するような場合、常習的に又は結果的にという要件を満たすので、その企業の従属代理人とすべきである。

　なお、行使という用語は、実質主義に従う。例えば、代理人が常習的に中国である企業のために契約を行い、その契約がその企業を拘束する場合、その代理人はそれらの契約者が代理人であろうと、その他の者であろうと従属代理人として取り扱われる。

⑥　独立代理人

　OECDモデル租税条約第5条第6項は、「企業は、通常の方法でその業務を行う仲立人、問屋その他の独立の地位を有する代理人を通じて一方の締約国内で事業を行っているとの理由のみでは、当該一方の締約国内に恒久的施設を有するものとされない。」とし、いわゆる独立代理人が恒久的施設にならないことを規定しています。

　これについて、日本が締結した条約（日米条約、日英条約、日仏条約、日豪条約、日独条約、日中条約、日印条約、日韓条約、日タイ条約及び日シ条約を含みます。）は、原則として独立した地位を有している代理人を通じて事業を行うことのみでは、恒久的施設を有するものとはされないというOECDモデル租税条約と同様の規定となっています。

≪独立代理人に関する中星租税条約の通達75の考え方≫

　独立代理人条項の濫用を防止するため代理人の独立の地位は、通達75に基づいて調査されなければならない。通達75は、代理人はその活動がすべて又はほとんどすべてその企業のために行われ、かつその代理人がその企業と従属的な商業的

及び財政的関係を有している場合には、その企業から独立しているとはみなされない。

代理人が法的及び経済的に企業から独立し、経済的利益が企業に属するような活動以外の企業のために通常の事業を行っているのでない限り、その代理人は独立代理人と区分されない。例えば、代理人が通常の販売代理活動だけでなく、その企業名で署名する権限を常習的に有している場合、その代理人は従属代理人となり、その企業の PE となる。

代理人が独立の地位を有するか否かを決定するために考慮すべき事項は以下のとおりである。

- ・その代理人の商業的自由度
- ・代理人の商業活動のリスクの負担
- ・代理人が代理する企業数
- ・その企業からの知識の従属度合い

⑦　支配関係にある法人の取扱い

日米条約、日英条約、日仏条約、日豪条約、日独条約、日中条約、日印条約、日韓条約、日タイ条約及び日シ条約ともに、一方の締約国の居住者である法人が、他方の締約国の居住者である法人若しくは他方の締約国内において事業を行う法人を支配し、又はこれらに支配されている事実のみによっては、いずれの一方の法人も、他方の法人の恒久的施設とはされないという OECD モデル租税条約と同様の規定となっています。

次に、中国の考え方を示しておきます。

通達75は、子会社と親会社の間におけるいくつかの活動が PE となる場合の例を規定している。

国際的な配置換え（International Secondment）
一方の締約国の親会社が、他方の締約国内にある子会社に従業員を派遣する場

合、その従業員が子会社のために行う活動は、もし、その従業員が子会社で雇用され管理され、かつその作業の責任とリスクが子会社ではなく、親会社により負担されない場合、他方の締約国における親会社のPEにはならない。この場合その従業員の給与は子会社が負担しなければならず、子会社の管轄国の所得税法を課し、従属人的役務提供の規定に服する。

　国際的な配置換えを通じて親会社のために派遣された従業員が行う活動は、中星租税条約第5条1及び3の規定が適用され、PE認定がなされる。配置換えされた従業員は、以下の要件のいずれかを満たす場合には、親会社のために働いていると取り扱われる。

　　・親会社がその従業員を管理し、リスクを負担し、責任を有している
　　・親会社が従業員の数と能力を決めている
　　・親会社が従業員の給与を負担している
　　・親会社が従業員の配置換えの結果生ずる利益を子会社から得ている

　その場合には、親会社が子会社から受けるサービスフィーは、独立企業間価格でなければならず、子会社で生じた役務提供のコストは「合理的」と認められれば子会社で控除することができる。従業員を通じて中国国内で親会社が活動を行うと中国にPEがあることになり、それらの活動から得られた親会社の利得は中国において課税対象となる。

従属代理人PE（Dependent Agent PE）

　子会社が親会社のために契約権限を有しかつ常習的に行使する場合には、その子会社はPEとなり、従属代理人の他の要件を満たすことにもなる。

実務上のポイント

　昨今、中国に進出している多くの企業が悩まされているのが、PE認定課税でしょう。上に記載した通達75の説明にあるように、日本の親会社から中国子会社に技術援助などのために派遣した従業員の活動により、「それは日本の親会社に指示されて出張してきたこと、最終的には日本親会社の利益のための活

動であること、により、その従業員は親会社の PE になる。」と課税されること

とになります。

　これについては、課税されない方策は今のところ考えられていません。した

がって、PE 認定課税されるリスクがあることを承知の上で、親会社から技術

指導のために従業員を派遣せざるを得ません。

第4節 租税条約の内容［その2］
（所得課税）

1. 不動産所得

⑴ OECD モデル租税条約

OECD モデル租税条約第 6 条は、次のように規定しています。

OECD モデル租税条約第 6 条（不動産所得）

1. 一方の締約国の居住者が他方の締約国内に存在する不動産から取得する所得（農業又は林業から生ずる所得を含む。）に対しては、当該他方の締約国において租税を課すことができる。（77年改正）

2. 「不動産」とは、当該財産が存在する締約国の法令における不動産の意義を有するものとする。不動産には、いかなる場合にも、これに付属する財産、農業又は林業に用いられる家畜類及び設備、不動産に関する一般法の規定の適用がある権利、不動産用益権並びに鉱石、水その他の天然資源の採取又は採取の権利の対価として料金（固定的な料金であるか否かを問わない。）を受領する権利を含む。船舶及び航空機は、不動産とはみなさない。（77年改正）

3. 1の規定は、不動産の直接使用、賃貸その他のすべての形式による使用から生ずる所得について適用する。

4. 1及び3の規定は、企業の不動産から生ずる所得についても、適用する。(77、2000年改正)

まず、OECD モデル租税条約の特徴は、不動産から取得する所得（農業又は

林業から生ずる所得を含みます）に対しては、いわゆる源泉地国課税が認められることです。

(2)　国連モデル租税条約第6条

次に、国連モデル租税条約第6条は、次のように規定する。

国連モデル租税条約第6条（不動産所得）

1．一方の締約国の居住者が他方の締約国内に存在する不動産から取得する所得（農業又は林業から生ずる所得を含む。）に対しては、当該他方の国において租税を課すことができる。（OECDと同じ）

2．「不動産」の用語は、当該財産が存在する締約国の法令における不動産の意義を有するものとする。不動産には、いかなる場合にも、これに付属する財産、農業又は林業に用いられる家畜類及び設備、不動産に関する一般法の規定の適用がある権利、不動産用益権並びに鉱石、水その他の天然資源の採取又は採取の権利の対価として料金（金額が確定しているかいないかを問わない。）を受領する権利を含む。船舶及び航空機は、不動産とはみなさない。（OECDとほぼ同じ）

3．1の規定は、不動産の直接使用、賃貸その他のすべての形式による使用から生ずる所得について適用する。（OECDとほぼ同じ）

4．1及び3の規定は、企業の不動産から生ずる所得及び独立の人的役務を提供するために使用される不動産から生ずる所得についても、適用する。（OECDと異なる）

上で見たように、OECDモデル租税条約と国連モデル租税条約では、第4項を除きほぼ同様の規定となっています。中星租税条約の解釈指針である通達75においても、国連モデル租税条約と同じ規定となっており、役務提供に使用される不動産から生ずる所得については源泉地国で優先的に課税されるべきであるとしています。

⑶　日本の租税条約

　日米条約、日英条約、日仏条約、日豪条約及び日独条約は、OECDモデル租税条約に準拠しています。一方、日中条約、日印条約、日韓条約及び日タイ条約は、国連モデル租税条約に準拠しています。このように、相手国により、その内容は若干異なっています。

2.　事業所得

⑴　OECD モデル租税条約

　事業所得とは、文字どおり「事業により稼得される所得」ですが、通常、外国法人の支店などの恒久的施設による活動に基づき課税されるものです。

　ところで、OECDモデル租税条約第7条は2010年に大幅に改正されました。改正の中で一番重要な点は、支店や事業所といった恒久的施設の活動により獲得された所得の算定にあたっては、移転価格税制の考え方をほとんどそのまま導入したということです。1998年以来、OECD租税委員会は多くの議論を重ねた上で今回の改正に至りました。移転価格税制は、本書第8章に記載されているように、親子会社などの関連会社間における国外関連取引が第三者間取引と同じように行われなければならない、という独立企業原則に基づいて規定されていますが、その考え方が本支店間取引等にも導入されたことになります。この改正に伴い、第7条は大きく変更されましたが、以下で見ていくことにします。

OECD モデル租税条約第7条（事業所得）（2010年改正）

1．一方の締約国の企業の利得に対しては、その企業が他方の締約国内にある恒久的施設を通じて当該他方の締約国内において事業を行わない限り、当該一方の締約国においてのみ租税を課することができる。一方の締約国の企業が他方の締約国内にある恒久的施設を通じて当該他方の締約国内において事業を行う場合には、2の規定に基づき当該恒久的施設に帰せられる利得に対しては、当該他方の締約国において租税を課することができる。

> 　2．この条約及び［23A］［23B］条の適用上、各締約国において 1 に規定する恒久的施設に帰せられる利得は、特に当該恒久的施設を有する企業の他の構成部分との取引において、当該恒久的施設が、同一又は類似の条件で同一又は類似の活動を行うよう分離し、かつ、独立した企業であるとしたならば、当該企業が当該恒久的施設を通じて、及び当該企業の他の部門を通じて遂行した機能、使用した資産及び引き受けた危険を考慮して、当該恒久的施設が取得したとみられる利得とする。
>
> 　3．一方の締約国が、2 の規定に基づき、いずれか一方の締約国の企業の恒久的施設に帰せられる利得の調整を行い他方の締約国において租税を課された利得に対して租税を課する場合には、当該他方の締約国は、当該利得に係る二重課税の排除に必要な範囲で、当該利得に課された租税の額について適当な調整を行う。この調整に当たっては、両締約国の権限のある当局は、必要があるときは、相互に協議する。
>
> 　4．他の条で別個に取り扱われている種類の所得が企業の利得に含まれる場合には、当該他の条の規定は、この条の規定によって影響されることはない。

　OECD モデル租税条約第 7 条は、改正前は 7 つの項が規定されていましたが、それが 4 つの項に減少したことからも大改正であったことが見てとれます。2010年の改正は、第 1 項の「恒久的施設なければ課税なし」の原則はそのままとした上で、第 2 項でこれまでも規定されていた独立企業原則を本支店においても適用することをさらに明確に規定し、第 3 項ではいわゆる「対応的調整（第 8 章の移転価格税制を参照）」を規定しました。その意味で後述する第 9 条（特殊関連者条項）と非常に類似した条項に変更されました。最後の第 4 項は、かつての第 7 項をそのまま引き継いでおり、他の条項との調整を行うための規定となっています。

① 　「恒久的施設なければ課税なし」の原則

　OECD モデル租税条約第 7 条第 1 項は、「一方の国の企業の利得に対しては、その企業が他方の締約国内にある恒久的施設を通じて当該他方の国内において

事業を行わない限り、当該一方の締約国においてのみ租税を課することができる。」と規定していますが、これが「恒久的施設なければ課税なし」の原則です。この原則は、事業所得に関して国際的に確立した原則であるといえます。

② 帰属主義

OECD モデル租税条約第 7 条第 1 項は、また、「一方の締約国の企業が他方の締約国内にある恒久的施設を通じて当該他方の締約国内において事業を行う場合には、その企業の利得のうち当該恒久的施設に帰せられる利得に対しては、当該他方の締約国において租税を課することができる。」と規定しています。これが「帰属主義」といわれるものです。

なお、帰属主義と対立する考え方として総合主義があります。「総合主義」とは、一方の締約国の企業が他方の締約国内に恒久的施設を設けた場合には、他方の締約国は恒久的施設に帰属するか否かに関係なく当該企業が獲得する利得に対して課税することができるという考え方です。OECD 加盟国では、帰属主義を採用することが原則となっています。

③ 独立企業原則

OECD モデル租税条約第 7 条第 2 項において、「恒久的施設に帰せられる利得は、特に当該恒久的施設を有する企業の他の構成部分との取引において、当該恒久的施設が、同一又は類似の条件で同一又は類似の活動を行うよう分離し、かつ、独立した企業であるとしたならば、当該企業が当該恒久的施設を通じて、及び当該企業の他の部門を通じて遂行した機能、使用した資産及び引き受けた危険を考慮して、当該恒久的施設が取得したとみられる利得とする。」とされています。これが独立企業原則であり、第 9 条の特殊関連者条項の考え方と同一となりました。

④ これまでの規定の廃止

改正前の第 3 項に規定されていた「経費の配賦」、同じく第 4 項に規定されていた「恒久的施設に帰せられるべき利得の決定」、第 5 項に規定されていた「単純購入非課税の原則」、及び第 6 項に規定されていた「利得計算の継続適用」

は廃止されました。

⑤　他の条項との関係

OECD モデル租税条約第7条第4項においては、他の条で別個に取り扱われている種類の所得が企業の利得に含まれる場合、第7条よりもその条項が優先的に適用されるとしています。

(2)　国連モデル租税条約

国連モデル租税条約第7条は、次のように規定しており、OECD モデル租税条約とは大きく異なっています。

国連モデル租税条約第7条（事業所得）

1．一方の締約国の企業の利得に対しては、その企業が他方の締約国内にある恒久的施設を通じて当該他方の国内において事業を行わない限り、当該一方の国においてのみ租税を課することができる。一方の国の企業が他方の国内にある恒久的施設を通じて当該他方の国内で事業を行う場合には、その企業の利得のうち次のものに帰せられる部分に対してのみ、当該他方の国において租税を課することができる。

　(a)　当該恒久的施設

　(b)　当該恒久的施設を通じて販売する物品若しくは商品と同一又は類似の物品若しくは商品の当該他方の締約国内における販売

　(c)　当該恒久的施設を通じて行う事業活動と同一又は類似のその他の事業活動で当該他方の締約国内で行われるもの

2．3の規定に従うことを条件として、一方の締約国の企業が他方の締約国内にある恒久的施設を通じて当該他方の国内で事業を行う場合には、当該恒久的施設が、同一又は類似の条件で同一又は類似の活動を行い、かつ、当該恒久的施設を有する企業と全く独立の立場で取引を行う別個のかつ分離した企業であるとしたならば当該恒久的施設の取得したとみられる利得が、各締約国において恒久的施設に帰せられるものとする。

3．恒久的施設の利得を決定するにあたっては、経営費及び一般管理費を含む費用で当該恒久的施設の事業のために生じたものは、当該恒久的施設が存在する

国内において生じたものであるか他の場所において生じたものかを問わず、損金に算入することを認められる。当該恒久的施設が企業の本店又はその他の事務所に支払った金額（実費弁償に係るものを除く。）であって、特許権その他の権利の使用の対価として、若しくは特定の役務の提供若しくは事業の管理の対価として支払われる使用料、手数料その他これに類する支払金又は当該恒久的施設に対する貸付けに係る利子（当該企業が銀行業を営む企業である場合を除く。）については、損金に算入することを認めない。同様に、恒久的施設の利得を決定するにあたっては、当該恒久的施設が企業の本店又はその他の事務所に対して請求した金額（実費弁償に係るものを除く。）であって、特許権その他の権利の使用の対価として、若しくは特定の役務の提供若しくは事業の管理の対価として受領する使用料、手数料その他これに類する支払金又は当該企業の本店若しくはその他の事務所に対する貸付けに係る利子（当該企業が銀行業を営む場合を除く。）については益金に算入しない。

4．2の規定は、恒久的施設に帰せられるべき利得を企業の利得総額の当該企業の各構成部分への配分によって決定する慣行が一方の締約国にある場合には、租税を課されるべき利得をその慣行とされている配分の方法によって当該一方の締約国が決定することを妨げるものではない。ただし、用いられる配分の方法は、当該配分の方法によって得た結果がこの条に定める原則に適合するようなものでなければならない。

5．1から5までの規定の適用上、恒久的施設に帰せられる利得は、毎年同一の方法によって決定する。ただし、別の方法を用いることにつき正当な理由がある場合には、この限りでない。

6．他の条で別個に取り扱われている種類の所得が企業の利得に含まれる場合には、当該他の条の規定は、この条の規定によって影響されることはない。

　（注）　恒久的施設が企業のために行った物品又は商品の単なる購入を理由として、利益を当該恒久的施設に帰属させるべきかどうかという点については、未解決である。これは二国間の交渉で解決されるべき問題である。

国連モデル租税条約第7条の特徴を以下に簡記します。

イ．まず、「PE なければ課税なし」の原則は貫かれています。この点でも、「PE なければ課税なし」は国際的に確立した原則であるといえます。

ロ．次に、帰属主義については、OECD モデル租税条約とは異なり、一部 PE があるだけで源泉地国に課税を認めるものがあるなど、徹底していません。

ハ．独立企業原則を規定していますが、現在までのところ OECD モデル租税条約のような改正はされていません。

ニ．OECD モデル租税条約が廃止した「恒久的施設に帰せられるべき利得の決定」は、引き続き規定されています。なお、「単純購入非課税の原則」については未解決であるとし、各国の交渉に委ねています。

ホ．OECD モデル租税条約が廃止した「経費の配賦」については、恒久的施設が本店に支払う特許権その他の権利の使用の対価を損金不算入としています。これも源泉地国における課税権の確保が狙いです。

⑶　日本の租税条約

日本の租税条約においては、事業所得に関して OECD モデル租税条約に準拠しています。ただし、国内法においても、平成26年度税制改正において帰属主義を採用したことで、国内法と租税条約が原則として整合的なものとなりました。以下では、まず、先進国との間の租税条約の規定を比較します。

	日米条約	日英条約	日仏条約	日豪条約	日独条約
「恒久的施設なければ課税なし」の採用	あり	あり	あり	あり	あり
帰属主義の採用	あり。ただし、一方の締約国の企業が、恒久的施設を通じて事業を行うことをやめた後に、その恒久的施設に帰せられる利	あり	あり	あり	あり

	得を得た場合、相手国は課税できるとされている（議定書4）				
独立企業原則の採用	あり	あり	あり	あり	あり
経費の配賦の採用	あり	あり	あり	あり	なし
利益配分の慣行の採用	なし	あり	あり	あり	なし
単純購入非課税の原則	あり	あり	あり	あり	なし
利得計算の継続適用	あり	あり	あり	あり	なし
他の条項の優先適用	あり	あり	あり	あり	あり
情報の入手	なし	なし	なし	一方の締約国の権限のある当局が入手することができる情報が恒久的施設に帰せられる利得を決定するために十分でない場合には、この条のいかなる規定も、当該恒久的施設を有する者の納税義務の決定に関する当該一方の締約国の法令の適用に影響を及ぼすものではない。ただし、	なし

				当該情報に基づいて当該恒久的施設の利得を決定する場合には、この条に定める原則に従うものとする。	
信託に関する規定	なし	なし	なし	次の(a)及び(b)に該当する場合には、信託の受託者が行う事業は、一方の締約国の居住者が他方の締約国内にある恒久的施設を通じて当該他方の締約国内で行う事業とみなし、かつ、当該事業から取得される利得であって、当該一方の締約国の居住者の持分に対応するものは、当該恒久的施設に帰せられるものとする。 (a)　当該一方の締約国の居住者が、当該信託（租税に関し法人として取り扱わ	

				れるものを除く。）の受託者が当該他方の締約国内において当該信託の受託者として行う事業から取得される利得に対する持分を直接に一若しくは二以上の信託を介して有する場合 (b)　当該事業の遂行に関して、当該信託の受託者が、第5条に定める原則に従い、当該他方の締約国内に恒久的施設を有する場合	

　なお、日米条約第7条第4項においては、「一方の締約国の権限のある当局が入手することができる情報が恒久的施設に帰せられる利得を決定するために十分でない場合には、この条のいかなる規定も、当該恒久的施設を有する者の納税義務の決定に関する当該締約国の法令の適用に影響を及ぼすものではない。ただし、当該情報に基づいて恒久的施設の利得を決定する場合には、この条に定める原則に従うものとする。」と規定されています。日米条約において

は、上の表にある利益配分の慣行を認める代わりに、十分な情報が得られない場合には、いわゆる推計課税（所法156、168、法法131、147）や推定課税（措法66の4⑧）を認めています。

　次に、アジア諸国との間の租税条約の規定を概観してみます。

	日中条約	日印条約	日韓条約	日タイ条約	日シ条約
「恒久的施設なければ課税なし」の採用	あり	あり	あり	あり	あり
帰属主義の採用	あり	あり	あり	あり	あり
独立企業原則の採用	あり	あり	あり	あり	あり
経費の配賦の採用	企業の恒久的施設が当該企業の本店又は当該企業の他の事務所に支払った又は振り替えた支払金で次に掲げるものは損金に算入することを認めない。 ①　特許権その他の権利の使用の対価として支払われる使用料、報酬その他これらに類する支払金 ②　特定の役務の提供又は事業の管理の対価と	あり	あり	あり	あり

	して支払われる手数料③　当該恒久的施設に対する貸付に係る利子（銀行業を除く。）（議定書2）				
利益配分の慣行の採用	なし	あり	あり	あり	あり
単純購入非課税の原則	あり	あり	あり	あり	あり
利得計算の継続適用	あり	あり	あり	あり	あり
他の条項の優先適用	あり	あり	あり	あり	あり
企業の利得の意義	なし	なし	なし	この条の適用上、「企業の利得」には、不動産以外の財産（第12条3に規定する使用料の支払の基因となったものを除く。）の使用又は使用の権利の対価として受領するすべての種類の支払金を含まないものとする。	なし

　上で見たように、日中条約は国連モデル租税条約第7条に準拠していますが、インド韓国及びシンガポールとの条約では2010年改正前OECDモデル租税条

約と同様になっています。一方、日タイ条約では「企業の利得」の意義についての確認規定が置かれています。

3. 国際運輸所得

(1)　OECD モデル租税条約

OECD モデル租税条約第 8 条（海運、内陸水路運輸及び航空運輸）

1．船舶又は航空機を国際運輸に運用することによって取得する利得に対しては、企業の実質的管理の場所が存在する締約国においてのみ租税を課することができる。

2．内陸水路運輸に従事する船舶を運用することによって取得する利得に対しては、企業の実質的管理の場所が存在する締約国においてのみ租税を課することができる。

3．海運又は内陸水路運輸を営む企業の実質的管理の場所は、当該場所が船舶上にある場合には、当該船舶の母港が存在する締約国にあるものとみなし、また、そのような母港がない場合には、当該船舶を運用する者が居住者とされる締約国にあるものとみなす。

4．1の規定は、共同計算、共同経営又は国際経営共同体に参加していることによって取得する利得についても、適用する。（77年追加）

OECD モデル租税条約第 8 条においては、海運、内陸水路運輸及び航空運輸（国際運輸業所得）を運行することにより取得する利得に関して、企業の実質的管理の場所が存在する締約国においてのみ課税権があると規定されています。これは、第 7 条の事業所得の例外を示したもので、国際運輸業所得については、居住地国課税のみが認められています。

(2)　国連モデル租税条約

国連モデル租税条約第 8 条（海運、内陸水路運輸及び航空運輸）（選択肢 A）

1．船舶又は航空機を国際運輸に運用することによって取得する利得に対しては、企業の実質的管理の場所が存在する締約国においてのみ租税を課することができる。（OECDと同様）

2．内陸水路運輸に従事する船舶を運用することによって取得する利得に対しては、企業の実質的管理の場所が存在する締約国においてのみ租税を課することができる。（OECDと同様）

3．海運又は内陸水路運輸を営む企業の実質的管理の場所は、当該場所が船舶上にある場合には、当該船舶の母港が存在する締約国にあるものとみなし、また、そのような母港がない場合には、当該船舶を運用する者が居住者とされる締約国にあるものとみなす。（OECDと同様）

4．1の規定は、共同計算、共同経営又は国際経営共同体に参加していることによって取得する利得についても、また適用する。（OECDと同様）

国連モデル租税条約第8条（選択肢B）

1．航空機を国際運輸に運用することによって取得する利得に対しては、企業の実質的管理の場所が存在する締約国においてのみ租税を課することができる。（航空機についてOECDと同様）

2．船舶を国際運輸に運用することによって取得する利得に対しては、他方の締約国内における当該運用による海運活動が臨時的なものにすぎない場合には企業の実質的管理の場所が存在する締約国においてのみ租税を課することができる。その海運活動が臨時的なものでない場合には、当該利得に対しては当該他方の締約国において租税を課することができる。他方の締約国において租税を課される利得は、当該企業が船舶の運用から取得する全ての純利得を適正に配分することにより決定される。その配分により計算された租税は○パーセント軽減される。（軽減の割合は、二国間の交渉により決定される。）（OECDとは大きく異なる）

3．内陸水路運輸に従事する船舶を運用することによって取得する利得に対しては、企業の実質的管理の場所が存在する締約国においてのみ租税を課することができる。（OECDと同様）

4．海運又は内陸水路運輸を営む企業の実質的管理の場所は、当該場所が船舶上にある場合には、当該船舶の母港が存在する締約国にあるものとみなし、また、そのような母港がない場合には、当該船舶を運用する者が居住者とされる締約国にあるものとみなす。（OECDと同様）

5．1及び2の規定は、共同計算、共同経営又は国際経営共同体に参加していることによって取得する利得についても、また適用する。（OECDと類似）

国連モデル租税条約第8条は、第2項において源泉地国課税の余地を残すという意味からOECDモデル租税条約とは異なっています。開発途上国に課税権を認める余地を残すという意味からは当然であるとも考えられますが、居住地国との二重課税に陥る可能性があり、先進国側から見ると違和感があります。

(3)　日本の租税条約

日本の租税条約は、国際運輸業所得に関しては、OECDモデル租税条約が「企業の実質的管理の場所」としているのに対して、「企業の居住地国」においてのみ課税できるとしています。また、規定の内容は、相手国により異なっています。以下に、先進国との租税条約を概観します。

	日米条約	日英条約	日仏条約	日豪条約	日独条約
原　　則	居住地国課税	居住地国課税	居住地国課税	居住地国課税	居住地国課税
国際運輸業の範囲	船舶又は航空機の賃貸によって取得する利得（裸用船による船舶又は航空機の賃貸によって取得する利得については、当該賃貸が船舶又は航空機の国際運輸における運用に	船舶又は航空機を国際運輸に運用すること。そして、次の(a)と(b)を含む。ただし、(a)に規定する賃貸又は(b)に規定する使用、保管若しくは賃貸が、船舶又は航空機を国際運輸	船舶又は航空機を国際運輸に運用すること	船舶又は航空機を国際運輸に運用すること	船舶又は航空機を国際運輸に運用すること

	付随するものである場合に限る。）。いずれかの締約国内における貨物又は旅客の国内運送によって取得する利得は、当該運送が国際運輸の一部として行われる場合には、船舶又は航空機を国際運輸に運用することによって取得する利得として取り扱う。	に運用することに付随する場合に限る。 (a)　裸用船による船舶又は航空機の賃貸から取得する利得 (b)　物品又は商品の運送のために使用されるコンテナー（コンテナーの運送のためのトレーラー及び関連設備を含む。）の使用、保管又は賃貸から取得する利得			
地方税の取扱い	相互主義に基づく免税	相互主義に基づく免税	相互主義による免税	相互主義による免税	
コンテナーに係る所得の取扱い	国際運輸業に使用されるコンテナーを使用、保持、又は賃貸することによって取得する利得に対しては、当該コンテナーが他方の締約国内においてのみ使用される場合を除き、居住地国	上で記載	規定なし	規定なし	物品又は商品の運送のために使用されるコンテナー（コンテナーの運送のためのトレーラー及び関連設備を含む。）の使用は本条の国際運輸業利得に含まれる。

	課税となる。			
共同計算規定の有無	あり	あり	あり	あり	あり

一方、アジア諸国との間の租税条約は、次のように規定しています。

	日中条約	日印条約	日韓条約	日タイ条約	日シ条約
原　　則	居住地国課税	居住地国課税	居住地国課税	居住地国課税	居住地国課税
国際運輸業の範囲	船舶又は航空機を国際運輸に運用すること	船舶又は航空機を国際運輸に運用すること	船舶又は航空機を国際運輸に運用すること	船舶又は航空機を国際運輸に運用すること	船舶又は航空機を国際運輸に運用すること
船舶についての例外		船舶の運用から生ずる利得については、源泉地国課税が認められる。その場合、源泉地国の税法によれば課されることとなる租税の額の ① 最初の5課税年度又は5「前年度」に関しては50％ ② 残りの5課税年度又は5「前年度」に関しては25％ を超えないものとする。		船舶を国際運輸に運用することによって取得する利得に対しては、他方の締約国において租税を課することができる。ただし、当該他方の締約国において課される租税の額は、その額の50％に等しい額だけ軽減される。	
地方税の取扱い	相互主義に基づく免税	相互主義に基づく免税	相互主義による免税	規定なし	規定なし

426

共同計算規定の有無	あり	あり	あり	あり	あり

　以上のように、アジア諸国との間の租税条約においては、一部で居住地国課税という原則を離れて源泉地国課税を認める条項を有しているものがあることに留意しなければなりません。

4. 特殊関連企業条項

(1)　OECD モデル租税条約

OECD モデル租税条約第9条（特殊関連企業）

1．次の(a)又は(b)に該当する場合であって、そのいずれの場合においても、商業上又は資金上の関係において、双方の企業の間に、独立の企業の間に設けられる条件と異なる条件が設けられ、又は課されているときは、その条件がないとしたならば一方の企業の利得となったとみられる利得であってその条件のために当該一方の企業の利得とならなかったものに対しては、これを当該一方の企業の利得に算入して租税を課することができる。

　(a)　一方の締約国の企業が他方の締約国の企業の経営、支配又は資本に直接又は間接に参加している場合

　(b)　同一の者が一方の締約国の企業及び他方の締約国の企業の経営、支配又は資本に直接又は間接に参加している場合

2．一方の締約国において租税を課された当該一方の締約国の企業の利得を他方の締約国が当該他方の締約国の企業の利得に算入して租税を課する場合において、当該一方の締約国が、その算入された利得が、双方の企業の間に設けられた条件が独立の企業の間に設けられたであろう条件であったとしたならば当該他方の締約国の企業の利得となったとみられる利得であるときは、当該一方の締約国は、当該利得に対して当該一方の締約国において課された租税の額について適当な調整を行う。この調整に当たっては、この条約の他の規定に妥当な考慮を払うものとし、両締約国の権限のある当局は、必要がある場合には、相

> 互に協議する。（77年改正）

OECD モデル租税条約第9条においては、いわゆる移転価格税制と対応的調整に関する規定が定められています。移転価格税制の詳細は、第8章に記載しています。

OECD モデル租税条約に特殊関連企業条項が置かれているのは、二国間での国際的二重課税の排除を行うことが租税条約の最も重要な役割であり、これを確認する必要があるからです。現実には、各国とも固有の移転価格税制を有しており、これに基づいた執行を行っています。そして、各国における制度や執行を共通のものとすべく、OECD は移転価格ガイドラインを別途策定しています。

第9条では、一方の締約国の企業が他方の締約国の企業と関連者に該当する場合、これら2つの企業間において独立の企業間における条件と異なる条件が設けられている場合には、それらの条件がないとした場合の利得に引きなおして租税を課することができると規定しています。第9条を特殊関連者条項というのは、このような理由からです。

また、OECD モデル租税条約第9条第2項においては、いわゆる対応的調整についての規定があります。対応的調整とは、移転価格税制が適用されると経済的二重課税が発生することから、一方の国が移転価格税制で課税をした場合に、その額について他方の国で減額することをいいます。現実的には、対応的調整は、両締約国間の権限のある当局間における相互協議（第25条参照）の結果として行われています。

(2)　国連モデル租税条約

国連モデル租税条約第9条は、次のように規定しています。

> **国連モデル租税条約第9条**
> 1．a）一方の締約国の企業が他方の締約国の企業の経営、支配若しくは資本に

　　直接若しくは間接に参加している場合又は

　　b）同一の者が一方の締約国の企業及び他方の締約国の企業の経営、支配若
　　　しくは資本に直接若しくは間接に参加している場合

であって、そのいずれの場合においても、商業上又は資金上の関係において、
双方の企業の間に、独立の企業の間に設けられる条件と異なる条件が設けられ、
又は課されているときは、その条件がないとしたならば一方の企業の利得と
なったとみられる利得であってその条件のために当該一方の企業の利得となら
なかったものに対しては、これを当該一方の企業の利得に算入して租税を課す
ることができる。（2001年改正。OECD と同様）

2．一方の締約国において租税を課された当該一方の締約国の企業の利得につい
　て、他方の締約国の企業の利得に算入して租税を課する場合において、その算
　入された利得が、双方の企業の間に設けられた条件が独立の企業の間に設けら
　れている条件であるとしたならば当該他方の締約国の企業の利得となったとみ
　られる利得であるときは、当該一方の締約国は、当該利得に対して当該一方の
　締約国において課された租税の額について適当な調整を行う。この調整に当
　たっては、この条約の他の規定に妥当な考慮を払うものとし、両締約国の権限
　のある当局は、必要がある場合には、相互に協議する。（OECD と同様）

3．司法上、行政上その他これらに類する法律上の手続の結果、これら関連する
　企業のいずれかが、1の規定に基づく利得の調整を生じさせる行為に関して、
　詐欺、重過失又は故意の不履行に関する罰金を支払う義務を負うと最終的に決
　定される場合には、2の規定は適用しない。（2001年改正。OECD とは異なる）

　国連モデル租税条約第9条は、OECD モデル租税条約と第2項までは同様
の規定ですが、第3項を別途規定し、対応的調整の範囲を狭めています。

(3)　日本の租税条約

　日本が締結した租税条約においては、旧ソ連邦を除いたすべての租税条約に
おいて、特殊関連企業条項が置かれています。また、対応的調整に関しては、
日本がかつて OECD モデル租税条約第9条第2項に留保を付していたことか

ら、すべての条約に規定があるわけではありません。

　以下では、先進国との租税条約の第9条を概観します。

	日米条約	日英条約	日仏条約	日豪条約	日独条約
移転価格税制の有無	あり。企業の利得の決定に当たって、独立企業原則は一般に、当該企業とその関連企業との間の取引の条件と独立の企業の間の取引の条件との比較に基づいて適用されることが了解される。また、比較可能性に影響を与える要因には次のものが含まれることが了解される。 ①　移転された財産又は役務の特性 ②　当該企業及びその関連企業が使用する資産及び引き受ける危険を考慮した上での当該企業及びその関連企業の機能	あり	あり	あり。 なお、一方の締約国の権限のある当局が入手することができる情報が企業の利得を決定するために十分でない場合には、この条のいかなる規定（4の規定を除く。）も、当該企業の納税義務の決定に関する当該一方の締約国の法令の適用に影響を及ぼすものではない。ただし、当該情報に基づいて当該企業の納税義務を決定する場合には、1に定める原則に従うものとする。	あり

	③　当該企業とその関連企業との間の契約条件 ④　当該企業及びその関連企業の経済状況 ⑤　当該企業及びその関連企業が遂行する事業戦略（議定書5）				
OECD移転価格ガイドラインへの言及	二重課税は、両締約国の税務当局が移転価格課税事案の解決に適用されるべき原則について共通の理解を有している場合にのみ回避し得ることが了解される。このため、両締約国は、この問題についての国際的なコンセンサスを反映しているOECD移転価格ガイドラインに従って、企業の移転価格の調査を行い、及び事前確認申請を審	なし	なし	第9条に関し、両締約国は、移転価格課税及び事前価格取決めについての国際的なコンセンサスを反映しているOECD移転価格ガイドラインに従って、企業の移転価格の調査を行い、及び事前価格取決めの申請を審査することが了解される。各締約国における移転価格課税に係る規則（移転価格の算定方法を含む。）は、OECD移転価格ガイ	なし

	査する。各締約国における移転価格課税に係る規則は、OECD移転価格ガイドラインと整合的である限りにおいて、条約に基づく移転価格課税事案の解決に適用することができる。(交換公文3)			ドラインと整合的である限りにおいて条約に基づく移転価格課税事案の解決に適用することができる。(交換公文2)	
対応的調整の有無	あり	あり	あり	あり	あり
移転価格課税の期間制限	7年	7年だが、不正等の場合は無期限	なし	7年だが、不正等の場合は無期限	10年

　上の表でわかるように、最近改定された先進国との条約には、移転価格課税に関する期間制限（7年）を設けるものが多いですが、最新の日独条約では10年となっています。一方で、不正などの場合には、これまでどおり無期限とするものも多くあります。

　次に、アジア諸国との間の租税条約第9条を概観します。

	日中条約	日印条約	日韓条約	日タイ条約	日シ条約
移転価格税制の有無	あり	あり	あり	あり	あり
OECD移転価格ガイドラインへの言及	なし	なし	なし	なし	なし
対応的調整の有無	なし	あり	あり	あり	あり

移転価格課税の期間制限	なし	なし	10年だが、不正の場合は無制限	なし	なし

　アジア諸国との間の租税条約では、OECD 移転価格ガイドラインに言及しているものはなく、移転価格課税の期間制限があるのは日韓条約だけです。最近は、アジア諸国における移転価格税制の適用件数が増加していますが、企業の予測可能性を高めるため、条約改定の際には期間制限や OECD 移転価格ガイドラインへの言及の規定を追加することが望ましいと考えられます。そもそも租税条約の目的が国際的二重課税の排除であることからすれば、国際課税規範である OECD 移転価格ガイドラインを尊重することは当然のことであり、移転価格課税には国内法以外にも租税条約における期間制限が必要でしょう。

5. 配当

(1)　OECD モデル租税条約

> OECD モデル租税条約第10条（配当）
>
> 1．一方の締約国の居住者である法人が他方の締約国の居住者に支払う配当に対しては、当該他方の締約国において租税を課することができる。
>
> 2．1の配当に対しては、これを支払う法人が居住者とされる一方の締約国においても、当該一方の締約国の法令に従って租税を課することができる。その租税の額は、当該配当の受益者が他方の締約国の居住者である場合には、次の額を超えないものとする。（2014年改正）
>
> 　a）当該配当の受益者が、当該配当を支払う法人の資本の25パーセント以上を直接に所有する法人（パートナーシップを除く。）である場合には、当該配当の額の5パーセント
>
> 　b）その他のすべての場合には、当該配当の額の15パーセント
>
> 　両締約国の権限のある当局は、合意により、これらの制限の実施方法を決定す

る。

　この2の規定は、当該配当を支払う法人のその配当に充てられる利得に対する課税に影響を及ぼすものではない。(77年、95年改正)

3．この条において、「配当」とは、株式、受益株式、鉱業株式、発起人株式その他利得の分配を受ける権利（信用に係る債権を除く。）から生ずる所得及びその他の持分から生ずる所得であって分配を行う法人が居住者とされる締約国の租税に関する法令上株式から生ずる所得と同様に取り扱われるものをいう。(77年改正)

4．1及び2の規定は、一方の締約国の居住者である配当の受益者が、その配当を支払う法人が居住者とされる他方の締約国内において当該他方の締約国内にある恒久的施設を通じて事業を行う場合において、当該配当の支払の基因となった株式その他の持分が当該恒久的施設と実質的な関連を有するものであるときは、適用しない。この場合には、第7条の規定を適用する。(77年改正、2000年改正)

5．一方の締約国の居住者である法人が他方の締約国から利得又は所得を取得する場合には、当該他方の締約国は、当該法人が支払う配当及び当該法人の留保所得については、これらの配当及び留保所得の全部又は一部が当該他方の締約国内で生じた利得又は所得から成るときにおいても、当該配当（当該他方の締約国の居住者に支払われる配当及び配当の支払の基因となった株式その他の持分が当該他方の締約国内にある恒久的施設と実質的な関連を有するものである場合の配当を除く。）に対していかなる租税も課することができず、また、当該留保所得に対して租税を課することができない。(77、2000年改正)

① 居住地国課税

　OECD モデル租税条約第10条第1項においては、一方の締約国の居住者である法人が、他方の締約国の居住者に支払う配当に対しては、居住地国課税が認められるとしています。

② 源泉地国課税

　OECD モデル租税条約第10条第2項においては、配当に関しては居住地国だけでなく、源泉地国課税も認められるとしています。この場合の税率は、次のようにするとしています。

持　株　関　係　等	限度税率
親子間配当（受益者が配当を支払う法人の資本の25％以上を直接に所有する場合）	5％
その他の場合	15％

③ 配当の意義

　OECD モデル租税条約における配当には、株式、受益株式、鉱業株式、発起人株式その他利得の分配を受ける権利（信用に係る債権を除く。）から生ずる所得及びその他の持分から生ずる所得であって、分配を行う法人が居住者とされる国の税法上株式から生ずる所得と同様に取り扱われるものをいうとされています。

④ 事業所得条項の適用

　一方の締約国の居住者である配当の受益者が、その配当を支払う法人が居住者とされる他方の締約国において当該他方の国内にある恒久的施設を通じて事業を行う場合において、当該配当の支払の基因となった株式その他の持分が当該恒久的施設と実質的な関連を有するものであるときは、第10条ではなく、第7条の事業所得条項を適用することとされています。

⑤ 追い掛け課税の禁止

　一方の締約国の居住者である法人が他方の締約国から利得又は所得を取得する場合には、当該他方の国は、当該法人が支払う配当及び当該法人の留保所得については、これらの配当及び留保所得の全部又は一部が当該他方の国内で生じた利得又は所得から成るときにおいても、当該配当に対していかなる租税も課することができず、また、当該留保所得に対して租税を課することができな

いこととされています。

(2) 国連モデル租税条約

国連モデル租税条約第10条（配当）

1．一方の締約国の居住者である法人が他方の締約国の居住者に支払う配当に対しては、当該他方の締約国において租税を課することができる。（OECD と同様）

2．1の配当に対しては、これを支払う法人が居住者とされる一方の締約国においても、当該一方の締約国の法令に従って租税を課することができる。その租税の額は、当該配当の受益者が他方の締約国の居住者である場合には、次の額を超えないものとする。

  a）当該配当の受益者が、当該配当を支払う法人の資本の少なくとも10パーセントを直接に所有する法人（パートナーシップを除く。）である場合には、当該配当の額の○パーセント（制限税率は二国間の交渉で決定される。）

  b）その他のすべての場合には、当該配当の額の○パーセント（制限税率は二国間の交渉で決定される。）

  両締約国の権限のある当局は、合意により、これらの制限の実施方法を決定する。

  この規定は、配当に充てられる利得についての当該法人に対する課税に影響を及ぼすものではない。（2001年改正。OECD とは制限税率が異なる。）

3．この条において、「配当」とは、株式、受益株式、鉱業株式、発起人株式その他利得の分配を受ける権利（信用に係る債権を除く。）から生ずる所得及びその他の持分から生ずる所得であって分配を行う法人が居住者とされる国の税法上株式から生ずる所得と同様に取り扱われるものをいう。（OECD と類似する。）

4．1及び2の規定は、一方の締約国の居住者である配当の受益者が、その配当を支払う法人が居住者とされる他方の締約国内において当該他方の締約国内にある恒久的施設を通じて事業を行い又は当該他方の国において当該他方の国内にある固定的施設を通じて独立の人的役務を提供する場合において、当該配当

の支払の基因となった株式その他の持分が当該恒久的施設又は当該固定的施設と実質的な関連を有するものであるときは、適用しない。この場合には、第7条又は第14条の規定を適用する。（OECDと異なる）

5．一方の締約国の居住者である法人が他方の締約国から利得又は所得を取得する場合には、当該他方の締約国は、当該法人が支払う配当及び当該法人の留保所得については、これらの配当及び留保所得の全部又は一部が当該他方の締約国内で生じた利得又は所得から成るときにおいても、当該配当（当該他方の締約国の居住者に支払われる配当及び配当の支払の基因となった株式その他の持分が当該他方の締約国内にある恒久的施設若しくは固定的施設と実質的な関連を有するものである場合の配当を除く。）に対していかなる租税も課することができず、また、当該留保所得に対して租税を課することができない。（OECDと同様）

　国連モデル租税条約は、源泉地国における限度税率がOECDモデル租税条約とは異なります。また、第14条の人的役務の提供の規定を維持していることから4の規定が異なります。

(3)　日本の租税条約

　日本は、日米条約締結を機に配当に対する源泉地国課税に係る源泉税率を引き下げました。ただし、対途上国条約においては、相手国との関係から、限度税率が低くなっていない場合もあります。以下に、10の租税条約を概観します。

① 　日米条約

	株式等の所有割合	限度税率
親子会社間配当	50％以上で6か月以上保有するもの	免税
	10％以上50％以下	5％
上　記　以　外		10％

（注）　令和元年8月30日発効の部分改正で変更になりました。

② 日英条約

株 式 等 の 所 有 割 合	限度税率
10%以上を 6 か月以上所有	免税
上 記 以 外	10 ％

（注）　平成26年12月発効の部分改正で変更になりました。

③ 日仏条約

		株 式		限度税率
		所有割合	所有期間	
親子会社間配当	仏源泉	直・間所有割合15%以上	配当の支払を受ける者が特定される日前6か月	免 税
	日源泉	直所有15%以上、直・間所有25%以上		
	直・間所有10%以上			5 ％
上 記 以 外				10 ％

④ 日豪条約

株 式 等 の 所 有 割 合	限度税率
10%以上	5 ％
上 記 以 外	10 ％

　ただし、日豪条約は第10条第 3 項においては、「 2 の規定（注：上の表）にかかわらず、配当の受益者が、一方の締約国の居住者である法人であって、当該配当の支払を受ける者が特定される日をその末日とする12か月の期間を通じ、当該配当を支払う法人の議決権の80パーセント以上に相当する株式を直接に所有するものであり、かつ、次の(a)から(c)までの規定のいずれかに該当する場合には、当該配当に対しては、当該配当を支払う法人が他方の締約国の租税に関し居住者とされる当該他方の締約国においては、租税を課することができない。

(a)　第23条2(c)の規定による適格者であること。

(b)　5以下の(a)に規定する者に該当する法人によりその株式の議決権及び価値の50パーセント以上を直接又は間接に所有されていること。

(c)　第23条5の規定に基づき当該配当に関して特典を受けることが認められていること。」

と詳細な規定を置いているほか、第10条第4項以下にも他の国とは異なる規定を置いています。この点、日豪条約の適用には十分な注意が必要です。

⑤　日独条約

株式等の所有割合	限度税率
25％以上を18か月以上所有	免税
10％以上を6か月以上所有	5％
上記以外	15％

(注)　平成28年10月発効の全面改正で変更になりました。

⑥　日中条約

日中条約における配当を規定した第10条は、国連モデル租税条約に準拠しています。配当に対する源泉所得税の限度税率は、すべて10％とされています。

日中条約第10条（配当）

1．一方の締約国の居住者である法人が他方の締約国の居住者に支払う配当に対しては、当該他方の締約国において租税を課することができる。

2．1の配当に対しては、これを支払う法人が居住者とされる一方の締約国においても、当該一方の締約国の法令に従って租税を課することができる。その租税の額は、当該配当の受領者が当該配当の受益者である場合には、当該配当の額の10パーセントを超えないものとする。

　　この2の規定は、配当に充てられる利得についての当該法人に対する課税に影響を及ぼすものではない。

3．この条において、「配当」とは、株式その他利得の分配を受ける権利（信用

に係る債権を除く。）から生ずる所得及びその他の持分から生ずる所得であっ
て分配を行う法人が居住者とされる締約国の税法上株式から生ずる所得と同様
に取り扱われるものをいう。

4．1及び2の規定は、一方の締約国の居住者である配当の受益者が、その配当
を支払う法人が居住者とされる他方の締約国において当該他方の締約国内にあ
る恒久的施設を通じて事業を行い又は当該他方の締約国において当該他方の締
約国内にある固定的施設を通じて独立の人的役務を提供する場合において、当
該配当の支払の基因となった株式その他の持分が当該恒久的施設又は当該固定
的施設と実質的な関連を有するものであるときは、適用しない。この場合には、
第7条又は第14条の規定を適用する。

5．一方の締約国の居住者である法人が他方の締約国から利得又は所得を取得す
る場合には、当該他方の締約国は、当該法人が支払う配当及び当該法人の留保
所得については、これらの配当及び留保所得の全部又は一部が当該他方の締約
国内で生じた利得又は所得から成るときにおいても、当該配当（当該他方の締
約国の居住者に支払われる配当又は配当の支払の基因となった株式その他の持
分が当該他方の締約国内にある恒久的施設若しくは固定的施設と実質的な関連
を有するものである場合の配当を除く。）に対していかなる租税も課すること
ができず、また、当該留保所得に対して租税を課することができない。

⑦　日印条約

　配当に対する源泉所得税の限度税率は、すべて10%とされています。

⑧　日韓条約

株 式 等 の 所 有 割 合	限度税率
25%以上を6か月以上所有	5 %
上 記 以 外	15 %

⑨　日タイ条約

株式等の所有割合		限度税率
25％以上を6箇月以上所有	産業的事業に従事する法人	15 ％
	その他の法人	20 ％

⑩　日シンガポール条約

株式等の所有割合	限度税率
25％以上を6か月以上所有	5 ％
上記以外	15％

⑷　各国との租税条約の規定の特徴

①　日米条約における特例

㈡　米国の規制投資会社又は不動産投資信託の配当に対する適用制限

　米国の規制投資会社又は不動産投資信託によって支払われる配当については、これらの支払配当が損金に算入されることなどから、原則として10％の限度税率が適用されることとされています。

㈨　日本のペイスルー法人に対する適用制限

　日本において課税所得の計算上、支払配当を損金算入することができる、いわゆるペイスルー法人に関しては、原則として10％の限度税率とされています。

㈥　米国の支店利益税の取扱い

　米国においては、日本の法人の恒久的施設がある場合、支店利益税を課することができます。支店利益税とは、支店を独立した法人と同じように取り扱い、その留保所得のうち、配当に相当する額に対して課税を行うものです。この場合の限度税率は、5％となっています。

②　日米条約、日英条約及び日仏条約における導管取引による租税回避の防止

　一方の締約国の居住者が、優先株式等に関して、他方の締約国の居住者から配当の支払を受ける場合において、第三国の居住者で日米条約等の特典条項を

受ける権利を有していない者が、その優先株式等と同等の当該一方の締約国の居住者の優先株式等を有していないとしたならば、当該一方の締約国の居住者が当該配当の支払の基因となる優先株式等の発行を受け又はこれを所有することはなかったであろうと認められるときは、配当を受領する一方の締約国の居住者は配当の受益者とはされないとされています。

③　日英条約及び日仏条約における濫用目的取引に対する特典の不適用

　条約の特典を受けることを主目的として、第三国居住者が、ペーパーカンパニーをいずれか一方の締約国に設立し、又は一方の締約国の居住者に株式、権利若しくは財産を移転することにより、当該ペーパーカンパニー又は当該一方の締約国の居住者を受益者として条約の特典を受けさせるといった取引が行われる場合には、当該ペーパーカンパニー又は当該一方の締約国の居住者を真正な受益者とみなすことができないことから、これらの者に対して租税の減免を認めないこととしたものです。

　この取扱いは、日英条約及び日仏条約が、特に投資所得（配当、利子、使用料）に対する源泉地国課税の大幅な減免を導入しており、旧条約よりも第三国居住者による条約濫用の機会が増大することが懸念されたことから、これを防止するために手当てされたものです。

　なお、この取扱いは、後述する利子、使用料にも適用されています。

④　日独租税条約の取り扱い

　平成28年10月に発効した日独租税条約は、BEPS プロジェクト最終報告書の公表（平成27年10月）後に初めて発効した対先進国条約です。そして、後に説明する主要目的テストが入っています。

　そのためか、日米条約、日英条約及び日仏条約における導管取引による租税回避の防止、そして、日英条約及び日仏条約における濫用目的取引に対する特典の不適用といった規定を有していません。これは、利子、使用料条項においても同様です。

6. 利 子

(1)　OECD モデル租税条約

OECD モデル租税条約第11条（利子）

1．一方の締約国内において生じ、他方の締約国の居住者に支払われる利子に対しては、当該他方の締約国において租税を課することができる。

2．1の利子に対しては、当該利子が生じた締約国においても、当該締約国の法令に従って租税を課することができる。その租税の額は、当該利子の受益者が他方の締約国の居住者である場合には、当該利子の額の10パーセントを超えないものとする。両締約国の権限のある当局は、合意により、この制限の実施方法を決定する。(77、95、2014年改正)

3．この条において、「利子」とは、すべての種類の信用に係る債権（担保の有無及び債務者の利得の分配を受ける権利の有無を問わない。）から生じた所得、特に、公債、債券又は社債から生じた所得（公債、債券又は社債の割増金及び賞金を含む。）をいう。支払の遅延に対する延滞金は、この条の適用上、利子とはされない。(77年改正)

4．1及び2の規定は、一方の締約国の居住者である利子の受益者が、当該利子の生じた他方の締約国内において当該他方の締約国内にある恒久的施設を通じて事業を行う場合において、当該利子の支払の基因となった債権が当該恒久的施設と実質的な関連を有するものであるときは、適用しない。この場合には、第7条の規定を適用する。(77、2000年改正)

5．利子は、その支払者が一方の締約国の居住者である場合には、当該一方の締約国内において生じたものとされる。ただし、利子の支払者（いずれかの締約国の居住者であるか否かを問わない。）が一方の締約国内に恒久的施設を有する場合において、当該利子の支払の基因となった債務が当該恒久的施設について生じ、かつ、当該利子が当該恒久的施設によって負担されるものであるときは、当該利子は、当該恒久的施設の存在する当該一方の締約国内において生じたものとされる。(77、95、2000年改正)

> 6．利子の支払の基因となった債権について考慮した場合において、利子の支払者と受益者との間又はその双方と第三者との間の特別の関係により、当該利子の額が、その関係がないとしたならば支払者及び受益者が合意したとみられる額を超えるときは、この条の規定は、その合意したとみられる額についてのみ適用する。この場合には、支払われた額のうちその超過する部分に対しては、この条約の他の規定に妥当な考慮を払った上で、各締約国の法令に従って租税を課することができる。(77年改正)

① 居住地国課税

OECD モデル租税条約第11条第1項においては、一方の締約国において生じ、他方の締約国の居住者に支払われる利子に対しては、居住地国課税が認められるとしています。

② 源泉地国課税

OECD モデル租税条約第11条第2項においては、利子に関しては居住地国だけでなく、源泉地国課税も認められるとしています。この場合の限度税率は10％としています。

③ 利子の定義

利子とは、すべての種類の信用に係る債権（担保の有無及び債務者の利得の分配を受ける権利の有無を問わない。）から生じた所得、特に、公債、債券又は社債から生じた所得（公債、債券又は社債の割増金及び賞金を含む。）をいうこととされています。ただし、支払の遅延に対する延滞金は、利子とはみなされません。

④ 事業所得条項の適用

一方の締約国の居住者である利子の受益者が、当該利子の生じた他方の締約国において当該他方の国内にある恒久的施設を通じて事業を行う場合において、当該利子の支払の基因となった債権が当該恒久的施設と実質的に関連するものであるときは、第11条ではなく、第7条の事業所得条項が適用されます。

⑤　債務者主義

　OECD モデル租税条約上、利子は、その支払者が一方の締約国の居住者である場合には、当該一方の締約国内で生じたものとされます。これを債務者主義といいます。日本の国内法上、利子の課税は債務者主義ではなく、使用地によって決められている（使用地主義）ので、租税条約によって修正されることになります。

⑥　債務者主義の例外

　利子の課税は、債務者主義によりますが、利子の支払者が一方の締約国内に恒久的施設を有する場合において、当該利子の支払の基因となった債務が当該恒久的施設について生じ、かつ、当該利子が当該恒久的施設によって負担されるものであるときは、当該利子は、当該恒久的施設の存在する当該一方の締約国内で生じたものとされます。

⑦　独立企業間価格を超過する利子の取扱い

　利子の支払の基因となった債権について考慮した場合において、利子の支払者と受益者との間又はその双方と第三者との間の特別の関係により、利子の額が、その関係がないとしたならば支払者及び受益者が合意したとみられる額を超えるときは、第11条の規定はその合意したとみられる額についてのみ適用することとされています。この場合には、支払われた額のうち、当該超過分に対し、OECD モデル租税条約の他の規定に妥当な考慮を払った上、各締約国の法令に従って租税を課することができるとされています。

(2)　国連モデル租税条約

国連モデル租税条約第11条（利子）

1．一方の締約国内において生じ、他方の締約国の居住者に支払われる利子に対しては、当該他方の締約国において租税を課することができる。(OECDと同様)

2．1の利子に対しては、当該利子が生じた締約国においても、当該締約国の法令に従って租税を課することができる。その租税の額は、当該利子の受益者が

他方の締約国の居住者である場合には、当該利子の額の○パーセント（制限税率は二国間の交渉で決定される。）を超えないものとする。両締約国の権限のある当局は、合意により、この制限の実施方法を決定する。(2001年改正。OECDとは制限税率だけが異なる)

3．この条において、「利子」とは、すべての種類の信用に係る債権（担保の有無及び債務者の利得の分配を受ける権利の有無を問わない。）から生じた所得、特に、公債、債券又は社債から生じた所得（公債、債券又は社債の割増金及び賞金を含む。）をいう。支払の遅延に対する延滞金は、この条の適用上、利子とはみなされない。（OECDと同様）

4．1及び2の規定は、一方の締約国の居住者である利子の受益者が、当該利子の生じた他方の締約国内において当該他方の締約国内にある恒久的施設を通じて事業を行い又は当該他方の国において当該他方の国内にある固定的施設を通じて独立の人的役務を提供する場合において、当該利子の支払の基因となった債権が(a)当該恒久的施設又は当該固定的施設、若しくは(b)第7条1(c)に規定する事業活動と実質的に関連するものであるときは、適用しない。この場合には、第7条又は第14条の規定を適用する。（OECDとは異なる）

5．利子は、その支払者が一方の締約国の居住者である場合には、当該一方の締約国内において生じたものとされる。ただし、利子の支払者（いずれかの締約国の居住者であるか否かを問わない。）が一方の締約国内に恒久的施設又は固定的施設を有する場合において、当該利子の支払の基因となった債務が当該恒久的施設又は固定的施設について生じ、かつ、当該利子が当該恒久的施設又は固定的施設によって負担されるものであるときは、当該利子は、当該恒久的施設又は固定的施設の存在する当該一方の締約国内において生じたものとされる。（OECDとは異なる）

6．利子の支払の基因となった債権について考慮した場合において、利子の支払者と受益者との間又はその双方と第三者との間の特別な関係により、当該利子の額が、その関係がないとしたならば支払者及び受益者が合意したとみられる額を超えるときは、この条の規定は、その合意したとみられる額についてのみ適用する。この場合には、支払われた額のうちその超過する部分に対しては、

> この条約の他の規定に妥当な考慮を払った上で、各締約国の法令に従って租税を課することができる。（OECDと同様）

　国連モデル租税条約とOECDモデル租税条約との差異は、限度税率と第14条の自由職業所得を認めるか否かです。

(3)　日本の租税条約

　日本が締結した租税条約においては、利子の限度税率は相手国の状況に応じて変わっています。また、OECDモデル租税条約では、償還差益が利子とされていますが、日本の所得税法上は償還差益は雑所得になるので、日本の租税条約においては、これを利子としないものもあります。

①　日米条約

　令和元年8月発効による部分改正において、利子については源泉地国では原則免税とされました。

　その一方、次のような例外が2に設けられました。

| (a) | 債務者若しくはその関係者の収入、売上げ、所得、所得その他の資金の流出入、債務者若しくはその関係者の有する資産の価値の変動若しくは債務者若しくはその関係者が支払う配当、組合の分配金その他これらに類する支払金を基礎として算定される利子又はこれに類する利子であって、一方の締約国内において生ずるものに対しては、当該利子が生じた一方の締約国において、当該一方の締約国の法令に従って租税を課することができる（いわゆる利益連動型の利子） | 10% |
| (b) | 一方の締約国は、不動産により担保された債権又はその他の資産の流動化を行うための団体の持分に関して支払われる利子の額のうち、当該一方の締約国の法令で規定されている比較可能な債券の利子の額を超える部分 | 一方の締約国の法令で課税できる |

　この他、3において、利子の支払者の所在による規定があります。すなわち、利子の支払者が一方の締約国の居住者である場合はその締約国内において生じたものとされます。ただし、利子の支払者（いずれかの締約国の居住者である

か否かを問わない。）が、その者が居住者とされる国以外の国に恒久的施設を有する場合において、当該利子の支払の基因となった債務が当該恒久的施設について生じ、かつ、当該利子が当該恒久的施設によって負担されるものであるときは、次に定めるところによるとされます。

(a)	当該恒久的施設が一方の締約国内にある場合には、当該利子は、当該一方の締約国内において生じたものとされる。
(b)	当該恒久的施設が両締約国以外の国にある場合には、当該利子は、いずれの締約国内においても生じなかったものとされる。

　また、独立企業間価格を超える利子については、源泉地国免税は適用されず、5％の限度税率が適用されます。

　さらに、利子の定義については、次のように規定されています。

「利子」とは、全ての種類の信用に係る債権（担保の有無及び債務者の利得の分配を受ける権利の有無を問わない。）から生じた所得、特に、公債、債券又は社債から生じた所得（公債、債券又は社債の割増金及び賞金を含む。）及びその他の所得で当該所得が生じた締約国の租税に関する法令上貸付金から生じた所得と同様に取り扱われるものをいう。

② 日英条約

(イ) 原 則

　日英条約は、OECDモデル租税条約に準拠し、日米条約と類似したものとなっています。利子に係る限度税率は10％となっています。

(ロ) 免税となる利子

　日英条約における「中央銀行」と「締約国が全面的に所有する機関」とは、具体的には次に掲げるものをいうとされます。

日　　本	英　　国
①　日本銀行	①　イングランド銀行
②　国際協力銀行	②　英連邦開発公社
③　独立行政法人日本貿易保険	③　英国政府が資本の全部を所有するその他の類似の機関で両締約国が交換公文で合意するもの
④　日本が資本の全部を所有するその他の類似の機関で両締約国が交換公文で合意するもの	

(ハ)　利子の定義、債務者主義、事業所得条項の適用、独立企業間価格を超過する利子の取扱い

　これらの取扱いは、OECDモデル租税条約及び日米条約と同様となっています。

(ニ)　利子に関する源泉地国の定め（ソースルール）

　利子の支払者が一方の締約国、一方の締約国の地方公共団体又は一方の締約国の居住者である場合には、当該利子は当該一方の締約国内で生じたものとされます。ただし、当該利子の支払の基因となった債務が一方の締約国内に存在する恒久的施設により負担されるものであるときは、当該利子は、当該締約国で発生したものとされます。

(ホ)　導管取引による租税回避の防止規定

　これについては、日米条約と同様の規定となっています。

(ヘ)　濫用目的取引に対する特典の不適用

　条約の特典を受けることを主目的として、第三国居住者が、ペーパーカンパニーをいずれか一方の締約国に設立し、又は一方の締約国の居住者に株式、権利若しくは財産を移転することにより、当該ペーパーカンパニー又は当該一方の締約国の居住者を受益者として条約の特典を受けさせるといった取引が行われる場合には、当該ペーパーカンパニー又は当該一方の締約国の居住者を真正な受益者とみなすことができないことから、これらの者に対して租税の減免を

449

認めないこととしたものです。

③　日仏条約

(イ)　原　則

日仏条約は、OECD モデル租税条約に準拠し、日米条約及び日英条約と類似したものとなっています。利子に係る限度税率は10％となっています。

(ロ)　免税となる利子

日仏条約における「中央銀行」と「締約国が全面的に所有する機関」とは、具体的には次に掲げるものをいうとされます。

日　本	フランス
①　日本銀行	①　フランス銀行
②　国際協力銀行	②　フランス政府が資本の全部を所有するその他の類似の機関であって両締約国の政府が交換公文で随時合意するもの
③　独立行政法人日本貿易保険	
④　日本が資本の全部を所有するその他の類似の機関で両締約国が交換公文で合意するもの	

(ハ)　利子の定義、債務者主義、事業所得条項の適用、独立企業間価格を超過する利子の取扱い

これらの取扱いは、OECD モデル租税条約、日米条約及び日英条約と同様となっています。

(ニ)　利子に関する源泉地国の定め（ソースルール）及び濫用目的取引に対する特典の不適用

利子に関する源泉地国の定め及び濫用目的取引に対する特典の不適用は、日英条約と同様の規定になっています。

(ホ)　導管取引による租税回避の防止規定

これについては、日米条約及び日英条約と同様の規定となっています。

④　日豪条約

(イ)　原　則

　日豪条約は、OECD モデル租税条約に準拠し、日米条約、日英条約及び日仏条約と類似したものとなっています。利子に係る限度税率は10％となっています。

(ロ)　免税となる利子

　日豪条約においては、次のいずれかの場合に該当するものについては、免税となります。

(a)	当該利子が、当該他方の締約国、当該他方の締約国の地方政府若しくは地方公共団体、当該他方の締約国において政府機能を遂行するその他の機関又は日本銀行若しくはオーストラリア準備銀行によって取得される場合
(b)	当該利子が、当該利子の支払者と関連しない金融機関であって、当該利子の支払者と全く独立の立場で取引を行うものによって取得される場合（この条の規定の適用上、「金融機関」とは、銀行又は金融市場において資金を借り入れ、若しくは有利子預金を受け入れ、かつ、これらの資金を資金の貸付を行う事業において利用することによってその利得を実質的に取得する他の企業をいう。）
(c)	当該利子が、次のいずれかに該当する者によって取得される場合
(i)　日本国については、国際協力銀行又は独立行政法人日本貿易保険
(ii)　オーストラリアについては、輸出金融保険公社又はフューチャーファンドの投資を管理する公的機関
(iii)　その他の類似の機関で両締約国の政府が外交上の公文の交換により随時合意するもの

　なお、第11条第4項において、次のように規定されています。

　「3の規定にかかわらず、3(b)に規定する利子に対しては、当該利子がバックトゥバック融資に関する取決めその他これと経済的に同等の取決めであって、バックトゥバック融資に関する取決めに類似する効果を有することを目的とする取決めの一部として支払われる場合には、当該利子が生じた締約国において租税を課することができる。その租税の額は、当該利子の額の10パーセントを超えないものとする。」

　ここでいう「バックトゥバック融資に関する取決め」とは、特に、一方の締約国の居住者である金融機関が他方の締約国内において生じた利子を受領し、かつ、当該金融機関が当該利子と同等の利子を当該一方の締約国の居住者である他の者（当該他方の締約国内から直接に利子を受領したならば当該利子について当該他方の締約国において租税の免除を受けることができなかったとみられるものに限る。）に支払うように組成されるすべての種類の取決めをいうことが議定書15により確認されています。

　要するに、金融機関を介在者とするバックトゥバック融資を利用して免税扱いを受ける場合があることを防止するための規定です。

㈛　利子の定義、事業所得条項の適用（恒久的施設に実質的に関連する利子の扱い）、利子に関する源泉地国の定め（ソースルール）、独立企業間価格を超過する利子の取扱い、導管取引による租税回避の防止規定、及び濫用目的取引に対する特典の不適用

　これらについては、日英条約及び日仏条約と類似の規定となっています。

⑤　日独条約

　平成28年10月に発効した日独租税条約においては、利子の源泉地国課税は免税とされました。

　利子の定義、恒久的施設に実質的に関連する利子の取扱い、及び独立企業間価格を超過する利子の取扱いについては、OECDモデル租税条約に準拠しています。

⑥　日中条約

　日中条約は、基本的にはOECDモデル租税条約に準拠しています。利子の源泉地国における限度税率は10％となっています。

日中条約第11条（利子）

1．一方の締約国内において生じ、他方の締約国の居住者に支払われる利子に対しては、当該他方の締約国において租税を課することができる。

2．1の利子に対しては、当該利子が生じた締約国においても、当該締約国の法令に従って租税を課することができる。その租税の額は、当該利子の受領者が当該利子の受益者である場合には、当該利子の額の10パーセントを超えないものとする。

3．2の規定にかかわらず、一方の締約国内において生ずる利子であって、他方の締約国の政府、当該他方の締約国の地方公共団体、当該他方の締約国の中央銀行又は当該他方の締約国の政府の所有する金融機関が取得するもの及び当該他方の締約国の政府、当該他方の締約国の地方公共団体、当該他方の締約国の中央銀行又は当該他方の締約国の政府の所有する金融機関による間接融資に係る債権に関し当該他方の締約国の居住者が取得するものについては、当該一方の締約国において租税を免除する。

4．この条において、「利子」とは、すべての種類の信用に係る債権（担保の有無及び債務者の利得の分配を受ける権利の有無を問わない。）から生じた所得、特に、公債、債券又は社債から生じた所得（公債、債券又は社債の割増金及び賞金を含む。）をいう。

5．1から3までの規定は、一方の締約国の居住者である利子の受益者が、当該利子の生じた他方の締約国において当該他方の締約国内にある恒久的施設を通じて事業を行い又は当該他方の締約国において当該他方の締約国内にある固定的施設を通じて独立の人的役務を提供する場合において、当該利子の支払の基因となった債権が当該恒久的施設又は当該固定的施設と実質的に関連するものであるときは、適用しない。この場合には、第7条又は第14条の規定を適用する。

6．利子は、その支払者が一方の締約国の政府、当該一方の締約国の地方公共団体又は当該一方の締約国の居住者である場合には、当該一方の締約国内において生じたものとされる。ただし、利子の支払者（締約国の居住者であるか否かを問わない。）が一方の締約国内に恒久的施設又は固定的施設を有する場合において、当該利子の支払の基因となった債務が当該恒久的施設又は固定的施設について生じ、かつ、当該利子が当該恒久的施設又は固定的施設によって負担されるものであるときは、当該利子は、当該恒久的施設又は固定的施設の存在する当該一方の締約国内において生じたものとされる。

> 7．利子の支払の基因となった債権について考慮した場合において、利子の支払
> 者と受益者との間又はその双方と第三者との間の特別な関係により、利子の額
> が、その関係がないとしたならば支払者及び受益者が合意したとみられる額を
> 超えるときは、この条の規定は、その合意したとみられる額についてのみ適用
> する。この場合には、支払われた額のうちその超過する部分に対し、この条約
> の他の規定に妥当な考慮を払った上、各締約国の法令に従って租税を課するこ
> とができる。

　上に掲げたように、他の国との条約と同様、利子の定義、一定の利子の免税、債務者主義、事業所得条項の適用、独立企業間価格を超過する利子の取扱いに関する規定があります。

⑦　日印条約

　日印条約は、2006年改正後においては、OECDモデル租税条約に類似したものとなり、源泉地国における限度税率も10％となりました。この他、他の国と同様に、利子の定義、一定の利子の免税、債務者主義、事業所得条項の適用、独立企業間価格を超過する利子の取扱いに関する規定があります。

　その後、平成28年10月に発効した部分改正によって、源泉地国（所得の生じた国）における利子に対する租税の免除の対象となる機関に、独立行政法人日本貿易保険（NEXI）並びにインド側のインド総合保険公社及びニューインディア保険会社が追加されました。

⑧　日韓条約

㈑　原　則

　日韓条約は、OECDモデル租税条約に準拠し、日米条約及び日英条約と類似したものとなっています。利子に係る限度税率は10％となっています。

㈡　免税となる利子

　日韓条約における「中央銀行」と「締約国が全面的に所有する機関」とは、具体的には次に掲げるものをいうとされます。

日　　本	韓　　国
①　日本銀行	①　韓国銀行
②　日本輸出入銀行	②　韓国輸出入銀行
③　独立行政法人日本貿易保険	③　韓国産業銀行
④　日本政府若しくは日本銀行又はその双方が資本の全部を所有するその他の類似の機関で両締約国が交換公文で合意するもの	④　韓国政府若しくは韓国銀行又はその双方が資本の全部を所有するその他の類似の機関であって両締約国の政府が交換公文で随時合意するもの

(ハ)　利子の定義、債務者主義、事業所得条項の適用、利子に関する源泉地国の定め（ソースルール）、独立企業間価格を超過する利子の取扱い

　これらの取扱いは、OECD モデル租税条約と類似しています。

⑨　日タイ条約

　日タイ条約は、国連モデル租税条約に類似したものとなっており、源泉地国における限度税率は、次のように規定されています。

金融機関（保険会社を含む）	10%
その他	25%

　なお、両締約国の中央銀行又は政府の所有する金融機関への利子は免税となります。この他、利子の定義、事業所得条項の適用、独立企業間価格を超過する利子の取扱いに関する規定があります。

⑩　日シンガポール条約

　原則として、10%の源泉地国課税となっていきますが、両締約国の政府、地方公共団体、中央銀行及び政府・地方公共団体の所有する金融機関、政府によって保証された債権、保険に付された債権、間接融資に係る債権については免税とされます。

7. 使用料

(1) OECD モデル租税条約

> **OECD モデル租税条約第12条（使用料）**
>
> 1. 一方の締約国内において生じ、他方の締約国の居住者が受益者である使用料に対しては、当該他方の締約国においてのみ租税を課することができる。(77、97年改正)
> 2. この条において、「使用料」とは、文学上、美術上若しくは学術上の著作物（映画フィルムを含む。）の著作権、特許権、商標権、意匠、模型、図面、秘密方式若しくは秘密工程の使用若しくは使用の権利の対価として、又は産業上、商業上若しくは学術上の経験に関する情報の対価として受領されるすべての種類の支払金をいう。(92年改正)
> 3. 1の規定は、一方の締約国の居住者である使用料の受益者が、当該使用料の生じた他方の締約国内において当該他方の締約国内にある恒久的施設を通じて事業を行う場合において、当該使用料の支払の基因となった権利又は財産が当該恒久的施設と実質的な関連を有するものであるときは、適用しない。この場合には、第7条の規定を適用する。(77、2000年改正)
> 4. 使用料の支払の基因となった使用、権利又は情報について考慮した場合において、使用料の支払者と受益者との間又はその双方と第三者との間の特別の関係により、当該使用料の額が、その関係がないとしたならば支払者及び受益者が合意したとみられる額を超えるときは、この条の規定は、その合意したとみられる額についてのみ適用する。この場合には、支払われた額のうちその超過する部分に対しては、この条約の他の規定に妥当な考慮を払った上で、各締約国の法令に従って租税を課することができる。(77年改正)

① 原 則

　OECD モデル租税条約第12条においては、著作権、特許権、商標権等の実施許諾に基づいて支払われる使用料の課税に関して定めています。OECD モ

デル租税条約第12条においては、使用料に関する課税権は居住地国のみに認められるとしており、源泉地国においては免税とされています。

② 使用料の定義

OECDモデル租税条約上の使用料とは、文学上、美術上若しくは学術上の著作物（映画フィルムを含む。）の著作権、特許権、商標権、意匠、模型、図面、秘密方式若しくは秘密工程の使用若しくは使用の権利の対価として、又は産業上、商業上若しくは学術上の経験に関する情報の対価として受領するすべての種類の支払金をいうとされています。

③ 恒久的施設に実質的に関連する使用料の取扱い

一方の締約国の居住者である使用料の受益者が、当該使用料の生じた他方の締約国において当該他方の国内にある恒久的施設を通じて事業を行う場合において、当該使用料の支払の基因となった債権が当該恒久的施設と実質的に関連するものであるときは、配当及び利子と同様、第12条ではなく、第7条の事業所得条項が適用されます。

④ 独立企業間価格を超える使用料の取扱い

使用料の支払の基因となった使用、権利、又は情報について考慮した場合において、使用料の支払者と受益者との間又はその双方と第三者との間の特別な関係により、使用料の額が、その関係がないとしたならば支払者及び受益者が合意したとみられる額を超えるときは、第12条の規定は、その合意したとみられる額についてのみ適用することとされています。この場合、支払われた額のうち当該超過分に対し、OECDモデル租税条約の他の規定に妥当な考慮を払った上、各締約国の法令に従って租税を課することができます。

(2) 国連モデル租税条約

国連モデル租税条約第12条（使用料）

1．一方の締約国内において生じ、他方の締約国の居住者に支払われる使用料に対しては、当該他方の締約国において租税を課することができる。（OECDと

は異なる）

2．1の使用料に対しては、当該使用料が生じた締約国においても、また、その国の法令に従って租税を課することができる。その租税の額は、当該使用料の受益者が他方の締約国の居住者である場合には、当該使用料の〇パーセント（制限税率は二国間の交渉で決定される。）を超えないものとする。両締約国の権限のある当局は、合意により、この制限の実施方法を決定する。（OECD とは異なる）

3．この条において、「使用料」とは、文学上、美術上若しくは学術上の著作物（映画フィルム及びラジオ放送用又はテレビジョン放送用のフィルム又はテープを含む。）の著作権、特許権、商標権、意匠、模型、図面、秘密方式若しくは秘密工程の使用若しくは使用の権利の対価として、又は産業上、商業上若しくは学術上の設備の使用若しくは使用の権利の対価として又は産業上、商業上若しくは学術上の経験に関する情報の対価として受領されるすべての種類の支払金をいう。（OECD と類似している）

4．1及び2の規定は、一方の締約国の居住者である使用料の受益者が、当該使用料の生じた他方の締約国において当該他方の締約国内にある恒久的施設を通じて事業を行い又は当該他方の締約国において当該他方の締約国内にある固定的施設を通じて独立の人的役務を提供する場合において、その使用料の支払の基因となった権利又は財産が当該恒久的施設若しくは当該固定的施設又は第7条1(c)に規定する事業活動と実質的に関連するものであるときは、適用しない。この場合には、第7条又は第14条の規定を適用する。

5．使用料は、その支払者が一方の締約国の居住者である場合には、当該一方の国内で生じたものとされる。ただし、使用料の支払者（締約国の居住者であるかどうかを問わない。）が、一方の締約国内に恒久的施設又は固定的施設を有する場合において、その使用料の支払の基因となった債務が当該恒久的施設又は固定的施設について生じ、かつ、その使用料が当該恒久的施設又は当該固定的施設によって負担されるものであるときは、当該使用料は当該恒久的施設又は当該固定的施設が存在する当該一方の締約国内で生じたものとされる。（2001年改正。OECD とは異なる）

6．使用料の支払の基因となった使用、権利又は情報について考慮した場合において、使用料の支払者と受益者との間又はその双方と第三者との間の特別の関係により、当該使用料の額が、その関係がないとしたならば支払者及び受益者が合意したとみられる額を超えるときは、この条の規定は、その合意したとみられる額についてのみ適用する。この場合には、支払われた額のうちその超過する部分に対しては、この条約の他の規定に妥当な考慮を払った上で、各締約国の法令に従って租税を課することができる。（OECD と類似している）

国連モデル租税条約第12条は、源泉地国への課税権を認めるという点でOECDモデル租税条約とは大きく異なっています。また、第14条の自由職業所得を認容していることから、固定的施設に関連するものについての規定があります。

(3)　日本の租税条約

OECD モデル租税条約では、使用料に関して源泉地国課税を認めていませんが、日本は、第三次日米条約締結（2003年署名、2004年発効）前までは源泉地国課税を認めていました。日米租税条約の改正を契機として、対先進国条約では免税とし、対途上国条約においては源泉所得税の限度税率を引き下げることとしています。

①　日米条約

(イ)　源泉地国免税と債務者主義

日米条約においては、源泉地国課税を認めていません。これは、無体財産権の活用と日米両国における投資促進の観点から採られた措置です。日本が締結した租税条約で免税としたのは、日米条約が初めてです。また、日米条約においても、債務者主義が採用されています。

(ロ)　使用料の意義

日米条約における使用料の意義は、OECD モデル租税条約のそれとほとんど同じです。OECD モデル租税条約と異なるのは、日米条約は国連モデル租税条約に規定される著作物の中に、ラジオ放送用又はテレビジョン放送用の

フィルム又はテープを含むことです。

(ハ)　恒久的施設に実質的に関連する使用料の取扱い

　これも OECD モデル租税条約とほとんど同じものとなっており、一方の締約国の居住者である使用料の受益者が、当該使用料の生じた他方の締約国において当該他方の国内にある恒久的施設を通じて事業を行う場合において、当該使用料の支払の基因となった債権が当該恒久的施設と実質的に関連するものであるときは、第12条ではなく、第7条の事業所得条項が適用されます。

(ニ)　独立企業間価格を超える使用料の取扱い

　国外関連者に支払われる使用料の額が独立企業間価格を超える場合には、源泉地国免税の規定は、独立企業間価格に相当する金額についてのみ適用されます。独立企業間価格を超える部分については、源泉地国において5％の限度税率で課税することができるとされています。

(ホ)　導管取引による租税回避の防止規定

　配当や利子と同様、第三国の居住者により日米条約の特典を受けることのないよう、手当てがされています。

　一方の締約国の居住者がある無体財産権の使用に関して、他方の締約国の居住者から使用料の支払を受ける場合において、日米条約の特典と同じ又は有利な特典を受ける権利を有しない第三国の居住者がその無体財産権と同一の無体財産権の使用に関して一方の締約国の居住者から使用料の支払を受けないとしたならば、一方の締約国の居住者が他方の締約国の居住者から使用料の支払を受けることはなかったであろうと認められるときは、一方の締約国の居住者は条約上の特典を受けることができる当該使用料の受益者とはされません。

②　日英条約、日仏条約及び日独条約

(イ)　源泉地国免税と債務者主義

　日英、日仏条約及び日独条約も、日米租税条約と同様、使用料については源泉地国免税とされています。また、債務者主義が採用されています。

(ロ)　使用料の定義

使用料の定義は、日米条約とほとんど同じであり、著作物の中にソフトウェア、ラジオ放送用又はテレビジョン放送用のフィルム又はテープが含まれることとされました。

(ハ)　恒久的施設に実質的に関連する使用料の取扱い、独立企業間価格を超える使用料の取扱い及び導管取引による租税回避の防止規定

これらの規定は、日米条約と同様のものとなっています。日独条約については、上述したように、導管取引による租税回避防止規定は存在しません。

(ニ)　濫用目的取引に対する特典の不適用

条約の特典を受けることを主目的として、第三国居住者が、ペーパーカンパニーをいずれか一方の締約国に設立し、又は一方の締約国の居住者に株式、権利若しくは財産を移転することにより、当該ペーパーカンパニー又は当該一方の締約国の居住者を受益者として条約の特典を受けさせるといった取引が行われる場合には、当該ペーパーカンパニー又は当該一方の締約国の居住者を真正な受益者とみなすことができないことから、これらの者に対して租税の減免を認めないこととしたものです。これについても、日独条約にはこのような規定はありません。

③　日豪条約

(イ)　源泉地国課税と債務者主義

日豪条約は、日米条約等とは異なり、使用料については源泉地国で５％課税を認めることとしています。また、債務者主義が採用されています。

(ロ)　使用料の定義

使用料の定義は、日仏条約とほとんど同じであり、著作物の中にソフトウェア、ラジオ放送用又はテレビジョン放送用のフィルム又はテープが含まれることとされています。

(ハ)　恒久的施設に実質的に関連する使用料の取扱い、源泉地国の定め（ソースルール）、及び独立企業間価格を超える使用料の取扱い

これらの規定は、日米条約等と同様のものとなっています。

㈡　導管取引による租税回避の防止規定及び濫用目的取引に対する特典の不適用

　　これらの規定も、日英条約及び日仏条約等と類似した規定となっています。条約の特典を受けることを主目的として、第三国居住者が、ペーパーカンパニーをいずれか一方の締約国に設立し、又は一方の締約国の居住者に株式、権利若しくは財産を移転することにより、当該ペーパーカンパニー又は当該一方の締約国の居住者を受益者として条約の特典を受けさせるといった取引が行われる場合には、当該ペーパーカンパニー又は当該一方の締約国の居住者を真正な受益者とみなすことができないことから、これらの者に対して租税の減免を認めないこととしたものです。

　　導管取引については、以下の条件が満たされるときは、当該受領者は当該使用料の「受益者」とはされません。

①	当該使用料の受領者が、当該使用料の支払の基因となった無体財産権と同一の無体財産権の使用に関し、第三国居住者に対して使用料を支払っていること
②	双方の使用料の支払の間に条件関係が認められていること
③	当該第三国居住者が、当該使用料の源泉地国と当該第三国との租税条約に基づき日豪租税条約に基づく特典と同等か又はより有利な特典を得られる立場にある、という場合ではないこと

④　日中条約

日中条約第12条（使用料）

1．一方の締約国内において生じ、他方の締約国の居住者に支払われる使用料に対しては、当該他方の締約国において租税を課することができる。

2．1の使用料に対しては、当該使用料が生じた締約国においても、当該締約国の法令に従って租税を課することができる。その租税の額は、当該使用料の受領者が当該使用料の受益者である場合には、当該使用料の額の10パーセントを超えないものとする。

3．この条において、「使用料」とは、文学上、美術上若しくは学術上の著作物（映画フィルム及びラジオ放送用又はテレビジョン放送用のフィルム又はテー

プを含む。）の著作権、特許権、商標権、意匠、模型、図面、秘密方式若しくは秘密工程の使用若しくは使用の権利の対価として、産業上、商業上若しくは学術上の設備の使用若しくは使用の権利の対価として、又は産業上、商業上若しくは学術上の経験に関する情報の対価として受領するすべての種類の支払金をいう。

4．1及び2の規定は、一方の締約国の居住者である使用料の受益者が、当該使用料の生じた他方の締約国において当該他方の締約国内にある恒久的施設を通じて事業を行い又は当該他方の締約国内にある固定的施設を通じて独立の人的役務を提供する場合において、当該使用料の支払の基因となった権利又は財産が当該恒久的施設又は固定的施設と実質的な関連を有するものであるときは、適用しない。この場合には、第7条又は第14条の規定を適用する。

5．使用料は、その支払者が一方の締約国の政府、当該一方の締約国の地方公共団体又は当該一方の締約国の居住者である場合には、当該一方の締約国内において生じたものとされる。ただし、使用料の支払者（締約国の居住者であるかないかを問わない。）が一方の締約国内に恒久的施設又は固定的施設を有する場合において、当該使用料を支払う債務が当該恒久的施設又は固定的施設について生じ、かつ、当該使用料が当該恒久的施設又は固定的施設によって負担されるものであるときは、当該使用料は、当該恒久的施設又は固定的施設の存在する当該一方の締約国内において生じたものとされる。

6．使用料の支払の基因となった使用、権利又は情報について考慮した場合において、使用料の支払者と受益者との間又はその双方と第三者との間の特別の関係により、使用料の額が、その関係がないとしたならば支払者及び受益者が合意したとみられる額を超えるときは、この条の規定は、その合意したとみられる額についてのみ適用される。この場合には、支払われた額のうち当該超過分に対し、この条約の他の規定に妥当な考慮を払った上、各締約国の法令に従って租税を課することができる。

(イ)　源泉地国課税

日中条約においては、使用料に関して源泉地に10％の限度税率で源泉所得

税を徴収することが認められています。

㈢　使用料の定義

　　使用料の定義については、日仏条約と同じものとなっています。

㈥　恒久的施設に実質的に関連する使用料の取扱い、源泉地国の定め（ソース
　　ルール）、及び独立企業間価格を超える使用料の取扱い

　　これらについては、日米条約等と類似した規定となっています。

㈡　政府等が支払う使用料

　　使用料は、その支払者が一方の締約国の政府、地方公共団体又はその居住者
である場合には、当該一方の締約国内において生じたものとされます。ただし、
使用料の支払者が一方の締約国内に恒久的施設又は固定的施設を有する場合に
おいて、当該使用料を支払う債務が当該恒久的施設又は固定的施設について生
じ、かつ、当該使用料が当該恒久的施設又は固定的施設によって負担されるも
のであるときは、当該使用料は、当該恒久的施設又は固定的施設の存在する国
内において生じたものとされます。

⑤　日印条約

㈠　源泉地国課税と債務者主義

　　日印条約においては、使用料に関して源泉地国に10％の限度税率で源泉所得
税を徴収することが認められています。2006年（平成18年）の改正でそれまで
の20％の限度税率が引き下げられました。

㈢　使用料の定義

　　使用料の定義については、日仏条約及び日中条約と同じものとなっています。
ただし、日印条約においては、第12条の表題が「使用料及び技術上の役務に対
する料金」となっています。そして、第4項において、「技術上の役務に対する
料金」とは、「技術者その他の人員によって提供される役務を含む経営的若し
くは技術的性質の役務又はコンサルタントの役務の対価としてのすべての支払
金（支払者のその雇用する者に対する支払金及び第14条に定める独立の人的役務の
対価としての個人に対する支払金を除く。）をいう」ものとされています。

(ハ)　恒久的施設に実質的に関連する使用料の取扱い、独立企業間価格を超える
　使用料の取扱い

　これらについては、日米条約等と同じ規定となっています。

(ニ)　政府等が支払う使用料

　これについては、日中条約と同様の規定があります。

⑥　日シンガポール条約

　源泉地国課税が認められていますが、10パーセントを超えないものとされて
います。使用料の定義については、OECDモデル租税条約と若干異なるもの
として、「産業上、商業上若しくは学術上の設備の使用若しくは使用の権利の
対価として、又は産業上、商業上若しくは学術上の経験に関する情報の対価と
して受領するすべての種類の支払金及び船舶又は航空機の裸用船契約に基づい
て受領する料金（第8条で取り合うものを除く。）をいう。」と規定されていま
す。このほか、恒久的施設に実質的に関連する使用料の取扱い、独立企業間価
格を超過する使用料の取扱いについては、OECDモデル租税条約に準拠して
います。

(4)　国際連合モデル租税条約12条 A（技術上の役務に対する料金）の創設

　2017年の国際連合モデル租税条約の改定により、次のように12条 Aが創設
されました。

> 1　一方の締約国において発生した技術上の役務に対する料金で他方の締約国の
> 　居住者に支払われたものは、当該他方の締約国において課税することができる。
> 2　しかしながら、14条の規定にかかわらず、また8条、16条及び17条の規定に
> 　従って、一方の締約国において発生した技術上の役務に対する料金は、当該
> 　方の締約国の法令に従って課税することができる。もし、その使用料の受益者
> 　が他方の締約国の居住者である場合には、当該技術上の役務に対する料金の額
> 　の○パーセント（パーセンテージについては、両締約国の交渉を通じて決定さ
> 　れる）を超えない範囲で課税される。
> 3　本条で用いられる「技術上の役務に対する料金」という用語は、その支払い

が次に掲げる理由で行われる場合を除き、経営上、技術上又はコンサルタント
の役務の提供の対価として受領されるすべての種類の支払金をいう。

(a) その支払がその者の使用人に対する場合

(b) 教育機関における教育又は教育機関によって行われる教育への対価の場合

(c) 個人の個人的使用のための役務の対価として個人によって支払われる場合

4　パラグラフ1及び2は、技術上の役務に対する料金の受益者が一方の締約国
の居住者であり、他方の締約国に所在する恒久的施設を通じて、又は固定的施
設から独立した人的役務により事業を行い当該技術上の役務に対する料金が生
じている場合には適用されない。技術上の役務に対する料金が、次に掲げるも
のと実質的に関連する場合も同様である。

(a) 当該恒久的施設又は固定的施設

(b) 第7条1の(c)に規定する事業活動

そのような場合は第7条又は第14条の条項が適用される。

5　本条の適用上、技術上の役務に対する料金は、その支払者が一方の締約国の
居住者である場合には、当該一方の締約国内において生じたものとされる。た
だし、技術的な役務に対する料金の支払者が、一方の締約国内に恒久的施設又
は固定的施設を有する場合において、当該技術上の役務に対する料金を支払う
債務が当該恒久的施設又は固定的施設について生じ、かつ、当該技術上の役務
に対する料金が当該恒久的施設又は固定的施設によって負担されるものである
ときは、当該支払者がいずれかの締約国の居住者であるか否かを問わず、当該
技術上の役務に対する料金は、当該恒久的施設又は固定的施設の存在する当該
一方の締約国内において生じたものとされる。

6　技術上の役務に対する料金は、その支払者が一方の締約国の居住者であり、
他方の締約国に所在する恒久的施設を通じて当該他方の締約国における事業を
行う場合又は当該他方の締約国内に所在する固定的施設を通じて行われる独立
した人的役務を行う場合で、かつ、当該技術上の役務に対する料金が当該恒久
的施設又は固定的施設によって負担される場合には、当該一方の締約国内にお
いて生じたものとされない。

7　技術上の役務に対する料金の支払の基因になった契約について考慮した場合

において、技術上の役務に対する料金の支払者と受益者との間又はその双方と第三者との間の特別の関係により、当該技術上の役務に対する料金の額が、その関係がないとしたならば支払者及び受益者が合意したとみられる額を超えるときは、この条の規定は、その合意したとみられる額についてのみ適用する。この場合には、支払われた額のうちその超過する部分に対しては、この条約の他の規定に妥当な考慮を払った上で、各締約国の法令に従って租税を課することができる。

① 12条Aの概要

　12条Aは、2017年の国際連合モデル租税条約の改定の際に導入されました。それによると、一方の締約国が他方の締約国の居住者が自国において技術上の役務に対する料金の支払を受ける場合、その料金の支払者がその支払を行う際、当該一方の締約国に一定の税率で課税を認めることを示しています。もう少し細かく言えば、一方の締約国の居住者が他方の締約国内で技術上の役務に対する料金の額の支払を受ける場合、その居住者が当該他方の締約国内に恒久的施設又は固定的施設を有していない場合であっても、当該一方の締約国に課税権を付与するものです。

② 12条A導入の背景

イ　12条の不十分さ

　以下の12条の取引関係図を見ていただくとわかりますが、技術上の役務が行われるA国で12条の使用料課税を行うためには、B社がA国に恒久的施設又は固定的施設を有している場合に限られます。

【12条の取引概要図】

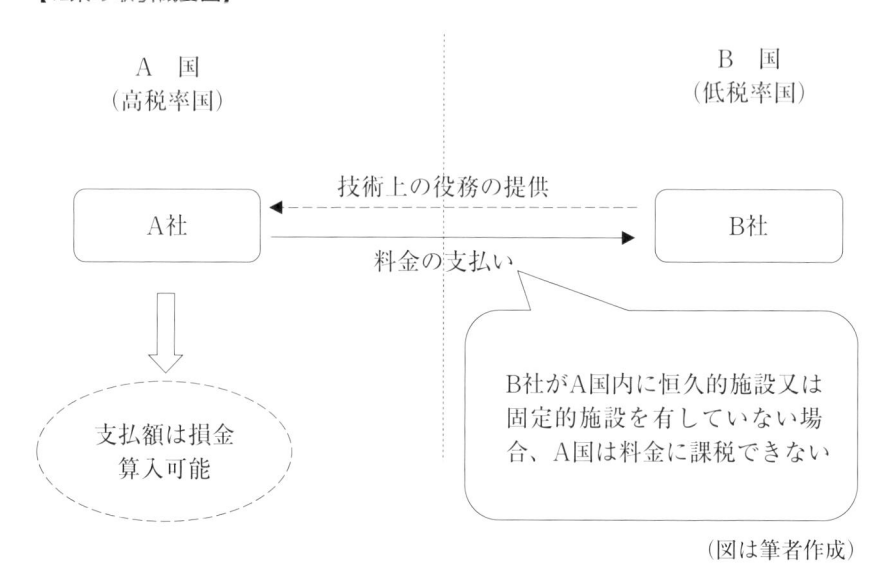

（図は筆者作成）

ロ　BEPS プロジェクトの議論

　最近の経済の進展により、恒久的施設又は固定的施設がなくても外国で役務提供を行うことができるようになりました。特に、IT 業界においては十分な役務提供を行うことが可能になってきました。

　これについて、2015年に公表された BEPS プロジェクト行動 1「デジタル課税」最終報告書において、デジタル経済を通じたビジネス・モデルの取扱いに困難を生じていることが記載されています。一方、同報告書では特に源泉課税を推奨しているわけではなく、重大な経済プレゼンスの形態における課税のネクサスも勧告していません。しかし、税源浸食と利益移転に対抗するためのその他のセーフガードの中で租税条約上12条 A のような条項を含むことについて、各国に委ねられてきたと言えます。

　12条 A 導入前の状況は、前ページの図のように役務提供地国での課税は非常に制限的なルールに直面していました。つまり、租税条約 5 条、7 条、14条

ではこれらの課税はできません。そこで、各国は独自の解釈をしていました。

ハ　12条A導入の議論

2017年の国際連合モデル租税条約改定の議論において、12条Aの導入に多くの時間を投下しました。そこで、以下、そのうち特筆すべき事項について説明します。

㈠　12条では課税できなかったこと

従来の国際連合モデル租税条約12条では、技術上の役務に対する料金に対して課税をすることができなかったことがあります。

㈥　混合契約に対応できなかったこと

役務提供と資産又はノウハウの使用権の両方を提供する「混合契約」を締結する場合があります。このような場合、OECDモデル租税条約12条のコメンタリーパラグラフ12に従うと、役務提供を使用料に区分しなければなりません。技術上の役務に対する料金の料率を12条の使用料と同じにすると、混合契約の困難性がなくなり潜在的な紛争がなくなることになり、結果として途上国に有利に働きます。

㈧　「経営上、技術上又は学術上の経験に関する情報」の解釈の相違

国際連合モデル租税条約12条3に規定する「経営上、技術上又はコンサルタントに関する情報」（OECDモデル租税条約12条2に規定するものと同じ）の意義について、各国がそれぞれ独自の解釈をしてきていました。いくつかの国においては、同項により技術上の役務について課税の対象となると解釈していました。

㈡　不確実性が存在することが望ましいことではないこと

2017年改定前の国際連合モデル租税条約の条項の下では、技術上の役務及びその他の役務提供の料金の取扱いに関する不確実性は、当局にも納税者にも望ましいものではありませんでした。その結果として、当局と納税者双方にとって困難な紛争をもたらすだけでなく、救済できない二重課税を引き起こすことになっていました。

　㈭　税源浸食していた可能性があること

　国際連合モデル租税条約の条項によって、技術上の役務に対する料金が課税されないことによって税源浸食されていた可能性がありました。技術上の役務に対する料金の支払者は、その国の居住者、恒久的施設又は固定的施設を有している場合には損金算入可能になります。役務提供がなされた国において、支払った国において技術上の役務に対する料金を損金算入することについて反対は出ませんでした。損金算入される国（役務提供地国）で技術上の役務に対する料金を課税できれば、その国で損金算入額と相殺することができます。

　㈮　国外関連取引を用いた租税回避に適用できること

【国際関連取引概要図（A社とB社が国外関連者の場合）】

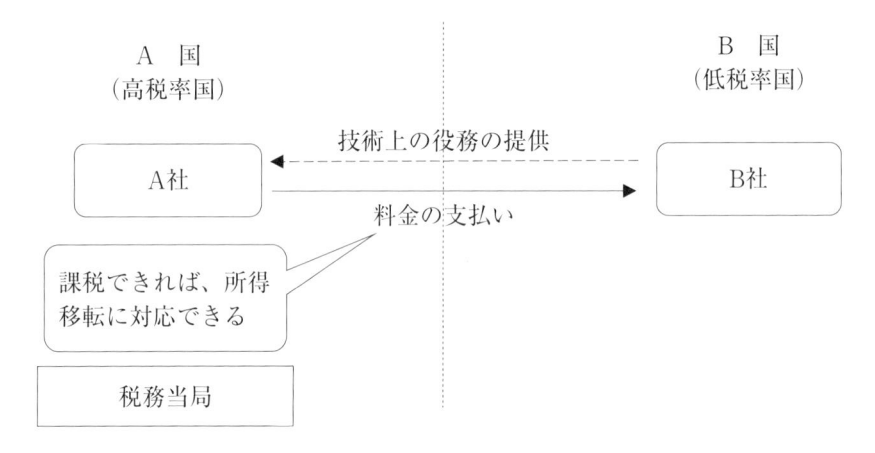

　A社とB社が国外関連者の場合、企業グループとして低税率国に所得を移転することができます。2017年の改定で導入された12条Aを用いると、A国が先進国でも途上国でも、税源浸食を防止することができます。ただし、一般に途上国の方が税源侵食の影響を受けることが多く、12条Aを導入することで途上国の課税権を確保することに役立ちます。

　上の図でB社がA国内に恒久的施設又は固定的施設を有しない場合、A国では技術上の役務に対する料金に対して全く課税できないことになるので、12条Aは有効ということになります。

③　12条A導入への反対意見

　12条Aを導入することによって、B社は外国法人税を納付することになります。これについて、外国税額控除を使用できることになりますが、外国税額控除で100パーセント控除できるとは限りません。仮に、B社が二重課税を排除できないことがあれば、それは公平性を担保することができないのではないか、という議論がありました。

　次に、12条Aが導入されると、役務提供を行う当事者（上の図でいうとB社）の受領額が減少するので、B社はA社に対して、源泉所得税を含む金額を請求してくる可能性があり、A社からすると高額の対価を支払うことになるという意見がありました。

　また、「技術上の役務」という用語の定義が明確ではないという批判もありました。定義があいまいなままでは、多くの取引に源泉税が課税されてしまい不確実性が増すのではないか、という批判がありました。

⑤　まとめ

　多くの議論を重ねた結果、国際連合モデル租税条約に12条Aが追加されました。技術上の役務に対する料金に関して、消費地での課税を行うことになったとも言えるでしょう。これは、デジタル課税において消費地に課税権を認める考え方と類似していると思います。消費地において、一定の税率で源泉徴収を行うことによって消費地（役務提供地国）に一定の租税が確保されることになり、本件に関して言えば途上国は満足するかもしれません。

　一方、源泉所得税分をグロスアップすることで、高額の役務提供対価を請求することも十分に考えられます。

　なお、役務提供者が提供地国に恒久的施設又は固定的施設を有する場合には、これまでの12条で課税することが可能です。その意味で12条Aの導入は、近

年のデジタル課税の考え方と整合的とも言えます。

　今後、日本を含む先進国と途上国との租税条約交渉において、12条Aがどの程度導入されるのか、そしてどのように役務提供が行われるのか、注視していく必要があると考えます。

8．譲渡収益

(1)　OECD モデル租税条約

OECD モデル租税条約第13条（譲渡収益）

1．一方の締約国の居住者が第6条に規定する不動産であって他方の締約国内に存在するものの譲渡によって取得する収益に対しては、当該他方の締約国において租税を課することができる。（77年改正）

2．一方の締約国の企業が他方の締約国内に有する恒久的施設の事業用資産を構成する動産の譲渡から生ずる収益（当該恒久的施設の譲渡又は企業全体の譲渡の一部としての当該恒久的施設の譲渡から生ずる収益を含む。）に対しては、当該他方の締約国において租税を課することができる。（77、2000年改正）

3．国際運輸に運用する船舶又は航空機の譲渡、内陸水路運輸に従事する船舶の譲渡又はこれらの船舶若しくは航空機の運用に係る動産の譲渡から生ずる収益に対しては、企業の実質的管理の場所が存在する締約国においてのみ租税を課することができる。（77年追加）

4．一方の締約国の居住者が法人の株式又は同等の持分（組合又は信託財産の持分を含む。）の譲渡によって取得する収益に対しては、当該株式又は同等の持分の価値の50パーセント超が、当該譲渡に先立つ365日の期間のいずれかの時点において、第6条に規定する不動産であって他方の締約国内に存在するものによって直接又は間接に構成される場合には、当該他方の締約国において租税を課することができる。（2017年改正）

5．1から4までに規定する財産以外の財産の譲渡から生ずる収益に対しては、譲渡者が居住者とされる締約国においてのみ租税を課することができる。（77、2003年改正）

① 概　要

　OECDモデル租税条約第13条は、不動産、事業用資産、船舶又は航空機、不動産化体株式、その他の財産に区分し、その種類ごとに課税権を定めています。そして、不動産から不動産化体株式までは、原則として源泉地国課税を認めています。

② 不動産

　一方の締約国の居住者が他方の締約国内に存在する不動産の譲渡によって取得する収益に対しては、当該他方の国において租税を課することができるとしています。この場合の不動産は、第6条で定義された不動産をいうとされています。

③ 事業用資産

　一方の締約国の企業が他方の締約国内に有する恒久的施設の事業用資産の一部を成す動産の譲渡から生ずる収益に対しては、源泉地国課税が認められるとされています。なお、ここでいう事業用資産とは、②の不動産を除くすべての資産であり、無形資産も含まれるとされています。

④ 船舶又は航空機の譲渡

　国際運輸に運用する船舶若しくは航空機の譲渡、内陸水路運輸に従事する船舶の譲渡又はこれらの船舶若しくは航空機の運用に係る動産の譲渡から生ずる収益に対しては、企業の実質的管理の場所が存在する締約国においてのみ租税を課することができることとされています。この規定は、上記③の例外規定であると理解されています。

⑤ 不動産化体株式

　一方の締約国の居住者が、その価値の50％超が譲渡日前365日のいずれかの期間において直接又は間接に他方の締約国内に存在する不動産から成る株式の譲渡によって取得する収益に対しては、源泉地国課税が認められています。

⑥ その他の財産の譲渡

　上記の②から⑤までに規定する以外の財産の譲渡から生ずる収益に対して

は、譲渡者が居住者とされる締約国においてのみ課税することができます。

(2)　国連モデル租税条約

国連モデル租税条約第13条（譲渡収益）

1．一方の締約国の居住者が第6条に規定する不動産で他方の締約国内に存在するものの譲渡によって取得する収益に対しては、当該他方の締約国において租税を課することができる。（OECDと同様）

2．一方の締約国の企業が他方の締約国内に有する恒久的施設の事業用資産の一部を成す動産の譲渡又は一方の締約国の居住者が独立の人的役務を提供するため他方の締約国内において使用することのできる固定的施設に係る動産の譲渡から生ずる収益（単独に若しくは企業全体として行われる当該恒久的施設の譲渡又は当該固定的施設の譲渡から生ずる収益を含む。）に対しては、当該他方の締約国において租税を課することができる。（OECDと異なる）

3．国際運輸に運用する船舶若しくは航空機の譲渡、内陸水路運輸に従事する船舶の譲渡又はこれらの船舶若しくは航空機の運用に係る動産の譲渡から生ずる収益に対しては、企業の実質的管理の場所が存在する締約国においてのみ租税を課することができる。（OECDと類似）

4．その資産が主として一方の締約国内に存在する不動産により直接又は間接に構成される法人の株式又は組合、信託財産若しくは遺産の持分の譲渡によって取得する収益に対しては、当該一方の締約国において租税を課することができる。特に、

　(1)　この4の規定は、その資産が主として不動産管理事業の用に供される不動産により直接又は間接に構成される当該事業に従事する法人、組合、信託財産又は遺産以外の法人、組合、信託財産又は遺産には適用しない。

　(2)　この4の規定の適用上、不動産の所有に関して、「主として」とは、当該不動産の価値が当該法人、組合、信託財産又は遺産が所有するすべての資産の価値の50パーセントを超える場合をいう。（2001年改正。OECDと異なる）

5．一方の締約国の居住者である法人に対する参加の割合が○パーセント（持分割合は二国間交渉で決定される。）に相当する場合のその持分（4に掲げる持

分を除く。）の譲渡から生ずる収益に対しては当該一方の締約国において租税を課することができる。（OECDと異なる）

6．１から５までに規定する財産以外の財産の譲渡から生ずる収益に対しては、譲渡者が居住者とされる締約国においてのみ租税を課することができる。

国連モデル租税条約は、OECDモデル租税条約に比してここでも源泉地国課税ができる規定となっています。

	譲渡される資産	内　　容	課　税　権
譲渡収益の規定	①不動産	一方の締約国の居住者が他方の締約国内に存在する不動産の譲渡によって取得する収益	源泉地国
	②事業用資産又は固定的施設	一方の締約国の企業が他方の締約国内に有する恒久的施設の事業用資産を構成する動産の譲渡又は一方の締約国の居住者が独立の人的役務を提供するため他方の締約国内において使用することのできる固定的施設に係る動産の譲渡から生ずる収益	源泉地国
	③船舶又は航空機	国際運輸に運用する船舶・航空機の譲渡、内陸水路運輸に従事する船舶の譲渡又はこれらの船舶・航空機の運用に係る動産の譲渡から生ずる収益	企業の実質的管理の場所が存在する締約国のみ課税権がある。
	④不動産化体株式	資産が主として一方の締約国内に存在する不動産により直接又は間接に構成される法人の株式又は組合、信託財産若しくは遺産の持分の譲渡によって取得する収益に対しては、当該一方の締約国において租税を課することができる。	源泉地国
	⑤一定の割合の資産	一方の締約国の居住者である法人に対する参加の割合が一定割合の持分のある資産の譲渡については、一方の締約国で租税を課することができる。	源泉地国

475

(3)　日本の租税条約

　日本が締結した租税条約の規定は、おおむね OECD モデル租税条約と同様の規定となっています。以下、個別の条約を概観してみます。

① 日米条約

(イ)　原　則

　日米条約も、OECD モデル租税条約と同様、不動産の譲渡によって取得する収益に対しては、源泉地国課税を認めています。なお、不動産投資信託が米国内に存在する不動産の譲渡によって取得する収益に基づいて行う分配に対しても、源泉地国課税が認められています。

(ロ)　不動産化体株式等の譲渡

　次の不動産化体株式等の譲渡に対しては、その不動産が存在する国（源泉地国）において課税することができます。

①　一方の締約国の居住者が、他方の締約国の居住者である法人（その資産の価値の50％以上が当該不動産により直接又は間接に構成される法人）の株式その他同等の権利の譲渡によって取得する収益
②　一方の締約国の居住者が、組合、信託財産及び遺産の持分の譲渡によって取得する収益のうち、これらの資産が他方の締約国に存在する不動産から成る部分

(ハ)　破綻した金融機関の株式に関する譲渡の源泉地国課税

　破綻した金融機関の株式に関して、国により資金援助が行われた日から５年以内に行われる譲渡に限り、その金融機関の居住地国（源泉地国）において租税を課することができるとされています。この場合、次に掲げる要件を満たす必要があります。

①　当該他方の締約国（日本は預金保険機構を含む。）が、当該他方の締約国の金融機関の破綻処理に関する法令に従って、実質的な資金援助を行うこと
②　一方の締約国の居住者が、他方の締約国から破綻した金融機関の株式を取得すること

(ニ)　事業譲渡類似株式の譲渡

　(a)一方の締約国の居住者が、その他の株式の譲渡によって取得する収益と同一の要件により租税が課される場合、(b)法人の組織再編において、株式の譲渡から生ずる収益に対し一方の締約国の法令により課税の繰り延べが認められる場合には、一方の締約国において租税を課することができます。これにより、源泉地国免税となります。

�="segment"（ホ）　恒久的施設の事業用資産を構成する財産の譲渡

　一方の締約国の企業が他方の締約国内に有する恒久的施設の事業用資産を構成する不動産を除く財産の譲渡から生ずる収益に対しては、当該他方の締約国において租税を課することができます。

　なお、この規定は、上記（ロ）及び（ハ）よりも優先適用されることになっています。

（ヘ）　国際運輸に運用する船舶又は航空機等の譲渡

　国際運輸に運用する船舶又は航空機及びこれらの船舶又は航空機の運用に係る財産（不動産を除く。）の譲渡によって居住者が取得する収益に対しては、居住地国課税となります。

（ト）　コンテナー等の譲渡

　コンテナー（コンテナー運送のためのトレーラー、はしけ及び関連設備を含む。）の譲渡によって取得する収益に対しては、コンテナーが他方の締約国内において使用された場合を除き、居住地国課税となります。

（チ）　その他の財産の譲渡

　上記以外の財産の譲渡から生ずる収益に対しては、譲渡者が居住者とされる国においてのみ課税できることとされています。

②　日英条約

（イ）　不動産の譲渡

　一方の締約国の居住者が、他方の締約国内に存在する不動産の譲渡によって取得する収益に対しては、当該不動産の所在地国において課税することができることとされています。

（ロ）　不動産化体株式の譲渡

　一方の締約国の居住者が、法人等の株式等の譲渡によって取得する収益に対しては、当該法人等の資産価値の50％以上が他方の締約国内に存在する不動産により直接又は間接に構成される場合に限り、不動産の所在地国で課税することができます。

(ハ)　事業譲渡類似株式の譲渡

　一方の締約国の居住者が、他方の締約国の居住者である法人の発行した株式の譲渡によって取得する収益に対しては、次に掲げる要件を満たす場合に源泉地国課税が認められます。ただし、居住地国で課税されない場合に限ります。

①　譲渡者及びその特殊関係者が保有する株式の数が当該譲渡が行われた年度のいずれかの時点において、発行済株式総数の25％以上であること
②　譲渡者及びその特殊関係者が当該譲渡が行われた年度中に譲渡した株式の総数が、発行済株式総数の5％以上であること

(ニ)　恒久的施設の事業用資産を構成する財産の譲渡、国際運輸に運用される船舶又は航空機の譲渡、その他の財産の譲渡

　これらの譲渡については、日米条約と同様の規定となっています。

③　日仏条約

　(イ)不動産の譲渡、(ロ)不動産化体株式の譲渡、(ハ)事業譲渡類似株式の譲渡、(ニ)恒久的施設の事業用資産を構成する財産の譲渡、(ホ)国際運輸に運用される船舶又は航空機の譲渡、(ヘ)その他の財産の譲渡について、日英条約とほぼ同様の規定となっています。

④　日豪条約

　(イ)不動産の譲渡、(ロ)不動産化体株式の譲渡、(ハ)事業譲渡類似株式の譲渡、(ニ)恒久的施設の事業用資産を構成する財産の譲渡、(ホ)国際運輸に運用される船舶又は航空機の譲渡、(ヘ)その他の財産の譲渡について、日英条約・日仏条約とほぼ同様の規定となっています。

⑤　日独条約

　(イ)不動産の譲渡、(ロ)不動産化体株式の譲渡、(ハ)恒久的施設の事業用資産を構

成する財産の譲渡、㈡国際運輸に運用される船舶又は航空機の譲渡、㈤その他
の財産の譲渡について、 OECD モデル租税条約と同様の規定となっています。

⑥　日中条約

　日中租税条約第13条は、次のように規定しています。

日中租税条約第13条（譲渡収益）

1．一方の締約国の居住者が第6条に規定する不動産で他方の締約国内に存在す
　るものの譲渡によって取得する収益に対しては、当該他方の締約国において租
　税を課することができる。

2．一方の締約国の企業が他方の締約国内に有する恒久的施設の事業用資産の一
　部を成す財産（不動産を除く。）の譲渡又は一方の締約国の居住者が独立の人
　的役務を提供するため他方の締約国内において使用することのできる固定的施
　設に係る財産（不動産を除く。）の譲渡から生ずる収益（単独に若しくは企業
　全体として行われる当該恒久的施設の譲渡又は当該固定的施設の譲渡から生ず
　る収益を含む。）に対しては、当該他方の締約国において租税を課することが
　できる。

3．一方の締約国の居住者が国際運輸に運用する船舶又は航空機及びこれらの船
　舶又は航空機の運用に係る財産（不動産を除く。）の譲渡によって取得する収
　益に対しては、当該一方の締約国においてのみ租税を課することができる。

4．一方の締約国の居住者が1から3までに規定する財産以外の財産の譲渡に
　よって取得する収益であって他方の締約国において生ずるものに対しては、当
　該他方の締約国において租税を課することができる。

㈡　不動産の譲渡

　一方の締約国の居住者が、他方の締約国内に存在する不動産の譲渡によって
取得する収益に対しては、当該不動産の所在地国において課税することができ
ることとされています。

㈣　恒久的施設の事業用資産を構成する財産の譲渡、国際運輸に運用される船

舶又は航空機の譲渡、その他の財産の譲渡

　これらの譲渡については、日英条約、日仏条約等と同様の規定となっています。

⑦　日印条約

　日印条約は、一方の締約国の居住者が他方の締約国の居住者である法人の株式の譲渡によって取得する収益に対して、当該他方の締約国において課税することができることを除き、日中条約と同様の規定となっています。

⑧　日韓条約

　㈠不動産の譲渡、㈡不動産化体株式の譲渡、㈢事業譲渡類似株式の譲渡、㈣恒久的施設の事業用資産を構成する財産の譲渡、㈤国際運輸に運用される船舶又は航空機の譲渡、㈥その他の財産の譲渡について、日英条約・日仏条約と類似した規定となっています。

⑨　日タイ条約

　㈠不動産の譲渡、㈡恒久的施設の事業用資産を構成する財産の譲渡、㈢国際運輸に運用される船舶又は航空機の譲渡、㈣その他の財産の譲渡についての規定があり、日中条約とほぼ同様の規定となっています。

⑩　日シンガポール条約

　㈠不動産の譲渡、㈡恒久的施設の事業用資産を構成する財産の譲渡、㈢国際運輸に運用される船舶又は航空機の譲渡、㈣不動産化体株式・株式の譲渡、㈤その他の財産の譲渡についての規定があります。

9. 自由職業所得

⑴　OECD モデル租税条約

　OECD モデル租税条約第14条は、医師、弁護士、公認会計士等の自由職業所得に関する規定を置いていましたが、2000年（平成12年）に削除されました。日本が締結する租税条約においては、2000年以前に締結された条約には、これに関する規定がありますが、OECD モデル租税条約の動きを受けて、それ以

降改正又は締結された条約においては自由職業所得に関する規定は存在しない場合があります。

　例えば、日仏条約も2007年（平成19年）の改正において自由職業所得条項が削除され、今後は事業所得条項を適用することとされました。日独条約も同じです。

　しかし、以下で見るようにアジア諸国との租税条約の中では、第14条に自由職業所得の規定があります。

⑵　国連モデル租税条約

国連モデル租税条約第14条（自由職業所得）

1．一方の締約国の居住者が自由職業その他独立の性格を有する活動について取得する所得に対しては、当該一方の国においてのみ租税を課することができる。ただし、次に掲げる場合には、当該所得に対して他方の締約国においても租税を課することができる。

　　a）その者が他方の締約国においてその活動を行うために通常使用することのできる固定的施設を有する場合（この場合には当該所得のうち当該固定的施設に帰せられる部分に対してのみ当該他方の締約国において租税を課することができる。）

　　b）その者が当該課税年度において開始し、又は終了するいずれの12か月の期間においても合計183日を超える期間他方の締約国内に滞在する場合（この場合には当該所得のうち他方の締約国において行う活動から取得する所得に対してのみ当該他方の締約国において租税を課することができる。）（2001年改正）

2．「自由職業」には、特に、学術上、文学上、美術上及び教育上の独立の活動並びに医師、弁護士、技術士、建築士、歯科医師及び公認会計士の独立の活動を含む。

　自由職業所得は、第7条の事業所得と内容がきわめて類似していることから

OECD モデル租税条約では削除したものの、国連モデル租税条約では「固定的施設なければ課税なし」という原則の下、医師や弁護士などの自由職業所得（独立した人的役務の提供）について源泉地国課税を容認しています。

　ここでいう固定的施設とは、一定の場所を指しますが自由職業者の特徴を示すものをいうとされます。医師であれば診療所、弁護士であれば法律事務所、などその役務提供を行うのにふさわしい場所であるとされています。

(3)　日本の租税条約

　OECD モデル租税条約第14条が2000年に削除されたことから、日米条約、日英条約、日仏条約、日豪条約、日独条約についても、これに相当する規定はありません。一方、日中条約、日印条約、日韓条約、日タイ条約、日シンガポール条約は、インドについては2006年（平成18年）改正時にこれを残し、それ以外の４つの条約は2000年以後に改正されていないことを含め、現在もこの規定を有しています。

① 　日中条約

日中条約第14条（自由職業所得）

　1．一方の締約国の居住者が自由職業その他の独立の性格を有する活動について取得する所得に対しては、その者が自己の活動を行うため通常使用することのできる固定的施設を他方の締約国内に有せず、かつ、その者が当該年を通じ合計183日を超える期間当該他方の締約国内に滞在しない限り、当該一方の締約国においてのみ租税を課することができる。その者がそのような固定的施設を有する場合又は前記の期間当該他方の締約国内に滞在する場合には、当該所得に対しては、当該固定的施設に帰せられる部分又は前記の期間を通じ当該他方の締約国内において取得した部分についてのみ、当該他方の締約国において租税を課することができる。

　2．「自由職業」には、特に、学術上、文学上、美術上及び教育上の独立の活動並びに医師、弁護士、技術士、建築士、歯科医師及び公認会計士の独立の活動を含む。

　日中条約は、国連モデル租税条約に準拠する規定となっており、固定的施設を有する場合で183日を超える期間活動する自由職業者に対しては、源泉地国課税を認めています。

② 　日印条約

　インドとの租税条約においては、国連モデル租税条約に準拠しているものの、183日について「その者が当該課税年度又は前年度を通じ合計183日を超える期間」と規定し、日中条約とは異なるものとされています。

③ 　日韓条約

　韓国との租税条約においては、国連モデル租税条約に準拠した規定となっています。

④ 　日タイ条約

日タイ条約第14条（人的役務の報酬）

1．次条から第19条までの規定が適用される場合を除くほか、一方の締約国の居住者が他方の締約国内において提供する人的役務（自由職業を含む。）について取得する報酬又は所得（退職年金及びこれに類する報酬を除く。）に対しては、当該他方の締約国において租税を課することができる。ただし、その報酬又は所得については、次の(a)から(c)までに掲げることを条件として、当該他方の締約国において租税を免除する。

　(a)　報酬又は所得の受領者が当該年を通じて合計180日を超えない期間当該他方の締約国内に滞在すること。

　(b)　報酬又は所得が当該一方の締約国の居住者又はこれに代わる者から支払われるものであること。

　(c)　報酬又は所得が当該他方の締約国において租税を課される企業によって負担されるものでないこと。

2．1の規定にかかわらず、一方の締約国の居住者が国際運輸に運用する船舶又は航空機内において行われる勤務に係る報酬に対しては、当該一方の締約国において租税を課することができる。

　日タイ条約第14条は、自由職業者に関する規定と同時に、いわゆる給与所得についても規定しています。後述する給与所得にある183日ルール（短期滞在者免税規定）が第14条に規定され、かつ、180日であることが日タイ条約第14条の最大の特徴です。

⑤　日シンガポール条約

　シンガポールとの租税条約においては、国連モデル租税条約に準拠した規定となっています。

10. 給与所得

(1)　OECD モデル租税条約

> **OECD モデル租税条約第15条（給与所得）**
>
> 1．次条、第18条及び第19条の規定が適用される場合を除くほか、一方の締約国の居住者がその勤務について取得する給料、賃金、その他これらに類する報酬に対しては、勤務が他方の締約国内において行われない限り、当該一方の締約国においてのみ租税を課することができる。勤務が他方の締約国内において行われる場合には、当該勤務について取得する給料、賃金その他これらに類する報酬に対しては、当該他方の締約国において租税を課することができる。
>
> 2．1の規定にかかわらず、一方の締約国の居住者が他方の締約国内において行う勤務について取得する報酬に対しては、次の(a)から(c)までに掲げる要件を満たす場合には、当該一方の締約国においてのみ租税を課することができる。
>
> (a)　当該課税年度において開始し、又は終了するいずれの12か月の期間においても、報酬の受領者が当該他方の締約国内に滞在する期間が合計183日を超えないこと。（92年改正）
>
> (b)　報酬が当該他方の締約国の居住者でない雇用者又はこれに代わる者から支払われるものであること。
>
> (c)　報酬が雇用者の当該他方の締約国内に有する恒久的施設によって負担されるものでないこと。（2000年改正）

> 3．1及び2の規定にかかわらず、国際運輸に運用する船舶若しくは航空機内又
> は内陸水路運輸に従事する船舶内において行われる勤務に係る報酬に対して
> は、企業の実質的管理の場所が存在する締約国において租税を課することがで
> きる。（77年改正）

① 概要

　OECD モデル租税条約第15条においては、給与所得の課税原則を規定しています。しかし、この規定は第16条（役員報酬）、第18条（退職年金から生じる所得）及び第19条（政府職員）については、適用されないこととされます。

　一方の締約国の居住者が、その勤務について取得する給料、賃金、その他これらに類する報酬に対しては、勤務が他方の締約国内において行われない限り、居住地国課税のみが行われます。勤務が他方の締約国内において行われる場合には、勤務から生ずる報酬に対しては、源泉地国課税をすることができます。

② 短期滞在者免税

　一方の締約国の居住者が、他方の締約国内において行う勤務について取得する報酬に対しては、次の①から③までに掲げることを条件として、居住地国課税が行われます。

①　報酬の受領者が、当該課税年度に開始若しくは終了する12か月の期間を通じて合計183日を超えない期間当該他方の国内に滞在すること
②　報酬が当該他方の国の居住者でない雇用者又はこれに代わる者から支払われるものであること
③　報酬が雇用者の当該他方の国内に有する恒久的施設によって負担されるものでないこと

③ 国際運輸業の例外

　国際運輸に運用する船舶若しくは航空機内又は内陸水路運輸に従事する船舶内において行われる勤務に係る報酬に対しては、企業の実質的管理の場所が存在する締約国において課税がなされます。

(2)　国連モデル租税条約

国連モデル租税条約第15条（給与所得）

1．第16条、第18条及び第19条の規定が適用される場合を除くほか、一方の締約
国の居住者がその勤務について取得する給料、賃金、その他これらに類する報
酬に対しては、勤務が他方の締約国内において行われない限り、当該一方の締
約国においてのみ租税を課することができる。勤務が他方の締約国内において
行われる場合には、当該勤務から生ずる報酬に対しては、当該他方の締約国に
おいて租税を課することができる。（OECDと類似）

2．1の規定にかかわらず、一方の締約国の居住者が他方の締約国内において行
う勤務について取得する報酬に対しては、次の（a）から（c）までに掲げるこ
とを条件として、当該一方の締約国においてのみ租税を課することができる。
（OECDと類似）

　　（a）報酬の受領者が当該課税年度において開始し、又は終了するいずれの12か
　　　　月の期間においても合計183日を超えない期間当該他方の締約国内に滞在す
　　　　ること。

　　（b）報酬が当該他方の締約国の居住者でない雇用者又はこれに代わる者から
　　　　支払われるものであること。

　　（c）報酬が雇用者の当該他方の締約国内に有する恒久的施設又は固定的施設に
　　　　よって負担されるものでないこと。（2001年改正）

3．1及び2の規定にかかわらず、国際運輸に運用する船舶若しくは航空機内又
は内陸水路運輸に従事する船舶内において行われる勤務に係る報酬に対して
は、企業の実質的管理の場所が存在する締約国において租税を課することがで
きる。

　国連モデル租税条約は、OECDモデル租税条約の規定と類似していますが、
短期滞在者免税の要件の一つに、恒久的施設だけでなく固定的施設により負担
されないことを含めています。

(3)　日本の租税条約

　日本が締結している租税条約においては、給与所得に関してはおおむね OECD モデル租税条約に準拠しています。ただし、短期滞在者免税の要件等において異なるものもあります。以下、個別の条約を見ていきます。

① 　日米条約

㋑ 　原　則

　日米条約第14条は、OECD モデル租税条約第15条と同様、給与所得については勤務が行われた国において課税権があるとしています。

㋺ 　短期滞在者免税

　次に掲げる要件を満たす場合には、居住地国課税とされています。

① 　その課税年度において開始又は終了するいずれかの12か月の期間においても、報酬の受領者が他方の締約国に滞在する期間が合計183日を超えないこと
② 　報酬を支払う雇用者が、従業員の勤務が行われている国の居住者でないこと
③ 　報酬が雇用者の他の締約国内の恒久的施設によって負担されるものでないこと

㋩ 　国際運輸業の例外

　一方の締約国の企業が国際運輸に運用する船舶若しくは航空機内において行われる勤務に係る報酬に対しては、当該一方の締約国において課税がなされます。

② 　日英条約、日仏条約、日豪条約、日独条約

　給与所得に関しては、日英条約（第14条）、日仏条約（第14条）、日豪条約（第14条）及び日独条約（第14条）は、日米条約と同様の規定となっています。

③ 　日中条約

日中条約第15条（給与所得） 1．次条及び第18条から第21条までの規定が適用される場合を除くほか、一方の締約国の居住者がその勤務について取得する給料、賃金その他これらに類する

> 報酬に対しては、勤務が他方の締約国内において行われない限り、当該一方の締約国においてのみ租税を課することができる。勤務が他方の締約国内において行われる場合には、当該勤務から生ずる報酬に対しては、当該他方の締約国においてのみ租税を課することができる。
>
> 2．1の規定にかかわらず、一方の締約国の居住者が他方の締約国内において行う勤務について取得する報酬に対しては、次の(a)から(c)までに掲げることを条件として、当該一方の締約国においてのみ租税を課することができる。
>
> (a) 報酬の受領者が当該年を通じて合計183日を超えない期間当該他方の締約国内に滞在すること。
>
> (b) 報酬が当該他方の締約国の居住者でない雇用者又はこれに代わる者から支払われるものであること。
>
> (c) 報酬が雇用者の当該他方の締約国内に有する恒久的施設又は固定的施設によって負担されるものでないこと。
>
> 3．1及び2の規定にかかわらず、一方の締約国の企業が国際運輸に運用する船舶又は航空機内において行われる勤務に係る報酬に対しては、当該一方の締約国において租税を課することができる。

　日中条約は国連モデル租税条約に準拠しており、短期滞在者免税の規定が日米条約等と異なっています。すなわち、2の(a)の要件が、次に掲げるものとなっています。すなわち、「報酬の受領者が当該年を通じて合計183日を超えない期間当該他方の締約国内に滞在すること」というものです。この他、(c)に恒久的施設だけでなく、固定的施設という用語が入っています。

　これらにより、日中条約ではOECDモデル租税条約や日米条約等の対先進国との租税条約に比して、源泉地国に課税権が生じる場合がより多くなるといえます。

④　日印条約

　日印条約（第15条）も国連モデル租税条約に準拠していますが、短期滞在者免税の規定が日中条約とは若干異なっており、上記①(ロ)の表①の要件が、次に

掲げるものとなっています。すなわち、「報酬の受領者が当該課税年度又は前年度を通じて合計183日を超えない期間当該他方の締約国内に滞在すること」というものです。

⑤　日韓条約

　日韓条約（第15条）は、日中条約と同様の規定となっています。

⑥　日タイ条約

　日タイ条約は、給与所得について先に説明した第14条に規定があります。内容は日中条約及び日韓条約に類似していますが、短期滞在者免税の期間が180日である点が異なっています。

⑦　日シンガポール条約

　短期滞在者免税の日数のカウント方法は、「継続するいずれの12か月の期間においても」となっており、他の条約とは異なっています。

　この他の規定は、OECDモデル租税条約と同様となっています。

11. 役員報酬

(1)　OECDモデル租税条約

OECDモデル租税条約第16条（役員報酬）

　一方の締約国の居住者が他方の締約国の居住者である法人の役員の資格で取得する役員報酬その他これに類する支払金に対しては、当該他方の締約国において租税を課することができる。(77年改正)

　OECDモデル租税条約第16条は、役員報酬について、法人の居住地国で課税することを規定しています。これは、役員の役務提供地がどこであるのかを判断することが難しいことから、企業の居住地国で役務提供がなされたものと取り扱うことにしたものです。

(2)　国連モデル租税条約

> **国連モデル租税条約第16条（役員及び上級管理職員報酬）**
>
> 1．一方の締約国の居住者が他方の締約国の居住者である法人の役員の資格で取得する役員報酬その他これに類する支払金に対しては、当該他方の締約国において租税を課することができる。（OECDと同様）
>
> 2．一方の締約国の居住者が他方の締約国の居住者である法人の上級の管理職の地位にある者として取得する給料、賃金その他これに類する支払金に対しては、当該他方の締約国において租税を課することができる。（OECDとは異なる）

　国連モデル租税条約第16条では、役員でない者であっても上級の管理職の地位にある者については、役員と同じ取扱いをすることとしています。

(3)　日本の租税条約

　日本が締結した租税条約においては、おおむねOECDモデル租税条約と同様の規定となっています。

　日英条約、日仏条約、日豪条約、日独条約、日中条約（下記参照）、日印条約、日韓条約、日タイ条約及び日シ条約においては、OECDモデル租税条約と同様の規定となっています。

> **日中条約第16条（役員報酬）**
>
> 　一方の締約国の居住者が他方の締約国の居住者である法人の役員の資格で取得する役員報酬その他これに類する支払金に対しては、当該他方の締約国において租税を課することができる。

　なお、日米条約はOECDモデル租税条約と類似していますが、法人の居住地国で課税される役員報酬は、「法人の取締役会の構成員の資格で取得する報酬その他これに類する支払金」について適用されます。

12. 芸能人等

(1)　OECD モデル租税条約

OECD モデル租税条約第17条（芸能人）

1．第 7 条及び第15条の規定にかかわらず、一方の締約国の居住者が演劇、映画、ラジオ若しくはテレビジョンの俳優、音楽家その他の芸能人又は運動家として他方の締約国内で行う個人的活動によって取得する所得に対しては、当該他方の締約国において租税を課することができる。（77年追加、92、2000年改正）

2．芸能人又は運動家としての個人的活動に関する所得が当該芸能人又は運動家以外の者に帰属する場合には、当該所得に対しては、第 7 条及び第15条の規定にかかわらず、当該芸能人又は運動家の活動が行われる締約国において租税を課することができる。（77年追加、92、2000年改正）

　OECD モデル租税条約第17条においては、一方の締約国の居住者である演劇、映画、ラジオ若しくはテレビジョンの俳優、音楽家その他の芸能人又は運動家が芸能人又は運動家として他方の締約国内で行う個人的活動によって取得する所得に対しては、源泉地国課税が認められています。

　また、芸能人又は運動家としての個人的活動に関する所得が、その芸能人又は運動家以外の者に帰属する場合には、当該所得に対しては、源泉地国課税ができるとしています。

(2)　国連モデル租税条約

国連モデル租税条約第17条（芸能人又は運動家）

1．第14条及び第15条の規定にかかわらず、一方の締約国の居住者である演劇、映画、ラジオ若しくはテレビジョンの俳優、音楽家その他の芸能人又は運動家が芸能人又は運動家として他方の締約国内で行う個人的活動によって取得する所得に対しては、当該他方の締約国において租税を課することができる。

（OECD と同様）

> 2．芸能人又は運動家としての個人的活動に関する所得が当該芸能人又は運動家
> 以外の者に帰属する場合には、当該所得に対しては、第 7 条、第14条及び第15
> 条の規定にかかわらず、当該芸能人又は運動家の活動が行われた締約国におい
> て租税を課することができる。（OECD と同様）

　上で述べたように、国連モデル租税条約は OECD モデル租税条約と同様の
規定を置いています。

(3)　日本の租税条約

　日本が締結した租税条約は、日米条約、日英条約、日仏条約、日豪条約にお
いては OECD モデル租税条約に準拠しています。一方、日中条約第17条は次
のような規定を有していますが、日印条約、日韓条約、日タイ及び日シ条約に
おいても、日中条約とほぼ同様の規定となっています。

> **日中条約第17条（芸能人）**
>
> 1．第14条及び第15条の規定にかかわらず、一方の締約国の居住者である個人が
> 演劇、映画、ラジオ若しくはテレビジョンの俳優、音楽家その他の芸能人又は
> 運動家として他方の締約国内で行う個人的活動によって取得する所得に対して
> は、当該他方の締約国において租税を課することができる。
>
> 　もっとも、そのような活動が両締約国の政府間で合意された文化交流のため
> の特別の計画に基づき当該一方の締約国の居住者である個人により行われる場
> 合には、当該所得については、当該他方の締約国において租税を免除する。
>
> 2．一方の締約国内で行う芸能人又は運動家としての個人的活動に関する所得が
> 当該芸能人又は運動家以外の他方の締約国の居住者である者に帰属する場合に
> は、当該所得に対しては、第 7 条、第14条及び第15条の規定にかかわらず、当
> 該一方の締約国において租税を課することができる。
>
> 　もっとも、そのような活動が両締約国の政府間で合意された文化交流のため
> の特別の計画に基づいて行われる場合には、当該所得については、そのような

> 活動が行われた締約国において租税を免除する。

　日中条約等では、芸能活動が文化交流活動とみなされる場合には、源泉地国免税であると規定しています。

13. 退職年金

(1)　OECD モデル租税条約

> **OECD モデル租税条約第18条（退職年金）**
> 　次条2の規定が適用される場合を除くほか、過去の勤務につき一方の締約国の居住者に支払われる退職年金その他これに類する報酬に対しては、当該一方の締約国においてのみ租税を課することができる。（77年改正）

　OECD モデル租税条約は、政府職員であった者に対して支払われる退職年金を除き、退職年金その他これに類する報酬に対しては、受領者の居住地国においてのみ課税されることとしています。

(2)　国連モデル租税条約

> **国連モデル租税条約第18条（選択肢 A）**
> 　1．第19条2の規定が適用される場合を除くほか、過去の勤務につき一方の締約国の居住者に支払われる退職年金その他これに類する報酬に対しては、当該一方の締約国においてのみ租税を課することができる。（OECD と同様）
> 　2．1の規定にかかわらず、一方の締約国又は当該一方の締約国の地方政府若しくは地方公共団体の社会保障制度の一環としての公的制度に基づき支払われる退職年金その他の支払金に対しては、当該一方の締約国においてのみ租税を課することができる。（OECD とは異なる）

> 国連モデル租税条約第18条　（選択肢 B）
>
> 1．第19条 2 の規定が適用される場合を除くほか、過去の勤務につき一方の締約国の居住者に支払われる退職年金その他これに類する報酬に対しては、当該一方の締約国においてのみ租税を課することができる。（OECD と同様）
>
> 2．1 の退職年金その他これに類する報酬に対しては、その支払が他方の締約国の居住者若しくは他方の締約国に存在する恒久的施設によりなされるものであるときは、当該他方の締約国においても租税を課することができる。
>
> 3．1 及び 2 の規定にかかわらず一方の締約国又は当該一方の締約国の地方政府若しくは地方公共団体の社会保障制度の一環としての公的制度に基づき支払われる退職年金その他の支払金に対しては、当該一方の締約国においてのみ租税を課することができる。

　国連モデル租税条約第18条は、 2 つの規定を設けており、各国に選択させることとしています。いずれも、社会保障制度の一環として支払われる退職年金については、源泉地国での課税のみを認める点では一致しています。

(3)　日本の租税条約

　日本が締結した租税条約は、一部を除いて OECD モデル租税条約に準拠しています。以下、個別の条約を概観します。

① 　日米条約

(イ)　退職年金に対する居住地国課税

　一方の締約国の居住者が受益者である退職年金その他これに類する報酬（社会保障制度に基づく給付を含む。）に対しては、居住地国課税となります。

(ロ)　保険年金の取扱い

　一方の締約国の居住者が受益者である保険年金に対しては、当該一方の締約国においてのみ課税されます。この場合の「保険年金」とは、適正かつ十分な対価に応ずる給付を行う義務に従い、終身にわたり又は特定の若しくは確定することができる期間中、所定の時期において定期的に所定の金額が支払われる

ものをいうとされています。

（ハ）　扶養料等の取扱い

　書面による別居若しくは離婚に関する合意又は別居、離婚等に伴う扶養料等に関する司法上の決定に基づいて行われる配偶者若しくは配偶者であった者又は子に対する定期的金銭の支払であって、一方の締約国の居住者から他方の居住者に支払われるものに対しては、当該一方の締約国においてのみ課税されます。ただし、扶養料等の支払が、一方の締約国において支払を行う個人の課税所得の計算上控除することができない場合には、いずれの締約国においても課税されないこととされています。

　なお、扶養料等については、日本の課税所得上控除されませんが、米国においては控除されます。

②　日英条約

　日英条約（第17条）は、OECD モデル租税条約と同様の規定を置いています。

③　日仏条約

　OECD モデル租税条約の規定に準拠した後、以下のような規定を設けています。すなわち、一方の締約国において設けられ、かつ、課税上認められた社会保障制度に対し、他方の締約国内において役務を提供する当該他方の締約国の居住者である個人又は当該恒久的施設人に代わる者が支払う強制保険料については、次に掲げる要件を満たす限り、当該他方の締約国における当該恒久的施設人の租税の額の決定に際して、当該一方の締約国において課税上の救済の対象とされない範囲内で、当該他方の締約国において課税上認められた社会保障制度に対して支払われる強制保険料と同様の方法並びに類似の条件及び制限に従うこととされています。

①	当該個人が、当該他方の締約国において役務の提供を開始する直前において、当該他方の締約国の居住者でなく、かつ、当該一方の締約国において設けられた社会保障制度に参加していたこと
②	当該一方の締約国において設けられた社会保障制度が、当該他方の締約国において課税上認められた社会保障制度に一般的に相当するものとして当該他方の締

> 約国の権限のある当局によって承認されていること
>
> ③　給料、賃金その他これらに類する報酬（当該一方の締約国において設けられた社会保障制度に対する強制保険料が賦課されるものに限る）が、当該他方の締約国において租税を課されること

④　日豪条約

日豪条約（第17条）は、退職年金についてOECDモデル租税条約と同様の規定を置いているが、保険年金についても規定しています。保険年金とは、「金銭又はその等価物による適正なかつ十分な給付の対価としての支払を行う義務に従い、終身にわたり又は特定の若しくは確定することができる期間中、所定の時期において定期的に所定の金額が支払われるものをいう。」とされ、居住地国で課税されます。

⑤　日独条約

日独条約（第17条）においては、退職年金についてはOECDモデル租税条約と同様の規定を置いています。それに加えて、政治的迫害又は戦争の結果受けた障害等に対する補償の取扱いについての規定を置いています。

⑥　日中条約

> **日中条約第18条（退職年金）**
>
> 　次条2の規定が適用される場合を除くほか、過去の勤務につき一方の締約国の居住者に支払われる退職年金その他これに類する報酬に対しては、当該一方の締約国においてのみ租税を課することができる。

日中条約は、OECDモデル租税条約と同様の規定を置いています。

⑦　日印条約、日韓条約及び日シ条約

日印条約、日韓条約及び日シ条約は、OECDモデル租税条約に準拠しています。

⑧　日タイ条約

　日タイ条約は、退職年金に関する規定を置いていません。

14. 政府職員

(1)　OECD モデル租税条約

OECD モデル租税条約第19条　（政府職員）

1．a)　一方の締約国又は一方の締約国の地方政府若しくは地方公共団体に対し
　提供される役務につき、個人に対し当該一方の締約国又は当該一方の締約国の
　地方政府若しくは地方公共団体によって支払われる給料、賃金その他これらに
　類する報酬に対しては、当該一方の締約国においてのみ租税を課することがで
　きる。

　　b)　もっとも、当該役務が他方の締約国内において提供され、かつ、当該個
　人が次の(i)又は(ii)に該当する当該他方の締約国の居住者である場合には、その
　給料、賃金その他これらに類する報酬に対しては、当該他方の締約国において
　のみ租税を課することができる。

　　(i)　当該他方の締約国の国民

　　(ii)　専ら当該役務を提供するため当該他方の締約国の居住者となった者でな
　　　いもの　(77、94、2005年改正)

2．a)　1の規定にかかわらず、一方の締約国又は一方の締約国の地方政府若し
　くは地方公共団体に対し提供される役務につき、個人に対し当該一方の締約国
　又は当該一方の締約国の地方政府若しくは地方公共団体によって支払われ、又
　は当該一方の締約国又は当該一方の締約国の地方政府若しくは地方公共団体が
　設立した基金から支払われる退職年金その他これに類する報酬に対しては、当
　該一方の締約国においてのみ租税を課することができる。

　　b)　もっとも、当該個人が他方の締約国の居住者であり、かつ、当該他方の
　締約国の国民である場合には、当該退職年金その他これに類する報酬に対して
　は、当該他方の締約国においてのみ租税を課することができる。(77年追加、
　2005年改正)

> 3．一方の締約国又は一方の締約国の地方政府若しくは地方公共団体の行う事業
> に関連して提供される役務につき支払われる給料、賃金、退職年金その他これ
> らに類する報酬については、第15条から前条までの規定を適用する。(77、94、
> 95、2005年改正)

　OECD モデル租税条約第19条においては、政府職員（国又は地方政府若しく
は地方公共団体の職員）の役務提供の対価として受ける給与等について、原則
として、居住地国課税であることを定めています。例外としては、これらの役
務提供が、滞在地国の国民又は専ら役務提供地の居住者となった場合には、源
泉地国課税が認められます。

　また、一方の締約国又は一方の国の地方政府又は地方公共団体に対して提供
される役務に関連して、これらの国又は地方政府等により支払われる又はこれ
らが設立した基金から支払われる退職年金及びこれらに類する報酬に対しして
は、派遣国に課税権を認めています。こちらも、給与と同様、当該退職年金等
の受領者が、他方の締約国の居住者又は国民である場合には、他方の国におい
て課税されることになります。

(2)　国連モデル租税条約

> ### 国連モデル租税条約第19条（政府職員）
>
> 1．a）一方の締約国又は一方の締約国の地方政府若しくは地方公共団体に対し
> 提供される役務につき、個人に対し当該一方の締約国又は当該一方の締約国の
> 地方政府若しくは地方公共団体によって支払われる給料、賃金その他これに類
> する報酬（退職年金を除く。）に対しては、当該一方の締約国においてのみ租
> 税を課することができる。
>
> 　b）もっとも、当該役務が他方の締約国内において提供され、かつ、a）の
> 個人が次の(i)又は(ii)に該当する当該他方の締約国の居住者である場合には、そ
> の給料、賃金その他これらに類する報酬に対しては、当該他方の締約国におい
> てのみ租税を課することができる。

　　　⒤　当該他方の締約国の国民

　　　⒨　専ら当該役務を提供するため当該他方の締約国の居住者となった者でな

　　　　　いもの（2001年改正。OECDと類似）

2．a)　一方の締約国又は一方の締約国の地方政府若しくは地方公共団体に対し

　　提供される役務につき、個人に対し当該一方の締約国又は当該一方の締約国の

　　地方政府若しくは地方公共団体によって支払われ、又は当該一方の締約国又は

　　当該一方の締約国の地方政府若しくは地方公共団体が設立した基金から支払わ

　　れる退職年金に対しては、当該一方の締約国においてのみ租税を課することが

　　できる。

　　　b)　もっとも、a)の個人が他方の締約国の居住者であり、かつ、当該他方

　　の締約国の国民である場合には、当該退職年金に対しては、当該他方の締約国

　　においてのみ租税を課することができる。（OECDと類似）

3．一方の締約国又は一方の締約国の地方政府若しくは地方公共団体の行う事業

　　に関連して提供される役務につき支払われる給料、賃金その他これらに類する

　　報酬及び退職年金については、第15条、第16条及び第18条の規定を適用する。

　　（OECDと類似）

　上で見たように、国連モデル租税条約第19条の規定は、OECDモデル租税
条約第19条に類似しています。

(3)　日本の租税条約

　日本が締結した租税条約は、一部の例外を除いてOECDモデル租税条約に
準拠しています。日米条約、日英条約、日仏条約、日豪条約、日中条約、日印条
約、日韓条約、日タイ条約及び日シ条約は、①政府職員等に対する給与等の支
払い、②年金等の取扱い、及び③事業に関連して支払われる給与等の扱いを定
めています。

　以下に、日中条約第19条を示しておきます。

日中条約第19条（政府職員）

1．a）政府の職務の遂行として一方の締約国の政府又は当該一方の締約国の地方公共団体に対し提供される役務につき、個人に対し当該一方の締約国の政府又は当該一方の締約国の地方公共団体によって支払われる報酬（退職年金を除く。）に対しては、当該一方の締約国においてのみ租税を課することができる。

　　b）もっとも、当該役務が他方の締約国内において提供され、かつa）の個人が次の(i)又は(ii)に該当する当該他方の締約国の居住者である場合には、その報酬に対しては、当該他方の締約国においてのみ租税を課することができる。

　　(i)　当該他方の締約国の国民

　　(ii)　専ら当該役務を提供するため当該他方の締約国の居住者となった者でないもの

2．a）　一方の締約国の政府又は当該一方の締約国の地方公共団体に対し提供される役務につき、個人に対し、当該一方の締約国の政府若しくは当該一方の締約国の地方公共団体によって支払われ、又は当該一方の締約国の政府若しくは当該一方の締約国の地方公共団体が拠出した基金から支払われる退職年金に対しては、当該一方の締約国においてのみ租税を課することができる。

　　b）もっとも、a）　の個人が他方の締約国の居住者であり、かつ、当該他方の締約国の国民である場合には、その退職年金に対しては、当該他方の締約国においてのみ租税を課することができる。

3．一方の締約国の政府又は当該一方の締約国の地方公共団体が行う事業に関連して提供される役務につき支払われる報酬及び退職年金については、第15条から前条までの規定を適用する。

(4)　日独条約

　日独租税条約は、ゲーテ・インスティテュート、ドイツ学術交流会等に対して提供される役務について、個人に対し、これらの機関から支払われる給与等及び退職年金等についても適用があることを規定しています。

15. 学 生

(1) OECD モデル租税条約

OECD モデル租税条約第20条（学生）

　専ら教育又は訓練を受けるため一方の締約国内に滞在する学生又は事業修習者
であって、現に他方の締約国の居住者であるもの又はその滞在の直前に他方の締
約国の居住者であったものがその生計、教育又は訓練のために受け取る給付につ
いては、当該一方の締約国においては、租税を課することができない。ただし、
その給付が当該一方の締約国外から支払われるものである場合に限る。（77年改
正）

　OECD モデル租税条約第20条においては、一方の締約国に滞在する他方の
締約国の学生又は事業専修者が受ける生計、教育又は訓練のための給付につい
ては、滞在地国免税と規定しています。

(2) 国連モデル租税条約

国連モデル租税条約第20条（学生）

　専ら教育又は訓練を受けるため一方の締約国内に滞在する学生又は事業研修員
又は修習者であって、現に他方の締約国の居住者であり、又はその滞在の直前に
他方の締約国の居住者であったものがその生計、教育又は訓練のために受領する
給付については、当該一方の締約国の租税を課さないものとする。ただし、その
給付が当該一方の締約国外の源泉から生ずるものである場合に限る。（2001年改
正）

　国連モデル租税条約第20条は、OECD モデル租税条約と類似していますが、
事業研修員又は修習者、という用語、及び国外の源泉から生ずる、という表現
が異なっています。

(3)　日本の租税条約

　日本が締結した租税条約は、おおむね OECD モデル租税条約に準拠しています。以下、個別の条約について説明します。

①　日米条約、日英条約、日豪条約及び日独条約

　日米条約（第19条）、日英条約（第19条）日豪条約（第19条）及び日独条約（第19条）は、OECD モデル租税条約と同様の規定をした後、事業専修者については、一方の締約国において最初に訓練を開始した日から 1 年を超えない期間についてのみ適用するとしています。

②　日仏条約

　日仏条約においては、OECD モデル租税条約と同様の規定を置いた後、以下のような規定を置いています。すなわち、政府又は宗教、慈善、学術、文芸若しくは教育の団体から支払われる主として勉学又は研究のための交付金、手当又は奨励金の受領者として、2 年を超えない期間一方の締約国内に一時的に滞在する個人であって、現に他方の締約国の居住者であるもの又はその滞在の直前に他方の締約国の居住者であったものは、当該交付金、手当又は奨励金について、当該一方の締約国において租税を免除されるというものです。

　また、他方の締約国の企業若しくは上に掲げる団体の使用人として又はこれらの企業若しくは団体との契約に基づき、専らこれらの企業若しくは団体以外の者から技術上、職業上又は事業上の経験を習得するため、1 年を超えない期間一方の締約国内に一時的に滞在する個人であって、現に他方の締約国の居住者であるもの又はその滞在の直前に他方の締約国の居住者であったものは、自己の生計のための当該他方の締約国からの送金について、当該一方の締約国において租税を免除されます。

③　日中条約

日中条約第21条
　専ら教育若しくは訓練を受けるため又は特別の技術的経験を習得するため一方

> の締約国内に滞在する学生、事業修習者又は研修員であって、現に他方の締約国
> の居住者であるもの又はその滞在の直前に他方の締約国の居住者であったものが
> その生計、教育又は訓練のために受け取る給付又は所得については、当該一方の
> 締約国の租税を免除する。

　日中条約においては、OECD モデル租税条約にある学生及び事業専修者に
「研修員」を追加しています。また、但書は記載されておらず、滞在地国免税
が徹底されています。

④　日印条約

　日印条約（第20条）は、OECD モデル租税条約の規定に準拠しています。

⑤　日韓条約

　日韓条約第20条は、OECD モデル租税条約の規定を置いた後、学生につい
ては奨学金等について2万米ドル相当、事業修習者については1年以内の滞在
中に取得する報酬が1万米ドルを超えない限り滞在国において免税とされる旨
が規定されています。

⑥　日シンガポール条約

　日シンガポール条約（第20条）は、OECD モデル租税条約に準拠しています
が、但し書きは記載されておらず、滞在地国免税が徹底されています。

16．教　授

⑴　OECD モデル租税条約及び国連モデル租税条約

　OECD モデル租税条約及び国連モデル租税条約には、教授に関する規定は
ありません。

⑵　日本の租税条約

①　日米条約

　旧条約においては、以下の措置が講じられていました。

　一方の締約国の大学、学校その他の教育機関において教育又は研究を行うた

めに一時的に滞在する個人で、引き続き他方の締約国の居住者に該当する者が、その教育又は研究につき受け取る報酬については、一方の締約国に到着した日から2年を超えない期間に限り滞在地国での課税を免除することとしています。

ただし、この免税規定は、一又は二以上の特定の者の私的利益のために行われる研究から生ずる所得については、適用されません。

上記の措置は、令和元年8月発効の部分改正で廃止されました。

② 　日英条約、日豪条約及び日独条約

日英条約、日豪条約及び日独条約には、教授に関する規定はありません。これらの国との間ではOECDモデル租税条約と同様の取扱いとなっていることになります。

③ 　日仏条約

日仏条約においては、旧日米条約とほぼ同様の規定となっていますが、免税とされないのが、「主として特定の者の私的利益のために行われる研究」とされています。

④ 　日中条約

日中条約第20条（教授）

　一方の締約国内にある大学、学校その他の公認された教育機関において教育又は研究を行うことを主たる目的として当該一方の締約国内に一時的に滞在する個人であって、現に他方の締約国の居住者であるもの又は当該一方の締約国を訪れる直前に他方の締約国の居住者であったものは、当該一方の締約国に最初に到着した日から3年を超えない期間、その教育又は研究に係る報酬につき当該一方の締約国において租税を免除される。

日中条約においては、日米条約における滞在期間が2年とあるところ、3年とされています。また、私的利益に関する免税の不適用の規定はありません。

⑤ 　日印条約

日印条約は、日米条約及び日仏条約に類似しています。しかし、免税とされ

ないのは、「公的な利益のためではなく、主として特定の者の私的な利益のために行われる研究」とされています。

⑥　日韓条約

日韓条約（第21条）は、日仏条約とほぼ同様の規定を置いています。

⑦　日タイ条約

日タイ条約（第18条）は、日仏条約同様、2年間の免税と主として特定の者の私的利益のために行われる教育又は研究には適用しないこととしています。

⑧　日シンガポール条約

日シンガポール条約には、教授に関する規定はありません。

17. 匿名組合

⑴　OECD モデル租税条約及び国連モデル租税条約

OECD モデル租税条約及び国連モデル租税条約には、匿名組合契約に関連して匿名組合員が取得する所得に関する規定はありません。

⑵　日本の租税条約

①　日米条約

日米条約においては、匿名組合契約に関連して匿名組合員が取得する所得又は収益に関する規定は条約本文には存在しません。しかし、議定書13において、次のように規定されています。

「条約のいかなる規定も、日本が、匿名組合契約又はこれに類する契約に基づいてある者が支払う利益の分配で、その者の日本における課税所得の計算上控除されるものに対して、日本の法令に従って源泉課税することができる。」

②　日英条約、日仏条約及び日豪条約

日英条約（第20条）、日仏条約（第20条の A）及び日豪条約（第20条）は、匿名組合契約その他これに類する契約に関連して匿名組合員が取得する所得、利得又は収益に対しては、当該所得、利得又は収益が生ずる国において、その国

の法令に従って課税できることとしています。これにより、匿名組合契約に係る営業者の日本国内における事業活動から生じた所得に基因するものについて、適正な課税権を行使できることとなりました。

③　日独条約

　平成28年10月に発効した日独租税条約には、匿名組合員が取得する所得等に関する規定はありません。

④　アジア諸国との間の租税条約

　日中条約、日印条約、日韓条約及び日タイ条約は、匿名組合員が取得する所得等についての規定を有していません。

18. 社会保険料条項

⑴　OECD モデル租税条約及び国連モデル租税条約

　OECD モデル租税条約及び国連モデル租税条約には、社会保険料に係る規定はありません。

⑵　日本の租税条約

　日本が締結した租税条約の中で、社会保険料条項があるのは日仏条約だけです。日仏条約第18条の規定は、次のようになっています。

①　適用対象者

　就労地国において役務を提供し、居住者となっている個人としています。これは、我が国の税法上、居住者のみに社会保険料控除を認めていることに対応したものです。

②　適用対象となる保険料の範囲

　相手国において「課税上認められた社会保障制度」に対して支払われるもので、就労者負担分に対応するものです。ただし、日仏社会保障協定上、派遣元国の社会保障制度のみに加入すればよいとされるのは、原則として、本国の親会社と雇用関係を維持しつつ就労地国の支店等へ5年を超えない期間を定めて派遣される被用者とされていることを踏まえ、役務の提供を開始する日から継

続して60か月を超えない期間に支払われる保険料に限って、適用が行われます。

③　適用要件

次に掲げる要件を満たすことが必要です。

①　役務の提供を開始する直前において、就労地国の居住者でなく、かつ、派遣元国において設けられた社会保障制度に参加していたこと
②　保険料の支払の対象となる派遣元国の社会保障制度が、就労地国において課税上認められた社会保障制度に一般的に相当するものとして就労地国の権限のある当局によって承認されていること
③　保険料が賦課されるベースとなる給料、賃金その他これらに類する報酬について、就労地国で租税を課されること

19. その他の所得

(1)　OECD モデル租税条約

OECD モデル租税条約第21条（その他の所得）

1. 一方の締約国の居住者の所得（源泉地を問わない。）であって前各条に規定がないものに対しては、当該一方の締約国においてのみ租税を課することができる。(77年改正)

2. 1の規定は、一方の締約国の居住者である所得（第6条2に規定する不動産から生ずる所得を除く。）の受領者が、他方の締約国内において当該他方の締約国内にある恒久的施設を通じて事業を行う場合において、当該所得の支払の基因となった権利又は財産が当該恒久的施設と実質的な関連を有するものであるときは、当該所得については、適用しない。この場合には、第7条の規定を適用する。(77年追加、2000年改正)

　OECD モデル租税条約第21条においては、第6条から第20条までにおいて取り扱われない所得については、居住地国課税であることを定めています。しかし、一方の締約国の居住者である所得の受領者が、他方の締約国において当

該他方の国内にある恒久的施設を通じて事業を行う場合において、当該所得の支払の基因となった権利又は財産が当該恒久的施設と実質的な関連を有するものであるときは、当該所得は事業所得条項を適用することとされています。

(2)　国連モデル租税条約

国連モデル租税条約第21条（その他の所得）

1．一方の締約国の居住者の所得（源泉地を問わない。）であって前各条に規定がないものに対しては、当該一方の締約国においてのみ租税を課することができる。（OECD と同様）

2．1の規定は、一方の締約国の居住者である所得（第6条2に規定する不動産から生ずる所得を除く。）の受領者が、他方の締約国において当該他方の締約国内にある恒久的施設を通じて事業を行い又は当該他方の締約国において当該他方の締約国内にある固定的施設を通じて独立の人的役務を提供する場合において、当該所得の支払の基因となった権利又は財産が当該恒久的施設又は当該固定的施設と実質的な関連を有するものであるときは、当該所得については、適用しない。この場合には、第7条又は第14条の規定を適用する。（OECD とは異なる）

3．1及び2の規定にかかわらず、一方の締約国の居住者の所得のうち、他方の締約国内において生ずるものであって前各条に規定がないものに対しては、当該他方の締約国において租税を課することができる。（OECD とは異なる）

国連モデル租税条約第21条も OECD モデル租税条約と同様、第6条から第20条までにおいて取り扱われない所得について、居住地国課税であることを定めています。

しかし、一方の締約国の居住者である所得の受領者が、他方の締約国において当該他方の国内にある恒久的施設を通じて事業を行い又は当該他方の締約国において当該他方の締約国にある固定的施設を通じて独立の人的役務を提供する場合には、それらの所得の支払の基因となった権利又は財産が恒久的施設又

は固定的施設と実質的な関連を有するものであるときは、その所得は事業所得
条項又は自由職業者条項を適用することとされています。

　さらに、上記第1項の例外として、源泉地国においても、その国（他方の締
約国）の法令に従って課税することができるものと規定しています。

(3)　日本の租税条約

①　日米条約

(イ)　原　則

　日米条約においても、その他所得については、原則として居住地国課税が行
われるとしています。

(ロ)　権利又は財産が恒久的施設と実質的に関連する場合の取扱い

　これについては、OECDモデル租税条約と同様、第7条で処理すると規定
されています。

(ハ)　独立企業間価格を超える部分の取扱い

　国外関連者に支払われるその他の所得が独立企業間価格を超える場合には、
独立企業間価格に相当する金額についてのみこの規定が適用されることとされ
ています。これは、配当や使用料にあるものと同様です。すなわち、独立企業
間価格を超える部分については、その源泉地国において5％の限度税率で課税
することになります。

(ニ)　導管取引による租税回避の防止規定

　一方の締約国の居住者が、ある権利又は財産に関して他方の締約国の居住者
からその他の所得の支払を受ける場合において、日米条約の特典と同等又は有
利な特典を受ける権利を有しない第三国の居住者が、その権利又は財産と同一
の権利又は財産に関して一方の締約国の居住者からその他の所得の支払を受け
ないとしたならば、当該一方の締約国の居住者が他方の締約国の居住者からそ
の他の所得の支払を受けることはなかったであろうと認められるときは、当該
一方の締約国の居住者は、その他の所得の受益者とはされません。

② 日英条約及び日仏条約

㈡ 原則、権利又は財産が恒久的施設と実質的に関連する場合の取扱い、独立企業間価格を超える部分の取扱い、及び導管取引による租税回避の防止規定

　これらの規定については、日米条約と同様の規定となっています。

㈢ 濫用目的取引に対する条約特典の不適用

　配当、利子及び使用料と同様、濫用目的取引に対する条約特典の不適用の規定がその他の所得についても盛り込まれています。

③ 日豪条約

日豪条約は、居住地国課税の原則及び権利又は財産が恒久的施設と実質的に関連する場合の取扱いについては、OECD モデル租税条約に準拠しています。

　しかし、居住地国課税の例外として、源泉地国課税も認めています。

④ 日独条約

その他の所得が居住地国課税であること、恒久的施設に実質的に関連するその他の所得の取扱い、独立企業間価格を超過するその他の所得の取扱いについて、規定されています。

⑤ 日中条約

日中条約第22条　（その他の所得）

1．一方の締約国の居住者の所得のうち、他方の締約国内において生ずるものであって前各条に規定がないものに対しては、当該他方の締約国において租税を課することができる。

2．1に規定する所得を除き、一方の締約国の居住者の所得で前各条に規定がないものに対しては、当該一方の締約国においてのみ租税を課することができる。

3．1及び2の規定は、一方の締約国の居住者である所得（第6条2に規定する不動産から生ずる所得を除く。）の受領者が、他方の締約国において当該他方の締約国内にある恒久的施設を通じて事業を行い又は当該他方の締約国において当該他方の締約国内にある固定的施設を通じて独立の人的役務を提供する場合において、当該所得の支払の基因となった権利又は財産が当該恒久的施設又

> は固定的施設と実質的な関連を有するものであるときは、当該所得については、適用しない。この場合には、第7条又は第14条の規定を適用する。

　日中条約においては、OECD モデル租税条約とは異なり、その他の所得に関しては原則として源泉地国課税が認められています。そして、居住地国課税は例外的に規定されています。

　また、日中条約においては、恒久的施設及び固定的施設に実質的に関連するその他の所得については、第7条（事業所得）及び第14条（自由職業所得）の規定を適用することとしています。

⑥　日印条約

　日印条約は、国連モデル租税条約と同様、その他の所得については原則として居住地国課税となっています。恒久的施設及び固定的施設に実質的に関連するその他の所得の取扱いについては、第7条（事業所得）及び第14条（自由職業所得）の規定を適用することとしています。

⑦　日韓条約

　日韓条約は、国連モデル租税条約と同様、その他の所得については原則として居住地国課税となっています。恒久的施設及び固定的施設に実質的に関連するその他の所得の取扱いについては、第7条（事業所得）及び第14条（自由職業所得）の規定を適用することとしています。

　しかし、国外関連者に支払われるその他の所得が独立企業間価格を超える場合には、独立企業間価格に相当する金額についてのみ居住地国課税の原則が適用されることとし、超過部分については、日韓条約の他の規定に妥当な考慮を払った上、各締約国の法令に従って租税を課することとされています。

⑧　日タイ条約及び日シ条約

　日タイ条約（第21条）及び日シ条約（第21条）は、その他の所得について、国連モデル租税条約と同様の規定を置いています。

 **第5節** 租税条約の内容 [その3] （雑則）

1. 財　産

(1) OECD モデル租税条約

OECD モデル租税条約第22条（財産）

1．第6条に規定する不動産である財産であって、一方の締約国の居住者が所有
し、かつ、他方の締約国内に存在するものに対しては、当該他方の締約国にお
いて租税を課することができる。(77年改正)

2．一方の締約国の企業が他方の締約国内に有する恒久的施設の事業用資産の一
部を構成する動産である財産に対しては、当該他方の締約国において租税を課
することができる。(77、2000年改正)

3．国際運輸に運用する船舶及び航空機、内陸水路運輸に従事する船舶並びにこ
れらの船舶及び航空機の運用に係る動産である財産に対しては、企業の実質的
管理の場所が存在する締約国においてのみ租税を課することができる。(77年
改正)

4．一方の締約国の居住者が所有するその他のすべての財産に対しては、当該一
方の締約国においてのみ租税を課することができる。

OECD モデル租税条約第22条は、財産に対する租税を取り扱っています。
財産に対する課税は、財産から生じる所得に対する課税を補足するものです。
第22条では、財産で一方の締約国の居住者が所有し、かつ、他方の締約国内に

存在するものに対しては、当該他方の国において課税できるとされています。

(2)　国連モデル租税条約

国連モデル租税条約第22条（財産）

1．第6条に規定する不動産である財産であって、一方の締約国の居住者が所有
し、かつ、他方の締約国内に存在するものに対しては、当該他方の締約国にお
いて租税を課することができる。（2001年改正。OECDと同様）

2．一方の締約国の企業が他方の締約国内に有する恒久的施設の事業用資産の一
部を構成する動産又は一方の締約国の居住者が独立の人的役務を提供するため
他方の締約国において使用することのできる固定的施設に係る動産である財産
に対しては、当該他方の締約国において租税を課することができる。（2001年
改正。OECDと異なる）

3．国際運輸に運用する船舶若しくは航空機、内陸水路運輸に従事する船舶及び
これらの船舶若しくは航空機の運用に係る動産である財産に対しては、企業の
実質的管理の場所が存在する締約国においてのみ租税を課することができる。
（2001年改正。OECDと同様）

4．［一方の締約国の居住者が所有するその他のすべての財産に対しては、当該
一方の国においてのみ租税を課することができる。］

（専門家グループは、一方の締約国の居住者の不動産若しくは動産である財産、
その他のすべての財産に対する課税の問題については、二国間の交渉に委ねるこ
ととした。条約締結当事国が財産に対する課税の条項を条約に規定する場合には、
両当事国は、上記4の表現を用いるか又は財産の所在地国に課税権を与える旨の
表現を用いるかのいずれかを選択することとなる。）

国連モデル租税条約は、OECDモデル租税条約と一部異なる規定を置いて
います。

(3)　日本の租税条約

日本が締結している租税条約のうち、財産に関する規定を有するのは一部の
ものに限られます。本書で取り上げている日米条約、日英条約、日仏条約、日

豪条約、日独条約、日中条約、日印条約、日韓条約、日タイ条約及び日シ条約においては、この規定はありません。

2．二重課税の排除

(1)　OECD モデル租税条約

> OECD モデル租税条約第23条（二重課税排除の方法）（A）免除方式
>
> 1．一方の締約国の居住者がこの条約の規定に従って他方の締約国において租税を課される所得を取得し又は財産を所有する場合には、当該一方の締約国は、2及び3の規定が適用される場合を除くほか、当該所得又は財産について租税を免除する。（77年改正）
>
> 2．一方の締約国の居住者が第10条及び第11条の規定に従って他方の締約国において租税が課される所得を取得する場合には、当該一方の締約国は、当該他方の締約国において納付される租税の額と等しい額を当該居住者の所得に対する租税の額から控除する。ただし、控除の額は、その控除が行われる前に算定された租税の額のうち、当該他方の締約国において取得される所得に対応する部分を超えないものとする。（77年改正）
>
> 3．一方の締約国の居住者が取得する所得又は所有する財産についてこの条約の規定に従って当該一方の締約国において租税が免除される場合には、当該一方の締約国は、当該居住者の残余の所得又は財産に対する租税の額の算定に当たっては、その免除された所得又は財産を考慮に入れることができる。（77年追加）
>
> 4．1の規定は、一方の締約国の居住者が取得する所得若しくは所有する財産について他方の締約国がこの条約の規定の適用により租税を免除する場合又は当該所得について第10条2若しくは第11条2の規定を適用する場合には、当該所得又は財産については、適用しない。（2000年追加）

> ## OECD モデル租税条約第23条（B）税額控除方式
>
> 1．一方の締約国の居住者がこの条約の規定に従って他方の締約国において租税
> 　が課される所得を取得し又は財産を所有する場合には、当該一方の締約国は、
> 　次の控除を認める。
> 　a）他方の締約国において納付される所得に対する租税の額と等しい額を当該
> 　　居住者の所得に対する租税の額から控除すること。
> 　b）他方の締約国において納付される財産に対する租税の額と等しい額を当該
> 　　居住者の財産に対する租税の額から控除すること。
> 　　ただし、a）又はb）のいずれの場合においても、控除の額は、その控除が
> 　行われる前に算定された所得又は財産に対する租税の額のうち当該他方の締約
> 　国において租税が課される所得又は財産に対応する部分を超えないものとする。
> 2．一方の締約国の居住者が取得する所得又は所有する財産についてこの条約の
> 　規定に従って当該一方の締約国において租税が免除される場合には、当該一方
> 　の締約国は、当該居住者の残余の所得又は財産に対する租税の額の算定に当
> 　たっては、その免除された所得又は財産を考慮に入れることができる。（77年
> 　追加）

　国際的二重課税排除の方法としては、国外所得免除方式と外国税額控除方式
の2つがありますが、OECDモデル租税条約第23条では、これらについてそ
れぞれ規定を置いています。これは、OECD諸国が締結した租税条約では、
すでに国外所得免除方式又は外国税額控除方式が採用されていることから、こ
れをどちらかの方式に統一することは困難であることによります。

　なお、本条でいう国際的二重課税とは、同一の所得に対して二以上の国によっ
て同一の者に対して課税されるという法律的二重課税を意味しています。

(2)　国連モデル租税条約

国連モデル租税条約第23条（二重課税排除の方法）A　免除方式

1．一方の締約国の居住者がこの条約の規定に従って他方の締約国において租税を課される所得を取得し又は財産を所有する場合には、当該一方の締約国は、2及び3の規定が適用される場合を除くほか、当該所得又は財産について租税を免除する。（2001年改正。OECDと同様）

2．一方の締約国の居住者が第10条、第11条及び第12条の規定に従って他方の締約国において租税が課される所得を取得する場合には、当該一方の締約国は、当該他方の締約国において納付される租税の額と等しい額を当該居住者の所得に対する租税の額から控除する。ただし、控除の額は、その控除が行われる前に算定された租税の額のうち、当該他方の締約国において取得される所得に対応する部分を超えないものとする。（OECDと類似）

3．一方の締約国の居住者が取得する所得又は所有する財産についてこの条約の規定に従って当該一方の締約国において租税が免除される場合には、当該一方の締約国は、当該居住者の残余の所得又は財産に対する租税の額の算定に当たっては、その免除された所得又は財産を考慮に入れることができる。（2001年改正。OECDと同様）

国連モデル租税条約第23条　B　税額控除方式

1．一方の締約国の居住者がこの条約の規定に従って他方の締約国において租税が課される所得を取得し又は財産を所有する場合には、当該一方の締約国は、他方の締約国において納付される所得に対する租税の額と等しい額を当該居住者の所得に対する租税の額から控除し及び他方の締約国において納付される財産に対する租税の額と等しい額を当該居住者の財産に対する租税の額から控除する。ただし、いずれの場合においても、控除の額は、その控除が行われる前に算定された所得又は財産に対する部分を超えないものとする。（2001年改正。OECDと類似）

> 2．一方の締約国の居住者が取得する所得又は財産についてこの条約の規定に
> 従って当該一方の締約国において租税が免除される場合には、当該一方の締約
> 国は、当該居住者の残余の所得又は財産に対する租税の額の算定に当たっては、
> その免除された所得又は財産を考慮に入れることができる。（2001年改正。
> OECD と同様）

国連モデル租税条約は、OECD モデル租税条約ときわめて類似した規定と
なっています。

(3)　日本の租税条約

日本が締結した租税条約においては、国際的二重課税排除の方法としては、
原則として、外国税額控除方式を採用しています。これは、日本の国内法が外
国税額控除を採用しているからです。

このほか、開発途上国との間の租税条約においては、みなし外国税額控除
（タックス・スペアリング・クレジット）が採用されています。以下、個別の条
約について概観します。

①　日米条約

日米条約第23条においては、外国税額控除方式が定められていますが、日本
については第 1 項で、米国については第 2 項でそれぞれ規定があります。第23
条第 1 項においては、日本において国内法の規定に基づいて米国で課された租
税について、直接税額控除及び間接税額控除を行うことを定めています。

その際、所得の源泉について、日本の居住者が受益者である所得で米国で課
税されるものは、国外源泉所得とみなされます。これにより、日本の外国税額
控除の計算上、「国外所得」に分類されることになります。

なお、米国が市民権課税を行っていることにより、米国が日本の居住者であ
る米国市民に対して課税を行う場合に、外国税額控除の計算は、次によること
とされています。

> ①　日本は、日本の居住者である米国市民に対する外国税額控除の計算上、これらの者が米国市民でないとした場合に、米国が条約の規定に従って課すことができる租税の額のみを考慮に入れる。
>
> ②　米国は、①に従って控除を行った後の日本の租税を米国の租税から控除する。この控除は、①に従って日本の租税から控除される米国の租税の額を減額させないものとする。
>
> ③　①の所得は、②に従って米国が控除を認める場合においてのみ、日本において生じたものとみなす。

② 日英条約

　日英条約第23条においては、外国税額控除方式が定められていますが、英国について第1項で、日本については第2項でそれぞれ規定があります。第23条第2項に基づき、日本において国内法の規定に基づいて英国で課された租税について、外国税額控除を行うことを定めています。

　また、第23条第3項の規定により、外国で課税された所得は国外源泉所得であるとされ、日本の外国税額控除の計算上、国外所得に含まれることとされています。

③ 日仏条約

　国際的二重課税に関しては、日本が外国税額控除方式、フランスが国外所得免除方式を採用していることから、日仏条約においては、それぞれの方式が認められています。

　したがって、日本の居住者に対しては、国内法に規定する外国税額控除を用いて二重課税の排除を行います。ただし、その控除は、日本の租税の額のうちフランスにおいて取得される所得に対応する部分を限度として控除されることになります。

　また、フランスの法人の議決権株式又は発行済株式の15％以上を所有する日本法人が、当該フランス法人から配当を受ける場合には、その配当の原資となった所得に課されるフランスの租税の額のうち、当該配当に対応する部分を日本法人が納付する税額から控除できるという間接税額控除の規定もあります。

④　日豪条約

　（イ）　日豪条約（第25条）は、第1項で日本による外国税額控除を、第2項で豪州による外国税額控除について規定しています。

　（ロ）　日豪条約（第22条）は、「所得の源泉」に関する規定です。1項は源泉地国における取扱いについて、課税の空白をうめるために源泉地国で課税できることを規定しています。また、第2項は居住地国における取扱いを規定し、源泉地国での租税について居住地国の法令の適用上においても国外源泉所得であるとされています。

⑤　日独条約

　日独条約は、第1項で日本による外国税額控除を、第2項でドイツによる国外所得免除又は外国税額控除のいずれかを採用することを規定しています。

⑥　日中条約

日中条約第23条（二重課税の排除）

1．中国においては、二重課税は、次のとおり除去される。

　（a）　中国の居住者が日本において所得を取得する場合は、この条約の規定に従って当該所得について納付される日本の租税の額は、当該居住者に対して課される中国の租税の額から控除する。ただし、控除の額は、中国の租税の額のうち中国の租税に関する法令に従って当該所得に対応するものとして算定される額を超えないものとする。

　（b）　日本において取得される所得が、日本の居住者である法人によりその株式の少なくとも10パーセントを所有する中国の居住者である法人に対して支払われる配当である場合には、中国の租税からの控除を行うに当たり、当該配当を支払う法人によりその所得について納付される日本の租税を考慮に入れるものとする。

2．日本以外の国において納付される租税を日本の租税から控除することに関する日本の法令に従い、

　（a）　日本の居住者がこの条約の規定に従って中国において租税を課される所得

　　を中国において取得する場合には、当該所得について納付される中国の租税の額は、当該居住者に対して課される日本の租税の額から控除する。ただし、控除の額は、日本の租税の額のうち当該所得に対応する部分を超えないものとする。

　(b)　中国において取得される所得が、中国の居住者である法人によりその議決権のある株式又はその発行済株式の少なくとも25パーセントを所有する日本の居住者である法人に対して支払われる配当である場合には、日本の租税からの控除を行うに当たり、当該配当を支払う法人によりその所得について納付される中国の租税を考慮に入れるものとする。

3．2(a)に規定する控除の適用上、中国の租税は、次の率で支払われたものとみなす。

　(a)　第10条2の規定が適用される配当については、中国の合弁企業が支払う配当である場合には10パーセント、その他の配当である場合には20パーセント

　(b)　第11条2の規定が適用される利子については10パーセント

　(c)　第12条2の規定が適用される使用料については20パーセント

4．2に規定する控除の適用上、「納付される中国の租税」には、次のいずれかのものに従って免除、軽減又は還付が行われないとしたならば納付されたとみられる中国の租税の額を含むものとみなす。

　(a)　中国合弁企業所得税法第5条及び第6条の規定並びに中国合弁企業所得税法施行細則第3条の規定

　(b)　中国外国企業所得税法第4条及び第5条の規定

　(c)　この条約の署名の日の後に中国の法令に導入される中国の経済開発を促進するための他の同様な特別の奨励措置で両締約国の政府が合意するもの

〔イ〕　概　要

　日中条約においても、外国税額控除制度が規定されており、直接税額控除及び間接税額控除が規定されているのは、日米条約や日仏条約と同様です。ただし、間接税額控除の場合の持株割合は25％以上となっています。

　㋺　みなし外国税額控除

　日中条約においては、みなし外国税額控除（タックス・スペアリング・クレジット）が定められています。日中条約第23条第4項においては、日本の居住者により「納付される中国の租税」には、次のいずれかのものに従って免除、軽減又は還付が行われないとしたならば納付されたとみられる中国の租税の額を含むものとみなします。

①	中国合弁企業所得税法第5条及び第6条の規定並びに合弁企業所得税法施行細則第3条の規定
②	中国外国企業所得税法第4条及び第5条の規定
③	日中条約署名の日の後に中国の法令に導入される中国の経済開発を促進するための他の同様な特別の奨励措置で両国政府が合意するもの

⑦　日印条約

　日印条約においても、外国税額控除の規定が置かれています。直接税額控除及び間接税額控除の規定は、日中条約と同様となっています。

　日印条約においては、2006年（平成18年）の改正でみなし外国税額控除が廃止されました。みなし外国税額控除については、課税の公平性や中立性の観点から、日本が近年できる限り縮減を図ってきていたものですが、これを廃止することでインド側と合意したものです。

⑧　日韓条約及び日タイ条約

　日韓条約及び日タイ条約においても、外国税額控除の規定が置かれています。直接税額控除及び間接税額控除の規定は、日中条約及び日印条約と同様となっています。

3. 無差別取扱い

(1)　OECD モデル租税条約

> OECD モデル租税条約第24条（無差別取扱い）
>
> 1．一方の締約国の国民は、他方の締約国において、特に居住者であるか否かに関し同様の状況にある当該他方の締約国の国民に課されており若しくは課されることがある租税若しくはこれに関連する要件以外の租税若しくはこれに関連する要件又はこれらよりも重い租税若しくはこれに関連する要件を課されることはない。この1の規定にかかわらず、いずれの締約国の居住者でない者にも、適用する。（92年改正）
>
> 2．一方の締約国の居住者である無国籍の者は、いずれの締約国においても、特に居住者であるか否かに関し、同様の状況にある当該締約国の国民に課されており若しくは課されることがある租税若しくはこれに関連する要件以外の租税若しくはこれに関連する要件又はこれらよりも重い租税若しくはこれに関連する要件を課されることはない。（92、97年改正）
>
> 3．一方の締約国の企業が他方の締約国内に有する恒久的施設に対する租税は、当該他方の締約国において、同様の活動を行う当該他方の締約国の企業に対して課される租税よりも不利に課されることはない。この3の規定は、一方の締約国に対し、家族の状況又は家族を扶養するための負担を理由として当該一方の締約国の居住者に認める租税上の人的控除、救済及び軽減を他方の締約国の居住者に認めることを義務付けるものと解してはならない。（92年改正）
>
> 4．第9条1、第11条6又は第12条4の規定が適用される場合を除くほか、一方の締約国の企業が他方の締約国の居住者に支払った利子、使用料その他の支払金については、当該一方の締約国の企業の課税対象利得の決定に当たって、当該一方の締約国の居住者に支払われたとした場合における条件と同様の条件で控除するものとする。また、一方の締約国の企業の他方の締約国の居住者に対する債務については、当該企業の課税対象財産の決定に当たって、当該一方の締約国の居住者に対する債務であるとした場合における条件と同様の条件で控

除するものとする。(77年追加、92年改正)

5．一方の締約国の企業であってその資本の全部又は一部が他方の締約国の一又は二以上の居住者により直接又は間接に所有され、又は支配されているものは、当該一方の締約国において、当該一方の締約国の類似の他の企業に課されており若しくは課されることがある租税若しくはこれに関連する要件以外の租税若しくはこれに関連する要件又はこれらよりも重い租税若しくはこれに関連する要件を課されることはない。(77、92年改正)

6．この条約の規定は、第2条の規定にかかわらず、すべての種類の租税に適用する。(77、92年改正)

OECD モデル租税条約第24条においては、条約相手国の国民に対する差別的課税を禁止し、内国民待遇を保障しています。具体的には、次の5つになります。

①	国籍無差別	相手国の国民に対して、居住者であるかないかに関して同様の状況にある自国民に与える待遇と同等とすること
②	無国籍者無差別	一方の締約国の居住者である無国籍の者が差別されない
③	恒久的施設無差別	一方の締約国の企業が他方の締約国内に有する恒久的施設を通じて得る所得に対して、他方の締約国の企業が取得する所得に対するのと同様とすること
④	支払先無差別（経費控除無差別ともいう）	一方の締約国の企業が非居住者に支払った利子、使用料等について、当該企業の課税対象利得の決定にあたって、当該国の居住者に支払った場合と同様とすること
⑤	資本無差別	外資系が差別されない

(2)　国連モデル租税条約

国連モデル租税条約第24条（無差別取扱い）

1．一方の締約国の国民は、他方の締約国において、特に居住者であるか否かに関し同様の状況にある当該他方の締約国の国民に課されており若しくは課され

ることがある租税若しくはこれに関連する要件以外の租税若しくはこれに関連する要件又はより重い租税若しくはこれに関連する要件を課されることはない。この1の規定は、第1条の規定にかかわらず、いずれの締約国の居住者でない者にも、適用する。（2001年改正。OECDとは異なる）

2．一方の締約国の居住者である無国籍の者は、いずれの締約国においても、特に居住者であるか否かに関し、同様の状況にある当該締約国の国民に課されており若しくは課されることがある租税若しくはこれに関連する要件以外の租税若しくはこれに関連する要件又はより重い租税若しくはこれに関連する要件を課されることはない。（2001年改正。OECDと類似）

3．一方の締約国の企業が他方の締約国内に有する恒久的施設に対する租税は、当該他方の締約国において、同様の活動を行う当該他方の締約国の企業に対して課される租税よりも不利に課されることはない。この3の規定は、一方の締約国に対し、家族の状況又は家族を扶養するための負担を理由として自国の居住者に認める租税上の人的控除、救済及び軽減を他方の締約国の居住者に認めることを義務付けるものと解してはならない。（2001年改正。OECDと同様）

4．第9条、第11条6又は第12条4の規定が適用される場合を除くほか、一方の締約国の企業が他方の締約国の居住者に支払った利子、使用料その他の支払金については、当該企業の課税対象利得の決定に当たって、当該一方の締約国の居住者に支払われたとした場合における条件と同様の条件で控除するものとする。同様に、一方の締約国の企業の他方の締約国の居住者に対するいかなる負債についても、当該企業の課税対象財産の決定に当たって、当該一方の締約国の居住者に対して生じたとした場合における条件と同様の条件で控除するものとする。（2001年改正。OECDと類似）

5．一方の締約国の企業であってその資本の全部又は一部が他方の締約国の一又は二以上の居住者により直接又は間接に所有され、又は支配されているものは、当該一方の締約国において、当該一方の締約国の類似の他の企業に課されており若しくは課されることがある租税若しくはこれに関連する要件以外の又はより重い租税若しくはこれに関連する要件を課されることはない。（2001年改正。OECDと同様）

> 6．この条の規定は、第2条の規定にかかわらず、すべての種類の租税に適用する。（2001年改正。OECDと同様）

　国連モデル租税条約第24条は、OECDモデル租税条約とおおむね同様の規定を有しています。

(3)　日本の租税条約

　日本が締結した租税条約においては、OECDモデル租税条約が規定するもののうち、国籍無差別、恒久的施設無差別、支払先無差別及び資本無差別を規定しているものが多くあります。日米条約、日仏条約、日中条約及び日印条約においても、これら4つについて規定されています。

　しかし、無差別条項の適用範囲については、次に掲げるように差異が見られます。

条　　約	適　用　範　囲　等
日米条約	第2条（対象税目）及び第3条第1項d（租税の定義）にかかわらず、無差別条項は、国又は地方政府若しくは地方公共団体によって課されるすべての種類の租税に適用する。
日英条約	第2条（対象税目）の規定にかかわらず、すべての種類の租税に適用する。
日仏条約	第2条（対象税目）の規定にかかわらず、すべての種類の租税に適用する。
日豪条約	第2条（対象税目）の規定にかかわらず、すべての種類の租税に適用する。
日独条約	第2条（対象税目）の規定にかかわらず、締約国、その州又はその地方政府若しくは地方公共団体によって課される全ての種類の租税に適用する。
日中条約	一方の締約国が、他方の締約国の居住者に対し、法令により当該一方の締約国の居住者にのみ適用される租税上の人的控除、救済及び軽減を認めることを義務付けるものではない。
日印条約	租税とは、この条約の対象である租税をいう。
日韓条約	第2条（対象税目）の規定にかかわらず、すべての種類の租税に適用する。

| 日タイ条約 | 租税とは、この条約の対象である租税をいう。 |
| 日シンガポール条約 | これに相当する規定はありません。 |

4. 相互協議

(1) OECD モデル租税条約

OECD モデル租税条約第25条（相互協議）

1. 一方の又は双方の締約国の措置によりこの条約の規定に適合しない課税を受けたと認める者又は受けることになると認める者は、当該事案について、当該一方の又は双方の締約国の法令に定める救済手段とは別に、自己が居住者である締約国の権限のある当局に対して又は当該事案が前条1の規定の適用に関するものである場合には自己が国民である締約国の権限のある当局に対して、申立てをすることができる。当該申立ては、この条約の規定に適合しない課税に係る措置の最初の通知の日から3年以内にしなければならない。（77年改正）

2. 権限のある当局は、1の申立てを正当と認めるが、自らが満足すべき解決を与えることができない場合には、この条約の規定に適合しない課税を回避するため、他方の締約国の権限のある当局との合意によって当該事案を解決するよう努める。成立したすべての合意は両締約国の法令上のいかなる期間制限にもかかわらず、実施されなければならない。（77年改正）

3. 両締約国の権限のある当局は、この条約の解釈又は適用に関して生ずる困難又は疑義を合意によって解決するよう努める。両締約国の権限のある当局は、また、この条約に定めのない場合における二重課税を除去するため、相互に協議することができる。

4. 両締約国の権限のある当局は、2及び3の合意に達するため、直接相互に通信すること（両締約国の権限のある当局又はその代表者により構成される合同委員会を通じて通信することを含む。）ができる。（95年改正）

5. a) 一方の又は双方の締約国の措置によりある者がこの条約の規定に適合しない課税を受けた事案について、1の規定に従い、当該者が一方の締約国

> の権限のある当局に対して申立てをし、かつ、
> 　b）当該一方の締約国の権限のある当局から他方の締約国の権限のある当局
> に対し当該事案に関する協議の申立てをした日から2年以内に、2の規定
> に従い、両締約国の権限のある当局が当該事案を解決するために合意に達
> することができない場合において、
> 当該者が要請するときは、当該事案の未解決の事項は、仲裁に付託される。
> ただし、当該未解決の事項についていずれかの締約国の裁判所又は行政裁判所
> が既に決定を行った場合には、当該未解決の事項は仲裁に付託されない。当該
> 事案によって直接に影響を受ける者が、仲裁決定を実施する両締約国の権限の
> ある当局の合意を受け入れない場合を除くほか、当該仲裁決定は、両締約国を
> 拘束するものとし、両締約国の法令上のいかなる期間制限にもかかわらず実施
> される。両締約国の権限のある当局は、この5の規定の実施方法を合意によっ
> て定める。（2008年改正）

① 概　要

　OECD モデル租税条約第25条は、租税条約の適用から生じる困難を解決す
る枠組みとしての相互協議手続を定めています。具体的には、条約の規定に適
合しない課税を受け又は受けることになると認める者が、国内法上の救済手段
（異議申立て、不服審査、訴訟）とは別に、居住者である締約国の権限のある当
局に対して申立てをすることができるというものです。これについて、OECD
加盟国においては、国際的な二重課題問題に積極的に取り組んでいます。

　なお、相互協議の申立ては、条約の規定に適合しない課税に係る措置の最初
の通知の日から3年以内にしなければならないこととされています。

② 解決努力義務及び対応的調整

　権限のある当局は、申し立てられた事案の解決に向けて努力する義務があり
ます。このように権限のある当局には努力義務があるだけですので、相互協議
は100％合意されるものではありません。また、合意したものについては、国
内法上の期間制限にかかわらず実施されなければなりません。

③　条約の解釈又は適用に関する相互協議

OECD モデル租税条約第25条第3項では、条約の解釈又は適用に関して生ずる困難又は疑義がある場合には、相互協議において合意するように努めることとされています。また、この条約に規定のない二重課税を除去するための相互協議を行うことができるとされています。

④　合意のための相互通信

両締約国の権限のある当局は、合意に達するため直接相互に通信することができます。

⑤　未解決の場合の仲裁

両締約国の権限のある当局による協議が、開始から2年以内に解決しなかった場合に、納税者の要請に基づいて仲裁に付託されることになります。

(2)　国連モデル租税条約

国連モデル租税条約第25条（相互協議）

1．いずれか一方の又は双方の締約国の措置によりこの条約の規定に適合しない課税を受け、又は受けることになると認める者は、当該事案について、当該締約国の法令に定める救済手段とは別に、自己が居住者である締約国の権限のある当局に対して又は当該事案が前条1の規定の適用に関するものである場合には自己が国民である締約国の権限のある当局に対して、申立てをすることができる。当該申立ては、この条約の規定に適合しない課税に係る当該措置の最初の通知の日から3年以内にしなければならない。（OECD と類似）

2．権限のある当局は、1の申立てを正当と認めるが、満足すべき解決を与えることができない場合には、この条約の規定に適合しない課税を回避するため、他方の締約国の権限のある当局との合意によって当該事案を解決するよう努める。成立したすべての合意は両締約国の法令上のいかなる期間制限にもかかわらず、実施されなければならない。（OECD と類似）

3．両締約国の権限のある当局は、この条約の解釈又は適用に関して生ずる困難又は疑義を合意によって解決するよう努める。両締約国の権限のある当局は、

> また、この条約に定めのない場合における二重課税を除去するため、相互に協議することができる。（OECDと同様）
>
> 4．両締約国の権限のある当局は、1、2及び3の合意に達するため、直接相互に通信することができる（両締約国の権限のある当局又はその代表者により構成される合同委員会を通じて相互に通信することを含む。）。両締約国の権限のある当局は、この条に規定する合意手続を履行するための二国間の適当な手続、条件、及び手法を、協議により、定めるものとする。また、前記の二国間の措置及び合意手続の履行を促進するため締約国の権限のある当局は、自国内の適当な手続、条件、及び手法を定めることができる。（2001年改正。OECDと異なる）

国連モデル租税条約第25条は、仲裁手続を除きおおむねOECDモデル租税条約と類似した規定となっています。

なお、OECD非加盟国においては、国際的二重課税問題解決というより、自国の課税権の確保に注力しており、相互協議での合意は容易ではないとされます。

(3)　日本の租税条約

日本が締結した租税条約においては、すべての条約において相互協議に関する定めが置かれており、OECDモデル租税条約（国連モデル租税条約）に準拠しています。

ただし、仲裁手続については、2008年にOECDモデル租税条約に規定が導入されたため、それ以降に新規締結された租税条約や改正された租税条約に規定がある場合が多くなっています。

なお、令和2年7月現在、日本が実際に仲裁手続に入ったという報告はありません。

① 日米条約

　㈣ 相互協議の申立て、解決努力義務及び対応的調整、相互通信

　　これらについては、OECDモデル租税条約と同様の規定が置かれています。

　㈥ 相互協議の対象

　　日米条約においては、条約の解釈又は適用に関して生ずる困難又は疑義を合意によって解決するよう努めることとされています。特に、以下の事項について合意することとされます。

① 恒久的施設への所得、所得控除、税額控除その他の租税の減免の帰属
② 二以上の者における所得、所得控除、税額控除その他の租税の減免の配分
③ 条約の適用に関する相違（次に掲げるものを含む）の解消 　a　特定の所得の分類 　b　者の分類 　c　特定の所得に対する源泉に関する規則の適用 　d　この条約において用いられる用語の意義
④ 移転価格税制上の事前価格取決め

　㈧ 仲裁手続

　　平成25年に署名された現行の日米条約には仲裁手続に関する規定が導入されました。

② 日英条約

　　日英条約（第25条）は、平成26年12月に部分改正されたことによってOECDモデル租税条約と類似の規定を有することになりました。ただし、相互協議申立てについては、条約の規定に適合しない課税に係る措置の最初の通知の日から3年以内又は租税の賦課に係る課税年度若しくは賦課年度の終了の日から6年以内のいずれか遅い日まで、とされています。仲裁については、OECDモデル租税条約と同様です。

③ 日仏条約

　　日仏条約（第25条）は、仲裁手続を含まないOECDモデル租税条約と同様の規定が置かれています。

④　日豪条約

　日豪条約（第27条）は、仲裁手続を含まない OECD モデル租税条約と同様の規定を置いた後、第27条5で「サービスの貿易に関する一般協定第22条第3項（協議）の規定の適用上、同規定にかかわらず、いずれかの措置がこの条約の対象となるかならないかについての両締約国間の紛争は、両締約国の同意がある場合に限り、同規定に従いサービスの貿易に関する理事会に付託されます。この5の規定の解釈に関する疑義は、3の規定に従って解決されるものとし、3に規定する合意に達しない場合には、両締約国が合意する他の手続に基づいて解決するものとする。」と規定しています。この項では、租税に関する協議は、サービスの貿易に関する理事会に付託されるのは両締約国の合意がある場合に限られ、権限のある当局間の協議に委ねられることを規定したものとされます。

⑤　日独条約

　日独条約（第24条）は、納税者の申立て、相互協議及び合意の実施、協定の解釈又は適用に関する相互協議、権限のある当局の直接通信について規定した後、仲裁について、本条約の規定に適合しない課税を受けたとして申し立てられ相互協議の対象となった事案について、権限のある当局間で一定の期間内に事案の解決ができない場合における第三者による仲裁について、以下のとおり規定しています。

①	両締約国の権限のある当局が、一方の締約国の権限のある当局から他方の締約国の権限のある当局に対し事案に関する協議の申立てをした日から2年以内に当該事案を解決するための合意に達することができない場合に、相互協議の申立てを行った者が仲裁手続に入ることを要請するときは、当該事案の未解決の事項は仲裁に付託されます。ただし、当該未解決の事項についていずれかの締約国の裁判所又は行政審判所が既に拘束力のある決定を行った場合又は両締約国の権限のある当局が、当該未解決の事項が仲裁による解決に適しないことについて合意し、かつ、申立てを行った者に対してその旨を当該他方の締約国の権限のある当局に対する当該申立ての日から2年以内に通知した場合には、仲裁に付託されません。
②	仲裁決定は、事案によって直接影響を受ける者が、仲裁決定を実施する両締約

	国の権限のある当局の合意を受け入れない場合を除き、両締約国を拘束し、両締約国の法令上のいかなる期間制限にもかかわらず実施されます。
③	両締約国の権限のある当局は、この仲裁の手続の実施方法を合意によって定めることとされています。

　なお、議定書10では、仲裁の手続等の細目について、①両締約国の権限のある当局が最善を尽くすこと、②仲裁委員会の設置に関する規則、③仲裁人への情報提供、④仲裁決定の手続、⑤仲裁委員会がその決定を両締約国の権限のある当局に送付するまでの間に一定の事由が生じた場合の終了手続、⑥訴訟又は審査請求との関係、⑦仲裁の規定が法人の双方居住者について適用されないこと、⑧旧条約に基づき相互協議となっている事案への仲裁の適用について、が規定されています。

⑥　日中条約

日中条約第25条（相互協議）

1．いずれか一方の又は双方の締約国の措置によりこの条約の規定に適合しない課税を受けたと又は受けることになると認める者は、当該事案について、当該締約国の法令に定める救済手段とは別に、自己が居住者である締約国の権限のある当局に対して又は当該事案が前条1の規定の適用に関するものである場合には自己が国民である締約国の権限のある当局に対して、申立てをすることができる。当該申立ては、この条約の規定に適合しない課税に係る当該措置の最初の通知の日から3年以内にしなければならない。

2．権限のある当局は、1の申立てを正当と認めるが、満足すべき解決を与えることができない場合には、この条約の規定に適合しない課税を回避するため、他方の締約国の権限のある当局との合意によって当該事案を解決するよう努める。成立したすべての合意は両締約国の法令上のいかなる期間制限にもかかわらず、実施されなければならない。

3．両締約国の権限のある当局は、この条約の解釈又は適用に関して生ずる困難又は疑義を合意によって解決するよう努める。両締約国の権限のある当局は、

> また、この条約に定めのない場合における二重課税を除去するため、相互に協
> 議することができる。
> 4．両締約国の権限のある当局は、2及び3の合意に達するため、直接相互に通
> 信することができる。両締約国の権限のある当局は、合意に達するために適当
> と認める場合には、口頭による意見の交換を行うため会合することができる。

　日中条約第25条は、OECDモデル租税条約と国連モデル租税条約に準拠し
た規定を置いています。

⑦　日印条約、日韓条約、日タイ条約及び日シンガポール条約

　日印条約、日韓条約、日タイ条約及び日シンガポール条約においては、日仏
条約と同様の規定が置かれています。

(4)　相互協議の実施状況

　OECDモデル租税条約25条には、租税条約の適用から生じる困難を解決す
るための相互協議条項が規定されています。これは、OECDモデル租税条約
だけでなく、国際連合モデル租税条約においても同様です。これを受けて、日
本が締結する二国間租税条約のすべてに相互協議条項が含まれています。

　相互協議は、国際的二重課税が生じたとき、または生じる可能性が高い場合
に、納税者が権限のある当局に申立てを行うことにより開始されます。租税条
約の目的の一つに二重課税の防止があることから、これを実現するためには、
当然に必要な規定であると言えます。

　これを税務当局の側から見ると、自国の税務当局だけでなく、外国（条約相
手国）においても課税されていることになります。ということは、税務当局の
立場から言えば、相互協議を行って合意に達することは、自国の課税権を譲る
場合、すなわち自国の税収が失われる場合が出てくることを意味します。

　このように、税務当局の側からすると、実は相互協議を積極的に行うことは
自国の税収の一部を失うことになるので、現実には先進国では積極的に行われ
ているのとは対照的に、新興国や途上国の税務当局は相互協議には消極的と言

えます。

① 相互協議の類型

　租税条約には、以下の2つについて行うこととされるのが一般的です。

イ　租税条約の一般的解釈にかかることについての協議

ロ　個別の事案について租税条約の規定に適合しないことから生じる協議

　上のイについては財務相主税局長、ロについては国税庁長官が権限のある当局であるとされています。

　現実には、租税条約の解釈については、OECDモデル租税条約と国際連合モデル租税条約において一般的解釈指針（コメンタリー）が公表されていることから、現実にはほとんど生じていないものと理解しています。

② 日本の相互協議の仕組み

　相互協議は、日本が締結する租税条約をその根拠としています。しかし、租税条約上の文言が一般的であることから、具体的な手続として、租税条約等実施特例法施行規則12条《租税条約の規定に適合しない課税に関する申立て等の手続》と13条《双方居住者の取扱いに係る協議に関する申立ての手続》に規定されています。

　例えば、租税条約等実施特例施行規則12条1項は次のように規定しています。

12条1項（租税条約の規定に適合しない課税に関する申立て等の手続）

　居住者若しくは内国法人で第1条の2第2項第14号に規定する相手国等における居住者（以下この項及び第三項第二号において「相手国等における居住者」という。）でないもの又は非居住者若しくは外国法人で相手国等における居住者であるものは、租税条約のいずれかの締約国又は締約者の租税につき当該租税条約の規定に適合しない課税を受け、又は受けるに至ると認める場合において、その課税を受けたこと又は受けるに至ることを明らかにするため当該租税条約の規定に基づき国税庁長官に対し当該租税条約に規定する申立てをしようとするときは、次の各号に掲げる事項を記載した申立書を国税庁長官に提出しなければならない。

一　申立書を提出する者の氏名、住所若しくは居所及び個人番号（個人番号を有しない個人にあつては、氏名及び住所又は居所）又は名称、本店若しくは主たる事務所の所在地、その事業が管理され、かつ、支配されている場所の所在地及び法人番号（法人番号を有しない法人（法人税法第2条第8号に規定する人格のない社団等を含む。第3項第1号において同じ。）にあつては、名称、本店又は主たる事務所の所在地及びその事業が管理され、かつ、支配されている場所の所在地）

二　申立書を提出する者（非居住者又は外国法人で相手国等における居住者であるものに限る。以下この号及び第五号において同じ。）の当該租税条約の相手国等における納税地及び当該申立書を提出する者が当該相手国等において納税者番号を有する場合には、当該納税者番号

三　当該租税条約の規定に適合しない課税を受け、又は受けるに至る事実及びその理由

四　当該租税条約の規定に適合しない課税を受け、又は受けるに至る年、事業年度又は年度

五　申立書を提出する者が国税通則法第117条第2項の規定による納税管理人の届出をしている場合には、当該納税管理人の氏名及び住所又は居所

六　その他参考となるべき事項

そして、上の施行規則を受けて、国税庁は平成13年6月25日付で「相互協議の手続について（事務運営指針）」を定めて、具体的な手続きを示しています。

租税条約 25条	租税条約等実施特例法 施行規則12条・13条等	相互協議の手続について （事務運営指針）

③　相互協議の申立てができる場合

国税庁が公表している「相互協議の手続について（事務運営指針）」（以下、単に「事務運営指針」という。）では、概ね次のように相互協議の申立てができる場合を示しています。

535

イ	国外関連者取引に関し、日本又は相手国等において移転価格課税を受け、又は受けるに至ると認められる場合（事前確認を含みます）
ロ	居住者又は内国法人が、相手国等における恒久的施設の有無又はその恒久的施設に帰せられる所得の金額について、租税条約の規定に適合しない課税を受け、又は受けるに至ると認められる場合
ハ	居住者又は内国法人が、相手国等において行われる所得税の源泉徴収について、租税条約の規定に適合しない課税を受け、又は受けるに至ると認められる場合
ニ	非居住者で日本の国籍を有する者が、相手国等において、当該相手国等の国民よりも重い課税又は要件を課され、又は課されるに至ると認められる場合
ホ	いわゆる双方居住者で相手国等との間の租税条約の適用上その者が居住者であるとみなされる国等の決定をしなければならない場合
ヘ	相続税法に規定する相続税又は贈与税の納税義務者が、相続税条約実施特例省令第3条第1項の規定により、二重課税回避をする場合
ト	居住者又は内国法人が、租税条約又は国内法に規定する当該租税条約又は国内法の濫用防止規定の適用によって、租税条約の規定に適合しない課税を受け、又は受けるに至ると認められる場合

④　事前相談

　国税庁相互協議室は、個人又は法人から相互協議の申立て前に相互協議に係る事項についての相談（当該個人又は法人の代理人を通じた匿名の相談を含む。以下「事前相談」という。）の要請を受けた場合には、これに応じ、必要な助言を行う等適切に対応するとしています。

　相互協議の件数は多くなってきてはいるものの、毎年200-300件程度しか発生しないものであり、多くの納税者には不慣れなのでできるだけ事前相談を行った方がいいと考えられます。

⑤　相互協議申立ての手続

　相互協議の申立ては、当局により様式が決められている「相互協議申立書」及び次に掲げる資料（「添付資料」）を、国税庁相互協議室に提出することにより行われるものとされます。

イ	申立者が行った相互協議の申立てが我が国又は相手国等において租税条約の規定に適合しない課税を受けたと認められることを理由として行われるものであ

	る場合には、更正通知書等当該課税の事実を証する書類の写し、当該課税に係る事実関係の詳細及び当該課税に対する当該申立者又はその国外関連者の主張の概要を記載した書面（申立者が行った相互協議の申立てが我が国又は相手国等において租税条約の規定に適合しない課税を受けるに至ると認められることを理由として行われるものである場合には、課税を受けるに至ると認められる事情の詳細及び当該事情に対する当該申立者又はその国外関連者の主張の概要を記載した書面）
ロ	申立者が行った相互協議の申立てが我が国又は相手国等において租税条約の規定に適合しない課税を受けたと認められることを理由として行われるものである場合において、当該申立者又はその国外関連者が当該課税について不服申立て又は訴訟を行っているときは、イに掲げる資料に加え、不服申立て又は訴訟を行っている旨及び当該申立者又はその国外関連者の主張の概要を記載した書面並びに不服申立書又は訴状の写し
ハ	相互協議の申立てが我が国又は相手国等における移転価格課税に係るものである場合には、イに掲げる資料に加え、当該申立ての対象となる取引の当事者間の直接若しくは間接の資本関係又は実質的支配関係を示す資料
ニ	相互協議の申立てが租税条約等実施特例省令第13条に係るものであり、かつ、租税条約又はこれに付属する政府間の取決めにおいて相互協議を行うに当たり考慮すべき事項が定められている場合には、イに掲げる資料に加え、その定められている事項に関する資料
ホ	申立者又はその国外関連者が相手国等の権限ある当局に相互協議の申立てを行っている場合には、イに掲げる資料に加え、その旨を証する書類の写し
ヘ	その他相互協議の参考となる資料

　なお、相互協議の申立てが事前確認に係るものである場合には、関係資料は、確認申出書又は連結確認申出書に添付され、確認申出法人、確認申出内国法人、確認申出連結法人又は確認申出居住者の納税地の所轄税務署長（確認申出法人、確認申出内国法人又は確認申出連結法人が調査課所管法人である場合には、所轄国税局長又は沖縄国税事務所長）から庁主管課経由で庁相互協議室に回付されることに留意することとされます。

　これらについては、移転価格事務運営要領6－2から6－6まで、連結法人に係る移転価格事務運営要領6－2から6－6まで、恒久的施設帰属所得に係る所得に関する調査等に係る事務運営要領7－1から7－5まで、連結法人の

国外事業所等帰属所得に係る連結所得に関する調査等に係る事務運営要領5－1から5－5まで又は個人の恒久的施設帰属所得に係る各種所得に関する調査等に係る事務運営要領6－1から6－5までを参照することとされます。

⑥　資料等の提出

相互協議の申立てをした後、必要に応じて国税庁相互協議室から資料の提出依頼があります。また、求められた資料が外国語の場合には、その翻訳を求められる場合があります。

⑦　申立者の相互協議への不参加と国税庁からの説明

国税庁相互協議室は、申立者からの求めにより、又は必要に応じ、相互協議の実施に支障のない範囲において、相互協議の進ちょく状況を当該申立者に説明することとされます。

⑧　相互協議の合意手続

国税庁相互協議室は、相手国等の権限ある当局と合意に至ると認められる状況となった場合には、合意に先立ち、合意案の内容を文書で申立者に通知するとともに、当該申立者が当該合意案の内容に同意するかどうかを当該申立者に確認することとされます。

そして、国税庁相互協議室は、申立者が合意案の内容に同意することを確認した後に、相手国等の権限ある当局と合意することとされます。

⑨　相互協議の特徴と納税者の立ち位置

相互協議の特徴として、両国の権限のある当局には必ずしも合意しなければならない義務はない、ということがあります。租税条約上の相互協議においては、両国の権限のある当局は「合意努力義務」のみがあることとされているので、合意に至らない可能性があります。

はじめに述べたように、相互協議の合意は、自国の税収を一部失うことになるので、新興国や途上国は相互協議自体に消極的なのは、このような理由によります。

また、相互協議は両国の権限のある当局同士の非公開協議であり、申立者は

原則として協議には参加できません。そのため、申立者（納税者）の力が及ばないという意見があることは承知しています。

　さて、ここで個人的に強調しておきたいことがあります。相互協議には上に述べたような特徴があるため、申立者（納税者）は権限のある当局に任せきりになってしまうことが見受けられますが、これは大きな誤りということです。

　筆者の経験から言えば、申立者は権限のある当局（日本では国税庁相互協議室）から要請された資料を提出したあとは、自ら積極的に合意してもらうようにアクションをしない場合がしばしば見受けられます。相互協議が国際的二重課税を排除するものであり、権限のある当局には合意努力義務があること、また、申立者が協議に参加できないことがその理由になっていると推察されます。

　しかし、国外関連取引に一番詳しいのは申立者（納税者）であり、合意に至らない場合に国際的二重課税を負担するのも申立者です。すなわち、申立者が相互協議の隠れた当事者であることに留意いただきたいと思います。そこで、具体的には、相互協議に合意するため、自ら積極的に国外関連取引に関する資料を権限のある当局に提出すべきです。権限のある当局の職員は公務員であり、国民のために尽くすのが当然ということではなく、自ら国際的二重課税を排除するためのアクションをすべきです。特に、相互協議の事案の増加、そして新興国や途上国における課税の増加を考えれば、当局の資源には自ずから限度があります。

⑩　日本の相互協議の状況

　国税庁は、毎年秋に前年7月から当年6月までの相互協議の状況を公表しています。これによると、平成30事務年度（平成30年7月から令和元年6月まで）において発生した事案（219件）および処理の終わった事案（187件）はいずれも移転価格税制に関するものであるとのことです。また、移転価格課税事案と事前確認事案の割合は、ここ数年事前確認事案が全体の7割程度となっています。

　なお、平成29事務年度以前においては、移転価格税制以外の事案が発生また

は処理されていました。

⑪　新興国と途上国による移転価格課税と相互協議の状況

　経済のグローバル化を受けて、近年、新興国や途上国において移転価格調査が積極的に行われており、課税件数も着実に増加しているのはご承知の通りです。ここでは、2019年2月に公表された経済産業省の委託調査結果（平成30年度我が国内外の投資促進体制整備等調査（諸外国等における租税制度及び各国現地子会社等に対する課税問題に係る調査・研究事業））[注1] に基づいて、若干の説明をさせていただきます。

　同調査においては、「国際課税問題及び租税条約に関するアンケート調査」[注2]（「アンケート調査」）が実施されています。この調査は、2018年10月から11月に6,017社に対して実施され、うち1,804社より回答を得たとされています。以下、上のアンケート調査において相互協議に関する部分について紹介していきます。

　アンケート調査によると、日系企業が課税された国としては中国（25.3%）、インドネシア（20.9%）、インド（14.8%）が上位を占めており、これで全体の6割になっています。

　次に、課税項目ですが、移転価格税制（54.4%）、ロイヤリティ（15.9%）、恒久的施設（15.4%）となっており、この三つで85%程度になります。

　そして、その解決方法として、課税件数459件に対して、不服申立て（101%）、当初課税処分受入れ（100件）、相互協議（88件）、裁判（74件）、対応検討中／未定（59件）などとなっています。このうち、相互協議については、先進国とは大きく異なり、合意に至らない又は至りにくいと述べられています。

　そこで、これら新興国や途上国との間における仲裁制度の導入を求める声が一定程度で出ています。

（注）　1　この委託報告書は、以下のウェブサイトで閲覧することができます。
　　　　　https://www.meti.go.jp/policy/external_economy/toshi/kokusaisozei/30fy_itakuchousa_honbun.pdf（2020.7.25閲覧）。

2　このアンケート調査の結果は、以下のウェブサイトで閲覧することができます。

https : //www.meti.go.jp/policy/external_economy/toshi/kokusaisozei/30fy_itakuchousa_betten.pdf（2020.7.25閲覧）。

⑫　BEPS プロジェクト行動14と仲裁制度の導入

上述したように、相互協議は必ずしも合意する必要はなく、各国の権限のある当局に合意努力義務が課せられるのみでした。筆者の経験によると、先進国との相互協議事案は概ね合意しています。不合意になる場合ももちろんありますが、さほど多くはありません。これに対して、対新興国や途上国の場合は合意するのは非常に困難と思われます。

さて、BEPS プロジェクトの行動14「紛争解決の進展」では、相互協議の実効性の確保について各国に最低限の導入を勧告しました。そして、相互協議条項に仲裁制度を追加することを勧告しています。一言で言えば、BEPS 防止措置実施条約において相互協議を通じた適時・効果的な紛争解決をすべきとしたことになります。

その上で、相互協議手続の実効性は、強制的・拘束的仲裁制度の導入によって一層強化されるとして、仲裁制度を導入する意思のある国において、強制的・拘束的仲裁制度に関する具体的な規定がなされました。

BEPS 防止措置実施条約に参加している国（地域）は多いのですが、新興国や途上国はそもそも相互協議に消極的なので仲裁制度の導入には後ろ向きです。一方、先進国との間においても仲裁の経験はほとんどないと思われることから、まずは先進国間における仲裁の実施が期待されます。新興国や途上国との仲裁は、まずは租税条約を改正することで仲裁制度の導入を行うことが求められます。

今後、先進国間では相互協議で合意に達しない事案に関して仲裁を導入することで国際的二重課税の排除を行うこと、新興国や途上国との間で相互協議の合意件数（合意割合）を増やしていくことが求められます。

5．情報交換

(1)　OECD モデル租税条約

OECD モデル租税条約第26条（情報交換）

1．両締約国の権限のある当局は、この条約の規定の実施又は両締約国若しくは両締約国の地方政府若しくは地方公共団体が課するすべての種類の租税に関する両締約国の法令（当該法令に基づく課税がこの条約の規定に反しない場合に限る。）の規定の運用若しくは執行に関連する情報を交換する。これらの情報の交換は、第1条及び第2条の規定による制限を受けない。（77、95、2000、2005年改正）

2．1の規定に基づき一方の締約国が受領した情報は、当該一方の締約国がその法令に基づいて入手した情報と同様に秘密として取り扱うものとし、1に規定する租税の賦課若しくは徴収、これらの租税に関する執行若しくは訴追、これらの租税に関する不服申立てについての決定又はこれらの監督に関与する者又は当局（裁判所及び行政機関を含む。）に対してのみ開示される。これらの者又は当局は、当該情報をそのような目的のためにのみ使用する。これらの者又は当局は、当該情報を公開の法廷における審理又は司法上の決定において開示することができる。この2の第1文から第3文までの規定にかかわらず、一方の締約国が受領した情報は、両締約国の法令に基づき他の目的のために使用することができ、かつ、当該情報を提供した他方の締約国の権限のある当局がそのような使用を許可する場合には、他の目的のために使用することができる。（2005年に1．より分割のうえ改正、2012年に第4文追加）

3．1及び2の規定は、いかなる場合にも、一方の締約国に対し、次のことを行う義務を課するものと解してはならない。（77、2005年改正）

  a）当該一方の締約国又は他方の締約国の法令及び行政上の慣行に抵触する行政上の措置をとること。

  b）当該一方の締約国又は他方の締約国の法令の下において又は行政の通常の運営において入手することができない情報を提供すること。

　　c）営業上、事業上、産業上、商業上若しくは職業上の秘密若しくは取引の過
　　　程を明らかにするような情報又は公開することが公の秩序に反することにな
　　　る情報を提供すること。

4．一方の締約国は、他方の締約国がこの条の規定に従って当該一方の締約国に
　　対し情報の提供を要請する場合には、自己の課税目的のために必要でないとき
　　であっても、当該情報を入手するために必要な手段を講ずる。一方の締約国が
　　そのような手段を講ずるに当たっては、3の規定に定める制限に従うが、その
　　制限は、いかなる場合にも、当該情報が自己の課税目的のために必要でないこ
　　とのみを理由としてその提供を拒否することを認めるものと解してはならな
　　い。（2005年追加）

5．3の規定は、提供を要請された情報が銀行その他の金融機関、名義人若しく
　　は代理人若しくは受託者が有する情報又はある者の所有に関する情報であるこ
　　とのみを理由として、一方の締約国が情報の提供を拒否することを認めるもの
　　と解してはならない。（2005年追加）

① 概　要

　OECD モデル租税条約第26条は、両締約国が適正な課税を行うため、課税
情報の交換について両国の権限のある当局間の協力関係を規定しています。経
済活動が国際化している現在、外国における情報を適切な情報とすることによ
り、各国税務当局は適正な課税の実現ができるのです。その意味で、条約上の
情報交換はますます重要になってきています。

② 交換できる情報

　両締約国の権限のある当局は、条約の実施又は締約国の国内法の規定を実施
又は執行するために関連すると予見できる情報を交換することとしています。
交換する情報は、第1条（人的範囲）及び第2条（対象税目）によって制限さ
れません。

③ 交換された情報の取扱い

　情報交換に基づいて入手した情報は、国内法上入手した情報と同様、守秘義

務が課されます。また、入手した情報は、原則として、租税の賦課若しくは徴収、これらの租税に関する執行若しくは訴追、これらの租税に関する不服申立てについての決定、又はこれらの監督に関与する者又は当局（裁判所及び行政機関を含む。）に対してのみ開示されます。2012年の条文の改正によって、関係当局間で共同使用することを認める規定が2項に追加されました。

④　締約国の義務の範囲

上記②及び③は、いずれも締約国に対して、次に掲げることを行う義務を課すものではありません。

①　当該一方の締約国又は他方の締約国の法令及び行政上の慣行に抵触する行政上の措置をとること
②　当該一方の締約国又は他方の締約国の法令の下において又は行政の通常の運営において入手することができない情報を提供すること
③　営業上、事業上、産業上、商業上若しくは職業上の秘密若しくは取引の過程を明らかにするような情報又は公開することが公の秩序に反することになる情報を提供すること

⑤　調査権限の国内措置

2005年の改正によって、一方の締約国が情報を要請した場合には、他方の締約国は、自国の租税目的上必要ない情報であっても、要請された情報を入手するために情報収集措置を行使するものとする規定が追加されました。

⑥　弁護士等の守秘義務

2005年改正によって、上記④に規定する制限は、一方の締約国が銀行、金融機関名義人、代理人、受託者が情報を保有しているという理由だけで、又は所有者に関する情報であるという理由のみで、情報提供を拒否することを認めることを意味しない、という規定が追加されました。

⑦　情報交換の進展

経済のグローバル化の著しい進展に伴って、二国間租税条約における情報交換だけでは多くの国の税務当局にとって十分な納税者の情報を入手することが

できなくなってきました。そこで、第6節で説明する租税情報交換協定、第7節で説明する税務行政執行共助条約などが策定されることになりました。

　また、非居住者に係る金融口座情報を税務当局間で自動的に交換するための国際基準である共通報告基準（CRS）が策定され、2018年より日本も参加することになりました。

(2)　国連モデル租税条約

国連モデル租税条約第26条（情報交換）

1．両締約国の権限のある当局は、この条約及びこの条約が適用される租税に関する両締約国の国内法令（当該国内法令に基づく課税がこの条約の規定に反しない場合に限る。）を実施するため、特に不正又は脱税の防止のために必要な情報を交換する。情報の交換は、第1条の規定によって制限されない。一方の締約国が受領した情報は、当該一方の締約国の国内法令に基づき得た情報と同様に秘密として取り扱うものとする。情報がその提供国において当初から秘密として取り扱われているものである場合には、当該情報は、この条約の適用される租税の賦課若しくは徴収、これらの租税に関する執行若しくは訴追又はこれらの租税に関する不服申立てについての決定に関与する者若しくは当局（裁判所及び行政機関を含む。）に対してのみ開示することができる。これらの者又は当局は、当該情報をこれらの目的のためにのみ使用するものとするが、当該情報を公開の裁判又は司法決定において開示することもできる。両締約国の権限のある当局は、このような情報の交換（必要に応じ租税の回避に関する情報の交換を含む。）について、協議により、適当な条件、及び手法を定めるものとする。（OECDと異なる）

2　1の規定はいかなる場合にも、一方の締約国に対し、次のことを行う義務を課するものと解してはならない。

　a）当該一方の締約国又は他方の締約国の法令及び行政上の慣行に抵触する行政上の措置をとること。

　b）当該一方の締約国又は他方の締約国の法令の下において又は行政の通常の運営において入手することができない情報を提供すること。

> c）営業上、事業上、産業上、商業上若しくは職業上の秘密若しくは取引の過
> 程を明らかにするような情報又は公開することが公の秩序に反することにな
> る情報を提供すること。（OECD と同様）

　国連モデル租税条約は、OECD モデル租税条約と類似する部分もあります
が、調査権限の国内措置及び弁護士等の守秘義務などに関する規定を置いてい
ない点で大きく異なります。

(3)　日本の租税条約

　日本の締結した租税条約は、情報交換規定を有していることから、原則とし
て、OECD モデル租税条約又は国連モデル租税条約に準拠しているといえま
す。しかし、OECD モデル租税条約が比較的最近改正されているので、それ以
前に締結した条約では現在のものが反映されたものにはなっていません。

　なお、日本の国内法は、近年の税制改正において、条約相手国から租税条約
に基づく情報提供依頼があった場合においては、国内法上の質問検査権を行使
することにより情報収集することができる規定が創設されるなど、整備されて
きました。

①　日米条約

　日米条約は、OECD モデル租税条約に準拠しています。この場合、情報の
交換は、一方の締約国の権限のある当局から特に要請があった場合には、他方
の締約国の権限のある当局は、文書（帳簿書類、計算書、記録その他の書類を含
む。）の原本の写しに認証を付した形式で、情報提供を行うこととしています。

②　日英条約

　日英条約第26条は、OECD モデル租税条約に準拠していますが、交換され
る情報については両締約国が課するすべての租税に関するものであるという規
定を置いています。このほか、上述した2012年改正（関係当局間での共同使用）
も取り込んでいます。

③　日仏条約

　日仏条約は OECD モデル租税条約とほぼ同様の規定を置いています。

④　日豪条約

　日豪条約第28条は、OECD モデル租税条約に準拠していますが、交換される情報については両締約国が課するすべての租税に関するものであるという規定を置いています。

⑤　日独条約

　日独条約（第26条）は、OECD モデル租税条約と同様、権限のある当局間の情報交換、交換された情報の取扱い、情報提供義務の制限、情報交換のための情報収集措置、情報提供拒否の制限についての規定を有しています。そして、議定書11において、情報の保護について、次のように規定しています。

①	情報を受ける当局が第26条第2項に従うこと
②	提供する当局は相応な情報を提供するよう努めること
③	提供された情報が不要になった際消去すること
④	受領した情報を使用したか否かについて要請に基づいて提供した当局に通知すること
⑤	受領した当局は納税者に対して提供された情報を使用する目的を通知すること
⑥	両当局は不法に損害を被った者に対して賠償すること
⑦	両当局は情報交換について記録に残すこと
⑧	個人情報に関する法令について情報受領国に通知すること
⑨	提供された情報に関して許可のない閲覧、変更又は開示から保護するために必要な措置をとること

⑥　日中条約

> **日中条約第26条（情報交換）**
>
> 1．両締約国の権限のある当局は、この条約若しくはこの条約が適用される租税に関する両締約国の法令（当該法令に基づく課税がこの条約の規定に反しない場合に限る。）を実施するため、又はこれらの租税に関する脱税を防止するた

めに必要な情報を交換する。情報の交換は、第1条の規定によって制限されない。交換された情報は、秘密として取り扱うものとし、この条約が適用される租税の賦課若しくは徴収又はこれらの租税に関する不服申立てについての決定に関与する者又は当局（裁判所を含む。）に対してのみ開示することができる。

2．1の規定はいかなる場合にも、一方の締約国に対し、次のことを行う義務を課するものと解してはならない。

a) 当該一方の締約国又は他方の締約国の法令及び行政上の慣行に抵触する行政上の措置をとること。

b) 当該一方の締約国又は他方の締約国の法令の下において又は行政の通常の運営において入手することができない情報を提供すること。

c) 営業上、事業上、産業上、商業上若しくは職業上の秘密若しくは取引の過程を明らかにするような情報又は公開することが公の秩序に反することになる情報を提供すること。

　日中条約第26条は、国連モデル租税条約に準拠しているものの、若干規定が異なっています。

⑦　日印条約

　日印条約第26条は、日中条約とほぼ同様の規定を置いています。

⑧　日韓条約

　日韓条約第26条は、国連モデル租税条約に準拠し、日中条約と類似の規定を置いています。

⑨　日タイ条約

　日タイ条約第26条は、日印条約及び日中条約とほぼ同様の規定を置いています。

(4)　情報交換の実施状況

　OECDモデル租税条約26条は、両締約国が適正な課税を行うため、課税情報の交換を行うべく両国の権限のある当局間の協力関係について規定しています。税務当局の観点から言えば、経済のグローバル化を受けて外国における自

国納税者の情報を適切に入手することができれば、より適切な課税を行うことができることになります。

　なお、情報交換の根拠については、伝統的な二国間租税条約の他に、いわゆるタックス・ヘイブンとの間で締結する租税情報交換協定（現在、11の国と地域との間で締結）および税務行政執行共助条約（令和2年8月現在、124の国と地域との間で効力あり）があります。また、台湾との間では租税条約と同じ効果を有する租税民間取決めを持っています。このように、令和2年7月現在において、日本は139の国と地域との間で情報交換ができることになっています。

　また、平成30年よりOECD主導による非居住者・外国法人の金融口座情報に関する共通報告基準（通称：CRS）が導入されました。

① 　日本の情報交換の国内法の進展

　租税条約の規定を適切に履行するため、平成22年度税制改正において情報交換に関する国内法の整備が行われました。これにより、租税条約の規定に基づく情報交換を行う場合の具体的な手続等が明らかになりました。

② 　情報交換の現状

　国税庁は、毎年情報交換の状況について公表しています。ここでは令和元年12月に公表された資料に基づいて記載します。

イ　CRS

　日本にとって2回目となるCRS情報の自動的情報交換において、令和元年11月末時点で、日本の非居住者に係る金融口座情報約47万件を64か国・地域に提供した一方、日本の居住者に係る金融口座情報約189万件を85か国・地域から受領しています。

　日本と同様に、平成30年からCRS情報の自動的情報交換を開始した国・地域については、1年目は、原則として新規口座及び個人の既存[注]高額口座（口座残高1億円超）が交換対象となっていましたが、2年目以降は、個人既存[注]低額口座及び法人既存[注]口座も対象となっています。

（注）平成28年12月31日以前に開設された口座をいいます。

549

ロ　自動的情報交換

　従来から法定調書により把握した非居住者等への支払等（利子、配当、不動産賃借料、無形資産の使用料、給与・報酬、株式の譲受対価等）についての情報を、支払国の税務当局から受領国の税務当局へ一括して送付しています。

「法定調書情報の自動的情報交換」件数の推移

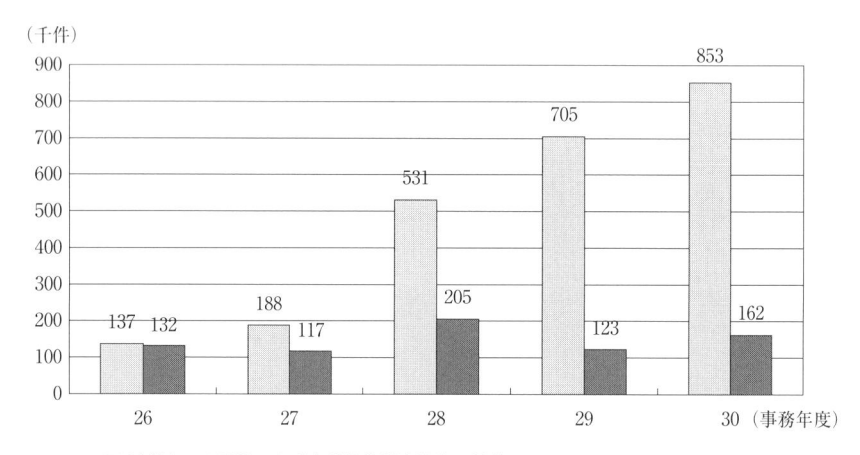

（千件）

（出典：国税庁資料）

ハ　要請に基づく情報交換

　「要請に基づく情報交換」は、個別の納税者に対する調査において、国内で入手できる情報だけでは事実関係を十分に解明できない場合に、必要な情報の収集・提供を外国税務当局に要請するものです。国際的な取引の実態や海外資産の保有・運用の状況を解明する有効な手段となっています。

「要請に基づく情報交換」の要請件数の推移

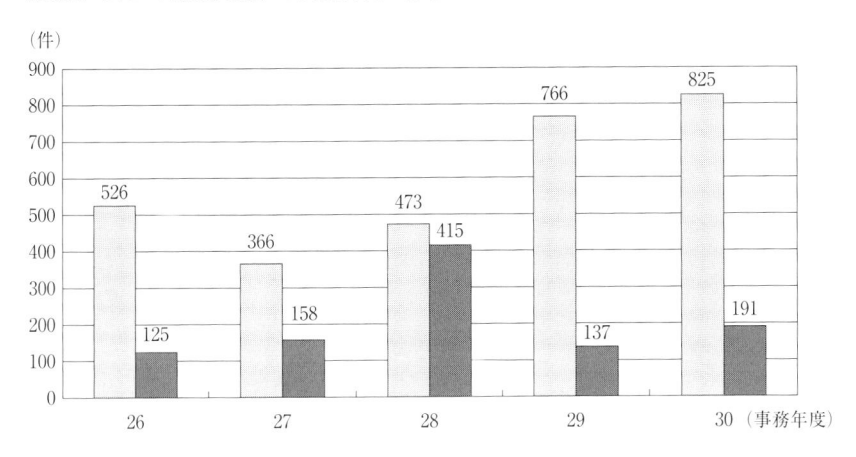

（出典：国税庁資料）

ニ　自発的情報交換

　「自発的情報交換」は、国際協力の観点から、自国の納税者に対する調査等の際に入手した情報で外国税務当局にとって有益と認められる情報を自発的に提供するものです。

「自発的情報交換」の件数の推移

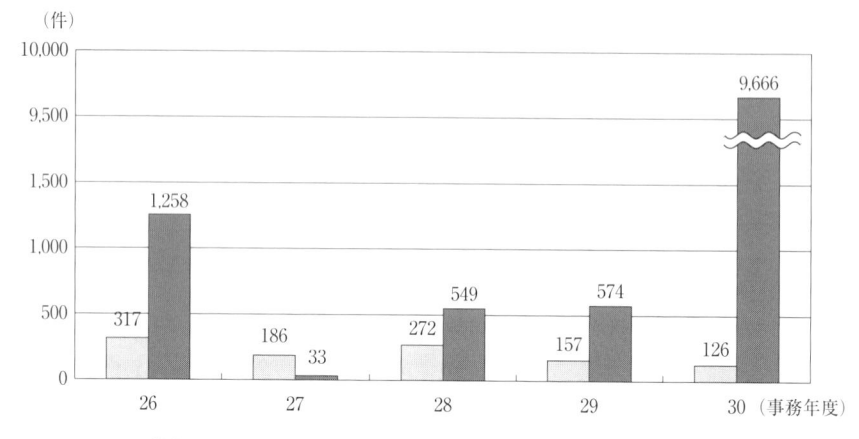

（出典：国税庁資料）

6. 徴収共助

(1) OECD モデル租税条約

OECD モデル租税条約第27条（徴収共助）

1. 両締約国は、租税債権の徴収につき相互に共助を行う。当該共助は、第 1 条
   及び第 2 条の規定による制限を受けない。両締約国の権限のある当局は、合意
   により、この条の実施方法を決定することができる。

2. この条において「租税債権」とは、両締約国又は両締約国の地方政府若しく
   は地方公共団体が、この条約又は両締約国がその当事者となっているその他の
   取決めに反しない限りにおいて課する租税の額並びに租税の額に係る利子、行
   政罰及び徴収又は保全の費用をいう。

3. 一方の締約国の租税債権が当該一方の締約国の法令に基づき執行することが
   でき、かつ、当該共助の時点において当該租税債権を負担する者が当該一方の

締約国の法令に基づき当該租税債権の徴収を停止させる措置をとることができない場合には、当該租税債権は、当該一方の締約国の権限のある当局の要請に基づき、他方の締約国の権限のある当局が徴収するものとする。当該租税債権は、当該他方の締約国により、それが当該他方の締約国の租税債権であるとした場合と同様に、自国の租税の執行及び徴収に関して適用される当該他方の締約国の法令に従って徴収される。

4．一方の締約国の租税債権について、当該一方の締約国の法令に基づきその徴収を確保するための保全措置をとることができる場合には、当該租税債権は、当該一方の締約国の権限のある当局の要請に基づき、他方の締約国の権限のある当局が保全措置をとるものとする。当該他方の締約国は、当該租税債権に関し保全措置を講ずる時点において当該一方の締約国が執行できない場合又は当該租税債権を負担する者がその徴収を停止させる権利を有する場合であったとしても、当該租税債権が当該他方の締約国の租税債権であるとした場合と同様に、当該他方の締約国の法令に従って当該租税債権に係る保全措置をとるものとする。

5．3及び4の規定にかかわらず、3又は4の規定の適用上、一方の締約国が認める租税債権は、当該一方の締約国において、租税債権であることを理由として、当該一方の締約国の法令に基づく租税債権に適用される期間制限又は優先権を与えられない。さらに、3又は4の規定の適用上、一方の締約国が認める租税債権は、当該一方の締約国において、他方の締約国の法令に基づく租税債権に適用される優先権を有するものではない。

6．一方の締約国における租税債権の存在、有効性又は金額に関する手続は、他方の締約国の裁判所又は行政機関によって審理されない。

7．一方の締約国が3又は4の規定に基づく要請を行った後、他方の締約国が当該租税債権から徴収し、かつ、当該一方の締約国に送金するまでの間において、次のa）又はb）に掲げる場合に応じ、次のa）又はb）に定める条件に該当しなくなったときは、当該一方の締約国の権限のある当局は、当該他方の締約国の権限のある当局に対しその事実を速やかに通知し、当該他方の締約国の選択により、当該要請を停止し又は取り消すものとする。

　a）　3の規定に基づく要請の場合　当該一方の締約国の法令に基づき執行することができ、かつ当該共助の時点において当該租税債権を負担する者が当該一方の締約国の法令に基づき当該租税債権の徴収を停止させる措置をとることができないこと

　b）　4の規定に基づく要請の場合　当該一方の締約国の法令に基づきその徴収を確保するための保全措置をとることができること

8．この条の規定は、いかなる場合にも、一方の締約国に対し、次のことを行う義務を課するものと解してはならない。

　a）　当該一方の締約国又は他方の締約国の法令及び行政上の慣行に抵触する行政上の措置をとること

　b）　公の秩序に反することになる措置をとること

　c）　他方の締約国がその法令又は行政上の慣行において実施できる徴収又は保全のための合理的な措置を尽くしていない場合に共助を行うこと

　d）　当該一方の締約国の行政負担が当該他方の締約国が取得する利益との間で明らかに均衡を失する場合に共助を行うこと

　OECD モデル租税条約第27条は、締約国が租税債権の徴収について相互に共助を行うという徴収共助について規定しています。この規定は、経済の国際化に伴う租税確保の困難性に対応するため、租税の徴収共助の国際的なメカニズムを発展させるものとして、2003年に追加されました。

　OECD モデル租税条約の徴収共助の規定は、租税債権の徴収の対象を条約の対象となる税目に限定せずに、包括的に相互に共助することを規定しています。

　なお、徴収共助については、第7節にある税務行政執行共助条約もご参照下さい。

(2)　国連モデル租税条約

　国連モデル租税条約には徴収共助に係る規定はありません。

(3) 日本の租税条約

　日本が締結した租税条約においては、徴収共助の規定は最近先進国との間で改正されたものにこの規定が導入されています。具体的には、日米条約、日仏条約です。しかし、日英条約や日豪条約には規定がありません。一方、アジア諸国との租税条約では、日中条約、日印条約、日タイ条約及び日シンガポール条約には徴収共助についての規定はありませんが、日韓条約には規定があります。

　日米条約及び日仏条約は、条約の不正利用を防止し、適正かつ公平な課税を確保するため、両締約国間でそれぞれの相手国において条約を不正に免れた租税の徴収に関し協力し合うことについて規定しています。その意味では、限定的な徴収共助規定であるといえます。

　日韓条約第27条も日米条約及び日仏条約と同様の規定を置いています。

7. 外交官

(1) OECD モデル租税条約

> OECD モデル租税条約第28条（外交官）
> この条約のいかなる規定も、国際法の一般原則又は特別の協定に基づく外交使節団又は領事機関の構成員の租税上の特権に影響を及ぼすものではない。（77、94年改正）

　OECD モデル租税条約第28条は、この条約が、外交官の租税上の特権に影響を及ぼすものではないことを規定しています。すなわち、外交官は、接受国において個人的に取得する所得を除いて、その他の所得は非課税の取扱いを受けることがウィーン条約又は二国間の領事条約で決められています。

(2)　国連モデル租税条約

> **国連モデル租税条約第27条　（外交官）**
>
> 　この条約のいかなる規定も、国際法の一般原則又は特別の協定に基づく外交官又は領事官の租税上の特権に影響を及ぼすものではない。

　国連モデル租税条約は、OECDモデル租税条約と若干文言が異なっていますが、内容的にはほぼ同義であるといえます。

(3)　日本の租税条約

　日本が締結した租税条約においては、OECDモデル租税条約又は国連モデル租税条約に準拠しています。日米条約（第28条）、日英条約（第27条）、日仏条約（第28条）、日豪条約（第29条）、日中条約（第28条）、日印条約（第27条）、日韓条約（第28条）、日タイ条約（第25条）においても、同様の規定を置いています。

8. 特典の付与

(1)　OECDモデル租税条約

　特典の付与については、2014年版OECDモデル租税条約までは規定はありませんでした。しかし、BEPSプロジェクトの行動計画6「租税条約の濫用防止」は、いわゆる条約漁り（Treaty Shopping：第三国の居住者が不当に条約の特典を得ようとする行為）をはじめとした租税条約の濫用は、BEPSの最も重要な原因の一つとの認識に基づき、これを防止するためにOECDモデル租税条約を改定することとしました。そこで、2017年版OECDモデル租税条約第29条は、第1から8までは特典制限条項（LOB：Limitation on Benefits）を規定し、第9では主要目的テスト（PPT：Principal Purpose Test）を規定しています。

　一方、各国が締結する二国間租税条約の改定を待っていると長期間を要することから、BEPSプロジェクトの行動15に基づいて2016年末に策定されたBEPS

防止措置実施条約において、同様の規定を有しています。

　なお、以下の日本語訳にもあるように、ここでいう「特典」は第10条3（配当）、第11条3（利子）及び第12条1（使用料）の規定により認められるものを指し、「付与」については、これらの特典を享受できる者を一定の要件を満たす者に限定するとともに、租税条約に基づく特典一般についてその取引が条約の濫用を主たる目的とすると認められる場合には特典を与えないこととされています。

OECD モデル租税条約第29条（特典の付与）

1．本条3から5の規定に従って2項に規定する適格居住者にのみ特典条項を適用する、という条文。

2．適格者基準

　－　個人

　－　当該一方の締約国の政府、地方政府若しくは地方公共団体又は中央銀行

　－　一定の有価証券市場に上場されている企業

　－　上場企業の関連法人

　－　一定の非営利法人又は年金基金

　－　その他一定の持分を有し、税源浸食をしていない企業

　－　一定の投資ビークル

3．事業活動基準

4．派生的受益基準

5．多国籍企業集団本拠法人基準

6．権限のある当局による認定

7．本条1から6までに用いられる用語の説明

8．(a)(i)　一方の締約国の企業が他方の締約国内において所得を取得し、かつ、当該一方の締約国において当該所得が両締約国以外の国又は地域の内に存在する当該企業の恒久的施設に帰せられるものとして取り扱われ、かつ、

　　　(ii)　当該一方の締約国において当該恒久的施設に帰せられる利得について

租税が免除される場合において、両締約国以外の国又は地域において当該所得に対して課される租税の額が、当該恒久的施設が当該一方の締約国内に存在したならば当該一方の締約国において当該所得に対して課されたであろう租税の額の60パーセントに満たないときは、当該所得について、この条約に基づく特典は、与えられない。この場合には、この8の規定が適用される所得に対しては、この条約の他の規定にかかわらず、当該他方の締約国の法令に従って租税を課することができる。

(b)　(a)の規定は、(a)に規定する他方の締約国内において取得される所得が恒久的施設を通じて行われる事業の活動に関連し、又は付随して取得される場合には、適用しない。ただし、当該事業には、企業が自己の勘定のために投資を行い、管理し、又は単に保有するもの（銀行が行う銀行業、保険会社が行う保険業又は登録された証券会社が行う証券業を除く。）を含まない。

(c)　一方の締約国の居住者が取得する所得について(a)の規定に基づいてこの条約に基づく特典が与えられない場合においても、他方の締約国の権限のある当局は、当該居住者からの要請に応じて、当該居住者が(a)及び(b)に規定する要件を満たさなかった理由を考慮した上で、当該特典を与えることが正当であると判断するときは、当該所得について当該特典を与えることができる。一方の締約国の居住者から第一文に規定する要請を受けた他方の締約国の権限のある当局は、当該要請を認め、又は拒否する前に、当該一方の締約国の権限のある当局と協議する。

9．この条約の他の規定にかかわらず、全ての関連する事実及び状況を考慮して、この条約に基づく特典を受けることが当該特典を直接又は間接に得ることとなる仕組み又は取引の主たる目的の一つであったと判断することが妥当である場合には、そのような場合においても当該特典を与えることがこの条約の関連する規定の目的に適合することが立証されるときを除くほか、その所得については、当該特典は与えられない。

特典の付与については、2014年版までは OECD モデル租税条約には規定さ

れていませんでしたが、2017年版で第29条にBEPSプロジェクトを受けて新設
されました。これまでの第29条以降の条文は、第30条以降として引き続き規定
されることになりました。

(2)　国連モデル租税条約

国連モデル条約には、特典の付与に関する条項はありません。

(3)　日本の租税条約

①　概要

BEPSプロジェクト以前においては、米国モデル租税条約の影響を受ける形
で「特典制限条項（LOB：Limitation on Benefits)」として、日米条約、日英条
約、日仏条約、日豪条約、日蘭条約、日瑞条約、日ニュージーランド条約、日
スウェーデン条約、日独条約において規定がありました。そして、これらにつ
いてはOECDモデル租税条約の規定がなかったこともあり、条約毎で内容が
若干異なっていました。

その後、BEPSプロジェクトの行動6「租税条約の濫用防止」及び行動15
「BEPS防止措置実施条約」を受けて、数年前から交渉されていた二国間租税
条約において、既にOECDモデル租税条約の規定と同じような規定を有して
います。具体的には、平成28年10月に発効した日独条約以降の二国間租税条約
においては、2017年版OECDモデル租税条約の規定と同様又は類似の規定を
有している場合があります。

このほか、BEPS防止措置実施条約を批准する国（地域）との間では、二国
間租税条約が古いために特典の付与に関する規定がなくても、同規定を選択し
ている場合においては日本との二国間租税条約を有しているのと同じ効果を有
していることになります。

以下、主要国との租税条約について個別に説明していきます。

②　日米条約

日米条約は、投資所得（配当、利子、使用料）に対する源泉地国課税を大幅
に減免しました。そのため、この特典を受けようとする第三国居住者による条

約の濫用の危険性があることから、これに対する対応として特典制限条項を設けました。具体的には、次に掲げる要件のいずれかを満たす居住者だけが条約上の特典を受けられることとなりました。

　(イ)　適格者基準

　次のいずれかに該当する条約締約国の居住者は、原則として条約の特典を受ける権利を有します。

適格者基準	①　個人
	②　締約国、地方政府若しくは地方公共団体、日本銀行又は連邦準備銀行
	③　特定の公開会社及びその関連会社　a その者が発行する主たる種類の株式及び不均一分配株式のいずれについても、公認の有価証券市場において通常取引される法人　b その者が発行する各種類の株式の50%以上が、第22条第5項以下のaに規定する法人により直接又は間接に所有されている法人
	④　第4条第1項(c)に規定する公益法人
	⑤　課税年度の直前課税年度の終了の日においてその受益者、構成員又は参加者の50%を超えるものがいずれかの締約国の居住者である個人である年金基金
	⑥　次の2つの要件を満たす法人その他の団体 　a　その者の各種類の株式その他の持分の50%以上が上記①から⑤に掲げる適格者により直接又は間接に所有されていること 　b　当該課税年度におけるその者の総所得のうちに、その者が居住者とされる締約国におけるその者の課税所得の計算上控除することができる支出により、いずれの締約国の居住者にも該当しない者に対し、直接又は間接に支払われた、又は支払われるべきものの額の占める割合が、50%未満であること（ただし、当該支出には、事業の通常の方法において行われる役務又は有体財産に係る支払及び商業銀行に対する金融上の債務に係る支払は含まれない)。

　(ロ)　能動的事業基準

　居住者が(イ)で述べた適格者基準に該当しない場合でも、以下で述べる能動的事業基準を満たす場合には、その所得に関しては特典を受けることができます。

能動的事業基準	①	一方の締約国の居住者が、他方の締約国で取得する所得であること
	②	居住者が自国において営業又は事業の活動に従事していること
	③	源泉地国で取得する所得が、②の営業又は事業の活動に関連又は付随して取得されるものであること
	④	当該居住者が各条項に定める要件を満たしていること

　ただし、上の営業又は事業の活動が、当該居住者が自己の勘定のために投資を行い又は管理する活動（商業銀行、保険会社又は登録を受けた証券会社が行う銀行業、保険業又は証券業の活動を除く。）である場合は、この基準は適用されません。

　また、能動的事業基準を満たすためには、一方の締約国の居住者が、他方の締約国における営業又は事業の活動から所得を生ずる場合又は第9条に定める国外関連者を通じて事業活動を行い所得を取得する場合には、当該居住者が自国で行う営業又は事業活動が、当該居住者又は当該国外関連者が当該他方の締約国内において行う営業又は事業の活動との関係において実質的でなければなりません。

　㈑　権限のある当局による認定

　居住者が、適格者基準及び能動的事業基準のいずれにも該当しない場合においても、要求により権限のある当局が、当該居住者の設立、取得又は維持及びその業務の遂行が日米条約の特典を受けることをその主目的の1つとするものではないと認定したときは、条約上の特典を受けることができます。

　㈒　特典条項の基準認定年度

　条約上の特典を受けるということは、具体的には源泉地国における減免であることから、支払の際に源泉徴収すべきか否かについての基準を置いています。

③　日英条約及び日仏条約

　㈠　概　要

　日英条約（第22条）及び日仏条約（第22条 A）においては、日米条約とは異

なり、特典を受けるための基準を、①適格者基準、②派生的受益基準、③能動的事業基準及び④権限のある当局による認定、の4つに区分しています。

　　(ロ)　適格者基準

　特典条項に関し、日仏条約の各条項の要件を満たし、かつ、以下のいずれかの適格者に該当する居住者は、条約上の特典を受けることができるとしています。

適格者基準	①　個人
	②　締約国の政府、地方公共団体、日本銀行、フランス銀行、締約国の政府又は地方公共団体が直接又は間接に所有する者
	③　特定の公開法人 　その者が発行する主たる種類の株式が公認の有価証券市場に上場され又は登録され、かつ、一又は二以上の公認の有価証券市場において通常取引される法人
	④　特定の非公開法人等 　法人等の発行済株式その他の受益に関する持分の50％以上に相当する株式その他の受益に関する持分を①から③の適格者が直接又は間接に所有する場合の当該法人

　　(ハ)　派生的受益基準

　派生的受益基準は、適格者基準に該当しない法人であっても所定の要件を満たすことにより、特典を受けることができるというものです。具体的には、一方の締約国の法人の発行済株式又は議決権の75％以上の株式を、同等受益者(個人、政府、特定の公開法人など)が直接又は間接に所有し、かつ、特典対象所得に関し、条約上別に定める各要件を満たすときは、当該法人は特典を受けられるというものです。

　これは、日英(仏)両国以外の第三国居住者が支配する一方の締約国の法人であっても、次に掲げる要件を満たす場合には、条約の濫用を目的として当該第三国居住者が設立したペーパーカンパニー等であるとは認められないため、こ

の条約の特典を認めることとしたものです。

①	源泉地国と当該第三国との間の租税条約が実効的な情報交換規定を有する場合
②	当該第三国居住者が、租税条約の適用上、適格者に該当する場合
③	当該租税条約に規定する税率その他の要件が、改正条約に規定する税率その他の要件よりも制限的でない場合

　　㈁　能動的事業基準

　日英条約及び日仏条約においても、能動的事業基準を定めている。これは、適格者に該当しない法人であっても、実体を伴う事業活動を行う場合には、その所有が第三国居住者であることをもって条約の適用を否認することは、正当な事業活動を阻害することになることから、次に掲げる要件を満たす場合には、特典を受けることができることにしたものです。

①	一方の締約国の居住者が、居住地国内において能動的事業を行い、源泉地国において取得する所得が居住地国の事業に関連し又は付随して取得されること
②	一方の締約国の居住者又はその特殊関係会社が、源泉地国において事業から所得を取得する場合には、当該源泉地国において行う事業が当該居住者の居住地国における事業と実質的な関係にあること
③	①に関し、ある者が居住地国内において事業を行っているか否かを決定するにあたっては、以下の事業については、その者が行うものとみなす。 　a　その者が組合員である組合が行う事業 　b　その者に関連する者（持株会社等）が行う事業
④	この場合、以下のいずれかの要件を満たす場合に③bにいう関連するものとされる。 　a　持分の50％以上を所有する関係の場合（親子会社） 　b　第三者がそれぞれの者の持分の50％以上を所有する場合（兄弟会社、姉妹会社）

　　㈭　権限のある当局による認定

　日英条約及び日仏条約では、適格者基準、派生的受益基準又は能動的事業基準の規定により特定条項対象所得について、条約の特典を受ける権利を有する場合に該当しない一方の締約国の居住者であっても、他方の締約国（源泉地国）

の権限のある当局が、当該居住者の設立、取得又は維持及びその業務の遂行の主たる目的が条約の特典を受けることでないと認定したときは、当該居住者は特典条項対象所得に対してこの条約に基づく租税の免除を受けることができます。

④　日豪条約

日豪条約（第23条）は、日米条約と類似の規定を有しています。しかし、同条第 7 項は、「この条の規定は、租税回避又は脱税を防止するための一方の締約国の法令の規定の適用をいかなる態様においても制限するものと解してはならない。」と規定し、国内の租税回避・脱税防止措置を設けています。

日豪条約（第24条）は、「減免の制限」について、第 1 項において送金課税（非永住者）について源泉地国における減免措置は送金され又は受領された部分にのみ適用されるとし、第 2 項において豪州税法上の「一時的居住者」が国外源泉所得を免除されていることから、必要な所要の措置が講じられています。

⑤　日独条約

平成28年10月に発効した日独租税条約では、配当、利子、使用料に対する源泉地国免税を導入したことから、第三国の居住者が形式的に締約国の居住者となることによって本条約が濫用される可能性が増加することになります。そこで、第21条では、本条約が規定する全ての特典について、特典を享受できる者を一定の要件を満たす者に限定するとともに、取引が本条約の濫用を主たる目的とすると認められる場合には本条約の特典を与えないことを規定しています。

㈤　適格者基準

日英・日仏条約とほぼ同様の規定となっています。

㈥　派生的基準

日英・日仏条約とほぼ同様の規定となっています。

㈦　適格要件の判定基準

次の基準によることとしています。

①	源泉徴収による課税については、一方の締約国の居住者は、その所得の支払が行われる日に先立つ12か月の期間を通じて、支配要件を満たしていること
②	その他の全ての場合については、一方の締約国の居住者は、課税年度の総日数の半数以上の日において、支配要件を満たしていること

㈁　事業活動基準

　本条約第21条5においては、適格者基準又は派生的受益基準に適合しない場合であっても、次に掲げる要件を満たす場合には特典を受けることができるとしています。

①	居住者が一方の締約国内において事業の活動に従事していること（ただし、この事業には、居住者が自己の勘定のために投資を行い、又は管理するものは含まない。もっとも、銀行、保険会社又は証券会社が行う銀行業、保険業又は証券業はここで除外される事業には含まない。）
②	他方の締約国において取得する所得が、①に規定する事業に関連又は付随して取得されるものであること
③	本条約の関連規定において定められている特典を受けるために必要な他の要件を満たすこと

　また、一方の締約国の居住者が、他方の締約国（源泉地国）内において行う事業から所得を取得する場合又は他方の締約国内で事業を行う関連企業からその他方の締約国（源泉地国）内において生ずる所得を取得する場合には、当該他方の締約国内において行う事業との関係においてその居住者の居住地国における事業が実質的なものである必要があります。事業が実質的なものであるか否かは、全ての事実及び状況に基づいて判断されます。

　なお、ある者が一方の締約国内において事業を行っているか否かを決定するに当たっては、その者が組合員である組合が行う事業及びその者に関連する者が行う事業（その者及びその者に関連する者が同一又は補完的な事業に従事している場合に限る。）は、その者が行うものとみなします。一方の者が他方の者の受益に関する持分の50％以上を所有する場合（親子会社等）及び第三者がそれぞれの者の受益に関する持分の50％以上を所有する場合（兄弟会社等）には、一

方の者と他方の者は、関連するものとされます。

㈱　権限のある当局による認定

これについては、他の条約と類似しています。

㈻　主要目的テスト

日独条約第21条 8 は、いわゆる主要目的テスト（Principal Purpose Test : PPT）を規定しています。具体的には、本条約の他の規定にかかわらず、全ての関連する事実及び状況を考慮して、本条約の特典を受けることがその特典を直接又は間接に得ることとなる仕組み又は取引の主たる目的の一つであったと判断することが妥当である場合には、その所得については、特典を与えないこととしています（得点を与えることが本条約の関連する規定の目的に適合することが立証されるときを除く。）。

㈼　本条約と国内法令に規定される濫用防止規定との関係（第21条 9 ）

本条約の規定は、租税回避又は脱税を防止するための一方の締約国の法令の規定の適用をいかなる態様においても制限するものと解してはならないことを規定しています。ただし、この規定が適用されるのは、その法令の規定が本条約の目的に適合する場合に限ることとされています。

なお、議定書 7 は、本条約第21条 9 について、各締約国がその法令で規定する外国子会社合算税制等は、租税回避又は脱税を防止するための一方の締約国の法令の規定であることを規定しています。

9. 適用地域の拡張

⑴　OECD モデル租税条約

OECD モデル租税条約第30条（適用地域の拡張）

1. この条約は、［この条約の適用から特に除外された（A国）若しくは（B国）の領域につき］（A国）若しくは（B国）が国際関係について責任を負う国又は領域で、この条約が適用される租税と実質的に類似の性質を有する租税を課

するものに対し、そのまま又は必要な修正を加えて適用することができる。その適用は、外交上の経路を通ずる公文の交換その他両締約国の憲法上の手続に適合した方法によって両締約国の間で約定される日から、約定される修正及び条件（終了に関する条件を含む。）に従って効力を生ずる。(77年改正)

2. ［(A国) 若しくは (B国) の領域又は］この条の規定に基づいてこの条約の適用が拡張された国若しくは領域に対するこの条約の適用は、一方の締約国が第30条の規定に基づいてこの条約を終了させるときは、両締約国が別段の合意をしない限り、同条の定めるところに従って終了する。(77年改正)

OECDモデル租税条約第30条は、締約国が国際関係について責任を負う国又は領域で、この条約が適用される租税と実質的に類似の性質を有する租税を課するものに対し、そのまま又は必要な修正を加えて適用できるとしています。

(2)　国連モデル租税条約

国連モデル租税条約には、適用地域の拡張についての規定はありません。

(3)　日本の租税条約

日本が締結した租税条約には、デンマークなど一部の条約で適用地域の拡大について規定していますが、いずれも相手国の適用地域の拡張を定めたものです。

10.　協議の要請

(1)　OECD モデル租税条約

これについては、OECDモデル租税条約には規定がありません。

(2)　日本の租税条約

日米租税条約第29条においては、条約相手国において条約に関連する法令に実質的な改正が行われた場合又は行われることになった場合には、一方の締約国は、当該改正がこの条約上の特典の均衡に及ぼし得る効果を決定するため、及び適当な場合にはこの条約上の特典について適当な均衡に到達するためにこ

の条約の規定を改正するため、当該他方の締約国に対し書面により協議の要請をすることができることとされています。

　これは、米国がいわゆる後法優先の原則を採用し、条約締結後に国内法の改正により条約上の特典に影響を及ぼすことがあることから、日本に対して協議の要請を行う権限を与えたものです。

11. 発効及び終了

(1)　OECD モデル租税条約

　OECD モデル租税条約第31条及び第32条は、発効、批准及び終了の手続について規定しています。条約は、批准され、批准書の交換をもって効力を発します。また、終了については、一方の締約国が外交上の経路を通じて終了の通告を行うことにより、終了します。

(2)　日本の租税条約

　日本が締結した租税条約においても、OECD モデル租税条約と同様の規定が置かれています。

 第6節 租税情報交換協定

1. はじめに

　次章に記載するように、世界にはいわゆるタックス・ヘイブンと呼ばれる国又は地域がたくさんあります。タックス・ヘイブンに対しては、OECD等の国際機関はしばらくの間何の対策も講じていませんでしたが、1990年代以降の金融工学の進展等に伴う富裕層及び大企業による資金の移動に対して、一定の措置を講ずるようになりました。

　まず、OECDは1996年から有害な租税競争プロジェクトを開始し、1998年に「有害な租税競争の報告書」を公表し、2000年には、35の国と地域がタックス・ヘイブンであるとして公表しました。

　その際、OECDでは、タックス・ヘイブンの要件について、次の4つの項目を満たしていること、としました。

① 実効税率がゼロ又は名目的

② 実効性のある情報交換の欠如

③ 税制・税務行政における透明性の欠如

④ 実質的な経済活動がない

　OECDは、当時から情報交換を最も重視していました。

2. モデル情報交換協定の策定

　OECDは2000年の報告書を受けて、タックス・ヘイブンを交えた租税情報

交換協定のモデルの作成に着手し、2002年に完成させました。これにより、OECDモデル租税条約と同じように、先進国とタックス・ヘイブンとの間の租税情報の交換に関する条約のモデルが完成したことになります。しかし、タックス・ヘイブンは自国（地域）の租税情報を積極的に開示することには否定的であり、日本もこれらとの条約締結に消極的であったことから、しばらくの間は租税情報交換協定の締結件数は非常に少なかったということがありました。

3. リーマンショックに伴う国際的施策

　2008年9月のリーマンショックに端を発した世界的経済危機は、国際税務の分野にも大きな影響を与えました。英米などの主張によると、世界的金融危機は、タックス・ヘイブンに多くの資金が集まっていたことが一つの要因であるとし、これを機にタックス・ヘイブンに情報を開示するための圧力をかけ始めることになったのです。

　具体的には、2009年4月のロンドンG20サミット首脳宣言の中に、タックス・ヘイブンに租税情報を公表させることとし、情報開示に消極的な国を公表することとしました。そして、OECD租税委員会は、最低でも12以上の情報交換規定を含む租税条約の締結を行わない限り、ブラック・リストに載せることとしました。これにより、タックス・ヘイブンとしても、各国との条約締結をせざるを得なくなり、我が国もこれらの動きに賛同することとなりました。

4. 日本における租税情報交換協定の締結

　日本は、租税情報交換協定の最初の相手地域として、英国自治領であるバミューダを選択しました。2009年6月に条約交渉を開始し、わずか2週間後には基本合意に達しました。その後、2010年2月にロンドンにおいて租税情報交換協定の署名が行われ、同年8月1日に発効させました。

　バミューダとの租税情報交換協定は、情報交換を主目的とするものの、人的交流を促進する観点から退職年金等の特定の個人所得についての課税の免除に

ついても規定することとしています。

5．租税情報交換協定の概要

以下、バミューダとの租税情報交換協定の概要を説明します。

⑴　対象となる租税

情報交換の対象となる租税は、所得税、法人税、住民税、相続税及び贈与税です。

⑵　要請に基づく情報交換

上に掲げる税目について、相手国（地域）から要請を受けた権限のある当局は、要請に応じて租税情報を提供します。この場合、情報提供の要請を受けた国（地域）は、自己の課税目的のために必要でないときであっても、要請された情報を提供するためにすべての関連する情報収集のための措置を採ることとなりました。また、金融機関等が保有する情報を要請に応じて入手し、それを提供する権限を自己の権限のある当局に対して付与することを確保することとしました。

⑶　要請を拒否することができる場合

情報提供の要請が、租税情報交換協定に従っていない場合は、情報提供を拒否できることとし、また、営業上、事業上、産業上、商業上若しくは職業上の秘密又は取引の過程を明らかにするような情報提供義務は課せられないこととされました。

⑷　守秘義務

租税情報交換協定に基づいて受領した情報は、秘密として取り扱うものとされました。

⑸　課税権の配分

①　課税権の配分に関する規定は、両国の居住者である個人に適用することとし、対象となる租税は所得税と住民税とされました。

②　退職年金に対しては、居住地においてのみ課税できることとされました。

⑹　**相互協議**

　課税権の配分に関する規定に適合しない課税について相互協議の申立てを行うこと、また、権限のある当局は相手国（地域）の権限のある当局との間で協議を行って解決を図ることが規定されています。

⑺　**不利益な又は制限的な租税に係る課税措置の禁止**

　相手国（地域）の居住者又は国民に対して、特に居住者であるか否かに関し同様の状況にある自らの国民に適用する措置よりも不利益な又は制限的な租税に係る課税措置を適用してはならないことが規定されています。

6. タックス・ヘイブンとの租税情報交換協定の締結状況

　令和2年7月現在、日本は次の国・地域との間で合計11の租税情報交換協定を締結しています。

【欧州地域】
ガーンジー、ジャージー、マン島、リヒテンシュタイン
【アジア・大洋州】
マカオ、サモア
【北米・中南米】
ケイマン諸島、英領バージン諸島、パナマ、バハマ、バミューダ

（注）　香港はタックス・ヘイブンの一つですが、日本との間では通常の租税条約を
　　　締結しています。

7. 税務行政執行共助条約に伴う情報交換協定の位置づけ

　第7節にあるように、日本でも平成25年に税務行政執行共助条約が発効し、これに加入する国や地域については、二国間で租税情報交換協定を締結する必要性は薄れてきています。特に、2016年4月に『パナマ文書』が明らかになるなど、世界各国でいわゆる租税回避が行われていることを受けて、OECDな

どの国際機関が締め付けを強化しており、多くのタックス・ヘイブンも税務行政執行共助条約に参加することになりました。例えば、パナマは以前は情報交換には消極的でしたが、『パナマ文書』の影響により、租税情報交換協定のほか、次節で述べる税務行政執行共助条約にも参加することになりました。

　いずれにしても、今後、二国間租税条約である租税情報交換協定の位置づけは低下していくことが予想されます。そうはいっても、いくつかの国（地域）のように引き続き税務行政執行共助条約に参加せずに、租税情報交換協定を締結する国（地域）もあるので、引き続き情報交換協定の意義は一定程度はあると考えられます。

第7節　税務行政執行共助条約

1. はじめに

　2011年（平成23年）11月 3 日（木）フランス・カンヌで開催された G20サミットにおいて、我が国は、「租税に関する相互行政支援に関する条約」（「税務行政執行共助条約」）及び「租税に関する相互行政支援に関する条約を改正する議定書」（「改正議定書」）に署名し、平成25年11月に発効しました。

　本条約は、我が国にとって租税に関する初めての多国間条約です。本条約の目的は、締約国間で租税に関する様々な行政支援（情報交換、徴収共助、送達共助など）を相互に行うことを通じ、国際的な脱税及び租税回避行為に適切に対処していくことです。

　本条約の発効により、これまで日本と二国間租税条約を締結していない国や地域との間で情報交換などが可能になります。また、税務当局間の協力体制の構築・強化につながることも予想できます。その意味からも、今後の本条約への署名・発効国の拡大が期待されます。

2. 経　緯

　本条約は、当初1988年（昭和63年）に OECD・欧州評議会により策定されていましたが、我が国は租税債権の優越性が保たれないことにより実効性がないとして署名してきませんでした。

　国境を越える経済取引、資産の移転等が活発化する中、国際的な脱税及び租

【税務行政執行共助条約のイメージ図】

多国間条約 一つの法的根拠で 多国間の協力		広範囲 すべての租税に関する 協力を広範囲に形成
	主要な利点	
柔軟性 特定の分野で留保が可能		統一性 調整機関が一貫 した適用を確保

税回避行為に対する取組みが重要な課題となっていることを踏まえ、本条約の国際的な協力の枠組みを活用することが適当であると考え、我が国も署名することとなりました。平成23年に日本を含む13の国が署名したことで、G20すべてが署名したことになりました。

3. 本条約及び改正議定書の概要

税務行政執行共助条約は、国際的な脱税及び租税回避行為に適切に対処するため、本条約の締約国間で以下の行政支援を相互に行うための多数国間条約です。対象となるのは、関税を除くすべての租税です。

(1) 情報交換

締約国間において、租税情報を相互に交換することができます。情報交換規定は国際標準に沿ったものとし、銀行機密に関する情報の交換が可能となりました。情報交換の形態には、個別的情報交換、自発的情報交換、自動的情報交換があります。

この中では、自動的情報交換を行うことができるようになることは大きなことでした。これまでの OECD モデル租税条約や租税情報交換協定には自動的情報交換規定はなく、本条約が発効することで、より多くの租税情報の交換が行われることになり、公平な税務行政の執行が期待されていました。

そして、本条約第6条に基づいて、第8章に規定する移転価格税制に基づく国別報告書に係る自動的情報交換、さらには、非居住者が金融機関に開設した口座情報に関する自動的交換へ発展していきました。

⑵　徴収共助

　租税の滞納者の資産が他の締約国にある場合、他の締約国にその租税の徴収を依頼することができます。

　ただし、依頼された外国の租税については、国内法における租税とは異なり、他の債権に対する優越性が確保されないことから、優先的に徴収されることにはならないことに留意することが必要です。

⑶　送達共助

　租税に関する文書の名宛人が他の締約国にいる場合、他の締約国にその文書の送達を依頼することができます。

⑷　その他

　多国間での同時調査や合同調査を行うことができるようになります。また、締約国の代表から成る調整機関を設置し、本条約の履行を監視します。この他、本条約により収集された情報が重大な金融犯罪に関連する場合には、一定の手続によりこれらのために使用されることがあります。

4．税務行政執行共助条約の現状

　日本では本条約が平成25年10月に発効しました。平成30年3月現在、本条約が発効しているのは、我が国を除いて84か国です。このうち、日本との二国間租税条約を締結していない国・地域は43にのぼります。

＊本条約及び改正議定書を策定したOECD租税委員会は、本条約の効果を高めるため、より多くの国に署名を呼びかけています。

5．税務行政執行共助条約の今後

　税務行政執行共助条約は、日本でいえば国税庁に相当する税務当局が外国の

税務当局と税務行政の執行について共助するためのものであり、納税者には直接的な関係はありません。

　また、情報交換をよりスムーズに進めるための方策として、新たにOECDにおいて、非居住者に係る金融口座情報を税務当局間で自動的に交換するための国際基準である「共通報告基準（CRS：Common Reporting Standard）」が公表され、日本を含む各国がその実施を約束しました。これは、日本でいえば、日本の非居住者が国内の金融機関に口座を開設した場合、その口座情報をその非居住者の居住地国の税務当局に自動的に情報が送られるシステムです。その意味では、非居住者の金融機関の口座情報に関する情報交換について、税務行政執行共助条約が利用されることはなくなります。

　しかし、情報交換においても居住者の口座情報やその他の税務情報、そして徴収共助など、執行面で税務当局間で共助することは、経済活動のグローバル化の中で有用であることに変わりありません。その意味でも、税務行政執行共助条約の果たす役割は引き続き大きいといえるでしょう。

BEPS 防止措置実施条約
（多数国間協定）

1. はじめに

　2015年秋に最終報告書が公表された BEPS プロジェクトですが、その中の租税条約に関する措置を講じるため、2016年11月に『BEPS 防止措置実施条約（多数国間協定）』（Multilateral Convention）が策定されました。

　この BEPS 防止措置実施条約（多数国間協定）ですが、正確にいえば、「税源浸食と利益移転を防止するため租税条約関係の方策を履行する多数国間協定（Multilateral Convention to Implement Tax Treaty Related Measures to Prevent BEPS）」を指します。その名が示すように、これまで従来型の二国間租税条約を悪用して多くの国際的租税回避が行われたことにより世界各国で多くの税収が失われました。そこで、この BEPS 防止措置実施条約が租税条約関係の抜け穴をふさぐために策定されました。つまり、BEPS プロジェクトを絵に描いた餅に終わらせることなく、実効性のあるものにするための一つの有力な対抗策として、BEPS 防止措置実施条約が策定されたことになります。

　また、通常の租税条約が二国間で締結されるのに対して、多数国間協定の場合は、国際機関である経済協力開発機構（OECD）の場を通じて、BEPS プロジェクト参加国（46か国）だけでなく、100を超える国や地域の代表者が議論して出来上がったという意味で作業面でも特徴的です。

　さらに、BEPS 防止措置実施条約の位置付けですが、既存の二国間租税条約よりも上位の条約として位置付けられます。そうすることによって、既存の二

国間租税条約を改正することなく、このBEPS防止措置実施条約という一つの条約に署名し、各国の国会で一度承認を得ることによって、その国や地域は、その国（地域）の個人や法人が関係する国際的租税回避を一定程度防止することができるようになります。

このように、内容的にも、また形式的にもこれまでの租税条約と大きく異なる多数国間協定です。これは、国際課税の歴史の中でも非常に大きな改革といえます。

本節で説明するBEPS防止措置実施条約は、多国間条約であるという意味において第7節でご説明した税務行政執行共助条約と同じです。しかし、税務行政執行共助条約は税務当局間の執行共助を目的としており、納税者には直接的には関係ありません。それに対して、BEPS防止措置実施条約は、既存の二国間租税条約を修正するという意味で、納税者に直接関わってきます。この点が、これら2つの大きな相違点になります。

なお、租税条約については、以下の日独租税条約前文を見てもおわかりのように、協定と訳される場合もあります。本章では、条約と協定は同じ意味で使用されているとご理解下さい。

2．BEPS プロジェクトの概要

既に各章において記載されていますが、BEPSプロジェクトについて簡単に復習します。特に2000年代以降、国際的租税回避が多くの国において頻繁に行われてきました。各国が失った税収は、毎年10〜24兆円とされます。これを「税源浸食と利益移転（通称・BEPS）」と定義し、このような状況からの脱却を図るために、2012年以降、BEPSプロジェクトという名称でG20参加国とOECD加盟国（合計46か国）で15の行動計画について議論が交わされた結果、2015年秋に正式に最終報告書が承認・公表されました。

この15の行動計画は、BEPSプロジェクトに参加した国の税制や税務行政に対する勧告という形式になります。しかし、世界には200を超える国と地域が

あり、その4分の1だけが行動に移すだけでは不十分です。そこで、2016年以降、BEPS包摂的枠組会合（Inclusive Framework on BEPS）を行うこととし、同年6月に京都で第1回会議を開催しました。その際、100を超える国と地域さらには地域機関や国際機関が参加しました。このように、BEPSプロジェクトは、今後、世界的なプロジェクトに広がることになったわけです。

【BEPS プロジェクトの進展】

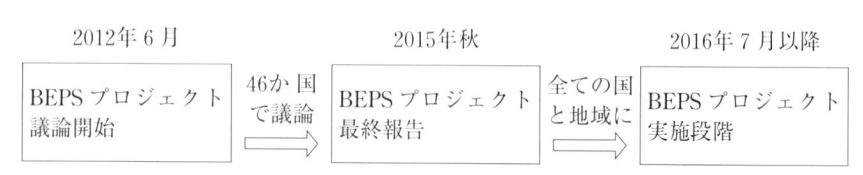

2012年6月 　　　　　　　　　　2015年秋　　　　　　　　　　2016年7月以降

| BEPS プロジェクト議論開始 | 46か国で議論 | BEPS プロジェクト最終報告 | 全ての国と地域に | BEPS プロジェクト実施段階 |

さて、15の行動計画のうち、15番目のプロジェクトがBEPS防止措置実施条約の策定になります。BEPS防止措置実施条約は、BEPSプロジェクトのうち租税条約に直接関係する分野について、二国間租税条約を改正する手間を省くことで、スピーディに国際的租税回避を防止しようとするものです。現状、二国間租税条約は数千あるといわれており、BEPS防止措置実施条約の策定に参加した国や地域だけで3,000を超えています。そうなると、一つひとつ改正していると、多くの時間（極端にいえば100年）を要します。

このようなことから、BEPSプロジェクトのうち租税条約に関係する事項について、BEPS防止措置実施条約を策定することとされました。

行動15については、既に2015年2月には最終報告書の原案ができていたことから、同年5月には議論を開始しました。議論を進めるに当たっては、当初よりBEPSプロジェクト参加国以外の国の代表を含めて、合計100を超える国と地域がBEPSプロジェクト参加国と同じ立場で議論に参加しました。1年半に及ぶ議論の結果、2016年11月にBEPS防止措置実施条約の内容について参加国の合意が得られました。そして、2017年6月7日にパリで署名式が開催され、2018年7月1日に発効しました。

3. BEPS 防止措置実施条約の概要

　BEPS 防止措置実施条約は、全部で39条から成るものであり、以下の7つの項目から構成されています。

---

　①　BEPS 防止措置実施条約の適用範囲、用語の定義　＜第1条、第2条＞

　②　ハイブリッド・ミスマッチへの対応（行動2）＜第3条～第5条＞

　③　租税条約の濫用への対応（行動6）＜第6条～第11条＞

　④　恒久的施設（PE）認定の人為的回避の防止（行動7）＜第12条～第15条＞

　⑤　紛争解決の進展（行動14）＜第16条～第17条＞

　⑥　強制的・拘束的仲裁（行動14。ただし、選択可能）＜第18条～第26条＞

　⑦　最終規定（適用開始などの事務的事項）＜第27条～第39条＞

　以上の項目のうち、BEPS プロジェクトの15の行動計画のうち、行動2、6、7そして14をカバーすることになります。

　BEPS 防止措置実施条約では、以上の項目のうち、③租税条約の濫用への対応（行動6）と⑤紛争解決の進展（行動14）については各国に対して最低限順守すべき措置（ミニマムスタンダード）を義務付けています。一方、②と④については、行動2と7の最終報告書の内容を採用するような勧告を含んでいるものの、一部の内容だけを採用することも可とされます。さらに、⑥については、これを採用しなくてもいいという意味で選択可能な措置としています。

　なお、BEPS 防止措置実施条約も条約の一つの類型になることから、各国は自国の制度の関係から留保を付すことができることになっています。また、BEPS 防止措置実施条約の解説ともいうべきコメンタリー（解釈指針）も作成されることになっています。

　さて、BEPS 防止措置実施条約の位置づけについて、「既存の二国間租税条約の上位の条約として位置付ける」ということになりました。これを簡単に図示すれば、次のようになります。

【BEPS 防止措置実施条約の位置づけ（日本の二国間租税条約を例にして）】

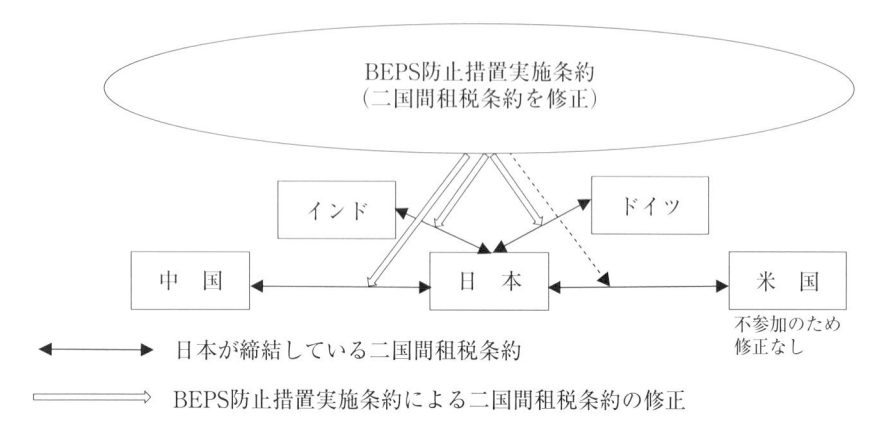

　上の図で示したように、日本が BEPS 防止措置実施条約に署名し国会で承認を受けると、BEPS 防止措置実施条約の参加国になります。同じように、日本と二国間租税条約を締結している国（地域）も BEPS 防止措置実施条約の批准をすることで参加国となるとします。そのような場合、日本との二国間租税条約のうち、BEPS プロジェクトの行動 2、6、7 及び14に関する規定が BEPS 防止措置実施条約により修正されることになります。例えば、日本とドイツの両国が BEPS 防止措置実施条約に参加する場合、原則として日独租税条約の規定のうち、行動 2、6、7 及び14について BEPS 防止措置実施条約に修正されることになるわけです。

4. ハイブリッド・ミスマッチへの対応

　ハイブリッド・ミスマッチとは、金融所得や会社などの事業体について各国の税制上の差異をいいます。国際的租税回避を行う納税者は、これを利用して課税逃れをすることから、BEPS プロジェクトの行動 2 でこれに対応することにし、BEPS 防止措置実施条約で租税条約関係の措置を講じることにしました。

　具体的には、二国間で課税の取扱いが異なる事業体が得る所得に関して、源

泉地国において居住地国の税法に適合するような措置が講じられました。例えば、居住地国で課税される場合には、源泉地国では課税しないなどの措置を導入しました。このほか、国際的にどこでも課税されないことにならないような措置が講じられました。

5.　租税条約の濫用への対応

　BEPS プロジェクト行動 6 は、「租税条約の濫用防止」と題して、条約漁り（第三国の居住者が不当に条約の特典を得ようとする行為）をはじめとした租税条約の濫用は、BEPS の最も重要な原因の一つとの認識に基づき、これを防止するための「OECD モデル条約」の改定及び国内法の設計について検討することとしています。その中で、最低限必要な措置（ミニマムスタンダード）として、以下の①及び②の措置を採用することを勧告していました。

①	租税条約のタイトル・前文に、租税条約は、租税回避・脱税（条約漁りを含む）を通じた二重非課税又は税負担軽減の機会を創出することを意図したものでないことを明記すること
②	租税条約に、一般的濫用防止規定として次のいずれかを規定すること。 　イ　主要目的テスト（Principal Purpose Test：PPT）のみ 　ロ　PPT 及び簡素版 LOB（特典制限規定（Limitation on Benefit））との両方 　ハ　厳格版 LOB 及び導管取引防止規定（限定的 PPT） 　　※　LOB とは、租税条約の適用を受けることができる者を一定の適格者に制限する規定をいいます。また、PPT とは、租税条約の濫用を主たる目的とする取引から生ずる所得に対する租税条約の特典を否認する規定をいいます。

　このうち、①については、平成28年10月に発効した日独租税条約（全面改正）前文で以下のように記述された（下線は筆者）ことで、日本とドイツは BEPS プロジェクトを忠実に履行していることがわかります。

> 日本国及びドイツ連邦共和国は、
>
> 　両国間の経済関係の一層の発展を図ること及び租税に関する両国間の協力を強化することを希望し、
>
> 　所得に対する租税及びある種の他の租税に関し、脱税又は租税回避を通じた非課税又は課税の軽減（第三国の居住者の間接的な利益のためにこの協定において与えられる租税の免除又は軽減を得ることを目的とする条約漁りの仕組みを通じたものを含む。）の機会を生じさせることなく、二重課税を除去するための新たな協定を締結することを意図して、
>
> 　次のとおり協定した。

　また、租税条約に、租税条約上の特定の要件の適用回避を防止するための個別的濫用防止規定（双方居住者の振分けルールを実質管理地基準から個別判定方式に変更、配当に対する軽減税率適用のための持株保有期間要件の追加等）を設けることを勧告しています。

　日本は、これらの施策を既に取り入れています。特典条項は上述した通りですが、主要目的テスト（PPT）については同じく日独租税条約第21条第8項で初めて採用しました。具体的には、租税条約の他の規定にかかわらず、全ての関連する事実及び状況を考慮して、その租税条約の特典を受けることがその特典を直接又は間接に得ることとなる仕組み又は取引の主たる目的の一つであったと判断することが妥当である場合には、その所得については、特典を与えないこととしています（特典を与えることが日独租税条約の関連する規定の目的に適合することが立証されるときを除く。）。

6. 恒久的施設（PE）認定の人為的回避の防止

　次に、行動 7 「恒久的施設（PE）認定の人為的回避の防止」ですが、具体的には、次のような事例を指します。

【代理人PEの認定を回避する例：販売委託契約（コミッショネア契約）】

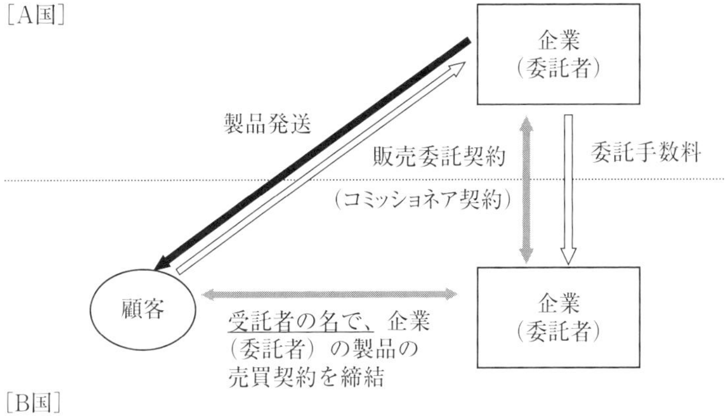

（出典：財務省資料）

＊上の図では、

① 　企業がB国に支店を設けて製品を販売すると、B国にPEを有することとなり、B国において製品の販売利益に課税されることになります。

② 　また、企業がB国に代理人を置いて、代理人が企業（本人）の名において企業の製品の販売契約を締結すると、企業がB国に代理人PEを有することとなり、B国において企業が製品の販売利益に課税されます。

③ 　これに対し、企業はB国の受託者と販売委託契約（コミッショネア契約）を締結し、受託者（コミッショネア）が受託者の名において企業（委託者）の製品の販売契約を締結すると、代理人PEの要件に該当しないため、企業はB国にPEを有しないこととなり、B国において製品の販売利益に課税されません。

　この問題について、行動2において受託者（コミッショネア）も代理人PEになり課税対象とすることとし、BEPS防止措置実施条約において導入されることとなりました。そして、BEPS防止措置実施条約において、恒久的施設（PE）

に該当しない補助的準備的活動の内容を改正し、関連企業を利用した PE 認定を回避することを認めない規定も導入することになりました。日本は、BEPS 防止措置実施条約に参加するとともに、平成30年度税制改正において PE の定義に修正を加えることでこの問題に対処することにしました。

7. 紛争解決の進展

BEPS プロジェクト行動14の「紛争解決の進展」において、BEPS 対抗措置による新たなルールの導入に伴う予期せぬ二重課税の発生等の不確実性を排除し、ビジネスにとっての確実性と予測可能性を確保するためには、租税条約に関連する紛争を解決するための相互協議手続をより実効的なものとすることが必須であるとされました。

そこで、BEPS 防止措置実施条約の中で実効的な相互協議の実施を妨げる障害を除去するため、相互協議を通じた適時・効果的な紛争解決に対し強く政治的にコミットし、以下の3項目を実現するために各国が最低限実施すべき措置（ミニマムスタンダード：MS）及び実施することが望ましいとされる措置（ベストプラクティス）を勧告することとされました。

①	・相互協議に係る条約上の義務の誠実な履行と、相互協議事案の迅速な解決 ・（MS の例）相互協議事案を平均24か月以内に解決することを目標化すること
②	・租税条約に関連する紛争の予防及び迅速な解決を促進するための行政手続の実施 ・（MS の例）相互協議の利用のためのガイダンス公表、相互協議担当職員の人員及び独立性の確保
③	・納税者に対する相互協議の機会の保証 ・（MS の例）いずれの締約国の権限のある当局に対しても相互協議の申立てをできるように租税条約の規定を改正

この他、相互協議手続の実効性は、強制的・拘束的仲裁制度の導入によって一層強化されるとして、仲裁制度を導入する意思のある国において、強制的・拘束的仲裁制度に関する具体的な規定がされました。これが、BEPS 防止措置

実施条約の項目⑥になります。強制的・拘束的仲裁制度とは、相互協議事案の合意が困難な場合には、強制的に仲裁に移行しその結果に関係する両国の権限のある当局が拘束されるということです。この⑥については、選択可能な条項ですが、2017年3月現在、日本を含む25か国がこの規定を採用することにしているとされます。

　日本は、ミニマムスタンダード及びベストプラクティスを概ね実施しています。今後、BEPS 防止措置実施条約に参加することを含め、租税条約に関連する措置（仲裁を含む）を規定する租税条約を拡充していくとしています。

8．BEPS 防止措置実施条約の柔軟性と複雑性

　BEPS プロジェクトの重要性は、日本を含む多くの国で認識されており、令和2年8月現在、94の国と地域が BEPS 防止措置実施条約に署名しています。

　そして、BEPS 防止措置実施条約の特徴としては、主に5つの規定がある中で、強制的・拘束的仲裁については初めから選択可能としていること、③租税条約の濫用への対応（行動6）と⑤紛争解決の進展（行動14）についてミニマムスタンダードを達成することで加盟できること、その他の規定についても一部の内容を選択しないことを認めること、など、非常に柔軟性が高くなっていることがあります。

　そこで、③と⑤のミニマムスタンダードだけを採用する場合（一番狭い範囲のもの）と②から⑥までの全ての規定を採用する場合（一番広範囲のもの）の間に多くの選択肢があり、色々なパターンが生まれることになります。それも、100を超える国と地域が参加することになっていますので、関係国との関係が非常に複雑になると思います。

　例えば、日本は②から⑥までの全ての規定を採用しているとして、A 国は③と⑤のミニマムスタンダードだけを採用しているとすれば、日本と A 国との二国間租税条約が修正されるのは、③と⑤のミニマムスタンダードの部分のみとなります。一方、日本が同じ場合で、B 国が②、③及び⑤を採用している場

合には、日本とB国との二国間租税条約が修正されるのは、B国が採用している部分だけとなります。

このように、日本が二国間租税条約を締結している相手国が、BEPS防止措置実施条約に参加している場合、その国がどの程度このBEPS防止措置実施条約を取り入れるかによって修正される箇所が異なってきます。

9. BEPS防止措置実施条約の適用に関する我が国の選択の概要

(1)　はじめに

我が国が本条約の署名時に提出した本条約の適用に関する選択についての「暫定の一覧」の概要は、(3)及び(4)に示す通りです。見ていただくとわかりますが、適用する部分と適用しない部分について、条文などに基づいていますので、8で述べたように非常に複雑なものになります。また、各国でも同じよう適用するものと適用しないものとを選択しているので、最初は判断に迷う場合も出てくるかもしれません。

なお、署名時に「暫定の一覧」を提出した本条約の各締約国の選択は、本条約の批准等の時に通告する一覧において確定されますが、「確定した一覧」において暫定の一覧の内容が変更される可能性があります。

また、各租税条約に対する本条約の規定の具体的な適用関係は、本条約が各規定について定める要件に従って、我が国及び相手国が各規定の適用に関して行う選択によって異なります。

我が国を含む本条約の各締約国の選択については、OECDホームページで確認できます。

(2)　我が国が本条約の適用対象として選択している我が国の租税条約の相手国・地域

次に掲げる41の国と地域です。

アイルランド	アラブ首長国連邦	イスラエル	イタリア	インド	インドネシア
ウクライナ	英国	エジプト	オーストラリア	オマーン	オランダ
カザフスタン	カタール	カナダ	韓国	クウェート	サウジアラビア
シンガポール	スウェーデン	スロバキア	チェコ	中国	ドイツ
トルコ	ニュージーランド	ノルウェー	パキスタン	ハンガリー	フィジー
フィンランド	フランス	ブルガリア	ポーランド	ポルトガル	香港
マレーシア	南アフリカ	メキシコ	ルクセンブルク	ルーマニア	

(3)　我が国が適用することを選択している本条約の規定

①	課税上存在しない団体を通じて取得される所得に対する条約適用に関する規定（第3条）
②	双方居住者に該当する団体の居住地国の決定に関する規定（第4条）
③	租税条約の目的に関する前文の文言に関する規定（第6条）
④	取引の主たる目的に基づく条約の特典の否認に関する規定（第7条）
⑤	主に不動産から価値が構成される株式等の譲渡収益に対する課税に関する規定（第9条）
⑥	第三国内にある恒久的施設に帰属する利得に対する特典の制限に関する規定（第10条）
⑦	コミッショネア契約を通じた恒久的施設の地位の人為的な回避に関する規定（第12条）
⑧	特定活動の除外を利用した恒久的施設の地位の人為的な回避に関する規定（第13条）
⑨	相互協議手続の改善に関する規定（第16条）
⑩	移転価格課税への対応的調整に関する規定（第17条）
⑪	義務的かつ拘束力を有する仲裁に関する規定（第6部）

(4)　我が国が適用しないことを選択している本条約の規定

①	二重課税除去のための所得免除方式の適用の制限に関する規定（第5条）
②	特典を受けることができる者を適格者等に制限する規定（第7条）
③	配当を移転する取引に対する軽減税率の適用の制限に関する規定（第8条）
④	自国の居住者に対する課税権の制限に関する規定（第11条）

⑤｜契約の分割による恒久的施設の地位の人為的な回避に関する規定（第14条）

10. 今後の展開

　2017年6月7日にパリで署名式が行われたことから、今後は各国の国会で批准手続が行われます。その後、批准書がOECD本部に届くことになりますが、BEPS防止措置実施条約は2018年7月1日に発効しました。日本では2018年の通常国会で承認されました。

　BEPS防止措置実施条約については、適用対象国が少しずつ増加している状況です。

　内容的には、租税回避防止だけでなく（仲裁を含む）相互協議の効果的実施も含まれます。

　BEPS防止措置実施条約は、伝統的な租税条約のように源泉税の軽減や免除という目に見える効果があるわけではありませんが、今後少しずつその存在意義が示されることになると思われます。

第9節 租税条約に関する届出書等の概要

1. 租税条約上の減免措置を受けるための手続

　第6節では租税情報交換協定、第7節では税務行政執行共助条約、そして第8節ではBEPS防止措置実施条約について述べてきましたが、これらは21世紀に入ってからの新しい動きです。

　本節では、従来の二国間租税条約に関する手続等について説明します。源泉徴収の対象となる国内源泉所得の支払を受ける非居住者・外国法人が、日本において源泉徴収される所得税について、租税条約に基づき軽減又は免除を受けようとする場合には、2以下で述べる「租税条約に関する届出書」、「特典条項に関する付表」さらに「居住者証明書」といった書類を提出する必要があります（実施特例省令2から2の5、9の5から9の9など）。

2. 租税条約の届出書

　租税条約に規定する税の減免を受ける際に届け出るものであって、その対象により様式が異なります。以下、配当を例にして説明します。

　この届出書は、日本と租税条約を締結している国（地域）の居住者（個人だけでなく、法人などを含む。）が、我が国の法人から受ける配当について、租税条約の規定に基づいて源泉徴収税額の軽減又は免除を受けるために提出することになります。これを実際に提出するのは、源泉徴収税額の軽減又は免除を受けようとする者となります。また、提出時期については、最初に配当の支払を

受ける日の前日までに提出することとされます。

　提出に当たっては、配当の支払者ごとに届出書を正副2部作成して配当の支払者に提出し、配当の支払者は正本を、その支払者の所轄税務署長に提出することになります。この届出書の提出後、その記載事項に異動が生じた場合も同様です。記載事項に異動が生じた場合において、異動に係る届出書の提出を省略することができる場合があります。

　なお、米国、英国、フランス、オーストラリア、オランダ、スイス、ニュージーランド、スウェーデン及びドイツの9つの国との租税条約を適用することで源泉税が免税となる場合には、3で述べる「特典条項に関する付表」と4で述べる「居住者証明書」を（原則として）添付する必要があります。

　これらについては、我が国が締結している租税条約に規定があり、それにより国内法よりも軽減又は免除される場合には、所轄税務署長に対して、期限内に提出する必要があります。

3. 特典条項に関する付表

　特典条項に関する付表とは、租税条約の規定によりその租税が免除される場合に、上で述べた租税条約の届出書に添付する必要がある書面をいいます（租税条約省令9条の2、9条の5〜9条の9）。

　日本が締結している租税条約で、源泉税が免除される規定を有する相手国は、米国、英国、フランス、オーストラリア、オランダ、スイス、ニュージーランド、スウェーデン及びドイツの9つの国です。この付表の様式は国別に規定されているので注意する必要があります。

　⑴　特典条項に関する付表（様式17-米）

　⑵　特典条項に関する付表（様式17-英）

　⑶　特典条項に関する付表（様式17-仏）

　⑷　特典条項に関する付表（様式17-豪）

　⑸　特典条項に関する付表（様式17-オランダ王国）

⑹　特典条項に関する付表（様式17-スイス）

⑺　特典条項に関する付表（様式17-ニュージーランド）

⑻　特典条項に関する付表（様式17-スウェーデン）

⑼　特典条項に関する付表（様式17-独）

4．居住者証明書

　居住者証明書とは、相手国の権限のある当局が発行する「その者が、その相手国における居住者であることを証明する書類」であり、源泉徴収の免除を受ける際に用いられる様式です。したがって、その様式は各国が定めるものであり、日本においてはその様式は定められていません。しかし、イギリスとフランスの場合には、居住者証明書のひな型が国税庁のホームページに掲載されています。

　なお、居住者証明書については、配当、利子及び使用料などが免除される場合にその支払者が保存することを条件として、所轄税務署長に提出しなくてもよい場合があります。

5．配当の源泉税率の減免措置を受けるための手続

　ここでは、配当を受ける場合の減免措置について、以下の例題に基づいて説明します。

〔例題〕

　ドイツ法人Ａ（ドイツ居住者）は、非上場の内国法人Ｘから配当を受けました。この場合、国内法（所法213①一）によると、源泉税率は20％になります（復興特別所得税を含めると20.42％）。一方、日米租税条約では、423ページの表のようになっています。仮に、Ａ社の持分割合が60％だとすれば、源泉税率は0％（免税）になります。

　さて、この場合、日米租税条約上の減免措置を受けるためには、どのような

手続を踏めばよいのでしょうか。

〔手続〕

　まず、源泉徴収の対象となる国内源泉所得の支払を受ける非居住者等が、日本において源泉徴収される所得税について、租税条約に基づき軽減又は免除を受けようとする場合には、「租税条約に関する届出書」を提出する必要があります。

　「租税条約に関する届出書」は、所得の区分ごとに様式が定められていますので、この場合には、「租税条約に関する届出書（租税条約に関する届出（配当に対する所得税及び復興特別所得税の軽減・免除））」を使用することになります。

　この届出書は、所得の支払者ごとに正副2部作成し、最初にその所得の支払を受ける日の前日までに、所得の支払者である源泉徴収義務者を経由して支払者の納税地の所轄税務署長に提出することとされています。支払を受ける日の前日までに届出書を税務署長へ提出していない場合には、源泉徴収義務者が、その支払の際、国内法の規定に基づいて源泉徴収することになるので注意が必要です。

　さて、この例題では、外国法人Aはドイツ居住者になりますので、日独租税条約の規定が適用されることになります。日独租税条約には、いわゆる「特典条項」が含まれていますので、源泉税の免除措置を受けるためには、「租税条約に関する届出書」の他に、「特典条項に関する付表（様式17）」及び「居住者証明書」を提出しなければなりません。「特典条項に関する付表（様式17）」は、租税条約の適用を受けることができる居住者であるかどうかを判定する書類であり、特典条項を有する租税条約の適用を受けようとする場合に届出書に添付して提出する必要があります。

　このうち、「特典条項に関する付表（様式17）」は、国ごとに様式が異なりますので注意が必要です。この例題では、Aがドイツの居住者であることから、「特典条項に関する付表（様式17−独）」を使用することになります。

　次に、Aがドイツの居住者であることを証明する「居住者証明書」についてですが、ドイツの権限のある当局が発行する書類ですので、日本では様式を定めずにドイツ税務当局によって様式が定められることになります。「居住者証明書」は、原則として、「特典条項に関する付表（様式17-独）」に添付されることとされていますが、以下のような場合には添付することを省略できます。

　すなわち、所得の支払者に居住者証明書（提示の日前1年以内に作成されたものに限る。）を提示し、特典条項に関する付表（様式17-独）に記載した氏名又は名称その他の事項について所得の支払者の確認を受けたとき（特典条項に関する付表（様式17-独）にその確認をした旨の記載があるときに限る。）は、居住者証明書の添付を省略することができます。

　この場合、上記の確認をした所得の支払者は、租税条約に関する届出書の「その他参考になるべき事項」の欄に、以下の事項を記載するとともに、提示を受けた居住者証明書の写しを作成し、提示を受けた日から5年間その国内にある事務所等に保存する必要があります。

記載すべき事項	①	確認をした旨（例：届出者から提示のあった居住者証明書により、届出書に記載された氏名又はその他の事項について確認しました、など）
	②	確認者の氏名（所属）
	③	居住者証明書の提示を受けた日
	④	居住者証明書の作成年月日

　なお、「居住者証明書」については、英国とフランスについてのみ様式のひな型が国税庁のホームページに掲載されています。

6. 配当・利子・使用料等の源泉税率の減免措置を受けるための手続

　5で述べた配当の源泉税率の減免措置は、利子や使用料などについても基本的には同様となります。

　ただし、「租税条約に関する届出書」の様式は、所得の区分ごとに異なりま

すので注意が必要です。

これに対して、「特典条項に関する付表（様式17）」は、相手国によって様式が異なってきます。

以下に、源泉所得税の減免措置を受ける際に必要となる「租税条約に関する届出書」及び源泉徴収税額の還付請求書等に係る届出書の様式を掲げます。

⑴　租税条約に関する届出（配当に対する所得税及び復興特別所得税の軽減・免除）［様式１］

⑵　租税条約に関する特例届出（上場株式等の配当等に対する所得税及び復興特別所得税の軽減・免除）［様式１-２］

⑶　租税条約に関する届出（譲渡収益に対する所得税及び復興特別所得税の軽減・免除）［様式１-３］

⑷　租税条約に関する届出（利子に対する所得税及び復興特別所得税の軽減・免除）［様式２］

⑸　租税条約に関する届出（使用料に対する所得税及び復興特別所得税の軽減・免除）［様式３］

⑹　租税条約に関する申請（外国預託証券に係る配当に対する所得税及び復興特別所得税の源泉徴収の猶予）［様式４］

⑺　租税条約に関する届出（外国預託証券に係る配当に対する所得税及び復興特別所得税の軽減）［様式５］

⑻　租税条約に関する届出（人的役務提供事業の対価に対する所得税及び復興特別所得税の免除）［様式６］

⑼　租税条約に関する届出（自由職業者・芸能人・運動家・短期滞在者の報酬・給与に対する所得税及び復興特別所得税の免除）［様式７］

⑽　租税条約に関する届出（国際運輸従事者の給与に対する所得税及び復興特別所得税の免除）［様式７-２］

⑾　租税条約に関する届出（教授等・留学生・事業等の修習者・交付金等の受領者の報酬・交付金等に対する所得税及び復興特別所得税の免除）［様式８］

⑿　租税条約に関する届出（退職年金・保険年金等に対する所得税及び復興特別所得税の免除）［様式9］

⒀　租税条約に関する届出（所得税法第161条第1項第7号から第11号まで、第13号、第15号又は第16号に掲げる所得に対する所得税及び復興特別所得税の免除）［様式10］

⒁　租税条約に関する源泉徴収税額の還付請求（発行時に源泉徴収の対象となる割引債及び芸能人等の役務提供事業の対価に係るものを除く）［様式11］

⒂　租税条約に関する芸能人等の役務提供事業の対価に係る源泉徴収税額の還付請求［様式12］

⒃　租税条約に関する割引債の償還差益に係る源泉徴収税額の還付請求（発行時に源泉徴収の対象となる割引国債用）［様式13］

⒄　租税条約に関する割引債の償還差益に係る源泉徴収税額の還付請求（割引国債以外の発行時に源泉徴収の対象となる割引債用）［様式14］

⒅　租税条約に基づく認定を受けるための申請（認定省令第一条第一号関係）［様式18］

⒆　租税条約に基づく認定を受けるための申請（認定省令第一条第二号関係）［様式18-2］

⒇　租税条約に関する源泉徴収税額の還付請求（利子所得に相手国の租税が賦課されている場合の外国税額の還付）

(21)　特典条項に関する付表［様式17］

(22)　免税芸能法人等に関する届出

7. 日台民間租税取決めの発効に伴う取扱い

　ご案内のように、日本は台湾との間に正式な外交関係がありません。しかし、経済関係の進展により、平成27年11月26日に日本と台湾双方の民間窓口機関である公益財団法人交流協会（日本側）と亜東関係協会（台湾側）との間で「所得に対する租税に関する二重課税の回避及び脱税の防止のための公益財団法人

交流協会と亜東関係協会との間の取決め」（通称：日台民間租税取決め）が締結されました。

　そこで、日台民間租税取決めに規定された内容を日本国内で実施するための国内法の整備が、平成28年度税制改正により「外国人等の国際運輸業に係る所得に対する相互主義による所得税等の非課税に関する法律」（昭和37年法律第144号）が「外国居住者等の所得に対する相互主義による所得税等の非課税等に関する法律」に改正されることで、平成29年1月1日から施行されました。

　具体的には、一定の国内源泉所得に係る源泉所得税については、上でご説明した租税条約の場合と同様に、所定の手続を経ることで、軽減又は非課税の適用を受けることができます。

　なお、日台民間租税取決めは租税条約ではありませんので、届出書は以下に掲げる様式を用いることになります。また、日台間では、源泉税の免除に関する規定がありませんので、特典条項に関する付表（様式17）に相当する書類はありません。

⑴　外国居住者等所得相互免除法に関する届出（対象配当に対する所得税の軽減（復興特別所得税の非課税））［様式1］

⑵　外国居住者等所得相互免除法に関する特例届出（上場株式等対象配当等に対する所得税の軽減・非課税（復興特別所得税の非課税））［様式1−2］

⑶　外国居住者等所得相互免除法に関する届出（対象利子に対する所得税の軽減・非課税（復興特別所得税の非課税））［様式2］

⑷　外国居住者等所得相互免除法に関する届出（対象使用料に対する所得税の軽減（復興特別所得税の非課税））［様式3］

⑸　外国居住者等所得相互免除法に関する届出（人的役務提供事業の対価に対する所得税及び復興特別所得税の非課税）［様式4］

⑹　外国居住者等所得相互免除法に関する届出（自由職業者・芸能人・運動家の報酬に対する所得税及び復興特別所得税の非課税）［様式5］

⑺　外国居住者等所得相互免除法に関する届出（学生等又は事業修習者の給付

に対する所得税及び復興特別所得税の非課税）［様式6］

(8)　外国居住者等所得相互免除法に関する届出（退職手当等又は保険年金に対する所得税及び復興特別所得税の非課税）［様式7］

(9)　外国居住者等所得相互免除法に関する届出（所得税法第161条第1項第7号から第11号まで、第13号、第15号又は第16号に掲げる所得に対する所得税及び復興特別所得税の非課税）［様式8］

(10)　外国居住者等所得相互免除法に関する割引債の償還差益に係る源泉徴収税額の還付請求（発行時に源泉徴収の対象となる割引債）［様式9］

(11)　外国居住者等所得相互免除法に関する源泉徴収税額の還付請求

＊　いわゆる短期滞在者が支払を受ける報酬及び給与については、源泉徴収時に外国居住者等所得相互免除法による非課税の対象となりませんので、ご注意ください。

(執筆：望月文夫)

第 6 章

外国税額控除

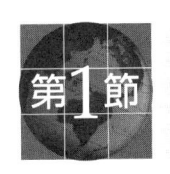

第1節　総説

1. 国際的二重課税の発生

　日本企業（内国法人）が居住地国である日本を離れて外国で経済活動を行った結果として所得を得る場合があります。その場合、日本の法人税法は、日本企業が稼得したすべての所得に対して課税を行います（全世界所得課税）。一方、日本企業が活動している外国も所得の源泉地国として課税を行う（源泉地国課税）ことになります。

　例えば、内国法人が外国に支店を開設し、事業を行った結果として所得が生じた場合、日本においては居住地国課税（全世界所得課税）が行われる一方、その外国においても源泉地国としての課税が行われるのが一般的です。

　また、内国法人が外国へ投資活動を行い配当や利子を得る場合や特許権などの知的財産権の実施権を供与し使用料を得る場合もありますが、この場合、通常はその外国で源泉地国課税（源泉徴収）が行われるだけでなく、日本でも内国法人の収益となるため居住地国課税が行われます。

　このように、居住地国と源泉地国の両方から課税を受けることになりますが、これが「国際的二重課税」（international double taxation）といわれるものです。すなわち、居住地国と源泉地国（地域）との課税権の重複、競合により、国際的二重課税が生じる場合があります。これは当然のことながら、日本に限らず他の国でも生じることとなります。

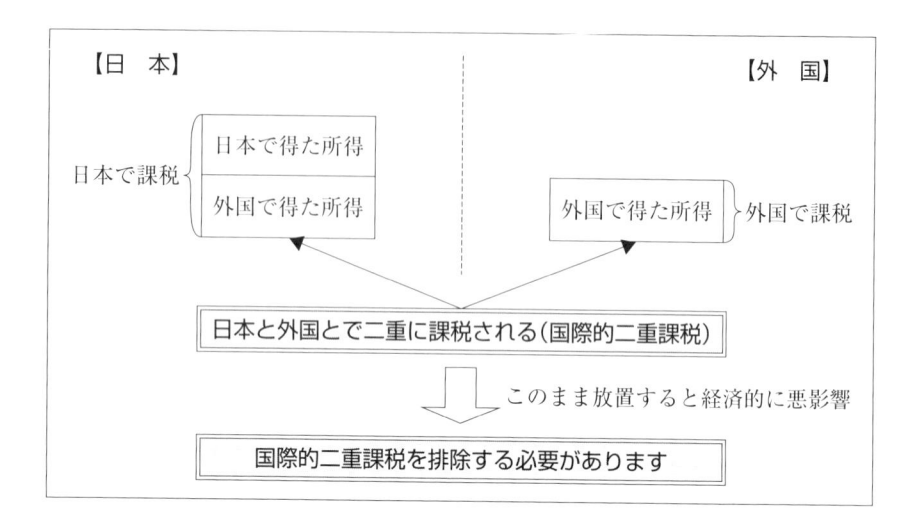

　外国税額控除制度は、日本のように全世界所得課税を行う場合に、外国で課税された法人税額（または源泉所得税額）を日本の法人税額から控除することによって国際的二重課税を排除しようとする制度です。

　なお、外国税額控除制度については、所得税法にも規定がありますが、本書では、内国法人に関する外国税額控除制度について説明することとします。

2．国際的二重課税の排除

ところで、国際的な経済活動から生じる所得に対する課税方法としては、

①　国家の課税権を属人的にとらえて、自国（居住地国）の法人や個人の所得について、その源泉がどこであるか（すなわち、国内か国外か）に関係なく、すべてを課税対象とする全世界所得課税制度と、

②　国家の課税権を属地的にとらえて、国外に源泉のある所得を課税の対象から除外する領土内所得課税制度（国外所得免税制度）、

の2つの考え方があります。

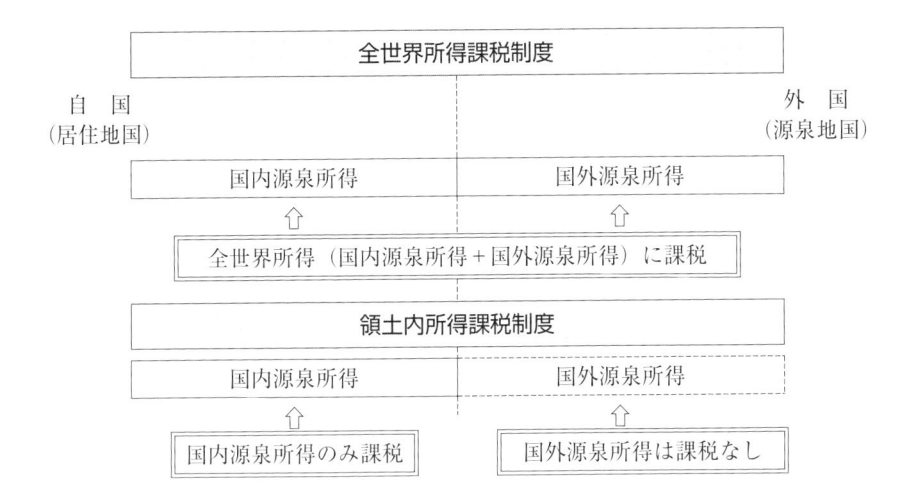

日本や英国、米国などでは、全世界所得課税制度を採用していることから、居住地国及び源泉地国から二重に課税される可能性があります。そうなると、二重課税が排除されなければ、企業や個人の活動場所の選択についての中立性が失われ、ひいては国際的な資本移動や人的交流にも悪影響を与えることになります。国際的な二重課税の排除は、企業や個人の海外進出に対する税の障害を除去し、国際的な経済交流を活発にするために採られている措置であると考えることができます。日本のように、全世界所得課税制度を採用している国は、通常の場合、外国税額控除制度を適用して二重課税の排除を行っています。

一方、日本のような全世界所得課税方式を採用せず、国外所得についてそもそも課税権を行使しない制度を有する場合には、居住地国と源泉地国との二重課税は原則として生じません。

そうは言っても、上の2の考え方はあくまで考え方であって外国税額控除にはいくつもの制限措置がある一方、国外所得免除方式を採用する国でも所得の種類によっては課税し外国税額控除を認めたりすることもあります。

国際的な二重課税を排除する方法としては、次の2つの方法があります。

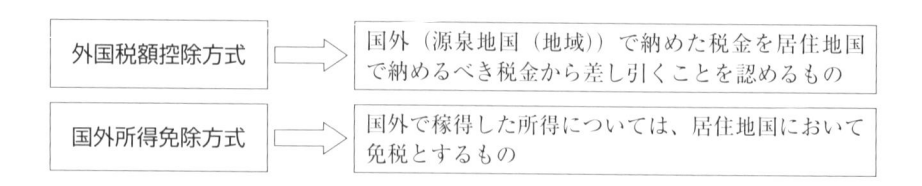

　外国税額控除方式と国外所得免除方式は、次のような特徴を有するとされています。

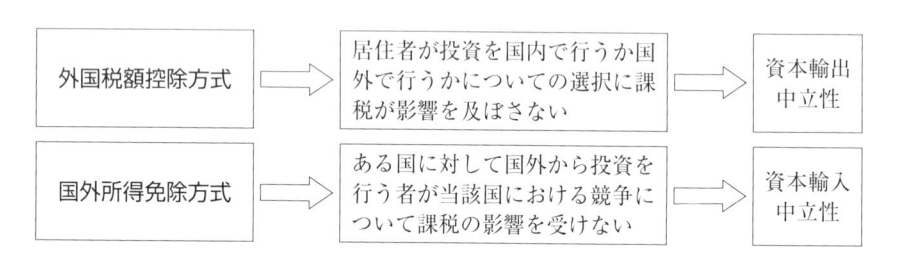

3. 外国税額損金算入方式

　なお、これら以外に、外国税額損金算入方式があります。日本でも外国税額控除を行わない場合には、外国税額を一般の経費と同様に取り扱って、損金(又は必要経費)に算入することができます(所法46、法法41)。しかし、この方式では、外国に納付した税額のうち居住地国の税率を乗じた額だけが所得金額から控除(いわゆる所得控除)されることになるため、国際的二重課税を完全には排除することができず納税者に不利に働きます。

実務上のポイント

〈外国税額控除と損金算入のどちらを採用すべきか？〉

　上述したように、外国で支払った法人税を日本の法人税から直接控除すれば、基本的には国際的二重課税は完全に排除されます。しかし、国税庁の発表資料（「平成30事務年度 法人税、源泉所得税の申告（課税）事績の概要」（令和元年10月

公表)）によれば、黒字申告割合はわずか34.7%であり、多くの法人は赤字を計上しています。赤字の場合には、そもそも法人税額が出ないので、外国法人税の額を控除することができません。このような場合、外国法人税を納付した場合にはそれを損金計上することになります。

　しかし、後述するように、外国税額控除額は将来の３年間にわたって繰り越すことができます。そうなると、単年度だけの黒字や赤字で判断するのは早計ということになります。

　一方、特許権などの使用許諾をすることにより、毎年使用料を獲得できるような場合には、毎年源泉徴収されるために外国法人税の額が発生するので、赤字の場合の判断がさらに難しくなります。

　このように、毎年黒字を計上する場合には外国税額控除の適用だけを考慮すればいいのですが、実際には赤字を計上せざるを得ない場合があることから、実務上、その適用が悩ましい問題となる場合もあります。

# 第2節　日本の外国税額控除制度

1. 歴史的経緯

(1)　外国税額控除制度の歴史的経緯

日本の外国税額控除制度の歴史的経緯は、概ね以下のようになっています。

昭和28年	日米租税条約の締結を奇貨として制度導入
昭和37年	・国別限度方式に加えて一括限度方式の併用 ・間接税額控除の創設 ・地方税への導入
昭和38年	・控除余裕枠及び控除限度超過額の繰越制度 ・一括限度方式への統一
昭和58年	・国外所得の計算に関する改正 ・基本通達の整備
昭和63年	濫用防止規定の導入
平成4年	間接税額控除の拡充
平成13年	通常行われない取引から生じる外国法人税等の除外
平成14年	債権譲渡を利用した通常行われない取引の除外
平成21年	間接税額控除の廃止（外国子会社配当益金不算入制度の創設）
平成23年	・外国法人税に含まれないものを追加 ・租税条約相手国で納付する外国法人税を国外所得に追加 ・いわゆる「高率」に該当する税率を35％に引下げ ・非課税国外所得の全額を控除限度額の計算の基礎となる国

	外所得から除外 ・国外所得割合の90％制限に対する特例の廃止
平成26年	国外源泉所得の範囲を ①　内国法人の国外事業所等に帰属する所得 ②　国内資産の運用保有所得 ③　国外資産の譲渡所得 ④　外国法人の発行する債券の利子及び外国法人等から受ける配当等 などと規定したほか、 いわゆる文書化規定が導入され、 イ　国外事業所等帰属外部取引に関する事項 ロ　内部取引に関する事項 に関する文書の作成が義務付けられた。 （法人については平成28年4月1日以後開始事業年度から、個人については平成29年分から、それぞれ適用されている。）
平成27年	国外所得金額の計算方法の明確化を図る観点から、「国外事業所等帰属所得」と「その他の国外源泉所得」に区分して計算方法を定めるとともに、国外事業所等帰属所得に係る所得の金額の計算について明確化のための所要の整備が行われた。
平成28年	国外源泉所得である貸付金利子等の範囲から短期売掛債権等に係る利子を除外する規定を削除するとともに、国外所得金額の計算結果がゼロを下回る場合にゼロとすることを明確化した。
平成29年	更正の請求によらない更正による法人税額等の増加に伴い反射的に控除限度額が増加した場合には、その更正で控除額を増加させることができることとされた。
令和元年	内国法人の出資先である外国法人が更正等の処分を受け、その処分に基づき増額された金額に対して、配当課税がなされた場合の外国法人税の額を対象外とした。
令和2年	外国税額控除の対象とならない外国法人税の額とし、次の二つが追加されました。 イ　外国法人等の所得について、これを内国法人の所得とみなして当該内国法人に対して課される外国法人税の額 ロ　内国法人の国外事業所等において、当該国外事業所等から本店等又は他の者に対する支払金額等がないものとした場合に得られる所得につき課される外国法人税の額

> **コラム**
>
> 　昭和59年（1984年）1月1日付読売新聞は、「大手7商社　法人税ゼロ　恩典をフル活用」という見出しのもと、当時の9大総合商社のうち7社が昭和58年3月期決算で法人税を納付していないことを伝えています。総合商社は、外国税額控除をフルに活用した結果、外税流出額は10年前に比して約8倍、9大商社で600億円、全産業で3,800億円であるとしています。既に昭和58年度税制改正を実施していることから、当局が昭和59年3月期以降の決算に重大な関心を寄せていると報道しました。
>
> 　また、「解説」の中で、昭和58年度税制改正で国外所得の範囲を狭め、本部経費を含む各種経費を国外・国内に適正配分するようにしたことで、控除額をカサ上げする抜け道をふさいだことを説明しています。

(2)　我が国の外国税額控除制度の制定・改正経緯の概略

　我が国の外国税額控除は、昭和29年日米租税条約の締結を機に導入されました。その後、昭和37年の非居住者・外国法人への課税の抜本改正を機に控除余裕枠及び控除限度超過額の繰越制度及び一括限度額方式への統一が行われました。

　次に、大手商社が法人税を納付していないことなどを受けて、昭和58年度に国外所得の範囲を狭めるなどの改正を行いました。

　本制度の抜本的改正は、昭和63年度改正です。その当時は、いわゆるバブル経済といわれる時期であり、多くの大企業が外国に進出し事業活動を行っていました。しかし、いわゆる総合商社が外国税額控除制度を利用し、日本での法人税負担をしていないことが判明したために大きな問題となりました。当時、税制の簡素化、直間比率の見直し、財政再建、そして経済の国際化を受けた税制抜本改革の時期でもあり、外国税額控除制度も大改正を行ったわけです。

　昭和63年度改正においては、大要次ページのような改正が行われました。

①	控除限度額の制限	(1)	国外所得から外国での非課税所得の2分の1を除外
		(2)	国外所得の割合を90%を限度とする。
②	高率外国法人税額を控除対象から除外	(1)	50%を超える部分の外国法人税額を外国税額控除の対象から除外した。
		(2)	利子に係る源泉税につき、法人の所得率に応じて10%超又は15%超の部分を外国税額控除の対象から除外した。
③	間接税額控除につき、配当に対する外国源泉税と合わせた負担が高率である部分を外国税額控除の対象から除外した。		
④	控除余裕額及び控除限度超過額の繰越期間を5年から3年に短縮した。		

　次に、平成4年度改正においては、以下のような改正が行われました。

①	控除限度額の計算上、国外所得から控除される非課税所得の割合を2分の1から3分の2に拡大した。
②	間接税額控除の対象範囲に、外国孫会社の支払った外国法人税を含めることとした。

　さらに、平成26年度改正においては、帰属主義の導入に伴って以下のような改正が行われました。

①	国外所得について、「国外事業所等帰属所得」と「その他の国外源泉所得」の2つに区分することとした。
②	いわゆる文書化規定が導入され、 　イ　国外事業所等帰属外部取引に関する事項 　ロ　内部取引に関する事項 に関する文書の作成が義務付けられた。

　平成27年度及び28年度においては、帰属主義を導入したことにより、平成26年度税制改正の補完を行うことで制度の定着を図っているといえます。

　近年は、控除対象外国法人税の額に含まれない外国法人税の額について整備されています。

2. 日本の外国税額控除制度の概要

　日本は国内税法及び租税条約により、外国税額控除制度を採用することを定めています。具体的には、以下の制度があります。

直接税額控除	居住者・内国法人が外国に納付した税額を日本の所得税・法人税から控除するもの
間接税額控除(注)	内国法人の外国子会社が外国に納付した税額を、その内国法人が納付する外国税額とみなして日本の税額から控除するもの
みなし外国税額控除	開発途上国の租税優遇措置により外国に納付する税額が減免されている場合、減免された税額をその国に納付したものとみなして外国税額控除を認めるもの

（注）　平成21年度改正により間接税額控除は廃止されましたが、3年間の経過措置が設けられていました。

3. 外国税額控除の概要と彼此流用の防止

　外国税額控除は、国際的二重課税を排除するために、外国で納付した外国法人税額を、国外所得に対する我が国で納付すべき法人税額（控除限度額）の範囲内で控除する制度です。我が国では一括限度額方式を採用していることから、国による税率差により、現実には国際的二重課税が発生していない部分についてまで、我が国の法人税額からの控除が可能となる場合があります。これが、外国税額控除の彼此流用（ひしりゅうよう）です。

　この問題については、最高裁平成17年12月19日判決などの「外国税額控除余裕枠流用事件」で顕在化しました。この事件は、法人税法第69条に規定する外国税額控除の要件に該当していたものの、最高裁は、同条を濫用するものとしていわゆる「限定解釈」により納税者敗訴の判決を出しました。同事件が裁判所に係属して以降、いくつもの租税回避防止規定が導入されました。以前は、日本に本店のある法人（内国法人）が、国外でより多くの事業活動を行うこと

で、結果として日本で法人税を負担しないこととなるなど、外国税額控除には制度上のゆがみがあるとされた時期もありました。近年、これらの改正などにより、外国税額控除に関する大きな問題は生じていないものと考えられます。

なお、一括限度額方式ではなく国別限度額方式の下では、控除限度額を国別に管理するのでこのような問題は生じません。日本の採用する一括限度額方式は、国別限度額方式に比して簡素である一方、企業からすれば融通性のある制度ということができます。

4. 間接税額控除の廃止と外国子会社配当益金不算入制度の創設、そして租税回避への対応

平成21年度税制改正により、間接税額控除制度が廃止された一方、外国子会社からの配当の95％を益金不算入とする制度（外国子会社配当益金不算入制度。配当免税制度ともいう。）が導入されました（法法23の2）。外国子会社配当益金不算入制度については第8節でご説明します。

なお、子会社からの配当と子会社株式の譲渡を組み合わせた租税回避が見られたことから、令和2年度税制改正で対応しました。

 **第3節　国外源泉所得**

1. 概　要

(1)　原　則

　外国税額控除とは、内国法人の場合には、その内国法人が各事業年度において外国法人税を納付することとなる場合には、当該事業年度の所得の金額につき法人税法第66条第1項から第3項まで（各事業年度の所得に対する法人税の税率）の規定を適用して計算した金額のうち当該事業年度の「国外源泉所得」に対応するものとして政令で定めるところにより計算した控除限度額を限度として、その外国法人税の額を当該事業年度の所得に対する法人税の額から控除する、というものです（法法69①）。

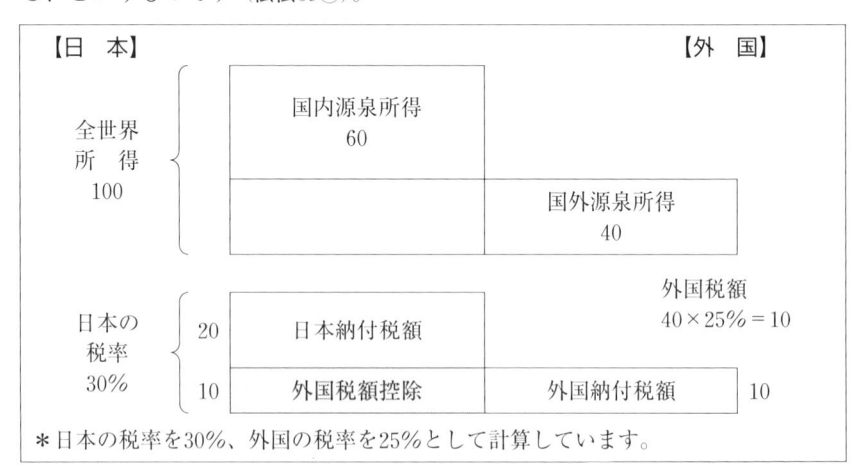

(2)　地方税との関係

　現実には、内国法人が法人税を負担する場合には、地方法人税、法人住民税
（道府県民税（道府県民税に相当する都民税を含む。以下「道府県民税」という。）
及び市町村民税（市町村民税に相当する都民税を含む。以下「市町村民税」という。）
をも負担しています。

　そこで、外国税額控除を適用する場合には、法人税、地方法人税、道府県民
税、市町村民税を全て考慮することになります。控除する順番は、この順番で
行うこととされます（地法12①、地法53㉔、321の8㉔）。

〔外国税額控除の順位〕

	④　市町村民税の控除限度額
	③　道府県民税の控除限度額
外国法人税の額	② 　地方法人税の控除限度額
	①　法人税の控除限度額

　ただし、現実の問題として、外国法人税の額が、上の法人税の控除限度額＋
地方法人税の控除限度額＋道府県民税の控除限度額＋市町村民税の控除限度額
に等しくなることはあり得ません。そこで、外国法人税の額に応じて、①の法
人税の控除限度額だけで済むのか、②の地方法人税の控除限度額を使うのか、
また、③の道府県民税の控除限度額を使うのか、はたまた④の市町村民税の控
除限度額をも使用するのか、など、臨機応変に対応する必要があります。例え
ば、外国法人税額が法人税の控除限度額を下回った場合、上の図でいう①の限
度額だけを利用することになります。

　このように書くと、非常に難しく思うかもしれませんが、現実には、法人税
確定申告書の別表の記載を適切に書き進めていくことができれば、何の問題も
ありません。

2. 国外源泉所得

　法人税法第69条第1項の規定を受けて、同条第4項は、おおむね次のように国外源泉所得を例示しています。

①	内国法人が国外事業所等を通じて事業を行う場合において、当該国外事業所等が当該内国法人から独立して事業を行う事業者であるとしたならば、当該国外事業所等が果たす機能、当該国外事業所等において使用する資産、当該国外事業所等と当該内国法人の本店等との間の内部取引その他の状況を勘案して、当該国外事業所等に帰せられるべき所得（国外事業所等帰属所得）
②	国外にある資産の運用又は保有により生ずる所得
③	国外にある資産の譲渡により生ずる所得として政令で定めるもの
④	国外において人的役務の提供を主たる内容とする事業で政令で定めるものを行う法人が受ける当該人的役務の提供に係る対価
⑤	国外にある不動産、国外にある不動産の上に存する権利若しくは国外における採石権の貸付け（地上権又は採石権の設定その他他人に不動産、不動産の上に存する権利又は採石権を使用させる一切の行為を含む。）、国外における租鉱権の設定又は所得税法第2条第1項第5号（定義）に規定する非居住者若しくは外国法人に対する船舶若しくは航空機の貸付けによる対価
⑥	所得税法第23条第1項（利子所得）に規定する利子等及びこれに相当するもののうち次に掲げるもの 　　イ　外国の国債若しくは地方債又は外国法人の発行する債券の利子 　　ロ　国外にある営業所、事務所その他これらに準ずるもの（以下この章において「営業所」という。）に預け入れられた預貯金（所得税法第2条第1項第10号に規定する政令で定めるものに相当するものを含む。）の利子 　　ハ　国外にある営業所に信託された合同運用信託若しくはこれに相当する信託、公社債投資信託又は公募公社債等運用投資信託（所得税法第2条第1項第15号の3に規定する公募公社債等運用投資信託をいう。次号ロにおいて同じ。）若しくはこれに相当する信託の収益の分配
⑦	所得税法第24条第1項（配当所得）に規定する配当等及びこれに相当するもののうち次に掲げるもの 　　イ　外国法人から受ける所得税法第24条第1項に規定する剰余金の配当、利益の配当若しくは剰余金の分配又は同項に規定する金銭の分配若しくは基金利息に相当するもの 　　ロ　国外にある営業所に信託された所得税法第2条第1項第12号の2に規定する投資信託（公社債投資信託並びに公募公社債等運用投資信託及びこれに相当する信託を除く。）又は第2条第29号ハ（定義）に規定する特定受

	益証券発行信託若しくはこれに相当する信託の収益の分配
⑧	国外において業務を行う者に対する貸付金（これに準ずるものを含む。）で当該業務に係るものの利子（債券の買戻又は売戻条件付売買取引として政令で定めるものから生ずる差益として政令で定めるものを含む。）
⑨	国外において業務を行う者から受ける次に掲げる使用料又は対価で当該業務に係るもの 　イ　工業所有権その他の技術に関する権利、特別の技術による生産方式若しくはこれらに準ずるものの使用料又はその譲渡による対価 　ロ　著作権（出版権及び著作隣接権その他これに準ずるものを含む。）の使用料又はその譲渡による対価 　ハ　機械、装置その他政令で定める用具の使用料
⑩	国外において行う事業の広告宣伝のための賞金として政令で定めるもの
⑪	国外にある営業所又は国外において契約の締結の代理をする者を通じて締結した保険業法第2条第6項（定義）に規定する外国保険業者の締結する保険契約その他の年金に係る契約で政令で定めるものに基づいて受ける年金（年金の支払の開始の日以後に当該年金に係る契約に基づき分配を受ける剰余金又は割戻しを受ける割戻金及び当該契約に基づき年金に代えて支給される一時金を含む。）
⑫	次に掲げる給付補てん金、利息、利益又は差益 　イ　所得税法第174条第3号（内国法人に係る所得税の課税標準）に掲げる給付補てん金のうち国外にある営業所が受け入れた定期積金に係るもの 　ロ　所得税法第174条第4号に掲げる給付補てん金に相当するもののうち国外にある営業所が受け入れた同号に規定する掛金に相当するものに係るもの 　ハ　所得税法第174条第5号に掲げる利息に相当するもののうち国外にある営業所を通じて締結された同号に規定する契約に相当するものに係るもの 　ニ　所得税法第174条第6号に掲げる利益のうち国外にある営業所を通じて締結された同号に規定する契約に係るもの 　ホ　所得税法第174条第7号に掲げる差益のうち国外にある営業所が受け入れた預貯金に係るもの 　ヘ　所得税法第174条第8号に掲げる差益に相当するもののうち国外にある営業所又は国外において契約の締結の代理をする者を通じて締結された同号に規定する契約に相当するものに係るもの
⑬	国外において事業を行う者に対する出資につき、匿名組合契約（これに準ずる契約として政令で定めるものを含む。）に基づいて受ける利益の分配
⑭	国内及び国外にわたつて船舶又は航空機による運送の事業を行うことにより生ずる所得のうち国外において行う業務につき生ずべき所得として政令で定めるもの
⑮	第139条第1項（租税条約に異なる定めがある場合の国内源泉所得）に規定する租税条約の規定により当該租税条約の我が国以外の締約国又は締約者（「相

| | 手国等」）において租税を課することができることとされる所得のうち政令で定めるもの |
| ⑯ | 前各号に掲げるものの他その源泉が国外にある所得として政令で定めるもの |

　さて、国外源泉所得ですが、非居住者又は外国法人に対して課する国内源泉所得の「国内」を「国外」に変えたのとほとんど同様となります。

　つまり、非居住者又は外国法人が日本国内で事業活動を行うことで国内源泉所得を獲得した場合、日本に課税権があります。これは、居住者や内国法人が日本国外（つまり外国）で事業活動を行うと、外国税務当局から見ればそれはその国の国内源泉所得を獲得することになり、その国で課税がなされることを意味します。

　そこで、居住者又は内国法人が日本国外で事業活動を行った結果として所得を獲得し、その結果として外国で課税された場合、それを日本における外国税額控除の対象としようと考えると非常にわかりやすいと思います。

　以下、（表1）「外国法人に対する法人税課税国内源泉所得の範囲」と（表2）「内国法人における外国税額控除における国外源泉所得の範囲」を掲げることにします。いずれも財務省資料ですが、この2つを見比べていただければ、外国税額控除に係る国外源泉所得が、外国法人に対する国内源泉所得の規定と表裏一体のものになっていることがおわかりいただけると思います。

（表1）外国法人に対する法人税課税国内源泉所得の範囲

所得種類		PE あり		PE なし
		PE 帰属	PE 非帰属	
	（事業所得）			
国内源泉所得 ② 国内にある資産の運用・保有所得⑺から⑭を除く	国債、地方債、内国法人発行の債券、約束手形	① PEに帰せられるべき所得		
	居住者に対する貸付金債権で、当該居住者の行う業務に係るもの以外のもの			
	国内にある営業所を通じて契約した保険契約に基づく保険金を受ける権利			
③ 国内にある資産の譲渡所得（右のものに限る）	国内不動産の譲渡			
	国内にある不動産の上に存する権利			
	国内にある山林の伐採又は譲渡による所得			
	買集めた内国法人株式の譲渡、事業譲渡類似株式の譲渡			
	不動産関連法人株式の譲渡			
	国内のゴルフ場の所有・経営に係る法人の株式の譲渡			
	国内にあるゴルフ場等の利用権の譲渡			
④ 国内において行う人的役務提供事業の対価				
⑤ 国内にある不動産等の貸付けによる対価				
⑥ その他の国内源泉所得	国内業務・国内資産に関し受ける保険金等			
	国内にある資産の贈与			
	国内で発見された埋蔵物等			
	国内で行う懸賞に係る懸賞金等			
	国内業務・国内資産に関し受ける保険金等 国内資産に関し供与を受ける経済的利益			
⑺ 内国法人の発行する債券の利子等			源泉徴収のみ	源泉徴収のみ
⑻ 内国法人から受ける配当等				
⑼ 国内業務に係る貸付金利子				
⑽ 国内業務に係る使用料				
⑾ 国内事業の広告宣伝のための賞金				
⑿ 国内にある営業所を通じて締結した年金契約に基づいて受ける年金				
⒀ 国内営業所が受け入れた定期積金に係る給付補填金等				
⒁ 国内において事業を行う者に対する出資につき、匿名組合契約に基づいて受ける利益の分配				

＊法人税は①と②から⑥までを区分する。（7）から(14)は(PEに帰属しない場合)源泉徴収のみで課税が完結する。

（出典：財務省資料）

（表２）内国法人に対する外国税額控除における国外源泉所得の範囲

所得種類			国外PEを有する内国法人		国外PEを有しない内国法人
			国外PE帰属所得	国外PEに帰属しない所得	
（事業所得）					
国外源泉所得	② 国外にある資産の運用・保有所得	外国法人発行の債券等	① 国外事業所等に帰せられるべき所得	国外PEに帰属しない国外源泉所得	国外PEに帰属しない国外源泉所得
		非居住者に対する貸付金債権で、当該非居住者の行う業務に係るもの以外のもの			
		国外にある営業所を通じて契約した保険契約に基づく保険金を受ける権利			
	③ 国外にある資産の譲渡所得（右のものに限る）	国外不動産の譲渡			
		国外にある不動産の上に存する権利			
		国外にある山林の伐採又は譲渡による所得			
		事業譲渡類似株式に相当する株式の譲渡			
		不動産関連法人株式に相当する株式の譲渡			
		国外のゴルフ場の所有・経営に係る法人の株式の譲渡			
		国外にあるゴルフ場等の利用権の譲渡			
	④ 国外において行う人的役務提供事業の対価				
	⑤ 国外にある不動産等の貸付けによる対価				
	⑥ 外国法人の発行する債券の利子等				
	⑦ 外国法人から受ける配当等				
	⑧ 国外業務に係る貸付金利子				
	⑨ 国外業務に係る使用料				
	⑩ 国外事業の広告宣伝のための賞金				
	⑪ 国外にある営業所を通じて締結した年金契約に基づいて受ける年金				
	⑫ 国外営業所が受け入れた定期積金に係る給付補填金等				
	⑬ 国外において事業を行う者に対する出資につき、匿名組合契約に基づいて受ける利益の分配				
	⑮ 租税条約の規定によりその租税条約の相手国等において租税を課することができることとされる所得のうち、その相手国等において外国法人税を課されるもの				
	⑯ その他の国外源泉所得	国外業務・国外資産に関し受ける保険金等			
		国外にある資産の贈与			
		国外で発見された埋蔵物等			
		国外で行う懸賞に係る懸賞金等			
		国外業務・国外資産に関し供与を受ける経済的利益			
	⑭ 国際運輸業に係る所得のうち国外業務につき生ずべき所得		（注）		

（注）　国外PE帰属所得からは、⑭の国際運輸業所得は除かれています。（出典：財務省資料）

620

3. 国外事業所等帰属所得

(1) 国外事業所等帰属所得の概要

① 内国法人の国外事業所等が内国法人から独立して事業を行う事業者であるとしたならば、その国外事業所等が果たす機能、その国外事業所等において使用する資産、その国外事業所等と内国法人の本店等との間の内部取引その他の状況を勘案して、その国外事業所等に帰属する所得をいいます（法法69④一）。

つまり、内国法人の国外事業所等帰属所得に関する基本的な考え方については、第3章に記載されている外国法人の恒久的施設帰属所得と同様です。

② 国外事業所等の譲渡による所得

(2) 国外事業所等（法法69④一、法令145の2①）

国外事業所等とは、我が国が租税条約（恒久的施設に相当するものに関する定めを有するものに限る。）を締結している相手国等（租税条約の我が国以外の締約国又は締約者をいう。）についてはその租税条約の相手国等内にあるその租税条約に定める恒久的施設に相当するものをいい、その他の国又は地域については、その国又は地域にある恒久的施設に相当するものをいいます。

(3) 内国法人の本店等（法法69④一）

内国法人の本店等とは、その内国法人の本店、支店、工場その他これらに準ずるもの(*)であってその国外事業所等以外のものをいいます（法法69④一）。つまり、内国法人の本店等とは、その国外事業所等以外のその内国法人のすべての部分を意味するものです。

(*) 内国法人の本店、支店、工場その他これらに準ずるものとは、次に掲げるものをいいます。
　① 法人税法第2条第12号の18イに規定する事業を行う一定の場所に相当するもの
　② 法人税法第2条第12号の18ロに規定する建設作業等を行う場所（その建設

作業等を含む。）に相当するもの

③　法人税法第2条第12号の18ハに規定する自己のために契約を締結する権限のある者に相当する者

④　①から③までに掲げるものに準ずるもの

(4)　内部取引

　内部取引とは、内国法人の国外事業所等と本店等との間で行われた資産の移転、役務の提供その他の事実で、独立の事業者の間で同様の事実があったとしたならば、これらの事業者の間で、資産の販売、資産の購入、役務の提供その他の取引が行われたと認められるものをいいます（法法69⑥、法令145の14）。

　なお、次に掲げる特定の内部取引は、除くこととされます。

①　独立の当事者間で行われる資金の借入れに係る債務の保証、保険契約に係る保険責任についての再保険の引受けその他の取引に係る債務の保証（債務を負担する行為であって債務の保証に準ずるものを含む。）といった種類の取引については、恒久的施設と本店等の間の内部取引においては認識しないこととされています（法法69⑥、法令145の14）。

②　次に掲げるものの使用料の支払に相当する事実

　(a)　工業所有権その他の技術に関する権利、特別の技術による生産方式又はこれらに準ずるもの

　(b)　著作権（出版権及び著作隣接権その他これに準ずるものを含む。）

　(c)　法人税法施行令第13条第8号イからツまで（減価償却資産の範囲）に掲げる無形固定資産（国外における同号ワからツまでに掲げるものに相当するものを含む。）

③　上記②(a)から(c)までに掲げるものの譲渡又は取得に相当する事実

　上記②において国外事業所等と本店等との間での上記(a)から(c)までに掲げるものの譲渡や取得に相当する内部取引を認識しないこととされていますので、これらのものの譲渡による所得や、取得の結果として生ずべき減価償却費及び評価損益についても、内部使用料と同様、内部取引に認識しないこととなります。

4. 国外資産の運用・保有所得

　法人税法第69条第4項第2号にいう「国外資産の運用又は保有により生ずる所得」とは、例えば、次に掲げる国外にある資産の運用又は保有により生じる所得をいいます（法法69④二、法令145の3）。

①	外国の国債若しくは地方債若しくは外国法人の発行する債券又は外国法人の発行する約束手形に相当するもの
②	非居住者に対する貸付金に係る債権でその非居住者の行う業務に係るもの以外のもの
③	国外にある営業所又は国外において契約の締結の代理をする者を通じて締結した保険契約（外国保険業者、生命保険会社、損害保険会社又は少額短期保険業者の締結した保険契約をいう）その他これに類する契約に基づく保険金の支払又は剰余金の分配（これらに準ずるものを含む。）を受ける権利

5. 国外資産の譲渡所得

　法人税法第69条第4項第3号にいう「国外にある資産の譲渡により生ずる所得」とは、次に掲げる所得をいいます（法法69④三、法令145の4）。

①	国外にある不動産
②	国外にある不動産の上に存する権利、国外における鉱業権又は国外における採石権
③	国外にある山林
④	外国法人の発行する株式又は外国法人の出資者の持分で、その外国法人の発行済株式又は出資の総数又は総額の一定割合以上に相当する数又は金額の株式又は出資を所有する場合にその外国法人の本店又は主たる事務所の所在する国又は地域においてその譲渡による所得に対して外国法人税が課されるもの
⑤	不動産関連法人の株式
⑥	国外にあるゴルフ場の所有又は経営に係る法人の株式を所有することがそのゴルフ場を一般の利用者に比して有利な条件で継続的に利用する権利を有する者となるための要件とされている場合におけるその株式
⑦	国外にあるゴルフ場その他の施設の利用に関する権利

（注）　不動産関連法人とは、その有する資産の価額の総額のうちに次に掲げる資産
の価額の合計額の占める割合が100分の50以上である法人をいいます（法令145
の4②）。
①　国外にある土地等（土地若しくは土地の上に存する権利又は建物及びその
附属設備若しくは構築物をいう。以下この(注)において同じ。）
②　その有する資産の価額の総額のうちに国外にある土地等の価額の合計額の
占める割合が100分の50以上である法人の株式
③　②又は④に掲げる株式を有する法人（その有する資産の価額の総額のうち
に国外にある土地等並びに②、③及び④に掲げる株式の価額の合計額の占め
る割合が100分の50以上であるものに限る。）の株式（②に掲げる株式に該当
するものを除く。）
④　前号に掲げる株式を有する法人（その有する資産の価額の総額のうちに国
外にある土地等並びに②、③及び④に掲げる株式の価額の合計額の占める割
合が100分の50以上であるものに限る。）の株式（②及び③に掲げる株式に該
当するものを除く。）

6．人的役務提供の対価に係る所得

法人税法第69条第4項第4号にいう「人的役務提供の対価」には、次のもの
が含まれることとされます（法法69④四、法令145の5）。

①	映画若しくは演劇の俳優、音楽家その他の芸能人又は職業運動家の役務の提供を主たる内容とする事業
②	弁護士、公認会計士、建築士その他の自由職業者の役務の提供を主たる内容とする事業
③	科学技術、経営管理その他の分野に関する専門的知識又は特別の技能を有する者のその知識又は技能を活用して行う役務の提供を主たる内容とする事業（機械設備の販売その他事業を行う者の主たる業務に付随して行われる場合におけるその事業及び建設、据付け、組立てその他の作業の指揮監督の役務の提供を主たる内容とする事業を除く。）

なお、法人税法第69条第4項第5号から第16号にいう国外源泉所得について
は、法人税法第69条第4項とこれを受けた法人税法施行令第145条の6～13に
規定がありますが、その内容は外国法人の国内源泉所得と（正確にいえば、国
外と国内の差はあるものの）ほぼ同様です。

7. 国外不動産等の貸付対価

　国外にある不動産、国外にある不動産の上に存する権利若しくは国外における採石権の貸付け（地上権又は採石権の設定その他他人に不動産、不動産の上に存する権利又は採石権を使用させる一切の行為を含む。）、国外における租鉱権の設定又は非居住者若しくは外国法人に対する船舶若しくは航空機の貸付けによる対価（法法69④五）をいいます。

8. 利子等

　所得税法第23条第1項（利子所得）に規定する利子等及びこれに相当するもののうち次に掲げるもの（法法69④六）をいいます。

① 　外国の国債若しくは地方債又は外国法人の発行する債券の利子

② 　国外にある営業所に預け入れられた預貯金（所得税法第2条第1項第10号に規定する政令で定めるものに相当するものを含む。）の利子

③ 　国外にある営業所に信託された合同運用信託若しくはこれに相当する信託、公社債投資信託又は公募公社債等運用投資信託（所得税法第2条第1項第15号の3に規定する公募公社債等運用投資信託をいう。）若しくはこれに相当する信託の収益の分配

9. 配当等

　所得税法第24条第1項（配当所得）に規定する配当等及びこれに相当するもののうち次に掲げるもの（法法69④七）をいいます。

① 　外国法人から受ける所得税法第24条第1項に規定する剰余金の配当、利益の配当、剰余金の分配又は基金利息

② 　国外にある営業所に信託された投資信託（公社債投資信託並びに公募公社債等運用投資信託及びこれに相当する信託を除く。）又は特定受益証券発行信託に相当する信託の収益の分配

10．貸付金利子等

　国外において業務を行う者に対する貸付金（これに準ずるものを含む。）で当該業務に係るものの利子（一定の利子を除き、債券の買戻又は売戻条件付売買取引として一定のものから生ずる差益として一定のものを含む。）（法法69④八）をいいます。

11．使用料等

　国外において業務を行う者から受ける次に掲げる使用料又は対価でその業務に係るもの（法法69④九、法令145の7①）をいいます。

①　工業所有権その他の技術に関する権利、特別の技術による生産方式若しくはこれらに準ずるものの使用料又はその譲渡による対価

②　著作権（出版権及び著作隣接権その他これに準ずるものを含む。）の使用料又はその譲渡による対価

③　機械、装置、車両、運搬具、工具、器具及び備品の使用料

　上記②又は③に掲げる資産で、外国法人又は非居住者の業務の用に供される船舶又は航空機において使用されるものの使用料は国外源泉所得に該当する使用料とし、内国法人又は居住者の業務の用に供される船舶又は航空機において使用されるものの使用料は国外源泉所得に該当する使用料以外の使用料とされています（法令145の7②）。

12．広告宣伝のための賞金等

　国外において事業を行う者からその国外において行う事業の広告宣伝のために賞として支払を受ける金品その他の経済的な利益（法法69④十、法令145の8）をいいます。

13.　保険年金等

　国外にある営業所又は国外において契約の締結の代理をする者を通じて締結した外国保険業者の締結する保険契約その他の年金に係る契約に基づいて受ける年金（年金の支払の開始の日以後にその年金に係る契約に基づき分配を受ける剰余金又は割戻しを受ける割戻金及びその契約に基づき年金に代えて支給される一時金を含む。）（法法69④十一）をいいます。

14.　給付補塡金等

　次に掲げる給付補塡金、利息、利益又は差益（法法69④十二）をいいます。
① 　所得税法第174条第3号に掲げる給付補塡金のうち国外にある営業所が受け入れた定期積金に係るもの
② 　所得税法第174条第4号に掲げる給付補塡金に相当するもののうち国外にある営業所が受け入れた同号に規定する掛金に相当するものに係るもの
③ 　所得税法第174条第5号に掲げる利息に相当するもののうち国外にある営業所を通じて締結された同号に規定する契約に相当するものに係るもの
④ 　所得税法第174条第6号に掲げる利益のうち国外にある営業所を通じて締結された同号に規定する契約に係るもの
⑤ 　所得税法第174条第7号に掲げる差益のうち国外にある営業所が受け入れた預貯金に係るもの
⑥ 　所得税法第174条第8号に掲げる差益に相当するもののうち国外にある営業所又は国外において契約の締結の代理をする者を通じて締結された同号に規定する契約に相当するものに係るもの

15.　匿名組合契約等に基づく利益分配

　国外において事業を行う者に対する出資につき、匿名組合契約（これに準ずる一定の契約[注]を含む。）に基づいて受ける利益の分配（法法69④十三）をいいます。

（注）　匿名組合契約に準ずる一定の契約とは、当事者の一方が相手方の事業のために出資をし、相手方がその事業から生ずる利益を分配することを約する契約とされます（法令145の10）。

16. 国際運輸業所得

　国内及び国外にわたって船舶又は航空機による運送の事業を行うことにより生ずる所得のうち、国外において行う業務につき生ずべき所得（法法69④十四）をいいます。

　具体的には、船舶による運送の事業にあっては国外において乗船し又は船積みをした旅客又は貨物に係る収入金額を基準とし、航空機による運送の事業にあってはその国外業務に係る収入金額又は経費、その国外業務の用に供する固定資産の価額その他その国外業務がその運送の事業に係る所得の発生に寄与した程度を推測するに足りる要因を基準として判定したその内国法人の国外業務につき生ずべき所得とされています（法令145の11）。

17. 租税条約で課税が認められた所得

　租税条約の規定により相手国等において租税を課することができることとされる所得のうち相手国等において外国法人税が課されるもの（法法69④十五、法令145の12）をいいます。

　なお、租税条約の規定において相手国等に課税を認めることについて言及されていない所得については本規定の対象外となります。

18. その他の国外源泉所得

　1から17までに掲げるもののほかその源泉が国外にある所得として次に掲げるもの（法法69④十六、法令145の13）をいいます。

①　国外において行う業務又は国外にある資産に関し受ける保険金、補償金又は損害賠償金（これらに類するものを含む。）に係る所得

② 国外にある資産の贈与を受けたことによる所得

③ 国外において発見された埋蔵物又は国外において拾得された遺失物に係る所得

④ 国外において行う懸賞募集に基づいて懸賞として受ける金品その他の経済的な利益に係る所得

⑤ ①から④までに掲げるもののほか、国外において行う業務又は国外にある資産に関し供与を受ける経済的な利益に係る所得

19. 国外事業所等帰属所得への該当性の優先

上記4から18に掲げる所得には、国外事業所等帰属所得に掲げる所得は含まれないものとされています（法法69⑤）。つまり、ある所得が上記4から18に掲げる所得に該当したとしても、その所得が国外事業所等に帰属していれば、国外事業所等帰属所得に該当することになりますので、その他の種類の国外源泉所得には該当しないものとされることになります。

20. 租税条約において異なる定めがある場合

租税条約において上記2の国外源泉所得について異なる定めがある場合には、その租税条約の適用を受ける内国法人については、国外源泉所得は、その異なる定めがある限りにおいて、その租税条約に定めるところによることとされます（法法69⑦）。

21. 単純購入非課税に関する扱い

内国法人の国外事業所等が、租税条約（内国法人の国外事業所等が本店等のために棚卸資産を購入する業務及びそれ以外の業務を行う場合に、その棚卸資産を購入する業務から生ずる所得が、その国外事業所等に帰せられるべき所得に含まれないとする定めのあるものに限る。）の相手国等に所在し、かつ、その内国法人の国外事業所等が本店等のために棚卸資産を購入する業務及びそれ以外の業務を

行う場合には、その国外事業所等のその棚卸資産を購入する業務から生ずる国外事業所等帰属所得は、ないものとすることとされます（法法69⑨）。

 ## 第4節 国外所得金額の計算

1. 国外所得金額の計算の概要

　外国税額控除の控除限度額の計算の基礎となる国外所得金額は、内国法人の各事業年度の国外源泉所得に係る所得の金額の合計額（ただし、その合計額がゼロを下回る場合にはゼロ）とすることとされます（法法69①、法令141の2）。

　国外源泉所得は、国外事業所等帰属所得をはじめとして16種類に分けられていますが、国外所得金額の計算については、国外事業所等帰属所得とそれ以外の国外源泉所得に区分して検討する必要があります。この2つを区分して国外源泉所得を計算し、その上で国外所得金額を算出することになります。具体的には、次ページの図のように計算することになります。

　そこで、以下、国外事業所等帰属所得とそれ以外の国外源泉所得に分けて説明します。

2. 国外事業所等帰属所得の計算方法

(1) 国外事業所等帰属所得の計算方法の概要

　内国法人の国外事業所等帰属所得に係る所得の金額は、内国法人の国外事業所等を通じて行う事業に係る益金の額から損金の額を控除した金額とされます（法令141の3①）。

　そして、「国外事業所等を通じて行う事業に係る益金の額」及び「国外事業所等を通じて行う事業に係る損金の額」は、別段の定めがあるものを除いて、

内国法人の各事業年度の所得の金額の計算に関する法人税に関する法令の規定に準じて計算することになります（法令141の3②）。

【内国法人の国外事業所等帰属所得に係る所得の金額の算式】

国外事業所等を通じて行う事業に係る益金の額	−	国外事業所等を通じて行う事業に係る損金の額	=	内国法人の国外事業所等帰属所得に係る所得の金額

　なお、内国法人の各事業年度の国外事業所等帰属所得に係る所得の金額につき、法人税法第22条（各事業年度の所得の金額の計算）の規定に準じて計算する場合には、内部取引に係る販売費、一般管理費その他の費用については、債務の確定しないものであっても、その事業年度の損金の額に算入することとされるとともに、国外事業所等を開設するための内国法人の本店等から国外事業所等への資金の供与又は国外事業所等から本店等への剰余金の送金等については、資本等取引に含まれることとされました（法令141の3③）。また、法人税法第52条（貸倒引当金）の規定に準じて計算する場合には、貸倒引当金の設定対象となる金銭債権には、内国法人の国外事業所等と本店等との間の内部取引に係る金銭債権に相当するものは含まれないこととされました（法令141の3④）。

　この場合、内国法人の各事業年度の所得の金額の計算に関する法人税に関する法令の規定に準じて計算する場合には、次のことに留意することとされます（法基通16−3−9）。

① 減価償却費、引当金又は準備金の繰入額等の損金算入、延払基準の方法による収益及び費用の計上等については、法人税に関する法令の規定により、内国法人の仮決算又は確定した決算において経理することを要件として適用されることとなる。
（注）　内国法人が単に国外事業所等の帳簿に記帳するだけでは、これらの規定の適用がないことに留意する。

②	減価償却資産の償却限度額、資産の評価換えによる評価益の益金算入額又は評価損の損金算入額等を計算する場合で、国外事業所等における資産の購入その他資産の取得に相当する内部取引があるときのこれらの計算の基礎となる各資産の取得価額は、法人税法施行令第141条の７第１項《特定の内部取引に係る国外事業所等帰属所得に係る所得の金額の計算》の規定の適用があるときを除き、当該内部取引の時の価額により当該内部取引が行われたものとして計算した金額となる。
(注)	例えば、内国法人が国外事業所等に帰せられる減価償却資産につきその償却費を当該帳簿に記帳していない場合であっても、仮決算又は確定した決算において経理しているときは、当該経理した金額（当該金額が償却限度額を超える場合には、その超える部分の金額を控除した金額）は、国外事業所等帰属所得に係る所得の金額の計算上損金の額に算入されることに留意する。

　また、内国法人の国外事業所等が複数ある場合には、当該国外事業所等ごとに国外事業所等帰属所得を認識し当該国外事業所等帰属所得に係る所得の金額の計算を行うこととし、一つの外国に事業活動の拠点が複数ある場合には、その一つの外国の複数の事業活動の拠点全体を一の国外事業所等として本文の認識及び計算を行うことに留意することとされます（法基通16－３－９の２）。

　このほか、内国法人の国外事業所等帰属所得に係る所得の金額を計算するに当たっては、次に掲げる場合の区分に応じ、外国法人の国内源泉所得の取扱いを準用することとされます（法基通16－３－10）。

①	内部取引から生ずる国外事業所等帰属所得に係る所得の金額を計算する場合 20－５－２《内部取引から生ずる恒久的施設帰属所得に係る所得の金額の計算》、20－５－４《外国法人における短期保有株式等の判定》、20－５－５《損金の額に算入できない保証料》、20－５－７《損金の額に算入できない償却費等》、20－５－８《販売費及び一般管理費等の損金算入》、20－５－33《繰延ヘッジ処理等における負債の利子の額の計算》及び20－５－34《資本等取引に含まれるその他これらに類する事実》の取扱い
②	法人税法施行令第141条の３第６項《共通費用の額の配分》の規定により共通費用の額を配分する場合　20－５－９《本店配賦経費の配分の基礎となる費用の意義》の取扱い
③	法人税法施行令第141条の４第１項《国外事業所等に帰せられるべき資本に対応する負債の利子》の規定により、国外事業所等帰属所得に係る所得の金額の

	計算上損金の額に算入されないこととなる金額を計算する場合　20－5－18《恒久的施設に係る資産等の帳簿価額の平均的な残高の意義》、20－5－19《総資産の帳簿価額の平均的な残高及び総負債の帳簿価額の平均的な残高の意義》、20－5－21《恒久的施設に帰せられる資産の意義》、20－5－23《比較対象法人の純資産の額の意義》及び20－5－26《金銭債務の償還差損等》から20－5－30《原価に算入した負債の利子の額の調整》までの取扱い
④	法人税法施行令第141条の5第1項《銀行等の資本に係る負債の利子》の規定により、国外事業所等帰属所得に係る所得の金額の計算上損金の額に算入されることとなる金額を計算する場合　20－5－26の取扱い
⑤	法人税法施行令第141条の6第1項《保険会社の投資資産及び投資収益》の規定により、国外事業所等帰属所得に係る所得の金額の計算上益金の額に算入されないこととなる金額を計算する場合　20－5－15《外国保険会社等の投資資産の額の運用利回り》の取扱い

　なお、内国法人の各事業年度の国外事業所等帰属所得に係る所得の金額につき、法人税法第22条（各事業年度の所得の金額の計算）の規定に準じて計算する場合には、内部取引に係る販売費、一般管理費その他の費用については、債務の確定しないものであっても、その事業年度の損金の額に算入することとされるとともに、国外事業所等を開設するための内国法人の本店等から国外事業所等への資金の供与又は国外事業所等から本店等への剰余金の送金等については、資本等取引に含まれることとされました（法令141の3③）。

⑵　共通費用の配分

　販売費、一般管理費その他の費用で国外事業所等帰属所得に係る所得を生ずべき業務とそれ以外の業務の双方に関連して生じたものの額（共通費用の額）があるときは、その共通費用の額は、以下の基準のうちこれらの業務の内容及び費用の性質に照らして合理的と認められる基準により国外事業所等帰属所得に係る所得の金額の計算上の損金の額として配分することとされます（法令141の3⑥）。

共通費用の配分基準	①収入金額
	②資産の価額
	③使用人の数
	④その他の基準

　なお、共通費用の額の配分については、個々の業務ごと、かつ、個々の費目ごとに合理的と認められる基準により国外事業所等帰属所得に係る所得を生ずべき業務（「国外業務」）に配分しますが、個々の業務ごと、かつ、個々の費目ごとに計算をすることが困難であると認められるときは、全ての共通費用の額を一括して、当該事業年度の売上総利益の額（利子、配当等及び使用料については、その収入金額とする）のうちに国外業務に係る売上総利益の額の占める割合を用いて国外事業所等帰属所得に係る所得の金額の計算上損金の額として配分すべき金額を計算することができることとされます。

　このほか、以下のことに留意することとされます（法基通16－3－12）。

①	内国法人（金融及び保険業を主として営む法人を除く。）の国外業務に係る収入金額の全部又は大部分が利子、配当等又は使用料であり、かつ、当該事業年度の所得の金額のうちに調整国外所得金額の占める割合が低いなどのため課税上弊害がないと認められる場合には、当該事業年度の販売費、一般管理費その他の費用の額のうち国外業務に関連することが明らかな費用の額のみが共通費用の額であるものとして国外事業所等帰属所得に係る所得の金額の計算上損金の額として配分すべき金額を計算することができる。
②	内国法人の国外業務に係る収入金額のうちに法人税法第23条の2第1項《外国子会社から受ける配当等の益金不算入》の規定の適用を受ける配当等（「外国子会社配当等」）の収入金額がある場合における外国子会社配当等に係る「国外業務に係る売上総利益の額」は、外国子会社配当等の収入金額から当該事業年度において同項の規定により益金の額に算入されない金額を控除した金額によることに留意する。

(3)　共通費用の配分に関する書類の作成

　共通費用の配分を行った場合には、配分の計算の基礎となる費用の明細及び内容、配分の計算方法及びその計算方法が合理的であるとする理由を記載した書類を作成しなければならないことになっています（法令141の2④、法規28の5）。

(4)　共通費用の額に含まれる負債利子の調整

　共通費用の額に含まれる負債の利子の額（「共通利子の額」）については、内国法人の営む主たる事業が次のいずれに該当するかに応じ、それぞれ次により

国外事業所等帰属所得に係る所得の金額の計算上損金の額として配分すべき金額を計算することができることとされます（法基通16－3－13）。

① 卸売業及び製造業　次の算式による方法

（算式）

$$当該事業年度における共通利子の額の合計額 \times \frac{分母の各事業年度終了の時における国外事業所等に係る資産の帳簿価額の合計額}{当該事業年度終了の時及び当該事業年度の直前事業年度終了の時における総資産の帳簿価額の合計額}$$

② 銀行業　次の算式による方法

（算式）

$$国外事業所等に係る貸付金、有価証券等の当該事業年度中の平均残高 \times \frac{当該事業年度における共通利子の額の合計額}{\left\{預金、借入金等の当該事業年度中の平均残高 + \left[\begin{array}{c}当該事業年度終了の時及び当該事業年度の直前事業年度終了の時における自己資本の額の合計額\end{array} - \begin{array}{c}左の各事業年度の終了の時における固定資産の帳簿価額の合計額\end{array}\right] \times \frac{1}{2}\right\}}$$

③ その他の事業　その事業の性質に応じ、①又は②の方法に準ずる方法

（注）

1　①の算式の「国外事業所等に係る資産」及び②の算式の「国外事業所等に係る貸付金、有価証券等」には、当該事業年度において収益に計上すべき利子、配当等の額がなかった貸付金、有価証券等を含めないことができる。

2　①の算式の「国外事業所等に係る資産」及び②の算式の「国外事業所等に係る貸付金、有価証券等」に、外国子会社配当等に係る株式又は出資がある場合には、これらの算式における当該株式又は出資に係る「国外事業所等に係る資産の帳簿価額」及び「有価証券等の当該事業年度中の平均残高」の計算は、当該株式又は出資の帳簿価額から当該帳簿価額に当該事業年度における外国子会社配当等の収入金額のうちに法人税法第23条の2第1項《外国子会社から受け

る配当等の益金不算入》の規定により益金の額に算入されない金額の占める割
合を乗じて計算した金額を控除した金額による。

3　①及び②の算式の「当該事業年度の直前事業年度」が、連結事業年度に該当
する場合には「当該事業年度の直前連結事業年度」と読み替えて計算を行う。

4　①の算式の「総資産の帳簿価額」は、法人税法施行令第22条第 1 項第 1 号《株
式等に係る負債の利子の額》の規定の例により計算した金額に同号ニに規定す
る連結法人に支払う負債の利子の元本である負債の額に相当する金額を加算し
た金額による。

5　②の算式の「自己資本の額」は、確定した決算に基づく貸借対照表の純資産
の部に計上されている金額によるものとし、また、「固定資産の帳簿価額」は、
当該貸借対照表に計上されている法人税法第 2 条第22号《固定資産の定義》に
規定する固定資産の帳簿価額による。

(5)　国外事業所等帰属所得に係る所得の金額の計算における確認による共通費用の額等の配賦方法の選択

その事業年度の共通費用の額又は共通利子の額のうち国外事業所等帰属所得
に係る所得の金額の計算上損金の額として配分すべき金額を計算する場合にお
いて、上記(2)及び(4)の取扱いによることがその内国法人の業務の内容等に適合
しないと認められるときは、あらかじめ所轄税務署長（国税局の調査課所管法
人にあっては、所轄国税局長）の確認を受けて、その共通費用の額又は共通利子
の額の全部又は一部につき収入金額、直接経費の額、資産の価額、使用人の数
その他の基準のうちその業務の内容等に適合すると認められる基準によりその
計算をすることができるものとされます（法基通16 - 3 -14）。

(6)　引当金の繰入及び取崩し

国外事業所等帰属所得に係る所得の金額の計算上、法人税法第52条（貸倒引
当金）の規定に準じて計算する場合には、貸倒引当金の設定対象となる金銭債
権には、内国法人の国外事業所等と本店等との間の内部取引に係る金銭債権に
相当するものは含まれないこととされました（法令141の 3 ④）。

この場合、国外事業所等帰属所得に係る所得の金額の計算上、法の規定に準

637

じて計算した場合に損金の額となる引当金勘定への繰入額及び措置法の規定に準じて計算した場合に損金の額となる準備金（特別償却準備金を含む。）の積立額は、国外事業所等ごとに計算を行うことに留意することとし、次のことは次によることとされます（法基通16－3－15）。

①	法人税法第52条第1項《貸倒引当金》に規定する個別評価金銭債権（「個別評価金銭債権」）に係る貸倒引当金勘定への繰入額のうち国外事業所等帰属所得に係る所得の金額の計算上損金の額に算入すべき金額は、内国法人が国外事業所等に帰せられる個別評価金銭債権の損失の見込額として仮決算又は確定した決算において貸倒引当金勘定に繰り入れた金額（当該金額が当該個別評価金銭債権について法人税法施行令第96条第1項《貸倒引当金勘定への繰入限度額》の規定に準じて計算した金額を超える場合には、その超える部分の金額を控除した金額）とする。
②	法人税法第52条第2項に規定する一括評価金銭債権（「一括評価金銭債権」）に係る貸倒引当金勘定への繰入額のうち国外事業所等帰属所得に係る所得の金額の計算上損金の額に算入すべき金額は、内国法人が一括評価金銭債権の貸倒れによる損失の見込額として仮決算又は確定した決算において貸倒引当金勘定に繰り入れた金額のうち国外事業所等に係るものとして合理的に計算された金額（当該金額が当該国外事業所等に帰せられる一括評価金銭債権の額の合計額に国外事業所等貸倒実績率（当該国外事業所等が内国法人から独立して事業を行う事業者であるとして、法人税法施行令第96条第6項に規定する貸倒実績率を計算した場合の当該貸倒実績率をいう。）を乗じて計算した金額を超える場合には、その超える部分の金額を控除した金額）とする。

（注）

1　内国法人が単に国外事業所等の帳簿に記帳した金額は、仮決算又は確定した決算において貸倒引当金勘定に繰り入れた金額に該当しないことに留意する。

2　内国法人が国外事業所等の帳簿において貸倒引当金を記帳していない場合であっても、国外事業所等に帰せられる金銭債権につき仮決算又は確定した決算において貸倒引当金勘定への繰入れを行っているときは、当該金銭債権について、①又は②の適用があることに留意する。

3　内国法人が、全ての国外事業所等につき、国外事業所等貸倒実績率に代えて同項に規定する貸倒実績率により計算を行っている場合には、継続適用を条件としてこれを認める。

　一方、当該事業年度前の各事業年度においてその繰入額又は積立額を国外事業所等帰属所得に係る所得の金額の計算上損金の額に算入した引当金又は準備金の取崩し等による益金算入額がある場合には、当該益金算入額のうちその繰入れをし、又は積立てをした事業年度において国外事業所等帰属所得に係る所得の金額の計算上損金の額に算入した金額に対応する部分の金額を当該取崩し等に係る事業年度の国外事業所等帰属所得に係る所得の金額の計算上益金の額に算入することとされます（法基通16－3－16）。

(7)　国外事業所等に帰せられる資本の額

①　概要

　国外事業所等に帰せられる資本の額は、資本配賦法又は同業法人比準法のいずれかの方法により計算した金額とされます（法令141の4③）。

②　資本配賦法

　資本配賦法は、内国法人の自己資本の額に、内国法人の資産の額の国外事業所等に帰せられるべき資産の額の割合を乗じて、その国外事業所等に帰せられるべき資本の額を計算しようとする方法であり、具体的には、次のようになります。

(イ)　銀行等以外の内国法人

a　資本配賦原則法

　資本配賦原則法とは、次のように計算する方法をいいます（法令141の3③一イ）。

$$\left(\begin{array}{c}\text{その内国法人の総}\\\text{資産の帳簿価額の}\\\text{平均的な残高とし}\\\text{て合理的な方法に}\\\text{より計算した金額}\end{array} - \begin{array}{c}\text{その内国法人の総}\\\text{負債の帳簿価額の}\\\text{平均的な残高とし}\\\text{て合理的な方法に}\\\text{より計算した金額}\end{array}\right) \times \dfrac{\begin{array}{c}\text{その内国法人の事業年度終了の}\\\text{時の国外事業所等に帰せられる}\\\text{資産の額について、発生し得る}\\\text{危険を勘案して計算した金額}\end{array}}{\begin{array}{c}\text{その内国法人の事業年度終了の}\\\text{時の総資産の額について、発生}\\\text{し得る危険を勘案して計算した}\\\text{金額}\end{array}}$$

b　資本配賦簡便法

資本配賦簡便法の概要を算式で示すと、次のとおりです(法令141の3⑥一)。

$$\left(\begin{array}{c}\text{総資産の帳簿価額の}\\\text{平均残高}\end{array} - \begin{array}{c}\text{総負債の帳簿価額の}\\\text{平均残高}\end{array}\right) \times \frac{\begin{array}{c}\text{国外事業所等帰属資産の}\\\text{帳簿価額}\end{array}}{\begin{array}{c}\text{貸借対照表に計上されて}\\\text{いる総資産の帳簿価額}\end{array}}$$

㈑　銀行等である内国法人（規制資本配賦法（法令141の3③一ロ））

$$\text{規制上の自己資本の額} \times \frac{\begin{array}{c}\text{国外事業所等帰属資産の額について、}\\\text{発生し得る危険を勘案して計算した金額}\end{array}}{\begin{array}{c}\text{総資産の額について、発生し得る危険を}\\\text{勘案して計算した金額}\end{array}}$$

③　同業法人比準法（法令141の3③二）

㈤　銀行等以外の内国法人

a　リスク資産資本比率比準法（法令141の③二イ）

$$\begin{array}{c}\text{国外事業所等帰属資産の額}\\\text{について、発生し得る危険}\\\text{を勘案して計算した金額}\end{array} \times \frac{\begin{array}{c}\text{比較対象法人の貸借対照表に}\\\text{計上されている純資産の額}\end{array}}{\begin{array}{c}\text{比較対象法人の総資産の額について、}\\\text{発生し得る危険を勘案して計算した金額}\end{array}}$$

b　簿価資産資本比率比準法（法令141の3⑥二）

$$\begin{array}{c}\text{国外事業所等帰属資産の}\\\text{帳簿価額の平均残高}\end{array} \times \frac{\begin{array}{c}\text{比較対象法人の貸借対照表に}\\\text{計上されている純資産の額}\end{array}}{\begin{array}{c}\text{比較対象法人の貸借対照表に}\\\text{計上されている総資産の額}\end{array}}$$

㈑　銀行等である内国法人

リスク資産規制資本比率比準法（法令141の3③二ロ）

$$\text{国外事業所等帰属資産の額について、発生し得る危険を勘案して計算した金額} \times \frac{\text{比較対象法人の規制上の自己資本の額}}{\substack{\text{比較対象法人の総資産の額について、}\\ \text{発生し得る危険を勘案して計算した金額}}}$$

3. その他の国外源泉所得に係る所得の金額の計算

(1) その他の国外源泉所得に係る所得の金額の計算の概要

　その他の国外源泉所得に係る所得の金額は、その国外源泉所得に係る所得のみについて法人税を課するものとした場合に課税標準となるべき当該事業年度の所得の金額に相当する金額とされました（法令141の8①）。

　この場合、「国外源泉所得に係る所得のみについて各事業年度の所得に対する法人税を課するものとした場合に課税標準となるべき当該事業年度の所得の金額に相当する金額」とは、現地における外国法人税の課税上その課税標準とされた所得の金額そのものではなく、当該事業年度において生じた法人税法施行令第141条の2第2号《国外所得金額》に掲げる国外源泉所得（「その他の国外源泉所得」）に係る所得の計算につき法（措置法その他法人税に関する法令で法以外のものを含む。）の規定を適用して計算した場合における当該事業年度の課税標準となるべき所得の金額をいうこととされます（法基通16-3-19の2）。

(2) 共通費用の額の配分

　当期の所得金額の計算上損金算入された販売費、一般管理費その他の費用のうちその他の国外源泉所得を生ずべき業務とそれ以外の業務の双方に関連して生じたものの額（共通費用の額）がある場合には、その共通費用の額は、収入金額、資産の価額、使用人の数その他の基準のうちこれらの業務の内容及び費用の性質に照らして合理的と認められる基準によってその他の国外所得金額計算上の損金の額として配分することとされています（法令141の8②）。

　共通費用の額については、個々の業務ごと、かつ、個々の費目ごとに同項に規定する合理的と認められる基準によりその他の国外源泉所得に係る所得を生

ずべき業務（「国外業務」）に配分しますが、個々の業務ごと、かつ、個々の費目ごとに計算をすることが困難であると認められるときは、全ての共通費用の額を一括して、当該事業年度の売上総利益の額（利子、配当等及び使用料については、その収入金額とする）のうちに国外業務に係る売上総利益の額の占める割合を用いてその他の国外源泉所得に係る所得の金額の計算上損金の額として配分すべき金額を計算することができることとされます（法基通16－3－19の3）。この場合、以下に留意することとされます。

①	内国法人（金融及び保険業を主として営む法人を除く。）の国外業務に係る収入金額の全部又は大部分が利子、配当等又は使用料であり、かつ、当該事業年度の所得の金額のうちに調整国外所得金額の占める割合が低いなどのため課税上弊害がないと認められる場合には、当該事業年度の販売費、一般管理費その他の費用の額のうち国外業務に関連することが明らかな費用の額のみが共通費用の額であるものとしてその他の国外源泉所得に係る所得の金額の計算上損金の額として配分すべき金額を計算することができる。
②	内国法人の国外業務に係る収入金額のうちに法人税法第23条の2第1項《外国子会社から受ける配当等の益金不算入》の規定の適用を受ける配当等（「外国子会社配当等」）の収入金額がある場合における外国子会社配当等に係る「国外業務に係る売上総利益の額」は、外国子会社配当等の収入金額から当該事業年度において同項の規定により益金の額に算入されない金額を控除した金額によることに留意する。

(3)　負債利子の配賦

　共通費用の額に含まれる負債の利子の額については、内国法人の営む主たる事業が次のいずれに該当するかに応じ、それぞれ次によりその他の国外源泉所得に係る所得の金額の計算上損金の額として配分すべき金額を計算することができることとされます（法基通16－3－19の4）。

①卸売業及び製造業	（算式） 当該事業年度における共通利子の額の合計額 $\times$ $\dfrac{\text{分母の各事業年度終了の時におけるその他の国外源泉所得の発生の源泉となる貸付金、有価証券等の帳簿価額の合計額}}{\text{当該事業年度終了の時及び当該事業年度の直前事業年度終了の時における総資産の帳簿価額の合計額}}$
②銀行業	（算式） その他の国外源泉所得の発生の源泉となる貸付金、有価証券等の当該事業年度中の平均残高 $\times$ $\dfrac{\text{当該事業年度における共通利子の額の合計額}}{\left\{\left(\text{預金、借入金等の当該事業年度中の平均残高} + \text{当該事業年度終了の時及び当該事業年度の直前事業年度終了の時における自己資本の額の合計額}\right) - \text{左の各事業年度の終了の時における固定資産の帳簿価額の合計額}\right\} \times \frac{1}{2}}$
③その他の事業	その事業の性質に応じ、①又は②の方法に準ずる方法

なお、上の算式については、次のことに留意することとされます。

（注）

1　①及び②の算式の「その他の国外源泉所得の発生の源泉となる貸付金、有価証券等」には、当該事業年度において収益に計上すべき利子、配当等の額がなかった貸付金、有価証券等を含めないことができます。

2　①及び②の算式の「その他の国外源泉所得の発生の源泉となる貸付金、有価証券等」に、外国子会社配当等に係る株式又は出資がある場合には、これらの算式における当該株式又は出資に係る「有価証券等の帳簿価額」及び「有価証券等の当該事業年度中の平均残高」の計算は、当該株式又は出資の帳簿価額から当該帳簿価額に当該事業年度における外国子会社配当等の収入金額のうちに

643

法人税法第23条の2第1項《外国子会社から受ける配当等の益金不算入》の規定により益金の額に算入されない金額の占める割合を乗じて計算した金額を控除した金額による。

3 ①及び②の算式の「当該事業年度の直前事業年度」が、連結事業年度に該当する場合には「当該事業年度の直前連結事業年度」と読み替えて計算を行う。

4 ①の算式の「総資産の帳簿価額」は、法人税法施行令第22条第1項第1号《株式等に係る負債の利子の額》の規定の例により計算した金額に同号ニに規定する連結法人に支払う負債の利子の元本である負債の額に相当する金額を加算した金額による。

5 ②の算式の「自己資本の額」は、確定した決算に基づく貸借対照表の純資産の部に計上されている金額によるものとし、また、「固定資産の帳簿価額」は、当該貸借対照表に計上されている法人税法第2条第22号《固定資産の定義》に規定する固定資産の帳簿価額による。

(4) その他の国外源泉所得に係る所得の金額の計算における確認による共通費用の額等の配賦方法の選択

その事業年度の共通費用の額又は共通利子の額のうちその他の国外源泉所得に係る所得の金額の計算上損金の額として配分すべき金額を計算する場合において、(2)又は(3)によることがその内国法人の業務の内容等に適合しないと認められるときは、あらかじめ所轄税務署長（国税局の調査課所管法人にあっては、所轄国税局長）の確認を受けて、当該共通費用の額又は共通利子の額の全部又は一部につき収入金額、直接経費の額、資産の価額、使用人の数その他の基準のうちその業務の内容等に適合すると認められる基準によりその計算をすることができるものとされます（法基通16－3－19の5）。

(5) 引当金の繰入額及び取崩額

その他の国外源泉所得に係る所得の金額の計算上、損金の額に算入すべき法に規定する引当金勘定への繰入額及び措置法に規定する準備金（特別償却準備金を含む）の積立額は、次によることとされます（法基通16－3－19の6）。

①	法人税法第52条第1項《貸倒引当金》に規定する個別評価金銭債権（「個別評価金銭債権」）に係る貸倒引当金勘定への繰入額は、内国法人の当該事業年度の所得の金額の計算の対象となった個別評価金銭債権の額のうちその他の国外源泉所得の発生の源泉となるものの額に係る部分の金額とし、同条第2項に規定する一括評価金銭債権（「一括評価金銭債権」）に係る貸倒引当金勘定への繰入額は、内国法人の当該事業年度の所得の金額の計算上、損金の額に算入した一括評価金銭債権に係る貸倒引当金勘定への繰入額に、その対象となった一括評価金銭債権の額のうちにその他の国外源泉所得の発生の源泉となるものの額の占める割合を乗じて計算した金額とする。 （注）　その他の国外源泉所得の発生の源泉となる金銭債権のうち当該事業年度において収益に計上すべき利子の額がないものに対応する貸倒引当金勘定への繰入額は、当該事業年度のその他の国外源泉所得に係る所得の金額の計算上損金の額に算入しないことができる。
②	①の引当金以外の引当金の繰入額又は準備金の積立額については、その引当金又は準備金の性質又は目的に応ずる合理的な基準により計算した金額をその他の国外源泉所得に係る所得の金額の計算上損金の額とされる。

　一方、その事業年度前の各事業年度においてその繰入額又は積立額をその他の国外源泉所得に係る所得の金額の計算上損金の額に算入した引当金又は準備金の取崩し等による益金算入額がある場合には、その益金算入額のうちその繰入れをし、又は積立てをした事業年度においてその他の国外源泉所得に係る所得の金額の計算上損金の額に算入した金額に対応する部分の金額を当該取崩し等に係る事業年度のその他の国外源泉所得に係る所得の金額の計算上益金の額に算入することとされます（法基通16－3－19の7）。

⑹　共通費用の額の配分等に係る書類の作成

　また、共通費用の額の配分を行った場合には、配分の計算の基礎となる費用の明細及び内容、配分の計算方法及びその計算方法が合理的であるとする理由を記載した書類を作成しなければならないこととされています（法令141の8③、法規28の11）。

645

4. 国外所得金額の計算

(1) 外国税額控除の限度額の基本的な計算方法

【算式】

$$その事業年度の法人税額 \times \frac{調整国外所得金額}{全世界所得金額}$$

　　調整国外所得金額の計算方法は、次の通りです（法法69①、法令141の2①）。

【算式】

　　調整国外所得金額＝国外源泉所得＋①－（②＋③）

　　　①：国外事業所等を通じて行う事業の負債利子でその国外事業所等の自己資本の額がその国外事業所等に帰属する資本に満たない場合のその満たない金額に対応する部分の金額（法令141の2①一）

　　　②：内国法人である金融機関・金融商品取引業者の支払う負債利子のうち、国外事業所等に帰属する資本の額に対応する部分の金額（法令141の2①二）

　　　③：内国法人である保険会社の国外事業所等に係る投資資産が国外事業所等に帰属する投資資産の額を上回る場合にその上回る部分に相当する収益の金額（法令141の2①三）

(2) 国外事業所等が内部取引により取得した資産

　　国外事業所等が本店等との間で内部取引により資産の取得をした場合、その内部取引の時にその資産を取得したものとして、国外所得金額の計算を行うことになります（法令141の2②）。

(3) 内外共通費用の配分

　　当期の所得金額の計算上、損金の額に計上された販売費及び一般管理費その他の費用のうち、国外源泉所得を生ずべき業務とそれ以外の業務の双方に関連

して生じた共通費用がある場合、その共通費用は収入金額、資産の価額、使用人の数その他合理的と認められる基準により、国外所得金額の計算上損金の額として配分することとされます（法令141の2③）。

　ただし、共通費用の配分を行った場合、その配分の基礎となった事項について、それが合理的であることを記載した書類を作成しなければなりません（法令141の2④）。

⑷　国外事業所等に帰属する資本の額に対応する負債利子の加算

　上の⑴で記載した負債利子の加算調整は、次のように行います（法令141の2⑪）。

【算式】

$$
加算調整額 = 国外事業所等を通じて行う事業に係る負債利子額 \times \frac{国外事業所等に帰属すべき資本の額 - 国外事業所等に係る自己資本の額}{国外事業所等に帰属すべき有利子負債の帳簿価額の平均残額}
$$

　また、この加算調整は、確定申告書に計算明細を添付し、かつ、国外事業所等に帰属すべき資本の額の計算の基礎となる事項を記載した書類の保存がある場合に限り適用されます（法令141の2⑬）。

⑸　国外所得金額の計算に関する書類の添付

　外国税額控除の適用を受ける場合には、確定申告書に国外所得金額の計算に関する明細書を記載した書類を添付しなければなりません（法令141の2㉒）。

実務上のポイント

【外国税額控除における国外所得金額の範囲】（国税庁質疑応答事例より）

【照会要旨】――――――――――――――

　国外事業所等※を有しない海運会社（内国法人）が、外国法人又は非居住者に裸用船契約により船舶を賃貸して用船料を収受している場合、外国税額控除の適用上、当該用船料に係る所得は国外所得金額に含まれますか。

なお、国外事業所等を有するかどうかで取扱いが異なりますか。

※　国外事業所等とは、我が国が租税条約（恒久的施設に相当するものに関する定めを有するものに限る。）を締結している条約相手国等（租税条約の我が国以外の締約国又は締約者をいう。以下同じ。）についてはその租税条約の条約相手国等内にあるその租税条約に定める恒久的施設に相当するものをいい、その他の国又は地域についてはその国又は地域にある恒久的施設に相当するものをいいます（法法69④一、法令145の2①）。

【回答要旨】

1　非居住者又は外国法人に対する裸用船契約に基づく用船料は、法人税法第69条第4項第5号《外国税額の控除》に規定する国外源泉所得に該当するため、その用船料に係る所得の金額は国外所得金額に含まれることとなります（法法69①、④、法令141の2）。

　　なお、お尋ねでは、国外事業所等を有しないとのことですが、同号に該当するか否かは、国外事業所等の有無にかかわりませんので、国外事業所等を有しない場合であっても、国外源泉所得に該当することとなります。

2　仮に、国外事業所等を有する場合で、その国外事業所等を通じて非居住者又は外国法人に対する裸用船契約に基づく船舶貸付業を行う場合には、その国外事業所等が内国法人から独立して事業を行う事業者であるとしたならば、その国外事業所等が果たす機能、その国外事業所等において使用する資産、その国外事業所等を内国法人の本店等との間の内部取引その他の状況を勘案して、その国外事業所等に帰せられるべき所得については、法人税法第69条第4項第1号に規定する国外源泉所得に該当することとなります。

　　この場合、非居住者又は外国法人に対する裸用船契約に基づく用船料は、法人税法第69条第4項第1号及び第5号のいずれの国外源泉所得にも該当することとなりますが、このような場合には、外国税額控除に係る控除限度額の計算の基礎となる国外所得金額の計算においては、同項第1号の国外源泉所得への該当性が優先されることとなります（法令141の2）。

【関係法令通達】

　法人税法第69条第1項、第4項

　法人税法施行令第141条の2、第145条の2第1項

　法人税基本通達16-3-40

（令和元年10月1日現在の法令に基づいて記述）

第5節　控除限度額と外国法人税の範囲

1. 控除限度額の計算

　外国税額控除における控除限度額は、内国法人の各事業年度の所得に対する法人税の額に、その事業年度の所得金額のうちにその事業年度の調整国外所得金額の占める割合を乗じて計算した金額とされます（法令142①）。

　ここでいう「調整国外所得金額」とは、内国法人の各事業年度において生じた国外所得金額から非課税国外所得の金額を控除した金額をいいます（法令142③）。

　なお、内国法人の各事業年度の所得に対する法人税の額は、次に掲げる規定を適用しないで計算した場合の法人税の額とし、附帯税の額を除くものとされています（法令142①）。

①	法人税法第67条（特定同族会社の特別税率）の規定
②	法人税法第68条（所得税額の控除）の規定
③	法人税法第69条（外国税額の控除）の規定
④	法人税法第70条（仮装経理に基づく過大申告の場合の更正に伴う法人税額の控除）の規定
⑤	租税特別措置法第42条の5第5項（エネルギー環境負荷低減推進設備等を取得した場合の特別償却又は法人税額の特別控除）の規定
⑥	租税特別措置法第42条の6第5項（中小企業者等が機械等を取得した場合の特別償却又は法人税額の特別控除）の規定

⑦	租税特別措置法第42条の9第4項（沖縄の特定地域において工業用機械等を取得した場合の法人税額の特別控除）の規定
⑧	租税特別措置法第42条の12の3第5項（特定中小企業者等が経営改善設備を取得した場合の特別償却又は法人税額の特別控除）の規定
⑨	租税特別措置法第42条の12の4第5項（中小企業者等が特定経営力向上設備等を取得した場合の特別償却又は法人税額の特別控除）の規定
⑩	租税特別措置法第62条第1項（使途秘匿金の支出がある場合の課税の特例）の規定
⑪	租税特別措置法第62条の3第1項及び第9項（土地の譲渡等がある場合の特別税率）の規定
⑫	租税特別措置法第63条第1項（短期所有に係る土地の譲渡等がある場合の特別税率）の規定
⑬	経済社会の構造の変化に対応した税制の構築を図るための所得税法等の一部を改正する法律（平成23年法律第114号）附則第55条（エネルギー需給構造改革推進設備等を取得した場合の特別償却又は法人税額の特別控除に関する経過措置）の規定によりなおその効力を有するものとされる同法第19条の規定による改正前の租税特別措置法第42条の5第5項（エネルギー需給構造改革推進設備等を取得した場合の特別償却又は法人税額の特別控除）の規定
⑭	租税特別措置法等の一部を改正する法律（平成24年法律第16号）附則第22条第1項（沖縄の特定中小企業者が経営革新設備等を取得した場合の特別償却又は法人税額の特別控除に関する経過措置）の規定によりなおその効力を有するものとされる同法第1条の規定による改正前の租税特別措置法第42条の10第5項（沖縄の特定中小企業者が経営革新設備等を取得した場合の特別償却又は法人税額の特別控除）の規定
⑮	所得税法等の一部を改正する法律（平成27年法律第9号。以下この項において「平成27年改正法」という。）附則第73条第1項（試験研究を行つた場合の法人税額の特別控除等に関する経過措置）の規定によりなお従前の例によることとされる場合における平成27年改正法第8条の規定による改正前の租税特別措置法第42条の4第11項（試験研究を行つた場合の法人税額の特別控除）（平成27年改正法附則第116条の規定による改正前の所得税法等の一部を改正する法律（平成25年法律第5号）附則第63条（試験研究を行つた場合の法人税額の特別控除の特例に関する経過措置）の規定によりなおその効力を有するものとされ

> る同法第 8 条の規定による改正前の租税特別措置法第42条の 4 の 2 第 7 項（試験研究を行つた場合の法人税額の特別控除の特例）の規定により読み替えて適用する場合を含む。）の規定

2. 共通費用の額の配分

　上記の「外国法人税が課されない国外源泉所得」がある場合、損金の額に算入される共通費用の額については国外事業所等帰属所得の金額の計算における合理的な配分方法と認められる基準に準じて、外国法人税が課されない国外源泉所得とそれ以外の国外源泉所得に配分することとなります（法令142⑤）。

3. 外国法人税の範囲

　外国の法令により課される法人税に相当する税は、外国の法令に基づき外国又はその地方公共団体により法人の所得を課税標準として課される税をいうとされています（法令141①）。また、地方税法では、外国法人税の範囲については、法人税法施行令第141条の規定を準用するとしています（地令 9 の 7 ①、同48の13①）。

　外国法人税の範囲に含まれるものは、　具体的には次のものです（法令141②）。

①超過利潤税その他法人の所得の特定の部分を課税標準として課される税

②法人の所得又はその特定の部分を課税標準として課される税の附加税

③法人の所得を課税標準として課される税と同一の税目に属する税で、法人の特定の所得につき、徴税上の便宜のため、所得に代えて収入金額その他これに準ずるものを課税標準として課されるもの

④法人の特定の所得につき、所得を課税標準とする税に代え、法人の収入金額その他これに準ずるものを課税標準として課される税

　外国法人税に含まれるか否かについてのメルクマールとしては、以下のようなものがあります。

①租税であること

②所得を課税標準とすること

③日本の法令で所得を構成しない金額は除かれること

4. 外国法人税に含まれない税

　外国又はその地方公共団体から課される次の税は、外国法人税には含まれません（法令141③）。

①税を納付する者が、当該税の納付後、任意にその金額の全部又は一部の還付を請求することができる税

②税の納付が猶予される期間を、その税の納付をすることとなった者が任意に定めることができる税

③複数の税率の中から税の納付をすることとなった者と外国（その地方公共団体等）との合意により税率が決定された税（当該複数の税率のうち最も低い税率（当該最も低い税率が当該合意がないものとした場合に適用されるべき税率を上回る場合には当該適用されるべき税率）を上回る部分に限る）

> ④外国法人税に附帯して課される附帯税に相当する税その他これに類する税

このほかにも、米国の社会保険税や失業保険税というように、名称に「税」と付されていても、その内容から外国税額控除の対象とならないものが多数あるので留意が必要です。

実務上のポイント

世界には国連加盟国だけで193あり（2020年3月1日現在）、それ以外に香港（中国行政特別区）、マカオ（同）、ケイマン諸島（英国自治領）、バミューダ諸島（同）、ガーンジー（英国王室属領）、米領バージン諸島（米国自治領）などたくさんの「地域」があり、これら全部を含めると200を超える課税主体があります。その中には、地理的・経済的情勢により日本人の意識とはおよそかけ離れた制度を有する場所があり、納税者の中にはこういった国や地域に子会社を設立する場合があります。

平成23年度税制改正により、法人税法施行令第141条第3項第3号に規定された「複数の税率の中から税の納付をすることとなった者と外国（その地方公共団体等）との合意により税率が決定された税（当該複数の税率のうち最も低い税率（当該最も低い税率が当該合意がないものとした場合に適用されるべき税率を上回る場合には当該適用されるべき税率）を上回る部分に限る）」は、平成21年12月3日最高裁判決により国税当局が全面敗訴したことにより導入されたものです。以下にこの事件の概要を記載します。

ガーンジー島 TH 課税事件（最高裁平成21年12月 3 日判決、東京高裁平成19年10月25日判決、東京地裁平成18年 9 月 5 日判決）

---

1. 事実の概要

　本件は、英国領チャネル諸島ガーンジー（以下「ガーンジー」といいます）に本店を有し、再保険を業とする法人である P の発行済株式のすべてを保有しているXに対し、P が、租税特別措置法第66条の 6 第 1 項所定の特定外国子会社等に該当するとして、同項に規定する課税対象留保金額に相当する金額をXの所得の金額の計算上、益金の額に算入して本件各事業年度の更正処分等がされたため、これを不服としたXが、本件更正処分等の取消しを求めた事案です。

2. 事案概要図

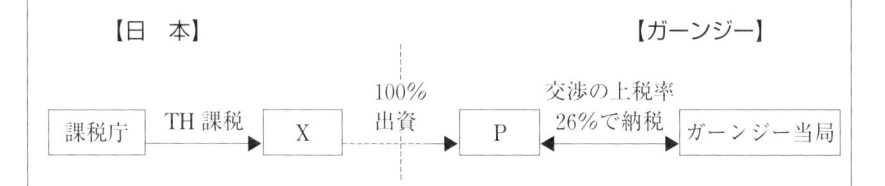

【日　本】　　　　　　　　　　　　　　　　　　　　　　【ガーンジー】

| 課税庁 | → TH 課税 → | X | 100%出資 → | P | 交渉の上税率26%で納税 ← → | ガーンジー当局 |

3. 争　点

　本件各更正処分等において、P が、Xの特定外国子会社等に該当するとして、Xの所得金額の計算上、P に係る課税対象留保金額に相当する額を益金の額に算入したことが適法か否か。そして、この点については、P が支払った本件外国税が法人税法第69条第 1 項の外国法人税に該当するか否かが問題となります。

4. 最高裁判所の判断

　以下に最高裁の判断をみてみましょう。

　――法人税法第69条第 1 項は、外国法人税について、「外国の法令により課さ

れる法人税に相当する税で政令で定めるもの」をいうと定め、外国の租税が外国法人税に該当するといえるには、それが我が国の法人税に相当する税でなければならないとしている。

これを受けて、法人税法施行令第141条は、第1項において外国法人税の意義を「外国の法令に基づき外国又はその地方公共団体により法人の所得を課税標準として課される税」と定めるほか、外国又はその地方公共団体により課される税のうち、外国法人税に含まれるものを第2項第一号から第四号までに列挙し、外国法人税に含まれないものを第3項第一号から第五号までに列挙している。以上の規定の仕方によると、外国法人税について基本的な定義をしているのは同条第1項であるが、これが形式的な定義にとどまるため、同条第2項及び第3項において実質的にみて法人税に相当する税及び相当するとはいえない税を具体的に掲げ、これにより、同条第1項にいう外国法人税の範囲を明確にしようとしているものと解される。

本件においては、本件外国税が同条第3項第一号に規定する「税を納付する者が、当該税の納付後、任意にその金額の全部又は一部の還付を請求することができる税」又は第二号に規定する「税の納付が猶予される期間を、その税の納付をすることとなる者が任意に定めることができる税」に該当するか否かが検討の対象になり得るところ、以上の理解を前提にすると、同項第一号又は第二号に該当する税のみならず、該当しない税であってもこれらに類する税、すなわち、実質的にみて、税を納付する者がその税負担を任意に免れることができることとなっているような税は、法人税に相当する税に当たらないものとして、外国法人税に含まれないものと解することができるというべきである。しかし、租税法律主義にかんがみると、その判断は、飽くまでも同項第一号又は第二号の規定に照らして行うべきであって、同項第一号又は第二号の規定から離れて一般的抽象的に検討し、我が国の基準に照らして法人税に相当する税とはいえないとしてその外国法人税該当性を否定することは許されないというべきである。

本件外国税は、本件子会社の平成11年から同14年までの各事業年度において、ガーンジーの法令に基づきガーンジーにより本件子会社の所得をそれぞれ課税標準として課された税に当たるということができ、形式的に同条第1項にいう外国

法人税の定義に該当するものというべきである。

　そこで、本件外国税が実質的にみて外国法人税に含まれないものとされる同条第3項第一号又は第二号に規定する税に該当するかをみると、ガーンジーにおいて国際課税法人が納付した税については、標準税率課税又は段階税率課税による税とは異なり、納付後、さかのぼって免税の申請をすることができるとはされておらず、また、これについて還付請求をすることができるともされていない。そうすると、本件外国税は、同項第一号に規定する税に該当するということはできない。

　また、前記事実関係等によれば、本件外国税は、納付が猶予される期間を本件子会社が任意に定めることができたとはされていないから、同項第二号に規定する税にも該当しない。

　さらに、本件外国税が実質的にみて同項第一号又は第二号に規定する税に類するような任意にその税負担を免れることができることとなっている税といえるかについて検討する。本件外国税は、その税率が納税者と税務当局との合意により決定されるなど、納税者の裁量が広いものではあるが、その税率の決定については飽くまで税務当局の承認が必要なものとされているのであって、納税者の選択した税率がそのまま適用税率になるものとされているわけではない。また、ガーンジーにおいて、所定の要件を満たす団体が免税の申請をした場合（標準税率課税又は段階税率課税を受けた法人がさかのぼって免税の申請をした場合を含む）に、常にそれが認められるという事実は確定されていない。したがって、本件子会社は、その任意の選択により税負担を免れることができたのにあえて国際課税資格による課税を選択したということもできない。むしろ、前記のとおり、本件子会社は、税率26%の本件外国税を納付することによって実質的にみても本件外国税に相当する税を現に負担しており、これを免れるすべはなくなっているものというべきである。そうすると、本件外国税を同項第一号又は第二号に規定する税に類する税ということもできないというべきである。本件外国税が法人税に相当する税に該当しないということは困難である。

　以上のとおり、本件外国税は、ガーンジーの法令に基づきガーンジーにより本件子会社の所得を課税標準として課された税であり、そもそも租税に当てはまら

ないものということはできず、また、外国法人税に含まれないものとされている法人税法施行令第141条第3項第一号又は第二号に規定する税にも、これらに類する税にも当たらず、法人税に相当する税ではないということも困難であるから、外国法人税に該当することを否定することはできない。──

5. 解説

　本件は、（当時の）租税特別措置法第66条の6に規定するいわゆる外国子会社合算税制（タックス・ヘイブン対策税制）の適用の前提となる外国法人税率を、（当時のトリガー税率である）25%以下にしないことを選択できるガーンジーにおいてPが26%の税率を選択・納税したことについて、どのように評価すべきか、が論点となっています。

　世界には、自国（又は地域）に十分な国土や人口を有しないことを理由としたタックス・ヘイブンがたくさん存在しています。そして、それらタックス・ヘイブンは、情報非開示や税率優遇などの施策により、自国民の生活向上を図っているのです。

　本件の舞台となった英領ガーンジーは、フランスのノルマンディ地方沖に浮かぶチャネル諸島を構成する島で、自治政府を有しているものの人口はわずかに6万人程度です。ガーンジー政府は、自島発展のため主要国の金融機関を中心に外資系企業を低税率などで誘致しています。本件で明らかになったように、法人税について非常に柔軟な制度を有しており、法人と政府の交渉によって税率を決定することも可能となっています。

　本件においては、Xが、Pがガーンジーに納付した26%の「外国法人税」について、ガーンジーが法的に租税としていることから、法人税法第69条の外国法人税に該当すると主張しましたが、最高裁判所はXの主張を認め課税処分を取り消しました。

　そこで、租税法律主義の観点から、本件と同様の租税が外国法人税には該当しないことを明確化するため、平成23年度税制改正により、新たに法人税法施行令第141条第3項に1つの項を挿入することとされました。

実務上のポイント

【いわゆる税引手取契約の場合の外国税額控除の適用】（国税庁質疑応答事例より）

【照会要旨】————————————

　外国企業に対する技術提供等の取引について収入する使用料が、いわゆる税引手取契約になっていて、外国法人税を先方が負担している場合は、日本法人において外国税額控除は認められるでしょうか。

【回答要旨】————————————

　納税義務者はあくまで日本法人であり、かつ、税引手取契約では税金相当額が対価の一部という認識もあるため、外国税額控除は認められます。

　(注)　所得税基本通達においては、源泉徴収の対象となるものの支払額が税引手取額で定められている場合には、当該税引手取額を税込みの金額に逆算し、当該逆算した金額を源泉徴収の対象となるものの支払額として、源泉徴収税額を計算することとされています（所得税基本通達181〜223共−4）。

【関係法令通達】————————————

　法人税法第69条第1項

　所得税基本通達181〜223共−4

　（令和元年10月1日現在の法令に基づいて記述）

5. 控除対象外国法人税とならない外国法人税の額

　次に掲げる外国法人税は、外国税額控除の対象とならない外国法人税の額となります（法法69①、法令142）。

(1)　高率な部分の金額

①　高率な部分の金額

　「所得に対する負担が高率な部分の金額」については、控除対象外国法人税額とはなりません。具体的には、外国法人税の額のうち当該外国法人税を課す国又は地域において当該法人税の課税標準の額とされる金額に35％を乗じて計算した金額を超える部分をいいます（法令142条の2①）。

　この場合の高率な部分の金額に該当するか否かは、一の外国法人税ごとに、かつ、当該外国法人税の課税標準とされる金額ごとに判定することとされています（法基通16－3－22）。

　なお、内国法人が予定納付等をした外国法人税の額については、法人税基本通達16－3－22《外国法人税額の高率負担部分の判定》にかかわらず、当該外国法人税の額に係る高率負担部分はないものとして法人税法第69条第1項の規定を適用するものとします。この場合において、当該予定納付等をした外国法人税に係る確定申告又は確定賦課等により納付する金額につき法人税法第69条第1項の規定の適用を受けるときは、当該確定申告又は確定賦課等により確定した外国法人税の額に基づき法人税法施行令第142条の3①《控除対象外国法人税の額とされないもの》の規定を適用するとされています（法基通16－3－23）。

　ただし、高率とされる部分の金額については、外国税額控除の対象とはならないのですが、損金の額には算入することができます。これは、控除対象外国法人税額のみが法人税法第41条《法人税額から控除する外国税額の損金不算入》により、損金不算入とされていることによります。

② 　利子等に係る取扱い

　内国法人が納付することとなる利子等（貸付金その他これに準ずるものの利子を含む。）の収入金額を課税標準として源泉徴収の方法に類する方法により課される外国法人税については、当該外国法人税の額のうち当該利子等の収入金額の10％に相当する金額を超える部分の金額が所得に対する負担が高率な部分の金額に該当するものとされます（法令142条の2②）。

　これは、利子等に係る源泉税は、所得を課税標準とする法人税とは異なり、グロスの金額を課税標準とするため、表面税率はさほど高率でなくとも、日本の法人税の課税所得に対する税負担は、日本の実効税率をはるかに超える場合があることによります。そこで、高率な源泉税であるかどうかについては、表面税率（グロスの金額に対する源泉税負担の割合）によるのではなく、

　各企業の所得率に応じて、日本の課税所得として算定されるネットの所得に対する源泉税負担の割合が高いか否かを判断の基準とすることにしたのです。その意味で、より厳密なものということができます。

〈所得率〉

法人の区分	所得率
①　金融業 　（証券業を含む）	【算式】 $$\frac{外国法人税を納付することとなる事業年度とその事業年度開始前2年以内の各事業年度の所得金額の合計額}{各事業年度の総収入金額}$$
②　保険業	【算式】 $$\frac{外国法人税を納付することとなる事業年度とその事業年度開始前2年以内の各事業年度の所得金額の合計額}{各事業年度の総収入金額 + 責任準備金の戻し入れ額 + 支払保険金及び支払準備金の繰入額}$$
③　その他の事業	【算式】 $$\frac{外国法人税を納付することとなる事業年度とその事業年度開始前2年以内の各事業年度の所得金額の合計額}{各事業年度の総収入金額 - 各事業年度の売上原価の額の合計額}$$ ※ただし、その他の事業については、同年度における次の割合が20%以上の法人に限って適用されます。 【算式】 $$\frac{各事業年度の総収入金額}{利子収入の合計額 + 各事業年度の売上総利益の額の合計額}$$

　そして、当該内国法人の所得率に応じて取扱いが以下のように異なってきます。

所得率	外国税額控除の対象から除外される金額
10％以下	10％を超えて課税された部分
10％超20％以下	15％を超えて課税された部分
20％超	高率な部分の金額なし

(2)　通常行われない取引に係る外国法人税

　内国法人が通常行われる取引として認められないものとして、その取引に基因して生じた所得に対する外国法人税は、外国税額控除の対象から除かれます。具体的には、次の取引です（法法69、法令142の2⑤）。

> ①　内国法人が、当該内国法人が金銭の借入れをしている者又は預入を受けている者と特殊の関係のある者に対し、その借り入れられ、又は預入を受けた金銭の額に相当する額の金銭の貸付けをする取引に基因して生じた所得に対する外国法人税

> ②　貸付債権その他これに類する債権を譲り受けた内国法人が、当該債権に係る債務者（当該内国法人に対し当該債権を譲渡した者と特殊の関係のある者に限る。）から当該債権に係る利子の支払を受ける取引に基因して生じた所得に対する外国法人税

（注）　この場合の特殊の関係とは、同族関係者などを指します。

＊通常行われない取引が規定されるようになった事件（外国税額控除の彼此流用事件）

【外国税額控除余裕枠流用事件】
（大阪地裁平成13年12月14日判決、大阪高裁平成15年5月14日判決、最高裁平成17年12月19日判決）

- -

1．事実の概要

　日本の大手銀行Xは、そのシンガポール支店とクック諸島に所在するAとの間で平成元年3月31日付本件ローン契約を締結しました。その内容は、Xが5,000万ドルを一定期間融資し、Aから10.85％の利子を得るというものでした。一方、Xシンガポール支店は、クック諸島法人Bとの間で平成元年3月31日付本件預

金契約を締結しました。その内容は、Bが5,000万ドルをXに預金し、これに対する利息をXがBに支払うというものでした。

　Xは、本件ローン契約に基づきAから受領した貸付金利息に対して、クック諸島国により課された租税（クック諸島源泉税又は本件源泉税）が外国税額控除でいう外国法人税であるとして、それぞれ本件源泉税に相当する金額（約5,000万円から1億円）について外国税額控除を適用して申告しました。しかし、税務署長Yは、クック諸島源泉税は外国法人税に該当せず、当期の損金の額に算入できないとして、これを加算し、以下の本件各更正処分を行いました。

　Xは、このスキームはニュー・ジーランドの有力な金融機関であるDが考案したものであること、貸付に係る債権が預金によって保全される預担案件であり、取引に係るリスクがないこと、採算面においても条件が良好であることを考慮して、この取引を行いました。

【取引概略図】

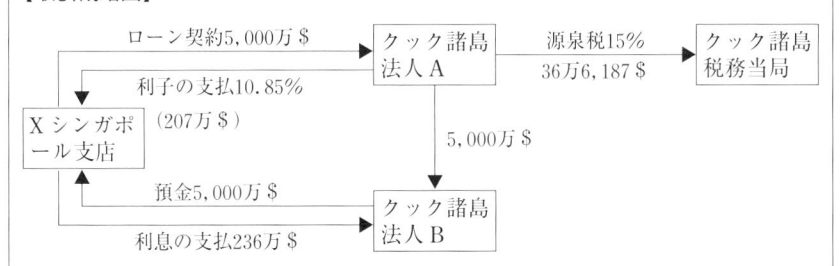

この取引の結果、Xシンガポール支店は207万ドルを受領する一方、236万ドルを支払うから29万ドルの逆ザヤになる。一見すると、Xは損失を計上するように見えるが、クック諸島税務当局への源泉税約37万ドルが日本で外国税額控除が受けられれば、約8万ドルの黒字となる。

　本件ローン契約及び本件預金契約の取扱いは、Xのシンガポール支店を通して行われました。シンガポールにおいては、税制上、預金利息に係る源泉税は課されないため、本件取引においても、XからBに支払われる預金利息に源泉税は課されていません。

　なお、本件取引と同様の事案は他にも2つあり、合計3つの銀行が同様の取引

を行っていました。

2. 裁判所の判断

　本事件について、第一審と控訴審は、「X が金融機関として、B の意図を認識した上で、自らの外国税額控除枠を利用して、よりコストの低い金融を提供し、その対価として、一定額の利ざやを得る取引を行ったと解することができる。X は、自らの金融機関としての業務の一環として、自らの外国税額控除枠を利用してコストを引き下げた融資を行ったのであり、これらの行為が事業目的のない不自然な取引であると断ずることはできない。」などとして、税務署長の課税を違法としました。

　これに対して、最高裁は、「本件取引は、全体としてみれば、本来は外国法人が負担すべき外国法人税について我が国の銀行である X が対価を得て引き受け、その負担を自己の外国税額控除の余裕枠を利用して国内で納付すべき法人税額を減らすことによって免れ、最終的に利益を得ようとするものであるということができる。これは、我が国の外国税額控除制度をその本来の趣旨目的から著しく逸脱する態様で利用して納税を免れ、我が国において納付されるべき法人税額を減少させた上、この免れた税額を原資とする利益を取引関係者が享受するために、取引自体によっては外国法人税を負担すれば損失が生ずるだけであるという本件取引をあえて行うというものであって、我が国ひいては我が国の納税者の負担の下に取引関係者の利益を図るものというほかない。そうすると、本件取引に基づいて生じた所得に対する外国法人税を法人税法第69条の定める外国税額控除の対象とすることは、外国税額控除制度を濫用するものであり、さらには、税負担の公平を著しく害するものとして許されないというべきである。」と述べて Y の課税を妥当としました。

3. 解　説

　このように、一括限度額方式を採用する場合、控除余裕枠を流用することが可能になります。本件第一審判決を契機として、「通常行われない取引」に基因して生じた所得に対する外国法人税は、外国税額控除における外国法人税には該当

しないことを明らかにするために、税制改正が行われたのです。

(3)　内国法人の法人税に関する法令の規定により法人税が課されないこととなる金額を課税標準として課されるもの

次に掲げる外国法人税の額は、内国法人の法人税に関する法令の規定により法人税が課されないこととなる課税標準として課税されるものですから、控除対象外国法人税の額からは除外されることになります（法令142の2⑦）。

①	みなし配当に係る源泉税	法人税法第24条第1項各号に掲げる事由により交付を受ける金銭の額及び金銭以外の資産の価額に対して課される外国法人税の額
②	移転価格課税の第二次調整として課されるみなし配当課税	法人の所得が租税条約実施特例法第7条第1項（租税条約に基づく合意があった場合の更正の特例）の規定により減額される場合において、相手国等居住者に対してこれをみなし配当として課される外国法人税の額
③	外国子会社配当益金不算入制度の対象となる配当等に係る外国源泉税等	外国子会社から受ける剰余金の配当等の額を課税標準として課される外国法人税の額
④	国外事業所等と本店等との間の内部取引等につき課される外国法人税の額	国外事業所等から本店等への支払につきその国外事業所等の所在する国又は地域においてその支払に係る金額を課税標準として課される外国法人税の額
⑤	外国法人の所得を内国法人の所得とみなすもの	外国法人等の所得について、これを内国法人の所得とみなして当該内国法人に対して課される外国法人税の額
⑥	国外事業所等所在地国の外国法人税の額	内国法人の国外事業所等において、当該国外事業所等から本店等又は他の者に対する支払金額等がないものとした場合に得られる所得につき課される外国法人税の額

(4)　条約相手国において課される外国法人税の額

平成26年度税制改正において帰属主義が導入され、外国法人の外国税額控除において租税条約の限度税率等超過部分を外国税額控除の対象外とする旨規定されたことに伴い、内国法人の外国税額控除においても法令化されました。

　具体的には、我が国が租税条約を締結している相手国等において課される外国法人税の額のうち、その租税条約の規定（その外国法人税の軽減又は免除に関する規定に限る。）によりその相手国等において課することができることとされる額を超える部分に相当する金額又は免除することとされる額に相当する額は、外国税額控除の対象とはならないこととされました（法令142の2⑧五）。

(5)　その他政令で定める外国法人税の額

　次に掲げる外国法人税の額は、その他政令で定める外国法人税の額として控除対象外国法人税の額から除外されることとされます（法令142の2⑧）。

①	租税特別措置法第66条の8第1項に規定する特定外国子会社等から受ける剰余金の配当等の額に対して課される外国法人税の額
②	租税特別措置法第66条の9の4第1項に規定する特定外国法人から受ける剰余金の配当等の額に対して課される外国法人税の額

6. 控除対象外国法人税額の算定プロセスの概要図

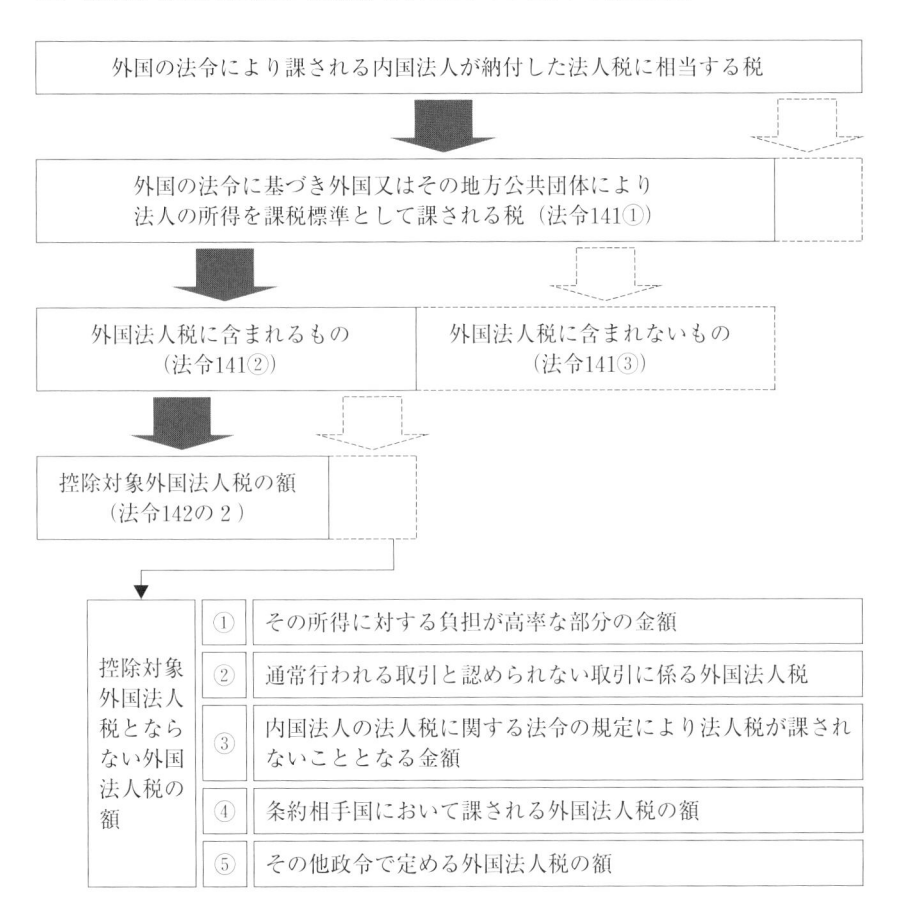

外国の法令により課される内国法人が納付した法人税に相当する税

外国の法令に基づき外国又はその地方公共団体により
法人の所得を課税標準として課される税（法令141①）

外国法人税に含まれるもの
（法令141②）

外国法人税に含まれないもの
（法令141③）

控除対象外国法人税の額
（法令142の2）

控除対象外国法人税とならない外国法人税の額	①	その所得に対する負担が高率な部分の金額
	②	通常行われる取引と認められない取引に係る外国法人税
	③	内国法人の法人税に関する法令の規定により法人税が課されないこととなる金額
	④	条約相手国において課される外国法人税の額
	⑤	その他政令で定める外国法人税の額

7. 外国税額控除の納付確定時期

　法人税法第69条第1項にもあるように、「外国法人税は、納付することとなる場合」に外国税額控除の適用を受けることができます。したがって、外国法人税がどのようなものであるかにより、外国税額控除の適用時期が異なってくることになりますが、具体的には、次のようになります。

| 申告納税方式により課される外国法人税 | ⇒ | 納税申告書を提出した日 |

| 源泉所得税が課される場合の外国法人税 | ⇒ | 源泉所得税が課されることとなった利子・配当・使用料が支払われた日 |

　ただし、内国法人が継続してその納付することが確定した外国法人税の額を費用として計上した日（その計上した日が外国法人税を納付した日その他の税務上認められる合理的な基準に該当する場合に限る。）の属する事業年度においてこれらの項の規定を適用している場合には、その計算を認めることとされています（法基通16－3－5）。

文書化

1. はじめに

　平成26年度税制改正において帰属主義が導入されたことから、内国法人が国外事業所等帰属所得に関して外国税額控除の適用を受ける場合には、以下に掲げる文書を作成しなければならないこととなりました。

2. 国外事業所等帰属外部取引に関する事項

　外国法人が外部の者と行う取引から生ずる所得の恒久的施設への帰属については、外国法人の恒久的施設の果たす機能や事実関係の分析（機能・事実分析）によって判定することとされましたが、内国法人については、外国税額控除における国外所得金額を計算する上で、国外事業所等に帰せられる所得を計算する場合に、外国法人の恒久的施設帰属所得に係る所得の金額の計算と同様に、機能・事実分析によって、取引から生ずる所得の帰属を判定することとされます。

　そこで、外国法人と同様に、外国税額控除の適用を受ける内国法人は、他の者と行った取引のうち、国外所得の金額の計算上、その取引から生ずる所得が国外事業所等に帰せられるもの（以下、本節において「国外事業所等帰属外部取引」という。）については、次の事項を記載した書類を作成しなければならないこととされました（法法69⑲、法規30の2）。

①	国外事業所等帰属外部取引の内容	具体的には、国外事業所等帰属外部取引がどのような取引であるかを説明する書類であり、国外事業所等帰属外部取引が第三者との取引であることから、私法上の要請により契約書等が存在するため、契約書等に記載された内容を整理すれば足りるものと考えられます。
②	国外事業所等及び本店等が国外事業所等帰属外部取引において使用した資産・負債の明細	具体的には、国外事業所等及び本店等が国外事業所等帰属外部取引に関して使用した資産（無形資産を含む。）の種類、内容、契約条件等がわかる書類及び国外事業所等帰属外部取引に関連した負債の種類や内容等がわかる書類です。 なお、無形資産にあっては、貸借対照表上簿価を有していない場合であっても、国外事業所等帰属外部取引に関して重要な価値を有し所得の源泉となると認められる無形資産については記載が必要となります。
③	内国法人の国外事業所等及び本店等が果たす機能（リスクの引受け及び管理に関する人的機能、資産の帰属に係る人的機能その他の機能をいう。）並びにその機能に関連するリスクに係る事項を記載した書類	具体的には、国外事業所等及び本店等がどのような機能を果たしているのか、どのようなリスクを負っているのかを説明するための書類です。 機能の整理に当たっては「研究開発」「設計」「調達」「製造」「市場開拓」「販売」等の企業活動において、国外事業所等及び本店等の機能がどこで、どのように果たされているかの整理が必要となります。 また、機能を反映することとなるリスクについては、機能が属する部門に付随するものとして整理することが必要です。
④	内国法人の国外事業所等及び本店等が国外事業所等帰属外部取引において果たした機能に関連する部門並びに当該部門の業務の内容を記載した書類	具体的には、資産やリスクの帰属、その結果としての取引の帰属において、どのような人的機能が遂行されたかが殊更に重要であることから、国外事業所等及び本店等が外部取引において果たした機能に関連する企業内部における部門やその部門の業務内容等を説明するための書類です。 どのような部門においてどれほどの人員を配置し、それらの人員がどのような業務を行ってるかを具体的に整理する必要があります。

3. 内部取引に関する事項

　文書化は機能・事実分析を行う上での有用な出発点ですが、内部取引は私法

上の取引ではないことから、企業内部における人・モノ・お金等の動きがどのような内部取引を構成することとなるかを明確にするための文書化の役割はより一層大きなものとなります。

　納税者にとっては、内部取引に関する自身の認識を表した文書を作成することで、税務リスクを軽減し、予見可能性を高めることが可能となります。税務当局にとっても、納税者の作成した文書を出発点として機能・事実分析を行うことで事務の効率化が図られるとともに、税務執行の明確化に資するものと考えられます。

　そこで、外国税額控除の適用を受ける内国法人は、本店等と国外事業所等との間の内部取引に関し、次の書類を作成しなければならないこととされました（法法69⑳、法規30の3）。

①	内国法人の国外事業所等と本店等との間の内部取引に係る注文書、送り状、領収書、見積書その他これらに準ずる書類若しくはこれらに相当する書類又はその写し	具体的には、国外事業所等及び本店等との間で内部取引を認識している場合に、それがどのような取引であるのかを説明する書類です。 内部取引は、通常の私法取引ではないことから、契約書等は当然には作成されていないため、契約書類似の書類を作成し、その記載内容については第三者間で取引を行う場合、通常、記載される又は取り極められる取引条件、取引内容等について明示されていることが必要となります。
②	内国法人の国外事業所等及び本店等が内部取引において使用した資産の明細並びに内部取引に係る負債の明細を記載した書類	具体的には、外部取引の場合と同様に、国外事業所等及び本店等が内部取引に関して使用した資産（無形資産を含む。）の種類、内容、契約条件等がわかる書類及び内部取引に関連した負債の種類や内容等がわかる書類です。
③	内国法人の国外事業所等及び本店等が果たす機能（リスクの引受け及び管理に関する人的機能、資産の帰属に係る人的機能その他の機	具体的には、国外事業所等及び本店等がどのような機能を果たしているのか、どのようなリスクを負っているのかを説明するための書類です。 機能の整理に当たっては「研究開発」「設計」「調達」「製造」「市場開拓」「販売」等の企業活動において、国外事業所等及び本店等の機能がどこで、どのように果たされ

	能をいう。）並びに当該機能に関連するリスクに係る事項を記載した書類	ているかの整理が必要となります。 また、機能を反映することとなるリスクについては、機能が属する部門に付随するものとして整理することが必要です。 （外部取引と同じ）
④	国外事業所等及び本店等が内部取引において果たした機能に関連する部門並びにその部門の業務の内容を記載した書類	具体的には、資産やリスクの帰属、その結果としての取引の帰属において、どのような人的機能が遂行されたかが殊更に重要であることから、国外事業所等及び本店等が内部取引において果たした機能に関連する企業内部における部門やその部門の業務内容等を説明するための書類です。 どのような部門においてどれほどの人員を配置し、それらの人員がどのような業務を行っているかを具体的に整理する必要があります。 （外部取引と同じ）
⑤	その他内部取引に関連する事実（資産の移転、役務の提供その他内部取引に関連して生じた事実をいう。）が生じたことを証する書類	国外事業所等及び本店等との間での認識された内部取引に関連して発生する事実を証明する書類です。 例えば、内部取引により資産の移転が生じた場合に、当該移転に伴い第三者（運送会社等）との間で行われた契約書等の写しや当該内部取引により移転された資産を外部に販売するための移送や加工等がなされた場合、当該移送や加工等の事実を証する書類がこれに該当することとなります。

＊　平成26年度税制改正により、国外事業所等が内国法人とは分離独立した事業者と擬制されることとされました。そこで、国外事業所等と内国法人との間の内部取引について、それが第三者間取引と同様の価格（独立企業間価格）で行われたことを文書で示すことが義務付けられました。外国税額控除を適用する場合、国外事業所等と内国法人との内部取引の独立企業間価格の算定に関して、移転価格税制と同様の書類の作成が必要とされることとなりました。

 # 第7節 外国法人の外国税額控除

1. はじめに

　帰属主義への移行により、外国法人の恒久的施設が本店所在地国以外の第三国で稼得した所得が恒久的施設帰属所得として我が国の法人税の課税対象となることから、当該第三国と我が国における二重課税を調整するため、外国法人の恒久的施設のための外国税額控除制度が設けられました。内国法人との取扱いの公平性・整合性の観点から、一括限度額方式、控除限度額及び控除限度超過額の繰越し等の基本的な仕組みは、内国法人の外国税額控除と同様とされています。

2. 概　要

　恒久的施設を有する外国法人が各事業年度において外国法人税を納付することとなる場合には、当該事業年度の恒久的施設帰属所得に係る所得の金額に係る法人税額のうち当該事業年度の国外所得金額（恒久的施設帰属所得に係る所得の金額のうち国外源泉所得に係るものをいう。）に対応するものとして計算した金額（控除限度額）を限度として、その外国法人税の額（恒久的施設帰属所得につき課される外国法人税の額に限るものとし、一定の外国法人税の額を除く。これを「控除対象外国法人税の額」という。）を当該事業年度の恒久的施設帰属所得に係る所得に対する法人税の額から控除することとされています（法法144の2①）。

3．外国法人税の範囲

　外国法人税の範囲は、内国法人に係る外国税額控除において定義される外国法人税と同じものとされています（法法144の2①）。

4．控除対象外国法人税の額

　外国税額控除の対象となる外国法人税の額は、外国法人の恒久的施設帰属所得に係る所得につき課される外国法人税の額に限ることとされています（法法144の2①）。

　また、次の外国法人税の額は外国税額控除の対象とならないこととされています（法法144の2①、法令195）。

⑴　その所得に対する負担が高率な部分（法令195①〜③）

⑵　通常行われる取引として認められない取引に係る外国法人税（法令195④）

⑶　外国法人の本店所在地国において課される外国法人税の額（法令195⑤一）

⑷　外国法人の本店所在地国以外の国において課される外国法人税の額（法令195⑤二）

5．控除限度額

　外国税額控除における控除限度額は、外国法人の各事業年度の恒久的施設帰属所得に係る所得に対する法人税の額に、その事業年度の恒久的施設帰属所得金額のうちにその事業年度の調整国外所得金額の占める割合を乗じて計算した金額とされています（法令194①）。

【算式】

$$\text{控除限度額} = \substack{①各事業年度の恒久的施\\設帰属所得に係る所得\\に対する法人税の額} \times \frac{③当該事業年度の調整国外所得金額}{②当該事業年度の恒久的施設帰属所得金額}$$

　上記算式のうち、

① 　各事業年度の恒久的施設帰属所得に係る所得に対する法人税の額とは、以下に掲げる規定を適用しないで計算した場合の法人税の額とし、附帯税の額を除くものとされています（法令194①）。

イ	法人税法第144条（外国法人に係る所得税額の控除）
ロ	法人税法第144条の 2 （外国法人に係る外国税額の控除）
ハ	租税特別措置法第62条第 1 項（使途秘匿金の支出がある場合の課税の特例）
ニ	租税特別措置法第62条の 3 第 1 項及び第 8 項（土地の譲渡等がある場合の特別税率）
ホ	租税特別措置法第63条第 1 項（短期所有に係る土地の譲渡等がある場合の特別税率）

次に、②恒久的施設帰属所得金額とは、以下に掲げる規定を適用しないで計算した場合のその事業年度の恒久的施設帰属所得に係る所得の金額をいう（法令194②）。

イ	法人税法第142条第 2 項（恒久的施設帰属所得に係る所得の金額の計算）の規定により準じて計算する同法第57条（青色申告書を提出した事業年度の欠損金の繰越し）
ロ	法人税法第142条第 2 項（恒久的施設帰属所得に係る所得の金額の計算）の規定により準じて計算する同法第58条（青色申告書を提出しなかった事業年度の災害による損失金の繰越し）
ハ	租税特別措置法第67条の12及び第67条の13（組合事業等による損失がある場合の課税の特例）

さらに、③調整国外所得金額とは、外国法人の各事業年度において生じた国外所得金額から非課税国外所得の金額を控除した金額をいいます。非課税国外所得とは、国外源泉所得を生じた国又は地域が当該国外源泉所得につき外国法人税を課さないこととしている場合の当該国外源泉所得をいいます。ただし、調整国外所得金額がその事業年度の恒久的施設帰属所得金額の100分の90に相当する金額を超える場合には、調整国外所得金額は恒久的施設帰属所得金額の100分の90に相当する金額とされています（法令194③）。

6. 国外源泉所得

　外国税額控除の控除限度額の算定の基礎となる国外所得金額を算定するため、外国法人の課税範囲を決定する国内源泉所得とは別に、外国法人の恒久的施設帰属所得（国内源泉所得）のうち国外源泉所得とされるものが定義されています。

　具体的には、外国法人に係る外国税額控除における国外源泉所得とは、恒久的施設帰属所得のうち次のいずれかに該当するものをいいます（法法144の2④）。

イ	国外にある資産の運用又は保有により生ずる所得
ロ	国外にある資産の譲渡により生ずる所得として一定のもの
ハ	国外において人的役務の提供を主たる内容とする一定の事業を行う法人が受ける人的役務の提供に係る対価
ニ	国外にある不動産、国外にある不動産の上に存する権利若しくは国外における採石権の貸付け、国外における租鉱権の設定又は非居住者若しくは外国法人に対する船舶若しくは航空機の貸付けによる対価
ホ	所得税法第23条第1項（利子所得）に規定する利子等及びこれに相当するもの
ヘ	所得税法第24条第1項（配当所得）に規定する配当等及びこれに相当するもの
ト	国外において業務を行う者に対する貸付金等で当該業務に係るものの利子
チ	国外において業務を行う者から受ける工業所有権等の使用料又は対価で当該業務に係るもの
リ	国外において行う事業の広告宣伝のための賞金として一定のもの
ヌ	国外にある営業所又は国外において契約の締結の代理をする者を通じて締結した外国保険業者の締結する保険契約その他の年金に係る契約で一定のものに基づいて受ける年金
ル	給付補填金、利息、利益又は差益
ヲ	国外において事業を行う者に対する出資につき、匿名組合契約等に基づいて受ける利益の分配
ワ	イからヲまでに掲げるもののほかその源泉が国外にある所得として一定のもの

　なお、租税条約において国外源泉所得につき上記イからワまでと異なる定めがある場合には、その租税条約の適用を受ける外国法人については、国外源泉

所得は、その異なる定めがある限りにおいて、その租税条約に定めるところによることとされます（法法144の2⑤）。

7. 国外所得金額

(1)　はじめに

　外国税額控除の控除限度額の算定の基礎となる国外所得金額とは、恒久的施設帰属所得に係る所得の金額のうち、国外源泉所得に係る所得の金額とされています（法法144の2①）。

(2)　具体的内容

　具体的には、上記5の「恒久的施設帰属所得金額」によって算出された恒久的施設帰属所得に係る所得の金額のうち、国外源泉所得に係る所得の金額が国外所得金額とされます。

(3)　共通費用の額の配分

　恒久的施設帰属所得に係る共通費用がある場合には、国外源泉所得に係るものとそれ以外のものに配分する必要があります。

　この配分の基となる共通費用の額は、恒久的施設帰属所得に係る所得の金額の計算上損金の額に算入された金額のうち、販売費、一般管理費その他の費用で外国法人に係る国外源泉所得に係る所得を生ずべき業務とそれ以外の恒久的施設帰属所得に係る所得を生ずべき業務の双方に関連して生じたものの額とされています（法令193②）。

(4)　共通費用の額の配分に関する書類の作成

　共通費用の額の配分を行った場合には、配分の基礎となる費用の内容、その費用が恒久的施設を通じて行う事業とそれ以外の事業に共通することについての説明、配分計算の方法及びその配分計算が合理的であることを説明する書類等を作成しなければならないこととされています（法令193③、法規60の12）。

(5)　確定申告書等への国外所得金額の計算に関する明細の添付

　恒久的施設を有する外国法人が外国税額の控除を受ける場合には、確定申告

書、修正申告書又は更正請求書に国外所得金額の計算に関する明細を記載した書類を添付しなければならないこととされています（法令193④）。

8．控除限度額及び控除対象外国法人税額の繰越し

外国法人がその事業年度に納付することとなる控除対象外国法人税の額がその事業年度の控除限度額を超える場合において、過去3年内の控除限度額でその事業年度に繰り越されるもの（繰越控除限度額）があるときは、繰越控除限度額を限度として外国税額控除を行うこととされています（法法144の2②）。また、外国法人がその事業年度に納付することとなる控除対象外国法人税の額がその事業年度の控除限度額に満たない場合において、過去3年内の控除対象外国法人税の額でその事業年度に繰り越されるもの（繰越控除対象外国法人税額）があるときは、繰越控除対象外国法人税額のうち一定額につき外国税額控除を行うこととされています（法法144の2③）。

9．適格合併等が行われる場合の控除限度額等の引継ぎ

外国法人が他の外国法人を被合併法人、分割法人又は現物出資法人（9において「被合併法人等」という。）とする適格合併、適格分割又は適格現物出資（9において「適格合併等」という。）により当該他の外国法人の恒久的施設に係る事業の全部又は一部の移転を受けた場合には、内国法人における外国税額控除の取扱いに準じて、被合併法人等である他の外国法人の恒久的施設を通じて行う事業に係る過去3年分の控除限度額及び控除対象外国法人税の額が、当該外国法人の過去3年分の控除限度額及び控除対象外国法人税の額とみなされます（法法144の2⑥、⑦、法令200）。

10．外国法人税の減額

外国法人が各事業年度において納付することとなった外国法人税の額の全部又は一部につき外国税額控除の適用を受けた事業年度開始の日後7年以内に開

始する各事業年度において当該外国法人税の額が減額された場合には、減額控除対象外国法人税額を、

　①当期の納付控除対象外国法人税額から控除し、

　②控除しきれない金額は、前 3 年以内の繰越控除対象外国法人税額から控除し、

　③控除しきれない金額は、その後 2 年以内に発生する納付控除対象外国法人税額から控除し、

　④なお控除しきれない残額は、 2 年経過時に益金算入することとされています（法法144の 2 ⑧、法令186①二、②、法令201①③④）。

11．適用要件

　外国税額控除の適用を受ける際の要件は、内国法人の場合と同様に、確定申告書等に控除を受けるべき金額及びその計算に関する明細を記載した書類並びに控除対象外国法人税の額の計算に関する明細その他一定の書類の添付があり、かつ、控除対象外国法人税の額を課されたことを証する書類その他一定の書類を保存していること等とされています（法法144の 2 ⑩、法規60の14）。

外国子会社配当益金不算入制度

1. はじめに

　平成21年度税制改正において、内国法人が外国子会社から受領する配当等について、その内国法人の各事業年度の所得の金額の計算上、益金の額に算入しないこととする制度が創設されました（法法23の2）。これにより、それまでの間接税額控除制度が、所要の経過措置を講じた上で廃止されました。

　本制度創設の趣旨は、国際的に事業展開する日本企業が、企業グループとしての経営判断に基づき、海外子会社利益を必要な時期に必要な金額を日本に戻すに当たって税制上の障害を取り除き、効率的かつ合理的な企業グループ経営を行うための事業環境を整えることにあるとされています。

　その後、平成27年度税制改正において、内国法人が外国子会社から受ける配当等が当該外国子会社の本店所在地国の法令上、課税所得の損金の額に算入することとされている場合（損金算入配当の場合）には、本制度の適用対象から除外する措置が講じられました。これは、BEPS プロジェクトの報告書（行動2）において、国際的な二重非課税を防止する観点から、日本のような配当益金不算入制度の採用国は損金算入配当を適用対象外とすべきであると勧告されたことがあり、我が国はこれを受けて改正を行いました。

2. 制度の趣旨

　本制度は、我が国経済の活性化の観点から海外市場で獲得する利益を我が国

に還流させる「好循環」の確立が、我が国経済の持続的発展のために重要であり、我が国企業が外国子会社の利益を必要な時期に必要な金額だけ戻すことができるようにするため、外国子会社利益の国内還流に向けた環境整備の一環として導入されたものです。

　外国子会社配当益金不算入制度は、内国法人が、外国子会社（内国法人の外国法人に対する持株割合が25％以上であり、かつ、その保有期間が剰余金の配当等の額の支払義務が確定する日以前6月以上である外国法人をいう。）から受ける剰余金の配当等の額がある場合には、その剰余金の配当等の額からその剰余金の配当等の額に係る費用の額に相当する額（剰余金の配当等の額の5％相当額）を控除した金額を益金不算入とすることができるというものです（法法23の2）。

3. 制度の内容

(1)　外国子会社の範囲

　外国子会社配当益金不算入制度の適用を受ける内国法人に係る外国子会社は、次の要件を満たす外国法人とされています（法法23の2①、法令22の3①）。

① 　次の(イ)又は(ロ)の割合のいずれかが25％以上となっていること。

　(イ)　外国子会社の判定の対象となる外国法人の発行済株式又は出資（その外国法人の保有する自己の株式又は出資を除く。）の総数又は総額（以下「発行済株式等」という。）のうち内国法人が保有している株式又は出資の数又は金額の占める割合

　(ロ)　外国子会社の判定の対象となる外国法人の発行済株式等のうちの議決権のあるもののうち内国法人が保有している議決権のある株式又は出資の数又は金額の占める割合

② 　上記①の状態が外国子会社配当益金不算入制度の適用を受ける剰余金の配当等の額の支払義務が確定する日（その剰余金の配当等の額が法人税法第24条第1項（配当等の額とみなす金額）の規定によりみなされる金額（資本の払戻しに係る部分を除く。）である場合には、支払義務が確定する日の前日）以前6月

681

以上継続していること。

　また、外国子会社の判定の対象となる外国法人が新設法人である場合には、上記①の状態が、その設立の日から剰余金の配当等の額の支払義務が確定する日まで継続していることとされています。すなわち、外国子会社の設立後6月以内に行われる剰余金の配当等についても外国子会社配当益金不算入制度の対象となります（法令22の3①かっこ書）。

　なお、単体申告を行う連結法人が、法人税法施行令第22条の4第1項《外国子会社の要件等》の剰余金の配当等の額の支払義務が確定する日以前6月以上継続しているかどうかを判定する場合において、当該連結法人との間に連結完全支配関係がある他の連結法人が当該剰余金の配当等の額の支払義務が確定する日以前6月の期間継続して連結法人であったかどうかは問わないことに留意することとされています（法基通3-3-1）。

⑵　一の事業年度に2以上の剰余金の配当等を同一の外国法人から受ける場合の外国子会社の判定

　内国法人が一の事業年度に2以上の剰余金の配当等（法人税法第23条第1項第1号《受取配当等の益金不算入》に規定する剰余金の配当若しくは利益の配当又は剰余金の分配をいう。以下3-3-2及び3-3-5において同じ。）を同一の外国法人から受ける場合において、当該外国法人が外国子会社（法人税法第23条の2第1項《外国子会社から受ける配当等の益金不算入》に規定する「外国子会社」をいいます。以下3-3-3及び3-3-5において同じ。）に該当するかどうかは、それぞれの剰余金の配当等の額の支払義務が確定する日（法人税法施行令第22条の4第1項《外国子会社の要件等》に規定する「支払義務が確定する日」をいう。）において当該内国法人の保有する当該外国法人の株式又は出資の数又は金額に基づいて判定することに留意することとされています（法基通3-3-2）。

⑶　適格組織再編成の場合における外国子会社の判定（保有期間）

　内国法人が、適格合併、適格分割、適格現物出資又は適格事後設立（以下「適

格組織再編成」という。）により事業の全部又は一部の移転を受けた場合におい
て、被合併法人、分割法人、現物出資法人又は事後設立法人（以下「被合併法
人等」という。）からその保有する外国法人の発行済株式等の25％以上の数若し
くは金額の株式等又は議決権のある株式等の25％以上の数若しくは金額の株式
等の移転を受けたときには、その被合併法人等のその適格組織再編成前におけ
る所有期間を含めて、その内国法人の所有期間を計算することとされています
（法令22の3③）。

(4)　租税条約による変更

　上記の持株比率は、次の租税条約においては、以下のように変更されます（法
令22の3④）。

米国、オーストラリア、ブラジル、カザフスタン	10％
フランス	15％

　すなわち、外国子会社が米国に所在する場合には、その発行済株式等の10％
以上を有していれば、この制度を適用することができることになります。

　なお、この場合、内国法人（連結法人に限る）及びその内国法人の間に連結
完全支配関係を有する連結法人が保有している当該外国法人の発行済株式又は
出資の数又は金額を合計した数又は金額の保有割合が25％未満であっても、そ
の内国法人がその租税条約の二重課税排除条項に定める保有割合以上の株式又
は出資を株式保有期間を通じて有するときは、当該内国法人については同項の
規定の適用があることに留意することとされます（法基通3－3－3）。

4.　益金不算入の対象から除外される剰余金の配当等の額

　外国法人の中には、配当の支払いをした場合に所得の金額の計算上損金の額
に算入される配当（「損金算入配当」）があります。一方、近年の「税源浸食と
利益移転（BEPS）プロジェクト」において、損金算入配当を受取配当益金不

算入の対象外とするよう勧告がなされました。そこで、平成27年度税制改正において、損金算入配当を外国子会社配当益金不算入の対象から除外することとされました。

(1)　原則法

　内国法人が外国子会社から受ける剰余金の配当等の額で、その剰余金の配当等の額の全部又は一部がその外国子会社の本店所在地国の法令においてその外国子会社の所得の金額の計算上損金の額に算入することとされている剰余金の配当等の額に該当する場合におけるその剰余金の配当等の額は、益金不算入の対象外とされました（法法23の2②一）。これは、損金算入配当といった性質を備えている剰余金の配当等である場合には、その剰余金の配当等を受ける内国法人において、その受けた剰余金の配当等の額の全額を益金不算入の対象外とするというものです。

（注）　世界には色々な国があります。例えば、純資産残高に一定の利子率を乗じた金額について、実際の支払の有無にかかわらず、利子を支払ったものとみなして損金算入する制度（いわゆる資本利子控除制度）を有する国があります。この場合、実際の配当の支払との間に必ずしも対応関係があるものではないことから、資本利子控除制度の適用を受けた外国子会社からの剰余金の配当等が、資本利子控除制度の適用を受けたことのみをもって損金算入配当に該当するということはないものと考えられます。

(2)　実額法

　損金算入配当は、原則として上記(1)の原則法により益金不算入の対象外とされますが、実際に外国子会社の所得の金額の計算上損金の額に算入された金額に対応する受取配当の額をもって、益金不算入の対象外とされる金額とする実額法を選択することができます。

　具体的には、内国法人が外国子会社から受ける剰余金の配当等の額で、その剰余金の配当等の額の一部がその外国子会社の所得の金額の計算上損金の額に算入されたものである場合には、上記(1)にかかわらず、その受ける剰余金の配当等の額のうちその損金の額に算入された部分の金額（「損金算入対応受取配当

等の額」）をもって、益金不算入の対象外とされる金額とすることができることとされています（法法23の2③）。

　ここでいう損金算入対応受取配当の額は、以下の式で計算された金額その他合理的な方法により計算された金額をいいます（法令22の4④）。

【算 式】

損金算入対応 受取配当の額 ＝ 内国法人が外国子会社から受けた配当等の金額 × $\dfrac{\text{分母に記載した剰余金の配当のうちその外国子会社の所得の金額の計算上損金の額に算入された金額}}{\text{内国法人が外国子会社から受けた剰余金の配当等の元本である株式の総数等につきその外国子会社から支払われた剰余金の配当等の金額}}$

　損金算入対応受取配当等の額は、内国法人が外国子会社から受けた剰余金の配当等の額のうち、実際にその外国子会社の所得の金額の計算上損金の額に算入された部分の金額を表すものです。内国法人が外国子会社の株式等を100％保有していない場合には、その外国子会社から受けた剰余金の配当等の額のうち、外国子会社における損金算入配当の総額に対応した金額を算定する必要があります。そこで、内国法人が外国子会社から受けた剰余金の配当等の額に、その外国子会社における損金算入配当割合を乗じて計算した金額を損金算入対応受取配当等の額としています。

(3)　実額法の適用要件

　実額法は、剰余金の配当等の額を受ける日の属する事業年度に係る確定申告書等に実額法の適用を受けようとする旨並びに損金算入対応受取配当等の額及びその計算に関する明細を記載した書類の添付があり、かつ、次の書類を保存している場合に限り、適用することとされています（法法23の2⑦、法規8の5②）。

　①　外国子会社の所得の金額の計算上損金の額に算入された剰余金の配当等の額を明らかにする書類

②　外国子会社の本店所在地国の法令により課される法人税に相当する税に関する申告書で①の剰余金の配当等の額に係る事業年度に係るものの写し

③　損金算入対応受取配当等の額の計算に関する明細を記載した書類

④　外国子会社の剰余金の配当等の額に係る事業年度の貸借対照表、損益計算書及び株主資本等変動計算書、損益金の処分に関する計算書その他これらに類する書類

⑤　その他参考となるべき事項を記載した書類

(4)　原則法と実額法の選択

　上記で述べたとおり、実額法は、剰余金の配当等の額を受ける日の属する事業年度に係る確定申告書、修正申告書又は更正請求書に一定の書類の添付があり、かつ、一定の書類を保存している場合に限り、適用することとされています。また、内国法人の確定申告の時点では原則法に基づく金額を益金の額に算入し、その後、更正の請求によって、配当受領事業年度の益金算入額について実額法による計算を行うこともできます。

(5)　実額法の適用を受けた後に損金算入対応受取配当等の額が増額された場合

　内国法人が外国子会社から受けた剰余金の配当等の額につき上に掲げた実額法の適用を受けた場合において、その剰余金の配当等の額を受けた日の属する事業年度後の各事業年度において損金算入対応受取配当等の額が増額されたときは、益金不算入の対象外とされる金額は、その増額された後の損金算入対応受取配当等の額とされます（法法23の2④）。したがって、この場合には、その剰余金の配当等の額を受けた日の属する事業年度の益金不算入額を再計算する必要があります。内国法人が外国子会社から受けた剰余金の配当等の額に係る益金算入部分の金額につき修正を行うことから、損金算入対応受取配当等の額の増額のあった当期において修正処理を行うのではなく、内国法人のその剰余金の配当等の額を受けた日の属する事業年度に遡って修正処理を行うこととなります。

⑹　外国子会社から受ける剰余金の配当等に係る外国源泉税等の損金不算入等

　今回の改正において損金算入配当が益金不算入の対象から除外されたことに伴い、外国子会社から受ける剰余金の配当等に係る外国源泉税等の損金不算入及びその外国源泉税等の外国税額控除に関する規定について、次の見直しが行われました。

①　剰余金の配当等の額に係る外国源泉税等の額の損金算入

　平成27年度税制改正において外国子会社から受ける損金算入配当が益金不算入の対象から除外されたことに伴い、益金不算入の対象から除外される配当に係る部分の外国源泉税等が損金不算入の対象外とされました（法法39の２）。これは、外国子会社から受ける損金算入配当は、益金不算入の対象外とされることにより、内国法人の課税所得に算入されることから、その損金算入配当の額を獲得するために要した費用についても課税所得の計算上損金算入し、費用収益を対応させるという趣旨のものです。

②　外国源泉税等の額の外国税額控除制度

　平成27年度税制改正において外国子会社から受ける損金算入配当が益金不算入の対象から除外されたことに伴い、適切な二重課税排除の観点から、益金不算入の対象から除外される剰余金の配当等の額に係る部分の外国源泉税等が外国税額控除の対象とされました（法法69、法令142の２⑦三）。

（注）　内国法人が外国税額控除の適用を受ける場合には、その外国源泉税等の額は損金不算入とされます（法法41）。

（参考）外国源泉税等の額の処理を含めた課税関係は、以下の通りです。

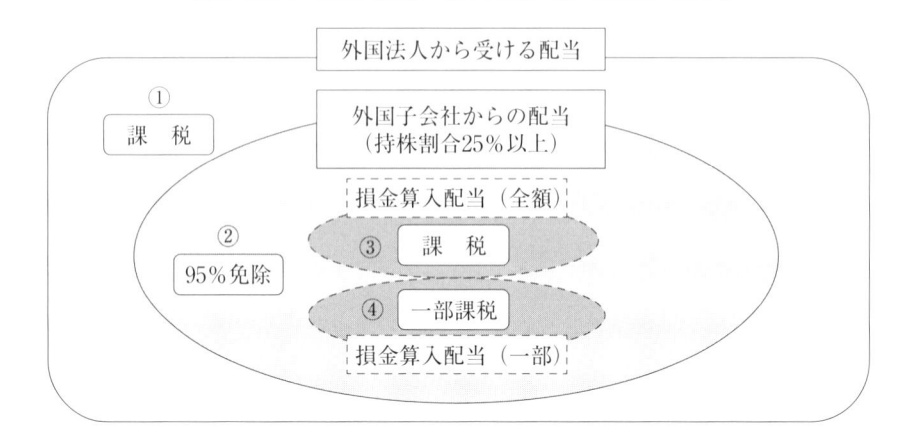

外国法人から受ける配当		受取配当に係る課税 （法法23の２）	受取配当に係る 外国源泉税 （法法39の２） 【費用収益対応】	受取配当に係る外 国源泉税について の外税控除 （法令142の２⑦三） 【二重課税の排除】
上図①の配当		課税	（損金算入）＊	あり
上図②の配当		95％免税 （法法23の２①）	損金不算入	なし
上図③の配当		課税 （法法23の２②）	（損金算入）＊	あり
上図④の 配当^(注)	支払国において損金算入された部分	課税 （法法23の２②③）	（損金算入）＊	あり
	支払国において損金算入されなかった部分	95％免税 （法法23の２①）	損金不算入	なし

（＊）　外国税額控除を行う場合には、グロスアップのため損金不算入となります（法法41）。
（注）　この表は実額法を適用した場合の処理であり、原則法の場合は上図③の配当を受けた
　　　場合の課税関係になります。

（出典：『平成27年版 改正税法のすべて』623ページ）

⑺　経過措置

　平成27年度税制改正については既に適用されていますが、既に行った投資については、内国法人の平成28年4月1日から平成30年3月31日までの間に開始する各事業年度において受ける剰余金の配当等の額（平成28年4月1日において保有する外国子会社に該当する外国法人の株式等に係るものに限る。）に係る本制度の適用についても従前どおりとされています。

5. 適用要件

　外国子会社配当益金不算入制度の適用要件は、次の通りとされます（法法23の2⑤）。

　確定申告書、修正申告書又は更正請求書に益金の額に算入されない剰余金の配当等の額及びその計算に関する明細を記載した書類の添付があり、かつ、財務省令で定める書類を保存している場合に限り、適用します。この場合において、同項の規定により益金の額に算入されない金額は、当該金額として記載された金額を限度とします。

　なお、上に規定する財務省令で定める書類は、次に掲げる書類です。

①　剰余金の配当等の額を支払う外国法人が外国子会社に該当することを証する書類

②　外国子会社の剰余金の配当等の額に係る事業年度の貸借対照表、損益計算書及び株主資本等変動計算書、損益金の処分に関する計算書その他これらに類する書類

③　外国子会社から受ける剰余金の配当等の額に係る外国源泉税等の額がある場合には、当該外国源泉税等の額を課されたことを証する当該外国源泉税等の額に係る申告書の写し又はこれに代わるべき当該外国源泉税等の額に係る書類及び当該外国源泉税等の額が既に納付されている場合にはその納付を証する書類

この場合、③の「外国源泉税等の額を課されたことを証する……その納付を

証する書類」には、申告書の写し又は現地の税務官署が発行する納税証明書等のほか、更正若しくは決定に係る通知書、賦課決定通知書、納税告知書、源泉徴収の外国源泉税等に係る源泉徴収票その他これらに準ずる書類又はこれらの書類の写しが含まれることとなります（法基通3－3－6）。

第9節 子会社からの配当と子会社株式の譲渡を組み合わせた租税回避への対応

令和2年度税制改正においては、子会社株式の譲渡等により譲渡損失を創出させる租税回避に対処するための見直しが行われました。

1. 有価証券の譲渡損益における譲渡原価の額の計算方法

これまで、法人が有価証券の譲渡をした場合の譲渡原価の額については、移動平均法又は総平均法によることとされていました。

2. 新制度の概要（譲渡原価の計算方法の改正）と用語の確認

令和2年度税制改正においては、一定の場合に該当する場合に、有価証券の譲渡損益の計算における譲渡原価の額の計算方法を変更することによって、3で述べる帳簿価額の減算を行うことで租税回避に対応することになりました。

具体的には、法人が、他の法人[注1]から対象配当等の額[注2]を受ける場合において、その受ける対象配当等の額と同一事業年度内配当等[注3]の額との合計額が、当該対象配当等の額及び同一事業年度内配当等の額に係る各基準時の直前において当該法人が有する当該他の法人の株式の帳簿価額のうち最も大きいものの10％相当額を超えるときは、一定の場合を除き、その受ける対象配当等の額に係る基準時の直前の当該他の法人の株式の帳簿価額からその受ける対象配当等の額のうち益金不算入相当額を減算した金額を基に、当該基準時における1単位当たりの帳簿価額を計算することとされました（法令119の3⑦〜⑬、119の4①③）。

（イメージ図（改正後））

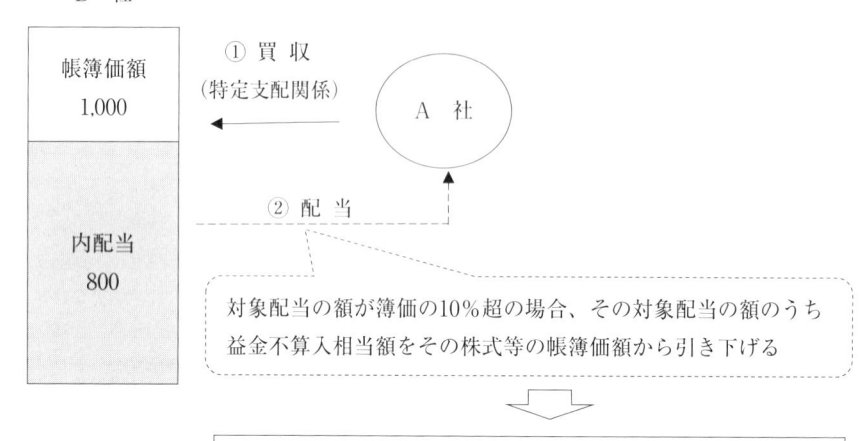

対象配当の額が簿価の10%超の場合、その対象配当の額のうち益金不算入相当額をその株式等の帳簿価額から引き下げる

（配当が800なら95％の760が益金不算入となり）B社株式の簿価が1,000から240に下がるので、譲渡原価の額も240となる

（図は筆者作成）

《用語の説明》

(注)　1　他の法人とは

　　　法人との間に連結完全支配関係がある連結子法人以外の法人をいいます（法令119の3⑦）。これには、外国子会社も当然含まれます。

　　2　対象配当等の額とは

　　　法人が他の法人から受ける剰余金の配当など、次に掲げる金額をいいますが、当該対象配当等の額に係る決議日等[※1]において当該法人と当該他の法人との間に特定支配関係[※2]があるものに限られます（法令119の3⑦）

　　イ　剰余金の配当若しくは利益の配当又は剰余金の分配の額（みなし配当の額、事業分量配当の額及び従事分量配当の額を除きます。）

　　ロ　投資信託及び投資法人に関する法律第137条の金銭の分配の額（みなし配当の額を除きます。）

　　ハ　資産の流動化に関する法律第115条第1項の金銭の分配の額（みなし配当の額を除きます。）

　　ニ　みなし配当の額（完全支配関係のある法人の間の譲渡損益を計上しない

　 こととされているみなし配当事由（法24①各号）に係るみなし配当の額（法61の2⑰）を除きます。）

　※1　決議日等とは

　　　通常、剰余金の配当等を行う場合、株主総会又は取締役会の決議の日が決議日等となります。しかし、これらの決議が行われない場合には、当該剰余金の配当等がその効力を生ずる日を決議日等とすることになる他、みなし配当事由による金銭その他の資産の交付の場合には当該事由が生じた日が決議日等となります。

　※2　特定支配関係とは

　　　一の者（一の者と特殊の関係のある者を含みます。）が他の法人の株式等又は配当等に関する議決権の数等の50%超を直接又は間接に有する場合における当該一の者と他の法人との関係等をいいます（法令119の3⑨二）。

　3　同一事業年度内配当等の額とは

　　　当該対象配当等の額を受ける日の属する事業年度開始の日からその受ける直前の時までの間に当該法人が当該他の法人から受けた上記イからニまでの金額をいい、これらの金額に係る決議日等において当該法人と当該他の法人との間に特定支配関係があったものに限ります。

3. 帳簿価額から減算する金額

　対象配当等の額及び同一事業年度内配当等の額の合計額がこれらに係る各基準時（注4）の直前の他の法人の株式等（注5）の帳簿価額のうち最も大きいものの10%に相当する金額を超える場合には、当該対象配当等の額に係る基準時の直前における帳簿価額から当該対象配当等の額のうち益金不算入相当額（注6）を減算した金額を基に、当該基準時における1単位当たりの帳簿価額を計算することとされます（法令119の3⑦）。

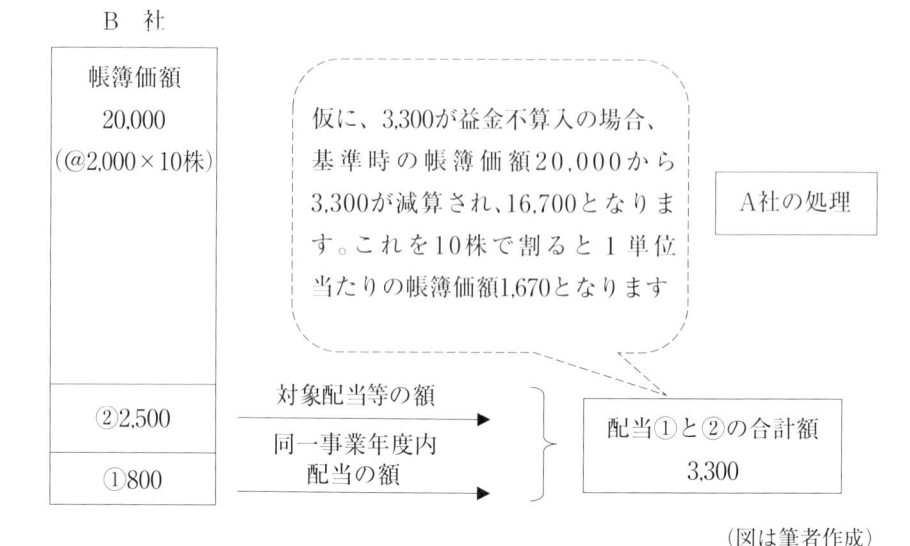

（図は筆者作成）

（注）4　基準時とは、次に掲げるものの区分に応じそれぞれ次に定める時をいいます（法令119の3⑨三）。

区　分	基準時
株式会社がする剰余金の配当等で会社法第124条第1項に規定する基準日の定めがあるもの	当該基準日が経過した時（例：基準日が3月31日の場合の基準時は4月1日の午前0時）
株式会社以外の法人がする剰余金の配当等で基準日に準ずる日の定めがあるもの	同日が経過した時
剰余金の配当等で当該剰余金の配当等を受ける者を定めるための基準日又は基準日に準ずる日の定めがないもの	当該剰余金の配当等がその効力を生ずる時（その効力を生ずる日の定めがない場合には、当該剰余金の配当等がされる時）
みなし配当事由（法24①各号）が生じたことに基因する金銭その他の資産の交付（剰余金の配当等に該当するものを除きます。）	当該事由が生じた時

（注）5　基準時の直前の他の法人の株式等とは
　　　株式又は出資をいい、移動平均法によりその1単位当たりの帳簿価額を算出するものに限ります。

(注) 6　益金不算入相当額とは

　　　対象配当等の額のうち益金不算入規定（法23①、23の２①、62の５④）により益金の額に算入されない金額（同一事業年度内配当等の額のうちに本規定の適用を受けなかったものがある場合には、その適用を受けなかった同一事業年度内配当等の額のうち益金不算入規定により益金の額に算入されない金額の合計額を含みます。）に相当する金額をいいます。

4. 本規定が適用されない場合

　次の要件のいずれかに該当する場合、本規定の適用はありません（法令119の３⑦一～四）。

<table>
<tr><td rowspan="9">本規定が適用されない場合</td><td>イ</td><td>内国普通法人である他の法人の設立の時から特定支配日^(注1)までの期間を通じて、その発行済株式又は出資の総数等の90％以上を普通法人等^(注2)が有する場合（当該期間を通じて90％以上であることを証する書類の保存がない場合を除きます。）
（注）　1　法人が当該他の法人との間に最後に特定支配関係を有することとなった日をいいます。
（注）　2　内国普通法人、協同組合等及び居住者をいいます。</td></tr>
<tr><td>ロ</td><td>特定支配日が対象配当等の額を受ける日の属する他の法人の事業年度開始の日前である場合において、(イ)に掲げる金額から(ロ)に掲げる金額を減算した金額が(ハ)に掲げる金額以上である場合（当該減算した金額が(ハ)に掲げる金額以上であることを証する書類の保存がない場合を除きます。）
(イ)　当該他の法人の当該対象配当等の額に係る決議日等前に最後に終了した事業年度の貸借対照表に計上されている利益剰余金の額
(ロ)　(イ)の事業年度終了の日の翌日から当該対象配当等の額を受ける時までの間に当該他の法人の株主等が当該他の法人から受ける配当等の額の合計額
(ハ)　当該他の法人の特定支配日前に最後に終了した事業年度の貸借対照表に計上されている利益剰余金の額</td></tr>
<tr><td>ハ</td><td>特定支配日から対象配当等の額を受ける日までの期間が10年を超える場合</td></tr>
<tr><td>ニ</td><td>対象配当等の額及び同一事業年度内配当等の額の合計額が2,000万円を超えない場合</td></tr>
</table>

5. 帳簿価額から減算する金額の特例

　確定申告書、修正申告書又は更正請求書に下記イに掲げる事項を記載した書

類の添付があり、かつ、下記ロに掲げる書類の保存がある場合には、上記3の帳簿価額から減算する金額を特定支配後増加利益剰余金額超過額（益金不算入相当額に限ります。）に達するまでの金額とすることができます（法令119の7⑧）。

イ　添付する書類（別表八（三））の記載事項

　(イ)　対象配当等の額及び同一事業年度内配当等の額

　(ロ)　特定支配後増加利益剰余金額超過額及びその計算に関する明細

ロ　保存する書類（法規27①）

　(イ)　他の法人の特定支配日前に最後に終了した事業年度から対象配当等の額に係る決議日等前に最後に終了した事業年度までの各事業年度の貸借対照表、損益計算書及び株主資本等変動計算書、社員資本等変動計算書、損益金の処分に関する計算書その他これらに類する書類

　(ロ)　支配後配当等の額を明らかにする書類（(イ)に掲げる書類を除きます。）

　(ハ)　特定支配後増加利益剰余金額の計算の基礎となる書類（(イ)に掲げる書類を除きます。）

　(ニ)　(イ)から(ハ)までのほか、特定支配後増加利益剰余金額超過額の計算の基礎となる書類

ハ　帳簿価額から減算する金額

　　帳簿価額から減算する金額は、次により計算した特定支配後増加利益剰余金額超過額に達するまでの配当等の額のうち益金不算入相当額となります。

（下記の例を参照）

A	支配後配当等の額[注1]の合計額		3,400 （配当①＋②）
B	特定支配後増加利益剰余金額（a＋b－c）		1,000
	a	当該他の法人の対象配当等の額の決議日等前に最後に終了した事業年度の貸借対照表に計上されている利益剰余金の額	4,000 【イ】
	b	特定支配日から対象配当等の額に係る決議日等の直	500

		前事業年度終了の日までの間に当該他の法人の株主等が受けた配当等の額に対応して減少した当該他の法人の利益剰余金の額の合計額	（配当①）
	c	当該他の法人の特定支配日前に最後に終了した事業年度の貸借対照表に計上されている利益剰余金の額	3,500【ロ】
C		当該他の法人から受けた配当等の額のうち既に本規定の適用があった金額	－
特定支配後増加利益剰余金額超過額（A－B－C）[注2]			

(注) 1　支配後配当等の額とは、特定支配日から対象配当等の額を受ける時までの間に他の法人の株主等が当該他の法人から受ける配当等の額（その配当等の額の基準時が特定支配日以後であるものに限ります。）をいいます。

(注) 2　支配後配当等の額の合計額のうちに法人以外の者が受ける配当等の額がある場合には、｛(A－B) ×（当該法人が受ける配当等の額の合計額／A)｝ により計算した金額からCを控除した金額となります。

《特例の適用を受ける場合の計算例》

[前提] ・基準時②の直前における乙株式の帳簿価額　10,000　(@1,000×10株)
　　　 ・甲社以外の者が受ける配当等の額はない。
　　　 ・配当①②に係る益金不算入相当額　3,400
　　　 ・配当①は本規定の適用を受けていない。

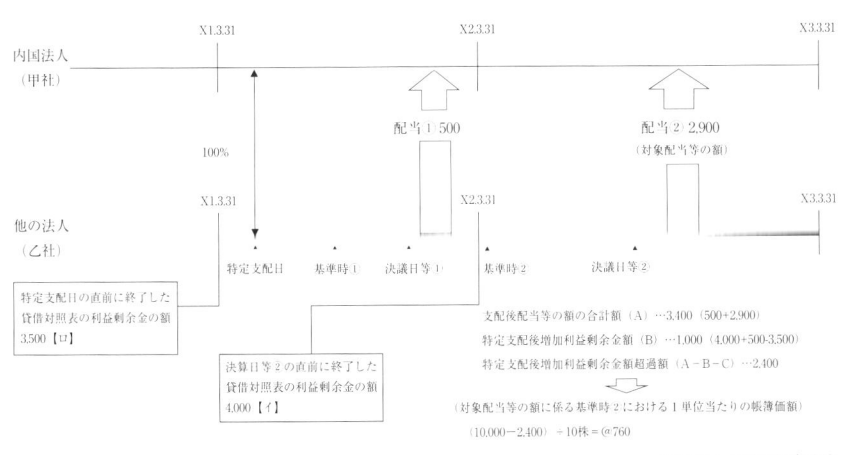

（出典：国税庁資料）

697

6．総平均法を選定した場合の取扱い

　法令第119条の 4 第 1 項《評価換え等があつた場合の総平均法の適用の特例》に規定する評価換え等に、対象配当等の額の受領が追加されるとともに、当該受領は基準時（上記 3（注） 4 ）にあったものとして総平均法により 1 単位当たりの帳簿価額を計算することとされました。この場合、当該基準時における 1 単位当たりの帳簿価額は、事業年度開始の時から当該基準時の直前までの期間を 1 事業年度とみなして計算される帳簿価額につき法令第119条の 3 第 7 項の規定の例により計算した金額とすることとされました（法令119の 4 ①③）。

7．適用時期

　令和 2 年 4 月 1 日以後に開始する事業年度において受ける対象配当等の額について適用されます（改正法令附則 5 ①）。

みなし外国税額控除
（タックス・スペアリング・クレジット）
第10節

1. 総 説

　開発途上国においては、自国の経済発展を図るために、外国企業誘致を積極的に行うこととしており、その一環として租税優遇措置を認め、租税を減免することを行う場合があります。このような政策的配慮がある場合、減免措置を受けた後の税額だけを居住地国における外国税額控除の対象とすることになれば、当該政策はまったく生かされないことになり、租税優遇措置の目的が達成できないこととなります。

　そこで、先進国から開発途上国への経済援助という政策的配慮により、租税条約において、開発途上国において減免された租税については、これを納付し

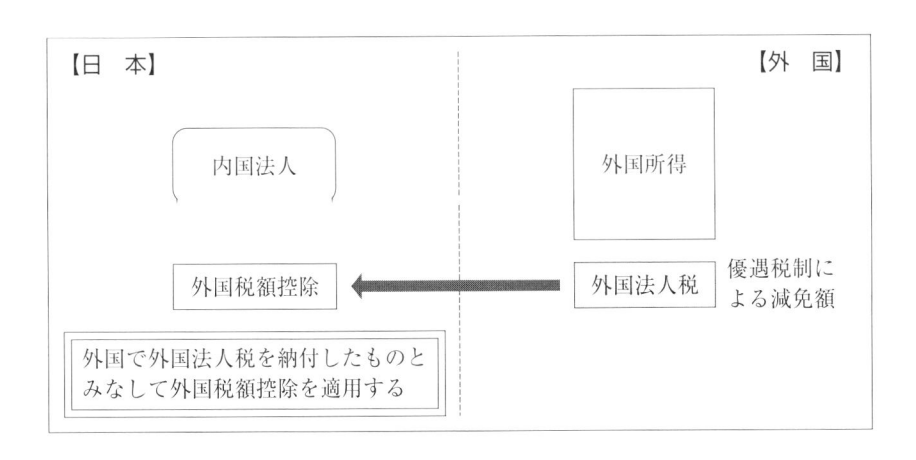

699

たこととして外国税額控除を適用する場合があり、これを一般にみなし外国税額控除（タックス・スペアリング・クレジット）といいます。

2. みなし外国税額控除の廃止ないしは限度の設定

日本は、みなし外国税額控除については、暫時廃止する方向で租税条約交渉に臨んでいます。これは、みなし外国税額控除は、課税の公平性や中立性の観点から、問題があるといわれているからです。

最近では、2006年（平成18年）に条約改正の基本合意がなされたインドをはじめ、フィリピン及びパキスタンとの租税条約において、みなし外国税額控除が、廃止又は10年間の期限を付されるなど、縮小の方向にあります。

現在、日本の租税条約でみなし外国税額控除を規定している国は、以下のとおりです。

アイルランド	インドネシア	ザンビア	スペイン	スリランカ
タイ	中国	パキスタン	バングラディッシュ	フィリピン
ブラジル	ベトナム			

このうち、次の国では以下のような状況になっています。

締 約 国	状 況
フィリピン	2006年の条約改正において10年間を限度とすることで合意
アイルランド スペイン インドネシア	先方の国内法の改正により、事実上失効
パキスタン	2008年の条約改正でみなし外国税額控除は廃止された
ベトナム	2011年1月1日に失効

3. 直接税額控除における控除対象外国法人税額

　内国法人の直接税額控除についてみなし外国税額控除が適用される場合には、外国で減免された租税については、実際に納付した税額に加え、その減免された税額（みなし納付分）についても、内国法人が納付した税額とみなされます。

　しかし、所得に対する負担が高率な部分の金額については、控除対象外国法人税額から除外されます（法令142の3①②）。

4. みなし外国税額控除の場合の国外所得金額

　みなし外国税額控除によって外国税額控除の適用を受ける場合であっても、国外所得金額の計算については、基本的には一般の外国税額控除の場合と同様です。ただし、内国法人が直接税額控除の適用を受ける場合には、その法人が納付する控除対象外国法人税の額は、所得の計算上損金の額に算入されない（法法41）ことに留意する必要があります。

5. みなし外国税額控除の申告手続等

　みなし外国税額控除の適用を受けようとする場合には、次の2つの要件を満たす必要があります。

みなし外国税額控除の適用を受けようとする場合	①　みなし外国税額控除の適用を受けようとする事業年度の確定申告書等に、控除を受けるべきみなし外国税額の計算の明細を記載すること
	②　①を証明する書類を添付しなければならないこと

（実施特例省令10）

第11節　控除限度額と控除余裕額の繰越

1. 総説

　内国法人が外国にその源泉がある所得について、外国の法令により法人税を課された場合、外国税額控除とその外国法人税の額を損金算入するかを選択することができることは上述したとおりです。

　そして、外国税額控除を選択した場合、控除限度額の範囲において、外国法人税の額を、はじめに法人税を控除し、法人税において控除しきれない額があるときは地方法人税の額から控除し、その後道府県民税法人税割額から控除し、さらに控除しきれない額があるときは市町村民税法人税割額から控除することができます。

　しかし、内国法人の各事業年度の外国税額控除額を計算すると、控除対象外国法人税額と控除限度額が一致することはまずありえません。控除対象外国法人税額が控除限度額を上回る場合、控除できない法人税額が残ってしまいます。一方、控除対象外国法人税額が控除限度額を下回る場合には、控除できる余地が残ることになります。

　このような状況に対応するため、法人税法はいくつかの規定を有しています。ここでの留意点は、外国税額控除は、第1に法人税だけでなく、地方法人税、道府県民税及び市町村民税の法人税割も考慮に入れること、第2に3年間に渡って繰り越すことができること（＝過去3年）、ということです。つまり、外国税額控除をマスターするためには、複数の税目を複数の事業年度に渡って適

用することを理解する必要があります。

2. 控除限度額の定義

【算式】

$$\text{法人税の控除限度額} = \text{当期の所得に対する法人税の額} \times \frac{\text{当期の調整国外所得金額}}{\text{当期の所得金額}}$$

⑴　当期の所得に対する法人税の額とは

　当期の所得に対する法人税の額とは、当期の所得金額に税率を乗じて計算した税額をいいます。この場合、次に掲げる法律を適用せずに計算し、附帯税を除くとされます（法令142①）。

①	法人税法第67条（特定同族会社の特別税率）の規定
②	法人税法第68条（所得税額の控除）の規定
③	法人税法第69条（外国税額の控除）の規定
④	法人税法第70条（仮装経理に基づく過大申告の場合の更正に伴う法人税額の控除）の規定
⑤	租税特別措置法第42条の5第5項（エネルギー環境負荷低減推進設備等を取得した場合の特別償却又は法人税額の特別控除）の規定
⑥	租税特別措置法第42条の6第5項（中小企業者等が機械等を取得した場合の特別償却又は法人税額の特別控除）の規定
⑦	租税特別措置法第42条の9第4項（沖縄の特定地域において工業用機械等を取得した場合の法人税額の特別控除）の規定
⑧	租税特別措置法第42条の12の3第5項（特定中小企業者等が経営改善設備を取得した場合の特別償却又は法人税額の特別控除）の規定
⑨	租税特別措置法第42条の12の4第5項（中小企業者等が特定経営力向上設備等を取得した場合の特別償却又は法人税額の特別控除）の規定
⑩	租税特別措置法第62条第1項（使途秘匿金の支出がある場合の課税の特例）の規定
⑪	租税特別措置法第62条の3第1項及び第9項（土地の譲渡等がある場合の特別

	税率）の規定
⑫	租税特別措置法第63条第 1 項（短期所有に係る土地の譲渡等がある場合の特別税率）の規定
⑬	経済社会の構造の変化に対応した税制の構築を図るための所得税法等の一部を改正する法律（平成23年法律第114号）附則第55条（エネルギー需給構造改革推進設備等を取得した場合の特別償却又は法人税額の特別控除に関する経過措置）の規定によりなおその効力を有するものとされる同法第19条の規定による改正前の租税特別措置法第42条の 5 第 5 項（エネルギー需給構造改革推進設備等を取得した場合の特別償却又は法人税額の特別控除）の規定
⑭	租税特別措置法等の一部を改正する法律（平成24年法律第16号）附則第22条第 1 項（沖縄の特定中小企業者が経営革新設備等を取得した場合の特別償却又は法人税額の特別控除に関する経過措置）の規定によりなおその効力を有するものとされる同法第 1 条の規定による改正前の租税特別措置法第42条の10第 5 項（沖縄の特定中小企業者が経営革新設備等を取得した場合の特別償却又は法人税額の特別控除）の規定
⑮	所得税法等の一部を改正する法律（平成27年法律第 9 号。以下この項において「平成27年改正法」という。）附則第73条第 1 項（試験研究を行つた場合の法人税額の特別控除等に関する経過措置）の規定によりなお従前の例によることとされる場合における平成27年改正法第 8 条の規定による改正前の租税特別措置法第42条の 4 第11項（試験研究を行つた場合の法人税額の特別控除）（平成27年改正法附則第116条の規定による改正前の所得税法等の一部を改正する法律（平成25年法律第 5 号）附則第63条（試験研究を行つた場合の法人税額の特別控除の特例に関する経過措置）の規定によりなおその効力を有するものとされる同法第 8 条の規定による改正前の租税特別措置法第42条の 4 の 2 第 7 項（試験研究を行つた場合の法人税額の特別控除の特例）の規定により読み替えて適用する場合を含む。）の規定

⑵　その事業年度の所得金額

　その事業年度の所得金額とは、次の規定を適用しないで計算した場合のその事業年度の所得の金額をいいます（法令142②）。

適用しない条項	法法57	青色申告書を提出した事業年度の欠損金の繰越し
	法法58	青色申告書を提出しなかった事業年度の災害による損失金の繰越し
	措法67の12、同67の13	組合事業に係る損失がある場合の課税の特例

(3)　地方税の控除限度額

　地方税の控除限度額は、地方税法施行令に規定する道府県民税の控除限度額と市町村民税の控除限度額とを合計したものです（法令143）。

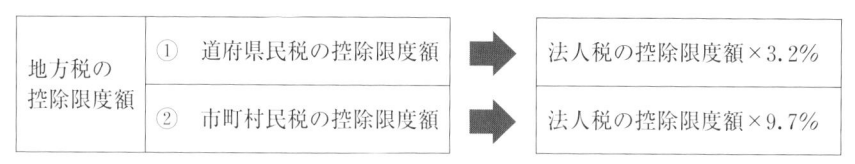

地方税の控除限度額	①　道府県民税の控除限度額	➡	法人税の控除限度額×3.2%
	②　市町村民税の控除限度額	➡	法人税の控除限度額×9.7%

　ただし、標準税率を超える税率で、法人税割を課すこととされている道府県又は市町村に事務所、事業所を有する法人については、その法人の選択により法人税の外国税額控除限度額に実際税率を乗じて計算することができます（地令9の7⑦、同48の13⑧）。

(4)　控除と繰越計算

　内国法人が各事業年度において納付することとなる控除対象法人税額が、その事業年度の控除限度額と地方税控除限度額との合計額を超える場合において、その事業年度開始の日前3年以内に開始した各事業年度の控除限度額のうちその事業年度に繰り越される部分の金額（繰越控除限度額）があるときは、その繰越控除限度額を限度として、その超える部分の金額をその事業年度の所得に対する法人税の額から控除することになります（法法69②）。

(5)　繰越控除限度額の計算

　その事業年度に繰り越される部分の金額は、内国法人の前3年内事業年度の国税の控除余裕額又は地方税の控除余裕額を、最も古い事業年度のものから順

次に、かつ、同一事業年度のものについては国税の控除余裕額及び地方税の控除余裕額の順に、その事業年度の控除限度超過額に充てるものとした場合にその控除限度超過額に充てられることとなるその国税の控除余裕額の合計額に相当する金額とすることとされています（法令144①）。

3. 前3年内事業年度の繰越控除限度額の当期控除額への充当

　当期の控除対象法人税の額と控除限度額（国税＋地方税）を比較して、前者のほうが大きい場合で、前3年内事業年度から繰り越した繰越控除限度額があれば、これを用いて当期の控除対象法人税の額を控除することができます。

| 過去3年分の控除限度額のうち繰越額を、当期の限度額超過分に充当できる制度（法法69②） | 内国法人が各事業年度において納付することとなる控除対象外国法人税の額が当該事業年度の控除限度額（国税と地方税の合計）を超える場合において、前3年内事業年度の控除限度額のうち当該事業年度に繰り越される部分（繰越控除限度額）があるときは、その繰越控除限度額を限度として、その超える部分の金額を当該事業年度の所得に対する法人税の額から控除する。 |

　これを図で示すと、次のとおりとなります。

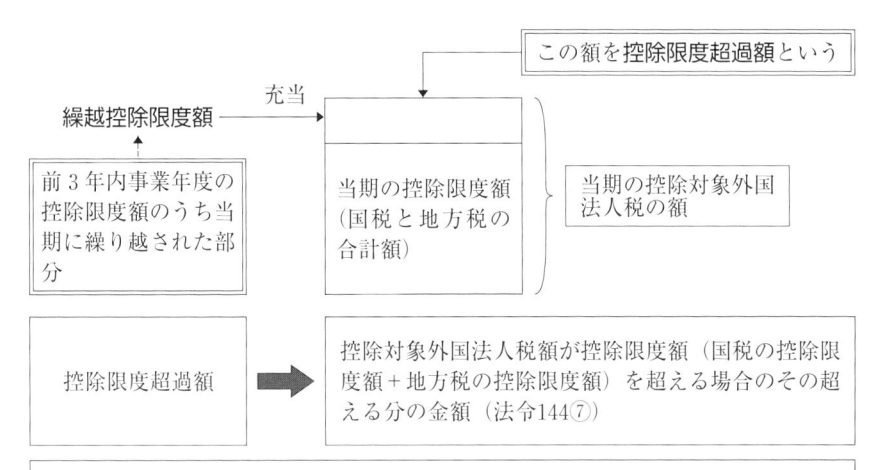

繰越控除限度額……繰越控除限度額とは、内国法人の前3年内事業年度の国税の控除余裕額又は地方税の控除余裕額を、最も古い事業年度のものから順次に、かつ、同一事業年度のものについては、国税の控除余裕額及び地方税の控除余裕額の順に控除限度超過額に充てるものとした場合に当該控除限度超過額に充てられることとなる当該国税の控除余裕額の合計額に相当する金額をいう（法令144①）。

4. 繰越控除対象外国法人税額の当期法人税からの控除

　控除対象外国法人税の額が、控除限度額（国税＋地方税）よりも小さい場合には控除余裕額が生じることになります。

過去3年に納付した繰越控除対象外国法人税額を、当期の法人税の額から控除できる制度（法法69③）	内国法人が各事業年度において納付することとなる控除対象外国法人税の額が当該事業年度の控除限度額に満たない場合において、その前3年内事業年度において納付することとなった控除対象外国法人税の額のうち当該事業年度に繰り越される部分（繰越控除対象外国法人税額）があるときは、当該控除限度額から当該事業年度において納付することとなる控除対象外国法人税の額を控除した残額を限度として、その繰越控除対象外国法人税額を当該事業年度の所得に対する法人税の額から控除する。

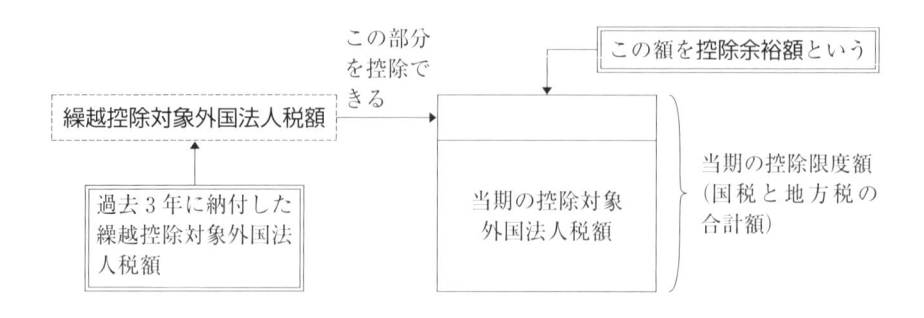

5．用語の意義

　外国税額控除制度における控除限度額と控除余裕額の繰越計算は、一見すると非常にテクニカルなものとなっています。以下、これらに用いられる専門用語を計算式と図を用いて解説していきます。

(1)　控除余裕額

①　国税の控除余裕額の計算

　国税の控除余裕額は、内国法人が各事業年度において納付することとなる控除対象外国法人税の額が当該事業年度の国税の控除限度額に満たない場合において、以下の算式により計算した金額をいいます（法令144⑤）。

【算　式】

国税の控除余裕額（①）＝当該事業年度の国税の控除限度額(②) − 当該控除
対象外国法人税の額(③)

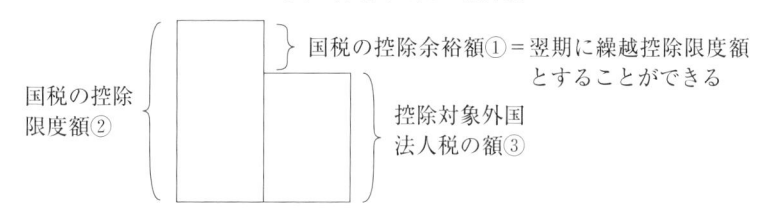

②　地方税の控除余裕額の計算

　地方税の控除余裕額とは、次の各号に掲げる場合の区分に応じ当該各号に定

める金額をいいます（法令144⑥）。

①　内国法人が各事業年度において納付することとなる控除対象外国法人税の額が当該事業年度の国税の控除限度額を超えない場合	㋑　当該事業年度の地方税の控除限度額
②　内国法人が各事業年度において納付することとなる控除対象外国法人税の額が当該事業年度の国税の控除限度額を超え、かつ、その超える部分の金額が当該事業年度の地方税の控除限度額に満たない場合	㋺　当該地方税の控除限度額から当該超える部分の金額を控除した金額に相当する金額

＜上の㋑の場合の図＞

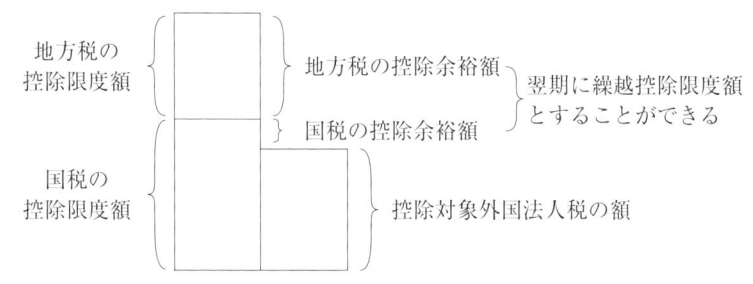

＜上の㋺の場合の図＞

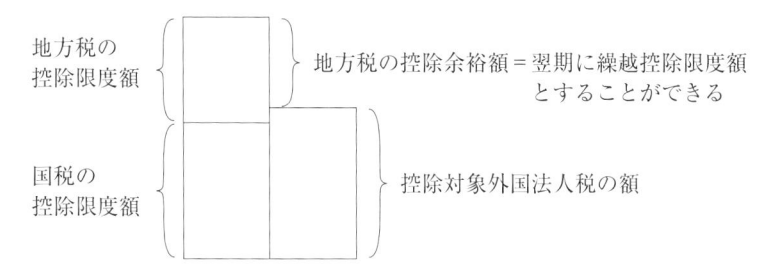

③　控除余裕額の繰越後の処理

　上記で説明した国税の控除余裕額と地方税の控除余裕額は、控除対象外国法人税の額を上回っているために、外国税額控除の計算において使用していません。そのため、翌期以降に繰り越すことができます。繰り越した後の処理は、

次のように示すことができます。

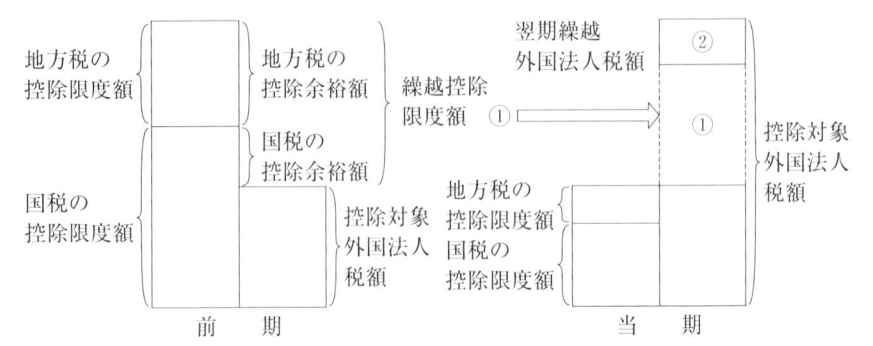

> 上の図は、前期で国税の控除余裕額と地方税の控除余裕額があったことから、これを繰越控除限度額として当期に繰り越し、当期の控除限度額を超えた部分のうち①について税額控除することができた。一方、当期の控除対象外国法人税額は、さらに②の部分も控除対象となっていたが、控除限度額を超えているので翌期に繰り越されることとなった。

(2)　控除限度超過額

　控除限度超過額とは、内国法人が各事業年度において納付する控除対象外国法人税の額が当該事業年度の国税の控除限度額と地方税の控除限度額との合計額を超える場合におけるその超える部分の金額をいいます（法令144⑦）。

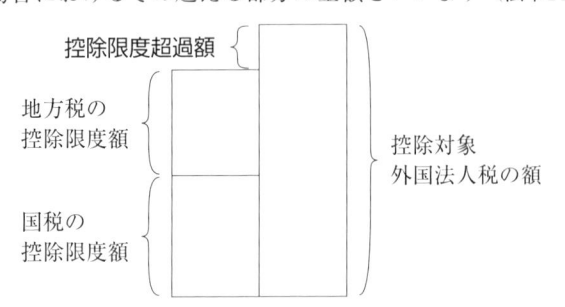

　＊控除限度超過額は、翌期以降に繰り越すことができ、控除対象外国法人税額が控除限度額を下回った場合に繰越控除対象外国法人税額として、控除余裕額に充当することができる。

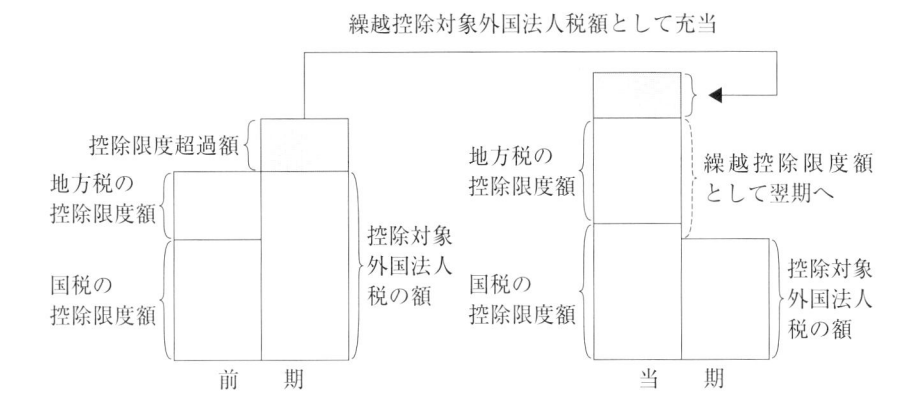

6. 外国税額控除の事例

【事例1】

A社は、当期の所得の金額が100であり、法人税率が23.4%（平成30年4月1日以後開始する事業年度は23.2%）であるとする。この場合の当期の控除限度額はいくらですか。

【答え】

法　人　税	$100 \times 23.4\% = 23.4$
地方法人税	$100 \times 4.4\% = 4.4$
道府県民税の法人税割	$23.4 \times 3.2\% = 0.7488$
市町村民税の法人税割	$23.4 \times 9.7\% = 2.2698$

したがって、$23.4 + 4.4 + 0.7488 + 2.2698 = 30.8186\cdots$これが当期の控除限度額（国税＋地方税）となります。

【事例2】

A社の当期の所得が100、控除対象外国法人税の額が30であった場合、外国税額控除はどのように計算すべきでしょうか。

【答え】

　上述したように、外国税額控除は、まず法人税、次に地方法人税、そして道府県民税、最後に市町村民税の順序で控除を行うことになります。控除対象外国法人税の額が30であることから、法人税と地方法人税（国税）27.8（＝23.4＋4.4）と道府県民税の0.7488はともに控除することができます。そして、まだ控除しきれていない1.4512（30－27.8－0.7488）については、市町村民税の限度額2.2698から控除することができます。

　次に、2.2698－1.4512＝0.8186については、地方税の控除余裕額となります。

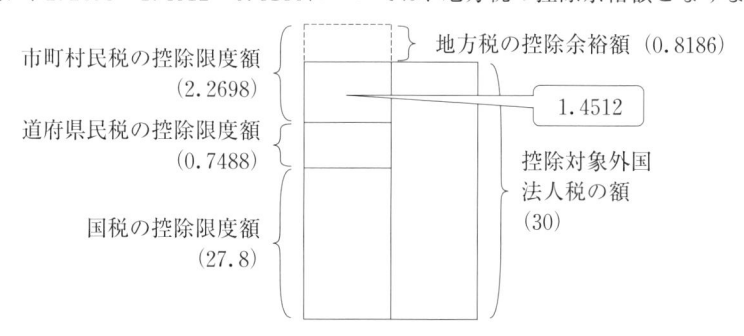

【事例3】

　A社の控除対象外国法人税の額が34であったとする。この場合、外国税額控除はどのように計算すべきでしょうか。

【答え】

　この場合、

　控除対象外国法人税の額（34）＞控除限度額（国税＋地方税）（30.8186）、となり、3.1814の控除限度超過額が発生することになります。

　もし、前3年内事業年度からの繰越控除限度額があれば、それを利用して控除できます。

　一方、繰越控除限度額がない場合、翌年以降に3.1814の額を繰り越すこととなります。この場合、3.1814については外国税額控除の適用がないことから納

付する法人税の額に含まれることになります。

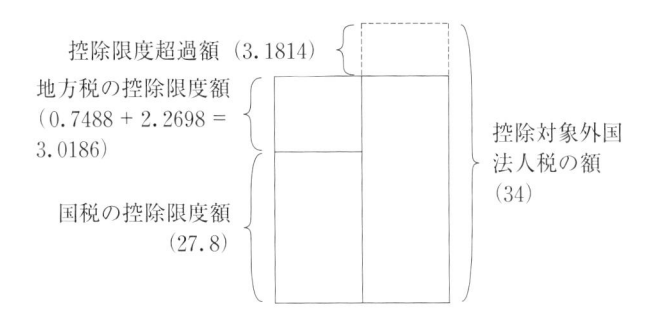

控除限度超過額（3.1814）

地方税の控除限度額
（0.7488 + 2.2698 = 3.0186）

国税の控除限度額
（27.8）

控除対象外国
法人税の額
（34）

【事例4】

　事例1のA社の控除対象外国法人税の額が25であったとします。この場合、外国税額控除はどのように計算すべきでしょうか。

【答え】

　この場合、

　控除対象外国法人税の額（25）＜控除限度額（国税＋地方税）（30.8186）、となり、5.8186の控除余裕額が発生します。

　もし、前3年内事業年度に控除限度超過額があれば、これを控除余裕額に充当することができます。

　また、前3年内事業年度に控除限度超過額がなければ、当期の控除対象外国法人税の額はすべて税額控除することができたので、5.8186は翌期以降3事業年度に繰り越すことができます。

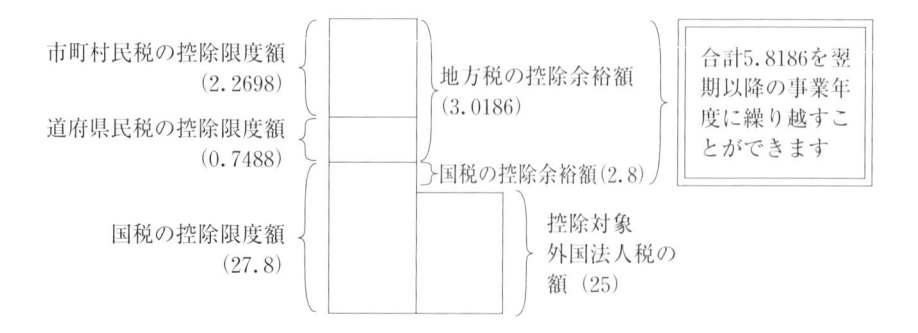

7.　繰越処理をする場合の留意点

⑴　外国法人税額を損金計上した場合の取扱い

　内国法人が前 3 年内事業年度のうちいずれかの事業年度において納付することとなる控除対象外国法人税の額をその納付することとなる事業年度の所得の金額の計算上損金の額に算入した場合には、当該内国法人の当該事業年度以前の各事業年度の国税の控除余裕額及び地方税の控除余裕額は、繰越使用できる国税の控除余裕額及び地方税の控除余裕額に含まれないこととされます（法令144②、145②、地令 9 の 7 ②、48の13②）。

⑵　法人税法上の還付と地方税における取扱い

　法人税法第78条は、「確定申告書の提出があった場合において、当該申告書に第74条第 1 項第 3 号（所得税額等の控除不足額）に掲げる金額の記載があるときは、税務署長は、当該申告書を提出した内国法人に対し、当該金額に相当する税額を還付する。」と規定し、外国税額控除を適用した場合に控除額が納付額を超える場合があるときは、法人税の額が還付されることとされます。

　これに対して地方税においては、「法人税法第71条第 1 項若しくは第74条第 1 項の規定により法人税に係る申告書を提出する義務がある法人又は同法第81条の22第 1 項の規定により法人税に係る申告書を提出する義務がある法人若しくは当該法人との間に連結完全支配関係がある連結子法人（所得等申告法人）

の前3年以内の各事業年度又は各連結事業年度における法人税割額の計算上、
地方税法第53条第24項の規定により控除することとされる外国の法人税等の額
のうち、当該法人税割額を超えることとなる控除することができなかった額で
前事業年度又は前連結事業年度以前の事業年度又は連結事業年度の法人税割に
ついて控除されなかつた部分の額（控除未済外国法人税等額）は、当該所得等申
告法人の当該事業年度又は連結事業年度の当該法人税割額から控除するものと
する。」と規定し、還付されることなく、3年間に限って繰越控除されると規
定しています（地令9の7⑳、48の13㉑）。

8. 企業組織再編成による控除限度超過額及び控除余裕額の取扱い

　内国法人が、適格組織再編成（適格合併、適格分割又は適格現物出資）により、
被合併法人、分割法人又は現物出資法人（被合併法人等）から事業の全部又は
一部の移転を受けた場合には、当該内国法人の当該適格組織再編成の日の属す
る事業年度以後の各事業年度において、被合併法人等の当該適格合併等の日前
3年以内に開始した各事業年度の控除限度超過額及び控除余裕額は、次に掲げ
る適格合併等の区分に応じてその内国法人の当該事業年度開始の日前3年以内
に開始した各事業年度の控除限度超過額及び控除余裕額とみなし、内国法人に
引き継がれます（法法69⑤、地令9の7⑥～⑱、48の13⑦～⑲）。

①	適格合併	当該適格合併に係る被合併法人の合併前3年内事業年度の控除限度額及び連結控除限度個別帰属額並びに控除対象外国法人税の額及び個別控除対象外国法人税の額
②	適格分割又は適格現物出資（適格分割等）	当該適格分割等に係る分割法人又は現物出資法人（「分割法人等」）の分割等前3年内事業年度の控除限度額及び連結控除限度個別帰属額並びに控除対象外国法人税の額及び個別控除対象外国法人税の額のうち、当該適格分割等により当該内国法人が移転を受けた事業に係る部分の金額として政令で定めるところにより計算した金額

　なお、適格分割等により当該適格分割等に係る分割法人等から事業の移転を受けた内国法人にあっては、当該内国法人が当該適格分割等の日以後 3 か月以内に当該内国法人の前 3 年内事業年度の控除限度額及び控除対象外国法人税の額とみなされる金額その他の財務省令で定める事項を記載した書類を納税地の所轄税務署長、主たる事業所の都道府県知事及び市町村長に提出した場合に限り、適用されます（法法69⑥、法規29の 2 、地令 9 の 7 ⑯、48の13⑰、地規 3 の 2 ②、10の 2 の 4 ②）。

 **外国税額控除の申告手続**

1. 確定申告書の記載

外国税額控除の適用を受ける場合には、確定申告書に明細を記載し、一定の書類を保存する必要があります。

①確定申告書に控除を受けるべき金額及びその計算に関する明細の記載があり、かつ	
②控除対象外国法人税の額を課されたことを証する書類その他財務省令で定める書類を保存している場合に限り、	

 外国税額控除が適用される

この場合、控除されるべき金額は、確定申告書に記載された金額を限度とすることとされます（法法69⑮）。

平成29年度税制改正により、外国税額控除の申告要件について、納税者の立証すべき事項を明確化し要件を満たす場合には控除額を変更できることを明らかにするための改正が行われました。これにより、更正の請求によらない更正による法人税額等の増加に伴い反射的に控除限度額が増加した場合には、その更正で控除額を増加させることができることとされました。

具体的には、外国税額控除制度は、確定申告書、修正申告書又は更正請求書に、控除を受けるべき金額及びその計算に関する明細を記載した書類並びに控除対象外国法人税の額の計算に関する明細等を記載した書類（「明細書」）の添付がある場合等に限り適用することとされ、また、控除をされるべき金額の計

算の基礎となる控除対象外国法人税の額は、税務署長において特別の事情があると認める場合を除くほか、その明細書に当該金額として記載された金額を限度とすることとされました（法法69⑮、所法95⑩）。

　次に、控除余裕額の使用又は控除限度超過額を当期に繰り越して控除する場合については、次のように規定されています（法法69⑯）。

前期以前の控除余裕額を当期の控除限度額に加えて使用し、又は前期以前の控除限度超過額を当期に繰り越して控除する場合の要件（右の要件すべてを満たす必要がある）	繰越控除限度額又は繰越控除対象外国法人税額に係る事業年度のうち最も古い事業年度以後の各事業年度について当該各事業年度の控除限度額及び当該各事業年度において納付することとなった控除対象外国法人税の額を記載した書類の添付があること
	これらの規定の適用を受けようとする事業年度の確定申告書、修正申告書又は更正請求書にこれらの規定による控除を受けるべき金額を記載した書類及び繰越控除限度額又は繰越控除対象外国法人税額の計算の基礎となるべき事項その他の財務省令で定める事項を記載した書類の添付があること
	これらの規定による控除を受けるべき金額に係る控除対象外国法人税の額を課されたことを証する書類その他の財務省令で定める書類を保存していること

　この場合において、これらの規定による控除をされるべき金額の計算の基礎となる当該各事業年度の控除限度額及び当該各事業年度において納付することとなつた控除対象外国法人税の額その他の財務省令で定める金額は、税務署長において特別の事情があると認める場合を除くほか、当該各事業年度又は各連結事業年度の申告書等にこの項前段の規定により添付された書類に当該計算の基礎となる金額として記載された金額を限度とすることとされます（法法69⑯）。

2. やむを得ない事情がある場合の宥恕規定

　税務署長は、第1項から第3項までの規定による控除をされるべきこととなる金額の全部又は一部につき前2項（法法69⑮、⑯）に規定する財務省令で定

める書類の保存がない場合においても、その書類の保存がなかつたことについてやむを得ない事情があると認めるときは、その書類の保存がなかつた金額につき第1項から第3項までの規定を適用することができることとされています（法法69⑰）。

3. 外国税額控除の保存書類

(1) 確定申告書に添付すべき書類

　法人税法第69条第15項に規定する「控除対象外国法人税の額の計算に関する明細その他の財務省令で定める事項を記載した書類」の典型的なものとして、次に掲げる書類とされます（法規29の3①）。ただし、外国法人税が減額された場合、適格合併があった場合、外国子会社合算税制の適用を受ける場合、などの場合には、別の書類が必要になりますのでご留意下さい。

①　外国税額控除を受けようとする外国の法令により課される外国法人税に該当することについての説明
②　控除対象外国法人税の額の計算に関する明細を記載した書類

(2) 保存すべき書類

　法人税法第69条第15項に規定する「控除対象外国法人税の額を課されたことを証する書類その他の財務省令で定める書類」は、次に掲げる書類とされます（法規29の3②）。

①　外国法人税を課されたことを証するその税に係る申告書の写し又はこれに代わるべきその税に係る書類
②　その税が既に納付されている場合にはその納付を証する書類
③　その税が控除対象外国法人税の額に該当する旨及び控除対象外国法人税の額を課されたことを証する書類
④　控除対象外国法人税の額の計算に関する明細を記載した書類
⑤　地方税法施行令第9条の7第7項ただし書（道府県民税の控除限度額）又は第48条の13第8項ただし書（市町村民税の控除限度額）（同令第57条の2（法人の

> 市町村民税に関する規定の都への準用等）において準用する場合を含む。）の規
> 定の適用を受ける場合には、これらの規定による限度額の計算の基礎を証する地
> 方税に係る申告書の写し又はこれに代わるべき書類

(3)　繰越控除限度額又は繰越控除対象外国法人税額がある場合の添付書類と保存書類

　繰越控除限度額又は繰越控除対象外国法人税額がある場合、これらに係る事業年度のうち最も古い事業年度以後の各事業年度の確定申告書、修正申告書又は更正請求書（「申告書等」）にその各事業年度の控除限度額及び当該各事業年度において納付することとなった控除対象外国法人税の額を記載した書類の添付があり、かつ、これらの規定の適用を受けようとする事業年度の確定申告書、修正申告書又は更正請求書にこれらの規定による控除を受けるべき金額を記載した書類及び繰越控除限度額又は繰越控除対象外国法人税額の計算の基礎となるべき事項その他の財務省令で定める事項を記載した書類の添付があり、かつ、これらの規定による控除を受けるべき金額に係る控除対象外国法人税の額を課されたことを証する書類その他の財務省令で定める書類を保存している場合に限り、適用することとされます。

実務上のポイント

　外国税額控除については制度が比較的複雑であり、専門家といえども100％完璧というわけにいかない場合があります。以下では、外国税額控除の申告についての裁判例を2つ紹介しておきます。

(1)　外国税額控除転記誤り事件（最高裁平成21年3月23日上告不受理決定、福岡高裁平成19年5月9日判決、大分地裁平成18年2月13日判決）

【事実の概要】

　本件は、原告・控訴人Xが税務署長Yに対して、法人税の確定申告において、外国税額控除の適用を受けるに当たり、申告書に記載した税額等の計算が「国税に関する法律の規定に従っていなかったこと又は当該計算に誤りがあったこ

と」（国税通則法第23条第1項第1号）により納付すべき法人税額が過大となったと主張して更正の請求をしたところ、Yから更正すべき理由がない旨の通知処分（以下「本件通知処分」という。）を受けたため、Xがその取消しを求めた事案です。

【争点】

　外国税額控除の適用を受けるに当たり、添付した資料から確定申告書別表に受取配当金額を転記する際、資料内容の誤認あるいは誤読により誤った金額を記載し、その金額を基礎として控除税額計算がなされた結果、控除金額が過少になるとともに、納付すべき法人税額が過大となった場合に、国税通則法第23条第1項第1号に定める『税額等の計算が国税に関する法律の規定に従っていなかったこと又は当該計算に誤りがあったこと』の要件に該当し、更正の請求ができると解すべきか。

【概要図】

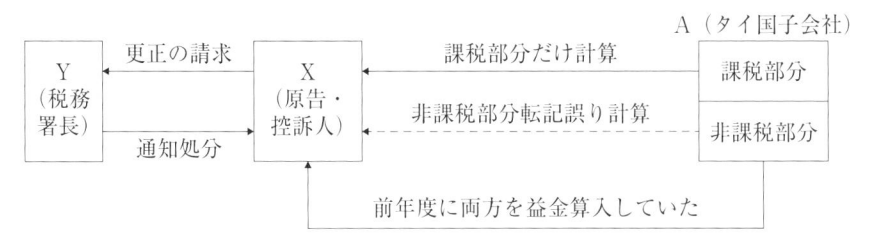

【福岡高裁の判断】

　国税通則法第23条第1項は、「納税申告書を提出した者は、……国税の法定申告期限から1年以内に限り、税務署長に対し、その申告に係る課税標準等又は税額等……につき更正をすべき旨の請求をすることができる。」と定

めている。

　一方、法人税法第69条は、間接外国税額控除について、内国法人は外国子会社から受ける配当等の額がある場合には、その外国子会社の所得に対して課される外国法人税の額のうちその配当等の額に対応するものをその内国法人が納付する控除対象外国法人税の額とみなして法人税法第69条第1項から第3項までの規定を適用するものとされ（同条第7項）ることから、法人税法は、内国法人が外国税額控除制度の適用を受けることを選択する限り、計算される控除対象法人税の額を当該事業年度の所得に対する法人税の額から当然控除すべきものとしていることは明らかである。

　したがって、内国法人が、外国子会社から受け取った配当等の全額について控除対象法人税の額の計算の基礎とできる場合に、誤ってその一部のみを計算の基礎とし、その結果、控除税額が過少となり支払うべき法人税の額が過大となったときは、「税額等の計算が国税に関する法律の規定に従っていなかったこと又は当該計算に誤りがあったこと」に該当するものというべきである。

　本件において、確定申告書を作成したＸの経理担当者は、外国税額控除額を計算するに当たって、課税対象部分である48,356,508.3タイバーツ及び非課税対象部分である74,251,661.7タイバーツも受取配当額に含めて行うべきであるのに、誤って課税対象部分のみを受取配当額として行い、Ｘはその旨の確定申告をした。

　このように、Ｘは、外国税額控除制度の適用を受けることを選択するとともに、外国子会社Ａからの受取配当金全額について所要の益金算入の措置を採り、他方、外国税額控除額を計算するに当たっては、上記非課税対象部分については計算上顧慮することができないとの誤解に基づいて計算を行ったと解するほかない。そうだとすれば、本件は、「当該申告書に記載した課税標準等若しくは税額等の計算が国税に関する法律の規定に従っていなかったこと又は当該計算に誤りがあったこと」により、当該申告書の提出により納

付すべき税額が過大であるときに該当し、Ｘは国税通則法第23条第１項第１号により更正の請求をすることができるものというべきである。

　ところで、法人税法第69条第13項後段において、控除をされるべき金額は、控除限度要件と規定しているので、この控除限度要件をどのように解するかが問題となる。

　Ｙは、外国税額控除を選択してさえいれば、常に控除対象外国税額の満額までの変更が許されることになるのであり、明らかに文理に反する上、大量回帰的に発生する国家の租税債権を速やかに確定、実現することが不可能に帰するなどと主張する。しかし、租税法規を統一的に矛盾なく理解しようとする立場に立った上記解釈は必ずしも文理に反するものとはいえないし、上記解釈を前提としたとしても、更正の請求が続出し国家の租税債権の速やかな確定、実現が不可能に帰すると認めるべき根拠はない上、仮に更正の請求が大量にされたとしても、更正の要件を具備しているならばそれは当然の権利の行使にほかならないのであるから、そのような事態が生じる可能性があるからといって、上記解釈が相当でないとはいえない。

　以上によれば、本件については、国税通則法第23条第１項第１号により更正請求が認められることとなるから、本件通知処分は違法であって、取り消されるべきである。

　よって、原判決を取り消し、Ｘの請求を認容することとして、主文のとおり判決する。

(なお、課税庁は上告受理申立てをしたが、最高裁は上告受理申立てを不受理とする決定をした。)

(2)　**外国税額控除添付漏れ事件**（最高裁平成26年12月18日上告受理申立て不受理決定、東京高裁平成26年３月26日、東京地裁平成25年11月19日）

【事実の概要】————————

　Ｘは、平成19年分の所得税について、所得税法第95条第１項の所得税の額か

ら控除する外国税額控除の金額を１億円余りと記載した確定申告書（「平成19年分確定申告書」）を提出して確定申告をした。平成19年分確定申告書には、「外国税額控除に関する明細書」が添付されていた。

　Ｘは、平成20年分の所得税について、外国税額控除の欄に金額の記載をしない確定申告書（「平成20年分確定申告書」）を提出して確定申告をした。平成20年分確定申告書には、「外国税額控除に関する明細書」や同控除の計算の基礎となる書類等の添付がされていなかった。

　Ｘは、平成21年分の所得税について、外国税額控除の金額を4,540万円余りと記載した確定申告書（「平成21年分確定申告書」）を提出して確定申告をした。平成21年分確定申告書には「外国税額控除に関する明細書」が添付されていた。

　所轄税務署長は、平成20年分確定申告書に所得税法第95条第５項に規定する金額の記載や書類の添付がなかったことから、平成21年分確定申告書における外国税額控除の計算を否認した。

【争点】

① 　所得税法第95条第６項に規定する同条第２項の外国税額控除に係る手続要件の充足の有無

② 　所得税法第95条第７項に規定する「やむを得ない事由」の有無

【東京地裁の判断】

　所得税法は、我が国の国際的競争力の維持発展を図るという政策的要請の下に、国際的二重課税を防止し、海外取引に対する課税の公平と税制の中立性を維持することを目的として、外国所得税の額を一定の限度で我が国の所得税の額から直接控除することを認める外国税額控除の制度（同法95条）を採用したものと解される。

　国外所得の発生時期と外国所得税の納付時期とのずれを一定の範囲で調整するため、各年の外国所得税の額が控除限度額に満たない場合の控除余裕額

又は各年の外国所得税の額が控除限度額を超える場合の控除限度超過額につき、翌年以降の繰越使用を 3 年以内に限り認めている。

　所得税法第95条第 6 項は、控除余裕額又は控除限度超過額の繰越使用による外国税額控除を定める同条第 2 項及び第 3 項の規定につき、所定の事項を記載した確定申告書の提出等がされた場合に限り適用するものと定めているところ、当該繰越使用に係る手続要件について、税額の計算の安定を確保し、もって租税法律関係の明確化を図る趣旨のものと解するのが相当である。

　原告は、平成20年分確定申告書には、その添付書類を含めて、同年の控除限度額及び同年において納付することとなった外国所得税の額を記載していないのであるから、同条第 6 項所定の同条第 2 項の適用要件を満たしたものということはできない。

　所得税法第95条第 7 項の「やむを得ない事情」とは、天災、交通途絶その他の納税者の責めに帰することのできない客観的な事情をいい、納税者の法の不知や事実の誤認等の主観的な事情はこれに当たらないものと解するのが相当である。

　被告において、納税者に対し、原告の平成20年分の所得税のように外国税額控除の規定の適用を受けないものとして確定申告書を提出する場合について、その年は同条第 6 項に規定する「各年」に当たらずその年の控除限度額及びその年において納付することとなった外国所得税の額を確定申告書に記載することを要しないとか、「外国税額控除に関する明細書」を利用することはできないといった誤解を招くような案内をしていたとは認められない。

　よって、原告の請求はいずれも理由がないから棄却する。
（東京高裁でも同様の判断が下った後にXが上告受理申立てをしたが、最高裁は不受理決定をした。）

(3)　解説

　上の 2 つの事件を見ると、外国税額控除の申告要件が明らかになります。は

じめの事件は、法人の確定申告書の中に外国税額控除の記載がなされていたものの、後で誤りに気付いて更正の請求を行ったところ、税務署長に認められずに訴訟を提起したものです。一方、後者の事件は、平成19年分と平成21年分については外国税額控除について確定申告書に記載していたものの、平成20年分については記載しなかったというものです。

　これに対して、裁判所は前者については記載を誤ったとしても要件を満たしているとし、後者については平成20年分については記載がないことから外国税額控除を認めないと判断したものであり、実務の参考になると思われます。

（執筆：望月文夫）

726

第 7 章

企業の国際投資と
外国子会社合算税制

タックス・ヘイブンは「税金天国」？

国際税務で取り上げられる「タックス・ヘイブン」とは、"Tax Heaven"（税の天国）ではなくて、"Tax Haven"（税の避難場所）のことです。人知れぬ避難場所に逃げ込めば、商売に課される税金からも逃れることができそうですので、「酷税から逃げ延びて落ち着いた先は『天国』なの」かもしれません。

パナマ、リベリア、ケイマン、ブリティシュ・バージン・アイランドなどが有名なタックス・ヘイブンですが、これらの国、地域では、法人税や所得税が課されないか著しく軽課税となっています。また、税負担が軽いだけではなく、法人の設立費用が安い、設立の手続が簡単である、法人の維持管理のためのインフラが充実している、商取引や金融面で規制が緩い、金融機関の秘密保持がしっかりしているなどといった手続面での優位性を有しているという特徴があります。

気候が温暖で近代的な社会資本が整備されているリゾート地域も多く、安全な金融機関にお金を保管してもらって、ゆっくりと休暇を楽しみたいような場所であるといえそうです。

1. 外国子会社合算税制が必要とされる理由

この税制は、1978年（昭和53年）にタックス・ヘイブン対策税制（租税特別措置法）として導入されました。無税又は軽課税の国、地域に、租税回避以外に主たる事業上の目的のない子会社等を設立して、企業グループに係るわが国の税負担を回避する行為を防止するための制度です[1]。典型的な租税回避事例

をまず示すこととします。

[1]　税制調査会は、昭和53年度の税制改正に関する答申において、次のように提言しています。「近年、わが国経済の国際化に伴い、いわゆるタックスヘイブンに子会社等を設立し、これを利用して税負担の不当な軽減を図る事例が見受けられる。このような事例は税負担の公平の見地から問題のあるところであり、また、諸外国においてもこれに対処するための措置が講じられていることを考えると、（途中省略）…昭和53年度において所要の立法措置を講ずることが適当である。」

【事 例】

《通常の取引》

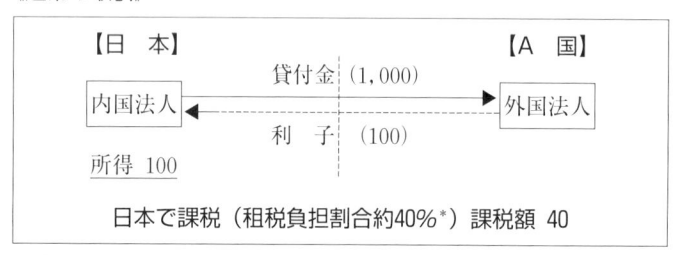

＊法人税率：平成28年4月1日以降23.4%、平成30年4月1日以降23.2%

　外国法人が支払う利子には源泉税が課される場合もあります。内国法人が受け取った利子は、内国法人の収益として益金の額に算入され課税されます。

《タックス・ヘイブンを利用した取引》

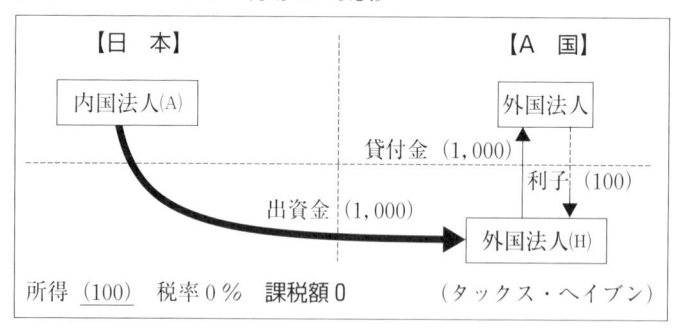

　内国法人が拠出した資金をタックス・ヘイブン所在の外国法人が内国法人からの出資金として受け入れ、A国の法人に貸し付けて利子を受け取っても、タックス・ヘイブンでは税率が０％ですので税負担がありません。

　ペーパーカンパニーのような会社をタックス・ヘイブンに設立して所得をため込み、本来内国法人が日本政府に納税すべき法人税等の課税を回避する行為を防止するのが本税制の立法の趣旨です。

　無税あるいは軽課税の国、地域の中には、金融や保険、無形資産の供与といったいわゆる足の速いビジネスが円滑に行える環境を整えた上で、税負担が軽いという魅力を加え、世界中の国々から企業を誘致する政策を採っているところがあります。OECD 等の国際機関における議論で、このような政策が行き過ぎると健全な企業活動を阻害しかねないという懸念が表明され、脱税を助長するような制度を持つ国や地域については、制度の改正を働きかけてきました。

　日本の税法では、以前、タックス・ヘイブンの指定を行って、租税回避の防止を行っていましたが、各国が税率を下げるとともに、各種の優遇税制を導入するなど、タックスヘイブンの国や地域を限定列挙する方式が実態に合わなくなったことから、平成４年に「トリガー税率」といわれる租税負担割合が低いと判断するための限度税率を指定して、これによりタックス・ヘイブンであるか否かを判断する方式に改正しました。

　このトリガー税率は、平成21年まで25％以下であったところ、平成22年度の税制改正で20％以下に引き下げられました。さらに、平成27年度の税制改正で20％未満になりました。

2.　外国子会社合算税制のアウトライン

　外国子会社合算税制は、平成29年の税制改正において大きく変わりました。改正後の外国子会社合算税制には、特定外国関係会社という新しい取扱いが導入されましたが、対象外国関係会社については、従来の取扱いが踏襲されています。改正された法令は、平成30年４月１日開始事業年度（外国子会社）から

適用になりました。税務調査を念頭に置くと、改正前の制度が適用される事業年度と改正後の新制度が適用される事業年度が調査対象事業年度の中に並存する時期がしばらく続きますので、従来の制度が踏襲されている対象外国関係会社についてまず解説し、新たな概念である特定外国関係会社等の改正点については、第 7 節で解説することとします。

　税制の仕組みを具体的に説明する前に、制度のアウトラインを示し、全体像を理解していただきます。

　平成29年度の税制改正に当たり、財務省が示した制度の概要と改正のポイントが、次に示す資料です。

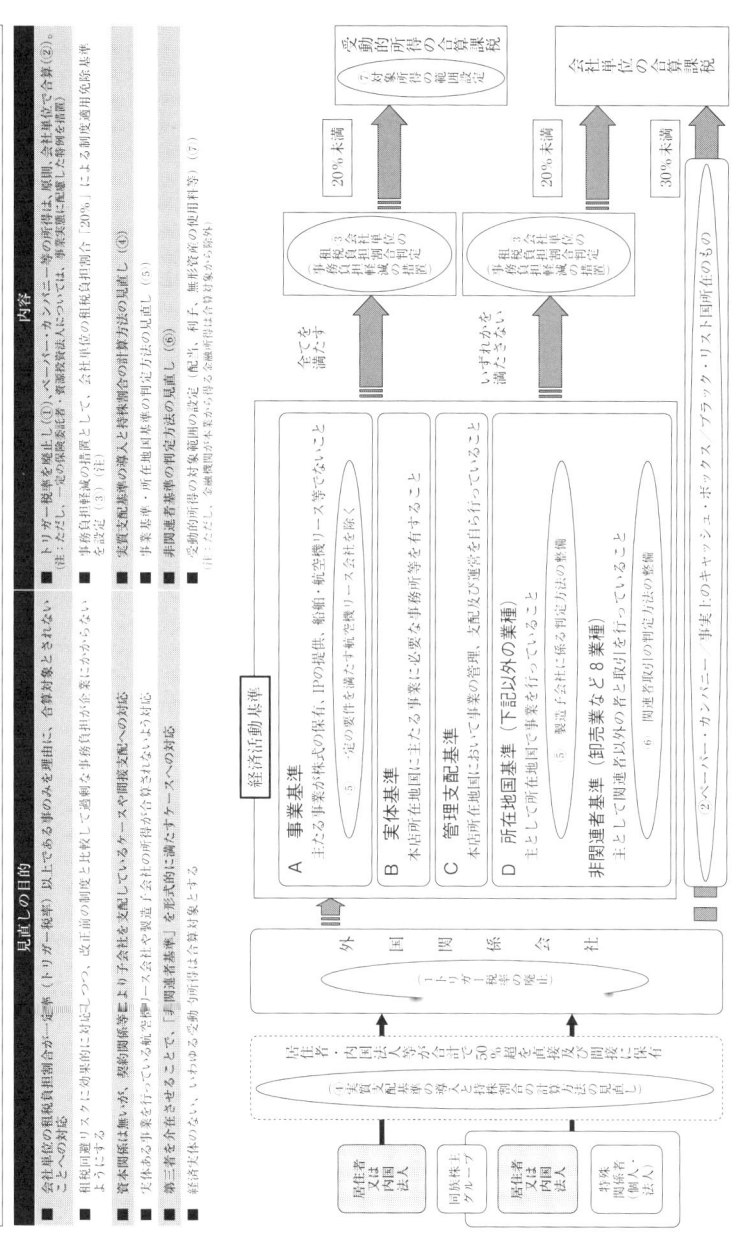

733

第2節　納税義務者と適用対象法人の判定

　外国子会社合算税制により日本の法人税を課される法人は、特定外国関係会社又は対象外国関係会社の株主である内国法人です。一方、課される税額は内国法人が出資している外国関係会社の課税対象金額に対する税額で、この金額は当該外国関係会社に溜まった利益の額に基づいて計算します。そのような仕組みであるため、課税される株主の要件と課税される所得を溜めている外国関係会社の要件が充足されている場合に、タックス・ヘイブン課税が行われるわけです。

(注)　以下、改正前と後で共通する事項については適宜「外国子会社」という用語を用います。

1. 特定外国子会社等の判定

　改正前の用語法で合算対象となる外国子会社を「特定外国子会社等」と呼びますが、これは居住者及び内国法人によって（何人、何社でもよい）発行済株式等の50％超を保有されている「外国関係会社」のうち一定の要件を充足する外国法人を指します。それぞれの要件を、フローチャートにしたものが次ページの図解です。

2. 発行済株式等の保有割合の判定

(1) 間接出資割合は掛け算方式であることに注意

　外国関係会社とは、その発行済株式又は出資の総数又は総額（自己株式等は

除きます）のうちに居住者及び内国法人並びに居住者並びに内国法人と特殊の関係のある非居住者等が有する直接及び間接保有の株式等の数の合計数又は合計額の占める割合が50％超である場合における当該外国法人をいいます（措法66の6②一）。

なお、平成29年の改正では出資割合の判定について連鎖方式が導入されました。

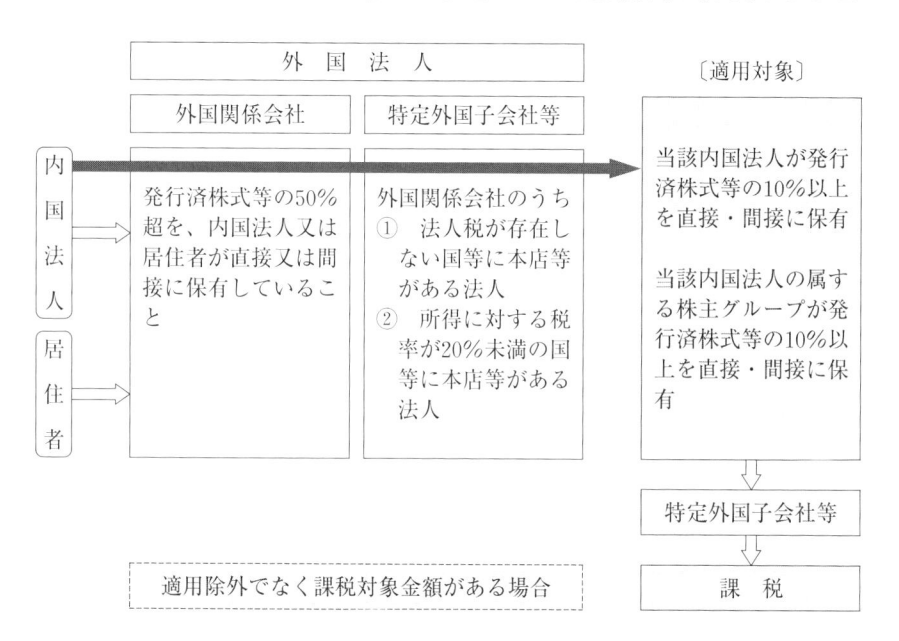

適用対象の内国法人を(A)とすると、

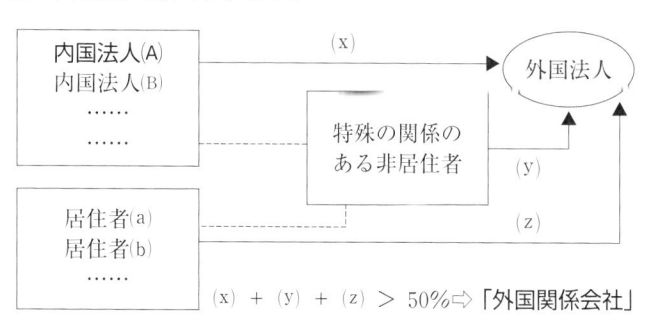

◆居住者又は内国法人と「特殊の関係のある非居住者」（措令39の14③）とは

- イ　居住者の親族
- ロ　居住者と婚姻の届出をしていないが事実上婚姻関係と同様の事情にある者
- ハ　居住者の使用人
- ニ　イからハまでに掲げる者以外の者で居住者から受ける金銭その他の資産によって生計を維持しているもの
- ホ　ロからニまでに掲げる者と生計を一にするこれらの者の親族
- ヘ　内国法人の役員及び当該役員に係る法令第72条各号（特殊関係使用人の範囲）に掲げる者

- 一　役員の親族
- 二　役員と事実上婚姻関係と同様の関係にある者
- 三　前二号に掲げる者以外の者で役員から生計の支援を受けているもの
- 四　前二号に掲げる者と生計を一にするこれらの者の親族

◆間接保有の株式等の数の計算（措法66の 6 ②三、措令39の16③）

- ①　内国法人が外国法人(y)の株主である外国法人(x)の発行済株式等の全部又は一部を所有している場合

【事 例】掛け算方式による間接保有割合

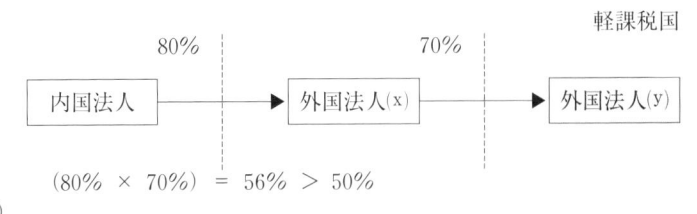

（80%　×　70%）　＝　56%　＞　50%

（参考）

移転価格税制における出資割合を判定する場合の間接保有割合の判定は、「掛け算」ではなく、「親→子→孫」の段階ごとに50%以上か否かで判断します。すなわ

ち、「親→子」の支配関係（50％以上又は実質支配）が、「子→孫」の支配関係に連鎖することで、「親→孫」の支配関係が成立し、価格操作による所得移転が成立すると考えるものと思われます。

②　内国法人が数社の外国法人を介して外国法人(p)と連鎖関係にある場合

【事 例】

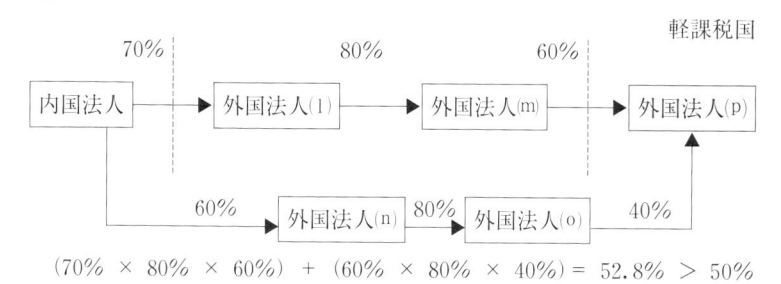

$(70\% \times 80\% \times 60\%) + (60\% \times 80\% \times 40\%) = 52.8\% > 50\%$

　＊内国法人等が他の内国法人等を介して間接的に外国法人の株式等を保有している場合は含まないことに留意してください（措法66の6②三）。

3. 特定外国子会社等の判定では、配当優先株や議決権のない株式など種類株を発行している場合に注意

　特定外国子会社等とは、次の内国法人に係る外国関係会社のうち、本店又は主たる事務所の所在する国又は地域におけるその所得に対して課される税の負担が、本邦における法人の所得に対して課される税の負担に比して著しく低いものとして政令で定める外国関係会社をいいます（措法66の6①）。

実務上のポイント

＜租税特別措置法施行令第39条の14＞

　　　　第1項…法人の所得に対して課される税が存在しない国又は地域に本店又は主たる事務所を有する法人

　　　　　　　その各事業年度の所得に対して課される租税の額が当該所得の金額
　　　　　　　の100分の20未満である法人
　　　第2項…20%未満の税率判定の計算方法　⇨　別項にて解説します。

　タックス・ヘイブン税制の適用対象である「外国関係会社」に該当するか、
「特定外国子会社等」に該当するかの判断は重要なステップといえます。また、
種類株を発行している法人については取扱いに留意して判断しなければなりま
せん。以下に、具体的な検討の方法を示します。

【事 例】

《ケース1》X 社が特定外国子会社等の場合、A 社と B 社は適用対象か？

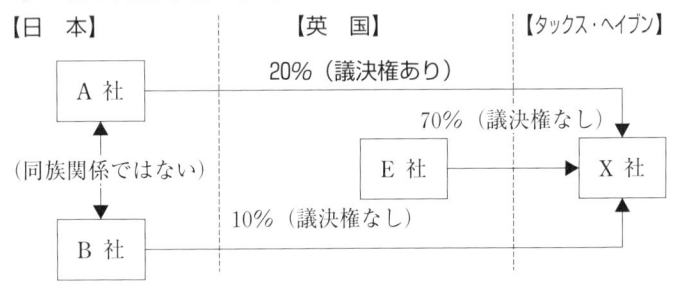

　　X 社は議決権を有する株と議決権を有しない株を発行しています。A 社は議
決権のある株を20%保有し、B 社は議決権のない株を10%保有しています。E
社は議決権のない株を70%保有しています。内国法人である A 社と B 社が、
タックス・ヘイブン税制の適用対象となるかどうかが検討課題です。

ステップ1 外国関係会社に当たるか？
　　イ　発行済総株式数による計算
　　　　A 社分　　B 社分　　　A 社分　E 社分　B 社分
　　　　（20%　＋　10%）÷（20%　＋　70%　＋　10%）＝ 30% ＜ 50%　"NO"
　　ロ　議決権のある株式による計算………………(a)
　　　　A 社分　　A 社分
　　　　20%　÷　20%　＝　100%　＞ 50%　"YES"

ステップ2　適用対象の**特定外国子会社等**か？

イ　A社の該当性

A社分　　A社分　　E社分　　B社分

$20\% \div (20\% + 70\% + 10\%) = 20\% \geqq 10\%$ "YES"

ロ　B社の該当性

B社分　　A社分　　E社分　　B社分

$10\% \div (20\% + 70\% + 10\%) = 10\% \geqq 10\%$ "YES"

◆X社が議決権のない株式を発行している場合、議決権のない株式を除いて計算⒜した結果が50%超であれば、外国関係会社に該当します。

◆自己株式等は除いて計算します。

◆請求権の内容が異なる株式等を発行している場合は、当該請求権に基づく剰余金の配当等の額に基づき計算⒝します。

なお、剰余金の配当請求権のある株式と剰余金の配当請求権のない株式を発行している場合の計算例は《ケース2》で示しています。

◆議決権の数が一個でない株式等及び請求権の内容が異なる株式を発行している場合は、⒜又は⒝の方法で計算して、いずれか高い割合で判定します（措法66の6①一）。

◆「発行済株式」及び「直接及び間接保有の株式」の計算にあたっては「払込み等が行われていないもの」も含めて計算します（措通66の6－1、66の6－2）。

《ケース2》Y社が特定外国子会社等の場合、C社とD社は適用対象か？

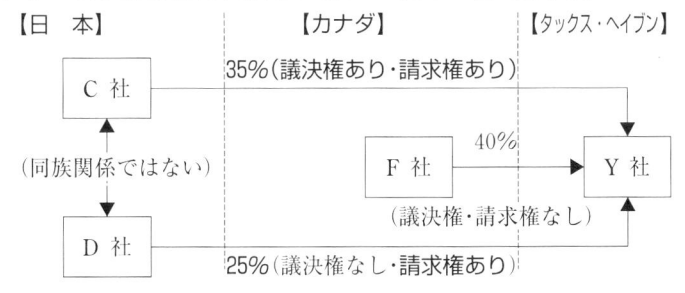

　　C 社は議決権を有し、剰余金の配当請求権のある株を35%保有しています。D 社は議決権がなく、剰余金の配当請求権がある株を25%保有しています。F 社は議決権がなく、剰余金の配当請求権もない株を40%保有しています。内国法人である C 社と D 社が、タックス・ヘイブン税制の適用対象となるかどうかが検討課題です。

ステップ1　外国関係会社に当たるか？

　　イ　発行済総株式数による計算

　　　　C 社分　　D 社分　　　 C 社分　　F 社分　　D 社分

　　　　（35% ＋ 25%）÷（35% ＋ 40% ＋ 25%）＝ 60% ＞ 50%　"YES"

　　ロ　議決権のある株式による計算

　　　　C 社分　　C 社分

　　　　35% ÷ 35% ＝ 100% ＞ 50%　"YES"

　　ハ　この他に「請求権」に基づく剰余金の配当等の額に基づき計算する方法があります。

ステップ2　適用対象の**特定外国子会社等**か？

　　イ　発行済総株式数による計算

　　　　　　　 C 社分　　 C 社分　　F 社分　　D 社分

　　C 社　 35% ÷（35% ＋ 40% ＋ 25%）＝ 35% ≧ 10%　"YES"

　　　　　　　 D 社分　　 C 社分　　F 社分　　D 社分

　　D 社　 25% ÷（35% ＋ 40% ＋ 25%）＝ 25% ≧ 10%　"YES"

　　ロ　議決権のある株式による計算

　　　　　　　 C 社分　　 C 社分

　　C 社　 35% ÷ 35% ＝ 100% ≧ 10%　"YES"

　　　　　　　 D 社分　C 社分

　　D 社　 0% ÷ 35% ＝ 0% ＜ 10%　"NO"

　　ハ　請求権のある株式による計算………………(b)

$$
\begin{array}{ccc}
\text{C社分} & \text{C社分} & \text{D社分} \\
\end{array}
$$

C社　$35\% \div (35\% + 25\%) = 58.3\% \geq 10\%$　"YES"

$$
\begin{array}{ccc}
\text{D社分} & \text{C社分} & \text{D社分} \\
\end{array}
$$

D社　$25\% \div (35\% + 25\%) = 41.6\% \geq 10\%$　"YES"

実務上のポイント

◆判定会社であるY社が議決権のない株式及び剰余金の配当請求権のない株式の両方を発行している場合、議決権のある株式のみで割合を計算し、あるいは剰余金の配当請求権のある株式のみで割合を計算します。そのいずれかが、50%超の場合、あるいは10%以上の場合、要件は充足されます。

◆外国法人の中には、その設立の根拠となった会社法等の規定により、その株式の発行価額の全部又は一部の払込みが行われていない法人があります。租税特別措置法通達66の6－2がこれについて解釈指針を示しています。通達では、「措置法第66条の6第1項第一号の『発行株式』には、その株式の発行価額の全部又は一部について払込みが行われていないものも含まれるものとする。」と述べています。

なお、寄附金の損金算入限度額を計算する場合も、資本金の額等を計算要素としていますが、この場合は「払込み済」の金額によることとしています。

4. 米国 LLC に出資する内国法人への適用

タックス・ヘイブン対策税制の適用対象は外国関係会社の留保所得です。すなわち、内国法人が「外国法人」に出資している場合に、本税制は適用されます。ところで、わが国の税制では、「民法上の組合」「匿名組合」「信託」「人格なき社団」といった様々な事業体についても事業体が納税義務者となるか当該事業体の構成員が納税義務者となるかを規定しています。そのため、事業体が納税義務者となるか、構成員が納税義務者となるかを見極めた上で、当該納税義務者が本税制に規定する「外国法人」にあたるか否かを判定しなければなり

ません。これを講学上、事業体の性質決定の問題と位置づけています。外国に所在する内国法人が出資する事業体が納税義務者となる事業体であるのか当該事業体の構成員（出資者等）が納税義務者となるかという問題を、まず検討しなければなりません。その議論の延長上に、当該事業体が外国子会社合算税制の適用対象となるか否かという大変重要な議論が横たわっているといえます。

　米国には数十万件を数えるといわれる Limited Liability Company（LLC）が存在します。米国 LLC は、日本企業の投資対象としてのプレゼンスも高いことから、ここでは、米国 LLC を例にとって、事業体の性質決定と外国子会社合算税制の適用の問題に係る議論の経緯を検討することとします。

　米国 LLC は、例えばニューヨーク州 LLC の場合、LLC 法上 "separate legal entity" とされ、わが国の私法上の判断基準により「外国法人」としての要件を検討すると「法人」に該当するとの判断が裁判例で示されています[2]。これを受けて、国税庁は平成13年にホームページに「Q&A」を公表し、基本的にニューヨーク州等で組成された米国 LLC を法人税法上「法人」として取り扱うことを明らかにしました。

　　[2]　さいたま地裁平成19年5月16日判決、東京高裁平成19年10月10日判決〔確定〕

　一方、米国内国歳入法典上、LLC は、「法人」として課税を受けるか「パートナーシップ」と同様のパススルー課税を受けるかを納税者が選択することができます。多くの LLC は、法人課税を受けることで発生する二重課税が回避でき事業運営の柔軟性を活用できることなどから、パススルー課税を選択しています。

　LLC が稼得した所得は、あらかじめ契約等により定められた分配割合で、各メンバーに配分（allocation）されます。LLC の運営責任者は、毎年4月15日までに、各メンバーが負担すべき米国法人税を源泉控除して内国歳入庁に納税します。この法人税は、例えば内国親法人が X の事務所に恒久的施設を有するとして米国源泉所得に対して課される米国法人税に相当するものといわれて

います。

　これに対して、日本の国税庁は X を「法人」として取り扱いますので、課税要件を充足すると X がタックス・ヘイブン税制の適用対象となります。出資要件を充足するならば、X の租税負担割合が**20%未満**である場合、X は特定外国子会社等となります。X は米国において納税義務者ではないので米国法人税は課税されていません。したがって、「X は租税負担がない国に所在している。」と認定されるおそれがあります。LLC の設立と事業活動に経済合理性がある LLC の実態を勘案して、国税庁は「特定外国子会社等に該当するが、決算期末時点で利益は各メンバーに配分されているので、内国親法人が合算すべき課税対象金額はない。」として実質的にタックス・ヘイブン課税は行っていませんでした。

　ところが、**外国子会社配当益金不算入制度**の導入により、米国 LLC も「外国法人」であり、出資要件等を充足すれば、受取配当は益金不算入となることとなりました。

　米国 LLC がタックス・ヘイブン税制の経済活動基準を満たさない場合は、留保金の額からの配当の額は課税対象金額から控除しない取扱いとなったため、留保金額の全額が合算されます。一方、当該 LLC の稼得した所得のうち当該内国法人に帰せられる部分の金額に対して最高税率（35%）で課される米国法人税については、間接外国税額控除の廃止に伴い外国税額控除の対象とならないとする解釈が示されています[3]。

　［3］　秋元秀仁「外国子会社配当益金不算入制度における税務(5)」（月刊　国際税務　2010年 4 月号）39頁

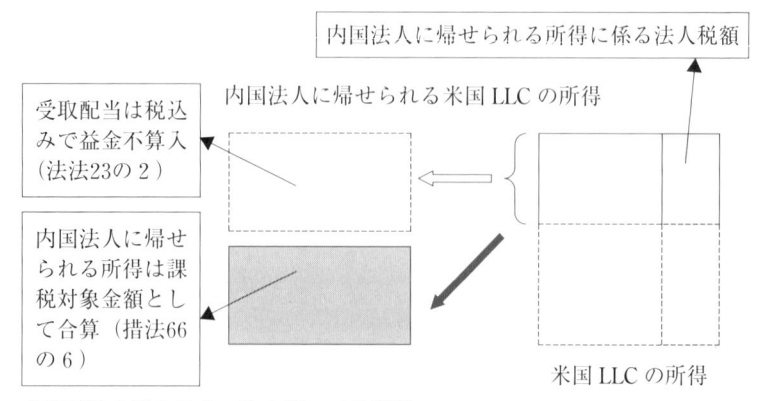

受取配当は税込みで益金不算入（法法23の 2 ）

内国法人に帰せられる所得は課税対象金額として合算（措法66の 6 ）

内国法人に帰せられる米国 LLC の所得

内国法人に帰せられる所得に係る法人税額

米国 LLC の所得

◆米国法人税と日本の法人税の二重課税
◆パススルー課税における allocation を dividend と捉えて受取配当益金不算入制度を適用してよいか

　国税庁の担当官は、米国 LLC はパススルー課税方式で米国法人税等を負担している実態を勘案して、次のような考え方を示しています。

　「本件 LLC は、その稼得した所得のすべてが米国事業実質関連所得であること、X 社において本件の利益の分配額以外に他の米国源泉所得がないことを前提とすれば、本件 LLC が稼得した所得のうち、その構成員である内国法人に帰せられるものとして計算される利益の分配額とこれに対して課される租税の額によって租税負担割合（構成員の租税負担割合）を求め、これにより本件 LLC 自体の租税負担割合（措令39の14①二）を判断するのが適当です。本件はこれが35％（25％超）であることから、本件 LLC はタックス・ヘイブン対策税制（措法66の 6 ①）における特定外国子会社等に該当しないと解して差し支えないものと考えます。」[4]

　[4]　秋元秀仁「外国子会社配当益金不算入制度における税務(5)」（月刊　国際税務　2010年 4 月号）41ページ

5. 外国投資信託に出資する内国法人への適用

　タックス・ヘイブン税制が適用される納税義務者は「内国法人」であり、内国法人の所得に合算されるのは「外国法人」の課税対象金額です。したがって、外国で組成された投資信託に外国子会社合算税制が適用されるか否かは、当該外国投資信託がわが国の法人税法上「外国法人」に当たるか否かがポイントといえます。

(1)　事業体の性質決定

　外国で組成された投資信託をわが国の租税法上、どのように取り扱うかという問題を検討するにあたっては、第一段階として、当該事業体が日本の租税法上「法人」なのか「組合」なのか「信託」なのかという性質決定のプロセスを経る必要があります。この段階では、一般的に当該事業体が組成された国の設立等の根拠法令に当たり、わが国の租税法の解釈上どのような事業体に類似しているかを判断します。仮に、本件「投資信託」がわが国の租税法上も「信託」であると判定されたとします。次に必要な作業は、当該「投資信託」がわが国の租税法上次に示す「信託」のうちのどの分類に属するかという検討作業が必要になります。

　法人税法第4条の6は、「法人課税信託」は各信託資産等及び固定資産等ごとにそれぞれ別の「法人」とみなして法人税法を適用するとしています。また、「法人課税信託」が「内国法人」とされるか「外国法人」とされるかについて、法人税法第4条の7では、次のように規定しています。

> 　一　法人課税信託の信託された営業所、事務所その他これらに準ずるものが国内にある場合には、当該法人課税信託に係る受託法人は、内国法人とする。
> 　二　法人課税信託の信託された営業所が国内にない場合には、当該法人課税信託に係る受託法人は、外国法人とする。
> 　三　受託法人（会社でないものに限る。）は、会社とみなす。

　したがって、外国で組成された投資信託が「法人課税信託」であり「外国法人」であると判定された場合、タックス・ヘイブン税制の適用対象となることがわかります。

(2)　外国投資信託のうち特定投資信託に類するものは適用対象

　内国法人が外国信託の受益権を直接又は間接に保有する場合には、当該外国信託の受託者は、当該外国信託の信託資産等ごとに、それぞれ別の者とみなして、租税特別措置法第66条の6の関連規定を適用するとされています。

　ここで規定する外国信託とは、投資信託及び投資法人に関する法律第2条第22項に規定する外国投資信託のうち租税特別措置法第68条の3の3第1項に規定する特定投資信託に類するものをいうとされています。

(3)　内国法人が外国のパススルー・エンティティに出資(投資)する場合の外国子会社合算税制の適用

　外国投資信託への資金の拠出という特定のケースから、議論を内国法人が外国で組成されたパススルー・エンティティ、例えば、リミテッド・パートナーシップ等に出資している場合に、内国法人に対して外国子会社合算税制が適用されるか否かという論点に拡張してみます。

　今のところ、税務当局から明確な指針は示されていませんので、法令、通達の文理上の解釈から一つの方向性を探ります。

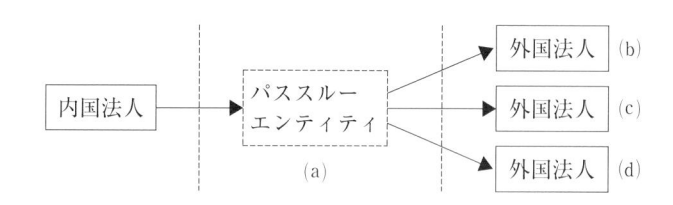

実務上のポイント

　我が国におけるパススルー・エンティティの課税所得金額の計算及びパススルー・エンティティに出資する法人に係る課税所得金額の計算を規定する法令は見当たりません。法人税基本通達14-1-1から14-1-3の「特殊な損益の計算」の「組合事業による損益」において、法人税法の解釈指針として示されています。通達で示されている取扱いは次のとおりです（任意組合を例として解説します）。

　任意組合等において営まれる事業から生ずる利益金額又は損失金額については、各組合員に直接帰属する。

　法人が組合員となっている組合事業に係る分配割合に応じて分配を受けるべき金額又は負担をすべき損失の額は、たとえ現実に分配を受け又は損失の負担をしていない場合であっても、当該法人の各事業年度の当該事業年度の益金の額又は損金の額に算入する。

　法人が、帰属損益額を益金の額又は損金の額に算入する場合には、次の(1)の方法により計算する。ただし、法人が次の(2)又は(3)の方法により継続して計算しているときは、多額の減価償却費の前倒し計上などの課税上弊害がない限り、これを認める。

(1)　当該組合事業の収入金額、支出金額、資産、負債等をその分配割合に応じて各組合員のこれらの金額として計算する方法

(2)　当該組合事業の収入金額、その収入金額に係る原価の額及び費用の額並びに損失の額をその分配割合に応じて各組合員のこれらの金額として計算する方法

　　この方法による場合には、各組合員は、当該組合事業の取引等について受取配当等の益金不算入、所得税額の控除等の規定の適用はあるが、引当金の繰入れ、準備金の積立て等の規定の適用はない。

(3)　当該組合事業について計算される利益の額又は損失の額をその分配割合に応じて各組合員に分配又は負担させることとする方法

　　　この方法による場合には、各組合員は、当該組合事業の取引等について、
　　受取配当等の益金不算入、所得税額の控除、引当金の繰入れ、準備金の積
　　立て等の規定の適用はない。

　上記通達の取扱いの(1)の計算方法の考え方に従えば、内国法人はパスス
ルー・エンティティを通じて、外国法人(a)、(b)、(c)の株式等を保有している
こととなるので、(a)、(b)、(c)が「直接又は間接に保有する株式等の割合」につい
て、要件を充足し、対象外国関係会社に該当すれば、タックス・ヘイブン対策
税制が適用されるとする解釈が成立します。

　なお、解釈に関する部分は筆者の私見にわたるものがありますので、実務に
あたっては、国税局等の担当部署に事前相談することをお勧めします。

6. 租税負担割合

　対象外国関係会社の留保利益が合算されるもう一つの要件は、法人税が存在
しない国等に本店等がある法人、又は、所得に対する税率が20%未満の国等に本
店等がある法人であることです。いわゆる租税負担割合については、基本的に
は、次のような計算式で判定することとなりますが、実務において直面する諸
問題について解説を行うこととします。外国関係会社の各事業年度の所得に対
して課される租税の額が当該所得の金額の20%未満であるか否かの判定は次の
計算式で判定します（〈旧〉措令39の14②、〈新〉39の17の2）。

$$\dfrac{\left[\begin{array}{l}\text{当該各事業年度の所得の金額につき、その本店所在地国等又}\\\text{はその本店所在地国等以外において課される外国法人税の額}\end{array}\right]\;{}_{(イ)}}{\left[\begin{array}{l}\text{当該各事業年度の決算に基づく所得の金額につき、その本店所在地}\\\text{国等の外国法人税に関する法令の規定により計算した所得の金額}\end{array}\right]\;{}_{(ロ)}} < 20\%$$

　分母の所得の金額は、当該外国関係会社の各事業年度の所得金額について、
当該外国関係会社の本店所在地国の法人税の所得計算に関する法令の規定によ
り計算した所得金額に、租税特別措置法施行令第39条の14第2項第一号に規定
する調整を加えた金額とされています。

実務上のポイント

◆分母(ロ)に加算すべき非課税所得の範囲（措通66の6－25）

> 66の6－25　措置法令第39条の17の2第2項第1号イ(1)に規定する「その本店所在地国の法令の規定により外国法人税の課税標準に含まれないこととされる所得の金額」には、例えば、次のような金額が含まれることに留意する。（平29年課法2－22「二」により追加、平30年課法2－12「二十九」、令元年課法2－6「一」により改正）
>
> 　(1)　外国関係会社の本店所在地国へ送金されない限り課税標準に含まれないこととされる国外源泉所得
> 　(2)　措置法第65条の2の規定に類する制度により決算に基づく所得の金額から控除される特定の取引に係る特別控除額
> 　(注)　国外源泉所得につき、その生じた事業年度後の事業年度において外国関係会社の本店所在地国以外の国又は地域からの送金が行われた場合にはその送金が行われた事業年度で課税標準に含めることとされているときであっても、租税負担割合を算出する場合には、当該国外源泉所得の生じた事業年度の課税標準の額に含めることに留意する。

　上記調整に関連して、実務上、次のような点に留意しなければなりません。

(1)　オランダ子会社の資本参加免税対象所得

　外国子会社合算税制の課税要件である「租税負担割合」は、「各事業年度の所得に対して課される租税の額」を「各事業年度の所得の金額」で割って計算します。「所得の金額」の計算の仕方は租税特別措置法施行令第39条の17の2第2項第一号に規定されており、「租税の額」の計算の仕方は租税特別措置法施行令第39条の17第2項第二号に規定されています。

　分母の計算において注意すべき取扱いがあります。旧租税特別措置法施行令第39条の14第2項第一号イ(2)で、「その本店所在地国以外の国又は地域に所在する法人から受ける配当等の額で、その有する株式等の数又は金額の当該法人の発行済株式又は出資の総数又は総額のうちに占める割合が当該本店所在地国

の法令に定められた割合以上であることを要件として課税標準に含めないこととされるもの」として、いわゆる資本参加免税制度を規定しており、これに該当する所得の額は分母に加算しないとされていました。

　さらに、旧租税特別措置法施行令第39条の14第2項第二号イで、分子に算入する「租税の額」について、「前号イ(2)に掲げる金額に対して課されるものを除く。」と規定しており、資本参加免税の対象となった受取配当金に課された源泉所得税は分子に加えないと解されます。

　(注)　資本参加免税の対象となるキャピタルゲインについては分母に入るものと解されます。

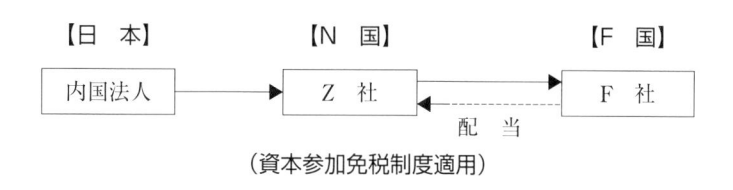

（資本参加免税制度適用）

(2)　英国子会社の外国子会社配当免税所得

　外国子会社等からの受取配当金については、旧租税特別措置法施行令第39条の14第2項第一号イ(2)で、例外的に課税標準に含まれないこととされるものが規定されていましたが、平成22年度の税制改正で、次のように改正されました。

　本店所在地国以外の国又は地域に所在する法人から受ける配当等の額で　①その有する株式等の数若しくは金額の当該法人の発行済株式若しくは出資の総数若しくは総額のうちに占める割合が当該本店所在地国の法令に定められた割合以上であること又は　②当該本店所在地国の法令に定められた外国法人税の負担を減少させる仕組みに係るものでないことを要件として課税標準に含まれないこととされるもの

---

　①は従来から認められていた「受取配当」ですが、オランダの資本参加免税等を念頭に置いていたといわれます。一方、②は平成22年度改正で加えられた

もので、英国が導入した株式保有割合要件のない「外国子会社配当益金不算入制度」等を念頭に置いているといわれます。②の制度については、今後租税回避の手段として利用されるリスクもありますので、そのような個別ケースを除外する規定を織り込んだものと思われます。

なお、平成23年度税制改正により、租税特別措置法施行令第39条の14第2項第一号イ(2)は削除されていますが、「受取配当」の額を分母に含めなくてよいという趣旨は同じと解されます。

(3)　外国子会社の所得が欠損の場合の租税負担割合

外国関係会社が特定外国子会社等に該当するか否かは、租税負担割合が20％未満であるかどうかで判定します。外国関係会社の判定の対象事業年度の現地法令に基づく課税所得金額が欠損の場合には、税額が生じません。この場合に、20％未満であるかどうかの判定については、租税特別措置法施行令第39条の17の2第2項第五号に規定があります。

措令39の17の2第2項

五　前項の所得の金額がない場合又は欠損の金額となる場合には、同項に規定する割合は、次に掲げる外国関係会社の区分に応じそれぞれ次に定める割合とする。

イ　第一号イに掲げる外国関係会社　その行う主たる事業に係る収入金額（当該収入金額が同号イ(1)に掲げる所得の金額から除かれる配当等の額である場合には、当該収入金額以外の収入金額）から所得が生じたとした場合にその所得に対して適用されるその本店所在地国の外国法人税の税率に相当する割合

ロ　第一号ロに掲げる外国関係会社　零

---

(4)　外国子会社が所在する国の法人所得税に、所得金額に応じた累進税率の適用がある場合

外国関係会社の本店所在地国の法人税率が所得の額に応じて累進する場合には、最高税率を適用して算定した税額が課されるものとして計算した税率で判定することができます（〈旧〉措令39の14②三、〈新〉39の17の2②四）。

⑸　租税負担割合の計算における分子（外国法人税等）の金額

　租税負担割合を算定する場合には、次の租税の額を分子に加算し、また分子から減算します（措令39の17の 2 ）。

　イ　ロに掲げる外国関係会社以外の外国関係会社

　　　当該外国関係会社の各事業年度の決算に基づく所得の金額につき、その本店所在地国の外国法人税に関する法令（外国法人税に関する法令が二以上ある場合には、そのうち主たる外国法人税に関する法令）の規定（企業集団等所得課税規定（第三十九条の十五第六項に規定する企業集団等所得課税規定をいう。）を除く。）により計算した所得の金額に当該所得の金額に係る⑴から⑸までに掲げる金額の合計額を加算した金額から当該所得の金額に係る⑹に掲げる金額を控除した残額

　①　加算する額

　　⑴　その本店所在地国の法令の規定により外国法人税の課税標準に含まれないこととされる所得の金額（支払を受ける配当等の額を除く。）

　　⑵　その支払う配当等の額で損金の額に算入している金額

　　⑶　その納付する外国法人税の額（外国法人税に関する法令に企業集団等所得課税規定がある場合の当該外国法人税にあっては、企業集団等所得課税規定の適用がないものとした場合に納付するものとして計算される外国法人税の額）で損金の額に算入している金額

　　⑷　その積み立てた保険準備金の額のうち損金の額に算入している金額で法第五十七条の五又は第五十七条の六の規定の例によるものとした場合に損金の額に算入されないこととなる金額に相当する金額

　　⑸　その積み立てた保険準備金（法第五十七条の五又は第五十七条の六の規定の例によるものとした場合に積み立てられるものに限る。）につき益金の額に算入した金額がこれらの規定の例によるものとした場合に益金の額に算入すべき金額に相当する金額に満たない場合におけるその満たない部分の金額

② 控除する額

(6) その還付を受ける外国法人税の額（外国法人税に関する法令に企業集団等所得課税規定がある場合の当該外国法人税にあっては、企業集団等所得課税規定の適用がないものとした場合に還付を受けるものとして計算される外国法人税の額）で益金の額に算入している金額

ロ 法人の所得に対して課される税が存在しない国又は地域に本店又は主たる事務所を有する外国関係会社

当該外国関係会社の各事業年度の決算に基づく所得の金額に当該所得の金額に係る(1)から(4)までに掲げる金額の合計額を加算した金額から当該所得の金額に係る(5)及び(6)に掲げる金額の合計額を控除した残額

① 加算する額

(1) その支払う配当等の額で費用の額又は損失の額としている金額

(2) その納付する外国法人税の額で費用の額又は損失の額としている金額

(3) その積み立てた保険準備金の額のうち費用の額又は損失の額としている金額で法第五十七条の五又は第五十七条の六の規定の例によるものとした場合に損金の額に算入されないこととなる金額に相当する金額

(4) その積み立てた保険準備金（法第五十七条の五又は第五十七条の六の規定の例によるものとした場合に積み立てられるものに限る。）につき収益の額としている金額がこれらの規定の例によるものとした場合に益金の額に算入すべき金額に相当する金額に満たない場合におけるその満たない部分の金額

② 控除する額

(5) その支払を受ける配当等の額で収益の額としている金額

(6) その還付を受ける外国法人税の額で収益の額としている金額

　上記取扱いにおける租税の額は、外国関係会社の各事業年度の決算に基づく所得の金額につき、その本店所在地国又は本店所在地国以外の国若しくは地域において課される外国法人税の額（外国法人税に関する法令に企業集団等所得課税規定がある場合の当該外国法人税にあっては、企業集団等所得課税規定の適用がないものとした場合に計算される外国法人税の額）とされます。

　また、その本店所在地国の法令の規定により外国関係会社が納付したものとみなしてその本店所在地国の外国法人税の額から控除されるものを含むものとされています。

(6)　納税者が税率を選択できるような特殊な税でも外国法人税とされるか

　タックス・ヘイブン税制における租税負担割合を計算する場合の「外国法人税」については、法人税法施行令第141条第 1 項に基本的な定義が規定されていますが、第 1 項が形式的な定義にとどまるため、同条第 2 項及び第 3 項において実質的に見て法人税に相当するとはいえない税を具体的に掲げ、「外国法人税」の範囲を明確にしようとしています。この規定の解釈に関連する課税問題について最高裁判所の判断が下されており、外国法人税とは何かを考えるにあたり重要な判断が含まれていますので、ここに紹介します。

① 　事案の概要

　本件は、ガーンジー島に本店を有し、再保険を業とする A 社の発行済株式のすべてを保有している内国法人 J 社に対して、A 社が租税特別措置法第66条の 6 第 1 項所定の特定外国子会社等に該当するとして、課税対象留保金に相当する金額を J 社の課税対象所得金額の計算上益金に算入して、本件各事業年度について更正処分等が行われたことから、J 社がこれを不服として各処分の取消しを求めた事案です。

② 　本件の主たる争点

　A 社がガーンジー所得税法に基づき課された税が、法人税法第69条第 1 項に規定する「外国の法令により課される法人税に相当する税で政令で定めるもの」

に該当するか否かです。

　A社は、ガーンジーにおいて、その所得に対し26％の税率で本件外国税を課され、実際に納付していましたが、原判決は本件外国税を外国法人税に該当しないとしてタックス・ヘイブン税制を適用しました。

③　原判決の要旨

　本件外国税は、法人税法第69条第1項の外国法人税には該当せず、A社の本件各事業年度における租税負担割合は0であり、100分の25以下となるから、課税庁の処分に違法はない、と原判決は判断しました。その判断の根拠は次のとおりです。

　──法人税法施行令第141条第3項第一号ないし第二号は、外国法人税に含まれないものを規定しているが、これは平成13年の税制改正で、制度の趣旨、取扱いを明確化することを目的に加えられたもので、それまでの取扱いを変更する趣旨ではない。改正の経緯及び規定の内容に照らしてみれば、法人税法第69条第1項を受けて外国法人税の意義を定めた政令の規定は法人税法第141条第1項であって、同条第2項、第3項の規定は、同条第1項に該当するかどうかを判断するための一種の解釈規定として位置づけられるべきものであり、同条第2項、第3項各号の定めは、このような解釈規定の性質上、例示列挙と解するのが相当である。

　ガーンジー島の外国法人は、同一の法人の同一の収入に対して、基本的性格を異にする4つの税制のいずれかを選択できるものであるが、納税者にかかる選択を認める税制は、わが国を含む先進諸国の一般の租税概念とはかけ離れた不自然なものであり、これを国家の産業振興、地域振興等の政策目的の実現のために設けられた税軽減措置等の特例の適用を受けるかどうかを納税者の選択に委ねるという種類の税制における調整的な制度と同質のものとして理解することは困難である。

　ガーンジー島における執行の実態としては、0ないし30％という枠の中で、申請者である法人とガーンジー税務当局とが交渉を行いその結果成立した合意

に基づいて課税が行われていると考えざるを得ない。本件外国税は、税率という重要な課税要件が、納税者とガーンジー税務当局との合意により決定されるものであって、課税に対する納税者の選択裁量が広範に認められる租税と認めるほかない。

　そうすると、ガーンジーの上記法人税制は、わが国を含む先進諸国の租税概念の基本である強行性、公平性ないし平等性と相入れないものであるといわざるを得ず、上記税制の実態に照らせば、ガーンジーにおいて上記のような「税制」が選択されているのは、外国法人に対し、本国におけるタックス・ヘイブン対策税制の適用を回避するためのメニューを提供するためであり、それ故、ガーンジーにおいて徴収される『税』なるものは、税という形式をとるものの、その実質は、タックス・ヘイブン対策税制の適用を回避させるためのサービスの提供に対する対価ないし一定の負担としての性格を有するものと評価することができるというべきである。──

④　最高裁判決要旨

イ　原審の判断に対する判断

　一方、最高裁では、次の点で、原審の判断は是認することができない、と判示しています。

　a　本件外国税を課されるにあたって、A社にはその税率等について広い選択の余地があったということができる。しかし、選択の結果課された本件外国税は、ガーンジーがその課税権に基づき法令の定める一定の要件に該当するすべての者に課した金銭給付であるとの性格を有することを否定することはできない。また、前記事実関係等によれば、本件外国税が、特別の給付に対する反対給付として課されたものではないことは明らかである。

　b　外国法人税について基本的な定義をしているのは、法人税法施行令第141条第1項であるが、これが形式的な定義にとどまるため、同条第2項及び第3項において実質的に見て法人税に相当するとはいえない税を具体的に

掲げ、これにより、同条第1項にいう外国法人税の範囲を明確にしようとしているものと解される。本件外国税が同条第3項第一号に規定する「税を納付する者が、当該税の納付後、任意にその金額の全部又は一部の還付を請求することができる税」又は第二号に規定する「税の納付が猶予される期間を、その税の納付をすることとなる者が任意に定めることができる税」に該当するか否かが検討の対象となり得るところ、以上の理解を前提とすると、同項第一号又は第二号に該当する税のみならず、該当しない税であってもこれらに類する税、すなわち、実質的に見て、税を納付する者がその税負担を任意に免れることができることとなっているような税は、法人税に相当する税に当たらないものとして、外国法人税に含まれないものと解することができるというべきである。しかし、租税法律主義にかんがみると、その判断は、飽くまでも同項第一号又は第二号の規定に照らして行うべきであって、同項第一号又は第二号の規定から離れて一般的抽象的に検討し、わが国の基準に照らして法人税に相当する税とはいえないとしてその外国法人税該当性を否定することは許されない。

　本件の租税は、ガーンジーの法令に基づきガーンジーによりA社の所得をそれぞれ課税標準として課された税に当たるということができ、形式的に同条第1項にいう外国法人税の定義に該当するものというべきである。A社は税率26％の本件外国税を納付することによって実質的に見ても本件外国税に相当する税を現に負担しており、これを免れるすべはなくなっているものというべきである。そうすると、本件外国税を同項第一号又は第二号に規定する税に類する税ということもできないというべきである。

　前記事実関係等の下において、本件外国税が法人税に相当する税に該当しないということはできないというべきである（平成21年12月3日判決言渡し　最高裁平成20年（行ヒ）第43号）。

なお、平成23年度税制改正で、法人税法施行令第141条第3項に次のような

規定が設けられました。

◆外国法人税に含まれないもの（法令141③）

　　複数の税率の中から税の納付をすることとなる者と外国若しくはその地方
公共団体又はこれらの者により税率の合意をする権限を付与された者との合
意により税率が決定された税（当該複数の税率のうち最も低い税率（当該最も
低い税率が当該合意がないものとした場合に適用されるべき税率を上回る場合に
は当該適用されるべき税率）を上回る部分に限る）。

実務上のポイント

　外国法人税に含まれない税を、合意可能な税率のバリエーションに従って整
理すると、次の表のとおりとなります。

合意可能税率 （複数の税率）	5％、10％、 20％、30％	5％〜30％	5％以上	20％（標準） ⇩ 25％、30％
合意税率	30％	30％	30％	30％
複数の税率のうち 最も低い税率（①）	5％	5％	5％	25％
合意がないものとした場合に適用されるべき税率（②）	― （合意なしに税率は決まらない。）	― （合意なしに税率は決まらない。）	― （合意なしに税率は決まらない。）	20％ （標準税率）
外国法人税に該当しないものとされる部分（①と②のいずれか低い税率を上回る部分）	5％ （最低税率） を上回る部分	5％ （最低税率） を上回る部分	5％ （最低税率） を上回る部分	20％ （標準税率＝最 低税率を上回る 部分）

　なお、「合意税率」については、現地の法令で規定されているケースと法令には規定されていなくても運用により実施されているケースも想定されています。

　「外国法人税に該当しない部分」については、損金算入が可能かどうかが問題となりますが、この点については損金に算入できると解されます。

対象外国関係会社の経済活動基準

　タックス・ヘイブン税制は、いわゆるタックス・ヘイブンに子会社を設立し、これを利用して税負担の不当な軽減を図る行為を防止することで税負担の公平を確保することを目指したものですから、外国関係会社が所在地国・地域において事業活動を行うことについて十分な経済合理性がある場合については、本税制を適用しないこととしています。国内市場が限られており天然資源等が少ないわが国企業は、国際協調の下で国際競争力を高め、貿易により所得を生み出さざるを得ない宿命にあります。その意味では、たとえタックス・ヘイブンであっても、合理的な事業目的で活動している対象外国関係会社については、タックス・ヘイブン課税を行わない取扱いをしています。

1.　経済活動基準概観

　対象外国関係会社の事業実態について経済的合理性を判断する基準が「経済活動基準」であるといえます。

実務上のポイント

　適用除外となるためには、次の要件のすべてを充足しなければなりません（旧措法66の 6 ③）。

① 　事業基準

　特定外国子会社等が、株式（出資を含みます）若しくは債券の保有、工業所有権その他の技術に関する権利、特別の技術による生産方式及びこれに準ずる

もの（これらの権利に関する使用権を含みます）若しくは著作権（出版権及び著作隣接権その他これに準ずるものを含みます）の提供又は船舶若しくは航空機の貸付を「主たる事業」とするものでないことです（措法66の6②三イ）。

ここで挙げられている業種は、軽課税国等に本店を置いて事業を行うことについて「税負担の軽減を図ること」以外にこれといった合理的理由が想定されないものといわれます。

② 実体基準

特定外国子会社等が、その本店又は主たる事務所の所在する国又は地域において、その主たる事業を行うに必要と認められる事務所、店舗、工場その他の固定施設を有していることです（措法66の6②二イ、同項三ロ）。

タックス・ヘイブンとして有名なケイマン諸島やパナマ、リベリアなどにおいては、弁護士事務所等がその地での法人の設立業務から決算、帳簿の管理等までの業務を代理しているといわれ、いわゆるペーパーカンパニーの名前が、弁護士事務所等の表札に列記されているそうです。実体基準は、そのような法人には実体がないとする基準であるといえます。

③ 管理支配基準

特定外国子会社等が、その本店又は主たる事務所の所在する国又は地域において、その事業の管理、支配及び運営を自ら行っているということです。具体的には、株主総会及び取締役会の開催、役員としての職務執行、会計帳簿の作成及び保管等が行われている場所並びにその他の状況を勘案の上判定するものとされています（措法66の6②二ハ、同項三ロ）。

④-イ 非関連者基準

特定外国子会社等の行う「主たる事業」が、次に掲げる業種の中のいずれかである場合、その事業を主として当該特定外国子会社等の関連者以外の者との間で行っていなければなりません（措法66の6②三ハ）。

卸売業、銀行業、信託業、金融商品取引業、保険業、水運業又は航空運送業

▶**具体的な判断基準**（旧措令39の17⑧）

A　卸売業

　⒜　非関連者への販売取扱金額　／　総販売取扱金額　＞　50％

　　　棚卸資産の販売に係る収入金額を意味しますが、売買の代理・媒介に関して受ける手数料がある場合は、手数料の起因となった販売額を加算。

　⒝　非関連者からの仕入取扱金額　／　総仕入取扱金額　＞　50％

　　　棚卸資産の仕入に係る取得価額を意味しますが、売買の代理・媒介に関して受ける手数料がある場合は、手数料の起因となった仕入額を加算。

　　　⒜と⒝のいずれかの割合が50％を超えれば非関連者基準を充足します。

B　銀行業

　⒜　非関連者からの受取利息　／　受取利息の総額　＞　50％

　⒝　非関連者への支払利息　／　支払利息の総額　＞　50％

　　⒜と⒝のいずれかの割合が50％を超えれば非関連者基準を充足します。

C　信託業

　　非関連者からの信託報酬　／　信託報酬の総額　＞　50％

D　金融商品取引業

　　非関連者からの受入手数料　／　受入手数料の総額　＞　50％

　　受入手数料には、有価証券の売買による利益を含みます。

　　いわゆる「つなぎ取引」に基づく「分与口銭」の授受は、「非関連者取引」に係る収入として取り扱います（措通66の6－18）。

E　保険業

　　非関連者からの収入保険料　／　収入保険料の総額　＞　50％

　その収入保険料が再保険に係るものである場合には、非関連者が有する資産又は非関連者が負う損害賠償責任を保険の目的とする保険に係る収入保険料に限るものとされました（平成7年度税制改正）。

F　水運業・航空運送業

　　非関連者からの貸付・運航等収入額　／　貸付・運航等収入の総額　＞　50％

④－ロ　所在地国基準

イで示した業種以外の業種の特定外国子会社等については、その事業を主として本店所在地国において行っていなければなりません（措法66の6③二）。

▶**具体的な判断基準**（旧措令39の17⑫）

A　不動産業

　主として本店所在地国にある不動産（不動産の上にある権利を含みます）の売買、貸付（不動産を使用させる行為を含みます）、当該不動産の売買又は貸付の代理又は媒介及び当該不動産の管理を行っていること

B　物品賃貸業

　主として本店所在地国において使用に供される物品の貸付を行っていること

C　その他の事業

　主として本店所在地国において行っていること

2. 事業基準の業種判断にあたり留意すべき事項

　平成29年度改正後は、租税特別措置法第66条の6第2項第3号に、「対象外国関係会社」の定義規定が置かれており、次に掲げる要件のいずれかに該当しない外国関係会社（特定外国関係会社に該当するものを除く。）を対象外国関係会社と規定しています。

　イ　株式等若しくは債券の保有、工業所有権その他の技術に関する権利、特別の技術による生産方式若しくはこれらに準ずるもの（これらの権利に関する使用権を含む。）若しくは著作権（出版権及び著作隣接権その他これに準ずるものを含む。）の提供又は船舶若しくは航空機の貸付けを主たる事業とするものでないこととし、次のものを除いています。

　　⑴　株式等の保有を主たる事業とする外国関係会社のうち当該外国関係会社が他の法人の事業活動の総合的な管理及び調整を通じてその収益性の向上に資する業務として政令で定めるもの（ロにおいて「統括業務」という。）を行う場合における当該他の法人として政令で定めるものの株式

等の保有を行うものとして政令で定めるもの

(2)　株式等の保有を主たる事業とする外国関係会社のうち第七号中「部分対象外国関係会社」とあるのを「外国関係会社」として同号の規定を適用した場合に外国金融子会社等に該当することとなるもの（同号に規定する外国金融機関に該当することとなるもの及び(1)に掲げるものを除く。）

(3)　航空機の貸付けを主たる事業とする外国関係会社のうちその役員又は使用人がその本店所在地国において航空機の貸付けを的確に遂行するために通常必要と認められる業務の全てに従事していることその他の政令で定める要件を満たすもの

ロ　その本店所在地国においてその主たる事業（イ(1)に掲げる外国関係会社にあつては統括業務とし、イ(2)に掲げる外国関係会社にあつては政令で定める経営管理とする。ハにおいて同じ。）を行うに必要と認められる<u>事務所、店舗、工場その他の固定施設</u>を有していること（これらを有していることと同様の状況にあるものとして政令で定める状況にあることを含む。）並びにその本店所在地国においてその<u>事業の管理、支配及び運営を自ら行つている</u>こと（これらを自ら行つていることと同様の状況にあるものとして政令で定める状況にあることを含む。）のいずれにも該当すること。

ハ　各事業年度においてその行う主たる事業が次に掲げる事業のいずれに該当するかに応じそれぞれ次に定める場合に該当すること。

(1)　卸売業、銀行業、信託業、金融商品取引業、保険業、水運業、航空運送業又は物品賃貸業（航空機の貸付けを主たる事業とするものに限る。）　その事業を主として当該外国関係会社に係る第四十条の四第一項各号に掲げる居住者、前項各号に掲げる内国法人、第六十八条の九十第一項各号に掲げる連結法人その他これらの者に準ずる者として政令で定めるもの以外の者との間で行つている場合として政令で定める場合

(2)　(1)に掲げる事業以外の事業　その事業を主としてその本店所在地国（当該本店所在地国に係る水域で政令で定めるものを含む。）において行つ

ている場合として政令で定める場合

実務上重要なことは、ここに規定する業種に該当するのか否かの判断です。措置法通達では、「業種の判定」について次のような解釈指針を示しています。

(1)　船舶又は航空機の貸付とは、裸用船(機)

措置法通達（66の6－15）では、船舶又は航空機の貸付の意義について、「措置法第66条の6第3項に規定する「船舶若しくは航空機の貸付け」とは、いわゆる裸用船(機)契約に基づく船舶（又は航空機）の貸付けをいい、いわゆる定期用船(機)契約又は航海用船(機)契約に基づく船舶（又は航空機）の用船(機)は、これに該当しない。」としています。

(2)　事業の区分は日本標準産業分類(総務省)の分類

また、措置法通達（66の6－17）では、事業の判定について、

「外国関係会社の営む事業が措置法第66条の6第2項第三号ハ又は措置法令第39条の14の3第32項第一号から三号に掲げる事業のいずれに該当するかどうかは、原則として日本標準産業分類（総務省）の分類を基準として判定する。

　(注)　措置法第66条の6第2項の規定を適用する場合において、外国子会社等が二以上の事業を営んでいるときは、そのいずれの事業が主たる事業であるかどうかの判定については、66の6－5に準ずる。」

としています。

(3)　複数の事業を行う場合の「主たる事業」の判定は、収入金額又は所得金額の状況、使用人の数、固定施設の状況等を総合的に勘案

措置法通達（66の6－5）では、「主たる事業の判定」について次のような解釈指針を示しています。この通達は、いわゆる「所在地国基準」を適用すべき業種であるか、あるいは「非関連者基準」を適用すべき業種であるかについての解釈指針ですが、特定外国子会社等が複数の事業を行っている場合には、当該特定外国子会社等が行っている事業の種類を措置法通達66の6－17に従ってまず確定した上で、次に、主たる事業の判定を行うことになります。

　措置法第66条の 6 第 2 項第 2 号イ、同項第 3 号、同条第 6 項第 1 号ロ若しく
は同項第 2 号又は措置法令第39条の15第 1 項第 4 号イ若しくは第39条の17の
2 第 2 項第 5 号イの規定を適用する場合において、外国関係会社が 2 以上の
事業を営んでいるときは、そのいずれが主たる事業であるかは、それぞれの
事業に属する収入金額又は所得金額の状況、使用人の数、固定施設の状況等
を総合的に勘案して判定する。〔主たる事業の判定（措通66の 6 － 5 ）〕

　この取扱いに関連して、次のような司法判断も出ています。

　「…特定外国子会社等に該当すれば、そのことだけで本件適用除外の適用対
　象とするものではなく、あくまで特定外国子会社等の各事業年度ごとの留保
　所得を内国法人の事業年度の所得に合算課税しないというものであるから、
　同項の規定の適用の前提となる特定外国子会社等の主たる事業の判定は、各
　事業年度毎に行われるということは当然であり、また、特定外国子会社等が
　複数の事業を営む場合、そのいずれの事業が主たる事業であるかの判定は、
　その事業年度における具体的・客観的な事業活動の内容から判定するほかは
　ないのであるから、その事業活動の客観的結果として得る収入金額又は所得
　金額の状況、使用人の数、固定施設の状況等を総合的に勘案して判定するべ
　きであり、その際、課税要件事実は当該事業年度ごとにその存否が確定され
　る性質のものである以上、決算日以降の事情など当該事業年度には判定不能
　な事柄などは勘案されるべきではないことは言うまでもない。」（平成 7 年11
　月 9 日静岡地裁　平 5 （行ウ） 6 ）

(4)　外国金融機関の経営管理を行う外国金融持株会社は事業基準を充足

　「株式の保有を主たる事業とする外国子会社については、原則として事業基
準を満たさない。」こととされていたところ、例外として「他の法人の事業活
動の総合的な管理及び調整を通じてその収益性の向上に資する業務」を行う場
合には事業基準を満たすこととされましたが、平成30年度改正において、株式
等の保有を主たる事業とする外国関係会社のうち傘下の外国金融機関の経営管
理を行うなど実体のある事業活動を行っていると認められる一定の外国金融持

株会社について、事業基準を満たすこととされました。

⑸　統括会社が被統括会社の株式等を保有するのは「株式保有業」にあたらず

　「地域統括会社」に係る適用除外基準が見直されたのは、平成22年度の税制改正です。わが国企業の国際競争力の維持を目的に、進出先国において企業実体を伴っていると認められる統括会社（事業持株会社・物流統括会社）の所得については、「資産性所得」を除いて、合算対象外となるよう措置されました（措法66の6②）。

◆株式等の保有を主たる事業とする統括会社の経済活動基準の判定（措通66の6−10）

　措置法第66条の6第2項第3号の規定の適用上、統括会社（措置法令第39条の14の3第20項に規定する統括会社をいう。）に該当する株式等の保有を主たる事業とする外国関係会社が、「その本店所在地国においてその主たる事業（……）を行うに必要と認められる事務所、店舗、工場その他の固定施設を有していること（……）並びにその本店所在地国においてその事業の管理、支配及び運営を自ら行つていること（……）」に該当するかどうかは、当該外国関係会社の行う統括業務を「その主たる事業」として、その判定を行うことに留意する。

　措置法令第39条の14の3第32項に規定する「主たる事業」が同項第4号に規定する「主として本店所在地国において行つている場合」に該当するかどうかの判定についても、同様とする。

実務上のポイント

◆地域統括会社の業務の実態

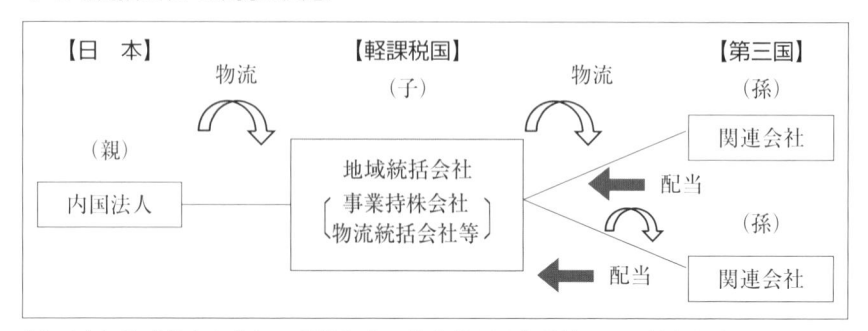

【改正点】株式保有を主たる事業とする特定外国子会社等から、被統括会社の株式等の保有を行う一定の統括会社を除外することとしました。

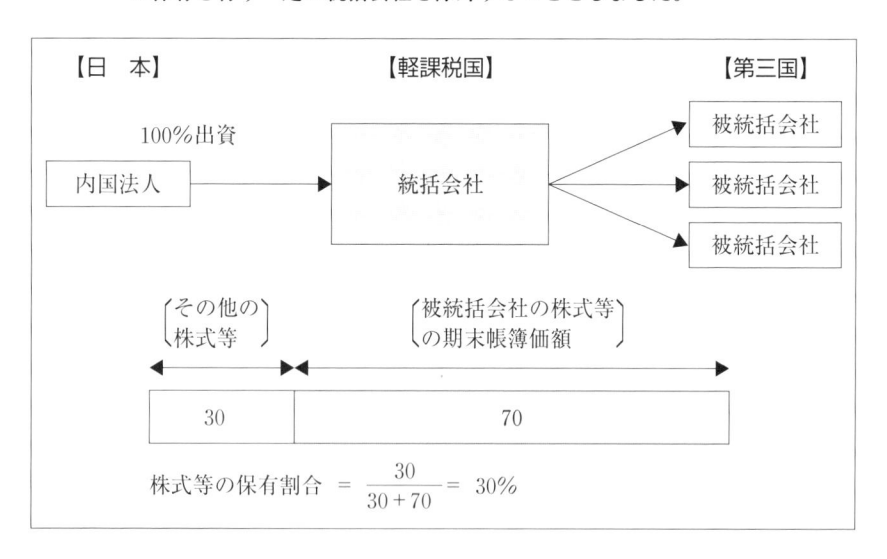

　上記のような株式等の期末帳簿価額の構成であっても、統括会社は事業基準における株式保有業には該当しないとされました。

⑹　非関連者基準の判定にあたり、被統括会社との取引は関連者間取引としない

　非関連者基準の判定にあたって被統括会社との取引は関連者間取引としない特例があります（措令39の14の3㉚）。

　外国関係会社が統括会社に該当する場合、外国関係会社の主たる事業の判定（措令39の14の3㉘）及び、関連者間取引とみなされる関連者以外の者との取引（措令39の14の3㉙）の判定に当り、被統括会社との取引はこれに含まれません。

実務上のポイント

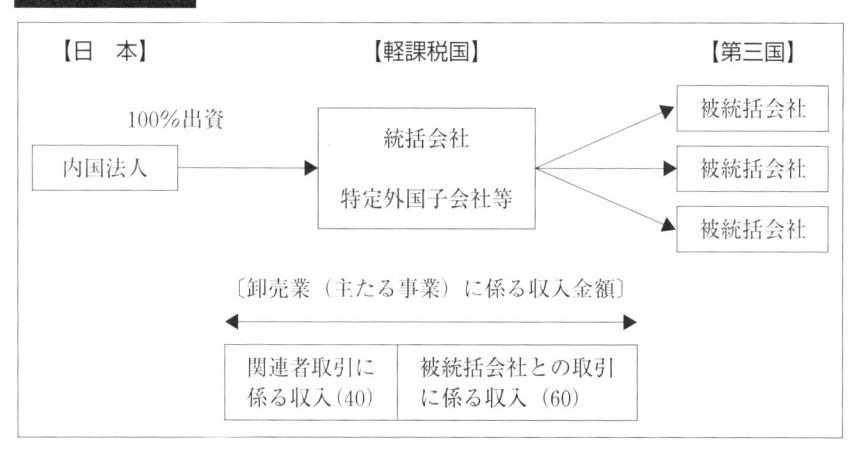

　非関連者基準の判定にあたり、被統括会社を関連者から除いて判定します。これにより、非関連者取引割合は（60%）とされて、非関連者基準を満たします。

⑺　統括会社、被統括会社の取扱い

　措置法第66の6第20項において、統括会社とは一の内国法人によってその発行済株式等の全部を直接又は間接に保有されている外国関係会社で、次の要件を満たす外国関係会社であると規定されています。

① 株式等の保有を主たる事業とするもの

② 被統括会社の株式等の帳簿価額の合計額が、当該統括会社の事業年度終了の時における貸借対照表に計上されている帳簿価額の合計額の100分の50に相当する金額を超える場合

③ 当該統括会社に係る外国法人である被統括会社の株式等の当該事業年度終了の時における貸借対照表に計上されている帳簿価額の合計額の当該統括会社の当該事業年度終了の時において有する当該統括会社の当該事業年度における当該統括会社に係る外国法人である被統括会社に対して行う統括業務に係る対価の額の合計額に対する割合のいずれかが100分の50を超える場合

④ 当該外国関係会社に係る複数の被統括会社（外国法人である二以上の被統括会社を含む場合に限る。）に対して統括業務を行っていること

⑤ その本店所在地に統括業務に係る事務所、店舗、工場その他の固定施設及び当該統括業務を行うに必要と認められる当該統括業務に従事する者（専ら当該統括業務に従事する者に限るものとし、当該外国関係会社の役員及び、当該役員に係る（特殊関係使用人）法人税法施行令第72条各号に掲げる者を除く。）を有していること。

法令の解釈にあたり、次のような解釈指針が示されています。

◆被統括会社の事業の方針の決定又は調整に係るものの意義（措通66の6－11）

措置法令第39条の14の3第17項に規定する「被統括会社の事業の方針の決定又は調整に係るもの（当該事業の遂行上欠くことのできないものに限る。）」とは、被統括会社（同条第18項に規定する被統括会社をいう。以下66の6－12までにおいて同じ。）の事業方針の策定及び指示並びに業務執行の管理及び事業方針の調整の業務で、当該事業の遂行上欠くことのできないものをいう。

(注) 例えば、同上第17項に規定する外国関係会社が被統括会社の事業方針の策定等のために補完的に行う広告宣伝、情報収集等の業務は、「被統括会社の事業の方針の決定又は調整に係るもの」に該当しないことに留意する。

◆被統括会社に該当する外国関係会社の経済活動基準の判定（措通66の6－12）

　被統括会社に該当する外国関係会社（特定外国関係会社に該当するものを除く。）が措置法第66条の6第2項第3号に掲げる要件のいずれにも該当する場合には、当該被統括会社は対象外国関係会社に該当せず、同条第1項の規定の適用はないことに留意する。

（注）　当該被統括会社が本店所在地国においてその事業の管理、支配及び運営を自ら行っているかどうかの判定は、66の6－7及び66の6－8の取扱いにより行う。

◆被統括会社の事業を行うに必要と認められる者（措通66の6－13）

　措置法令第39条の14の3第18項に規定する「その本店所在地国にその事業を行うに必要と認められる当該事業に従事する者を有する」とは、同項の法人がその事業の内容、規模等に応じて必要な従事者を本店所在地国に有していることをいうのであるから、当該事業に従事する者は当該法人の事業に専属的に従事している者に限られないことに留意する。

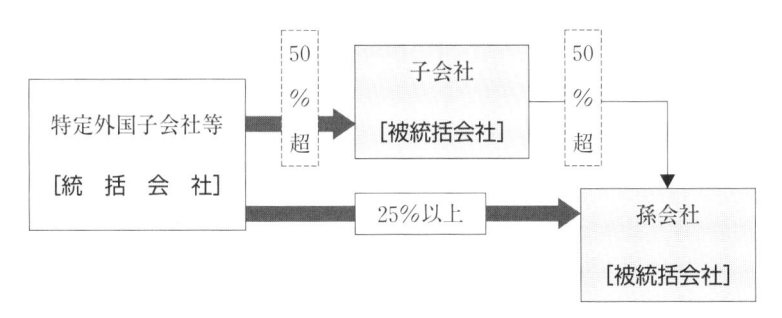

(8)　具体的な適用にあたっての留意事項

　イ　外国子会社合算税制の適用については、統括会社と被統括会社がいずれも外国関係会社である場合には、それぞれについて、①事業基準、②実体基準、③管理支配基準、④所在地国基準（又は非関連者基準）を検討して判定する必要があります。

　　被統括会社が、管理支配基準を満たすかどうかは、被統括会社の状況（①株主総会及び取締役会等の開催、②役員としての職務執行、③会計帳簿の作成及び保管等が行われている場所その他の状況）を勘案して判定します（措通66の6－16）。措置法通達の解説で、国税庁は、統括会社により、事業活動の総合的な管理及び調整が行われているからといって、被統括会社が「管理支配基準」を満たさないということにはならないとの説明を行っています（2011年2月4日開催（財）日本租税研究協会会員懇談会）。

ロ　被統括会社の要件の一つに、「本店所在地国にその事業を行うに必要と認められる当該事業に従事する者を有する」ことが挙げられています（措通66の6－17の2）。

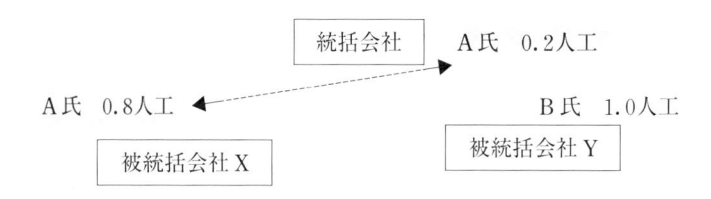

　　A氏が統括会社の業務を0.2人工、被統括会社の業務を0.8人工、兼務で行っている場合、被統括会社については、「事業の内容、規模に応じて必要な従事者」はいるものと判定されるとの解釈が国税庁から示されています。すなわち、ここでの「従事する者」は必ずしも専属である必要はないとの解釈です（2011年2月4日開催（財）日本租税研究協会会員懇談会）。

ハ　統括会社については、「本店所在地国に統括業務を行うに必要と認められる当該統括業務に従事する者（専ら当該統括業務に従事する者に限る）を有していること。」が要件とされています（旧措通66の6－17の3）。

　　「専ら統括業務に従事する者を有していること。」についての解釈については、①統括業務を行う専門部署がある場合と②統括部署がない場合とに分けて具体的な勤務状況に関する考え方が、国税庁から示されました（2011年2月4日開催（財）日本租税研究協会会員懇談会）。

① 統括業務を行う専門部署がある場合

② 統括部署がない場合

　専ら当該統括業務に従事する者は、統括会社において、他の業務を行ってはいけないかという疑問が生じますが、専らという概念は時間的な要素を意味せず、機能的に統括業務に専属的に従事しているか否かで判断するという解釈を示しています。次の図のように、時期により統括業務の繁閑があることを予定しており、時間的に余裕があるときに他の業務を行っているからといって、統括業務を専属的に行っていないという判断は行わないとしています。

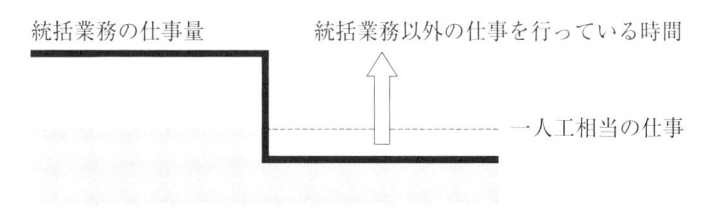

　ニ　統括会社の事業の方針の決定又は調整に係るものの意義については、「二以上の被統括会社に対して「統括業務」を行っていること」とされます。

3. 実体基準は、事務所、店舗、工場その他の固定的施設

　外国関係会社が独立した企業として実体を備えていることを外国子会社合算税制の適用除外の一要件としています。その判断基準については、租税特別措置法第66条の6第2項三号に次のとおり規定されています。

　「その本店所在地国においてその主たる事業（イ⑴に掲げる外国関係会社にあっては統括業務とし、イ⑵に掲げる外国関係会社にあっては政令で定める経営管理とする。ハにおいて同じ。）を行うに必要と認められる事務所、店舗、工場、その他の固定的施設を有していること（これらを有していることと同様の状況にあるものとして政令で定める状況にあることを含む。）並びにその本店所在地国においてその事業の管理、支配及び運営を自ら行っていること（これらを自ら行っていることと同様の状況にあるものとして政令で定める状況にあることを含む。）のいずれにも該当すること。」

　ここでは、固定的施設の存在が規定されていますが、当然のことながら、そこには従業員がおり主たる事業をその地において行っている事実があることを要件としています。

4. 管理支配基準は、株主総会及び取締役会等の開催、役員としての職務執行、会計帳簿の作成及び保管等

　特定外国子会社等の事業の運営が現地において主体的に行われていることを要件としたものが「管理支配基準」です。旧措置法通達（66の6－16）は、「自ら事業の管理、支配等を行っていることの意義」について、次のとおり解釈指針を示していました。

　「措置法第66条の6第3項の規定の適用上、内国法人に係る特定外国子会社等がその本店又は主たる事務所の所在する国又は地域において、事業の管理、支配及び運営を自ら行っているかどうかは、当該特定外国子会社等の株主総会及び取締役会等の開催、役員としての職務執行、会計帳簿の作成及び保管

等が行われている場所並びにその他の状況を勘案の上判定するものとする。この場合において、例えば、当該特定外国子会社等の株主総会の開催が本店所在地国等以外の場所で行われていること、当該特定外国子会社等が、現地における事業計画の策定等に当たり、当該内国法人と協議し、その意見を求めていること等の事実があるとしても、そのことだけでは、当該特定外国子会社等が事業の管理、支配及び運営を自ら行っていないことにはならないことに留意する。」

平成29年度の改正を受けて、管理支配基準に関しては、次の措置法通達が新たな解釈指針として手当てされました。

◆自ら事業の管理・支配等を行っていることの意義

66の6－7　措置法第66条の6第2項第2号イ(2)及び第3号ロの「その事業の管理、支配及び運営を自ら行つている」こととは、外国関係会社が、当該外国関係会社の事業計画の策定等を行い、その事業計画等に従い裁量をもって事業を執行することであり、これらの行為に係る結果及び責任が当該外国関係会社に帰属していることをいうのであるが、次の事実があるとしてもそのことだけでこの要件を満たさないことにはならないことに留意する。（平29年課法2－22「二」により追加）(1)　当該外国関係会社の役員が当該外国関係会社以外の法人の役員又は使用人（以下66の6－8において「役員等」という。）を兼務していること。(2)　当該外国関係会社の事業計画の策定等に当たり、親会社等と協議し、その意見を求めていること。(3)　当該事業計画等に基づき、当該外国関係会社の業務の一部を委託していること。（事業の管理、支配等を本店所在地国において行っていること）

◆事業の管理・支配等を本店所在地国において行っていることの判定

66の6－8　措置法第66条の6第2項第2号イ(2)及び第3号ロにおけるその事業の管理、支配及び運営を本店所在地国（同項第2号イ(2)に規定する本店所在地国をいう。以下66の6－27までにおいて同じ。）において行っているかどうかの判定は、外国関係会社の株主総会及び取締役会等の開催、事業計画の策定等、

役員等の職務執行、会計帳簿の作成及び保管等が行われている場所並びにその他の状況を総合的に勘案の上行うことに留意する。（平29年課法 2 - 22「二」により追加）

◆管理支配会社によって事業の管理・支配等が行われていることの判定

　66の 6 - 9 の 2 　措置法令第39条の14の 3 第 8 項第 1 号に規定する「その事業の管理、支配及び運営が管理支配会社によって行われていること」とは、管理支配会社（措置法第66条の 6 第 2 項第 2 号イ(4)に規定する管理支配会社をいう。以下66の 6 - 9 の 3 までにおいて同じ。）が、同号イ(4)に規定する特定子会社（以下66の 6 - 9 の 3 において「特定子会社」という。）の株式等の保有を主たる事業とする外国関係会社の事業計画の策定等を行い、その事業計画に従い裁量をもって事業を執行することをいうのであるが、管理支配会社とは同条第 1 項各号に掲げる内国法人に係る他の外国関係会社のうち一定の要件を満たすものをいうのであるから、当該管理支配会社と当該外国関係会社との間に直接に株式等を保有する関係がない場合であっても、これに該当する場合があることに留意する。措置法令第39条の14の 3 第 9 項第 3 号ロ、措置法規則第22条の11第 5 項第 1 号及び第15項第 1 号のその事業の管理、支配及び運営が管理支配会社等によって行われていることについても、同様とする。（令元年課法 2 - 6 「一」により追加、令元年課法 2 - 10「四十」により改正）

実務上のポイント

　ここで、管理支配が現地において行われている事実を説明するために用意しておくべき資料は何かという点が気になるところです。独立企業としての実体を備え、かつ、その所在地国で事業活動を行うにつき十分な経済的合理性がある場合にまでタックス・ヘイブン課税を適用することは、わが国企業の正常な海外投資活動を阻害する結果を招くことになるので避けるべきであるとの趣旨で設けられたのが適用除外基準です。適用除外基準の一つである管理支配基準の判定について、熊本地方裁判所が次のような判断を示しており、実務上の参

考となります。

【判例】熊本地裁平成12年7月27日判決言渡し　平成9年(行ウ)第3号

〈一部抜粋〉

「特定外国子会社等が管理支配基準を満たしているか否かは、当該子会社等の重要な意思決定機関である株主総会及び取締役会の開催、役員の職務執行、会計帳簿の作成及び保管等が本店所在地国で行われているかどうか、業務遂行上の重要事項を当該子会社等が自らの意思で決定しているかどうかなどの諸事情を総合的に考慮し、当該子会社等がその本店所在地国において親会社から独立した企業としての実体を備えて活動しているといえるかどうかによって判断すべきものと解するのが相当である。」

上記判例を踏まえると、管理支配基準を充足していることを説明する資料としては次の資料を用意しておく必要があります。

① 　株主総会議事録、株主総会招集通知、取締役会議事録等

② 　会社組織図、役員名簿（業務分担）、決裁基準、稟議書等

③ 　会計事務処理要領、会計帳簿の保管状況、外部監査・内部監査記録等

5. 所在地国基準の判定

「その事業を主として本店所在地において行っていなければならない」とする所在地国基準の判定については、所在地国基準を適用すべき業種であるか否かの検討と、所在地国において主たる事業活動を行っているか否かの検討が必要となります。

中国の来料加工方式（中国の優遇税制の一方式）について、わが国でのタックス・ヘイブン課税が問題となり、所在地国基準について判断が下された裁判例が大変参考になりますので、紹介することとします。

(1)　事案の概要

　本件内国法人は、代表者が15%出資し、当該内国法人が85%出資して香港に子会社を設置し、電子関連機器用の部品の製造を開始しました。内国法人は原材料を香港子会社に輸出し、中国の国内法に基づいて設立され長安市が100%出資する中国法人の工場にて電子関連機器用の部品（以下「部品」といいます）を製造していました。

　香港法人は契約により長安工場の経営管理を請け負うこととしており、製造設備は日本の親会社の支援のもとで設置、親会社の技術指導を受け、香港子会社は中国法人に加工費のみを払い、中国法人の工場は香港法人からの注文に基づく部品のみを製造していました。部品は香港子会社が全品引き取って欧米の日系メーカーに輸出していました。

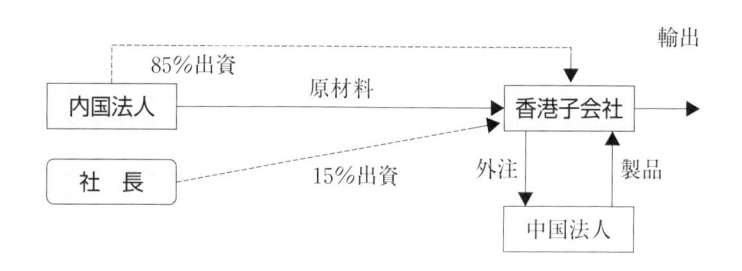

(2)　争　点

　香港子会社の法人税率は25%以下であったため、特定外国子会社等に該当しました。香港に事務所があり、社員も働いているので実体基準は充足していました。現地において経営管理が行われており、株主総会や取締役会も開催され、議事録等の記録もそろっていましたので管理支配基準も充足しています。次の適用除外基準である非関連者基準と所在地国基準については、業種の判断が関係します。香港子会社の業種が製造業の場合には所在地国基準ですが、卸売業の場合には非関連者基準です。

　本件は、非関連者基準を充足する納税者が、卸売業であることを主張し、課

税庁が製造業であると主張した事例です。

(3) 判例の要旨〈業種判断部分抜粋〉

——同条3項（適用除外）の規定は、特定外国子会社等の所在地国における事業活動が正常なものとして経済的合理性を有する場合にまでタックス・ヘイブン税制の対象とすることは、わが国の民間企業の海外における正常かつ合理的な経済活動を阻害することとなるので適当ではないと考えられることから、課税要件を明確化して課税執行面における安定性を確保しつつ、正常かつ合理的な経済活動につき同税制の適用を除外する目的で、当該特定外国子会社等が独立企業としての実体を備え、かつ、その行う主たる事業が十分な経済的合理性を有すると考えられる一定の場合に関して、具体的かつ明確な要件を定めて、例外的に、同税制の適用除外を認めたものであると解される。

適用除外制度の趣旨及び「その行う主たる事業」、「その事業を主として（中略）行っている場合」等とする根拠条文の事実状態に即した文言・内容等に鑑みると、非関連者基準又は所在地国基準のいずれが適用されるかを決するための特定外国子会社等の「主たる事業」の判定（製造業又は卸売業のいずれであるか等の判定）は、現実の当該事業の経済活動としての実質・実体がどのようなものであるかという観点から、事業実態の具体的な事実関係に即した客観的な観察によって、当該事業の目的、内容、大要等の諸般の事情（関係当事者との間で作成されている契約書の記載内容を含む。）を社会通念に照らして総合的に考慮して個別具体的に行われるべきであり、関係当事者との間で作成されている契約書の記載内容のみから一般的・抽象的に行なわれるべきものではないと解するのが相当である。

ところで、本件では、香港子会社の主たる事業が卸売業であるか製造業であるかが争点となっているが、卸売業と製造業との相違点をみるに、一般的にみて、製造業が、自ら製品を製造したうえで販売する事業であるのに対して、卸売業は、同じく製品の販売を行うものの、自ら製品を製造するのではなく、他者が製造した製品（委託加工製品を含む。）を購入したうえで販売する事業であ

ると解される。

◆**現実の事業実態の検討**

   (ア)　製品製造のための①生産設備（工場建物、製造設備等）の整備、②人員（監督者、技術者、単純労働者等）の配置及び③原材料・補助材料等の調達等への当該特定外国子会社等の関与の状況

   (イ)　〈A〉当該特定外国子会社等の設立の目的、〈B〉製品製造のための(a)人員の組織化、(b)事業計画の策定、(c)生産管理（品質管理、納期管理を含む）の策定・実施、(d)生産設備の投資計画の策定、(e)財務管理（損益管理、費用管理、原価管理、資産・資金管理等を含む。）の実施及び(f)人事・労務管理の実施等への当該特定外国子会社等の関与等の状況

   (ウ)　製品の製造・販売を行うために関係当事者との間で作成されている契約書の記載内容

（以上の検討を行った上で、次の個別事項を検討し次のとおり判じました。）

ア　香港法人の設立状況

イ　本件各契約書の内容

ウ　香港法人の組織・資本投下・人材配置状況等

エ　長安工場の事業計画等の策定・管理

オ　長安工場における生産設備の所有・管理状況

カ　香港法人の財務管理状況

キ　長安工場の人事・労務管理

ク　香港法人の税務申告状況等

　香港法人は、中国法人から長安工場を賃借し、中国法人が委託派遣した工場長等の給与まで負担し、加工生産に必要な製造設備及び原料等の物資を提供し、その輸送に伴う費用を負担した上、製品についても各種保険に加入し、加工費名目で支払われた金員のうち、中国の官公庁への手数料及び中国法人への管理費を控除した後のものは、工場の運営のために香港法人の管理下に置かれることを予定していたものと解され、さらに、本件経営契約書により、香港法人は、

長安工場の経営を請負い、長安工場の生産経営管理につき権利を有し、企業のすべての経営コストを負担することになるのであるから、香港法人が中国当局の100%出資企業としての実質的な一体性をうかがわれる上記三企業と提携して遂行する事業の全体を本件各契約書の全体を勘案しつつ具体的な事実関係に即して客観的に観察すれば、社会通念上、香港法人は実質的に長安工場において自ら販売製品の製造を行っていたと解するのが自然であるということができる。

香港法人は、その人員及び資本の大半を長安工場における製造業務に集中的に投下していると認められるから、その主たる事業である製造業を主として行っているのは、長安工場の所在する東莞市長安鎮、すなわち中国のうち香港以外の地域であることを認めるのが相当である。

…以上によれば、原告の特定外国子会社等である香港法人は、所在地国基準を満たさないものというべきである。──

（東京地裁平成21年5月28日判決言渡し　平成18年（行ウ）第322号）

実務上のポイント

◆適用除外基準の検討手順

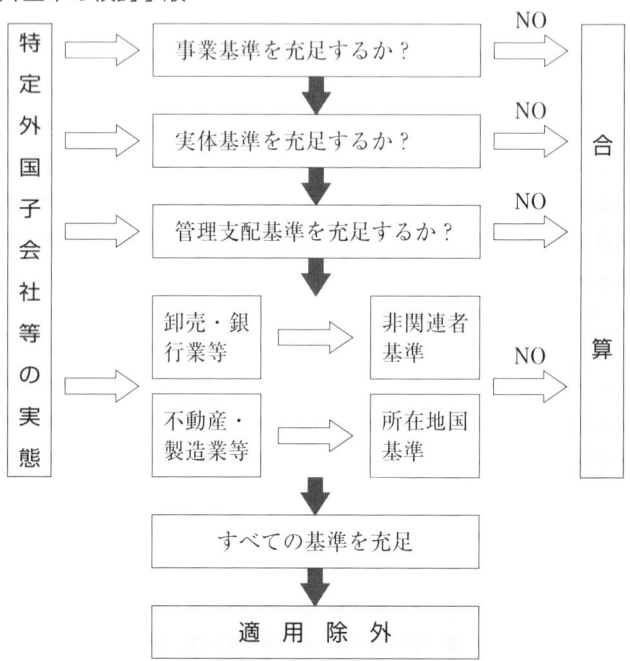

経済活動基準・特定所得に関する整理表

	検討項目	検討結果	確認文書等	備考
会社単位	事業基準	株式等若しくは債券の保有、工業所有権その他の技術に関する権利、特別の技術による生産方式若しくはこれらに準ずるもの若しくは著作権の提供又は船舶若しくは航空機の貸付を主たる事業とするものでないこと。	会社定款、登記簿謄本、税務当局への設立届出等の写し。	措法66の6②三イ、措通66の6 - 5（主たる事業の判定）、66の6 - 10（株式等の保有を主たる事業とする統括会社の経済活動基準の判定）、66の6 - 11（統括会社の事業の方針の決定又は調整に係るものの意義）、66の6 - 12（統括会社に該当する外国関係会社の経済活動基準の判定）、66の6 - 13（被統括会社の事業を行うに必要と認められる者）、66の6 - 14（専ら統括業務に従事する者）、66の6 - 15（船舶又は航空機の貸付けの意義）
	実体基準	その本店所在地国においてその主たる事業を行うに必要と認められる事務所、店舗、工場その他の固定の施設を有していること。事業所等は、その本店所在地国に有していることとされる。	貸借対照表、損益計算書、財産目録、社屋の建築関係書類、賃貸借契約書等。	措法66の6②二ニ、同項三ロ、措通66の6 - 6（主たる事業を行うに必要と認められる事務所等の意義）

管理支配基準	外国関係会社がその本店所在地国においてその事業の管理、支配及び運営を自ら行っていること。管理支配は、その本店所在地国において行っていること。	会社の組織図、社員名簿、事務分担規定、事務処理要領、稟議・決裁文書、契約書の写し。	措法66の6②二ハ、同項三ロ、措通66の6－7（自ら事業の管理、支配等を行っていることの意義）、66の6－8（事業の管理、支配等を本店所在地国において行っていることの判定）
非関連者基準	外国関係会社が、卸売業、銀行業、信託業、金融商品取引業、保険業、水運業、航空運送業又は物品賃貸業を含む場合に適用する。その事業を主として、その外国関係会社に係る関係者以外の者との間で行っている場合。	取引先名簿、売掛金、買掛金残高明細。	措法66の6②三ハ(1)、措通66の6－17（事業の判定）
所在地基準	非関連者基準以外の業種。その事業を主として、その本店所在地国において行っている場合。	事業所、工場等の建築関係資料、賃貸借契約書写し。固定的施設の写真。	措法66の6②三ハ(2)
特定所得　剰余金の配当等	法人税法第23条①一に規定する剰余金の配当で、次のものを除く。①部分対象外国関係会社が有する他の法人の株式等の数等のうちに占める割合が25%以上（6月以上）、②部分対象外国関係会社の有する他の外国法人（化石燃料を採取する事業を主たる事業とする外国法人で租税条約締約国に採取場所を有するもの）の株式等の数等の占める割合が10%以上である場合。	対象外国関係会社の財務諸表、配当決議に関する資料。部分対象外国関係会社の株主名簿。	措法66の6⑥一、イ、ロ、措令39の17の3④、⑤
受取利子等	受取利子、手形の割引料、償還有価証券に係る調整差益、その他利子に準ずるもの。除外すべきものとしては、①業務の通常の過程で生ずる預貯金利子、②一定の貸金業者が行う貸付金利子、③一定の割賦販売等の利子、④一定のグループファイナンスの利子。	受取利子が生じた預金先等の名簿等情報。手形割引関係資料。	措法66の6⑥二、措令39の17の3⑦、⑨
有価証券の貸付けの対価	その対価の額を得るために直接要した費用の額を控除。	有価証券の貸付けに関する資料。	措法66の6⑥三
有価証券の譲渡損益	その有価証券に係る対価の額の合計額からその有価証券の譲渡に係る原価の額及びその対価の額を得るために直接要した費用の額の合計額を減算。	有価証券の譲渡に関する資料。	措法66の6⑥四
デリバティブ取引損益	法人税法第61条の5第1項に規定するデリバティブ取引に係る利益の額又は損失の額。	デリバティブ損益に関する資料。	措法66の6⑥五
外国為替損益	部分対象外国関係会社が行う取引又はその有する資産若しくは負債につき外国為替の売買相場の変動に伴って生ずる利益の額又は損失の額。部分対象外国関係会社が行う事業に係る業務の通常の過程において生ずる利益の額又は損失の額は除外される。	外国為替損益に関する資料。	措法66の6⑥六
その他の金融所得	上記1から6に掲げる利益、損失を生じさせる資産の運用、保有、譲渡、貸付その他の行為により生ずる上記所得以外の所得（金融所得）。具体的には、投資信託の収益分配金、売買目的有価証券の評価損益、有価証券の空売りに係るみなし決済損益、信用取引に係るみなし決済損益、発行日取引に係るみなし決済損益、有価証券の引受けに係るみなし決済損益。	その他金融損益に関する資料。	措法66の6⑥七
固定資産等の貸付け対価	その使用料を得るために直接要した費用の額を控除した残額。次の使用料を除く。①部分対象外国関係会社が無形資産等の研究開発を自ら行った場合の使用料、②部分対象外国関係会社が取得した無形資産につき相当の対価を支払い、その無形資産等をその事業の用に供している場合のその使用料、③部分対象外国関係会社が使用を許諾された無形資産等につき相当の対価を支払い、その無形資産等をその事業の用に供している場合の使用料	固定資産等の貸付けに関する資料。	措法66の6⑥八
無形資産等の使用料		無形資産の使用料に関する資料。	措法66の6⑥九
無形資産等の譲渡損益	その無形資産等の譲渡に係る原価の額及びその対価の額を得るために直接要した費用の額の合計額を減算した残額（その使用料を除く。）①部分対象外国関係会社が無形資産等の研究開発を自ら行った場合のその無形資産等に係る対価の額、②部分対象外国関係会社が取得した無形資産につき相当の対価を支払い、その無形資産等をその事業の用に供している場合のその無形資産等の譲渡に係る対価の額。	無形資産の譲渡に関する資料。	措法66の6⑥十
異常所得	(1)から(10)までに掲げる金額がないものとした場合のその各事業年度の決算に基づく所得の金額から一定の所得控除額を控除した残額。	異常所得に関する資料。	措法66の6⑥十一

第4節　課税対象金額の計算

　租税特別措置法第66条の 6 は、「内国法人に係る特定外国子会社等の課税対象金額等の益金算入」を規定した条文です。同条第 1 項は、「特定外国子会社等が**適用対象金額**を有する場合には、その適用対象金額のうちその内国法人の有する当該特定外国子会社等の直接及び間接保有の株式等の請求権の内容を勘案して政令で定めるところにより計算した金額（**課税対象金額**）に相当する金額は、その内国法人の収益の額とみなして当該各事業年度終了の日の翌日から 2 月を経過する日を含むその内国法人の各事業年度の所得の金額の計算上、益金の額に算入する。」と規定しています。

　ここでは、「適用対象金額」と「課税対象金額」の概念を理解するのがポイントとなります。

1.　適用対象金額

　「適用対象金額」については、租税特別措置法第66条の 6 第 2 項第二号に定義規定が置かれています。「特定外国子会社等の各事業年度の決算に基づく所得の金額につき法人税法及びこの法律による各事業年度の所得の金額の計算に準ずるものとして政令で定める基準により計算した金額（**基準所得金額**）を基礎として、政令で定めるところにより、当該各事業年度開始の日前 7 年以内に開始した各事業年度において生じた欠損の金額及び当該基準所得金額に係る税額に関する調整を加えた金額をいう。」とされています。

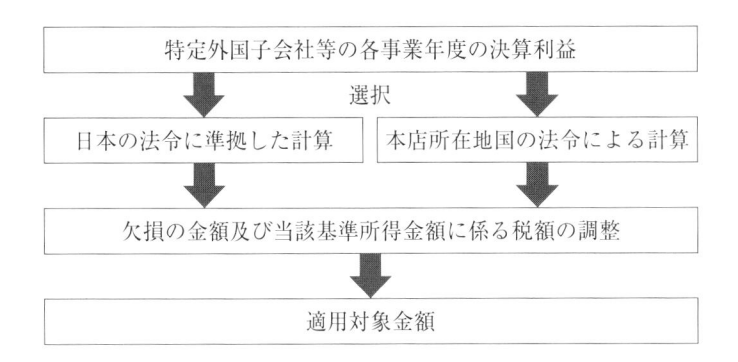

(1)　日本法令に準拠した基準所得金額の計算

　租税特別措置法施行令第39条の15第 1 項に、日本の法人税法及び租税特別措置法に準拠した基準所得金額の計算方法が規定されています。基本的な計算構造は、①と②の合計額から③と④を控除するものです。

　①　特定外国子会社等の各事業年度の決算利益の額を基に第 1 項第一号に規定する日本の法人税法及び租税特別措置法の規定を適用して算出される所得金額又は欠損金額

　②　特定外国子会社等が当該事業年度において納付する法人所得税の額の合計額

　③　特定外国子会社等が当該事業年度において還付を受ける法人所得税の額

　④　特定外国子会社等が当該事業年度において子会社から受ける配当等の額

(2)　本店所在地国の法令による基準所得金額の計算

　外国子会社合算税制の適用がある場合に、特定外国子会社等の課税対象金額を計算する事務負担は相当なものと予想されます。現地の会計制度に基づき決算が組まれ、現地税法に基づく所得計算が行われている場合についてすべて日本の法令に準拠した基準所得金額の再計算を求めると、過度に納税者に対して事務負担を課すこととなりかねません。そこで、租税特別措置法施行令第39条の15第 2 項で、本店所在地国の法令による基準所得金額の計算を認めています。

　この計算方式を適用する場合でも、日本法令に準拠した基準所得金額の計算を採用する納税者との負担の公平の見地から、日本の法人税法及び租税特別措置法に則った調整を求めていますので、基準所得金額の計算にあたっては留意してください。

　基準所得金額の計算方式は継続適用が原則とされており、計算方法を変更する場合には、確定申告書を提出する前にあらかじめ所轄税務署長の承認を受けなければならないこととされています（措令39の15⑨）。

　たとえ現地法令に基づく計算方法を採用したとしても、租税特別措置法第39条の15第 2 項第一号にて、「その本店所在地国の法令により当該各事業年度の法人所得税の課税標準に含まれないこととされる所得の金額」は加算することとされています。

実務上のポイント

　内国法人間の取引を想定した取扱いや税額控除と損金算入の調整規定などが適用されません。交際費の損金不算入や国外関連者に対する寄附金の損金不算入などは適用されます。

　租税特別措置法施行令第39条の15第 1 項に、本邦法令に準拠する方法で計算する場合に除くべき規定が明示されています。それは次の規定です。

①　受取配当等の益金不算入（法法23）

②　外国子会社から受ける配当等の益金不算入（法法23の 2 ）

③　完全支配関係がある他の内国法人から受けた受贈益（法法25の 2 ）

④　還付金等の益金不算入（法法26①〜⑤）

⑤　資産の評価損の損金不算入等（法法33⑤）

⑥　寄附金の損金不算入（法法37②）

⑦　法人税額等の損金不算入（法法38）

⑧　第二次納税義務に係る納付税額の損金不算入等（法法39）

⑨　外国子会社から受ける配当等に係る外国源泉税等の損金不算入（法法39

の2）

⑩　法人税額から控除する所得税額の損金不算入（法法40）

⑪　法人税額から控除する外国税額の損金不算入（法法41）

⑫　不正行為等に係る費用等の損金不算入（法法55③）

⑬　青色申告書を提出した事業年度の欠損金の繰越し（法法57）

⑭　青色申告書を提出しなかった事業年度の災害による損失金の繰越し（法法58）

⑮　会社更生等による債務免除等があった場合の欠損金の損金算入（法法59）

⑯　有価証券の譲渡益又は譲渡損の益金又は損金算入（法法61の2⑯）

⑰　連結納税の開始に伴う資産の時価評価損益（法法61の11）

⑱　連結納税への加入に伴う資産の時価評価損益（法法61の12）

⑲　完全支配関係がある法人の間の取引の損益（法法61の13）

⑳　現物分配による資産の譲渡（法法62の5③〜⑥）

㉑　特定資産に係る譲渡等損失額の損金不算入（法法62の7）（適格現物分配に係る部分に限る）

租税特別措置法については、次の規定についてのみ適用するとしています。

①　特定設備等の特別償却（措法43）

②　医療用機器等の特別償却（措法45の2）

③　特別償却不足額がある場合の償却限度額の計算の特例（措法52の2）

④　保険会社等の異常危険準備金（措法57の5）

⑤　原子力保険又は地震保険に係る異常危険準備金（措法57の6）

⑥　特別修繕準備金（措法57の8）

⑦　中小企業等の貸倒引当金の特例（措法57の10）

⑧　交際費等の損金不算入（措法61の4）

⑨　特定の資産（船舶）の買換えの場合の課税の特例（措法65の7）から特定資産と交換した場合の課税の特例（措法65の9）まで（措法65の7①の表の19号に係る部分に限る。）

⑩　国外関連者に対する寄附金の損金不算入（措法66の 4 ③）

⑪　組合事業に係る損失がある場合の課税の特例（措法67の12及び67の13）

ここで留意すべきことは、法人税法第33条及び第42条から第53条までの規定を適用して圧縮記帳や引当金の計上を行う場合と上記租税特別措置法の規定に基づいて税務計算を行う場合に、申告にあたり明細書の添付が要件となっているものについては、特定外国子会社等の課税対象金額を益金の額に算入することとなる内国法人の各事業年度の確定申告書にこれを添付しなければならないということです（措令39の15⑦）。

◆外国関係会社の課税標準の計算がコストプラス方式の場合

措置法通達66の 6 - 4 に解釈指針があります。たとえ、外国関係会社の本店所在地国の法令の規定により、各事業年度の決算に基づく所得の金額及び課税標準を算出することに代えて、当該外国関係会社の支出経費に一定率を乗じて計算した金額をもって課税標準とする、いわゆるコストプラス方式により計算することができることとされている場合であっても、当該事業年度の決算に基づく所得の金額につき当該本店所在地国の法令の規定を適用して算出しなければなりません。

(3)　修正申告にあたり本店所在地国の法令による基準所得金額の計算方式を採用できるか

基準所得金額の計算方式については、本邦法令に基づいて計算する方法と現地法令に基づいて計算する方法の選択が可能ですが、この取扱いは当初申告を念頭に置いたものと思われます。当初申告時に、外国子会社合算税制の適用がないものと判断して申告したケースでは、そもそも基準所得金額の計算自体を行っていません。事後的に合算課税を行うべきことが判明したとすると、当初申告で採用していない現地法令に基づいて計算する方法を修正申告において採用することができるかという疑問が生じます。この点については、税務当局から明確な指針は示されていません。結論としては、税務当局と相談すべきと思われます。

　参考として、文理解釈について触れておきましょう。修正申告にあたり、現地法令に準拠する課税対象金額の計算方法を選択することができないとする規定は見当たりません。

　租税特別措置法施行令第39条の15は「特定外国子会社等の適用対象金額の計算」を規定しています。第１項では、わが国の法人税法等に準拠して計算する方法を示していますが、第２項では、当該特定外国子会社等の本店所在地国の法人所得税に関する法令の規定により計算する方法を選択できることが規定されています。さらに、第９項では、第１項の適用を受けた法人がこれを第２項の方法に変更する場合、又は第２項の適用を受けた法人がこれを第１項の方法に変更する場合には、あらかじめ納税地の所轄税務署長の承認を受けなければならないとしています。

⑷　欠損金と法人所得税額の控除

　適用対象金額は、基準所得金額から各事業年度開始の日前７年以内に開始した事業年度において生じた欠損金の額の合計額及び特定外国子会社等が各事業年度において納付することとなる法人所得税の額を控除して計算することとされています（措法66の６②二、措令39の15①⑤）。

　ここで留意すべきことは、控除すべき欠損金の額は、特定外国子会社等が合算対象とされた事業年度分の欠損金の額に限られるということです。

2. 課税対象金額

　特定外国子会社等に係る適用対象金額のうち、内国法人が保有する出資割合等に応じて分配される金額相当額が課税対象金額になります。その関係を租税特別措置法施行令第39条の16第１項は次のとおり規定しています。「内国法人に係る特定外国子会社等の各事業年度の同項に規定する適用対象金額に、当該特定外国子会社等の当該各事業年度終了の時における発行済株式等のうちに当該各事業年度終了の時における当該内国法人の有する当該特定外国子会社等の<u>請求権勘案保有株式等</u>の占める割合を乗じて計算した金額とする。」

請求権勘案保有株式等(A)　　①　内国法人が直接に有する特定外国
（措令39の16②一）　　　　　子会社等の株式等の数又は金額(※)
　　　　　　　　　　　　　　②　請求権勘案間接保有株式等(B)
　　　　　　　　　　　　　　　（措令39の16②二）

（※）　特定外国子会社等が請求権の内容が異なる株式等を発行している場合には、
　　　特定外国子会社等の発行済株式等に、内国法人が有する請求権に基づき受ける
　　　ことができる剰余金の配当等の額がその総額のうちに占める割合を乗じて計算
　　　した数又は金額

実務上のポイント

　ここで、租税特別措置法施行令第39条の16第2項第二号に示されている請求
権勘案間接保有株式等の例を図解して、計算方法を解説することとします。

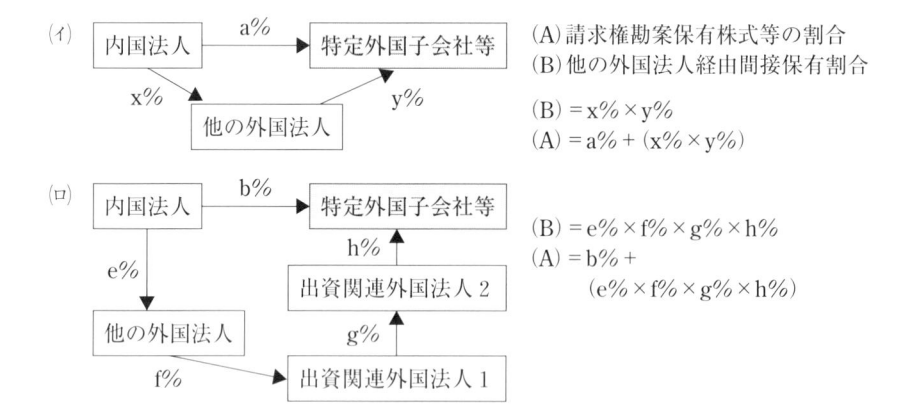

◆課税対象金額の算定プロセス

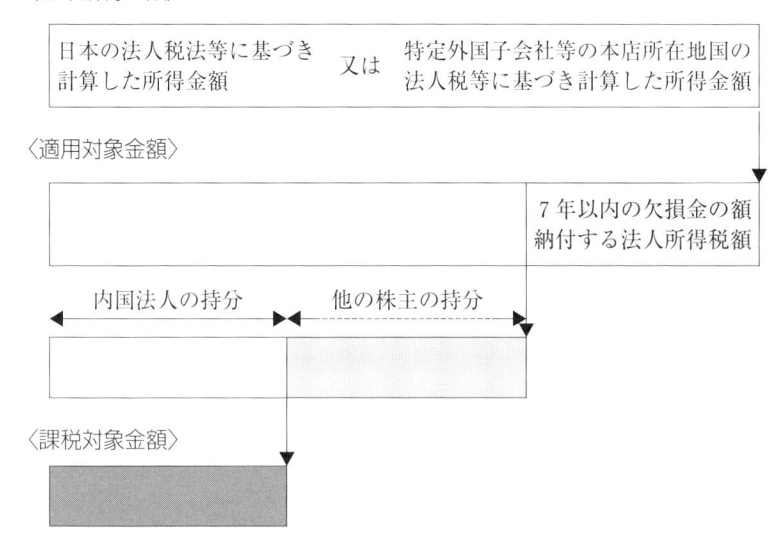

〈基準所得金額〉

| 日本の法人税法等に基づき計算した所得金額 | 又は | 特定外国子会社等の本店所在地国の法人税等に基づき計算した所得金額 |

〈適用対象金額〉

7年以内の欠損金の額
納付する法人所得税額

内国法人の持分　　他の株主の持分

〈課税対象金額〉

3. 特定外国子会社等の欠損金額の合算

　特定外国子会社等は必ずしも剰余金を計上するとは限らず、欠損を計上する場合もあります。企業経営者は特定外国子会社等の欠損金を内国法人の利益と通算できれば、企業グループとしての税負担が軽くなるのだがと考えます。

　租税特別措置法第66条の6第1項は、課税要件を充足する場合、「課税対象金額」に相当する金額を、内国法人の収益とみなして、当該各事業年度終了の日の翌日から2か月を経過する日を含むその内国法人の各事業年度の所得の金額の計算上、益金の額に算入する、と規定していますので、特定外国子会社等の赤字を株主である内国法人の損金に算入することは予定していないといえます。

　しかしながら、納税者が法人税法第11条の「実質所得者課税の原則」を主張

したとすると、難しい法律論争が生じます。「黒字のときだけ課税して、赤字の面倒は見てくれないというのは理不尽ではないか？」という心情もよくわかります。

　法人税法第11条の実質所得者課税の原則に基づき、タックス・ヘイブン子会社の欠損金を親会社の所得から控除して申告した会社が最高裁判所まで争った課税事件で、最高裁判所は次のとおり判断を示しました（最高裁平成19年9月28日判決　平成17年（行ヒ）第89号）。

【判例紹介】

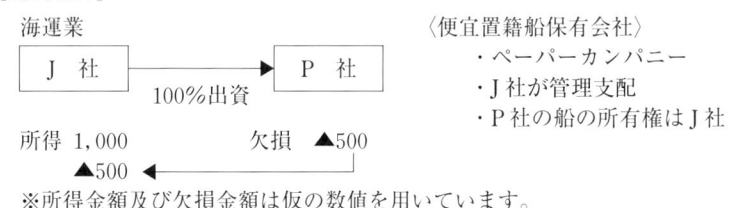

※所得金額及び欠損金額は仮の数値を用いています。

◆争　点

　――内国法人J社は、パナマに便宜置籍船保有会社P社を設立。P社はペーパーカンパニーで会社の管理支配はJ社が行っている。P社名義の船舶4隻の運航管理、船員の手配、船用品手配等の一切をJ社が行っている。P社の役員はJ社の役員が兼務しているが、確認のため「船舶所有権等に関する契約公正証書」により当該船舶の所有権がJ社にあることを書面にしている。J社はP社の設立以来継続してP社の欠損金を合算経理し、J社の一部であるとして税務申告してきた。

　課税庁は、税務調査において、P社の欠損金をJ社の損金として処理することはできないとして更正処分。J社は不服申し立てを行った。――

◆司法判断までの経緯

　本件争いは、国税不服審判所における裁決が請求棄却、地裁判決が原告勝訴、高裁判決が国側勝訴、そして最高裁の判断も国側勝訴となりました。外国子会

社合算税制の適用の問題を考える上で、大変興味深い判例です。

◆審判所の裁決

——次の理由によりJ社の申告にあたり、P社は特定外国子会社等に当たり、外国子会社合算税制の適用があるので、P社の欠損金はJ社の損金とならない。

①　法人税法第11条と租税特別措置法第66条の6とは、それぞれ独立した規定として存在するが、両者の適用が競合する場合は、法人税法の特別法である租税特別措置法（以下、措置法とする）の規定を適用することになる。租税特別措置法第66条の6は、便宜置籍船を保有するペーパーカンパニーを有する内国法人に対して適用することを予定して立法された規定である。したがって、法定の要件が充足されれば、本条項の適用対象となる。

②　「船舶所有権等に関する契約公正証書」は、対外的には4隻の船舶をP社が所有していることを前提として、国際法や国際私法上の権利義務関係を整理しつつ、J社とP社の関係においては、P社が船舶の所有権を主張しないようにするために作成されたものと推認される。しからば、この公正証書はまさにペーパーカンパニーを利用した便宜置籍船の実態を内部的に確認したものにすぎず、租税特別措置法第66条の6の適用を妨げるものではない。——

◆地裁判決

——租税特別措置法第66条の6が内国法人の所得の計算における特定外国子会社等に係る欠損の取扱いについて定めた規定であると解釈することは、その文理に照らして疑問である上、法人税法第22条第3項は、内国法人の損金の額に算入すべき金額について、別段の定めがあるものを除き、同項一号ないし三号所定の額と定めており、内国法人と法人格を異にする特定外国子会社等に係る欠損の金額がこれに含まれないことは明らかである。租税特別措置法第66条の6により特定外国子会社等の欠損金を損金に算入することが禁止されているとはいえない。——

【解　説】

　裁判官は、この争いの判断基準たる法令は、タックス・ヘイブン税制（措法66の6）ではなく、そもそも法人格の異なるP社の欠損をJ社の損金に算入することを認めていない法人税法の所得計算規定（法22③）なのではないかと判示しているようです。

◆高裁判決

【解　説】

　課税庁は、控訴審において、「本件の場合に、措置法第66条の6を適用することができないとしても、J社とP社は法人格を異にする法人であって、P社に生じた欠損金について、J社の所得を合算することが否定されるのは法人税法上当然である。」とする主張を加えました。

　法人税法第22条第3項は、内国法人の損金の額に算入すべき金額として別段の定めがあるものを除き、同項第一号ないし第三号所定の額と定めているところ、内国法人と法人格を異にする外国の子会社に係る欠損の金額がこれに含まれないことが原則であることは明らかです。

　実質所得者課税の原則（法11）は、法律上の所得の帰属について形式と実質が異なるときには、実質に従って租税関係が定められるべきという条理を確認的に定めた規定です。租税特別措置法第66条の6第2項第二号には、特定外国子会社等に生じた欠損金の繰越控除の規定がありますが、これは当該規定と法人税法第11条の適用により特定外国子会社等の欠損金を内国法人の所得金額から控除することの選択を認めた規定ではありません。課税執行面の安定性を確保しつつ、税負担の公平を図るタックス・ヘイブン税制の趣旨から、特定外国子会社等の欠損金は内国法人の所得計算上損金の額に算入することはできないと解されます。

◆最高裁判決

　タックス・ヘイブン税制は、内国法人が、法人の所得等に対する租税負担がないか、又は極端に低い国または地域に子会社を設立して経済活動を行い、当

該子会社に所得を留保することによって、わが国における租税の負担を回避しようとする事例が生ずるようになったことから、課税要件を明確化して課税執行面における安定性を確保しつつ、このような事例に対処して、税負担の実質的な公平を図ることを目的として、一定の要件を満たす外国会社を特定外国子会社等と規定し、これが適用対象留保金額を有する場合に、その内国法人の有する株式等に対応するものとして算出した一定の金額を、内国法人の所得計算上益金の額に算入することとしたものです。

　特定外国子会社等に欠損が生じた場合には、これを翌事業年度以降の当該特定外国子会社等における未処分所得の金額の算定にあたり５年[5]を限度として繰り越して控除することが認められているにとどまるものというべきで、租税特別措置法第66条の６第１項が「課税対象金額」を内国法人の益金の額とすると規定していることをもって、Ｐ社の欠損をＪ社の損金の額に算入すると解することはできません。

　　[5]　特定外国子会社等の未処分所得の金額の計算において控除する欠損金に係る繰越期間は、平成17年３月の改正法により５年から７年に延長されました。

4. 課税対象金額の計算

(1) 適用対象金額の計算

　課税対象金額の計算は、適用対象金額を基に計算されます。そこで、適用対象金額の計算プロセスをここで再確認しておくこととします。

　適用対象金額は、特定外国子会社等の各事業年度の決算に基づく利益の金額を基に計算される基準所得金額を基礎として計算されます。

　実務における計算プロセスは次のステップで行います。

　① 　基準所得金額の計算

　　　日本法令に準拠する方法と現地法令に準拠する方法のいずれかを選択

　　　法人税法のうち適用しない規定、租税特別措置法のうち適用すべき規定

　　があります。

②　控除対象配当の額の控除

　　特定外国子会社等が他の特定外国子会社等から受領した配当等の額のうち控除対象配当等の額とされる金額がある場合には、①で計算した金額から控除します（措令39の15③）。

③　当該事業年度開始の日前7年以内に開始した各事業年度において生じた欠損金の額を控除します。

実務上のポイント

◆各事業年度において生じた欠損金の額

　　ここでの欠損金の額は、特定外国子会社等の各事業年度の決算に基づく所得の金額について、日本法令に準拠して計算する方法又は本店所在地国の法令に準拠して計算する方法で基準所得金額を計算し、所定の調整を行った後の金額が欠損となっている場合の当該欠損金額を指します。

(2)　課税対象金額の計算

　　課税対象金額は、特定外国子会社等の各事業年度の適用対象金額に、特定外国子会社等の各事業年度終了の時における発行済株式等のうちに占める内国法人の有する請求権勘案保有株式等の占める割合を乗じて計算することとされています（措令39の16①）。

適用対象金額	×	請求権勘案保有株式等の割合

= 　**課税対象金額**

$$\text{請求権勘案保有株式等の割合} = \frac{\text{内国法人の有する特定外国子会社等の請求権勘案保有株式等}}{\text{特定外国子会社等の発行済株式等}}$$

実務上のポイント

請求権勘案保有株式等とは、

内国法人が直接に有する外国法人の株式等の数又は金額（当該外国法人が請求権の内容が異なる株式等を発行している場合には、当該外国法人の発行済株式等に、当該内国法人が当該請求権に基づき受けることができる剰余金の配当、利益の配当又は剰余金の分配の額がその総額のうちに占める割合を乗じて計算した数又は金額）及び**請求権勘案間接保有株式等**を合計した数又は金額をいいます（措令39の16②）。

請求権勘案間接保有株式等とは、

外国法人の発行済株式等に、次に掲げる場合の区分に応じそれぞれ次に定める割合（次に掲げる場合のいずれにも該当する場合には、それぞれ次に定める割合の合計割合）を乗じて計算した株式等の数又は金額をいいます。

イ　当該外国法人の株主等である他の外国法人の発行済株式等の全部又は一部が内国法人により所有されている場合

　　当該内国法人の当該他の外国法人に係る持株割合に当該他の外国法人の当該外国法人に係る持株割合を乗じて計算した割合（x%×y%）

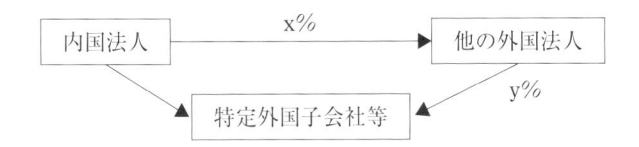

ロ　当該外国法人と他の外国法人との間に一又は二以上の外国法人が介在している場合であって、当該内国法人、当該他の外国法人、出資関連外国法人及び当該外国法人が株式等の所有を通じて連鎖関係にある場合

　　出資関連外国法人の他の出資関連外国法人に係る持株割合及び出資関連外国法人の当該外国法人に係る持株割合を順次乗じて計算した割合（1%×m%×n%×p%）

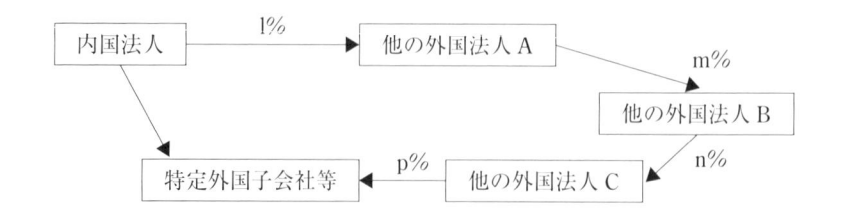

◆特定外国子会社等が二以上ある場合の損益の不通算

　措置法通達66の 6 - 11では、内国法人が二以上の特定外国子会社等を有する場合で、そのうちの 1 社以上が欠損金を計上した場合に、利益を計上した特定外国子会社等の利益の額と欠損を計上した特定外国子会社等の欠損の額を通算できるか否かについての解釈が示されています。結論は通算できず、課税対象金額があるもののみを加算することとなります。

◆課税対象金額の円換算

　措置法通達66の 6 - 14では、課税対象金額の円換算について解釈指針を示しています。課税対象金額の円換算は、原則として当該特定外国子会社等の当該事業年度終了の日から 2 か月を経過する日における電信売買相場の仲値によります。

　ただし、継続適用を条件として、当該内国法人の同日を含む事業年度終了の日の電信売買相場の仲値によることができるとしています。

　但書を適用する場合で、特定外国子会社等が 2 社以上ある場合には、そのすべてについて当該電信売買相場の仲値を適用することを求めています。

◆適用対象金額の計算にあたっての円換算

　措置法通達66の 6 - 9 では、適用対象金額又は欠損金額の計算は、特定外国子会社等が会計帳簿の作成にあたり使用する外国通貨表示の金額により計算するものとするとしています。

　この場合、交際費の損金不算入額を計算する場合における基準額600万円の換算については、措置法通達66の 6 - 14により内国法人が特定外国子会社等の

課税対象金額の円換算にあたり適用する為替相場により当該本邦通貨表示で定められている金額を当該外国通貨表示の金額に換算した金額によるものとするとされています。

第5節　「資産性所得」の合算課税

　平成22年度の税制改正で、トリガー税率が25%から20%に引き下げられ、対象株主の範囲が5%以上保有する内国法人から10%以上保有する内国法人に縮小されて、地域統括会社に関する適用除外基準の適用が緩和されました。これらの課税要件の厳格化とのバランスをとって、租税回避行為を防止する観点から、「資産性所得」に対する合算課税制度が導入されました。

　たとえ適用除外に該当する特定外国子会社等であっても、当該特定外国子会社等が資産運用的な所得を有する場合には、一定の要件の下で、当該「資産性所得」を内国法人等の所得に合算して課税する制度です。

　旧租税特別措置法第66条の6第4項は次のように規定していました。（（　　）書を省略しました）。

　「第1項各号に掲げる内国法人に係る特定外国子会社等が、平成22年4月1日以後に開始する各事業年度において前項の規定により第1項の規定を適用しない適用対象金額を有する場合において、当該各事業年度に係る次に掲げる金額に相当する金額は、その内国法人の収益の額とみなして当該事業年度終了の日の翌日から2月を経過する日を含むその内国法人の各事業年度の所得の金額の計算上、益金の額に算入する。」

実務上のポイント

◆「資産性所得」に対する合算課税（部分課税対象金額）の要件　（措法66の6④）

　①　合算課税の対象たる納税義務者は特定外国子会社等の株主である内国法

人です。

② 合算対象の所得は、適用除外基準を満たす特定外国子会社等の所得です。

③ 「資産性所得」とは次の所得です。

　イ　**株式保有割合**　10%未満の株式等の配当等に係る所得又はその譲渡（取引所又は店頭における株式等の譲渡に限ります）による所得

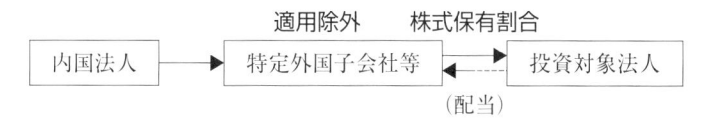

　ロ　債券の利子に係る所得又はその譲渡（取引所又は店頭における債券の譲渡に限ります）による所得

　ハ　工業所有権及び著作権（出版権及び著作隣接権を含みます）の提供による所得（特定外国子会社等により開発されたもの等から生じる所得を除きます）

　ニ　船舶又は航空機の貸付による所得

④ 合算すべき所得については金額的な下限が設けられています（措法66の6⑤）。

　イ　各事業年度における部分適用対象金額に係る収入金額が1,000万円以下であること。

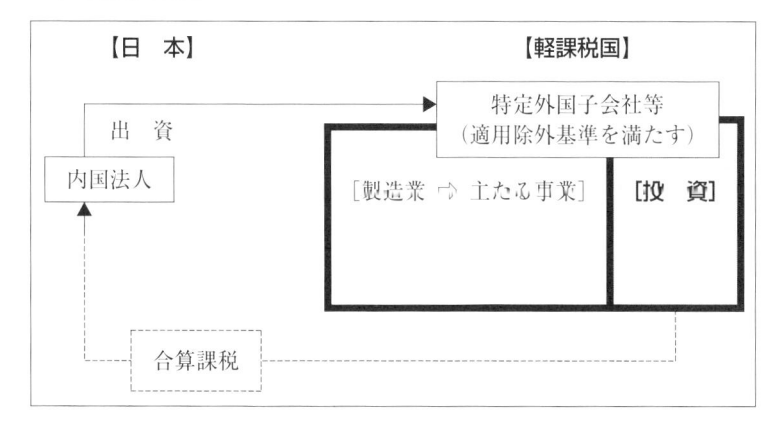

　　ロ　各事業年度の決算に基づく所得の金額に相当する金額として政令で定
　　　める金額のうちに当該事業年度における部分適用対象金額の占める割合
　　　が100分の 5 以下であること。

◆平成23年度税制改正では、資産性所得の金額の計算についてきめ細かな取扱
　いが示されました（措法66の 6 ④）。

資産性所得の種類	資産性所得の金額の計算	平成23年度改正
一　持株割合10％未満の 　　株式に係る配当	剰余金の配当の額の合計額－（直接 経費＋負債利子配賦額）	改正事項の 1 、 2 、 3
二　債券の利子	利子の額の合計額－（直接経費＋負 債利子配賦額）	2 、 3
三　債券の償還差益	償還差益の額（償還金額－取得価額） の合計額－（直接経費＋負債利子配 賦額）	2 、 3 、 4
四　持分割合10％未満の 　　株式の譲渡益	譲渡対価の額の合計額－（取得価額 ＋直接経費）	1 、 2 、 5
五　債券の譲渡益	譲渡対価の額の合計額－直接経費	2 、 5
六　特許権等の使用料	使用料の額の合計額－直接経費	2 、 6
七　船舶・航空機の貸付 　　の対価	貸付の対価の額の合計額－直接経費	2 、 6

【改正事項（措法66の 6 ④）】

　1　持株割合の判定時期は、配当についてはその効力発生日（みなし配当の
　　場合は効力発生日の前日）、譲渡益については譲渡直前とした。

　2　外国源泉税等の額は、資産性所得の金額の計算上控除できることとした。

　3　利子・配当等に係る資産性所得の計算上控除すべき費用の額は、直接経
　　費の額と負債利子配賦額の合計額とした。

　4　償還差益の額は、銘柄ごとに、その償還金額から移動平均法等により計
　　算した取得価額を超える場合のその差益の額とした。

　5　株式・債券の譲渡対価の額の合計額から控除する取得価額は、移動平均
　　法等により計算することとした。

6 特許権等の使用料等から控除する直接費用の額に減価償却費が含まれることを明確化するとともに、減価償却の計算は、継続適用を要件として、日本の税法基準又は現地税法基準のいずれかによることとした。

〈負債利子配賦額の計算式〉

特定外国子会社等が当該事業年度において支払う負債の利子の額の合計額 × (特定外国子会社等が当該事業年度終了の時において有する株式等（上記の剰余金の配当等の額に係るものに限ります。）の当該事業年度終了の時における貸借対照表に計上されている帳簿価額の合計額 ÷ 特定外国子会社等の当該事業年度終了の時における貸借対照表に計上されている総資産の帳簿価額) − 直接要した費用の額の合計額として剰余金の配当等の額の合計額から控除される負債の利子の金額

※上記算式により計算した金額がマイナスとなる場合は負債利子配賦額はゼロとします。

平成28年４月及び５月にいわゆる「パナマ文書」が明らかになり、国際的な租税回避に対する関心が高まりました。Ｇ７伊勢志摩サミットにおいて、BEPSプロジェクトにおける合意事項の着実な実施の重要性が確認され、また、G20等の国際会議やわが国の国会においても、国際的な租税回避等の実態解明とこれに対する効果的な対応が改めて大きな課題として認識されるに至りました。

こうした背景の下、平成29年度税制改正では、部分対象外国関係会社の合算対象となる「特定所得の金額」の範囲の見直しとともに、内国法人が直接及び間接に有する当該部分対象外国関係会社の株式等の数又は金額につきその請求権の内容を勘案した数又は金額並びにその内国法人と当該部分対象外国関係会社との間の実質支配関係の状況を勘案して計算した金額とする旨の改正が行われました。

平成30年度税制改正では、日本企業がM&A等により取得した外国企業の傘下にあるペーパー・カンパニーを整理する場合に生ずる一定の所得を合算対象としないこととしたほか、一定の要件を満たす外国金融子会社等が得る配当や

利子などの一定の金融所得について部分合算課税の対象としないこととしているところ、金融機関の海外展開の実情を踏まえ、一定の金融持株会社の要件の見直し等が行われました。

　平成31年度の税制改正では、米国の連邦法人税率の引き下げを契機として、海外のビジネス上、一般的に用いられる実態があり、かつ租税回避リスクが限定的であると考えられる一定の外国関係会社についてペーパー・カンパニーに該当しないこととされたほか、現地で連結納税やパススルー課税が行われる外国関係会社の適用対象金額等の計算方法について整備が行われました。

外国子会社配当益金不算入制度との調整

第6節

平成21年度の税制改正で、一定の要件を充足する外国子会社等からの剰余金の配当等の額について、剰余金の配当等の額から剰余金の配当の額の5％相当額を控除した金額を、当該剰余金の配当を受け取る内国法人の課税所得金額の計算において益金としない取扱いが導入されました（法法23の2、法令22の4②）。

外国子会社配当益金不算入制度の導入とともに、外国子会社合算税制の適用上、次のような調整措置が講じられています。

(1) 外国子会社配当益金不算入制度の適用を受けない特定外国子会社等から剰余金の配当等を受けた場合の取扱い

法人税法第23条の2の適用を受ける特定外国子会社等から内国法人が剰余金の配当等を受ける場合、当該支払配当の額を適用対象留保金の額から控除する従来の取扱い（旧措令39の16①二）に代えて、支払配当の額は控除しないで課税対象金額を計算し、受取配当の益金不算入の取扱いを行うこととなりました。

一方、法人税法第23条の2の適用を受けない特定外国子会社等については、支払配当の額が課税対象金額から控除されないため、受取配当の額が益金算入となることで二重課税の問題が生じます。

そこで、租税特別措置法第66条の8第1項で、法人税法第23条の2の適用を受けない特定外国子会社等からの剰余金の配当等のうち、内国法人の配当等を受ける日を含む事業年度及びその事業年度開始の日前10年以内に開始した各事業年度において、特定外国子会社等につき合算対象とされた金額の合計額（**特定課税対象金額**）に達するまでの金額は、益金の額に算入しないことを規定し

ました。

(2)　特定外国子会社等に該当する孫会社から子会社に配当された剰余金に係る二重課税の調整

内国法人が法人税法第23条の2が適用される特定外国子会社等から受ける剰余金の配当等の額については、特定課税対象金額に達するまでの金額は、剰余金の配当等の額に係る費用の額に相当する金額（5％相当額）の控除を行わないことで、二重課税が排除されています（措法66の8②）。

また、内国法人が外国子会社配当益金不算入制度の適用対象となり、法人税法第23条の2が適用されない特定外国子会社等（出資割合25％未満）から受ける剰余金の配当等の額については、特定課税対象金額に達するまでの金額は、全額益金の額に算入しないこととされています（措法66の8①）。

実務上のポイント

ところで、子会社である特定外国子会社等（A社）が孫会社である特定外国子会社等（B社）の合算済みの剰余金から配当を受け取っていた場合、どのような取扱いになるのかが実務上問題となります。

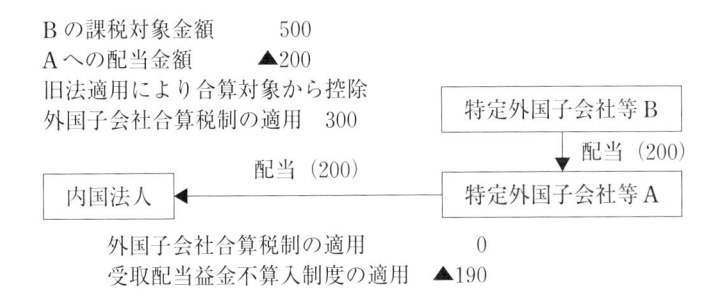

B の課税対象金額　　　500
A への配当金額　　▲200
旧法適用により合算対象から控除
外国子会社合算税制の適用　300

特定外国子会社等 B

配当（200）

配当（200）

内国法人

特定外国子会社等 A

外国子会社合算税制の適用　　　　0
受取配当益金不算入制度の適用　▲190

　100％出資の子会社と孫会社と仮定して、B 社は外国子会社合算税制の適用
対象となりますが、内国法人に合算された所得は旧法適用事業年度だとすると、
A 社に対する配当の額は合算対象から控除されます。A は B からの配当を原資
として内国法人に配当を行ったとすると、租税特別措置法第66条の 8 第 2 項の
適用はないので、剰余金の配当等の額に係る費用の額に相当する金額（5 ％相
当額）は益金となるものと解されます。

第7節　平成29年改正後の外国子会社合算税制

1. BEPS プロジェクトの提言を受けた税制改正

　平成29年度の税制改正では、BEPS プロジェクトの最終報告書（行動3）「外国子会社合算税制の強化(Designing Effective Controlled Foreign Company Rules)」の提言を受けて、「外国子会社の経済実態に即して課税すべき」との基本的な考え方を踏襲し、日本企業の健全な海外展開を阻害することなく、より効果的に国際的な租税回避に対応するための改正が行われました。

　従来の制度は、租税回避リスクを外国関係会社の租税負担割合により把握する制度でしたが、改正後は、外国関係会社の所得の種類や事業活動の内容により把握する仕組みになりました。

　その結果、租税負担割合が20%以上の外国関係会社について、利子・配当・使用料等のいわゆる「受動的所得」しか得ていないペーパーカンパニーのようなものは、親会社である内国法人の所得とみなして合算する仕組みを設けています。他方で、経済活動の実態がある事業から得られた「能動的所得」については、外国関係会社の租税負担割合に関わらず合算課税の対象外としました。

　改正後の外国子会社合算税制は、**平成30年4月1日以後開始する外国関係会社の事業年度に対して施行されています**。

　従来の制度で改正後も踏襲される取扱いが多いため、制度の基本構造を解説する中で、改正になる部分を「改正事項」と明示することで、施行時期による適用の便宜を図ることとします。また、平成30年改正以降の改正内容も付記し

ました。

2. 会社単位の合算課税制度

　従来は、「特定外国子会社等」について、いくつかの課税要件を充足する場合に、課税対象金額を、内国法人の収益の額とみなして、当該特定外国子会社等の各事業年度終了の日の翌日から2月を経過する日を含む当該内国法人の各事業年度の所得の金額の計算上、益金の額に算入するという取扱いでした。

　改正後は、特定外国関係会社又は対象外国関係会社の課税対象金額について、内国法人が直接、間接に有するその株式等の数又は金額につき、**その請求権の内容を勘案した数又は金額と、内国法人と当該特定外国関係会社又は対象外国関係会社との間の実質支配関係の状況を勘案して算定した金額を**、その内国法人の収益の額とみなして益金の額に算入することとしました。

(1)　制度の適用を受ける内国法人（納税義務者）

　本制度の適用を受ける内国法人は、外国関係会社の持株割合等の10％以上を直接及び間接に有する内国法人ですが、**外国関係会社との間に実質支配関係のある内国法人が新たに適用対象となりました**【改正事項】。

① 　内国法人の外国関係会社に係る次に掲げる割合のいずれかが10％以上である場合における内国法人

　　イ　その有する外国関係会社の株式等の数又は金額（その外国関係会社と居住者又は内国法人との間に実質支配関係がある場合には、零）及び他の外国法人を通じて間接に有するその外国関係会社の株式等の数又は金額の合計数又は合計額がその外国関係会社の発行済株式等の総数又は総額のうちに占める割合（措令39の14③参照）

　　ロ　その有する外国関係会社の議決権（剰余金の配当等に関する決議に係るものに限る）の数（その外国関係会社と居住者又は内国法人との間に実質支配関係がある場合には、零）及び他の外国法人を通じて間接に有するその外国関係会社の議決権の数の合計数が当該外国関係会社の議決権の総数のうち

に占める割合

ハ　その有する外国関係会社の株式等の請求権に基づき受けることができる剰余金の配当等の額（その外国関係会社と居住者又は内国法人との間に実質支配関係がある場合には、零）及び他の外国法人を通じて間接に有するその外国関係会社の株式等の請求権に基づき受けることができる剰余金の配当等の額の合計額がその外国関係会社の株式等の請求権に基づき受けることができる剰余金の配当等の総額のうちに占める割合

② 外国関係会社との間に実質支配関係がある内国法人

③ 内国法人との間に実質支配関係がある外国関係会社の他の外国関係会社に係る直接及び間接の持分割合が10%以上である場合の内国法人

具体的には、外国関係会社（内国法人との間に実質支配関係があるものに限る）の他の外国関係会社に係る上記イからハまでに掲げる割合のいずれかが10%以上である場合におけるその内国法人

④ 直接及び間接の持分割合が10%以上である一の同族株主グループに属する内国法人（外国関係会社に係る上記イからハまでに掲げる割合のいずれかが零を超えるものに限る）

(2)　外国関係会社の範囲の見直し【改正事項】

外国関係会社の判定は、掛け算方式による直接・間接の持分割合が50%超であるか否かが従来の判定基準でした。**改正後は、従来の持ち分割合による判定に加えて、内国法人等が判定対象となる外国法人を実質支配している場合と、実質支配されている外国法人等を通じて連鎖的に持分割合を有する外国法人も該当することとなりました。**

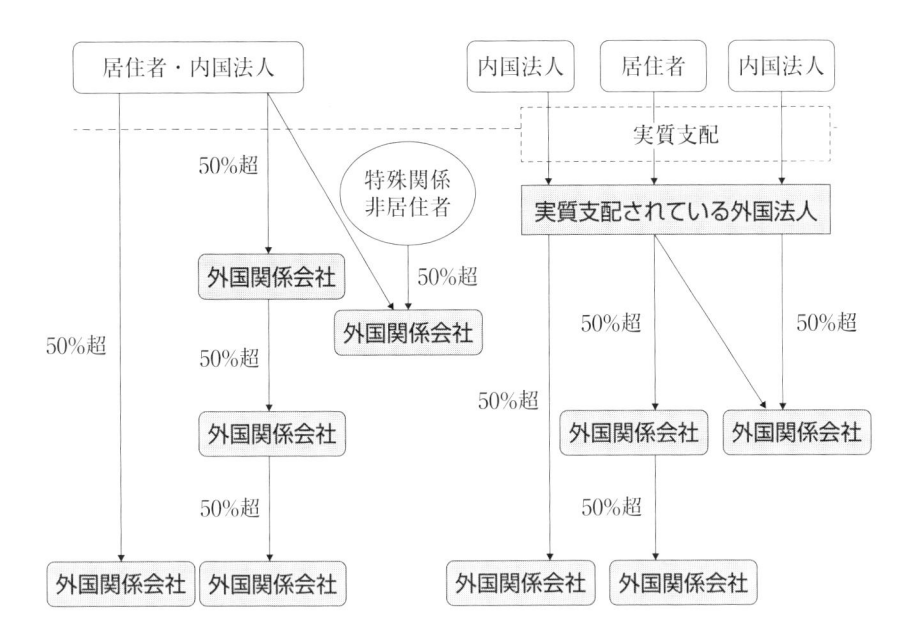

　合算対象となる所得は、課税対象金額がある一定の要件に該当する外国関係会社の課税対象金額です。

(3)　**特定外国関係会社と対象外国関係会社**

①　特定外国関係会社【改正事項】

　特定外国関係会社とは、租税回避リスクの高いペーパー・カンパニー等が該当し、租税負担割合が20%以上であっても、会社単位の合算課税の対象とされます。ただし、企業の事務負担の軽減のため、当該事業年度における租税負担割合が30%以上である場合には、合算課税は免除されます。具体的には、次のイからハまでに掲げる外国関係会社です（措法66の 6 ②二）。

　イ　事務所等の実体がなく、かつ、事業の管理支配を自ら行っていない外国
　　　関係会社で次のいずれにも該当しない外国関係会社　（ペーパーカンパニー）

　　㈠　その主たる事業を行うに必要と認められる事務所、店舗、工場その他
　　　　の**固定施設を有している**外国関係会社（実体基準）

> ◆　留意すべき点
> ・固定的施設を有するか否かの判定において、当該固定的施設が所有か賃貸かといった形式は問われません。
> ・その固定的施設が主たる事業を行うに当たって必要なものと認められないときは、(イ)を充足しません。
> ・固定的施設の所在地国・地域がどこかということについては、要件とされていません。

(ロ)　その本店又は主たる事務所の所在する国又は地域においてその**事業の管理、支配及び運営を自ら行っている**外国関係会社（管理支配基準）

> ◆　書類・資料の提出義務（措法66の6③）
> 　税務当局の職員は、(イ)及び(ロ)に該当するかどうかを判定するために必要があるときは、内国法人に対して期間を定めて、その外国関係会社が上記(イ)又は(ロ)に該当することを明らかにする書類その他の資料の提示又は提出を求めることができます。
> 　この場合において、当該書類その他の資料の提示又は提出がないときは、その外国関係会社は上記(イ)又は(ロ)に該当しないものと推定することとされています。すなわち、特定外国関係会社に該当するものとして取り扱われます。

ロ　受動的所得の割合が一定以上の外国関係会社（事実上のキャッシュ・ボックス）

　BEPSプロジェクトの最終報告書では、豊富な資本を持ちながら、能動的な事業遂行やリスク管理に必要な機能をほとんど果たしていない事業体を「キャッシュ・ボックス」と呼び、租税回避のリスクが高いものと指摘しています。

　具体的には、その総資産の金額に対する租税特別措置法第66条の6第6項第1号から10号までに掲げる所得の金額の合計額、すなわち、部分合算

課税の対象となる各種所得の金額で異常所得の金額を除いた金額の合計額
に相当する金額の割合が30％を超える外国関係会社とされています。

【セーフハーバー】

総資産額に対する有価証券、貸付金、固定資産（無形資産等を除くもの
とし、貸付けの用に供しているものに限る）及び無形資産等の合計額の割合
が50％を超える外国関係会社に限られます。

事実上のキャッシュ・ボックスに分類される外国金融子会社等は、その
総資産額に対する租税特別措置法第66条の6第8項第1号に掲げる金額に
相当する金額又は同項第2号から第4号までに掲げる金額に相当する金額
の合計額のうちいずれか多い金額の割合が30％を超えるものとされていま
す（措法66の6②二ロ）。

ハ　租税に関する情報の交換に関する国際的な取組みへの協力が著しく不十
分な国又は地域として財務大臣が指定する国又は地域（ブラック・リスト
国）に本店又は主たる事務所を有する外国関係会社

平成28年4月に開催されたG20財務大臣・中央銀行総裁会議において、
税に関する透明性向上に向けた進捗が見られない国・地域に対しては、「防
御的措置」が検討されることとなりました。わが国では、外国子会社合算
税制において、情報交換に非協力的な国・地域に所在する外国関係会社に
対して合算課税を適用する仕組みを導入しました。

具体的には、税に関する透明性向上に向けた進捗が見られない国・地域
として OECD・G20が公表を予定している（平成29年8月時点）、いわゆる
「ブラック・リスト」の掲載国・地域を参考にしながら、租税に関する情
報の交換に関する国際的な取組みへの協力が著しく不十分な国又は地域に
本店又は主たる事務所を有する外国関係会社について、特定外国関係会社
に該当することとされています（措法66の6②二ハ）。

②　対象外国関係会社

「外国子会社の活動実態に即して課税すべき」という BEPS プロジェクトの

基本的な考え方に基づき、外国関係会社の経済活動に着目して、外国関係会社が、会社全体として、いわゆる「能動的所得」を得るために必要な経済活動の実体を備えているかを判定する基準として、「経済活動基準」が設定されました。

　経済活動基準は、改正前の適用除外基準と同様の4つの基準（事業基準、実体基準、管理支配基準、非関連者基準／所在地国基準）とされ、外国関係会社がこれらのうちいずれかを満たさない場合には、能動的所得を得るうえで必要な経済活動の実体を備えていないと判断されることになります。このような外国関係会社を対象外国関係会社と定義しています。

　経済活動基準を個別にみていきます。

イ　株式等もしくは債券の保有、工業所有権その他の技術に関する権利、特別の技術による生産方式若しくはこれらに準ずるもの若しくは著作権の提供又は船舶若しくは航空機の貸付けを**主たる事業とするものでない**こと**（事業基準）**。

ロ　事業基準の判定上の【改正事項】

◆改正点

　航空機の貸付けを主たる事業とする外国関係会社のうち、本店所在地国においてその役員又は使用人が航空機の貸付けを的確に遂行するために通常必要と認められる業務の全てに従事していること等の要件を満たすものについては、事業基準を満たすものとする。実体のある航空機リース業の判定基準は次の通りです。

１．通常必要業務従事基準（措令39の14の3⑪一）

２．費用基準（措令39の14の3⑪二）

$$\frac{航空機の貸付に係る業務の委託に係る対価の支払額の合計}{航空機の貸付に係る業務に従事する役員・使用人に係る人件費の額の合計} \leqq 30\%$$

３．リース収益人件費割合基準（措令39の14の3⑪三）

$$\dfrac{\text{航空機の貸付に係る業務に従事する役員・}}{\text{航空機の貸付による収入}} > 5\ \% \\ -\text{貸付の用に供する航空機に係る償却費の額の合計}$$

ハ　その本店所在地国においてその主たる事業を行うに必要と認められる事務所、店舗、工場その他の**固定施設を有している**こと並びにその本店所在地国において**事業の管理、支配及び運営を自ら行っている**こと（実体基準・管理支配基準）。

> ◆改正点
>
> 　保険業法に相当する本店所在地国の法令の規定による免許を受けて保険業を営む一定の外国関係会社（以下「保険委託者」という）の実体基準及び管理支配基準の判定について、その外国関係会社のその免許の申請等の際にその保険業に関する業務を委託するものとして申請等をされた者で一定の要件を満たすもの（以下「保険受託者」という）が実体基準又は管理支配基準を満たしている場合には、その外国関係会社は実体基準又は管理支配基準を満たすものとする。（措令39の14の3①）【改正事項】

ニ　各事業年度において、その行う主たる事業が次に掲げる事業のいずれに該当するかに応じ、それぞれ次に定める場合に該当すること

(イ)　卸売業、銀行業、信託業、金融商品取引業、保険業、水運業、航空運送業又は物品賃貸業

　　その事業を、主として当該外国関係会社に係る居住者、当該外国関係会社に係る内国法人、当該外国関係会社に係る連結法人その他これらの者に準ずる者として**政令で定めるもの以外の者との間で行っている**場合として政令で定める場合（非関連者基準）

> ◆改正点
>
> 　次の取引は、外国関係会社と当該外国関係会社に係る関連者との間で行われた取引とみなして、非関連者基準を判定する。

　一　外国関係会社と当該外国関係会社に係る関連者以外の者との間で行う取引により当該非関連者に移転又は提供をされる資産、役務その他のものが当該対象取引を行った時において、契約その他によりあらかじめ定まっている場合における当該対象取引

　二　外国関係会社に係る関連者と当該外国関係会社に係る非関連者との間で行う取引により当該関連者に移転又は提供される資産、役務その他のものが当該外国関係会社に係る非関連者との取引により当該外国関係会社に移転又は提供されることが当該先行を行った時において契約その他によりあらかじめ定まっている場合における当該対象取引（措令39の14の3⑯）【改正事項】

　(ロ)　(イ)に掲げる事業以外の事業

　　　その事業を主としてその**本店所在地国において行っている**場合として政令で定める場合（**所在地国基準**）

　◆改正点

　　外国関係会社の各事業年度において行う主たる事業が次の事業に該当する場合には、次により判断される（措令39の14の3⑳三）。

　一　不動産業　主として本店所在地国にある不動産の売買又は貸付け、当該不動産の売買又は貸付けの代理又は媒介及び当該不動産の管理を行っている場合

　二　物品賃貸業（航空機の貸付けを主たる事業とするものを除く）　主として本店所在地国において使用に供される物品の貸付けを行っている場合

　三　製造業　主として本店所在地国において製品の製造を行っている場合（製造における重要な業務を通じて、製造に主体的に関与していると認められる場合として財務省令で定める場合を含む）

　四　第十五項各号及び前三号に掲げる事業以外の事業　主として本店所在地国において行っている場合

　なお、**実質支配関係とは、居住者又は内国法人が外国法人の残余財産のおお**

むね全部を請求する権利を有している場合における当該居住者又は内国法人と当該外国法人との間の関係その他の政令で定める関係をいいます（774ページ参照）。

(4)　間接保有株式等保有割合

　持株割合は、居住者等株主等の外国法人（被支配外国法人に該当するものを除く）に係る**直接保有株式等保有割合**と**間接保有株式等保有割合**とを合計した割合とされています（措法66の6②一イ（1））。

　間接保有株式等保有割合は、次の①及び②に定める割合とされました。

①　判定対象外国法人の株主等である他の外国法人（被支配外国法人に該当するものを除く）の発行済株式等の50％超の株式等が居住者等株主等に保有されている場合……当該株主等である他の外国法人の当該判定対象外国法人に係る持分割合

②　判定対象外国法人の株主等である他の外国法人（被支配外国法人に該当するものを除く）と居住者等株主等との間に株式等の保有を通じて発行済株式等の50％超の連鎖関係にある一又は二以上の出資関連外国法人（被支配外国法人に該当するものを除く。）が介在している場合……当該株主等である他の外国法人の当該判定対象外国法人に係る持分割合

　（注）　議決権の数、株式等の請求権に基づき受けることができる剰余金の配当等の額に基づき計算する場合も同様に計算する（措令39の14の2②、③、④）【改正事項】。

◆ジョイントベンチャーに出資している場合の取扱い

　外国関係会社の判定場面における間接保有割合の計算方法が掛け算方式から連鎖方式に変更されたことにより、内国法人が外国法人とジョイントベンチャー（JV）によって他の外国法人に出資する際に、JVの相手方である外国法人の株主に持分割合50％以下の居住者が存在した場合であっても、当該他の外国法人が外国関係会社に該当するかどうかの判定には影響しないこととなります。

〔**設例**〕

　内国法人Aが外国法人Cと合弁で外国法人Dを設立。

　居住者Bは、外国法人Cの発行済株式の0.001%を保有。

　「この場合、外国法人Dは外国関係会社に該当するか否か？」

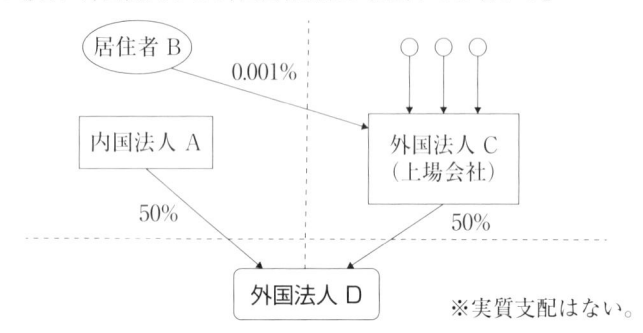

〈改正前の取扱い〉

　　直接保有割合（内国法人A分）　　間接保有割合（居住者B分）

　　　　50%　　　　　＋　　　　0.001%×50%　　　＝50.0005%＞50%

　外国法人Dは**外国関係会社に該当する。**

〈改正後の取扱い〉

　　直接保有割合（内国法人A分）　　間接保有割合（居住者B分）

　　　　50%　　　　　＋　　　　　　0%　　　　　＝50%

　外国法人Dは**外国関係会社に該当しない。**

(5)　実質支配関係がある外国法人

　次に掲げる内国法人に係る外国関係会社のうち、**特定外国関係会社**又は**対象外国関係会社**に該当するものが、各事業年度において適用対象金額を有する場合、その適用対象金額のうちその内国法人が直接及び間接に有する当該特定外国関係会社又は対象外国関係会社の株式等の数又は金額につきその**請求権の内容を勘案**

した数又は金額並びにその内国法人と当該特定外国関係会社又は対象外国関係会社との間の**実質支配関係の状況**を勘案して政令で定めるところにより計算した金額に相当する金額は、その内国法人の収益の額とみなして、当該各事業年度の終了の日の翌日から2月を経過する日を含むその内国法人の各事業年度の所得の金額の計算上、益金の額に算入する【改正事項】。

① 内国法人の外国関係会社に係る次に掲げる割合のいずれかが10／100以上である場合における当該内国法人

		分子	分母
イ		その有する外国関係会社の株式等の数又は金額（当該外国関係会社と居住者又は内国法人との間に実質支配関係がある場合には0）及び他の外国法人を通じて間接に有するものとして政令で定める当該外国関係会社の株式等の数又は金額の合計数又は合計額	当該外国関係会社の発行済株式又は出資（自己が有する自己の株式等を除く）の総数又は総額
ロ		その有する外国関係会社の議決権の数（当該外国関係会社と居住者又は内国法人との間に実質支配関係がある場合には0）及び他の外国法人を通じて間接に有するものとして政令で定める当該外国関係会社の議決権の数の合計数	当該外国関係会社の議決権の総数
ハ		その有する外国関係会社の株式等の請求権に基づき受けることができる剰余金の配当等の額（当該外国関係会社と居住者又は内国法人との間に実質支配関係がある場合には0）及び他の外国法人を通じて間接に有する当該外国関係会社の株式等の請求権に基づき受けることができる剰余金の配当等の額として政令で定めるものの合計額	当該外国関係会社の株式等の請求権に基づき受けることができる剰余金の配当等の総額

② 外国関係会社との間に実質支配関係がある内国法人

③ 外国関係会社（内国法人との間に実質支配関係があるものに限る）の他の外国関係会社に係る上記①の表イからハに掲げる割合のいずれかが10／100以上である場合における当該内国法人

④ 外国関係会社に係る上記①の表イからハまでに掲げる割合のいずれかが10／100以上である一の同族株主グループ（外国関係会社の株式等を直接又は間

接に有する者及び当該株式等を直接または間接に有する者との間に実質支配関係
がある者（当該株式等を直接又は間接に有する者を除く）のうち、一の居住者又
は内国法人、当該一の居住者又は内国法人と政令で定める特殊の関係のある者（外
国法人を除く）をいう）に属する内国法人（上記①の表イからハに掲げる割合の
いずれかが０を超える外国関係会社に限るものとする）

　実質支配関係とは、居住者又は内国法人（居住者等）と外国法人との間に、
次に掲げる事実その他これに類する事実が存在する場合（その外国法人の行
う事業から生ずる利益のおおむね全部が剰余金の配当、利益の配当、剰余金の分
配その他の経済的な利益の給付としてその居住者等（その居住者等と特殊な関係
がある者を含む）以外の者に対して金銭その他の資産により交付されることとなっ
ている場合を除く）におけるその居住者等とその外国法人との間の関係をい
う。

イ　残余財産の分配請求権
　居住者等が外国法人の残余財産のおおむね全部について分配を請求する権
利を有すること。

ロ　財産の処分の方針の決定権限
　居住者等が外国法人の財産の処分の方針のおおむね全部を決定することが
できる旨の契約その他の取決めが存在すること（その外国法人につき①に掲げ
る事実が存在する場合を除く）。

3. 一定所得の部分合算制度の見直し

　従来は、外国関係会社の行う事業の性質上重要で欠くことができない業務か
ら生じた一定の所得については、特定所得から除かれており、次のような所得
が合算対象でした（旧措法66の6④）。

①　持分割合10％未満の株式等に係る配当

②　債券の利子

③　債券の償還差益

④　持分割合10%未満の株式等の譲渡益

⑤　債券の譲渡益

　改正後は、対象所得の見直しが行われ、租税回避リスクを所得類型ごとに判断し、外国関係会社にその所得を得るだけの実質を備えていると考えられるものを事務負担も考慮して、個別に除外することとされました（措法66の6⑥）。

①　剰余金の配当等

　　剰余金の配当等（法法23①）の額の合計額からその剰余金の配当等の額を得るために直接要した費用の額の合計額及びその剰余金の配当等の額に係る費用の額として次の算式により計算した金額を控除した残額

$$
\begin{array}{c}
\text{部分対象外国関} \\
\text{係会社がその事} \\
\text{業年度において} \\
\text{支払う負債の利} \\
\text{子の額の合計額}
\end{array}
\times
\frac{
\begin{array}{c}
\text{部分対象外国関係会社がその} \\
\text{事業年度終了の時において有} \\
\text{する株式等（剰余金の配当等} \\
\text{の額に係るものに限る）の貸} \\
\text{借対照表に計上されている帳} \\
\text{簿価額の合計額}
\end{array}
}{
\begin{array}{c}
\text{部分対象外国関係会社のその} \\
\text{事業年度終了の時における貸} \\
\text{借対照表に計上されている} \\
\text{総資産の帳簿価額}
\end{array}
}
-
\begin{array}{c}
\text{直接要した費用の額の} \\
\text{合計額として剰余金の} \\
\text{配当等に係る特定所得} \\
\text{の金額の計算上控除さ} \\
\text{れる負債の利子の金額}
\end{array}
$$

②　受取利子等

　イ　受取利子等に係る所得の金額

　　　受取利子等の額の合計額からその利子等を受け取るために直接要した費用の額の合計額を控除した残額

　ロ　除外される金額

　　　その本店所在地において活動するするための十分な経済合理性があると認められる一定の利子については、部分合算課税の対象から除外されました。

　　㈠　業務の通常の過程で生ずる預貯金利子の額

　　　　その行う業務に係る業務の通常の過程において生ずる預金又は貯金の

　　　　利子の額

　㋺　一定の貸金業者が行う金銭の貸付けに係る利子の額

　　　　金銭の貸付けを主たる事業とする部分対象外国関係会社で、その本店
　　所在地国においてその役員又は使用人が金銭の貸付け等を的確に遂行す
　　るために通常必要と認められる業務の全てに従事しているものが行う金
　　銭の貸付けに係る利子

　㋩　一定の割賦販売等に係る利子の額

　　　　割賦販売等を行う部分対象外国関係会社でその本店所在地国において
　　その役員又は使用人が割賦販売等を的確に遂行するために通常必要と認
　　められる業務の全てに従事しているものが行う割賦販売等から生ずる利
　　子

　㊁　一定のグループファイナンスに係る利子の額

　　ⅰ）部分対象外国関係会社がその関連者等に対して行う金銭の貸付けに
　　　係る利子の額。本店所在地国において実体のあるグループファイナン
　　　ス事業を行っていると認められる部分対象外国関係会社が関連者に対
　　　して行う金銭の貸付けによって得る利子については、部分合算課税の
　　　対象から除外されます。

　　ⅱ）部分対象外国関係会社がその関連者等である外国法人に対して行う
　　　金銭の貸付けに係る利子の額

③　有価証券の貸付けの対価

　　有価証券の貸付けによる対価の額の合計額からその対価の額を得るために
　直接要した費用の額の合計額を控除した残額

④　有価証券の譲渡損益

　イ　部分合算課税の対象となる有価証券の譲渡損益に係る所得の額

　　　　有価証券の譲渡に係る対価の額の合計額からその有価証券の譲渡に係る
　　原価の額及びその対価の額を得るために直接要した費用の額の合計額を減
　　算した金額

ロ　除外される金額

その譲渡の直前において部分対象外国関係会社の有する他の法人の株式等の数又は金額のその発行済株式等に占める割合が、その譲渡の直前において25％以上である場合における当該他の法人の株式等の譲渡に係る対価の額

⑤　デリバティブ取引に係る損益

イ　デリバティブ取引に係る損益に係る所得の金額

部分対象外国関係会社が行うデリバティブ取引に係る利益の額又は損失の額。具体的には、デリバティブ取引に係る利益の額又は損失の額につき法人税法第61条の５の規定その他法人税に関する法令の規定の例に準じて計算した場合に算出される金額とされています（措規22の11⑥）。

ロ　除かれる金額

㈤　ヘッジ取引として行った一定のデリバティブ取引に係る損益の額

㈥　一定の商品先物取引業者が行う一定の商品先物取引に係る損益の額

㈦　短期売買商品損失額を減少させるために行った一定のデリバティブ取引に係る損益

㈧　先物外国為替契約等に相当する契約に基づくデリバティブ取引に係る損益

㈨　一定の金利スワップ等に係る損益

⑥　外国為替差損益

イ　外国為替差損益に係る所得の金額

部分対象外国関係会社が行う取引又はその有する資産若しくは負債につき外国為替の売買相場の変動に伴って生ずる利益の額又は損失の額

ロ　除外される金額

部分対象外国関係会社が行う事業に係る業務の通常の過程において生ずる利益の額又は損失の額

⑦　その他の金融所得

イ　その他の金融所得に係る所得の金額

上記①から⑥までに掲げる金額に係る利益の額又は損失の額を生じさせる資産の運用、保有、譲渡、貸付けその他の行為により生ずる利益の額又は損失の額

ロ　除外される金額

(イ)　①から⑥までに掲げる金額

(ロ)　ヘッジ取引として行った一定の取引に係る損益

⑧　資産の貸付けの対価

イ　固定資産の貸付けによる対価に係る所得の金額

固定資産（無形資産等を除く）の貸付けによる対価の額からその対価の額を得るために直接要した費用の額の合計額を控除した残額

ロ　除外される金額

(イ)　主としてその本店所在地において使用に供される固定資産の貸付けによる対価の額

(ロ)　その本店所在地国にある不動産及び不動産の上に存する権利の貸付けによる対価の額

(ハ)　一定の要件（措法66の6⑥八、措令39の17の3⑯）を満たす部分対象外国関係会社が行う固定資産の貸付けの額

⑨　無形資産等の使用料

イ　無形資産等の使用料に係る所得の金額

無形資産等の使用料の合計額からその使用料を得るために直接要した費用の額の合計額を控除した残額

ロ　除外される金額

(イ)　部分対象外国関係会社が無形資産等の研究開発を主として行った場合のその無形資産等の使用料

(ロ)　部分対象外国関係会社が取得した無形資産等につき相当の対価を支払い、かつ、その無形資産等をその事業の用に供している場合のその無形

　　資産等の使用料

　(ハ)　部分対象外国関係会社が使用料を許諾された無形資産等につき相当の
　　　対価を支払い、かつ、その無形資産等をその事業の用に供している場合
　　　のその無形資産等の使用料

⑩　無形資産等の譲渡損益

　イ　無形資産等の譲渡損益に係る所得の金額

　　　無形資産の譲渡に係る対価の額の合計額からその無形資産等の譲渡に係
　　る原価の額の合計額及びその対価の額を得るために直接要した費用の額の
　　合計額を減算した金額

　ロ　除外される金額

　　　上記⑨ロ（無形資産等の使用料）の除外規定を読み替え、同様の除外規
　　定が定められています。ただし、上記⑨ロ(ハ)については、使用許諾を受け
　　ている無形資産等につき譲渡を行うことは想定されていないことから、そ
　　の除外規定に対応する規定は設けられていません。

⑪　異常所得

　イ　異常所得

　　　外国関係会社の資産規模や人員等の経済実態に照らせば、その事業から
　　通常生じ得ず、発生する根拠のないと考えられる所得について、「異常所
　　得」として部分合算課税の対象とすることとされました。

　ロ　異常所得に係る所得の金額

　　　下記(イ)から(ヌ)までに掲げる金額がないものとした場合のその各事業年度
　　の決算に基づく所得の金額から、その各事業年度に係る(ル)に掲げる金額を
　　控除した残額とされています。

　(イ)　支払を受ける剰余金の配当等の額

　(ロ)　受取利子等の額

　(ハ)　有価証券の貸付けによる対価の額

　(ニ)　有価証券の譲渡に係る対価の額の合計額から当該有価証券の譲渡に係

る原価の額の合計額を減算した金額

(ホ)　デリバティブ取引に係る利益の額又は損失の額

(ヘ)　その行う取引又はその有する資産若しくは負債につき外国為替の売買相場の変動に伴って生ずる利益の額又は損失の額

(ト)　上記①から⑥までに掲げる金額に係る利益の額又は損失の額を生じさせる資産の運用、保有、譲渡、貸付けその他の行為により生ずる利益の額又は損失の額

(チ)　固定資産の貸付けによる対価の額

(リ)　支払いを受ける無形資産等の使用料

(ヌ)　無形資産等の譲渡に係る対価の額の合計額から当該無形資産等の譲渡に係る原価の額を減算した金額

(ル)　次の算式により計算した所得控除の金額

〈算式〉〔総資産の額＋人件費の額＋減価償却費の累計額〕×50％

◆　総資産の額とは、部分対象外国関係会社の当該事業年度（当該事業年度が残余財産の確定の日を含む事業年度である場合には、当該事業年度の前事業年度）終了の時における貸借対照表に計上されている総資産の帳簿価額を指します。

◆　減価償却費の累計額とは、部分対象外国関係会社の当該事業年度（当該事業年度が残余財産の確定の日を含む事業年度である場合には、当該事業年度の前事業年度）終了の時における貸借対照表に計上されている減価償却資産に係る償却費の累計額を指します。

「部分適用対象金額」が2,000万円以下（改正前までは1,000万円以下）である場合には、部分合算課税の適用が免除されることとなりました(措法66の6⑩二)。

（執筆：遠藤克博）

第 8 章

移転価格税制

1. 移転価格とは何か

　一つの多国籍企業グループ内に属する特殊な関係にある例えば親会社と外国子会社、あるいは外国子会社間では、財貨・サービス等の移転が頻繁に行われます。この多国籍企業グループ内における取引価格を移転価格（Transfer Price）といいます。管理会計学においては、支店、工場、事業部等の経営内部の独立した会計単位間で製品などを授受する場合に付される価格を Transfer Price といいますが、同じ英語でも振替価格と訳されています。

2. 移転価格によりどのような租税回避が発生するのか

　国際間の経済交流が発展するに従い、企業の多国籍化が促進されます。それに伴い多国籍企業内の取引が飛躍的に増大し、多国籍企業内に属する特殊の関係にある企業間では財貨・サービス等の取引が頻繁に行われます。その際、各国間の税率等に乖離がある場合、税率の低い国に取引を集中させ、かつ価格を操作することにより、軽課税国に所得を恣意的に発生させることが可能となります。その結果として多国籍企業グループ全体としては、税負担の最小化を図ることができます。もっとも、取引を集中させることは税制面だけが動機となるのではなく、為替規制、価格統制等が動機（原因）となる場合もあり得ます。

　移転価格の操作によって多国籍企業はグループ全体の節税を図ることが可能となります。例えば、日本の親会社 A がタイ国に製造・販売を目的とする子

会社Bを所有しているとします。AからBへの部品販売するときの売渡価格を正常の価格より安く設定すると、Aの利益はその分だけ小さくなり、一方Bの利益はその分だけ大きくなります。その結果、日本政府に納付されるべき税収が減少します。日本とタイの税率が同じであれば、日本の親会社Aグループの国際的に見た税のトータルは変わりませんが、仮にタイ国の税率が日本国の税率よりも10％低い若しくは全く課税されないこととされていると、その分だけ企業グループ全体の租税負担が節減できることとなります。しかしながら、わが国政府の視点から見ると、本来わが国において課税されるべき所得がタイ国に移転流出するということになります。つまり、わが国での課税、納税が回避されているのです（多国籍企業グループ全体の租税額の軽減を図ることを「国際租税戦略（international tax planning）」といいます）。このような租税回避行為を抑止するのが移転価格税制の目的です。

3. 移転価格税制が創設された趣旨とその後の主な経緯

1985年（昭和60年）12月17日に提出された政府の税制調査会の「昭和61年度の税制改正に関する答申」は、移転価格税制の創設導入に関して次のように述べています。

　「近年、企業の国際化の進展に伴い、海外の特殊関係企業との取引の価格を操作することによる所得の海外移転、いわゆる移転価格の問題が国際課税の分野で重要になってきているが、現行法では、この点についての十分な対応が困難であり、これを放置することは、適正・公平な課税の見地から、問題のあるところである。また、諸外国において、既に、こうした所得の海外移転に対処するための税制が整備されていることを考えると、我が国においても、これら諸外国と共通の基盤に立って、適正な国際課税を実現するため、法人が海外の特殊関係企業と取引を行った場合の課税所得計算に関する規定を整備するとともに、資料収集等、制度の円滑な運用に資するための措置を講ずることが適当である。」

　このように当時の税制改正答申の中で移転価格税制制定の趣旨、目的が明らかにされています。海外の特殊関係企業との取引を通じた所得の海外移転に対処し、適正な国際課税を実現するため昭和61年度の税制改正でわが国にも移転価格税制（措法66の４①）が創設されることとなりました。

　その後、平成７年の OECD 移転価格ガイドライン公表を経て、平成13年に移転価格事務運営要領が制定されました。この要領の中で基本方針として「調査又は事前確認の審査に当たっては、必要に応じ OECD 移転価格ガイドラインを参考にして適切な執行に努める。」と規定し、執行における同ガイドラインの受容を行いました。その後の税制改正においては、例えば、平成23年度改正は同ガイドラインに倣い独立企業間価格算定方法の順位を見直すなど、法制度においても受容が進んでいます。

　平成26年度に、外国法人課税における全所得主義の廃止と帰属主義の採用に伴い、PE を有する外国法人の内部取引、国外事業所を有する内国法人の内部取引における国外所得計算、PE を有する非居住者の内部取引、国外事業所を有する居住者の内部取引に係る国外所得計算における AOA 基準（OECD 承認アプローチすなわち、独立企業間原則による取引価格の決定）に沿った改正が行われたところです。

　平成28年度に、同時文書化義務・同時文書化義務が免除される国外関連取引、国外関連者が保存する帳簿書類の入手義務（努力義務規定の削除）、独立企業間価格を算定するために必要とされる書類の提出等がない場合の推定課税及び同業者調査の要件の明確化、特定他国籍企業グループに係る国別報告制度の創設、同グループに係る事業概況報告事項の提供制度の創設の改正が行われました。

　平成31年度税制改正では、BEPS プロジェクトの最終報告書行動８－10（移転価格税制と価値創造の一致）の内容を反映した OECD ガイドラインの規定等を踏まえた改正が行われています。すなわち、独立企業間価格の算定方法として、DCF 法（ディスカウント・キャッシュ・フロー）が追加されるとともに、評価困難無形資産に係る価格調整措置が創設されました。

 ## 第2節　移転価格税制の概要

1. 我が国の移転価格税制の概要（セルフアセスメントシステム）

　法人が、当該法人に係る国外関連者との間で資産の販売、資産の購入、役務の提供その他の取引を行った場合に、当該取引につき、当該法人が当該国外関連者から支払を受ける対価の額が独立企業間価格に満たないとき、又は当該法人が当該国外関連者に支払う対価の額が独立企業間価格を超えるときは、当該法人の当該事業年度の所得及び解散による清算所得に係る法人税法その他法人税に関する法令の適用については、当該国外関連取引は独立企業間価格で行われたとみなすというのが移転価格税制の基本的な仕組みです（措法66の4①）。

　簡潔にいえば、法人が国外関連者との間で行われた国際取引において、その取引に付された対価の額が、独立企業間価格と異なることにより法人の課税所得金額が減少している場合に、独立企業間価格をその取引に係る対価の額として、法人税法その他法人税に関する法令に従って所得計算をするというものです。

　留意すべき点は、独立企業間価格と異なることにより法人の課税所得金額が減少している場合が本税制の対象としているところで、課税所得金額が増加している場合は対象としていないということです。

　次に、我が国の移転価格税制は、セルフアセスメントシステムの考え方で規定されており、租税特別措置法第66条の4は、自ら独立企業間価格を測定し、それと対比し価格差がある場合には、それを基礎として所得金額を計算し申告

書において加算することとされています。わが国の法人税法の仕組みは申告納税制度ですので、一見すると当然のように思えますが、多様な業種、製品、役務等がある中で、非関連取引の価格を探し出すことは、内部における第三者との取引がある場合を除いて、きわめて困難を伴うことが多いものです。しかも、参照すべき外部取引を行っている業者は競争相手でもあります。

　このような状況から、現在においても、自ら独立企業間価格を探し出して関連者間における価格水準をそれに沿ったものに補正して申告することに対して、多くの困難があります。これは、移転価格税制導入当初から懸念されていたことでもあって、国税庁は、「独立企業間価格の算定方法等の確認について」という通達（昭和63年4月24日付査調5−1ほか2課共同）を発遣し、法人自身が選定した算定方法を税務当局が事前に確認することで、その後の課税上のトラブルを未然に防止するという予測可能性を担保することとしていました。その変遷を経て、現行の事前確認制度に行きついていますが、その高度な専門性、技術性に加えて迅速さに欠ける、費用等も相当になるといったこともあってその利用者は限定的でした。したがって、納税者サイドにおいては、現行における事前確認に関する取扱いの明確化及び事前確認の利用環境整備は歓迎すべきものがあると考えます。後述しますように、平成23年度の税制改正において、それまであった算定方法の優先順位を廃止し独立企業間価格を算定するために最も適切な方法を事案に応じて選択できることとされました。その結果、営業利益を利用したTNMM法などが使用可能となり統計的手法による独立企業間価格の算定が現行で多く行われるようになり困難度は従前よりは緩和されるようになりました。

　なお、外国法人の本店と我が国のPEとの間の内部取引において留意すべきことが通達で明文化されています。

※　措置法通達66の4の3(1)−1（最も適切な算定方法の改定にあたって留意すべき事項）は、次の4点を勘案して改定することとしています。

　①各独立企業間価格の算定方法の長所短所

②内部取引の内容及び当該内部取引の当事者の果たす機能等に対する独立企業間価格の算定方法の適合性

③各算定方法を適用するために必要な情報の入手可能性

④内部取引と非関連間取引との類似性の程度（差異がある場合に差異調整等に係る信頼性を含む）

2．独立企業間価格の意義

　移転価格税制においては、独立企業間価格を基準として国外関連取引の対価の額が取り扱われることとされていますが、独立企業間価格とはどのような価格をいうのでしょうか。独立企業間価格（arm's length price）とは、「一方の企業が他方の企業を支配する特殊の関係がない場合に双方の企業間で取引条件その他の事情が同一又は類似の状況下で取引が行われた場合に成立したであろう価格をいう。」とされています（「税大編税法用語辞典（八訂版）」大蔵財務協会714ページ）。

　つまり、独立企業間価格とは、問題となった特殊関連企業間の取引が、同様の状況下で非関連者間において行われた取引において成立する価格をいうものといえます。

　また、OECD 移転価格ガイドライン（以下「OECD ガイドライン」といいます。なお、訳文は、「OECD 移転価格ガイドライン2017年国税庁版」から引用します。以下、「国税庁版○○ページ」とします）パラグラフ1.6では、独立企業間価格（arm's length price）ではなくて、独立企業間原則（The Arms' Length Principal）の用語を用いており、この正式な解釈は、OECD モデル租税条約第9条に委ねられ、同条1．bでは、「独立の企業の間に設けられる条件」を独立企業間原則として表現されており、仮に、この条件と異なる条件が設けられる故に当該企業の所得に反映していない場合には、課税が行われることができる旨規定しています。そして、OECD ガイドラインパラグラフ1.31は、独立企業間原則によらない方法を明確に否定しています。この原則は、我が国が締結した租税条

約の中でも採用されている概念です。つまり、この原則は、特殊関連企業間の取引価格の認定基準として国際的に用いられているものです。我が国では、独立企業間価格に関して租税法上一般的な定義規定はありません。

　我が国が採用する独立企業間価格の概念（算定方法として税法上表現されますが）は、租税特別措置法第66条の4第2項に棚卸資産の販売又は購入取引とそれ以外の取引に区分して定められていて、これを独立企業間価格としてみなしてわが国の租税法規を適用するとしています。そこにあるのは、「一方の企業が他方の企業を支配する特殊の関係がない場合に双方の企業間で取引条件その他の事情が同一又は類似の状況下で取引が行われた場合に成立したであろう価格」かどうかはともかくとして、租税特別措置法第66条の4第2項に定める算定方式により算出した価格を「一方の企業が他方の企業を支配する特殊の関係がない場合に双方の企業間で取引条件その他の事情が同一又は類似の状況下で取引が行われた場合に成立したであろう価格」とみなして取り扱うこととしているということです。

　また、租税特別措置法第66条の4に定めているのは、独立企業間価格であって、利益、所得という概念ではありません。したがって、仮にその他の方法である利益分割法によって、あるいは取引単位営業利益法で算出した全体的な移転所得額は、取引の価格に置き換えなくてはなりません。そこから、課税所得額を算定するということを条文上求められることとなります。

3.　租税特別措置法第66条の4の構成と課税要件

⑴　租税特別措置法第66条の4の条文構造

　最初に、基本条文の構造とその内容を確認します（なお、平成31年3月27日改正（平成31年3月29日公布、平成31年4月1日以降施行（特段のものを除く））の内容に対応して記述します。平成30年版の条項数については（　）内を参照してください）。なお、例えば措置法66の4①一との表現は、①が項、一が号を示しています。

　第1項は、基本的な規定で、第一の要件は、国外関連者（外国法人で我が国の法人との間に発行済株式数等の50％以上直接間接に保有する関係）との間で資産の販売、資産の購入、役務の提供その他の取引、ここでは実際の取引といいますが、この取引価格がこの条項でいう独立企業間価格と異なる場合には、独立企業間価格で行ったものとみなして所得計算を行う旨を規定しています。この条項における第二の要件は、「…その他法人税に関する法令の規定の適用については、当該国外関連取引は、独立企業間価格で行われたものとみなす」という個所にあります。本条のタイトルは、「国外関連者との取引に係る課税の特例」です。法人税法の立場からは、連結納税でない限り、あるいは100％資本グループ税制の適用等がない場合には、法人税法第22条及び第37条によって規制されることとなります。すなわち、仮に法人税法でいう価額すなわち時価から乖離した価格での譲渡若しくは販売の結果、実質的に資産の贈与若しくは経済的利益の供与があった場合には、寄附金限度額計算の対象として、課税対象（もっとも国外関連者の場合は、本条文の第3項で全額課税対象となります）となります。この時の時価の測定をどのようにして行うかということは、法人税法においては具体的な算定に係る規定がありません。このため、法律の理念としては理解できても具体的な実務においてどのように処理するかという問題がありました。その結果、取引所があるものとか、過去の取引内容、類似の取引価額からみて大幅な乖離があるものなど、時価と取引価格との違いが明白になるケースを除いて多くの場合時価測定は困難な状況にあり、課税当局との間での紛争解決は最終的には訴訟の場で決着する以外あり得ませんでした。こうした状況のもと、「国外関連者については現地政府によって課税権が行使されるから、本来であれば我が国に納付される租税が減少することとなります。つまり、課税権が場合によって侵害されるという結果になる」こと（「改正税法のすべて（昭和61年版）」国税庁（移転価格税制の創設）193ページ参照）を想定して国外関連取引に限定した税制が創設されました。本税制は、法人税の扱いに優先して適用される関係にあります。ここでは、法人税法で規定する価額をこの条文にいう

独立企業間価格と置き換えて法人税法等の規定を適用することとしているのです。

　なお、平成26年度改正により、当該法人（国内に恒久的施設を有する外国法人等）と同法人の国外関連者との取引から法人税法施行令184①に規定する国内源泉所得となる取引を除いた部分についても移転価格税制が適用されることとなりました（措法66の4の3①）。具体的な適用は、内国法人を対象としたものとほぼ同じとなります。施行は平成28年4月1日です。また、非居住者とその恒久的施設を有する外国法人との間の内部取引についても移転価格税制を導入しました。具体的な適用は、内国法人を対象としたものとほぼ同じとなります。この施行は平成29年以降となります（措法40の3の3①）。

　おって、当該国外関連者が我が国に恒久的施設を有する場合、国外関連取引のうち国内源泉所得として我が国の課税に服する取引は除かれます。

　第2項は、独立企業間価格の定義です。OECDモデル租税条約第9条は、「商業上又は資金上の関係において、双方の「関連」企業の間に、独立の企業の間に設けられる条件と異なる条件が設けられ又は課されているときは、その条件がないとしたならば一方の企業の利得となったとみられる利得であって、その条件のために当該一方の企業の利得とならなかったものに対しては、これを当該一方の企業の利得に算入して租税を課することができる。」と規定しています。つまり、独立企業間においては、利害が対立しているので、経済的に合理的な形で取引条件が成立しているはずであるから、それを参考にして価格（利益）を調整することとしているのです。ですので、独立企業間価格というのは、あくまでも相対的な価格であっし、科学的な根拠に基づく価格ではありません。しかも、参考にする算定方法を規定しそれを独立企業間価格とみなして適用するとしています。

　算定方法は、後述しますが、対象となる取引について資産別に規定しています。算定方法は、OECDガイドラインに凡そ沿ったもので、国際的標準といえるものと考えます。もっともこの税制の特質からいっても国際基準と合わな

いものであれば、現状以上に移転価格税制による課税権の行使を巡って紛争が多発するということになりかねません。

　独立企業間価格の算定法については、これまで適用優先順位が規定されており、いわゆる基本三法といわれる独立価格比準法、再販売基準法、原価基準法の適用をまず検討し、これらが適用できない場合に限り、政令等で定めるその他の方法が適用されるという構成となっていました。平成23年度の税制改正によりその適用順位を廃止し、国外関連取引の内容及び当事者の果たす機能その他の事業を勘案し、独立の事業者間で通常の取引条件に従って行われるとしたならば支払われるべき対価の額を算定するために最も適切な方法を選定する仕組みに改正されました。この規定は平成23年10月１日以後に開始する事業年度分の法人税から適用されます（措置法附則57）。

　第３項は、国外関連者に対する寄附金については、全額損金不算入としています。この規定は、平成３年度の税制改正により規定されましたが、租税特別措置法第66条の４第３項の創設された趣旨（「改正税法のすべて（平成３年版）」国税庁287ページ）について、次のように述べられています。

　　「…海外の関係会社との取引を通じる所得移転については移転価格税制によって規制されますが、関係会社に対する単なる金銭の贈与や債務免除については一定の限度内で損金算入が認められるため、同じ所得の海外移転でありながら両者の課税上のアンバランスが生じているという問題がありました。」

　この規定が挿入された効果としては、単に全額損金不算入となったことと寄附金の概念については変更がないことが示されています。

　昭和61年度において、移転価格税制が創設されたのですが、移転価格課税と寄附金課税の区分及び低額譲渡に関しては、次のように取り扱うこととされていました。

　まず、移転価格課税と寄附金課税の区分ですが、法人がその国外関連者に対して、いわゆる寄附金を支出した場合には、その寄附金は、現行どおり他の寄

附金と合算され、寄附金の損金算入限度額の範囲内でその全部又は一部が損金に算入されることとなります。ただ、寄附金には、取引価格の操作を通じた所得移転部分は含まれないので、残るのは、単なる金銭の贈与あるいは債務の免除といったものに限られることになりますが、価格修正と認められる場合は、移転価格課税の対象とされていました。

　次に低額譲渡の場合ですが、国外関連取引について移転価格税制が適用される場合に法人税法第37条第 6 項（現行第 8 項）の寄附金とされる低額譲渡との関係については、次のように考えられていました。

　すなわち、租税特別措置法第66条の 5 第 1 項（現行第66条の 4 ）では、国外関連取引につき、移転価格税制が適用される場合、法人税法の適用については、当該国外関連取引は独立企業間価格で行われたとみなすことと規定されています。このことから、法人税法第37条第 6 項の規定（寄附金とされる低額譲渡等）の適用にあたっては、「その譲渡の対価の額」が「独立企業間価格」と置き換えられることとなり、その置き換えられた対価の額と時価との格差がない限り、法人税法第37条第 6 項の寄附金は生じないものと解せられています。そして、独立企業間価格と時価は同一となる場合が多いので、本税制と法人税法第37条第 6 項の双方が適用されることはほとんどないと考えられていました。その後の租税特別措置法第66条の 4 第 3 項の改正趣旨においても、創設時からの扱いには変更がないとされています。「改正税法のすべて（平成 3 年版）」（国税庁287ページ）によれば、「そこで今回の改正ではこの問題を是正するため、海外の関係会社に対する寄附金については全額を損金に算入しないこととされました（旧措法66の 5 ③）。もっとも、寄附金の概念それ自体には変更が加えられていませんので、海外子会社の解散、経営権の譲渡等に伴う債務の引受けによる損失などについては、従来どおり、事業上の損失として損金に算入することが認められることとなります。」との記述があります。

　第 4 項は、独立企業間価格と当該国外関連取引の対価の額との差額で、寄附金に該当する以外の差額は、当該法人の所得金額の計算上損金としないとして

います。すなわち、独立企業間価格より高い価格で販売した場合の取扱いを明らかにしています。我が国で課税漏れがある場合には、この税制の対象とし、逆の場合はこの税制の対象とはしないという意味です。ただし、国外関連者の所在地国で移転価格課税を受けて、租税条約の相互協議により課税権が調整された結果、更正請求を受けて減額される場合はあり得ます。

　なお、当該国外関連者が我が国に恒久的施設を有する場合、国外関連取引のうち国内源泉所得として我が国の課税に服する取引は除かれます。

　第5項は、非関連者である第三者を介在させた場合の移転価格課税回避防止規定です。

　第6項は、国外関連取引に係る書類の保存規定です。平成28年度改正で追加制定された規定です。すなわち、法人が国外関連者との間で国外関連取引を行った場合には、同取引に係る独立企業間価格を算定するために必要と認められる書類として措置法規則22の10に規定する書類（電磁的記録も含む）申告書の提出期限までに作成取得し保存しなければなりません。これを同時文書化規定といいます。具体的な書類内容は後述する措置法規則22の10に規定する書類を参照してください（また、措置法規則22の10①一二に規定する書類等をローカルファイルといい、具体的な提出内容等は第9章を参照してください）。

　なお、第1項から第5項までを除いた第6項以降の改正後の規定の施行は平成29年4月1日です。

　第7項は、前項の免除規定です。次のいずれにも該当する場合は又は当該法人が前事業年度等において当該一の国外関連者との間で行った国外関連取引がない場合には、当該法人が当該事業年度に国外関連者1社との間で行った国外関連取引に係る独立企業価格算定書類については、第6項の保存規定は適用しないとするものです。

①　一の国外関連者との間で行った国外関連取引につき、当該一の国外関連者から支払いを受ける対価の額及び国外関連者に支払う対価の合計額が50億円未満であること

②　一の国外関連者との間で行った国外関連取引（その他省令（22条10④準用参照）で定める資産の譲渡若しくは貸付け（資産に係る権利の設定等一切の行為を含む）又はこれらに類似する取引に限る。）につき、当該一の国外関連者から支払いを受ける対価の額若しくは国外関連者に支払う対価の合計額が3億円未満であること

第8項（新設）は、平成31年度税制改正で創設されました。特定無形資産国外取引に係る価格調整措置です。法人が国外関連者と過去に特定無形資産（取引時に価格を評価することが困難な無形資産をいいます。）の譲渡等を行ったものについて、そのときの対価の額を算定する際の前提となった事項（取引時に予測したものに限定）につき、その内容と相違する事実（以下相違事由といいます。）が判明した場合には、税務署長は、当該特定無形資産取引の内容、当事者が果たす機能その他の事情を勘案して、独立に事業者間で通常の取引の条件で行われる場合に支払われるべき対価の額を算定するための、最も適切な方法により算定した金額を独立企業間価格とみなして、更正又は決定をすることができるとしています。ただし、施行令39の12⑯で定める場合に該当する場合はこれに限られないとしています。つまり、算定法の再構成権を税務署長に与えています。

相違事由としては、当初取引時において「ユニークな価値のないもの」と判断し予測をしない方式で対価の額を算定したときに、後日多額の利益を生じることとなった場合は特定無形資産国外関連取引の対価の額の算定する前提と事項内容が相違するということとなります。また、法人がDCF法以外の方法で取引価格を算定していたときに、課税庁がDCF法で更正処分を行う場合は、取引時において用いるべきであった予測の内容を証明しそれに基づき独立企業間価格を算定する必要があります（「改正税法のすべて（令和元年版）」大蔵財務協会編595ページ）。

第9項（新設）は、8項の規定についての適用除外規定です。特定無形資産国外関連取引を行った事業年度に係る確定申告書に係る次に掲げる書類を作成

しまた取得している場合は、8 項は適用しないとしています。

① 当該特定無形資産国外取引の対価の額を算定する前提となった事項の内容（財務省令で定める事項）

② 当該特定無形資産国外取引の対価の額を算定するための前提となった事項についてその内容と相違する事実が判明した場合におけるその相違することとなった事由が災害等によってその発生を予測困難であったこと、または相違事由の発生可能性（政令で定める要件をみたすもの）を勘案して当該特定無形資産国外取引の対価の額を算定していたこと

第10項（新設）も、8 項の適用除外規定です。当該特定無形資産国外取引に係る判定期間（収入が最初に生じた日を含む事業年度開始の日から 5 年を経過する日まで）に、当該特定無形資産国外取引の使用その他の行為により生ずることが予測された利益の額と当該判定期間に当該特定無形資産の使用その他の行為により生じた利益の額と著しく相違ない場合として政令（後述する政令37の12⑱を参照）で定める場合に該当するときは、当該判定期間経過後において、当該特定無形資産国外関連取引については、8 項の規定は、適用されません。

第11項（新設）は、8 項 9 項の適用除外が適用されない場合の要件を定めています。国税庁、国税局、税務署の職員が、法人に対して 8 項 9 項の適用除外規定の適用があることを明らかにする書類又はその写しの提示又は提出を求めた場合において、求めた日から60日（6 項に規定する同時文書化保存対象の文書に該当する場合は45日）を超えない範囲内において提出準備に通常要する日数を勘案した指定する日までに提出がなかった場合には、8 項 9 項の適用除外が適用されません。

第12項（旧 8 項改正）は、推定課税規定です。すなわち、同時文書化対象国外関連取引に係る第 6 項に規定する書類若しくはその写しを国税庁等職員が提示若しくは提出を求めた日から45日を超えない範囲内においてその求めた書類若しくは提出の準備に通常要する日数を勘案して指定した日までに提示若しくは提出がなかったとき、又は、同時文書化対象国外関連取引に係る第 1 項に規

定する独立企業間価格（８項で見做される金額も含む）を算定するために重要と認められる書類（後述する規則22条の10⑤参照）若しくはその写しを提示若しくは提出を求めた日から60日を超えない範囲内においてその求めた書類若しくは提出の準備に通常要する日数を勘案して指定した日までに提示若しくは提出がなかったときには、税務署長は、同種の事業を営む法人で事業規模その他の事業の内容が類似する者の売上総利益率等、又はこれと同等の方法で算出した金額をもって独立企業間価格とみなして更正決定できると規定しています。第２項に定める方法が法定独立企業間価格算定法ですが、それを検証する資料が出されない場合には、簡便な方法で独立企業間価格を算定して計算する権限を税務署長に付与しています。ただし、同時文書化対象国外関連取引につき８項９項の適用除外の適用のある場合は除かれます。

　第13項（新設）前項の適用除外規定です。同時文書化対象国外関連取引につき10項の適用のある場合に、同項に定める５年経過後は、適用しないと規定しています。

　第14項（旧９項改正）は、同時文書化免除国外関連取引に係る推定規定です。同時文書化対象国外関連取引に係る第１項に規定する独立企業間価格を算定するために重要と認められる書類（後述する規則22条の10⑤参照）若しくはその写しを提示若しくは提出を求めた日から60日を超えない範囲内においてその求めた書類若しくは提出の準備に通常要する日数を勘案して指定した日までに提示若しくは提出がなかったときには、第12号各号に掲げる方法（簡便な方法）を用いて算定した金額を独立企業間価格と推定して更正決定できると規定しています。ただし、８項９項の適用がある場合はのぞかれています。

　第15項（新設）では、８項の適用除外を定めている10項（５年の判定期間で相違事項がない場合）の適用がある場合は、14項の本文は適用しないと規定しています。

　第16項（旧10項）は、国税庁職員等が当該法人の国外関連取引の必要があるときは、当該法人に対して国外関連者が保存する帳簿書類又はその写しの提示

又は提出を求めることができるとされました。平成27年法以前の規定にあった海外資料の提出は努力義務（7項）となっていましたが、ローカルファイルの作成、取得、保存が義務化されることとの整合性、推定課税及び同業者調査は納税者の所定の入手努力を尽くさないことを要件としていない旨の観点から削除されました。

　第17項（旧11項）は、移転価格調査に係る質問検査権の規定です。同時文書化対象国外関連取引に係る第6項に規定する書類若しくはその写しを国税庁等職員が提示若しくは提出を求めた日から45日を超えない範囲内においてその求めた書類若しくは提出の準備に通常要する日数を勘案して指定した日までに提示若しくは提出がなかったとき、又は、同時文書化対象国外関連取引に係る第1項に規定する独立企業間価格を算定するために重要と認められる書類（後述する規則22の10⑤参照）若しくはその写しを提示若しくは提出を求めた日から60日を超えない範囲内においてその求めた書類若しくは提出の準備に通常要する日数を勘案して指定した日までに提示若しくは提出がなかったときには、第1項に定める独立企業間価格を算定するために必要と認めるときはその必要と認める範囲内で、同時文書化対象国外関連取引に係る事業と同種の事業を営む者に質問し、当該事業に関する帳簿書類を検査し、又は当該帳簿書類（その写しを含む）の提示若しくは提出を求めることができます。

　法人税法第154条に同様に規定があります。「…金銭の支払若しくは物品の譲渡をする義務があると認められる者又は金銭の支払若しくは物品の譲渡を受ける権利があると認められる者に質問し、又はその事業に関する帳簿書類を検査することができる。」（なお、平成23年11月30日に成立した改正により同条は削除）。両者の違いは明白で、法人税法で定めるいわゆる反面調査に係る質問検査権は、実際の取引の相手先ということに限定されています。移転価格調査においては、取引先に限定はされませんが、当該調査法人と同種の事業を営む者に対して質問検査権が行使できるということです。こうした点から移転価格調査は業界調査といわれる面もあります。当然にどちらの場合も守秘義務が課されています。

　第18項（旧12項）は、同時文書化免除国外関連取引に係る移転価格調査に係る質問検査権の規定です。内容は、第17項と同じで、45日が60日となります。

　第19項（旧13項）は、帳簿書類の留め置き規定です。「国税庁の当該職員又は法人の納税地の所轄税務署若しくは所轄国税局の当該職員は、法人の国外関連取引に係る第1項に規定する独立企業間価格を算定するために必要があるときは、前項の規定に基づき提出された帳簿書類（その写しを含む）を留め置くことができる。」と規定しています。この留め置き条項は、平成23年11月30日改正で追加された規定です。

　第20項（旧14項）は、第17項から第19項までの質問検査権は、犯罪捜査のために認められたものと解してはならないとされています。したがって、あくまでも移転価格調査は、行政処分を目的としたものですので、この質問検査権により収集した資料等は、脱税事件といった刑事処分を目的としての証拠とはなり得ないことを意味します。

　第21項（旧15項）は、第17項又は第18項の質問検査権を行使する課税庁職員は、その行使の際に、身分証明書を携行し請求があったときはこれを提示しなければならないとしています。

　第22項（旧16項）は、第17項又は18項の質問検査権の行使を妨げる、偽りの答弁をする、忌避等、又は偽りの書類提示等をした場合の罰則が規定されています。いわゆる間接強制がここでなされています。第二号の規定が平成23年11月30日改正で次のように改められました。「第8項の規定による帳簿書類の提示又は提出の要求に対し、正当な理由なくこれに応じず、又は偽りの記載若しくは記録をした帳簿書類（その写しを含む）を提示し、若しくは提出した者」。

　第23項（旧17項）は、法人の代表者又は法人若しくは人の代理人、使用人その他の従業者が、その法人又は人の業務に関して第11項に反する行為をしたときは、その行為者を罰するほか、その法人又は人に対して第11項に規定する刑を科するとしています。

　第24項（旧18項）は、人格のない社団等に対して第12項の適用がある場合は、

その代表者又は管理人がその訴訟行為につきその人格のない社団等を代表するほか、法人を被告人又は被疑者とする場合の刑事訴訟に関する法律の規定を準用すると規定しています。

第25項（旧19項）は、国外関連者との取引を行った場合には、当該国外関連者の名称及び本店又は主たる事務所の所在地その他財務省令で定める事項を記載した書類を当該事業年度の確定申告書に添付することを義務づけています。具体的には、法人税申告書別表17(四)「国外関連者に関する明細書」に記載して提出するということになります。

第26項（旧20項改正）は、「法人が当該法人に係る国外関連者との間で行った取引につき第1項の規定の適用があった場合において、同項の規定の適用に関し国税通則法第23条第1項（更正の請求）第一号（計算誤り等で納付過大等の場合）又は第三号（還付金額が過少の場合）に掲げる事由が生じた時の同項（第二号を除く）の規定の適用については、同項中『5年』とあるのは、『7年』とする。」と規定しています。この規定も平成23年11月30日改正で追加された規定です。

第27項（旧21項改正）は、除籍期間が7年であることを規定しています。法人税における通常更正決定期間は、国税通則法第70条の規定（第1項(　)書）で5年とされています。

第28項（旧22項改正）は、移転価格税制の賦課が行われたことに伴う国税の徴収権の時効が、法定納期限（国通法70③の規定による更正又は賦課決定に係るものを除きます）から1年間停止することにして、そのことで5年間とされている徴収権の消滅時効が実体上1年間延長しますので、更正決定に関する除籍期間と整合性が取れることとなります。

第29項（旧23項改正）では、「国税徴収権は偽りその他不正の行為があったことにより税額を免れた場合には、国税通則法73条3項の規定により時効は2年間進行しないので、旧法では、移転価格税制に関する除斥期間が6年であることから1年間とする読み替え規定が置かれていました。」が、本改正において、

除斥期間が 7 年となったことに伴いその部分を削除する旨の改正をしました。

　第30項（旧24項改正）は、「第27項の規定により読み替えて適用される国税通則法第70条第 3 項の規定による更正又は賦課決定により納付すべき法人税に係る同法第72条第 1 項の規定（更正等の期間制限の規定）の適用については、同項中『第70条第 3 項』とあるのは、『租税特別措置法第66条の 4 第27項（国外関連者との取引に係る課税の特例）の規定により読み替えて適用される第70条第 3 項』とする。」と規定されました。

　第31項（旧25項）は、当該法人の国外関連者が所在地国との租税条約に基づく相互協議の結果、合意したことにより納付すべき法人税に係る延滞税については、合意期間に対応する部分に相当する金額を免除できることを規定しています。

　最後に、第32項（旧26項改正）ですが、外国法人が国外関連者に該当するかどうかの判定に関する事項又は第 1 項から第15項及び19項に関して必要な事項は、政令で定める旨を規定しています。

⑵　租税特別措置法施行令第39条の12の条文構造

　租税特別措置法施行令第39条の12は、「国外関連者との取引に係る課税の特例」として規定されています。

　第 1 項は、移転価格税制の対象となる当事者の範囲をさらに詳細に規定しています。すなわち、移転価格税制は、特殊の関係者間における課税関係を律する規定ですので、特殊関係となる範囲を規定しています。具体的には、形式的関係と実質的な関係、及び両方の関係が混在する場合に関して規定しています。

　第 2 項は、第 1 項において株式等の保有割合を50％以上と規定していますが、50％以上直接間接に保有するかどうかの判定は、直接保有割合と当該一方の法人の当該他方の法人に係る間接保有の株式等の保有割合を合計したもので行うことを規定しています。

　第 3 項は、第 2 項に規定する間接保有割合の具体的な計算方法を明示しています。

　第4項は、第2項の規定に定める計算方法を、第1項に規定する形式的判定、形式的判定基準と実質的基準の混合する場合の計算に準用して計算することとしています。

　第5項は、移転価格税制の対象となる国外関連取引の範囲から、わが国に恒久的施設を有し、かつ国内源泉所得に該当する外国法人との取引を除いています。この趣旨は、わが国の課税に服しているもので、実際上は国内取引と同じものと考えられるからです。

　第6項（改正）は、再販売基準法における通常の利益率の算定方法を具体的に規定しています。すなわち、ここでいう「通常の利益率」とは、当該国外関連取引に係る棚卸資産と同種又は類似の棚卸資産を非関連者から購入した者が非関連者に対して販売した取引に係る当該再販売者の売上総利益の額の当該収入金額の合計額に対する割合とされています。なお、比較対象取引との間において、当該国外関連取引に係る棚卸資産の買手が当該棚卸資産を非関連者に対して販売した取引とが、売手の果たす機能その他において差異が生じている場合には、その差異により生ずる割合の差異につき必要な調整を加えた後の割合とします。「その必要な調整を加えることができない場合であって、財務省令（措規22条の10参照）で定める場合に該当するときはその割合とする。」という規定文が追加されました。

　第7項（改正）は、原価基準法における通常の利益率の算定方法を具体的に規定しています。すなわち、ここでいう「通常の利益率」とは、当該国外関連取引に係る棚卸資産と同種又は類似の棚卸資産を非関連者から購入、製造その他の行為により取得した者が、非関連者に対して販売した取引に係る当該再販売者の売上総利益の額の当該原価の額の合計額に対する割合とされています。なお、比較対象取引と、当該国外関連取引に係る棚卸資産の買手が当該棚卸資産を非関連者に対して販売した取引とが、売手の果たす機能その他において差異が生じる場合には、その差異により生ずる割合の差異につき必要な調整を加えた後の割合とします。ただし、「その必要な調整を加えることができない場

合であって財務省令（措規22条の10④参照）で定める場合に該当するときはその割合とする。」とする規定文が追加されました。

第8項（改正）は、基本三法以外のその他の方法の内容を規定しています。旧法では、基本三法が使用できない時に、初めて算定方法として使用することができるとされていました。その根拠は、旧租税特別措置法第66条の4第2項第一号の（　）書において、「ニに掲げる方法（その他の方法をいいます）は、イ（独立価格比準法）からハ（原価基準法）までに掲げる方法を用いることができない場合に限り、用いることができる。」と規定されていることにありました。平成23年度の税制改正により、適用優先順位が廃止され、独立企業間価格の対価の額を算定するために最も適切な方法が選択できることとなりました。平成23年10月1日以後開始事業年度から適用となっています。

① 比較利益分割法

国外関連取引に係る棚卸資産取引に関して、同種又は類似の棚卸資産の非関連者による販売に係る所得配分に関する割合（当事者の果たす機能その他に差異がある場合には割合の差につき必要な調整を加えた後の割合）に応じて当該法人と当該国外関連者に帰属するものとして計算する方法です（措令39の12⑧一イ）。「その必要な調整を加えることができない場合であって財務省（措規22条の10④参照）で定める場合に該当するときはその割合とする。」とする規定文が追加されました。

② 寄与度利益分割法

国外関連取引に係る棚卸資産の当該法人及び当該国外関連者による販売等に係る所得の発生に寄与した程度を推測するに足りるこれらの者が支出した費用の額、使用した固定資産、その他当該所得の発生に寄与した程度を推測するに足りる要因に応じて当該法人とその国外関連者とに帰属するものとして計算する方法です（措令39の12⑧一ロ）。

改正前の条文が「当該所得の発生に寄与した程度を推測するに足りる要因に応じて」と規定していることから、いわゆる寄与度利益分割法を指しているも

のと考えられました。したがって、措置法通達に規定のある比較利益分割法（比較対象となる第三者の利益配分率に拠る方法）、残余利益分割法（まず、重要な無形資産を有しないものとしてルーティン（通常）利益を配分帰属させて、控除して残った利益、すなわち残余利益を無形資産所有者に配分する方法）がこの条文の規定から直ちに適用可能と読み込むことには難しいものがありましたが、今回の改正でこうした点について明確にしたものと考えます。

　なお、ここで留意すべきは、所得を按分してそれぞれの当事者に帰属させる仕組みなので、その帰属額を申告するということが考えられますが、帰属額をそのまま申告するのではなく、一旦その所得を算出するような販売額とか、仕入額に引き戻し計算して、申告若しくは更正するという二度手間をかけるような条文内容となっていることです。これは、我が国の移転価格税制は、租税特別措置法第66条の4第1項において、「…との間で資産の販売、資産の購入、役務の提供その他の取引を行つた場合に」と規定し、「独立企業間価格に満たないとき、…超えるとき」に、我が国の法令を適用するにあたっては、独立企業間価格で取引を行ったものとみなすと規定しているからです。つまり、我が国の移転価格税制は取引の対価の額を問題としているからです。結果は同様であってもその法の趣旨の原則に沿った処理と考えられます。なお、比較対象取引に差異がある場合に「その必要な調整を加えることができない場合であって財務省令（措規22条の10④参照）で定める場合に該当するときはその割合とする。」とする規定文が追加されました。

③　残余利益分割法

　次のイ及びロに掲げる金額につき当該法人及び当該国外関連者ごとに合計した金額がこれらの者に帰属するものとして計算する方法です（措令39の12⑧一ハ）。

　イ　国外関連取引に係る棚卸資産取引に関して、同種又は類似の棚卸資産の非関連者による販売に係る所得が、非関連者による比較対象取引に係る再販売基準法、原価基準法、取引単位営業利益法に基づき当該法人及び当該

　国外関連者に帰属するものとして計算した金額

ロ　当該国外関連取引に係る棚卸資産の当該法人及び当該国外関連者による
　　販売等に係る所得金額とイに掲げる金額の合計額との差額（これを残余利
　　益等といいます）が、当該残余利益等の発生に寄与した程度を推測するに
　　足りるこれらの者が支出した費用の額、使用した固定資産、その他当該所
　　得の発生に寄与した程度を推測するに足りる要因に応じて当該法人とその
　　国外関連者とに帰属するものとして計算した金額

　なお、比較対象取引に差異がある場合に「その必要な調整を加えることがで
きない場合であって財務省令（措規22条の10④参照）で定める場合に該当する
ときはその割合とする。」とする規定文が追加されました。

④　取引単位営業利益法

　取引単位営業利益法は、平成16年度の税制改正で導入が図られた独立企業間
価格算定方法です。それまで、売上総利益(率)に着眼した方法に限定されてい
たところから、営業利益(率)を比較対象できるものとして算定方法を拡大した
ものです。これにより企業実態にあった比較対象取引の抽出や統計データの使
用が可能となりました。

　棚卸資産の購入が国外関連取引の場合と棚卸資産の販売が国外関連取引の場
合との２つの方法が規定されています（措令39の12⑧二、三）。

　これらの方法においても、例えば、前者においては、再販売価格から、「再
販売価格に比較対象営業利益率を乗じて計算した金額に販売のために要した販
売費及び一般管理費を加算した金額」（すなわち、営業利益に一般販売費、管理費
を加算しますので、粗利益となる。）を控除した残額（すなわち仕入価格が算出さ
れる。）を独立企業間価格としますので、結局は粗利益(率)に戻していること
となります。その趣旨は、上記①で解説したものと同様と考えます。

　なお、比較対象取引に差異がある場合に「その必要な調整を加えることがで
きない場合であって財務省令（措規22条の10④参照）で定める場合に該当する
ときはその割合とする。」とする規定文が追加されました。

⑤　ベリー比を用いた取引単位営業利益法

　取引単位営業利益法を用いて独立企業間価格を算定する際の利益水準指標に、販売費及び一般管理費の合計に対する売上総利益率（いわゆるベリー比）の割合とする方法で、平成25年度改正で導入されました。割合を乗じて計算された金額を四号では再販売価格から控除し、五号の場合では取得原価に加算することとなります（措令39⑧四、五）。なお、比較対象取引に差異がある場合に「その必要な調整を加えることができない場合であって財務省令（措規22条の10④参照）で定める場合に該当するときはその割合とする。」とする規定文が追加されました。

⑥　DCF（ディスカウント・キャッシュ・フロー）法（新設）

　DCF法が新設されました。国外関連取引に係る棚卸資産の販売又は購入の時に当該棚卸資産の使用その他の行為による利益（これに準ずるものも含まれます。）が生ずることが予測される期間内の各事業年度の当該利益として販売又は購入の時に予測される金額を合理的と認められる割引率を用いて当該棚卸資産の販売又は購入の時の現在価値として割引いた金額の合計額をもって当該国外関連取引の対価の額とする方法です。

⑦　①から⑥に掲げる方法に準ずる方法

　第9項では、非関連者を当該法人と当該国外関連者との間に挟むことで形式的には、この移転価格税制を回避することができます。こうした迂回取引となる場合の範囲を規定しています。租税特別措置法第66条の4第5項で、迂回取引と認められる場合にも租税特別措置法第66条の4第1項による適用がある旨を規定しています。

　第10項は、迂回取引をした場合の独立企業間価格の計算方法を規定しています。当該法人と国外関連者との間に第三者が介入している場合においては、当該法人と第三者との取引が当該法人と国外関連者との間で取引が行われたものとみなして、租税特別措置法第66条の4第2項に定める独立企業間価格算定方法を適用して計算した金額に、当該法人と国外関連者との取引が非関連者を通

じて行われることにより生ずる対価の額の差につき、必要な調整をした金額を
もって独立企業間価格とする旨規定しています。

　第11項は、租税特別措置法第66条の４第７項に規定する政令で定める場合、
すなわち同時化文書保存規定の免除となる場合として、①当該法人の前事業年
度がない場合、②一の国外関連者が当該事業年度において、当該法人の国外関
連者になった場合を規定しています。

　第12項は、前項同様に、同項に定める場合として、当該法人に係る一の国外
関連者との間において国外関連取引がない場合としています。

　13項（新設）　法66条の４⑦二号で規定する資産は、特許権、実用新案件そ
の他資産（次に掲げる資産以外の資産）で、これらの資産の譲渡若しくは貸し付
け（資産に係る一切の行為を含む）又はこれらに類似する取引が独立の事業者間
で通常の取引の条件に従って行われる場合の対価の額が支払われるべきものと
されました。

　①　有形資産（②に掲げるものを除きます。）

　②　現金、預貯金、売掛金、貸付金、有価証券、法人税法61条の５①に規定
　　するデリバティブ取引に係る権利その他の金融資産として財務省令（規則
　　22条の10⑨）に規定する資産

　第14項（新設）　法66条の４⑧で規定する無形資産は、無形資産国外関連取
引（法66条の４⑦二に規定する無形資産をいい、固有の特性を有し、かつ、高い付
加価値を創出するために使用されるものに限ります。この無形資産の譲渡、貸し付
けその他これに類似する取引）に係る独立企業間価格をこの取引を行ったとき（最
初）に、当該無形資産の使用等による利益が生じることが予測される期間内の
各事業年度の当該利益を基礎として算定するもので、当該無形資産に係る独立
企業間価格を算定する前提となる事項の内容が著しく不確実な要素を有してい
ると認められるものとされました。

　第15項（新設）　法66条の４⑧で規定する政令で定める二つ目の要件は、次
のものです。

①　特定無形資産国外取引を行ったときおける客観的な事実に基づいて計算されるものであること

②　通常用いられる方法により計算されたものであること

第16項（新設）　法66条の4⑧で規定する政令で定める要件の三つ目は、8項で定める特定無形資産国外取引の対価の額の支払いを受ける場合は次に掲げる①とし、支払う場合は②とします。すなわち、それぞれの独立企業間価格に対してそれぞれ許容範囲を設定しています。これは予測なので外れる場合が大いにあるわけで正常範囲を受入側からは予測利益の20％、支払い側からは予測利益の80％という限度で区分するということです。

①　当該無形資産国外関連取引につき法66条の4の⑧の本文を適用した場合に、独立企業間価格とみなされる金額が、当該特定無形資産国外取引の対価の額に20％を乗じて計算した金額を超えないこと。つまり、独立企業間価格との差異が20％未満である場合は課税されません。

②　当該無形資産国外関連取引につき法66条の4の⑧の本文を適用した場合に、独立企業間価格とみなされる金額が、当該特定無形資産国外取引の対価の額に80％を乗じて計算した金額を下回らないこと。つまり、独立企業間価格との差異が80％を超えない場合は課税されません。

第17条（新設）　法66条の4⑨二で規定する政令で定める要件は、次に掲げる要件となります。

①　特定無形資産国外取引を行ったときにおける客観的な事実に基づいて計算されたものであること

②　通常用いられる方法で計算されたものであること

第18条（新設）　法66条の4⑩（5年要件）で規定する政令で定める要件は、特定無形資産国外取引の対価の支払いを受ける場合は、次に掲げる①を、対価の額を支払う場合は②の場合とします。

①　判定期間（収入が最初に生じた日を含む事業年度開始の日から5年を経過する日まで）により生じた利益の額が、当該特定無形資産国外取引を行った

ときにおいて予測された利益の額の20％を超えない場合

②　判定期間（収入が最初に生じた日を含む事業年度開始の日から5年を経過する日まで）により生じた利益の額が、当該特定無形資産国外取引を行ったときにおいて予測された利益の額の80％を下回らない場合

第19項（旧13項）は、推定規定を適用する場合における「売上総利益率又はこれに準ずる割合」を規定しています。具体的には、売上総利益の額の総収入金額又は総原価の額に対する割合としています。この扱いは、推定規定を適用する場合の簡便性を担保しているものと考えられます。

第20項（旧14項）は、第13項と同じく推定規定を適用する場合の「売上総利益率に準ずる割合」を規定しています。国外関連取引が棚卸資産取引の場合は、次の①から④に掲げる方法とし、棚卸資産取引以外の場合は、①と⑤に掲げる方法に限定しています。

①　寄与度利益分割法に類似した方法

当該法人及び国外関連者が属する企業集団の連結計算書類による当該国外関連取引が行われた日を含む事業年度における所得が、これらの者が支出した国外関連取引に係る事業に係る費用の額、使用した固定資産の額、その他これらの者が当該所得の発生に寄与する程度を推測するに足りる要因に応じてこれらの者に帰属するものとして計算した金額をもって当該国外関連取引の対価の額とする方法です。

②　再販売価格基準法に類似した方法

当該棚卸資産を販売した対価の額からイに掲げる金額のロに掲げる金額に対する割合を乗じて計算した金額に、当該取引に要した販売費及び一般管理費の額を加算した金額をもって当該国外関連取引とする方法です。以下の方法においては、租税特別措置法第66条の4第2項ロにおいて要求されている法的要件である関連取引の排除、取引機能の同一性、類似する棚卸資産セグメントの類似性などが緩和されているものと解されます。

イ　当該関連取引に係る事業と同種又は類似の事業を営む法人で事業規模そ

の他の事業の内容が類似するものの当該比較事業年度に係る棚卸資産の販売による営業利益の額の合計額

ロ　当該比較対象事業年度の当該比較対象事業年度に係る棚卸資産の販売による収入金額

③　原価基準法に類似した方法

当該棚卸資産を購入した場合の取得原価に、当該取得資産の原価と当該取引に要した販売費及び一般管理費との合計額に、次のイに掲げる金額にロに掲げる金額に対する割合を乗じた金額及び当該取引に要した販売費及び一般管理費の額を加算した金額をもって当該国外関連取引とする方法です。以下の方法においては、上記②と同様に租税特別措置法第66条の4第2項第一号ハにおいて要求されている法的要件である関連取引の排除、取引機能の同一性、類似する棚卸資産セグメントの類似性などが緩和されているものと解されます。

イ　当該関連取引に係る事業と同種又は類似の事業を営む法人で事業規模その他の事業の内容が類似するものの当該比較事業年度に係る棚卸資産の販売による営業利益の額の合計額

ロ　当該比較対象事業年度の当該比較対象事業年度に係る棚卸資産の販売による収入金額からイに係る営業利益の額を控除した金額

④　再販売価格から、次のイに掲げるロの割合を販売費及び一般管理費の合計に乗じて算出された金額を控除した金額を対価の額とする方法

イ　当該国外関連取引に係る事業と同種又は類似の事業を営む法人の当該国外関連取引が行われた日を含む事業年度等に係る棚卸資産の販売による営業利益

ロ　当該比較対象事業年度に係る棚卸資産の販売のために要した販売費及び一般管理費

⑤　取得原価に次のイに掲げるロの割合を販売費及び一般管理費の合計に乗じて算出された金額を加算した金額を対価の額とする方法

イ　当該国外関連取引に係る事業と同種又は類似の事業を営む法人でその事

　　業規模その他の事業の内容が類似するものの当該比較事業年度の営業利益
　　の合計額
　ロ　当該比較事業年度の棚卸資産の販売のために要した販売費及び一般管理
　　費
⑥　国外関連取引に係る棚卸資産の販売時又は購入時に税務職員が知り得る情
　報により当該棚卸資産の使用等により利益が生ずることが予測される各事業
　年度の予測利益の額を合理的と認める割引率を用いて計算される棚卸資産の
　販売時又は購入時の現在価値の合計額をもって当該国外関連取引の対価の額
　とする方法
⑦　②③④⑤⑥に掲げる方法に準ずる方法
　②③④⑤に掲げる方法に準ずる方法が認められています。できるだけ独立企
業間価格の算出が可能となるような規定ぶりです。
⑧　②③④⑤⑥に掲げる方法と同等の方法
　第21項（旧15項）は、国税通則法第30条の10に規定する帳簿書類の留め置き
規定を準用しています。
　第22項（旧16項）は、我が国における課税等の場合の延滞税の免除に関する
規定です。認められる具体的な内容を定めています。
①　租税条約の合意による場合
　独立企業間価格につき、財務大臣が租税条約の我が国以外の締約国又は締約
者の権限ある当局との間において当該租税条約に基づく合意をしたこと。
②　合意に基づく相手国における免除
　租税条約相手国が①における合意に基づき租税特別措置法第66条の４第25項
に規定する国外関連者に係る租税を減額し、かつ、その減額により還付する金
額には、還付加算金に相当する金額のうちその計算の基礎となる期間で財務大
臣と当該租税条約相手国等との権限ある当局との間で合意した期間に対応する
部分に相当する金額を付さないこと。
　第23項（旧17項）は、租税特別措置法第66条の４第25項（同上）が適用され

る場合の具体的な延滞税の計算範囲を規定しています。すなわち、租税特別措置法第66条の 4 第 1 項を適用した場合に納付すべき法人税の額から同項の適用がなかった場合に納付すべき法人税の額に相当する金額を控除した金額に係る延滞税とされます。

　第24項（旧18項）は、特殊関係の判定は、それぞれ取引が行われた時の現況とする旨を規定しています。

(3)　租税特別措置法施行規則第22条の10の条文構造

　租税特別措置法施行規則第22条の10は、「国外関連者との取引に係る課税の特例」として規定されています。この規定は、平成22年度の税制改正により導入が図られた規定です。これまで、推定規定が発動される場合の対象となる書類の範囲が明確ではありませんでした（『改正税法のすべて─平成22年度国税・地方税の改正点の詳解─』(財)日本税務協会506ページ）。さらに平成28年度税制改正では、大幅な改正が行われました。平成31年度（令和元年度）においても大幅な改正が行われました。

　第 1 項（新設）　施行令39条の12五号で規定する法令で、「外国居住者等の所得に対する相互主義による所得税等の非課税に関する法律 7 条②から④、11条①から③、15条⑲から㉔及び19条②から④までの規定とされています。

　第 2 項（新設）　施行令39条の12⑥に規定する第一の省令に規定する「その必要な調整を加えることができない場合」とは、調整対象差異のうちにそれにより生ずる割合の差を定量的に把握することが困難な差異がある場合で、当該差異調整以外の差異調整につき同項に規定する差異調整を加えるものとした場合に計算される割合に及ぼす影響が軽微であるときとされています。

　改正前の制度では、差異調整できない場合は比較対象取引として独立企業間価格の算定には用いることができませんでした。令和元年度の改正で、必要な調整ができない場合であっても、その割合の差を定量的に把握することが困難な差異がこの差異以外の調整対象差異に与える割合に及ぼす影響が軽微と認められる場合は、統計的手法（四分位）を用いた差異調整により算出した割合に

基づいて独立企業間価格を算定できるようになりました。なお、我が国の移転価格税制は、独立企業間価格はポイントとして1点で定めるような仕組みを有しています。上記の改正があってもこの考え方に変更はないとされています。

（「改正税法のすべて（令和元年版）」大蔵財務協会編600ページ）

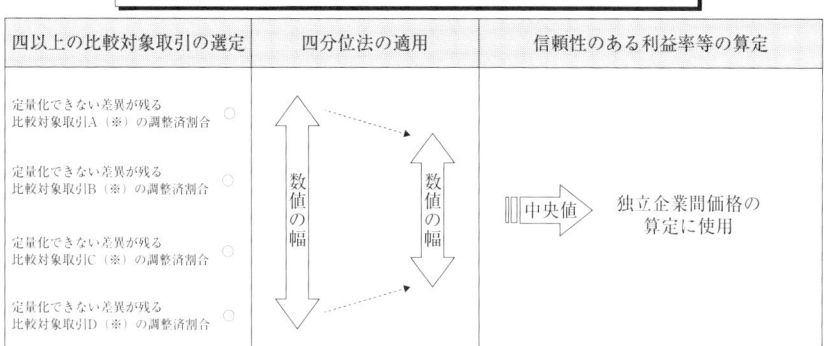

統計的手法（いわゆる四分位法）を用いた差異調整方法（イメージ）

（※）定量的に把握することが困難な差異が調整済割合に及ぼす影響が軽微であると認められるものに限る。

（「改正税法のすべて（令和元年版）」大蔵財務協会編601ページより引用）

　第3項（新設）　施行令39条の12⑥に規定する第二の省令で計算した割合とは、同項の国外関連取引に係る4以上の比較対象取引に係る調整済割合を小さいものから順位を付して調整割合個数のうち、上下25％をカットした残50％の間にある当該4以上の比較対象取引に係る調整済割合の中央値をいいます。4分位の考え方が規定されています。

　第4項（新設）　規則22条の十の2項の規定について、上段の施行令39条の12⑦、同⑧一号イ・ハ（1）・二号・三号・四号・五号について、中段に掲げる字句を下欄に掲げる字句に読み替えるとする準用規定が置かれています。

　第5項（新設）　4項同様に、規則22条の十の3項の規定について、上段の施行令39条の12⑦、同⑧一号イ・ハ（1）・二号・三号・四号・五号について、中段に掲げる字句を下欄に掲げる字句に読み替えるとする準用規定が置かれて

います。

　第6項 (旧2項改正) は、措置法66条の4①に規定する書類を定めています。

① 　国外関連取引の内容を記載した書類

　イ　当該国外関連取引に係る資産の明細及び役務の内容を記載した書類

　ロ　当該国外関連取引において国外関連者が果たす機能並びに当該国外関連取引において当該法人及び当該国外関連者が負担するリスク（為替相場の変動、市場金利の変動、経済事情の変化その他の要因による当該国外関連取引に係る利益又は損失の増加又は減少の生ずるおそれをいう。）に係る事項（当該法人及び当該国外関連者の事業再編（合併、分割、事業譲渡、事業上の重要な資産の譲渡その他の事由による事業上の変更により果たす機能負担するリスクの変更があった場合にはその変更理由を含む。））を記載した書類

　ハ　当該法人又は国外関連者が当該国外関連取引において使用した法66条の4⑦に規定する無形固定資産の内容を記載した書類

　ニ　当該国外関連取引に係る契約書又は契約内容を記載した書類

　ホ　当該法人が当該国外関連取引において当該法人に係る国外関連者から支払を受ける対価の額又は当該国外関連者に支払う対価の額の設定方法及び当該設定に係る交渉内容を記載した書類並びに対価の額に係る独立企業間価格の算定方法及び我が国以外の国又は地域の権限ある当局による確認がある場合における確認内容を記載した書類

　ヘ　当該国外関連取引に係る損益の明細を記載した書類及びその計算過程を記載した書類

　ト　当該国外関連取引に係る資産の販売、資産の購入、役務の提供その他の取引について行われた市場に関する分析（当該市場の特性が当該国外関連取引に与えると影響に関する分析を含む）その他当該市場に関する事項を記載した書類

　チ　当該法人及び当該国外関連者の事業内容、事業方針、組織の系統を記載した書類

リ　当該国外関連取引と密接に関連する他の取引の有無及びその取引と密接
に関連する事情を記載した書類

② 　国外関連取引に係る独立企業間価格を算定するための書類

イ　租税特別措置法第66条の4第2項に規定する独立企業間価格算定方法、
その選定理由を記載した書類、その他当該法人が独立企業間価格算定にあ
たり作成した書類（ロからトまでを除く）

ロ　当該法人が採用した当該国外関連取引に係る比較対象取引の選定に係る
事項及び当該比較対象取引等の明細（当該比較対象取引等の財務情報を含む）
を記載した書類

ハ　当該法人が、利益分割法、同法に準ずる方法及びこれらと同等の方法を
選定した場合における当該法人及び国外関連者に帰属するものとして計算
した金額を算出するための書類（ロ及びトを除く）

ニ（新設）　DCF法と同法に準ずる方法、DCF法と同等の方法及び同法に準
ずる方法を選定した場合におけるこれらの方法により当該国外関連取引を
行った時の現在価値として割り引いた金額の合計額を算出するための書類

ホ（新設）　当該法人が独立企業間価格を算定するに当たり用いた予測の内
容、当該予測の方法その他当該予測に関する事項を記載した書類（ハ、ニ
に掲げる書類を除く）

ヘ（旧ニ）　当該法人が複数の国外関連取引を一の取引として独立企業間価
格の算定を行った場合のその理由及び各取引の内容を記載した書類

ト（旧ホ）　比較対象取引について差異調整を行った場合のその理由及び当
該差異調整等の方法を記載した書類

第7項（旧3項改正）は、申告書に添付する国外関連者に関する事項につい
て規定しています。起算日から7年間（欠損にあっては10年間）保存しなけれ
ばなりません。納税地に保存することが困難とする相当な理由がある場合には、
写しをもって納税地に保存されたものとみなす規定です。

第8項（旧4項）は、第7項に規定する起算日を規定しており、確定申告書

の提出期限の翌日をいいます。

　第 9 項（旧 5 項改正）は、施行令39条の12⑬ 2 号に定める資産を規定しており、次に掲げる資産とします。

　イ　現金

　ロ　預貯金、売掛金、貸付金その他の金銭債権

　ハ　有価証券（法人税法 2 条21号）

　ニ　デリバティブ（法人税法61条の 5 ①）

　ホ　イからニに掲げる資産に類するもの

　第10項（新設）　措置法66条の 4 ⑨一号に定める事項は、次に掲げる事項（同項の特定無形資産国外取引時に法人が予測したものに限定されます。）

　イ　当該特定無形資産国外取引に係る施行令39条の12⑭に規定する予測金額
　　及びその計算基礎事項（次号を除く）

　ロ　当該特定無形資産国外取引に係る本条 6 項①ロに規定するリスクに係る
　　事項

　ハ　イ及びロに掲げるほか、当該特定無形資産国外取引の対価の額を算定す
　　るための前提となった事項

　第11項（旧 6 項改正）は、同時文書化免除取引に係る独立企業を算定するために重要と認められる書類等について規定しています。

　第12項（旧 7 項改正）は、同時文書化免除取引に係る独立企業を算定するために重要と認められる書類等について規定しています。

　第13項（旧 8 項改正）は、租税特別措置法第66条の 4 第25項に規定する別表17（四）「国外関連者に関する明細書」の各欄に記載することとなります。

　①　当該法人に係る国外関連者に該当する事情

　②　当該事業年度終了時における国外関連者の資本金の額又は出資の額及び
　　従業員の数並びに当該国外関連者の営む主たる事業内容

　③　当該事業年度終了の日に最も近い国外関連者の事業年度の営業収益、営
　　業費用、営業利益、税引前当期利益及び利益剰余金の額

④　当該事業年度において国外関連者から支払を受ける対価の額の取引種類別の総額又は当該国外関連者に支払う対価の額の取引種類別の総額

⑤　独立企業間価格算定方法のうち、選定した算定方法（一の取引種類につき選定した方法が2以上ある場合には、そのうちの主たる算定方法）

⑥　独立企業間価格の算定方法について所轄税務署長若しくは国税局長又は当該法人の当該国外関連者の本店若しくは主たる事務所の所在する国の権限ある当局による確認の有無

⑦　その他参考となるべき事項

⑷　租税特別措置法第66条の4の課税要件

今村隆教授によれば、我が国移転価格課税の課税要件は、次の4要件とされています。「①納税義務者が法人であること、②相手方が国外関連者（外国法人で、当該法人との間にいずれか一方の法人が他方の法人の発行済株式の総数又は出資の金額を直接又は間接に保有する関係その他特殊の関係のあるもの）であること、③納税義務者と相手方の国外関連取引（上記②の者との資産の販売、資産の購入、役務の提供、その他の取引）であること、④国外関連者から支払を受ける対価の額が独立企業間価格に満たないこと、又は支払う対価の額が独立企業間価格を超えること」（今村隆著『課税訴訟における要件事実論』日本租税研究協会180ページ）。

第3節　独立企業間価格の算定方法の内容

1. 独立企業間価格の算定方法の概要

(1)　棚卸資産の売買取引に係る独立企業間価格の算定方法の概要

　棚卸資産の売買取引に係る独立企業間価格の算定方法は、次の4つの方法の
うち最も適切な方法を選択して算定することとされています(措法66の4②一)。

　①独立価格比準法、②再販売価格基準法、③原価基準法、④その他の方法

　なお、旧法においては、④その他の方法は①から③の方法が使用できない場
合に適用が限られ、①～③の方法が独立企業間価格の算定の基本的な方法とさ
れていました。平成23年度改正前は、①～③を優先適用していましたが、現行
法では、①～④の算定方法の適用に優劣はありません。選定の考え方について
は、第4節1を参照してください。

(2)　棚卸資産の売買取引以外の取引に係る独立企業間価格の算定方法の概要

　棚卸資産の売買以外の取引に係る独立企業間価格は、次の方法のいずれかを
用いて算定することとしています（措法66の4②二）。

　⑤　上記(1)の独立価格比準法・再販売価格基準法・原価基準法と同等の方
　　法、⑥上記④のその他の方法と同等の方法

　以上のように、棚卸資産取引以外の取引についても、棚卸資産の売買取引の
場合と同等の方法を用いて独立企業間価格を算定することとしています。

2.　適用対象取引

　適用対象取引は、次のいずれにも該当する取引です。

⑴　法人とその国外関連者との間で行った資産の販売、資産の購入、役務の提供その他の取引（国外関連取引）であること。

⑵　法人が国外関連者から支払を受ける対価の額は独立企業間価格に満たない取引、又は法人が国外関連者に支払う対価の額が独立企業間価格を超える取引であること。

　ところで、移転価格税制は取引に着目した制度であることから、従来対価の授受の伴わない単なる金銭の贈与や債務免除などは、本税制の対象とはならず一般的な寄附金として一定の限度内で損金に算入されていました。しかし、国外関連者との取引を通じた所得の移転については移転価格税制で規制されるのに対して、国外関連者に対する単なる金銭の贈与や債務免除については、同様の所得移転であるにもかかわらず一般的な寄附金として一定の限度内で損金に算入されるという課税上の不均衡がありました。そこで平成3年度の税制改正により、国外関連者に対する寄附金は、全額損金不算入となりました（措法66の4③）。

　なお、国外関連者に対する寄附金に関する税制改正が行われましたが、寄附金自体の概念については変更がないところから、外国子会社の解散、経営権の譲渡等に伴う債務の引受等の損失は、従来どおり、寄附金ではなく事業上の損金として算入することが認められます。

⑴　移転価格税制の適用されない取引とその適用除外理由^(注1)

①　特殊関係にない外国法人との取引

　移転価格税制が国外関連者との取引を通じた所得移転に対処するものなので、非関連者と行われる正常取引まで規制するものではないこと。

②　我が国に支店等の恒久的施設を有する国外関連者

　法人が国外関連者と取引を行った場合に、恒久的施設を有する国外関連者と

の取引のうち、その国外関連者の我が国における法人税の課税対象所得（法法
141一イに掲げる国内源泉所得）に係る取引は除かれます（措法66の４（　）書）。

　これは、取引の相手である国外関連者が我が国に支店等の恒久的施設を有す
る場合は、我が国で法人税の課税を行い得ることから本制度の適用はないとさ
れています（措令39の12⑤）。なお、我が国に支店等の恒久的施設を有する国外
関連者の国内源泉所得であっても、その国内源泉所得に対する我が国の法人税
が、租税条約により軽減又は免除される所得（例えば、利子、使用料）に係る
取引は対象とされます（措令39の12⑤（　）書）。

　（注１）　従前、国外関連者である外国法人の在日支店（恒久的施設）が行う本店
　　　　　ないしは海外の他の支店との取引は、内部取引であることから本制度の適
　　　　　用はありませんでしたが、平成28年４月１日以降開始事業年度以降の、外
　　　　　国法人の内部取引についても独立企業間価格によるものとされました（措
　　　　　法66の４の３）。

3．適用対象者

(1)　移転価格税制の適用対象者となる法人の範囲

　移転価格税制の適用対象者は、我が国において所得に対する法人税及び清算
所得に対する法人税の納税義務のある法人です。

　移転価格税制の適用対象者には、普通法人、協同組合、公益法人等、人格の
ない社団等が含まれるほか、我が国に支店等の恒久的施設を有する外国法人（法
法141一～三）及び不動産等の譲渡所得等を有する外国法人（法法141四）が含ま
れますが、民法上の組合等、匿名組合は含まれません。なお、個人に対しては
適用がありません。

　ただし、非居住者の内部取引については、外国法人と同様に移転価格税制が
平成29年以後の年分から適用されます（措法40の３の３①）。

(2)　個人、国内取引が除外されている趣旨

　移転価格税制は、国外の関連者との取引を通じた国際間の所得移転に対応す
るものですが、個人についてはこのような国際課税問題が生じていないとの認

識があるものと思われます[注2]。なお、関連者間取引に個人を介在させ、移転価格課税を回避するような場合には、法人と介在者との取引を国外関連取引と見なして移転価格税制を適用することとしています（措法66の4⑤）。

> （注2）　例えば、羽床正秀著「移転価格税制詳解」大蔵財務協会21ページ。こうした説明は、実態と合っていないのでいずれは個人も本税制の対象にしないと回避の恐れ等を残すものと考えられます。

⑶　対象国外関連者の株式保有割合による形式的判定基準

移転価格税制の適用のある国外関連者は、法人と次の特殊の関係にある外国法人です（措法66の4①）。

① 　二つの法人の一方の法人が他方の法人の発行済株式等の総数又は総額の50％以上の株式等を直接又は間接に保有する関係（措令39の12①一）。法人と親子関係にある場合のほか、孫会社との関係も含みます。

② 　二つの法人が同一の者（当該者が個人の場合には個人とその親族関係者等）によってそれぞれ発行済株式等の50％以上の数又は金額の株式等を直接又は間接に保有される場合における当該二の法人の関係（措令39の12①二）。法人と兄弟姉妹会社の関係にある場合です。

⑷　法人税の納税義務者と外国法人との特殊な関係の実質的な判定

① 　次に掲げる事実その他これに類する事実（特定事実といいます）が存在することにより、二の法人のいずれか一方の法人が他方の事業の方針の全部又は一部につき実質的に決定できる関係にある外国法人が対象となります。なお、この制度において特殊の関係にあるかどうかの判定は、取引の行われたときの現況によることとされています（措法66の4①、措令39の12①三）。

　　イ 　当該他方の法人の役員の1／2以上又は代表する権限を有する役員が、当該一方の法人の役員若しくは使用人を兼務している者又は当該一方の法人の役員若しくは使用人であった者であること

　　ロ 　当該他方の法人がその事業活動の相当部分を当該一方の法人との取引

　　　に依存して行っていること

　　ハ　当該他方の法人がその事業活動に必要とされる資金の相当部分を当該
　　　　一方の法人からの借入により、又は当該一方の法人の保証を受けて調達
　　　　していること

　上記イ、ロ、ハに類する事実について、次に掲げるような活動等が措通66の
4⑴－3に例示されています。

　　イ　一方の法人が他方の法人から提供される事業活動の基本となる著作権
　　　（出版権及び著作隣接権その他これに準ずるものを含む。）、工業所有権（特許
　　　権、実用新案権、意匠権及び商標権をいいます）、ノーハウ等に依存してその
　　　事業活動を行っていること

　　ロ　一方の法人の役員の1／2以上又は代表する権限を有する役員が他方の
　　　法人によって実質的に決定されていると認められる事実があること

　②　一の法人と次に掲げる法人との関係（上記①に掲げている関係を除きま
　　す。）（措令39の12①四）

　　イ　一の法人がその発行済株式等の50／100以上の数等を直接若しくは間
　　　接に保有し、又は特定事実が存在することによりその事業方針の全部又
　　　は一部につき実質的に決定できる関係にある法人

　　ロ　イ又はハに掲げる法人が、その発行済株式等の50／100以上の数等を
　　　直接若しくは間接に保有し、又は特定事実が存在することによりその事
　　　業方針の全部又は一部につき実質的に決定できる関係にある法人

　　ハ　ロに掲げる法人が、その発行済株式等の50／100以上の数等を直接若
　　　しくは間接に保有し、又は特定事実が存在することによりその事業方針
　　　の全部又は一部につき実質的に決定できる関係にある法人

　　　従前においては、連鎖関係の法人の連なりの中で株式関係でなく、特定
　　事実が絡んだ場合は、この税制の適用から除かれていました。そのため、
　　こうした方式をとることで移転価格課税を免れることが可能でした。そこ
　　で、平成17年度において50％以上保有する法人を通じて実質支配する者を

国外関連者とする改正が行われ、株式等関係の支配と特定事実による支配の連鎖も移転価格税制の対象となる関係とされたものです。

③　二の法人がそれぞれ次に掲げるいずれかの法人に該当する場合における当該二の法人の関係（イの者が同一の場合の限定）（措令39の12①五）

　　イ　一の者がその発行済株式等の50／100以上の数等を直接若しくは間接に保有し、又は特定事実が存在することによりその事業方針の全部又は一部につき実質的に決定できる関係にある法人（例えば、下掲例のAとDとの関係）

　　ロ　イ又はハに掲げる法人が、その発行済株式等の50／100以上の数等を直接若しくは間接に保有し、又は特定事実が存在することによりその事業方針の全部又は一部につき実質的に決定できる関係にある法人（例えば、BとEとの関係）

　　ハ　ロに掲げる法人が、その発行済株式等の50／100以上の数等を直接若しくは間接に保有し、又は特定事実が存在することによりその事業方針の全部又は一部につき実質的に決定できる関係にある法人（例えばCとFとの関係）

〔例〕

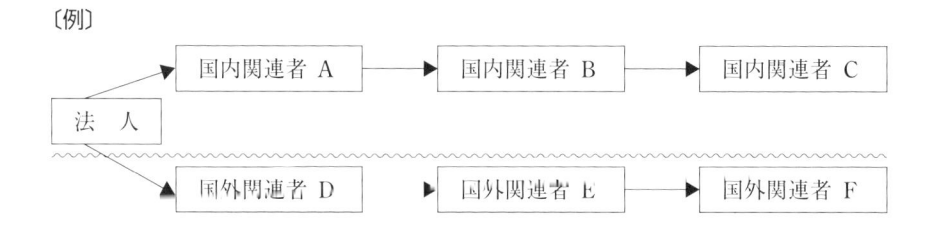

DEFはそれぞれABCのいずれにとっても国外関連者となります。

(5)　間接保有の株式等の保有割合の算定

前記(3)①の特殊関係を株式の保有関係で判定する場合には、一方の法人の他方の法人に係る直接保有の株式の保有割合と間接保有割合とを合計した割合が

50％以上であるかどうかで行われます（措令39の12②）。

　間接保有割合とは、次の割合をいうとされています（措令39の12③）。

①　一方の法人が他方の法人の株主等である法人の発行済株式等の50％以上を保有する場合

〔例示1〕

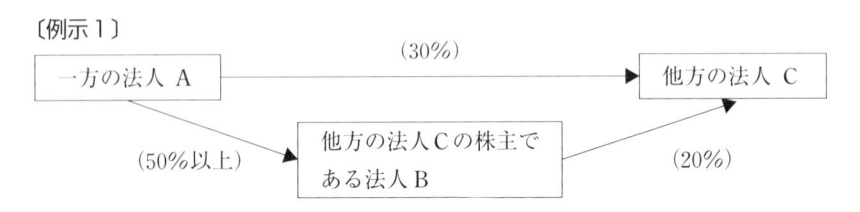

　一方の法人Aは他方の法人Cに対する間接の保有割合は、20％となります。Aが30％を直接保有していれば、合わせて50％以上ということになり、AとCは特殊関係にあるということになります。

〔例示2〕

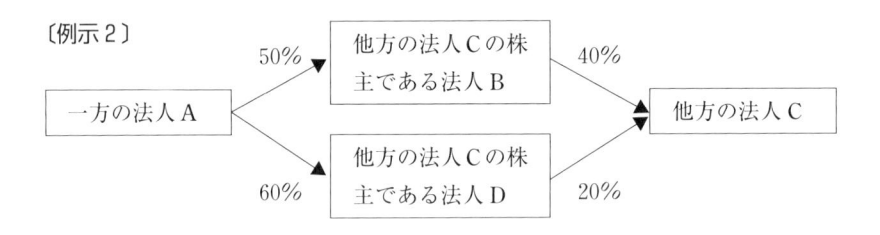

　一方の法人Aは他方の法人Cに対する間接の保有割合は60％となり、特殊な関係にあることになります。

②　一方の法人と他方の法人の株主等である法人との間に発行済株式等の所有を通じて連鎖関係にある一又は二以上の法人（出資関連法人）が介在する場合

〔例示3〕

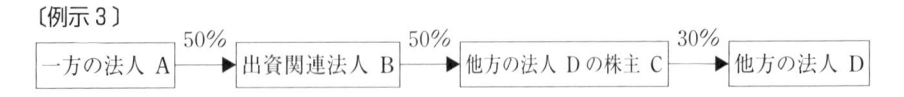

　一方の法人Aは他方の法人Dに対する間接の保有割合は30％となり、仮にAがDの株式を直接20％以上保有している場合は、直接間接合わせて50％以

上の保有割合となりＡとＤは、特殊な関係にあることになります。

〔例示４〕

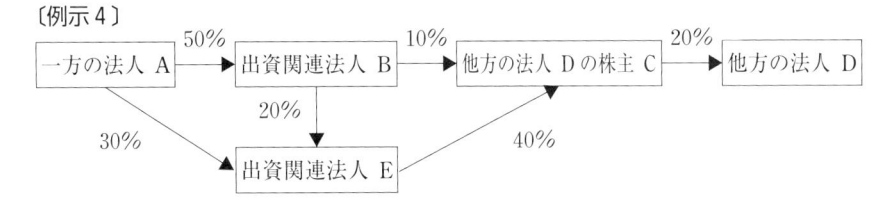

　一方の法人Ａは他方の法人Ｄに対する間接の保有割合は20％となり、仮に
ＡがＤの株式を直接30％以上保有している場合は、直接間接合わせて50％以
上の保有割合となり、ＡとＤは特殊な関係にあることになります。

⑹　発行済株式、自己株式、名義株式の取扱い

　法人税の納税義務者と外国法人との特殊な関係の形式的な判定の基礎となる
「発行済株式」には、その株式の発行価額の全部、又は一部について払込み又
は給付が行われてないものも含まれます（措通66の4⑴−1）。しかし、自ら有
する自己株式は含まれません（措法66の4①（　）書）。

　また、法人がその取引の相手方である外国法人との間に出資関係を通じて特
殊関係にあるかどうかを判定する場合の当該法人又は当該外国法人が直接又は
間接に保有する株式には、その株式の発行価額の全部、又は一部について払込
みが行われてないものも含まれます。また、名義株については、その実際の権
利者が所有するものとして特殊関係の有無を判定することとされています（措
通66の4⑴−2注）。なお、特殊の関係を判定する上で、議決権が制限されてい
る株式の扱いを明文にしたものはありませんが、法人税基本通達1−3−1（同
族会社の判定、議決権がない場合の会社法第115条参照）を準用して、特殊の関係
の判定という趣旨から発行済株式に含まれるものとして扱うものと考えられま
す。

⑺　株式等の出資関係と実質支配関係の交錯している場合の判定

　上記⑶の「法人税の納税義務者と外国法人との特殊な関係の形式的な判定」

と上記(4)「法人税の納税義務者と外国法人との特殊な関係の実質的な判定」が交錯している場合があります。すなわち、株式等の出資の連鎖関係の一部に実質支配関係がある場合です。その場合においては、従前は、実質支配関係があっても株式保有関係による特殊関係はないものとされ、実質支配関係があるか否かによって判定されることになっていましたが、課税上の弊害があることから、平成17年度の税制改正で次のような場合は、特殊関係があるものとされました（措令39の12①三）。

① 　他方の法人の役員の1／2以上又は代表する権限を有する役員が、一方の法人の役員若しくは使用人を兼務している者又は一方の法人の役員若しくは使用人であったこと

② 　他方の法人がその事業活動の相当部分を一方の法人との取引に依存して行っていること

③ 　他方の法人がその事業活動に必要とされる資金の相当部分を一方の法人からの借入により、又は当該一方の法人の保証を受けて調達していること

第4節 棚卸資産の売買取引に係る独立企業間価格の具体的な算定方法

1. 概説

棚卸資産の売買取引に係る独立企業間価格の算定は、基本三法（独立価格比準法、再販売価格基準法、原価基準法）、若しくは準ずる方法その他の方法で行われます。基本三法及びその他の方法間の適用に優劣はなくその取引を検討するにあたって個々の事案の状況に応じて独立企業間原則に一致した最も適当とされる方法で行われることとなります（「改正税法のすべて―平成23年度国税・地方税の改正点の詳解―」(財)日本税務協会495ページ）。平成23年度税制改正により基本三法の優先適用はなくなりました。このような考え方は、棚卸資産の売買以外の取引における独立企業間価格の算定にあたっても採られています。

「最も適切な方法」の選定にあたり、措置法通達66の4(3)-3に掲げる5要素（棚卸資産の種類・役務の提供の内容等、売手・買手の果たす機能、契約条件、市場の状況、売手・買手の事業戦略）及び各算定方法の長短所、国外関連取引の内容及び関連取引当事者の果たす機能等に対する算定方法の適合性、選択した算定方法を適用するための必要な情報入手可能性、比較対象取引との類似性の程度を総合勘案して選定することとされています（通達66の4(2)-1）。

なお、移転価格事務運営要領（以下「事務運営指針」という。）4-2によれば、最も適切な方法の候補が複数あるときは、独立価格比準法が最も直接的に算定することができる長所を有し、次いで再販売価格基準法と原価基準法が長所を有するとされています。

2. 独立価格比準法

　「独立価格比準法」とは、特殊の関係にない売手と買手が、国外関連取引に係る棚卸資産と同種の棚卸資産を当該国外関連取引と取引段階、取引数量その他が同様の状況の下で売買した取引の対価の額（当該同種の棚卸資産を当該国外関連取引と取引段階、取引数量その他に差異がある状況下で売買した取引がある場合において、その差異により生じる対価の額の差を調整できるときは、その調整を行った後の対価の額を含む。）に相当する金額をもって当該国外関連取引の対価の額とする方法をいいます（措法66の4②一イ）。

　独立価格比準法は、米国の内国歳入法では Comparable Uncontrolled Price Method（略して CUP 法）と称されており、独立企業間価格算定の基本となる方法です。

3. 再販売価格基準法

　「再販売価格基準法」とは、国外関連取引に係る棚卸資産の買手が特殊の関係にない者に対して当該棚卸資産を販売した対価の額（以下「再販売価格」という。）から通常の利益の額を控除して計算した金額をもって当該国外関連取引の対価の額とする方法をいいます（措法66の4②一ロ）。

　通常の利益の額は、再販売価格に通常の利益率を乗じて算定します。通常の利益率とは、国外関連取引の棚卸資産と同種又は類似の棚卸資産を非関連者から購入した者（再販売者）がそれを非関連者に対して販売した取引によって得た当該再販売者の売上総利益の額の売上金額に対する割合をいいます。

　再販売価格基準法は、国際的には Resale Price Method（略して RP 法）と称されており、独立企業間価格算定の基本となる方法です。

4. 原価基準法

　「原価基準法」とは、国外関連取引に係る棚卸資産の売手の購入、製造その

他の行為による取得の原価の額に通常の利潤の額を加算して計算した金額を
もって当該国外関連取引の対価の額とする方法をいいます(措法66の4②一ハ)。

　通常の利潤の額は、棚卸資産の原価の額に通常の利益率を乗じて算定します。
通常の利益率とは、国外関連取引に係る棚卸資産と同種又は類似の棚卸資産を
購入（非関連者からの購入に限る。）、製造等により取得した者（販売者）がそれ
を非関連者に対して販売した取引によって得た当該販売者の売上総利益の額の
原価の額（購入価格）に対する割合をいいます。

　原価基準法は、国際的には Cost Plus Method（略して CP 法）と称されてお
り、独立企業間価格算定の基本となる方法です。

5. その他の方法(準ずる方法、利益分割法、取引単位営業利益法、DCF 法)

(1)　基本三法に「準ずる方法」(措法66の4②一ニ)

　ここに掲げる方法は、上記2から4までの方法から乖離しない限りにおいて
取引内容に適合した方法を採用し得る余地を残したものです。例えば、再販売
価格基準法は、非関連者に販売した価格から購入した価格から通常の利潤の額
を控除する仕組みになっていますが、国外関連者から購入した棚卸資産がさら
に関連者を通じて非関連者に販売されている場合には、最終的には非関連者に
販売した価格から逆算することも考えられるということです。また、自社で製
造した製品に他から購入した商品を組み合わせて販売する場合などにおいて
は、再販売価格基準法と原価基準法を併用する必要もあり得ます。すなわち、
基本三法により直接的に独立企業間価格を算定することはできないが、これら
の方法に準じた合理的な方法で算定した価格であれば、その価格等を独立企業
間価格として採用することができることを示しており、一般に「準ずる方法」
と呼んでいます。

(2)　利益分割法

　法人及び国外関連者による購入、製造、販売その他の行為に係る所得が、次
に掲げる方法によりこれらに帰属するものとして計算した金額をもって当該国

外関連取引の対価の額とする方法です（措令39の12⑧一）。例えば、当該棚卸資産に係るこれらの行為のためにこれらの者が支出した費用の額、使用した固定資産の価額その他これらの者が当該所得の発生に寄与した程度を推測するに足りる要因に応じて当該国外関連者に帰属するものとして計算した金額をもって当該国外関連取引の対価の額とする方法です。この方法の場合、どのような基準を用いるべきかは、個々の事業に即して判断せざるを得ないことになりますが、両者の果たす機能を正確に分析し、購入、製造、輸送、販売等の様々な行為を測る必要があります。一般に「利益分割法（Profit Split Method）」と呼ばれ、これまで説明してきた方法に拠れない場合に、しばしば用いられる方法です。

　なお、次の①～③の適用に当たっては、原則として双方の営業利益又は営業損失の合計額を配分して独立企業間価格とするとされています。（措通66の4（5）－1）

① 比較利益分割法

　当該国外関連取引に係る棚卸資産と同種又は類似の棚卸資産の非関連者による販売等に係る所得の配分に関する割合に応じて当該法人及び当該国外関連者に帰属するものとして計算する方法です（措令39の12⑧一イ）。

　なお、「所得の配分に関する割合」とは、当該比較対象取引に係る棚卸資産の当該法人及び当該国外関連者による販売等とが当事者の果たす機能その他において差異がある場合には、その差異により生ずる割合の差につき必要な調整を加えた後の割合をいいます。

② 寄与度利益分割法

　当該棚卸資産に係るこれらの行為のためにこれらの者が支出した費用の額、使用した固定資産の価額その他これらの者が当該所得の発生に寄与した程度を推測するに足りる要因に応じて当該国外関連者に帰属するものとして計算した金額をもって当該国外関連取引の対価の額とする方法です（措令39の12⑧一ロ）。

　なお、配分要因が複数あるときは、その要因が分割利益又は残余利益等の発

生に寄与した程度を合理的に計算するものとされています（措通66の4（5）
-2）。

③　残余利益分割法

次に掲げる金額につき当該法人及び当該国外関連者ごとに合計した金額がこ
れらの者に帰属するものとして計算する方法です（措令39の12⑧一ハ）。

　　イ　当該国外関連取引に係る棚卸資産の当該法人及び当該国外関連者による
　　　　販売等に係る所得が、当該棚卸資産と同種又は類似の棚卸資産の非関連者
　　　　による販売等（比較対象取引という。）に係る再販売価格基準法、原価基準
　　　　法における通常の利益率、取引単位営業利益法における対売上営業利益率、
　　　　対総費用営業利益率を算定する場合に、当該比較対象取引と当該販売等に
　　　　おいて当事者の果たす機能その他において差異がある場合には、その差異
　　　　により生ずる割合の差に必要な調整を加えた後の割合（ただし、当該法人
　　　　及び当該国外関連者に独自の機能が存在する場合による差異は除く。）に基づ
　　　　き当該法人及び当該関連者に帰属するものとして計算した金額

　なお、措置法通達66の4(3)-1(5)によりこの金額を「基本的利益」といいま
す。基本的利益は、基本的取引に係る利益指標（既述した売上総利益率、営業利
益率）のうち、最も適切なものに基づいて計算されることとなります（事務運
営指針4-10）。

　　ロ　当該国外関連取引に係る棚卸資産の当該法人及び当該国外関連者による
　　　　販売等に係る所得の金額とイに掲げる金額との差額（これを残余利益等と
　　　　いう。）が、当該残余利益等の発生に寄与した程度を推測するに足りるこ
　　　　れらの者が支出した費用の額、使用した固定資産の価額その他これらの者
　　　　に係る要因に応じてこれらの者に帰属するものとして計算した金額

(3)　取引単位営業利益法 ― その1

　国外関連取引に係る棚卸資産の買手が非関連者に対して当該棚卸資産を販売
した対価の額（再販売価格という。）に、以下の①に掲げる金額の②に掲げる金
額に対する割合（再調整を加えた後の割合）を乗じて計算した金額に当該国外関

連取引に係る棚卸資産の販売のために要した販売費及び一般管理費の額を加算した金額を控除した金額をもって当該国外関連取引の対価の額とする方法（措令39の12⑧二）です。

① 当該比較対象取引に係る棚卸資産の販売による営業利益の額の合計額

② 当該比較対象取引に係る棚卸資産の販売による収入金額の合計額

・比較対象取引に係る売上高営業利益率＝①／②……(a)

・国外関連取引に係る再販売価格…………………………(b)

・独立企業間価格＝(b)－｛(b)×(a)＋（販売費及び一般管理費）｝

・（独立企業間価格）－（国外関連者との取引価格）＝所得移転額

⑷ 取引単位営業利益法 ── その2

国外関連取引に係る棚卸資産の売手の購入、製造その他の行為による取得の原価の額に、次の①に掲げる金額の②に掲げる金額に対する割合（再調整を加えた後の割合）を乗じて計算した金額及び①ⅱに掲げる金額の合計額を加算した金額をもって当該国外関連取引の対価の額とする方法（措令39の12⑧三）です。

① 次に掲げる金額の合計額

　ⅰ．当該取得原価の額

　ⅱ．当該国外取引に係る棚卸資産の販売に要した販売費及び一般管理費の額

② 当該比較対象取引に係る棚卸資産の販売による営業利益の額の合計額

③ 当該比較対象取引に係る棚卸資産の販売による収入金額の合計額から②に掲げる金額を控除した金額（つまり、原価＋費用となる）

・比較対象取引に係る総費用営業利益率＝②／③……(a)

・国外関連取引に係る取得原価……………………………(b)

・独立企業間価格＝(b)＋｛(b)＋（販売費及び一般管理費）｝×(a)＋（販売費及び一般管理費）

・（独立企業間価格）－（国外関連者との取引価格）＝所得移転額

⑸ 取引単位営業利益法（ベリー法）──その3

取引単位営業利益法を用いて独立企業間価格を算定する際の利益水準指標

に、販売費及び一般管理費の合計に対する売上総利益率（いわゆるベリー比）の割合とする方法で、平成25年度改正で導入されました。割合を乗じて計算された金額を四号では再販売価格から控除し、五号の場合では取得原価に加算することとなります（措令39⑧四、五）。

〈再販売価格から算出する方法〉

国外関連取引に係る棚卸資産の販売に要した販売費及び一般管理費の額に、次の①と②との合計額と②の金額との割合を乗じた金額を再販売価格から控除した金額を当該国外関連取引の対価の額とする方法（措令39の12⑧四）です。

① 当該比較対象取引に係る棚卸資産の販売による営業利益額の合計額

② 当該比較対象取引に係る棚卸資産の販売に要した販売費及び一般管理費

③ 比較対象取引に係る営業費用売上総利益率＝①÷②

・国外関連取引に係る販売費及び一般管理費……(a)

・国外関連取引に係る再販売価格………………(b)

・独立企業間価格＝(b)−(a)×③

　（国外関連者との取引価格）－（独立企業間価格）＝所得移転額

〈取得原価から算出する方法〉

国外関連取引に係る棚卸資産の販売に要した販売費及び一般管理費の額に、次の④と⑤との合計額と②の金額との割合を乗じた金額を取得原価に加算した金額を当該国外関連取引の対価の額とする方法（措令39の12⑧五）です。

④ 当該比較対象取引に係る棚卸資産の販売による営業利益額の合計額

⑤ 当該比較対象取引に係る棚卸資産の販売に要した販売費及び一般管理費

⑥ 比較対象取引に係る営業費用売上総利益率＝④÷⑤

・国外関連取引に係る販売費及び一般管理費……(a)

・国外関連取引に係る取得原価………………(b)

・独立企業間価格＝(b)+(a)×⑥

　（独立企業間価格）－（国外関連者との取引価格）＝所得移転額

⑹　ディスカウント・キャッシュ・フロー法（DCF法）

　国外関連取引に係る棚卸資産の販売又は購入の時に当該棚卸資産の使用その他の行為による利益（これに準ずるものも含まれます。）が生ずることが予測される期間内の各事業年度の当該利益として販売又は購入の時に予測される金額を合理的と認められる割引率を用いて当該棚卸資産の販売又は購入の時の現在価値として割引いた金額の合計額をもって当該国外関連取引の対価の額とする方法（措令39の12⑧六）です。

　計算要素は、予測期間、予測利益、割引率のみを定めています。これ以外の要素については、必要に応じて適切な調整が行われる場合には許容するとしています。なお、法令上は棚卸資産取引を踏まえて規定しています。

　予測利益の例示として、無形資産の使用等による利益は、基本的には対象法人又は国外関連者のいずれか又は双方又は国外関連者との間で譲渡された無形資産が第三者へ譲渡が予定されている場合のその第三者により生ずることが想定されるとしているので、予測帰属については法令上言及していません。また、割引率については、法令上は合理的な割引率とのみ規定され具体的な計算方法は規定されていません（「改正税法のすべて（令和元年版）」大蔵財務協会編593ページ）が、貨幣の時間的価値、国外関連取引に係る事業のリスク（予測利益金額の変動リスクを含む）の反映の程度に応じ、当該事業のリスクが合理的に反映されていると認められる割引率を用いることとされています（措置法通達66の4（75）－2）。

　本法は、2010年移転価格ガイドラインパラ6.29において適用可能性を容認されていました。それを受けての改正と考えられますが、その中でこの方法は評価テクニックとして有用性がある反面、重要となる要素（財務予測、成長率、割引率、無形資産の耐用年数等）におけるわずかな違いが最終的な評価額に大きな影響を及ぼしうるため留意が必要とも指摘されています。

　次の図は、DCF法のイメージ図です。

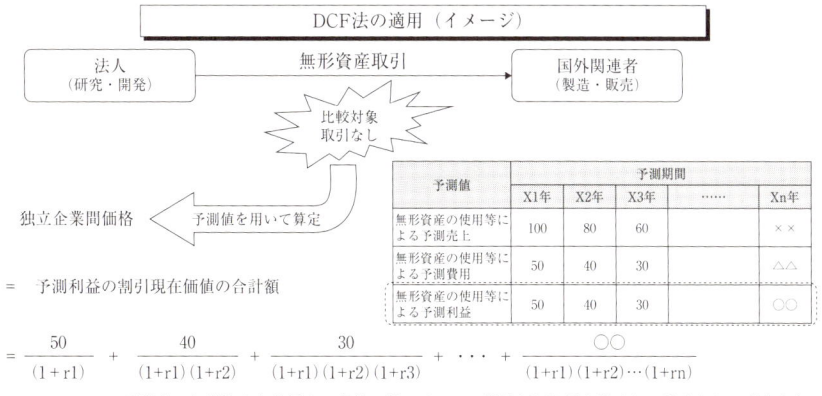

「改正税法のすべて（令和元年版）」（大蔵財務協会編594ページより引用）

⑺　⑴から⑹に掲げる方法に準ずる方法（措令39の12⑧七）

例えば、次に掲げる方法が準ずる方法に該当します（措通66の4⑹-1）。

①　国外関連取引に係る棚卸資産の買手が当該棚卸資産を用いて製品等の製造をし、これを非関連者に販売した場合において、当該製品等のその非関連者に対する販売価格から次に掲げる金額の合計額を控除した金額をもって当該国外関連取引の対価の額とする方法

　ⅰ　当該販売価格に比較対象取引に係る営業利益額の収入金額に対する割合を乗じて計算した金額

　ⅱ　当該製品等に係る製造原価の額（当該国外関連取引に係る棚卸資産の対価の額を除く。）

　ⅲ　当該製品等の販売に要した販売費及び一般管理費

②　一方の国外関連者が法人から購入した棚卸資産を他方の国外関連者を通じて非関連者に対して販売した場合において、当該一方の国外関連者と当該他方の国外関連者との取引価格を通常の取引価格に引き直した上で、租税特別措置法施行令第39条の12第8項第二号又は四号に掲げる算定方法に基づいて計算した金額をもって当該法人と当該一方の国外関連者との間で

行う国外関連取引に係る対価とする方法

(注)　通常の取引価格は、独立企業間算定方法に準じて計算することとされて
　　　います。

6. 独立企業間価格算定方法選定の流れ（比較可能性分析の例）

[移転価格事務運営要領別冊「移転価格税制の適用に当たっての参考事例集」]

（以下「参考事例集」といいます。4ページ図1より引用）

```
┌─────────────────────────────────────────────────────────────────┐
│  ┌──────────────────────────────┐      ┌────────────────────────┐ │
│  │法人及び国外関連者の事業内容等の検討│◀────│資本関係及び事業内容を記載した│ │
│  └──────────────┬───────────────┘      │書類（事務運営指針3－4(1)）│ │
│                 ▼                       └────────────────────────┘ │
│  ┌──────────────────────────────┐                                  │
│  │国外関連取引の内容等の検討        │      ┌────────────────────────┐ │
│  │                              │      │・措置法施行規則第22条の10第6│ │
│  │【検討するポイント】（事務運営指針4－│      │ 項第1号に掲げる書類（事務運営│ │
│  │1及び措置法通達66の4(2)－1）    │      │ 指針3－4(2)）・措置法施行規則│ │
│  │・国外関連取引に係る資産の種類、役務 │◀╌╌╌╌│ 第22条の10第6項第2号に掲げる│ │
│  │ の内容等                      │      │ 書類（事務運営指針3－4(3)）・│ │
│  │・法人及び国外関連者が果たす機能・国 │      │ その他の書類（事務運営指針3－│ │
│  │ 外関連取引に係る契約条件・国外関連 │      │ 4(4)）                   │ │
│  │ 取引に係る市場の状況・法人及び国外 │      └────────────────────────┘ │
│  │ 関連者の事業戦略等             │                                  │
│  └──────────────┬───────────────┘                                  │
│                 ▼                                                  │
│  ┌──────────────────────────────────────────────────────────────┐ │
│  │内部の非関連者間取引及び外部の非関連者間取引に係る情報源の検討        │ │
│  │※外部に存在する情報源については、その種類・内容・得られる情報の精度等を│ │
│  │ 検討する。                                                     │ │
│  └──────────────┬───────────────────────────────────────────────┘ │
│                 ▼                                                  │
└─────────────────────────────────────────────────────────────────┘
```

比較対象取引の選定に係る作業	比較対象取引候補の有無の検討
	※内部の非関連者間取引がない場合は外部の非関連者間取引に係る情報源に基づき検討する。
	※内部の非関連者間取引及び利用可能な外部の非関連者間取引に係る情報源がある場合は併せて検討する。
	※再販売価格基準法（RP法）、原価基準法（CP法）及び取引単位営業利益法（TNMM）については、国外関連取引の当事者のうちいずれの者を検証対象にするか決定の上、検討する（複雑な機能を果たしていない者を検証対象とすることが望ましい。）。
	【考慮するポイント】（措置法通達66の4(2)－1）
	・各算定方法の長所及び短所
	・国外関連取引の内容等に対する各算定方法の適合性
	・比較対象取引の選定に必要な情報の入手可能性
	・国外関連取引と非関連者間取引との類似性の程度（比較可能性）（措置法通達66の4(3)－3に掲げる諸要素の類似性を勘案して判断）

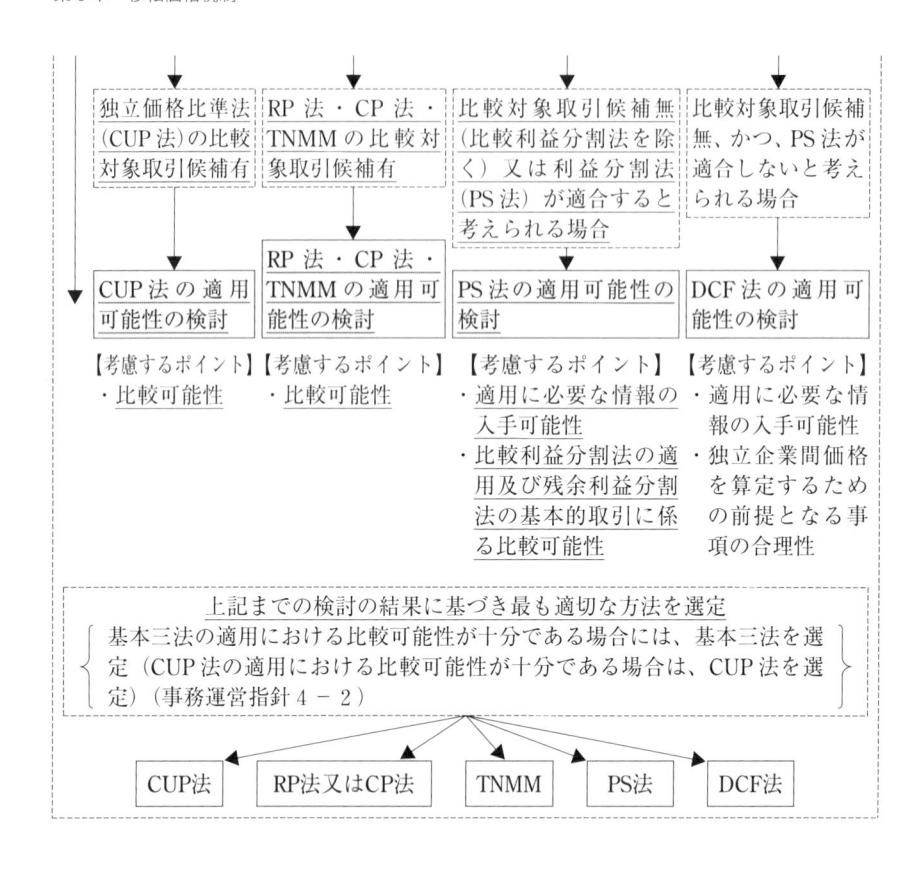

第5節 比較可能な取引の検討と差異調整

1. 比較可能性分析の重要性と決定する諸要素

(1) 比較可能性分析の重要性

　独立企業においては、いくつかの選択可能な経済的差異（利益の多寡、リスクの程度など）を考慮して、他に明らかに魅力的な取引が存在しないと判断した場合にのみ取引を行うことが考えられますし、現実であろうと思われます。

　既に見てきましたように、租税特別措置法第66条の 4 は、「一方の企業が他方の企業を支配する特殊の関係がない場合に双方の企業間で取引条件その他の事情が同一又は類似の状況下で取引が行われた場合に成立したであろう価格」を独立企業間価格とみなして、この価格と当該検討取引における価格とを比較して、高価買入、あるいは低価販売となっている場合には、価格差異について所得を認定して法人税を課すことができるとしています。

　したがって、当該検討取引と比較すべき取引、これを比較対象取引といいますが、比較対象取引の選定、抽出、また両取引に差異がある場合の調整が問題となります。差異がある場合に、それが価格や利益に影響を与える場合にはそれを調整ができて初めて比較可能性があるということになります。価格等に影響を与えることが明らかであるのに、その調整ができない場合は、比較可能性はないということになります。そして、考慮すべき要素は、算定方法により違いがあり得ます。

(2)　比較可能性を決定する諸要素

　OECD ガイドラインパラグラフ 1.36 は、比較する上で重要と思われる要素を 5 項目挙げています。①取引条件、②取引の各当事者が使用する資産及び引き受けるリスクを踏まえた各当事者が果たす機能、取引を巡る状況及び業界実務、③譲渡される資産や提供される役務の状況、④当事者及び当事者が活動する市場の経済状況、⑤当事者が採用する事業戦略です。

　我が国では、2010 年ガイドラインに沿った形で平成 23 年 10 月 1 日改正の措置法通達 66 の 4 (3)− 3 において検討すべき諸要素等として以下の要素が規定されています。①棚卸資産の種類、役務の内容等、②売手又は買手の果たす機能、③契約条件、④市場の状況、⑤売手又は買手の事業戦略

　項目はガイドラインと我が国の規定とほぼ一致しています。

① 　対象となる取引に係る資産又は役務の特質

　有形資産については、対象資産の物理的特徴、品質の程度及び信頼性並びに供給可能性と、供給量が含まれます。役務提供については、その役務の特徴と程度など。無形資産については、ライセンス又は販売といった取引形態、特許、商標又はノーハウといった資産の種類、保護期間及び保護の程度並びに当該資産の使用による期待収益などが検討されねばなりません（OECD ガイドラインパラグラフ 1.107）。独立価格比準法及び原価基準法では、資産又は役務の特徴に重点が置かれますが、再販売価格基準法では、資産又は役務の特徴の差異が一定程度であれば利益に及ぼす可能性は低いとしています（同 1.108）。しかしながら、実務的には、採用する方法によっては、製品の類似性の程度は低いが、機能的には類似性が高い場合には、そうした製品まで含めて検討される場合もあり得ます。

② 　機　　能

　独立企業間においては、それぞれの企業が果たした機能（使用した資産とか、負担したリスクとかなど）に応じて、対価が変化します。ですので、こうした機能がどちらにあるのかを分析し、存在する側において機能に応じた利得が反

映されている状態が独立企業間原則からは妥当なものとなります。2017年版OECD ガイドライン1.51では、「各当事者にとっての頻度、性質及び価値の観点から見た機能の経済的重要性が重要である。」として具体的には示していない。2010年版 OECD ガイドラインパラグラフ1.42〜1.4は、設計、製造、研究開発、役務の提供、購買、販売、市場開発、宣伝、輸送、資金管理、経営があるとされていました。確認できることは、その頻度、その経済的重要性です。頻度もなく、経済的にも無視してよい程度のものは比較可能性の検討対象ではありません。また、使用した資産の種類とか、経過年数、市場価値など使用した資産の特質も検討をする必要があります。また、引き受けたリスクについて大きな差異があってそれを調整できない場合は、比較可能性はありません。通常、リスクの負担は当然に期待される利益の増加と結びつきます。

　OECD ガイドラインパラグラフ1.72は、リスクの分類は様々だが、移転価格分析における適切な枠組みは、リスクを引き起こす不確実性の源泉を明確にして移転価格の分析が確実に検討できるために提供することだとしています。

　イ　戦略的リスク又が市場リスク（経済環境、政治上の若しくは行政上の出来事、競合、技術進歩又は社会や環境の変化から生じる、主な外部リスク）

　　不確実性の評価によって、無形及び有形資産への投資を含む必要な能力が確定されるかもしれないとし、重大なマイナス要因が潜在的に存在するが、その企業が外部リスクの影響を正確に特定し製品を差別化競争上の優位性を確保維持し続ける場合にはプラス面も考慮すべきものとし、こうした例として、市場動向、新しい地理的市場、開発投資の集中が含まれうるとしています。

　ロ　インフラリスク又はビジネスリスク（その企業のビジネス遂行に関連する不確実性をいい、プロセス及びビジネスの有効性を含む場合ある。）

　　機能停止が企業の運営評判に壊滅的な影響を与え存続を脅かす場合もあるが、こうしたリスク管理に成功すれば評判を高めるとしています。設備投資のリスク、資産を使用するリスクで、一般に、リスクに対する管理能

力がある当事者が当該リスクを負担することが合理的です。例として在庫
管理をしない当事者が在庫リスクを引き受けることはないものと考えられ
ます。インフラリスクとしては、交通網などの外的要因のほか、資産の性
能及び利用可能性、人的能力などの内的要因もあるとしています。

ハ　研究開発への投資の成否リスク

ニ　為替相場や金利の変動などに起因する金融リスク

ホ　信用リスク

ヘ　財務上のリスク

企業の資金流動性及びキャッシュ・フロー、財務能力及び信用力管理能
力に関するリスクのほか、経済ショック、信用危機等の外部要因、投資直
方意思決定等内的要因もあるとしています。

ト　取引リスク

商品、資産又は役務提供に関するビジネス上の取引価格及び支払い条件
は含み得るとしています。

チ　ハザードリスク

事故や自然災害を含め損害損失を生じさせる不都合な外部事象が含まれ
ます。またすべてが保険でカバーはできないとしています。

③　契　約

独立の企業間においては、一般に契約の中で、当事者が負担すべき責任、リ
スク、享受する便益について明確にされるはずです。これ以外においても、サ
イドレターなどで取引の契約条件が交わされることもあり得ます。独立の第三
者間においては、利害が対立する関係であるので、仮に契約に反したことが行
われれば、それに伴う損失については、賠償責任を負うのが通例ですので、契
約条件に沿った取引が行われていることに強い推定が働きます。しかし、関連
者間における取引については、契約の条件が守られないことがあり得ます。比
較する前に当該取引において契約どおりの実態があるのかないのかの審査が必
要となります。

　ガイドライン1.41では、「取引は、書面契約によって関連者間で成立している場合、当該契約書は当事者間の取引を描写し、契約当時に当事者の相互関係から生じる責任、リスク及び予測結果をどのように分割することが意図されたかを描写する出発点となる。」と記述されています。

④　経済状況

　独立企業間価格は、比較可能性分析における諸要素が同一であったとしても、例えば、日本と米国では異なることがあり得ます。それは、市場によって価格が異なるということがあるからです。市場の類似性を決定する上で関係する経済状況について、OECD ガイドラインパラグラフ1.110は、次のものがある（「国税庁版42ページ」）としています。地理的場所、市場の規模、当該市場の競争の程度、買手と売手の相対的な位置、代替商品、代替役務の利用可能性、リスク、市場全体及び特定の地域における需給水準、消費者の購買力、市場に対する政府の規制の性質及び程度、地代、人件費、資本コストなどの生産コスト、輸送コスト、小売又は卸売等の市場のレベル、並びに取引日時などを挙げています。

⑤　事業戦略

　ある市場の開拓を目論んだ場合に、その市場での競争的な製品よりも安い価格で販売する市場開拓計画が組まれることがあります。そのために、スタートアップ費用や広告宣伝費の増加など一時的に通常より高いコストをかけてシェアー獲得を目指すということになるものと考えます。こうした場合に、将来の利益のために現在の利益を犠牲にしていることになります。このような企業の行動は、通常の企業においても行い得る独立企業間原則に沿った行動と考えることがじきます。比較においてこうした戦略を考慮に入れないとすると、売上、利益などに大幅な乖離が出てくることになります。課税庁としては、両者（比較対象企業と当該企業）の比較にあたっては、主張される事業戦略（すなわち長期的利益を見込んでの当面の利益減少）かどうかを検証する必要があります。例えば、メーカーから通常価格より安く仕入れた販売会社は、その利益を市場開拓に費消せずに享受しているかもしれないし、さらに負担して市場浸透費用に

充てているかもしれません。また、長期的な市場開拓に責任のない企業は、通常そうしたコストを負担することはあり得ませんので、こうした点を考慮に入れる必要もあります。OECD ガイドラインパラグラフ1.116は、「税務当局にとって特に問題になる場合がある。市場への参入や市場シェアの拡大を意図する事業戦略では、将来利益拡大のため現在の利益を犠牲にすることがある。納税者がその事業戦略に従っておらず、将来の利益拡大が実現しなかった場合には、適切な移転価格上の実現のための移転価格の調整が必要となろう。」(「国税庁版43ページ」) としています。

(3)　租税特別措置法第66条の４第２項に基づく具体的な比較可能性の検討手順

① 　措置法通達66の４(2)− 1

　最初にこの通達を検討します。最も適切な算定方法の選定にあたって留意すべき事項が規定されています。具体的には、イ) 独立企業間価格算定方法の長短所、ロ) 国外関連取引の内容及び当事者の果たす機能に対する独立企業間価格の算定方法の適合性、ハ) 算定方法を適用するために必要な情報の入手可能性、ニ) 国外関連取引と非関連取引の類似性の程度です。

② 　措置法通達66の４(3)− 1

　次に、類似性の程度が十分かどうかをこの通達の要件に従って検討します。例えば、独立価格比準法であれば、取引、棚卸資産が同種かどうか、取引段階、数量等に差異がある場合には対価の調整ができるか等です。各算定方法における差異調整内容に違いがあります。

③ 　措置法通達66の４(3)− 3

　比較対象取引にあたって検討すべき諸要素を規定しています。柱書は５要素ですが、通達注記ではさらに注意すべき７項目を規定しています。

④ 　事務運営指針４ − 1

　措置法通達66の４(2)− 1 に掲げる点等を勘案して比較対象取引の有無等を検討することを調査官に指示しています。

　以上の手順で課税庁においては、もっとも適切な方法と認められる算定方法における比較可能性を検証することとしています（「参考事例集」13ページ及び14ページ）。

【比較対象取引の選定に係る作業において考慮する点（例）】

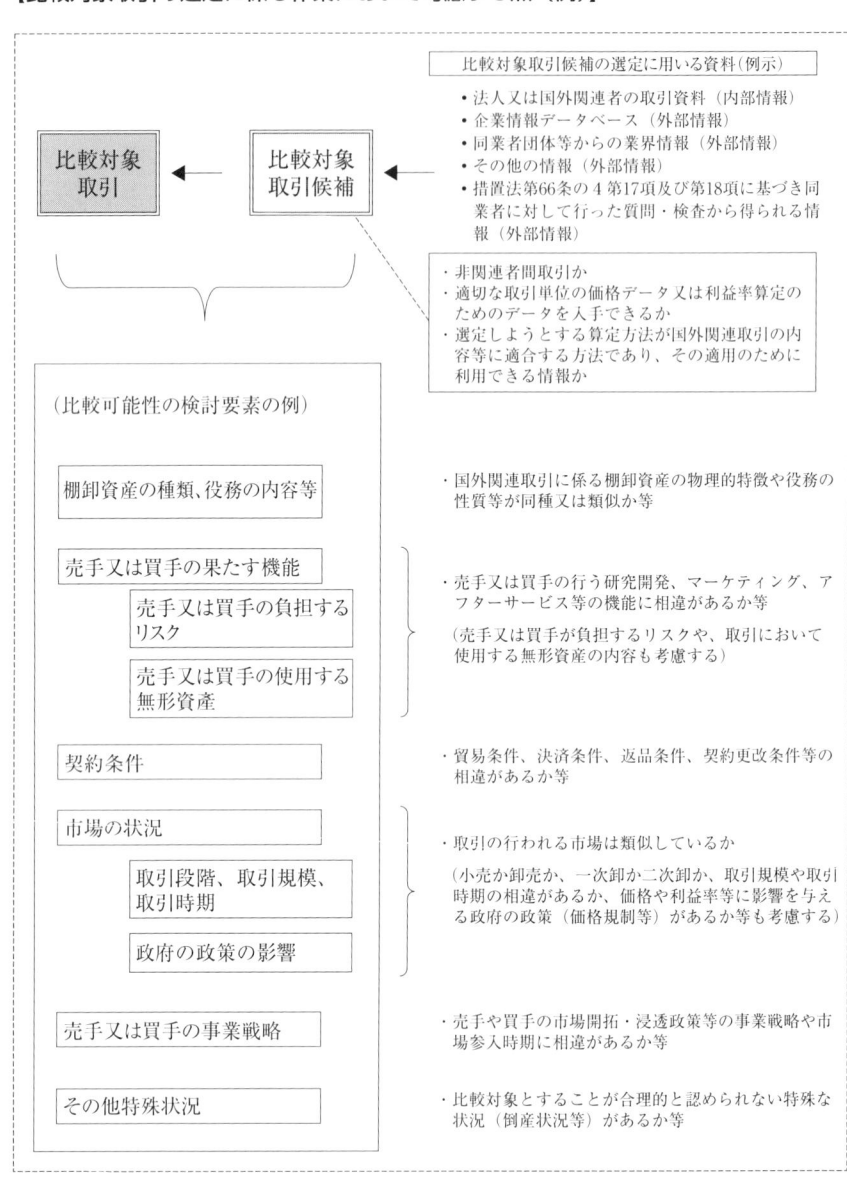

【比較対象取引候補のスクリーニング例】

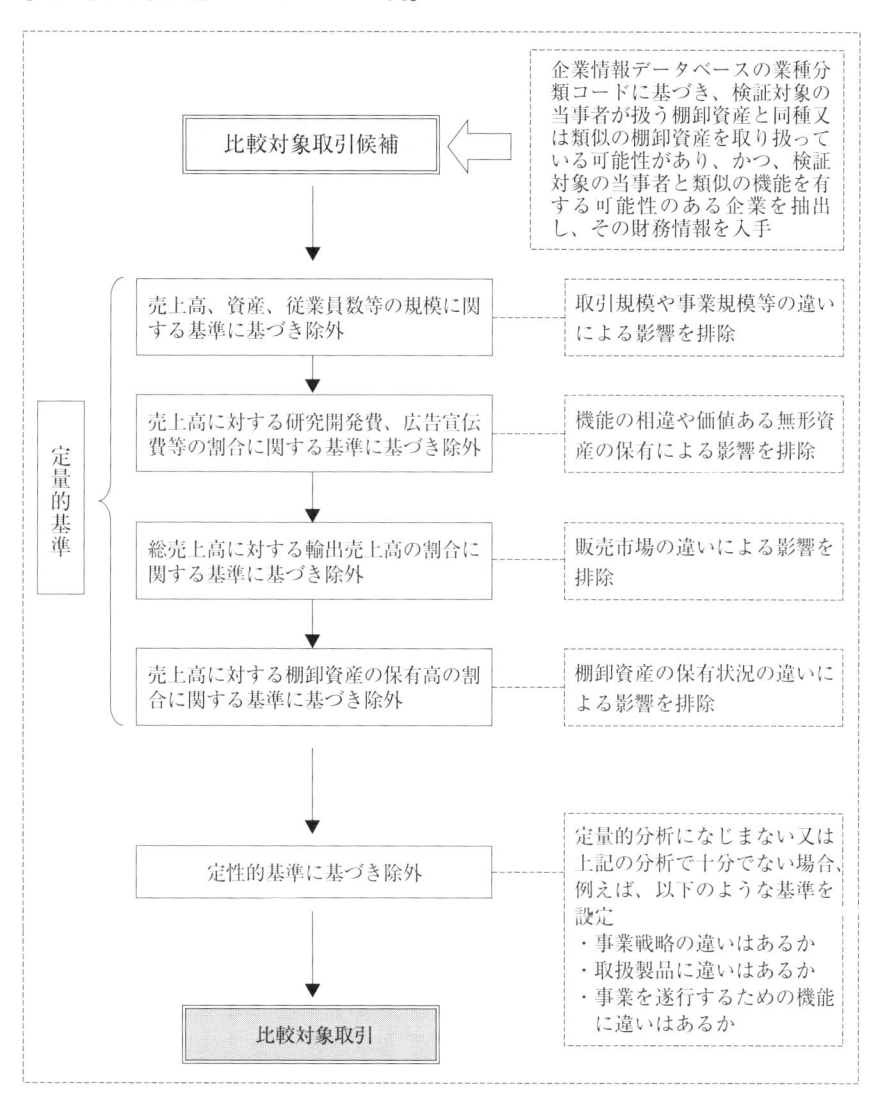

2. 独立価格比準法と比較可能な取引の検討

　独立価格比準法（CUP法）を適用するには、次の点に留意する必要があります。

(1)　比較対象取引

　比較対象となる非関連取引には、内部取引と外部取引があります。前者に当たるものとして国外関連取引の売手又は買手が特殊の関係にない者と行った取引があります。例えば、日本の親会社が海外の子会社に棚卸資産を販売した輸出取引の価格を問題とする場合に、親会社が同種の棚卸資産を特殊の関係にない者に輸出した取引があれば、その輸出価格が比較対象取引となります。外部取引に当たるものとしては、第三者間の取引があります。この第三者間の取引価格が比較対象取引となる要件を満たしています。

(2)　比較可能性（棚卸製品の同種性）

　比較対象取引を内部取引又は外部取引から導き出すにしても、比較対象にしようとする取引が問題となっている国外関連取引に類似していることが必要です。すなわち、問題取引と比較可能な取引であることが求められます。同ガイドラインパラグラフ1.108によると、「CUP法では資産又は債務の特徴における重要な差異は、いかなる価格にも影響を及ぼす可能性があり、適切な調整を検討することが必要になる。」としています。つまり、類似性よりもさらに同一性に近い概念といえます。

　わが国では、①国外関連取引に係る棚卸資産と同種の取引であること、②国外関連取引と取引段階、取引数量その他が同様の条件下で行われた取引であることを比較可能性の要件（措通66の4(3)-1(1)）としています。

　では、同種の棚卸資産の取引における同種の棚卸資産とはどのようなものを指すのかということが問題となります。

　同種の棚卸資産というには、性状、構造、機能面等で物理的、化学的に相当程度の類似性が求められます。差異がある場合に両者の価格に影響を及ぼす程度の差かどうかが判定において考慮される点となります（措通66の4(3)-2）。

すなわち、対価の額、利益率の算定に影響を与えないと認められるときは、同種又は類似の棚卸資産として取り扱うことができるものとされています。次に、同様な状況の下でなされた取引であることが要求されますが、取引段階（小売か卸売か）、取引数量、取引時期、引渡条件、支払条件、取引市場、無体財産の有無等が考慮される点となるものと考えます。

　独立価格比準法において比較可能となるには、両者に（同一性に近い）類似性があるかどうかを十分に検討する必要があります。

(3)　価格算定の留意点

　上記に掲げた取引条件などの要素に差異がある場合には比較可能性はありません。しかしながら、国外関連取引と異なる状況下で売買した取引であっても、その差異により生じる価格差を調整できるときは、調整後の価格をもって独立企業間価格とすることができます。例えば、引渡条件の違いなどは、運賃、保険料等を調整することにより、また支払条件は利子相当部分を調整することで比較可能となることもあり得ます。また、比準取引と異なる条件の値引、割戻等が行われている場合には、その差異を調整したところにより差額を算定することとしています（措法66の 4 (4)− 4 ）。

　価格算定にあたって、留意すべき事項として次に掲げるものがあります。

①　取引単位

　措置法通達66の 4 (4)− 1 は、「独立企業間価格の算定は、原則として個別取引ごとに行うのであるが、例えば、次に掲げる場合には、これらの取引を一の取引として独立企業間価格を算定することができる。(1)国外関連取引について、同一の製品グループに属する取引、同一の事業セグメントに属する取引等を考慮して価格設定が行われており、独立企業間価格についてもこれらの単位で算定することが合理的と認められる場合、(2)国外関連取引について、生産用部品の販売取引と当該生産用部品に係る製造ノーハウの使用許諾取引等が一体として行われており、独立企業間価格についても一体として算定することが合理的であると認められる場合」と規定しています。

　独立価格比準法（CUP法）の適用にあたっては、対象となる棚卸資産と同種の取引であること、②国外関連取引と取引段階、取引数量その他が同様の条件下で行われた取引であることが要求されていますので、こうした点で同じものであれば全体の棚卸資産を一体として扱うことは可能と考えます。

②　相殺取引

　一の取引に係る対価の額が独立企業間価格と異なる場合であっても、その対価の額と独立企業間価格との差額に相当する金額を同一の相手方との他の取引の対価の額に含め、又は当該対価の額から控除することにより調整していることが取引関係資料の記載等その他の状況からみて客観的に明らかな場合には、課税上弊害がない限り、それらの取引はそれぞれ独立企業間価格で行われたものとすることができるとされています（措通66の4(4)-2）。

　ここでの大事な点は、客観的に明らかにされる点にあります。例えば、A取引で利益を得たので、B取引では、その点を考慮して価格を決めたと事後で説明があったとして、主観としては仮にそうであっても、対価の額の処理等から明らかでない場合には、相殺取引として認められない場合が生じ得ることを示唆しています。

③　為替差額

　措置法通達66の4(4)-3は、「措置法66条の4の適用上、取引日の外国為替の売買相場と当該取引の決済日の外国為替の売買相場との差額により生じた為替差損益は、独立企業間価格に含まれないことに留意する。」と規定しています。売掛金、買掛金などの外貨建債権債務が、例えば1か月後の決済で生じた差損益は、営業外損益であって仕入、売上の価格を構成するものではない、金融取引と考えているものと思われます。

④　会計処理の差異の扱い

　措置法通達66の4(4)-6は、「措置法66条の4の適用上、国外関連取引と比較対象取引との間で用いられている会計処理方法（例えば、棚卸資産の評価方法、減価償却方法の償却方法）に差異があり、その差異が独立企業間価格の算定に

影響を与える場合には、当該差異を調整したところにより同条第 4 項に規定する差額を算定することに留意する。」とあります。しかし、独立価格比準法においては、利益率を基準とした算定方法ではないので、影響はないものと考えられます。

(4)　実務の要点（「参考事例集」事例16ページによる実務上の解説）

[取引関係図]

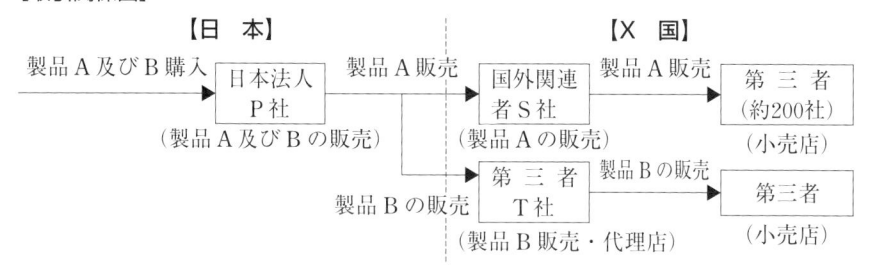

【独立価格比準法の適用可能性の検討】

　最初に、比較対象取引候補を、法人又は国外関連者の取引（内部情報）、企業情報データベース（外部情報）、同業者団体等からの業界情報（外部情報）、その他情報（外部情報）、租税特別措置法第66条の 4 第17項及び18項に基づき同業者に対して行った質問・検査から得られる情報（外部情報）から選定するとしています。このような情報源から、第三者である T 社との取引が選定されました。これは、内部情報に基づく比較対象取引の選定です。選定した取引に対して独立価格比準法と比較可能な取引であるかどうかの検討が行われることになります。

　次に、下記に掲げる検討理由から独立価格比準法により独立企業間価格を算定することは、この「参考事例集」においては妥当としています。

①　P 社及び S 社ともに販売機能を果たしていますが、その程度に大きな差は認められず、検討対象者として両者のうちどちらを採用しても適切と認められること。

② 　P社がT社に製品Bを販売する取引から独立価格比準法を適用する上で内部比較対象取引の候補を見いだすことができること。なお、内部取引対象取引とは外部比較対象取引以外の取引をいいます（「参考事例集」定義2）。

③ 　公開情報からは外部比較対象取引の候補を見いだすことができないこと。なお、外部比較対象取引とは、比較対象取引のうち法人及び国外関連者との特殊の関係（措法66の4①に定める特殊関係）にない者同士の取引をいいます（「参考事例集」定義3）。

④ 　製品Aと製品Bは、P社内の製品区分が異なるだけで、性状、構造、機能等の面で同種の製品と認められること。

⑤ 　両取引において、P社が果たす機能等に差異が認められず、無形資産も使用されていないこと。

⑥ 　両取引において、取引数量はおおむね同様であり、また、契約条件も同様であり、取引数量及び契約条件の差異はないと認められること、価格規制はないこと

⑦ 　P社において、製品A及び製品Bによる事業戦略の相違は認められないこと。

こうした課税庁の検討経過についてコメントします。

最初に、OECDガイドラインパラグラフ1.107との整合性です。対象となる取引に係る有形資産の物理的特徴については、上記④における検討で「性状、構造、機能等の面で同種の製品」としていますので整合性があります。機能分析ですが、⑤において「両取引において、P社が果たす機能等に差異が認められず、無形資産も使用されていない。」ので、この点も整合性があります。次に、契約条件ですが、⑥において「契約条件も同様」とありますので、この点も整合しています。経済状況ですが、「製品A及び製品Bに係る政府規制はない」としていますので、この点も満たしています。最後に、両者の事業戦略ですが、⑦において「製品A及び製品Bによる事業戦略の相違は認められない」

としていますので、この点も満たしています。したがって、些細な異同は定か

ではありませんが、全体としてOECDガイドラインとの整合性の観点からの

比較可能取引の選定は妥当といえます。

次に、旧措置法通達66の4(2)-3（比較対象取引の選定にあたって検討すべき

諸要素）は、次の12のテストを要求していました。今般の改正通達では、次の

欄の①④⑥⑨⑫の5項目に集約されました（措通66の4(3)-3）。ただし、同

通達の注書きで、残りの⑧③②⑤⑦⑩⑪を考慮するとしていますので、実務上

は12のテストは行う必要があります。以下の検討では、この12のテストを行い

ながら検証することとします。

(1)	棚卸資産の種類	④より同種の製品と認定
(2)	取引段階	①より両者共卸売業者であり、両取引に取引段階の差異は ないと認定
(3)	取引数量	⑦より取引数量はおおむね同様と認定
(4)	契約条件	①より両者共卸売業者であり、両取引に取引段階の差異は ないと認定
(5)	取引時期	⑦より契約条件も同様と認定
(6)	売手又は買手の果たす機能	①より、両取引において、Pが果たす機能等に差異が認 められないと認定
(7)	売手又は買手の負担する無形資産のリスク	⑥の機能等で検討したのかは不明確
(8)	売手又は買手が使用する無形資産	⑥より両取引において、無形資産も使用されていないと認 定
(9)	売手又は買手の事業戦略	⑤より、P社において、製品A及び製品Bによる事業戦 略の相違はないと認定
(10)	売手又は買手の市場参入時期	二の点が不明確ではないが、事業戦略の相違がないのでここで の比較可能性はありか。
(11)	政府の規制	⑦より、製品A及び製品Bに係る政府規制はないと認定
(12)	市場の状況	⑦よりS社もT社も同様の状況は同様と認定 ①よりS社もX国所在の法人であるところから、 市場の状況は同様と認定

なお、平成23年度の税制改正により、基本三法の優先適用という取扱いはな

899

くなりました。しかし、基本三法による独立企業間価格の算定が可能な場合は、租税特別措置法第66条の4第1項でいう「当該国外関連者から支払を受ける対価の額が…又は当該法人が当該国外関連者に支払う対価の額が…」という条文構成からは、独立価格算定方法としては文理的には最も妥当な方法と考えます。この点、OECD ガイドラインパラグラフ2.3も「伝統的取引基準法と取引単位利益法が同等の信頼性をもって適用可能な場合は、伝統的取引基準法の方が取引単位利益法よりも望ましい。」とあります。同等の信頼性という前提つきですが、独立価格比準法が使用できる場合には、他の方法と比較した場合に独立企業間価格の定義を考慮すると最も適切な方法と考えます。

(5)　独立価格比準法と比較可能な取引の裁判例（船舶建造請負取引）

　　　－松山地方裁判所平成16年4月1日判決（訟務月報51巻9号2395ページ）－

①　事　実

　原告Xは、船舶の建造及び修理の請負を目的とする株式会社です。Xは、Aをはじめ多数の国外関連者を有し、これら国外関連者との間において船舶建造に関する請負契約を締結し、この契約に基づきXは、船舶建造引渡取引を行っていました。Xに対して、税務署長Yは、租税特別措置法第66条の5（旧法、現行第66条の4）を適用し、当該国外関連取引対価のうち独立企業間価格に満たない金額を算定し、法人税の更正処分並びに過少申告加算税の賦課決定処分を行いました。被告税務署長Yは、Xが行った非関連者取引から比較対象取引を選定し、当該関連者取引と比較して差異がある部分を調整して、同条第2項に掲げる独立価格比準法を適用し、この方法により算定した価額を独立企業間価格として課税を行いました。これに対して、Xは、「船舶建造の請負取引は、個別色彩が強く、船価については、そもそも比較可能性が前提となる独立企業間価格を観念することができないので、租税特別措置法第66条の5が定めている移転価格税制を適用することができないとして、処分の取り消しを求めた事例です。

② 判決要旨

　独立価格比準法を用いて独立企業間価格を算定する場合には、各取引と「同種の棚卸資産」であって、かつ、「同種の状況の下でされた取引」を選択して、算定すべきところ、「同種の棚卸資産」か否かの問題は、対象品の性状などの物理的・化学的要因に着目して判断すべきであり、販売管理費など、各取引相手方ごとに変動する要素を加えて、その類似性を要求することは、本来予定されていないものと言わざるを得ず、総原価の差異を含めた取引条件等の差異が、結果として、価格に影響を与えているときは、かかる差異について調整する必要がありますが、それは、個別、具体的な判断の問題であり、総原価に差異があるから、およそ独立価格比準法をとることはできないとする原告の主張は、採用できないと判示しました。

　第二に、比較対象取引となる船舶が複数存在するときに、売上計上金額、利益率が最も低い取引を選択すべきであるとのXの主張に対して、比較対象取引を選定するにあたり、売上計上金額、利益率を考慮しなければならないとの根拠は明らかでないとしてXの主張を排斥しました。

　第三に、本件各取引が、空き船台で国外関連者船を建造することにより船台の完全操業を実現するというX独自の事業戦略に基づくものであるから、それによる差異を事業戦略に基因する差異として調整すべきとのXの主張が、Xのいわゆる「事業戦略」は、不況時には、市場価格よりも高めの取引価格を設定して、国外から国内に所得を移転し、好況時には、市場価格よりも低めの取引価格を設定して、国内から国外に所得を移転し、グループ全体として、最大限の利益を確保することを目指すというもので、これは、国外関連者との間で所得移転を繰り返しているものに他ならずそのようなことは、移転価格税制がまさしく問題としている「所得の国外移転」を意味するものというべきであるから、比較可能性を検討する際の調整項目としては認めることができないと判示しました。

　第四に、国外関連取引と非関連取引との間では、空き船台解消に係るコスト

低減効果、コスト削減効果、工期の長短に係る原価の差異、受注コストの低減化などにより、総原価の額に差異が生じるから、その点を投下費用に基因する差異として考慮すべきとのXの主張が、これらの効果を、すべて、国外関連取引が享受することを前提とした主張ですが、X自身別のところでは、そのようなコスト低減、削減によって、非関連者船の価格を据え置き、Xの国際競争力を維持するとも説明しており、そのような前提に立って議論すること自体認めることができないと判示しました。

　第五に、本件各取引は、国外関連者グループとの間で、継続的に船舶建造請負取引を行ったものであり、取引数量に差異があるから、これを調整すべきとのXの主張が、本件各取引は、結局、この契約であって、本件各証拠によっても、あらかじめ船価が取り決められていると認められるわけではないから、本件各取引の「取引数量」は、いずれも一隻と認めるしかないとして、Xの主張を排斥しました。

　第六に、船舶建造請負契約にあっては、非関連者との間の取引において、船価に一定の「幅」があることは一般的な商慣習であるから、差異の調整を行って、比較可能な取引が想定できた場合でも、なお、その「独立企業間価格」を点で算定せず、上記の幅をもって算定すべきであり、船舶建造請負取引独立企業間価格との価格差は、いずれも20％以上の幅による調整が必要で、本件各取引と被告Yが算出した独立企業間価格との価格差は、いずれも20％以内に収まっているから、本件課税処分は違法とのXの主張に対して、移転価格税制は、当該取引の対価と独立企業間価格に差異があって、その差異があることで法人の所得が減少している場合に、当該取引が独立企業間価格で行われたものとみなして、所得計算を行うものであるから、独立企業間価格は、定められた算定方法に基づいて、一義的に定められるもので、比較対象取引を一つに絞り込むことができた場合でも幅の概念を持ち出して、価格差20％以内に収まっているから、本件処分は違法であるとの見解は、Xの独自の見解といわざるを得ないとして、Xの主張が排斥されました。

高松高裁（平成18年10月13日判決 X 敗訴）、最高裁（平成19年 4 月10日上告棄却・
不受理）

3. 再販売価格基準法と比較可能な利益率の検討

　再販売価格基準法（RP法）を適用するには、次の点に留意する必要があり
ます。

(1) 比較対象利益率

　比較対象となり得る利益率は、検討対象となっている国外関連取引における
棚卸資産と同種又は類似の棚卸資産を非関連者から購入した者（この者を、棚
卸資産を仕入れてそれをさらに販売することから一般に再販売者という。）が非関連
者に対して販売した取引による当該再販売者の売上総利益の額の売上金額に対
する割合（売上総利益率）です。

　比較対象となる利益率には、内部利益率と外部利益率があります。前者に当
たるものとして、国外関連取引の買手が同種又は類似の棚卸資産を非関連者か
ら購入し非関連者に販売した取引から得た利益率があります（内部利益率比準
法という）。例えば、米国法人の在日子会社が米国の親会社から商品を購入し
それを日本国内で販売している場合に、その子会社が海外の非関連者から同種
又は類似の商品を購入し、販売しているときは、その取引に係る総利益率が比
較対象となります。後者に当たるものとしては、第三者が同種又は類似の棚卸
資産を再販売することにより得た利益率があります（外部利益率比準法という）。

　再販売価格基準法で用いる売上総利益率は、比較対象となり得る販売取引に
係る収入金額の合計額と原価の額の合計額とで計算される利益率とされてお
り、一定期間の取引をまとめて計算した利益率です。この場合、どの程度の期
間をまとめるかということについては、ケースバイケースに応じて検討される
こととなりますが、一般的には問題となっている再販売取引に近接した一定の
期間（例えば、四半期、半年、 1 年）内に行われた取引から求めることとなり
ます。なお、利益率の算定の基礎となる原価の範囲は、問題となる取引の関係で

決定されることになります。

(2)　比較可能性と差異調整

　再販売価格基準法は、この方法で得られる利益率は売買される商品よりも再販売者の果たす機能と密接に関連しているとの考え方が採られています。このため、独立価格比準法のように棚卸資産の厳密な類似性は求められていません。

　しかし、同種または類似の棚卸資産の売上総利益率があれば直ちに通常の利益率として比較対象となるわけではありません。

　再販売価格基準法のもとでは、販売取引の類似性が必要とされるため、両者に差異がある場合には、比較対象にしようとする売上総利益率に所要の調整が必要とされます（調整ができない場合は使用できないこととなります）。再販売者の果たす機能が類似しているかどうかは、再販売者の広告、マーケティング、配送、保守サービス等の機能をいかに果たしているか検討しなければなりません。例えば、問題となっている再販売取引においては、再販売者が問題商品について保守サービスを行っているが、比較しようとする再販売取引においては、再販売者が保守サービスを一切行っていない場合には、比較対象総利益率の算定において保守サービス部分を付加する必要があることになります。この方法では、再販売者の果たす機能のほか、それらが機能を果たす地理的市場又はブランド等無体財産の使用の有無等も類似性の判定において考慮されなければなりません。また、リスクの負担の違いがある場合にはそれも考慮する必要があります（措通66の4(3)−1(2)）。

(3)　実務の要点（「参考事例集」17ページ事例2による実務上の解説）

[取引関係図]

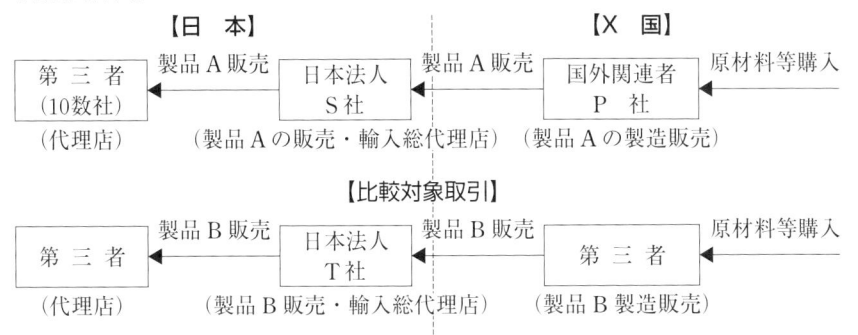

【再販売価格基準法の適用可能性の検討】

　最初に、S社は、購入した製品Aを第三者に再販売していることから、基本三法のうち、再販売価格基準法の適用が考えられるとしています。T社に関する公開情報があれば再販売価格基準法を適用する上で必要な財務情報を入手できるとしています。次に、外国メーカーの日本における輸入総代理店10社のうち、5社については有価証券報告書の閲覧が可能であり、各社のホームページや市場調査会社の分析資料等その他の資料の入手も可能との前提が置かれて、これらの資料を検討するとしています。

　このような情報源から、比較対象取引を行っているT社は、第三者である外国メーカーから輸入した製品を日本国内の第三者の代理店に販売する再販売業者であり、それ以外の事業を行っていないことが判明したとしています。比較対象取引の選定順序に従い、第三者であるT社との取引が比較対象取引候補として選定されました。この選定した取引が再販売価格基準法を使用するにあたり、比較可能な取引であるかどうかの検討が行われることになります。

　その結果、下記に掲げる検討理由から再販売価格基準法により独立企業間価格を算定することは、この「参考事例集」においては妥当としています。

　①　製造販売を業とするP社よりも、製品販売のみを行うS社のほうがよ

り単純な機能を果たしていることから、Ｓ社を検証対象とすることが適正と認められること。

② 　Ｔ社は、第三者である外国メーカーから輸入した製品を日本国内の第三者の代理店に販売する再販売業者であるからＳ社を検証対象の当事者とする再販売価格基準法及び取引単位営業利益法の適用が考えられること。

③ 　Ｓ社及びＰ社が行う取引からは、内部比較対象取引の候補を見いだすことができないこと。

④ 　Ｔ社に関する公開情報から、Ｓ社を検証対象とする再販売価格基準法及び取引単位営業利益法を適用する上での外部比較対象取引の候補を見いだすことができること。なお、独立価格比準法及び同法に準ずる方法を適用する上で比較対象取引の候補は公開情報からは見いだすことができないこと。

⑤ 　Ｔ社の取扱製品Ｂと製品Ａと性状、構造及び機能において、類似性が高く、Ｔ社の販売業者としての機能等、市場の状況等についてもＳ社とおおむね同様と考えられること。

　そして、まず、再販売価格基準法及び取引単位営業利益法の選定が考えられますが、Ｔ社が国外の第三者から製品Ｂを輸入する取引を再販売価格基準法の適用における比較対象取引とする場合において、比較可能性が十分であると認められ、この事例においては、Ｓ社を検証対象とする再販売価格基準法を最も適切な方法として選定し独立企業間価格を算定することは妥当と認められるとしています。

　こうした課税庁の検討経過についてコメントします。最初に、OECDガイドラインとの整合性です。

　再販売価格基準法では、取引における機能の類似性に重点が置かれることとなります。そして、OECDガイドラインパラグラフ2.30においては、「市場経済において、類似の機能に対する報酬は異なる製品の価格は、それらが異なる活動であったとしても同じになる傾向がある。これに対して異なる製品の価格

は、それらが互いに代替品である限りにおいてのみ、同じ傾向になる。粗利益は、販売価格から売上原価を控除した後の、果たした機能に対する報酬を意味するから製品差異の重要性は低い。」としていますので整合性があります。独立企業間においては、それぞれの企業が果たした機能（使用した資産とか、負担したリスクとかなど）に応じて、対価が変化します。ですので、機能分析に整合性が求められます。⑤において「T社の売上規模、取引段階、販売機能（広告宣伝、販売促進、アフターサービス、包装、配達等）は、S社のこれらと概ね同様と認められたこと。」ので、この点の整合性はあります。

　契約条件、経済状況、事業戦略ですが、必ずしも明確ではありませんが、契約条件については、双方とも「輸入した製品を日本国内の第三者の代理店に販売する再販売」するとありますので、契約条件の点も整合性があるものと考えます。また、経済状況ですが、双方とも日本国内での販売ですので、「市場の状況は同様であり、製品A及び製品Bに係る政府規制はない」と考えられます。したがって、この点も満たしています。最後に、両者の事業戦略ですが、双方とも独自性のある広告宣伝・販売促進活動は行っておらず、販売にあたり自社の商標を使用していないこと、輸入製品の再販売を行うということで、類似性があるものと整理しているものと考えます。したがって、全体としてOECDガイドラインとの整合性の観点からの比較可能取引の選定は妥当といえます。

　次に、旧措置法通達66の4(2)－3（比較対象取引の選定にあたって検討すべき諸要素）との整合性の検討です。

(1)	棚卸資産の種類	⑤より類似の製品と認定
(2)	取引段階	②より両者共卸売業者であり、両取引に取引段階の差異はないと認定
(3)	取引数量	⑤より取引数量はおおむね同様と認定
(4)	契約条件	②より両者共卸売業者であり、両取引に取引段階の差異はないと認定
(5)	取引時期	⑤より契約条件も同様と認定

(6)	売手又は買手の果たす機能	①より、両取引において、S社T社が果たす機能等に差異が認められないと認定
(7)	売手又は買手の負担するリスク	⑤の機能等で検討したのかは不明確
(8)	売手又は買手が使用する無形資産	⑤より両取引において、無形資産も使用されていないと認定
(9)	売手又は買手の事業戦略	①⑤より、S・T社において、製品A及び製品Bによる事業戦略の相違はないと認定
(10)	売手又は買手の市場参入時期	この点明確ではないが、事業戦略の相違がないのでここでの比較可能性はありか。
(11)	政府の規制	S社もT社も日本国所在の法人であるところから製品A及び製品Bに係る政府規制はないと認定
(12)	市場の状況	S社もT社も日本国所在の法人であるところから、市場の状況は同様と認定

　本参考事例では、T社に関する公開情報があれば再販売価格基準法を適用する上で必要な財務情報を入手できるとしています。そして、外国メーカーの日本における輸入総代理店10社のうち、5社については有価証券報告書の閲覧が可能であり、各社のホームページや市場調査会社の分析資料等その他の資料の入手も可能との前提が置かれて、これらの資料を検討するとしています。しかしながら、実際の取り組みにおいては、この前提どおりに、S社の有価証券報告書が入手できただけでは、非関連取引となり得る判定、機能の類似性あるいは取扱製品の類似性等において、租税特別措置法第66条の4の要件を満たすかどうかは、簡単には判明しません。殊に、公開情報だけからは、措置法通達66の4⑶－3（比較対象取引の選定にあたって検討すべき諸要素）及び参考事例集で加えた要素を確認して差異調整ができるほどのデータを入手することは、ほとんど不可能に近いものと成らざるを得ません。

4.　原価基準法と比較可能な利益率の検討

　原価基準法（CP法）を適用するには、次の点に留意する必要があります。

(1)　比較対象利益率

　原価基準法においても、比較対象となる利益率には次の2つがあります。一つには、国外関連者の売手が同種又は類似の棚卸資産を非関連者に販売した取引によって得た売上総利益率の額の原価に対する割合を比較対象とするというものです（内部利益率比準法に該当します）。例えば、日本法人が自ら製造した製品を海外の関連会社に輸出販売している場合に、その日本法人が海外の非関連会社にも同種又は類似の製品を販売しているときは、その販売に係る利益率が比較対象となります。二つには、第三者の同種又は類似の棚卸資産の非関連者への販売に係る利益率が比較対象となります（外部利益率比準法に該当します）。

　利益率を求める期間及び原価の範囲は、再販売価格基準法の場合と同様です。

(2)　比較可能性と差異調整

　原価基準法の下では、棚卸資産の厳格な類似性は必要とされず、主として売手の果たす機能の類似性が求められることになります。国外関連取引の売手の果たす機能（例えば、製造、加工、組立等）と比較対象取引の売手の果たす機能とに差異がある場合には、その差異を調整した上で比較する必要があります。

　この方法においても売手の果たす機能のほか、それらが機能を果たす地理的市場又はブランド等無体財産の使用の有無等も類似性の判定において考慮されなければなりません。

　また、この方法の計算の基礎となる原価の額については、その計算が不適当と認められる場合などは、適正な原価に引き直してこの方法を適用することが必要であると考えられます。負担するリスクに違いがある場合も同様です。

(3)　実務の要点（「参考事例集」19ページ事例3による実務上の解説）

［取引関係図］

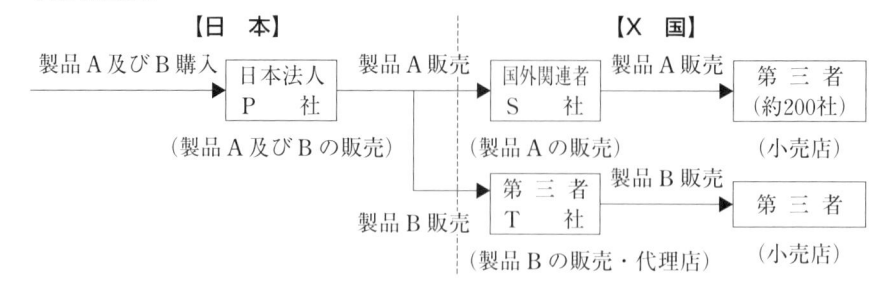

【原価基準法の適用可能性の検討】

　最初に、比較対象取引候補を、法人又は国外関連者の取引（内部情報）、企業情報データベース（外部情報）、同業者団体等からの業界情報（外部情報）、その他情報（外部情報）、租税特別措置法第66条の4第11項12項に基づき同業者に対して行った質問・検査から得られる情報（外部情報）から選定するとしています。このような情報源から、第三者であるT社との取引が選定されました。これは、内部情報に基づく比較対象取引の選定です。そして、選定した取引が原価基準法と比較可能な取引であるかどうかの検討が行われることになります。

　次に、下記に掲げる検討理由から原価基準法により独立企業間価格を算定することは、この「参考事例集」においては妥当としています。

①　P社及びS社はともに販売機能を果たしているが、その程度に大きな差はなく、両者のうちどちらを検証対象としても適切であること。

②　独立価格比準法及び同準ずる方法を適用するための内部比較対象取引の候補を見いだすことはできないが、P社がT社に製品Bを販売する取引から原価基準法及び取引単位営業利益法を適用する上での内部比較対象取引の候補を見いだすことができるが、再販売価格基準法を適用する上での内部比較対象取引の候補を見いだすことができないこと。

③　公開情報から外部比較対象取引の候補を見いだすことができないこと。

④　製品Aと製品Bは、性状、構造、機能等の面で類似しており、類似の棚卸資産と認められること。

⑤　両取引において、P社が果たす機能等に差異が認められず、無形資産も使用されていないこと。

⑥　両取引において、契約条件は同様であり、契約条件の差異はないこと。

⑦　S社及びT社はいずれもX国の小売店に対して製品を販売する卸売業者であり、両取引の取引段階は同様と認められ、又、両取引の取引規模はおおむね同様であり、製品A及びBに係る価格規制等はないこと。

⑧　P社において製品A及びBによる事業戦略の相違はないこと。

そして、まず、再販売価格基準法及び原価基準法の選定が考えられますが、P社がT社に製品Bを販売する取引を原価基準法の適用における比較対象取引とする場合において、比較可能性が十分であると認められ、この事例においては、P社を検証対象とする原価基準法を最も適切な方法として選定し独立企業間価格を算定することは妥当と認められるとしています。

こうした課税庁の検討経過についてコメントします。

最初に、OECDガイドラインとの整合性です。

OECDガイドラインパラグラフ2.47によれば、「原価基準法においては、CUP法による場合よりも製品の差異の調整に求められる数は少なくなるであろうし」と述べて、「関連者間取引及び非関連者間取引において得られるコストプラスマークアップに重大な影響を与える差異（例えば、その取引の当事者が果たす機能の性質における差異）がある場合には、その差異は調整が行われるべきである。」として、原価基準法においては、再販売価格基準法同様に、取引における機能の類似性に重点が置かれることとなります。本事例においては、「P社が果たす機能等に差異が認められない」とされていますので、全体としての整合性があります。

具体的には、独立企業間においては、それぞれの企業が果たした機能（使用

した資産とか、負担したリスクとかなど）に応じて、対価が変化します。ですので、機能分析に整合性が求められます。①②においてＳ社及びＴ社はいずれもＸ国の小売店に対して製品を販売する卸売業者であり、Ｐ社からＳ社への販売取引とＴ社への販売取引に取引段階の差異はないと認められることから、この点も整合性があります。

　契約条件、経済状況、事業戦略ですが、必ずしも明確ではありませんが、契約条件については、双方とも「Ｓ社及びＴ社はいずれもＸ国の小売店に対して製品を販売する卸売業者」とありますので、契約条件の点も整合があるものと考えます。また、経済状況ですが、双方ともＸ国内での販売ですので、「市場の状況は同様であり、製品Ａ及び製品Ｂに係る政府規制はない」と考えられますので、この点も満たしています。最後に、両者の事業戦略ですが、双方とも独自性のある広告宣伝・販売促進活動は行っておらず、販売にあたり自社の商標を使用していないこと、輸入製品の再販売を行うということで、類似性があるものと整理しているものと考えます。

　⑧において「製品Ａ及び製品Ｂによる事業戦略の相違は認められない」としていますので、この点も満たしています。したがって、全体として同ガイドラインとの整合性の観点からの比較可能取引の選定は妥当といえます。次に、旧措置法通達66の4(2)-3（比較対象取引の選定にあたって検討すべき諸要素）との整合性の検討です。以下の検討を経て比較対象取引として適格ありと判定します。

(1)	棚卸資産の種類	④より類似の製品と認定
(2)	取引段階	⑦より両者共卸売業者であり、両取引に取引段階の差異はないと認定
(3)	取引数量	⑦より取引数量はおおむね同様と認定
(4)	契約条件	⑥より両者共卸売業者であり、両取引に契約の差異はないと認定
(5)	取引時期	⑥より契約条件も同様と認定
(6)	売手又は買手の果	⑤より、両取引において、Ｓ社Ｔ社が果たす機能等に差異

	たす機能	が認められないと認定
(7)	売手又は買手の負担するリスク	⑤の機能等で検討したのかは不明確
(8)	売手又は買手が使用する無形資産	⑤より両取引において、無形資産も使用されていないと認定
(9)	売手又は買手の事業戦略	⑧より、S・T社において、製品A及び製品Bによる事業戦略の相違はないと認定
(10)	売手又は買手の市場参入時期	この点明確ではないが、事業戦略の相違がないのでここでの比較可能性はありか。
(11)	政府の規制	⑦より政府規制はないと認定
(12)	市場の状況	S社もT社もX国の法人であるところから、市場の状況は同様と認定

　リスクについて、参考事例集のこの事例においては、必ずしも明確ではありませんが、設計、製造、研究開発、役務の提供、購買、販売、市場開発、宣伝、輸送、資金管理、経営といった機能を持つということは、設計、製造等に係るリスクは負担するということを意味します。しかし、委託された製造ということであれば、委託された内容に限定されますので、契約における負担するリスクの程度、範囲を確認する必要はあります。

5. 独立価格比準法に準ずる方法

(1) 実務の要点 （「参考事例集」21ページ事例4による実務上の解説）

［取引関係図］

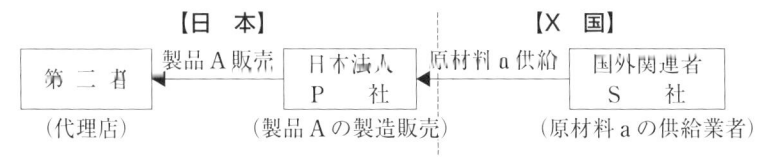

【日　本】　　　　　　　　　　　【X　国】

	製品A販売		原材料α供給	
第　二　者	←	日本法人P　　社	←	国外関連者S　　社
（代理店）		（製品Aの製造販売）		（原材料αの供給業者）

　検討にあたり、この取引の前提条件があります。このことは、この例を参考するにあたり、最初に次の条件を契約書等から収集する必要があることを意味します。

①　製造販売業であるＰ社よりも、原材料の供給のみを行うＳ社のほうが
より単純な機能を果たしているのでＳ社を検証対象とするのが適切と認
められること。

②　Ｐ社はＳ社から供給を受けた原材料ａを基に製品Ａを製造する製造機
能を果たしていることから、Ｐ社を検証対象とする再販売価格基準法は適
用できないこと。

③　Ｐ社は、Ｓ社以外からは原材料ａの供給を受けていません。また、Ｓ社
は、原材料ａをすべてＰ社に販売していることから独立価格比準法、同
法に準ずる方法を適用する上での内部比較対象取引の候補を見いだすこと
はできないこと。

④　公開情報からＳ社を対象とする原価基準法及び取引単位営業利益法を
適用する上での外部比較対象取引の候補を見いだすことができないこと。

⑤　製品Ａの原材料ａは、商品取引所で世界的に取引されており、取引所
の相場価格（市場価格）が存在し、これを基に取引条件の差異調整ができ
ることから独立価格比準法に準ずる方法を適用する上での比較対象取引を
見いだすことができること。

以上の検討の結果、Ｐ社がＳ社から原材料ａを輸入する取引については、原
材料ａの市場価格を比較対象取引とする場合に、独立価格比準法に準ずる方法
を適用する上での比較可能性は十分であることから、本事例では、この市場価
格を用いる方法を最も適切な方法として選定し、独立企業間価格を算定するこ
とが妥当と認められるとしています。

最初に、OECD ガイドラインとの整合性です。

OECD ガイドラインパラグラフ2.24によれば、「唯一入手可能な非関連者間
取引がノーブランドのブラジル産コーヒー豆の取引である場合には、コーヒー
豆の違いが価格に重大な影響を与えるのか否かを調査することが適当であろ
う。例えば、一般に自由市場において、コーヒー豆の原産地によりプレミアム
が生じるか、あるいは、値引きが要求されるかを問うことは可能である。その

ような情報は商品市場から入手可能であろうし、ディーラー価格から推定できよう。」（「租税研究会2010年版38ページ」）とありますので、整合性はあります。

　次に、コメントですが、取引所がある場合には、そこでの取引価格を参考にして行われますので、関連者間取引においては、最も信頼性の高い価格といえます。金属、石油など原材料の多くは、こうした国際市場がありますので、その指標を使用することは適切な方法と考えます。独立企業間価格は、第三者間の取引を比較対象取引としていますので、そうした意味では、指標そのものは取引ではありませんので、準ずる方法になるものと考えます。

6. 原価基準法に準ずる方法と同等の方法

(1)　**実務の要点**（「参考事例集」26ページ事例5による実務上の解説）

[取引関係図]

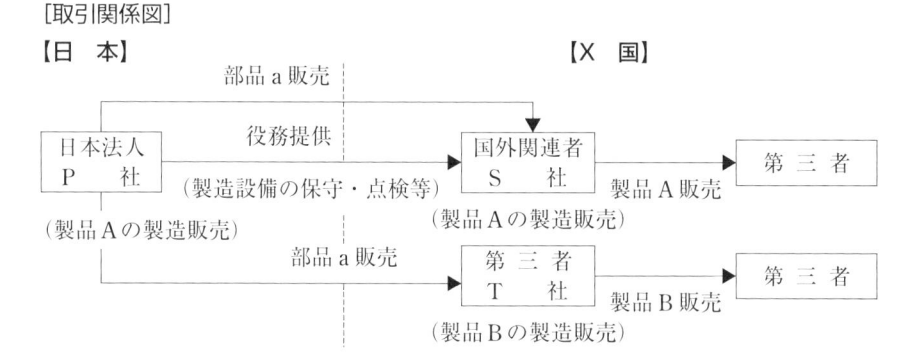

　検討にあたり、この取引の前提条件があります。このことは、この例を参考とするにあたり、最初に次の条件を契約書等から収集する必要があることを意味します。

①　日本法人P社は、製品Aの製造販売会社ですが、10年前に製品Aの製造販売子会社であるX国法人S社を設立しました。

②　S社は、P社が製造した部品aを購入し、これに他の部品を加えて製品Aの製造を行い、X国内で第三者に販売しています。

③　P社は、S社へ製品Aの製造設備に係る役務提供を行っています。

④　P社は、X国の第三者であるT社にも部品aを販売しています。

⑤　T社は、P社から部品aを購入し、T社はこれを他の部品を加えて製品Bの製造を行い、X国内で販売しています。

⑥　P社の業務内容は製品Aの製造販売及び部品aの販売で、役務提供を事業とはしていません。

⑦　P社はS社とT社に同じ部品を同一価格で販売しており、販売取引に係る取引段階、取引数量等の取引条件は同じであったとしています。

⑧　P社は、S社の製品A製造設備に係る保守・点検やオペレーターの教育訓練等のため、自社製造部門の技術社員3名を年に延べ2か月程度S社に出社させていますが、P社の3名の技術社員が行う保守・点検等の役務は独自性のあるものではなく、P社の製造ノーハウ等も使用されていません。当該役務提供に関しては、S社からP社へ対価の支払いはされていません。また、P社、S社とも非関連者との間で同様の役務提供取引は行っていません。また、同様の非関連者間の取引は把握されていません。

⑨　部品aについては、P社とT社との販売取引を比較対象取引とする独立価格比準法を適用した結果、移転価格税制上の問題はありませんでした。

⑩　部品aの販売に付随して行う役務提供であることから、P社を検証対象の当事者とするのがより適切と考えられること。ただし、取引内容からはP社を対象とする再販売価格基準法と同等の方法は適用できないこと。

⑪　収集できる範囲の情報からは、独立価格比準法、原価基準法、再販売価格基準法と同等の方法を適用する上での比較対象取引を見いだすことはできませんでした。

この結果、基本三法と同等の方法を適用することはできませんが、P社がS社に対して行う役務提供は、本来業務に付随して行われるものであり、また、役務提供に要した費用は、役務提供を行った事業年度のP社の原価の額の相当部分を占めていないこと、無形資産が使用されていないことから、当該役務

の総原価を独立企業間価格とする原価基準法に準ずる方法と同等の方法を適用することが妥当としています。そして、原価基準法と同等の方法の適用では、マークアップをする必要がありますが、本来業務に付随した役務提供取引については、比較対象取引を非関連取引から見いだすことが一般的には困難であると考えられ、このためこうした場合には、マークアップを行わずその総原価の額を独立企業間価格として取り扱うことができるとしています（事務運営指針３－11(2)）。

　最初に、OECD ガイドラインとの整合性です。

　OECD ガイドラインパラグラフ7.61によれば、「低付加価値企業グループ内役務提供の独立企業間価格を算定するに当たり…利益マークアップを適用するものとする。役務のカテゴリーに関わらず、すべての低付加価値企業グループ内役務提供には同一のマークアップを使用しなければならない。マークアップは…関連費用の５％と同等とすべきである。」としており、旧 OECD ガイドラインパラグラフ7.37で、マークアップの必要性を認めていた記述は発見できませんでした。その意味では、マークアップをしないという扱いは国内的なものといえます。

　次に、コメントですが、本来業務に付随した役務提供取引であるということが重要と考えます。このような場合には総原価法でコストカバーしていればそれを独立企業間価格とみなして処理してよいということです。ですので、納税者もこうした考え方によって申告していれば税務調査で追加的に課税を受けることはないということになります。しかしながら、本来業務であれば、当然にマークアップをする必要があります。そうした上で租税特別措置法に規定する算定方法を適用する必要があります。

　なお、租税特別措置法第66条の４の条文では、独立企業間価格とは非関連者間における通常の利潤が含まれたものと解されます。仮に、OECD ガイドラインとの整合性等からこのような観点での処理を調査官に認めているとしても、通達で利潤を考慮しなくてよい（この結果、納税額が減少するものと考えま

す）とするのは、租税法定主義の観点から問題があるものと考えます。

7. 取引単位営業利益法と比較可能な利益率の検討

　取引単位営業利益法を適用するには、次の点に留意する必要があります。

(1)　適用可能性の検討の留意点

　これまでは、旧租税特別措置法第66条の4（第2項第一号）においては、「ニに掲げる方法は、イからハまでに掲げる方法を用いることができない場合に限り、用いることができる。」と規定していました。平成23年度の税制改正で基本三法の優先的適用は廃止され、最も適正な算定方法を選択することとなりました。ニに掲げる方法とは、取引単位営業利益法を含むその他の方法です。イからハに掲げる方法とは、独立価格比準法、再販売価格基準法、原価基準法をいいます。改正されても、基本三法が適用できるのにその他の方法を恣意的に選択できるのでなくて、その他の方法（例えば、取引単位営業利益法）を選択することが当該国外関連取引の価格の算定に最も適切であると考えられる場合に認められるものです。基本三法と取引単位営業利益法が同等の信頼性がある場合には、OECD ガイドラインパラグラフ2.3によれば、前者の選択が望ましいとありますが、わが国においても、こうした扱いになっています。

(2)　実務の要点（「参考事例集」30ページ事例6による実務上の解説）

［取引関係図］

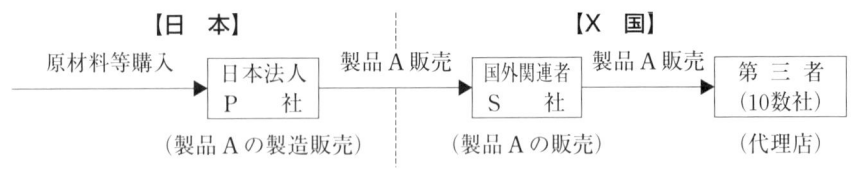

　検討にあたり、この取引の前提条件があります。つまり、この例を参考にするにあたり、最初に次の条件を契約書等から収集する必要があることを意味します。

① 　日本法人Ｐ社は、製品Ａの製造販売会社であり、10年前に製品Ａの販売子会社であるＸ国法人Ｓ社を設立しました。

② 　製品Ａは、Ｐ社の研究開発活動の成果である独自技術が用いられて製造された製品です。

③ 　Ｐ社はＳ社に対して製品Ａを販売し、Ｓ社は購入した製品ＡをＸ国の第三者の代理店10数社に販売しています。

④ 　Ｓ社は独自性のある広告宣伝・販売促進活動を行っていません。

⑤ 　Ｘ国の企業財務情報開示制度では、原価項目の記載が必要とされていません（ただし、日本における営業利益に相当する項目は表示されます）。

こうした状況を前提として、下記に掲げる検討理由から取引単位営業利益法により独立企業間価格を算定することは、この「参考事例集」においては最も適切な方法で妥当としています。

⑥ 　製造販売及び研究開発を行うＰ社よりも、製品の販売のみを行うＳ社のほうがより単純な機能を果たしており、Ｓ社を検証対象とすることが適切と認められること。

⑦ 　Ｐ社及びＳ社が行う取引からは、内部比較対象取引の候補を見いだすことができないこと。

⑧ 　Ｐ社がＳ社に販売する製品Ａは、Ｐ社の研究開発活動によって生み出された独自技術を使用した製品であり、公開情報からは、独立価格比準法及び同法に準ずる方法を適用する上での外部比較対象取引の候補を見いだすことができないこと。

⑨ 　Ｓ社は、独自性のある広告宣伝・販売促進活動を行っておらず、所得の源泉となる無形資産を有しているとは認められないこと。

⑩ 　Ｘ国における公開情報からは売上総利益及び売上原価の金額を把握することができず、また、売上総利益率に影響を与える差異の調整に必要な情報が得られないことから、Ｓ社を対象とする再販売価格基準法を適用する上での外部比較対象取引の候補を見いだすことができないこと。

⑪　結論としてこの「参考事例集」では、「公開情報から外部比較対象取引の候補を見いだすことができ、また、当該外部比較対象取引の候補につき租税特別措置法施行令第39条の12第8項第二号に規定する割合の算定に影響を及ぼすことが客観的に明らかな差異はありません。」としています。

こうした課税庁の検討経過についてコメントします。

最初に、OECDガイドラインとの整合性です。

OECDガイドラインパラグラフ2.65によれば、「取引の各当事者がユニークな無形資産に寄与している場合、取引単位営業利益法は信頼性があるとは考えにくい。…ただし、一方の当事者が関連者取引に関係する全てのユニークな貢献をしており、他方の当事者がユニークな貢献を一切していない場合、一面的な方法（伝統的取引基準法又は取引単位営業利益法）が適用できることもあるだろう。」（「国税庁版79ページ」）と記述しています。本事例においては、P社がS社に販売する製品Aは、P社の研究開発活動によって生み出された独自技術を使用した製品であり、公開情報からは、独立価格比準法及びP社を対象とする再販売価格基準法を適用する上での比較対象取引を見いだすことができないとされていますので、まず、P社に対しては基本三法等は使用できませんが、「S社は、独自性のある広告宣伝・販売促進活動を行っておらず、所得の源泉となる無形資産を有しているとは認められません。」とあることから、取引単位営業利益法の適用については全体としての整合性があります。

OECDガイドラインパラグラフ2.68によれば、「取引単位営業利益法の一つの長所は、営業利益指標（例えば、資産に対する収益、売上に対する営業利益、その他の適切な営業利益の測定方法）は、CUP法で用いられるような価格の場合よりは取引上の差異によって受ける影響が少ない点である。また、営業利益指標は、粗利益に比べて、関連者間と非関連者間の取引の機能の差異に対して寛大かもしれない。各企業が遂行する機能の差異は、しばしば営業費用の差異に反映される。したがって、粗利益に大きな幅があったとしても、営業利益指標では概ね類似の水準となるかもしれない。さらに、一部の国では、粗利益又は

営業利益における費用の分類についての公表データが明確性を欠くため、粗利益の比較可能性の評価が困難になることがあるが、営業利益指標を使用すればこの問題を回避できるかもしれない。」（「国税庁版79ページ」）とあります。「営業利益率ベースでは公開情報からS社を対象とする取引単位営業利益法を適用し独立企業間価格を算定することが妥当と認められる。」としている点も整合性は取っているものと考えられます。

　次に、コメントですが、ここで採用されている考え方は、国外関連者であるS社が取り得るべき営業利益を先に決めて、それに基づいて、日本法人であるP社が販売した製品Aに関する取引に関わる営業利益の妥当性を検討するということです。つまり、日本法人であるP社が販売した製品Aに関する取引に係る利益を直接的に算定しているわけでないことです。その大きな理由は、「P社がS社に販売する製品Aは、P社の研究開発活動によって生み出された独自技術を使用した製品であり、公開情報からは、独立価格比準法及び同法に準ずる方法を適用する上での外部比較対象取引の候補を見いだすことができないこと。」としている点にあります。また、パラグラフ2.80は、「営業利益指標が比較可能な状況における同じ納税者の非関連者間取引によって決定されるか、又は、比較可能な非関連者間取引が独立企業間の取引であるときに、営業利益指標に重大な影響を与えるような関連者と独立企業との間の差異が適切に考慮される場合でない限りは、取引単位営業利益法は使用されるべきでない。」（「国税庁版83ページ」）としています。この「参考事例集」では、「公開情報から外部比較対象取引の候補を見いだすことができ、また、当該外部比較対象取引の候補につき措置法施行令39条の12第8項二号に規定する割合の算定に影響を及ぼすことが客観的に明らかな差異はありません。」としていますが、その使用には条件があって、公表データが非関連取引を前提としたものであること、仮にそうであったとしても「営業利益指標に重大な影響を与えるような関連者と独立企業との間の差異が適切に考慮され」なければならないことです。そうすると、公表データを入手できたとしても両取引における差異について調整が可

能な状況下にないと事実上使用できないということになります。

　また、公表データを使用するとしても利用できるのは、公表までのタイムラグを考えると1年前のものとなり、現実に今行う取引のときには、拠るべきデータはないという問題があります。入手可能なという観点からは是認されることなのかどうか必ずしも条文から明確ではありません。また、調査においては事後的な観点からの検討ですので妥当しますが、申告をする場合には事前の視点ということでここにはギャップが生じています。

8. 寄与度利益分割法の適用の検討

　寄与度利益分割法を適用するには、次の点に留意する必要があります。

⑴　適用可能性の検討の留意点

　既述したように、寄与度利益分割法とは、法人及び国外関連者による購入、製造、販売その他の行為に係る所得が、当該棚卸資産に係るこれらの行為のためにこれらの者が支出した費用の額、使用した固定資産の価額その他これらの者が当該所得の発生に寄与した程度を推測するに足りる要因に応じて当該国外関連者に帰属するものとして計算した金額をもって当該国外関連取引の対価の額とする方法（措令39の12⑧一ロ）です。

　平成23年度の税制改正で基本三法の優先的適用は廃止され、最も適正な算定方法を選択することとなりました。しかしながら、改正されても、基本三法が適用できるのにその他の方法を恣意的に選択できるのではなくて、その他の方法（例えば、寄与度利益分割法）を選択することが当該国外関連取引の価格の算定に最も適切であると考えられる場合に認められるものです。基本三法と取引単位営業利益法が同等の信頼性がある場合には、OECDガイドラインによれば、前者の選択が望ましいとあり、我が国においても、こうした扱いになっています。

(2)　**実務の要点** （「参考事例集」38ページ事例7による実務上の解説）

［取引関係図］

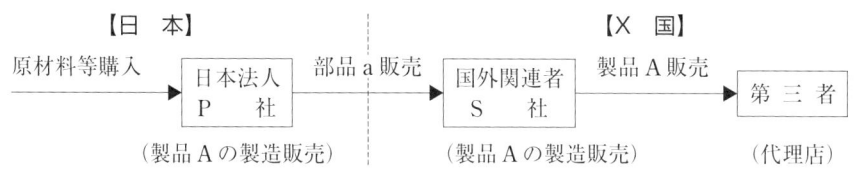

　検討にあたり、この取引の前提条件があります。つまり、この例を参考とするにあたり、最初に次の条件を契約書等から収集する必要があることを意味します。

① 　日本法人P社は、製品Aの製造販売会社であり、10年前に製品Aの販売子会社であるX国法人S社を設立しました。

② 　P社はS社に対して製品A用の部品aを販売し、S社は部品aに他の部品を加えて製品Aの製造を行い、X国の第三者の代理店に販売しています。

③ 　S社には研究開発部門はありません。また、S社は独自性のある広告宣伝・販売促進活動を行ってはおらず、販売にあたり自社の商標等を使用することもありません。

④ 　S社はX国の第三者に製品Aを販売していますが、X国の法人2社（X国以外の国に所在する法人を親会社とする製造子会社）も製品Aの類似製品を製造販売しています。このため、X国市場ではS社を含めた3社の寡占が続いています。

⑤ 　製品Aは当該2社の類似製品とマーケットシェアを均等に分け合っており、製品性能や価格面も当該2社の類似製品とほぼ同等としています。

⑥ 　日本国内でも、P社の製品Aと類似する製品を製造販売する法人は1社しかなく、その取引はすべて関連者取引です。

こうした状況を前提として、下記に掲げる検討理由から寄与度利益分割法に

より独立企業間価格を算定することは、この「参考事例集」においては最も適切な算定方法として妥当としています。

⑦　Ｐ社及びＳ社はともに製品Ａに係る製造販売機能を果たしているが、その程度に大きな差は認められず、検証対象の当事者として両者のうちどちらを採用しても適切と認められること。

⑧　Ｐ社及びＳ社が行う取引からは、内部比較対象取引の候補を見いだすことができないこと。

⑨　Ｐ社については、日本国内に製品の類似製品を製造販売する法人が１社しかなくかつ取引はすべて関連取引であり、公開情報からは、独立価格比準法並びにＰ社を検証対象とする原価基準法、取引単位営業利益法及びこれらに準ずる方法を適用する上で外部比較対象取引の候補を見いだすことができないこと。

⑩　Ｓ社にしても、類似の製品を扱う当該２社の取引が関連者間取引であることから、Ｓ社を検証対象とする再販売価格基準法、取引単位営業利益法及びこれらに準ずる方法を適用する上で外部比較対象取引の候補を見いだすことができないこと。

こうした課税庁の検討経過についてコメントします。

最初に、ＯＥＣＤガイドラインとの整合性です。ＯＥＣＤガイドラインパラグラフ2.116によれば、取引単位利益分割法の長所として、「独立企業であれば取引における利益の創出について各々の貢献の価値に比例して合算利益を分割するものと仮定する。」（「国税庁版93ページ」）としています。加えて、パラグラフ2.118は「当該方法が、独立企業においては見られないような関連者の特殊でユニークな事実及び状況を考慮に入れることにより柔軟性を有するものである一方で、独立企業が同様な状況にあった場合に合理的に行ったであろうことを反映するという点で、依然として独立企業アプローチを構成している点である。」としています。そして、パラグラフ2.119は、「いずれか一方の当事者に極端かつ非現実的な利益が残るという結果になる可能性が低い点である。」こ

とも長所として述べています。しかし、同法の短所として、「関連者にとっても税務当局にとっても同様に、国外の関連者についての情報を入手することに課題であろう。さらに、関連者間取引に関与する全ての関連者の収入及びコストを合算することは、帳簿及び記録に対する共通の基準を採用し、かつ、会計慣行及び通貨を調整する必要があるため、課題であろう。さらに、また、取引単位利益分割法を営業利益に適用する場合、当該取引に関連する適正な営業費用の額を把握し、コストを当該取引と当該関連企業の他の活動とに配分することが課題であろう。」（「国税庁版93ページ」）とも述べています。

　各々の貢献の価値に比例して合算利益を分割するものという点からは、ここでいう寄与度利益分割法の適用はOECDガイドラインとは整合性はあるものといえます。もっとも前提としては、合算利益の合計、その算出の基となる営業費用の適正な把握ということになります。

　OECDガイドラインパラグラフ2.126は、「関連者間取引に対する各関連者の寄与度の相対的価値を決定することが困難な場合もあり、このアプローチは、しばしば個々の事案の事実及び状況に依存することとなろう。その決定は、各当事者の様々な貢献（例えば、サービスの提供、開発費用の負担、投資資本の額）の性格及び程度を比較し、相対比較と外部市場データに基づく割合を決定することによって行われることとなろう。」（「国税庁版95ページ」）としています。外部市場における費用負担に対する利益の創出割合を示唆しており、措置法通達66の4(5)-2に規定する利益分割法と内容的には一致するものと考えます。

　次に、コメントですが、内部取引を前提として外部取引に依存しないという点において、実務上の便宜性が高いものと考えられます。租税特別措置法施行令第39条の12第8項第一号ロにおいては、当該関連取引に係る事業に係る所得の発生に寄与した程度を推測するに足る要因に応じて、これらの要因に帰属するものとして計算した金額をもって当該国外関連取引の対価の額とすると規定しています。この規定からは、単に定性的な要素数で合計利益を案分することができるということではなくて、利益分割法で申告した納税者、若しくは利益

分割法で更正決定した課税庁は、推測するに足る要因、つまり、所得と要因との相当因果関係を立証しなくてはならないものと考えます。具体的にはどうするのかということですが、措置法通達66の4(5)－2によれば、「発生に寄与した程度に応じて合理的に計算するものとする。」とあります。この点必ずしも明確ではありませんが、改正前の通達では、「推測するにふさわしいものを用いることとしている。」としていました。推測するにふさわしいものとは、製造が主たる機能であるとすると、製造に伴い発生する費用（例えば、人件費、減価償却費など）を用いるのが合理的（旧「参考事例集」26ページ）とありました（利益分割法に関する平成19年2月27日採決（裁決事例集73集376ページ）参照）。措置法通達66の4(5)－2では、「…配分に用いる要因が複数ある場合には、それぞれの要因が分割対象利益等又は残余利益等の発生に寄与した程度に応じて、合理的に計算するものとする。」と規定され、推測よりも強い寄与の程度の関連度を求めているものと考えられます。

　なお、分割要素の金額に応じて、双方の間で同じ価値を生むわけではありません。同じ金額のある支出に対して、先進国と発展途上国では実際は生じる価値が異なるはずです。現行実務は同じという前提で、計算されていますが、検討の余地がありそうです。

9.　残余利益分割法の適用の検討

(1)　実務の要点（「参考事例集」45ページ事例8による実務上の解説）

［取引関係図］

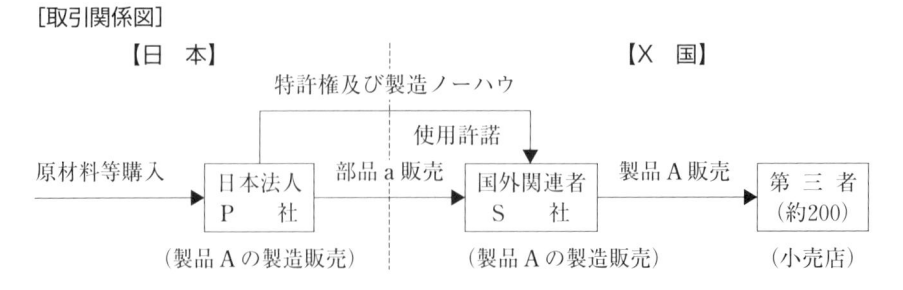

　検討にあたり、この取引の前提条件があります。つまり、この例を参考とするにあたり、例えば、最初に次の条件を契約書等から収集する必要があることを意味します。

①　日本法人Ｐ社は、製品Ａの製造販売会社であり、10年前に製品Ａの販売子会社であるＸ国法人Ｓ社を設立しました。

②　製品Ａは、Ｐ社の研究開発活動成果である独自技術が用いられて製造された製品です。

③　Ｐ社はＳ社に対して製品Ａ用部品ａ（Ｐ社の独自技術が集約された主要部品）を販売するとともに、製品Ａの製造に係る特許権及び製造ノーハウ（Ｐ社の研究活動により生み出された独自技術）の使用許諾を行っています。

④　Ｓ社は部品ａに他の部品を加えて製品Ａの製造を行い、Ｘ国の第三者の小売店約200社に対して販売しています。

⑤　Ｓ社には研究開発部門はありません。Ｓ社が行う製品Ａの製造は、Ｐ社から供与された独自技術に基づいて行われ、Ｓ社は多数の営業担当者を配置し、小売店や最終消費者向けに独自の広告宣伝・販売促進活動を行っています。

⑥　製品Ａは、製品そのものの独自の技術性能のほか、広告宣伝・販売促進活動を通じた高い製品認知度や充実した小売店舗網等により、Ｘ国において一定のマーケットシェアを確保するとともに、おおむね安定した価格で販売されているとしています。

こうした状況を前提として、下記に掲げる検討理由から、残余利益分割法に準ずる方法を最も適切な方法として選定し、独立企業間価格を算定することは、この参考事例集においては妥当としています。

⑦　Ｐ社がＳ社に対して使用許諾する特許権等は、Ｐ社の研究開発活動によって生み出された独自技術であるから、国外関連取引においてＰ社による独自の価値ある寄与が認められること。収集できる範囲の情報からは、独立価格比準法及び取引単位営業利益法（又はこれらと同等の方法及び準ず

る方法）を適用する上で比較対象取引の候補を見いだすことができないこと。

⑧　S社は、広告宣伝・販売促進活動により形成された「基本的活動のみを行う法人」（「参考事例集」41ページ）よりも高い製品認知度や充実した小売店舗網を用いて事業を行っており、国外関連取引においてS社による独自の価値ある寄与が認められること。

⑨　収集できる範囲の情報からは、S社の取引と同様の条件下で行われている非関連者取引を把握することはできず、S社の再販売価格基準法及び取引単位営業利益法（これらの方法に準ずる方法を含みます）を適用する上での比較対象取引を見いだすことができないこと。

⑩　部品aの販売取引と特許権及び製造ノーハウの使用許諾取引は一体として行われていると認められること。また、S社の国外関連取引に係る損益については、部品aの販売取引と特許権及び製造ノーハウの使用許諾取引の別に区分して切り出すことができないこと。

こうした課税庁の検討経過についてコメントします。

最初に、OECDガイドラインとの整合性です。パラグラフ2.127によれば、「残余利益分析では、2つの段階を経て、調査対象となっている関連者間取引の合算利益を分割する。第1段階では、各参加企業に対し、それに関わった関連者間取引に関係する、ユニークではない貢献に対する独立企業間報酬が配分される。通常、この報酬は、伝統的取引基準法又は取引単位営業利益法を適用し、独立企業間の比較可能な取引の報酬を参考にして決定される。したがって、一般的に、各参加企業が寄与する、ユニークな価値のある資産によって創出される利益について考慮しない。第2段階では、第1段階の分割後の残余利益（又は損失）を、…（このガイドラインで示される）合算利益の分割に関する指針に従い、事実及び状況に係る分析に基づき各参加企業間で配分する。」（「国税庁版95ページ」）としています。2段階方式にわたる利益の分割法は、措置法通達66の4(5)－4に規定する残余利益分割法と内容的には一致するものと考えま

す。

　そして、資産ベースの配分キーとして、パラグラフ2.141は「資産ベース又は資本ベースの配分キーは、有形若しくは無形資産又は使用資本と、関連者間取引における価値の創出との間に強い相関がある場合に使用することができる。」(「国税庁版99ページ」)として、無形資産を配分キーとすることはOECDガイドラインからも是認されるものです。

　次に、コメントですが、残余利益分割法については、これまで我が国ではあくまでも所得の配分と捉えて、OECDガイドラインパラグラフ2.121 (「租税研究会2010年版65ページ」) では、損失の配分を認めているところと異なりがありました。改正通達措置法66の4(5)－1では、分割利益は営業利益又は営業損失の合計を用いるとされていますので、この点、OECDガイドラインと整合性が確認できました。また、改正前においては、措置法通達に規定が置かれており根拠としては必ずしも明確ではありませんでしたが、改正租税特別措置法施行令第39条の12第8項第一号ハによって課税要件が規定されました。

　分割要因は、無形資産の取得原価のほか同資産の形成・維持・発展活動を反映する各期の支出費用等が用いられるとされています (「参考事例集」88ページ) (残余利益分割法に関する裁決例平成22年6月28日裁決 (裁決事例集79集))。

10. ディスカウント・キャッシュ・フロー法

(1)　実務の要点 (「参考事例集」90ページ事例24による実務上の解説)

[取引関係図]

　検討にあたり、この取引の前提条件があります。つまり、この例を参考とするにあたり、例えば、最初に次の条件を契約書等から収集する必要があることを意味します。

① 　日本法人Ｐ社は、製品Ａの製造販売会社であり、10年前に製品Ａの販売子会社であるＸ国法人Ｓ社を設立しました。

② 　製品Ａは、Ｐ社の研究開発活動成果である独自技術が用いられて製造された製品です。

③ 　Ｐ社はＳ社に対して製品Ａの製造に係る特許権及び製造ノウハウ（Ｐ社の研究開発活動により生み出された独自技術）の使用許諾を行い、Ｓ社はＸ国で原材料を購入して製品Ａの製造を行い、Ｘ国の第三者に販売していました。

④ 　Ｘ国における製品Ａの業績は非常に好調で、今後も高水準の需要が見込まれました。Ｐ社はＳ社が製品Ａに関する事業責任を全般的に管理する方が効果的効率的に事業運営できると考え、Ｓ社に対して当該特許権及び製造ノウハウを譲渡しました。譲渡取引は、取引時に支払対価が確定されて行われました。

⑤ 　譲渡前はＳ社には研究開発部門はなくＰ社の独自技術で製造が行われていました。

⑥ 　譲渡前Ｓ社は独自の広告宣伝販売活動を行っていませんが、自らの販売計画に基づいて一定の在庫を保有し管理しＸ国で販売していました。

⑦ 　譲渡後、引き続きＳ社は自ら研究開発活動を行うことなくＰ社から譲り受けた特許権及び製造ノウハウを使用して製品Ａを製造し第三者に販売していました。Ｓ社に販売活動機能の変化はありません。

⑧ 　製品Ａ事業については、Ｐ社及びＳ社の取締役会で承認された事業計画により10年間予測金額が把握できます。特許権の有効期間は20年で失効すれば製品Ａの陳腐化は明らかですが、有効期間内は競争力を維持できるとして10年間の事業計画は規定されました。

⑨　P社は事業計画に対しては外部評価機関から客観的に合理的な事業計画との評価を得ています。

⑩　X国の実効税率は30％で、取得した特許権及び製造ノウハウは減価償却費として5年間課税所得金額から控除できます。

以上を踏まえて、本事例では、客観的に合理的な事業計画も基礎に合理的に予測利益を予測することが可能で、かつ、合理的と認められる割引率を用いて譲渡時の特許権及び製造ノウハウの割引現在価値を算出することが認められるところから　ディスカウント・キャッシュ・フロー法と同等の方法で独立企業間価格を算定することが最も適切な方法と認められるとしています。なお、取扱いに関して留意事項が事務運営指針4－3、4－13で例示されています。

令和元年の税制改正で整備された移転価格算定法です。導入経緯としては、2010年移転価格ガイドラインパラグラフ6.29において、DCF法を無形資産の評価テクニックの一つとして用いる可能性を容認していました。BEPSプロジェクトの最終報告書を受けた2017年移転価格ガイドラインでは、使用に当たってのガイダンスが拡充されました。具体的には、「評価テクニックの使用に際し重要となる要素（財務予測、成長率、割引率、無形資産の耐用年数等）について詳細な説明が追加されました。また、評価テクニックについてはその有用性が認められる場合がある反面、それを支える上記要素におけるわずかな違いが最終的な評価額に大きな影響を及ぼしうる点に留意が必要であると説明されています（ガイドライン6.158～6.180、「改正税法のすべて（令和元年版）」（大蔵財務協会592ページ））

11. 特定無形資産国外関連取引に係る価格調整措置に関する事例

(1)　実務の要点 （「参考事例集」94ページ事例25による実務上の解説）

[取引関係図]

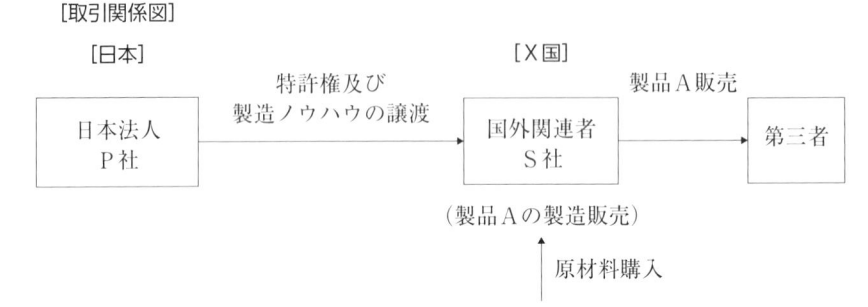

　検討に当たり、この取引の前提条件があります。つまり、この例を参考とするに当たり、例えば、最初に次の条件を契約書等から収集する必要があることを意味します。

① 　日本法人P社は、政界各国でグローバルに多様な製品の製造販売を行っています。P社は主としてX国で販売が見込まれる製品Aについて国内において研究開発活動を行っていました。

② 　X国での販売に係る認可を取得し製品Aの商業化のめどがついたことから製品Aの製造販売会社S社を設立しました。

③ 　S社が製品AをX国で製造しX国内の第三者に販売しています。製品AはP社の独自の研究開発活動の成果である独自技術が用いられています。

④ 　P社はS社に製品Aに係る特許権及び製造ノウハウを譲渡しました。

⑤ 　譲渡に際して、DCF法により算定した価格で譲渡しています。

⑥ 　その後S社は、X国内で原材料を調達し取得した特許権及び製造ノウハウを使用して製品Aを製造しX国内の第三者に販売しています。

⑦ 　4年後調査において、製品Aにおける予測利益の額と実際利益の額に大幅な相違が生じていることが判明しました。

　調査において、譲渡時のDCF法の予測要素について検討したところ、P社において過度に保守的な販売予測をしていたことが原因と考えられました。当時の複数の評価機関が作成した算定書では、製品Aの販売数量は当該事業計画を上回る可能性を指摘していました。当該譲渡取引について、DCF法に準ずる方法と同等の方法により相違する事由の発生可能性を勘案して対価の額を再計算したところ、譲渡対価の120％を超えることが判明しました。

　以上を踏まえて、本事例では、客観的に合理的な事業計画も基礎に合理的に予測利益を予測することが可能で、かつ、合理的と認められる割引率を用いて譲渡時の特許権及び製造ノウハウの割引現在価値を算出することが認められるところからディスカウント・キャッシュ・フロー法と同等の方法で独立企業間価格を算定することが最も適切な方法と認められるとしています。なお、特定無形資産国外取引に係る価格調整措置を適用する場合の検討事項として、(イ)総額が確定しているのか、(ロ)研究開発段階にあるのか、(ハ)取引後一定期間において商業的に使用見込みがないもの、(ニ)新たな方法で使用が見込まれるか、類似する者の使用実績がないものかを十分に検討するとしています。また、果たす機能等の事情を勘案することに留意することとあります（事務運営指針4－15）。

　令和元年の税制改正で、評価困難な無形資産に関して、事後に検証して当初の譲渡価格を調整する制度が創設されました。

　BEPSプロジェクトの最終報告書（行動8－10）による改定移転価格ガイドラインでは、移転価格税制の対象となる無形資産のうち一定要件（移転価格ガイドラインパラグラフ6.189）を満たすものを評価困難な無形資産（HTVI）と位置づけて，移転価格の算定に用いた事前予測と事後の結果に相違があり、それが予見不能な事象等によるものでない場合は、その相違は当初の移転価格が適切に算定されていなかったという推定証拠として税務当局が事後の結果及び取引時に納税者が知り得た又は知るべきであった関連情報等を勘案して当初の移転価格を評価することの導入を勧告していました（移転価格ガイドラインパラグラフ6.187）。

　我が国において上記の最終報告書を受けて HTVI アプローチに相当する制度を創設しました（「改正税法のすべて（令和元年版）」（大蔵財務協会594ページ）。

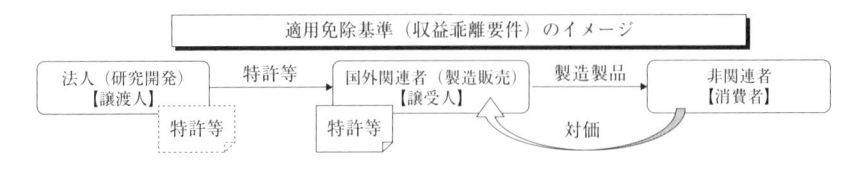

《予測利益と実際利益》

	X1年 （譲渡年）	X2年	X3年	X4年	X5年	X6年	X7年
予測利益	0	100	300	350	350	350	350
実際利益	0	200	300	400	400	400	400

判定期間（5年）

《適用免除の判定（対価の額の支払を受ける場合の例）》

実際利益計	≦	予測利益計	×	120%		を満たす場合は適用免除
1,700	≦	1,450	×	120%	⇨	適用免除

（「改正税法のすべて（令和元年版）」（大蔵財務協会599ページより引用）

12. 独立企業間価格の算定において留意すべき事項
（措置法通達第4款）

⑴　取引単位

　措置法通達66の4⑷－1は、次にように規定しています。

　「独立企業間価格の算定は、原則として、個別の取引ごとに行うのであるが、例えば、次に掲げる場合には、これらの取引を一の取引として独立企業間価格を算定することができる。①国外関連取引について、同一の製品グループに属する取引、同一の事業セグメントに属する取引等を考慮して価格設定が行われており、独立企業間価格についてもこれらの単位で算定することが合理的であると認められる場合、②国外関連取引について、生産用部品の販売取引と当該生産用部品に係る製造ノーハウの使用許諾取引等が一体として

行われており、独立企業間価格についても一体として算定することが合理的であると認められる場合」

①において、同一の製品グループの定義をしています。この場合に、独立価格比準法においては、棚卸資産の同種性が厳格に要求されますので、製品のグループ化は厳格となるものと考えます。他方、再販売価格基準法や原価基準法では、主として売手又は買手の果たす機能の類似性が求められますので、機能として類似している場合には、独立価格比準法に要求されるほどの厳格な製品グループの同種性は求められません。

②においては、生産用部品の販売取引と当該生産用部品に係る製造ノーハウ使用許諾取引等が一体となっている場合には、比較可能対象取引も同様であることが必要となります。

いずれにしても①及び②における基本的な考え方としては、各取引において措置法通達66の4(3)-3に規定する比較するにおいて考慮すべき5の要素において、相違がなければその製品グループ・事業セグメントに属する取引は、比較可能性があるということになります。結局のところ、独立企業間価格にどのような影響を与えるかに尽きます。影響があればそれは取引単位としては、差異調整ができないことを前提とすると、採用することはできないものとなります。この場合には、原則に戻って個別取引ごとに検討するということになります。

(2)　相殺取引

一の取引に係る対価の額が独立企業間価格と異なる場合であっても、その対価の額と独立企業間価格との差額に相当する金額を同一の相手方との他の取引の対価の額に含め、又は当該対価の額から控除することにより調整していることが取引関係資料の記載等その他の状況からみて客観的に明らかな場合には、課税上弊害がない限り、それらの取引はそれぞれ独立企業間価格で行われたものとすることができるとされています（措通66の4(4)-2）。

ここでの大事な点は、客観的に明らかにされる点にあります。例えば、A取

引で儲けたので、B取引では、その点を考慮して価格を決めたと事後で説明があったとして、主観としては仮にそうであっても、対価の額の処理等から明らかでない場合には、相殺取引として認められない場合が生じ得ることを示唆しています。

⑶　為替差損益の扱い

措置法通達66の4⑷−3は、「措置法第66条の4の規定の適用上、取引日の外国為替の売買相場と当該取引の決済日の外国為替の売買相場との差額により生じた為替差損益は、独立企業価格には含まれないことに留意する。」としています。売掛金、買掛金などの外貨建債権債務の決済により生じた差損益は、営業外損益を構成するもので、当該外貨建債権債務を生じさせた取引とは別の金融取引と考えているものと思われます。

なお、関連取引及び非関連取引の多くが外貨建てで取引が行われています。独立企業間価格を算定する場合、これらの価格の比較にあたって、為替リスクの負担方法等が同じであれば、その価格は比較可能性があると考えられます。

両者の取引が行われたときの為替リスクの負担方法が異なる場合には、その為替相場が取引される価格にどのように影響を与えているかに応じ、その影響を除外することができれば比較可能性があることになるでしょう。

為替リスクは先物外国為替の予約により回避できるので外国通貨建てと円建ての場合の取引においては、為替予約時の両通貨の金利差として算定できるとした国税不服審判所の裁決（平成14年6月28日裁決）があります。この採決において重要な点は、「両者には本件外貨建て取引に伴う為替リスクについて差異があるから、その調整を行う必要がある。」としているところにあるものと考えます。

⑷　値引、割戻等の取扱い

国外関連取引につき、独立企業間価格の算定の基礎となる比準取引と異なる条件の値引、割戻等が行われている場合には、その差異を調整したところにより比準取引との差額を算定することとされています（措通66の4⑷−4）。

　例えば、独立企業間価格の算定の基礎となる比準取引において値引、割戻等が行われており、国外関連取引において値引がない場合には、その値引後の金額から独立企業間価格を算定して、国外関連取引価格と比較して差額を計算することとなるでしょう。

⑸　会計処理方法の差異の取扱い

　措置法通達66の4⑷-5は、「措置法66条の4の適用上、国外関連取引と比較対象取引との間で用いられている会計処理方法(例えば、棚卸資産の評価方法、減価償却方法の償却方法) に差異があり、その差異が独立企業間価格の算定に影響を与える場合には、当該差異を調整したところにより同条第4項に規定する差額を算定することに留意する。」とあります。利益率を算定方法とする場合には当然に差異調整すべきものと考えます。

⑹　原価基準法における取得原価の額

　法人が国外関連取引につき国外関連者に支払う対価の額が独立企業間価格を下回る価格で購入している場合は、その価格を通常の価格に引き直して独立企業間価格を算定することとなります (措通66の4⑷-6)。なお、高価買い入れの場合は、その差額の全部又は一部に相当する金額が当該事業年度終了の日において有する資産の取得金額に算入されているため当該事業年度終了の日の損金の額に算入されていないときは、その損金の額に算入されていない部分に相当する金額を当該資産の取得金額から減算することができます (措通66の4⑽-2)。

　なお、機械の取得金額を減算したときは、その減額後の金額を基礎として各事業年度の減価償却限度額を計算することとなることに留意してください。

13.　事務運営指針4-4に規定する差異調整方法

　以上では、検討対象取引と比較対象取引の機能、リスクなど比較対象取引の選定にあたっては、措置法通達66の4⑶-3に規定する比較をするにおいて考慮すべき5つの要素等についての判断を加えてきました。その上で契約条件に

ついて同じとの前提で進めてきましたが、ここでは契約条件等の具体的な差異調整について述べます。

(1)　取引条件の差異と調整

　事務運営指針4－4(1)によれば、例えば、貿易条件について、一方の取引がFOB（本船渡し）であり、他方の取引がCIF（運賃、保険料込み渡し）である場合は、比較対象取引の対価の額に運賃、保険料相当額を加減算して調整を行うとしています。

　したがって、貿易取引にあってはまず基本的な理解の場を作るため一般的取引条件を打ち合わせ、その後、個別具体的な売買条件を決めるというのが一般的です。一般的取引条件で決められる項目としては、次のとおりです。もちろんすべてが必ず決められるというものではなく、必要に応じて取捨選択されるものです。

　　①取引形態（売買当事者の資格、本人か代理人か）、②取引品目（商品名、品質）、③数量（最小引受数量あるいは最大引受数量）、④価格（使用表示通貨、計算基準）、⑤貿易条件（一般にはインコタームズ（Incoterms）に準拠の旨の明示）、⑥引渡（船積日等）、⑦不可抗力（不可抗力の原因の具体的列挙）、⑧遅延船積の具体的処理、⑨決済（信用状決済とする旨の記載）、⑩信用状（種類、発行時期、有効期限等）、⑪海上保険（保険条件、金額、表示通貨等）、⑫承諾回答期限、⑬注文、⑭売買契約書の作成（例、必ず文書による旨の記載等）、⑮知的所有権の扱い、⑯荷印、⑰損害賠償請求と仲裁（提起に関する手続等）、⑱準拠法

　個別具体的な売買条件にあっては、具体的な品質条件、数量条件、価格条件、決済条件、保険条件、梱包条件等を決定することになります。したがって、比較する場合にはこれらの要素が価格にどのような影響を与えているかを考慮吟味していくということになります。例えば、「信用状決済CIF建て」では、輸出価格は次の要素から構成されています。

　　①仕入価格（製造原価）、②輸出梱包費、③国内運送料、④国内運送保険

料、⑤倉庫料、⑥輸出 FOB 保険料、⑦輸出検査料、⑧各種証明料、⑨船積諸掛かり、⑩海上保険料、⑪海上運賃、⑫銀行手数料、⑬金利、⑭輸出者の利益等々。

したがって、CIF 価格と FOB 価格は、次の関係にありますから、その違いを価格調整することにより比較可能性となるものと考えられます。

　　CIF（指向港までの運賃保険料込み）価格

　　　　＝ FOB（輸出港本船渡し）価格＋海上運賃＋海上保険料

次に、事務運営指針 4 － 1 ⑵によれば、例えば、決済条件における手形一覧後の期間について、国外関連取引と比較対象取引に差異がある場合、手形一覧から決済までの期間の差に係る金利相当額を比較対象取引の対価の額に加減算して調整を行うとしています。決済条件を考えてみますと、一般には荷為替手形の支払には次のものがあります。

　①　一覧払手形（手形の提示と同時に手形金額を支払うもの）

　②　期限付手形（支払猶予期間が設定されているもの）

　　ⅰ）一覧後〜日払い（手形の提示された日から何日目に支払うというもの）

　　ⅱ）船積後〜日払い（船積日から何日目に支払うというもの）

　　ⅲ）確定日後〜日払い（確定日から何日目に支払うというもの）

次に、船積書類の引渡しには、手形の支払渡し（D／P）と手形の引き受け渡し（D／A）があります。例えば、D／P 手形一覧後30日払いの取引と D／P 手形一覧後90日払いでは、60日間の支払猶予期間とその間の金利を考慮することにより比較が可能となります。「参考事例集」事例 9 （43ページ）において同様の調整方法が記述されています。

第三として事務運営指針 4 － 1 ⑶によれば、比較対象取引に係る契約条件に取引数量に応じた値引、割戻等がある場合には、国外関連取引の取引数量を比較対象取引の値引、割戻等の条件に当てはめた場合における比較対象取引の対価の額によるとしています。

最後に、事務運営指針 4 － 4 ⑷によれば、機能又はリスクに係る差異があり、

その機能又はリスクの程度を国外関連取引及び比較対象取引の当事者が当該機能またはリスクに関し支払った費用の額により測定できると認められる場合は、当該費用の額が当該国外関連取引及び比較対象取引に係る売上又は売上原価に占める割合を用いて調整することができるとしています。

　そして、再調整の目的は、比較対象取引候補として選定された非関連取引について比較対象取引としての合理性確保のために行うものであるから、対価の額に影響を及ぼすことが客観的に明らかである場合に行うもので（事務運営指針４－３柱書）、対価の額を生じさせ得るものすべてを対象とするものではありません。

⑵　価格調整金等の取扱い

　事務運営指針３－21において、価格調整金等がある場合の留意事項を次のように規定しています。

　　「法人が価格調整金等の名目で、既に行われた国外関連取引に係る対価の額を事後に変更している場合には、当該変更が合理的な理由に基づく取引価格の修正に該当するものかどうかを検討する。当該変更が国外関連者に対する金銭の支払又は費用等の計上（以下「支払等」という。）により行われている場合には、当該支払等に係る理由、事前の取決めの内容、算定の方法及び計算根拠、当該支払等を決定した日、当該支払等をした日後を総合的に勘案して検討し、当該支払等が合理的な理由に基づくものと認められるときは、取引価格の修正が行われたものとして取り扱う。なお、当該支払等が合理的な理由に基づくものと認められない場合には、当該支払等が措置法第66条の４第３項の規定の適用を受けるものであるか等について検討する。」

　事後的に支払額の調整が行われることは実際上の取引ではよくあることと考えます。そのときに、その変更等について合理的な理由があるときは、それは正常な取引における価格修正として取り扱う旨規定しています。考え方としては、第三者間において当然に行われるという視点が大事です。そして、あらかじめ契約書等で一定の例えば経済事象が発生したときには、価格調整が行われ

ることが明示されているなどの場合です。そうではなく、事後的に資金のやり取りをすると、実質的に贈与と認められる場合には、寄附金として全額損金不算入として扱う場合があることを明確にしています。

14. OECDガイドラインにおける比較可能性分析の手順と考え方

(1)　標準的な手順

　OECDガイドラインパラグラフ3.4（国税庁版105ページ）によれば、典型的な比較可能性のプロセスは以下の手順を踏むとしています。しかしながら、必ずしも上から下へ手順が流れるものではないとされています。特に、ステップ5から7については、何度も繰り返される手順ですし、ステップ8の段階で、合理的な調整ができない場合には、やはりステップ4なり5なりまで戻ってやり直すということになるものと考えます。

ステップ1	対象年度の決定
ステップ2	納税者の状況の幅広い分析
ステップ3	検討当事者（必要な場合）、事案の状況に最も適切な移転価格算定方法、検証対象となる財務指標（取引単位営業利益法の場合）を選択し、考慮に入れるべき重要な比較可能性の要素を特定するための調査対象の関連者間取引についての（特に機能分析に基づく）理解
ステップ4	既存の内部比較対象がある場合には、その検討
ステップ5	外部比較対象について利用可能な情報源（そのような外部比較対象が、その相対的な信頼性も考慮に入れつつ、必要とされる場合）
ステップ6	最も適正な移転価格算定方法の選択、及びその方法に応じて関連する財務指標の決定（例えば、取引単位営業利益法の場合には、適正な営業利益指標の定義）
ステップ7	比較対象の特定：ステップ3で特定された要素に基づき第1章D.1（※5要件）で示された比較可能性の要素に該当する主要な特徴を決定する。当該ステップは、比較対象取引になり得る非関連者間取引を選定するための特徴を決定するためのものである。
ステップ8	比較可能性調整の決定及び実施（必要な場合）

(2)　対象とすべき関連者取引の抽出について

　最も望ましいのは、取引ごとに独立企業間価格を適用すべきとしています。しかしながら、①商品又は役務の長期的な提供契約、②無形資産の使用に関する権利、③密接に関連した一連の製品で、製品別又は取引別に価格を設定することが現実的ではない場合があります。また、関連製造子会社に製造ノーハウの使用許諾と不可欠な部品供給がある場合には、この2つをまとめて評価することが合理的と考えられます。さらに、別の関連者を経由する取引があったときは、個々の取引を個別に検討するよりも、取引全体を検討するほうがより適切な場合があるとされています（OECDガイドラインパラグラフ3.9、国税庁版106ページ）。

　納税者がポートフォリオアプローチ事業戦略（例えば、装置と専用品の消耗品）を通じて単一の製品からの収益ではなくて、取引を束にして全体から収益を獲得するという場合です。ある製品については低利益若しくは損失ではあるが、別の製品やサービスについて需要が生み出され、それから利益を得るといったケースがあります。こうした場合には、包括取引として考慮されるとしています。しかし、全体的な損失の継続や、長期にわたる業績不振を良しとするものでもなく、単に全社ベースで移転価格算定方法を適用するためのこうした考え方を認めるというものでもありません。また、1つのパッケージとして契約されている場合であっても個別にばらばらにして評価する場合もあり得るとしています。要は、独立企業間類似取引を分析するのと同一の方法で、関連者間のパッケージ取引を調査し、同取引の価格が適正な移転価格の算定によっているということを示せるようにしておくことが肝要です（OECDガイドラインパラグラフ3.10、国税庁版107ページ）。

　次に、意図的相殺について述べます。意図的相殺とは、関連者間で意図的に関連者間取引の条件に組み込む相殺のことです。例えば、製品の製造に用いる原材料を安価で提供しその代わり製造した商品を安価で提供する場合や一定期間内に両当事者間に発生したすべての便益をバランスさせるよう総合的に清算

して取り決める場合などです。OECD ガイドラインパラグラフ3.14は、次の
ように述べます。「独立企業であれば、便益が十分正確に定量化でき、かつ、
契約書が事前に作成されない限り、後者のタイプの取り決めを行うことは先ず
考えられない。」（国税庁版108ページ）としています。このため、納税者として
は、意図的に組み込んでいることを開示して、相殺考慮後が独立企業間原則に
従っていることを示すことが必要としています。

(3)　比較可能な非関連者間取引

　比較可能な非関連間取引とは、調査対象と関連者間取引と比較することが可
能な、2つの非関連者間取引をいいます。1つは内部比較対象取引で他の1つ
は、外部比較対象取引のいずれかです。どちらも取引関係者が非関連者である
ことです。

①　内部比較対象取引

　一般的に、内部比較対象取引は当該関連取引と同一の会計基準及び会計慣行
に依拠していると推定されることから、より容易で信頼性があり、費用がかか
らないとしています。しかしながら、外部比較対象と同様に比較可能性の5要
素を満たす必要がありますし、例えば、「納税者は特定の製品を製造し、それ
を大量に国外の関連小売業者に販売するとともに、当該製品のごく少量を非関
連者に販売しているとする。このような場合、数量の差異が2つの取引の比較
可能性に重要な影響を与えると考えられる。このような差異の影響を取り除く
だけの合理的に信頼できる調整ができない場合、当該納税者とその非関連顧客
との取引は信頼できる比較対象取引とはならない。」（OECD ガイドラインパラ
グラフ3.28、国税庁版112ページ）ものとされます。

②　外部比較対象取引と情報源（商業データベースの議論）

　納税者は多くの場合、調査官に認められている外部情報収集のための質問検
査権を有していませんから、外部比較対象取引を独自収集することには限界が
ありますし、収集できたとしてもどこまで開示して使用することができるかは、
収集先との関係からも難しいものがあります。一般的な情報源は、公開されて

いる情報、これらを編集した商業データベースということになるものと考えます。OECD ガイドラインパラグラフ3.30は、企業が行政機関に提出した計算書を編集し、それらを検索や統計分析に適した電子フォーマットで提供する商業データベースは、実用的、事案の事実と状況に応じてもっと信頼性のある情報源となり得るとしています。OECD ガイドラインパラグラフ3.35は商業データベースを使用するにあたり限界点、留意すべき点を列記しています（国税庁版113ページ）。

- ・企業について公開されている利用可能な情報量がすべての国では同じでないため、すべての国で利用できるとは限らないこと。
- ・開示及び報告の要件が各国で異なるため、すべての企業において同じ種類の情報が収録されているわけではないこと。
- ・多くの国では、商業データベースが利用されるのは企業の業績を比較するためであって、必ずしも選択された移転価格算定方法を裏付けるために十分詳細な情報を提供してくれるというわけではないこと。
- ・利用にあたっては、事実と状況に応じて、他の公開情報を用いて絞り込む必要があること。
- ・コンサルタント会社が開発した独自のデータベースを利用する場合には、明確な透明性という観点から税務当局によるデータベースのアクセスが要請される可能性があること。
- ・国内レベルでは利用可能なデータが不十分な場合があるので、国外比較対象も信頼ができる場合には、利用は排除されないこと。

　これらの点だけを見ていると、公開情報であればおおむね利用可能とも見えますが、比較可能性の5要素（パラグラフ3.28）を満たしている必要はあります。比較の可能性の5要素の前提は、「独立企業原則の適用は、一般に、関連者間取引の条件と独立企業間取引の条件との比較の上に成り立っている（パラグラフ1.33）」ことです。つまり、独立企業間原則の適用という視点は見落とせないということです。

　わが国の場合においても、「参考事例集」13ページ図2「比較対象取引の選定に係る作業において考慮すべき点(例)」によれば、比較対象取引候補の選定にあたっての資料（例示）として、外部情報に限定すると、「企業情報データベース（外部情報）」「同業者団体等からの業界情報（外部情報）」「その他の情報（外部情報）」「措置法66条の4第17項第18項に基づき同業者に対して行った質問・検査から得られる情報（外部情報）」が掲げられています。

　こうした候補について、2番目のテストは、「非関連取引か」、「取引ごとに価格データ又利益率算定のためのデータを入手できるか」、「選定使用とする算定方法が国外関連取引の内容等に適合する方法であり、その適用のために利用できる情報か」がなされます。そうすると、調査官は租税特別措置法第66条の4第17項第18項に基づく質問検査権が行使できますから、2番目のテストも可能なものとなります。しかしながら、これを法人税申告の場合において使用する場面を見たときに、あるいは、コンサルタント会社が開発した独自のデータベースを利用する場面を見たときに、こうしたテスト自体が可能なものなのかどうかです。おそらく無理があるものと考えます。公開情報を使用した申告自体に租税特別措置法第66条の4の申告（課税）要件を満たしていない可能性があるもの（飯盛一文稿、本庄資編著『移転価格税制執行の理論と実務』大蔵財務協会収録549ページ。この中で「公開第三者情報を用いる場合には、比較対象について十分な情報が得られず、恣意的な比較対象の選択も行われ得るという短所にも留意する必要がある。」と述べています）と思われます。

　他方、調査官が租税特別措置法第66条の4第17項第18項に基づき同業者に対して行った質問・検査から得られる情報（外部情報）については、非関連取引や取引ごとに価格データ又は利益率算定が可能かどうかの視点での質問検査権の行使ですので、租税特別措置法第66条の4の課税要件を満たすことは可能となります。

⑷　潜在的比較対象の選定と除外

　①　定性的基準としては、製品のポートフォリオや事業戦略が挙げられます。

例えば、事業戦略が同じであれば、比較対象として選定することが可能となりますし、異なれば除外することとなります。

②　定量的な基準としては、次のものを挙げています。

・売上高、資産又は従業員数に関する規模基準

・(利用可能な場合) 純資産価値に対する無形資産正味価値の比率、売上高に対する研究開発費の比率などの無形資産基準

・(適切な場合には) 輸出売上高の重要性に関する基準 (総売上高に対する輸出売上高の割合)

・(適切な場合には) 棚卸資産の絶対値又は相対値に関する基準

・スタートアップ企業、破産企業など特殊な状況にある第三者について、その特殊な状況のために適切な比較対象とならないことが明らかである場合には、当該第三者を除外するための基準

(5)　比較可能性の調整

OECD ガイドラインパラグラフ3.47では、次のように述べています。

「比較可能であるということは、比較される複数の状況間での差異 (仮にある場合) が検証対象の条件に重要な影響を与えないこと、又は、そのような差異の影響を取り除くために相当程度正確な調整が可能であることを意味している。特定の事案において比較可能性調整を行うべきか否か (また行う場合にはどのような調整を行うべきか) は、判断の問題であって、第 C 節 (コンプライアンスの問題) における費用とコンプライアンス上の負担に関する議論に照らして評価されるべきである。」(国税庁版117ページ) と。つまり、納税者が相対的に多額又は重要でない関連者間取引を裏付ける比較対象に関する情報の発見には、相対的に少ない労力で行うことが合理的 (OECD ガイドラインパラグラフ3.82) であるとしています。

(6)　独立企業間価格幅

ある取引が独立企業のものと一致するかどうかの検討の場合に、信頼性のあるピンポイントの数値で独立企業間価格を判定できる一方、相対的に同等の信

頼性があるという複数の数値からなる幅が算定される場合もあり得ます。このような場合には、比較可能性の程度が劣る要素を排除する努力をしたとしても定量化できず調整不能という事態もあり得ます。そうした場合に、中心傾向（例えば、四分位幅や百分位値）を考慮に入れた統計的手法を用いることは、分析の信頼性を向上させることがある（パラグラフ3.57）としています。

15. OECDガイドラインにおける比較可能性のタイミングの問題 (パラグラフ3.67)

⑴　発生のタイミング

　原則として、関連者間取引と同じ期間に意図され又は実行された比較可能な非関連者間取引の条件に関する情報は、比較可能性分析において最も信頼性がある情報となります。

⑵　収集のタイミング

　グループ内取引が行われた時点で、独立企業間原則を順守するために合理的な努力をしたことを立証するために、その時点で合理的に利用可能な情報に基づいて事前に移転価格文書化を行う場合があります。この場合に、比較可能な企業においては過年度だけのデータで価格を決定することはなく、当該事業年度における経済や市場の変化に関する予想も含まれるとしています。こうしたことから、過去のデータをベンチマークとして、その後の経済情勢や市場の変化を考慮してグループ内移転価格の決定を行うべきものとなります。

　年度末の税務申告書作成の一環として、独立企業間価格結果検証アプローチが行われます。また、関連者間取引の検証時点で予測できなかった将来事象について、その時点での評価がきわめて不確実であった場合の考え方ですが、独立企業であれば評価の不確実性を考慮するためにどのような行動を採ると考えられるかということを参照とすべきものとされています。

⑶　複数年度データ (パラグラフ3.75)

　実務上、比較可能性分析において複数年度データの検討が有効である場合が

多いとされていますが、これは一律に要求されるものではなくて、この使用で移転価格算定分析に付加する場合に使用されるべきであるとしています。「参考事例集」105ページ事例27においては、複数年度の市況を検討した上で単年度ごとに独立企業間価格の算定を行う事例が紹介されています。一般的に需要の変化、製品のライフサイクル等により価格が相当程度変動することにより単年度ごとの情報のみで検討することが適切でない場合には、合理的な期間の平均値等を基礎として検討し移転価格税制上の問題の有無を検討する際の資料として活用する（事務運営指針 3 - 2 ⑵）とされています。

棚卸資産の売買以外の取引における独立企業間価格の算定方法

1. 概 説

　棚卸資産の売買取引以外の取引に係る独立企業間価格の算定は、次の方法を用いて行うこととされています（措法66の4②四）。

① 第4節2から4の「独立価格比準法」「再販売価格基準法」及び「原価基準法」と同等の方法

② 第4節5の「その他の方法」と同等の方法

　これまで、②の方法は①の方法が用いることができない場合に用いることができるとされていました。平成23年度の税制改正によりその適用順位を廃止し、国外関連取引の内容及び当事者の果たす機能その他の事業を勘案し、独立の事業者間で通常の取引条件に従って行われるとしたならば支払われるべき対価の額を算定するために最も適切な方法を選定する仕組みに改正されました。この規定は平成23年10月1日以後に開始する事業年度分の法人税から適用されます（措法附則57）。

　同等の方法の意味ですが、役務提供取引において、国外関連者に対する取引と同様の状況下にある非国外関連者との取引がある場合には、その対価の額をもって独立企業間価格とすることになります。この算定方法は、棚卸資産の独立企業間価格を算定する方法の一つである独立価格比準法に準じた方法に拠ったということで、「同等の方法」と呼ばれています（措通66の4(7)-1）。

2. 金銭の貸付又は借入の取扱い
（貸付金利息設定と独立企業間価格の算定）

(1)　概　要

　関連企業間で融資が行われた場合に、非関連者間での融資に利息が付されていれば利子を付することになります。独立企業間価格となる利率については、金額、期間、通貨、市場、信用度、担保、固定金利か変動金利か為替リスク等を考慮に入れた同条件の下で付される非関連者間での利率ということになります。なお、金銭の貸付等を業としない法人については、次のような扱いができます（事務運営指針3－8）。

　措置法通達66の4⑻－5（比較対象取引）が適用できない場合には、必要に応じ、次に計算した利率を独立企業間利率として当該貸付又は借入に付された利率の適否を検討することとされています。

　　①　国外関連取引の借手が、非関連者である銀行等から当該国外関連取引と通貨、貸借時期、貸借期間等が同様の状況下で借り入れた場合に通常付されたであろう利率（市場金利）

　　②　国外関連取引の貸手が、非関連者である銀行等から当該国外関連取引と通貨、貸借時期、貸借期間等が同様の状況下で借り入れた場合に通常付されたであろう利率（市場金利）

　　③　国外関連取引に係る資金を当該国外関連取引と通貨、取引時期、期間等が同様の状況の下で国債等により運用するとした場合に得られるであろう利率（市場金利）

　（注1）　①、②及び③に掲げる利率を用いる方法の順に、独立企業原則に即した結果を得ることに留意してください。

　（注2）　②に掲げる利率を適用する場合においては、国外関連取引の貸手における銀行等から実際の借入が②で規定する同様の状況の下で借入に該当するときには、当該国外関連取引とひも付き関係にあるかどうかを問わないことに留意してください。

(2)　貸付金利息設定と独立企業間価格の算定と比較可能な取引の裁判例
－東京地方裁判所平成18年10月26日判決（税務訴訟資料第256号－294）－

①　事　実

原告Xは、主として国外の自動車部品の製造子会社から提供される部品を国内の自動車メーカーに供給することを目的とする株式会社です。

本件は、タイ国法人である訴外子会社に金銭を貸し付け、その受取利息を本件各事業年度における益金として法人税申告をしたところ、Xに対して、被告税務署長Yは、租税特別措置法第66条の4を適用し、被告Yの算定した独立企業間価格と受取利息との差額を損金不算入額として法人税の更正処分並びに過少申告加算税の賦課決定処分を行いました。

これに対して、Xは、「本件更正処分は措置法66条の4の解釈誤り、租税法律主義に違反し、及び理由に不備がある。」として処分の取り消しを求めた事例です。

②　判決要旨

第一に、「措置法66条の4第1項の「国外関連取引」とは、国外関連者から対価の支払いを受ける取引であるところ、原告Xからタイ国子会社への貸付は実質的には出資であり対価（利息）を受ける取引ではないから我が国の移転価格税制の適用はない。」との原告Xの主張に対して、判決では、「原告Xとタイ国子会社との契約書によれば当該貸付は金銭消費貸借であり、対価の支払いを受ける取引として国外関連取引に該当することは明らかであって、加えて、タイ国内企業に対する長期固定金利貸付が凡そ経済的合理性のない行為であったということはできないから、約定どおり金銭の貸付取引と評価するのが相当」として原告主張が排斥されました。

第二に、比較可能な取引が見いだせないことが、独立企業間価格の算定を行うことができないという解釈であるという原告の主張は、租税特別措置法第66条の4の趣旨とは解せないとして排斥されました。

第三に、課税庁の想定する比較対象取引は、金融機関等による融資取引であ

るところ、原告会社のような貸付を業としない一般企業の行う貸付と、金融機関が行う貸付とは、考慮すべき要素が異なり、そのような場合は差異調整が不可能であるか、又は、何らの調整も行われていないから、比較可能性はないとの原告の主張に対して、判決は、非関連者間での金銭の貸借取引において、貸手が金融機関であるかなどの貸手の違いによって、考慮の要素の点で有意な差を生ずるものとは考え難く、よって金融機関による融資取引を比較対象とするにあたり、貸手が誰であるかという点の差異を調整する必要はないと判示しました。

　第四に、課税庁の想定する比較対象取引とタイ子会社に対する貸付では、金融市場が異なるから比較可能性がないとする原告の主張が、仮に金利差があったとしても裁定取引で格差は解消されるから、同一通貨の同一条件による金融取引である限り、各市場での金利水準等はほぼ同一であると考えることができるので、金融市場の違いを殊更強調する必要もないとして、原告主張が排斥されました。

　第五に、課税庁の主張する利率は推定値であるところ、推定値は租税特別措置法第66条の4第2項から違法であり、また課税庁が主張する取引が実際に存在したか疑問であるとの原告の主張が、同法同条第2項の解釈として、仮想取引を比較対象取引として独立企業間価格の算定を行うことも、準ずる方法及びそれと同等の方法として許容されていると解されるから、推定値自体が直ちに違法になるのではなく、課税庁の主張する利率は現実性のある合理的なものと認められ、実際に存在していたとは断定できないとしても、現実にあり得る利率として排斥されました。

　第六に、仮に課税庁が計算するような金利で貸付が行われる例があるとしても、独立企業間ではこれと異なる金利を設定することも十分考えられるから、課税庁の算出する金利を唯一の独立企業間価格として設定し課税することは、合理性がないとする原告の主張は、租税特別措置法第66条の4第2項に適合し、これにより算出される独立企業間価格の数値よりもより高い合理性が認められ

ることについての主張、立証がない限り、これを違法ということはできないところ、本件ではそのような主張、立証はないとして、排斥されました。

③　判決のポイント

　この訴訟は確定しました。この判決のポイントは何点かあると思いますが、「同一通貨の同一条件による金融取引である限り、各市場での金利水準等はほぼ同一であると考えることができる」という点が大事だと考えます。なぜなら、市場での金利水準等が独立企業間価格となることが可能ということを意味しているからです。

3.　役務提供取引と独立企業間価格の算定

(1)　概　要

　役務の提供を業とする法人については、同様の条件の下で非関連者に対して行われた同種の役務提供があれば、その対価の額をもって独立企業間価格とすることになります（「独立価格比準法」と同等の方法）。

　また、類似の役務提供事業があればその取引における利益率を斟酌して役務提供の原価に通常の利潤の額を加算したものを独立企業間価格とすることになります（「原価基準法」と同等の方法）。

　なお、平成30年2月23日付でグループ内役務提供に関しての移転価格事務運営要領が改定されました。改訂事務運営指針3－10(1)によれば、支援的な性質で中核的事業活動と関連しない場合に5％のマークアップが必要となります。他方、3－10(2)においては、(1)に該当する場合を除いて、本来業務に付随して行われた場合には、総原価の額を独立企業間価格とする原価基準法に準ずる方法と同等の方法又は取引単位営業利益法に準ずる方法と同等の方法の適用を検討するとされています。

　今後、IGSすなわちグループ内役務提供に関して対価を得ていない場合は、①TP税制の基本的な考え方、例えば基本三法適用としますと独立企業間取引で得られている利益率（5％という意味ではない）を加算した対価の額とする場

合、②総原価の額を合理的な計算で当該役務提供を受けた者に配分した金額に5％の利益率を乗じた金額をもって対価の額とする場合（事務運営要領3−11(1)）、③付随業務でマークアップを考慮しない総原価を対価とする場合（事務運営要領3−11(2)）、④　①〜③以外でマークアップを考慮しない総原価を対価とする場合（事務運営要領3−11(3)）の4つに分けて検討されることとなります。

　④が適用される基準ですが、参考事例集26−6事務運営要領3−11(3)の取扱要件等によれば、イ）役務提供の目的等から見て本来の業務に付随した役務提供であること、ロ）無形資産を使用していないこと、ハ）重要なリスクの引受、管理、創出を行っていないこと、ニ）研究開発・製造・販売・原材料の購入・物流・マーケティング・金融・保険若しくは再保険、又は天然資源の採掘・探査若しくは加工のいずれにも該当しないこと、ホ）同種の役務提供が非関連者との間において行われていないこと、ヘ）当該役務提供が法人又は国外関連者の事業活動の重要な部分に関連していないこと、ト）当該役務提供に係る総原価が従事者の従事割合など合理的な方法で役務提供を受けた者に配分されていること（ただし、提供の要した費用がその事業年度の原価又は費用の総額の相当部分を占める場合やその他総原価の額を対価の額とすることが相当でない場合を除く。）の7要件が示されています。

　おって、国外関連者との間で、棚卸資産の売買取引と役務提供取引を行っている場合には、双方について移転価格税制上の問題があるか否かの検討をする必要があります（「参考事例集」26ページ参照）。

(2)　棚卸資産の売買取引以外の取引に係る独立企業間価格の算定に係る裁判例−東京高等裁判所平成20年10月30日判決（税務訴訟資料第257号−10846）−

①　事　実

　本件は、課税庁が控訴人Ｘと控訴人の国外関連者（Ｂ社、Ｃ社）との間で行われた役務提供取引（以下、本件国外関連取引という。）について、控訴人が国外関連者から支払を受けた対価の額が、租税特別措置法第66条の4第2項に独

立企業間価格に満たないとして同独立企業間価格により計算した所得金額を基に増額更正処分等を行ったことから、控訴人は課税庁が主張する価格は、独立企業間価格ではないとして、取消しを求めた事案です。

　争いになった取引内容については次のとおりです。X は平成11年11月30日事業年度までは、国外関連者から、プロ向けグラフィックソフトウェア等(以下、A製品という。) を仕入れて、それを国内の第三者である卸売業者に再販売していました。その後、取引形態が変わり、当該ソフトウェア等は国外関連者が設立したケイマン法人が直接国内の第三者である卸売業者に販売することとし、X は当該ソフトウェア等の販売促進・マーケティング、製品サポート等の役務の提供を行うこととし、双方で業務委託契約 (以下、本件業務委託契約という。) を締結し、その役務の対価をケイマン法人の100%子会社である B 社のシンガポール支店から受領することとしました。そして、平成13年12月以降は、ケイマン法人を清算してアイルランド法人 C 社を設立し C が直接国内の卸売業者に販売することとなりました。平成11年12月以降は、当該役務提供に係る対価に基づき法人税の申告をしていました。対価は純売上高の1.5%に直接費、間接費及び一般管理費を加算するというものでした。

　課税庁は、本件における独立企業間価格を「再販売価格基準法に準ずる方法と同等の方法」(以下、本件算定方法という。) によって算定していますが、具体的な内容は、本件国外関連者が国内の卸売業者に販売した売上高に、比較対象取引 (以下、本件比較対象取引という。) の売上総利益率を乗じて計算された金額をもって控訴人 X が受け取るべき通常の手数料額とすべきもの、すなわち独立企業間価格として更正したものでした。

② 　判決の主な要旨

　第一に、役務提供取引の場合における基本三法と同等の方法は、比較対象取引に係る役務が本件国外関連取引に係る役務と同種かあるいは同種又は類似であり、かつ、比較対象取引に係る役務提供の条件が国外関連取引と同様であるものを要するものと解するのを相当としています。

　第二に、課税庁が採用した本件算定方法についての主張立証責任は課税庁にあると判示されました。

　第三に、本件国外関連取引は、本件業務委託契約に基づき、本件国外関連取引者に対する債務の履行として卸売業者等に対して販売促進等のサービスを行うことを内容とするものであって、法的にも経済的実質においても役務提供取引と解することができるのに対し、本件比較対象取引は、本件比較対象法人が対象製品であるグラフィックソフトウェアを仕入れてこれを販売するという再販売取引を中核とし、その販売促進のために顧客サポート等を行うものであって、控訴人と本件比較対象法人とがその果たす機能において看過しがたい差異があることは明らかとしています。その上で、課税庁は、本件国外関連取引が仕入販売取引ではなく役務提供取引であることを前提に、A製品の販売において控訴人の果たしている機能及び負担しているリスクが受注販売方式を取る再販売取引における再販売者の機能及びリスクと類似しているので、本件算定方法は、再販売価格基準法に準ずる方法と同等の方法に当たると主張し、控訴人と異なる再販売固有機能は、（上記）販売促進の機能から純粋な商品の受発注及び配送手配、仕入金額の支払及び販売代金の受領等の事務処理作業に過ぎず、このような事務処理作業を通じて商品の取引価格や売上総利益率に影響するような多大な利益が生じ得ることは想定し難いから控訴人の利益率を算定するには、モノとサービスを販売する本件比較対象取引の利益率からモノを販売する取引の利益率を控除する必要はないとしています。しかし、裁判所は、再販売業者が行う販売促進等の役務の内容が控訴人の提供する役務の内容と類似しているとしても、およそ一般的に価格設定に関わるそれ以外の課税庁主張の上記要因等が単なる事務処理作業としてほとんど考慮する必要がないものといい難いのであって（本件において考慮する必要がないという具体的な証拠はない）、本件役務提供は取引において控訴人の果たす機能と本件比較対象法人の果たす機能との間には捨象できない差異があるものといわざるを得ないと判示しました。

　第四に、控訴人は販売を行っていないから、収受すべき手数料の中にA製

品の販売益が含まれていないにもかかわらず、本件比較対象法人の総売上率には、含まれていることとなります。租税特別措置法第66条の４第２項ロ（再販売価格基準法）でいう再販売価格とは異なる要素が含まれていることとなります。

　第五に、以上から、本件国外関連取引において控訴人が果たす機能、負担するリスクは、本件比較対象取引において本件比較対象法人が果たす機能及びリスクと同一又は類似であるということは困難であり、他にこれを認める証拠はありません。本件算定方法は、それぞれの取引の類型に応じ、本件国外関連取引の内容に適合し、かつ、基本三法の考え方からも乖離しない合理的方法とはいえません。そうすると、課税庁が本件算定方法を用いて独立企業間価格を算定した過程には違法があり、結局、租税特別措置法第66条の４第１項に規定する「当該法人が当該国外関連者から支払を受ける対価の額が独立企業間価格に満たない」という要件を認めることはできなくなるから、これを前提とする賦課決定も違法であると判示しました。

4. 企業グループ内役務提供(Intra Group Services)に該当しない場合

　企業グループ内役務提供（以下、IGSという。）すなわち、関連者間において役務提供取引をした場合には、その対価の額が独立企業間価格によって、妥当かどうかの検討をしなくてはなりません。当然に移転価格税制の対象となる取引に該当します。しかし、企業グループ内の関連者間において役務の提供をした、受けたという場合であっても、それが必ずしも経済的に又は商業的に価値を有しないものがあるとされています。つまり、行われるIGSの内容を見ると、例えば、いわゆるアウトソーシングといったような外部独立企業から提供可能なものをグループ内の関連者から提供を受けるといった場合、連結財務諸表のための本部監査、助言、社内システムの社員研修のような部内的に行われる場合等があり得ます。しかし、株主資格で行う株主活動に対して対価を求めることは認められません。

　このことは、親会社の立場からの問題にとどまらず、子会社における指導料等の支払の場合にも関連してきます。

　例えば、仮に内国法人の株主である外国法人が、経営指導料（マネジメントフィー）として内国法人から徴求している場合に、上記のような株主として当然に行っている行為に対する見返りをその請求の根拠理由としたものである場合には、その経営指導料については、必ずしも有償性が認められない場合もあり検討する余地があるように思われます。

　なお、「参考事例集」98ページ事例26において、企業グループ内役務提供に係る算定法に関する事例が紹介されています。

5. 無形資産の使用許諾等の取扱い（ロイヤリティーに係る独立企業間価格の算定）

　無体財産、特に特許権の供与のような場合は、排他的で他にないものの提供であることから現実には多くの場合、比較可能な取引等を見いだすことは困難ですが、考え方としては、類似の状況下における非関連者間で支払われるであろう対価の額が独立企業間価格となるということです。

　事務運営指針4−7は、「法人又は国外関連者が無形資産の使用を伴う国外関連取引を行っている場合には、比較対象取引の選定に当たり、無形資産の種類、対象範囲、利用態様等の類似性について検討することに留意する。」として基本的な考え方を規定しています。「参考事例集」では、事例11から16において無形資産に係る独立企業間価格の算定法に関する事例を紹介しています。

　なお、事務運営指針3−13では、法人又は、国外関連者のいずれか一方が、保有する無形資産を使用している場合に、その使用に関する取決めがないときは、譲渡があったと認めれる場合を除き、当該無形資産の使用許諸取引があるものとして当該取引に係る独立企業間価格の算定を行うとしています。

6．費用分担契約

(1)　概　説

　租税特別措置法第66条の4には、明確な規定はありません。したがって、その解釈通達である措置法通達においても規定は置かれていません。

　移転価格事務運営要領において、移転価格税制を執行する職員に対して運営指針の形で公表されています。事務運営指針3 – 15において、費用分担契約は、次のように規定しています。

　「費用分担契約とは、特定の無形資産を開発する等の共通の目的を有する契約当事者（以下「参加者」という。）間で、その目的の達成のために必要な活動（以下「研究開発等の活動」という。）に要する費用を、当該研究開発等の活動から生じる新たな成果によって各参加者において増加すると見込まれる収益又は減少すると見込まれる費用（以下「予測便益」という。）の各参加者の予測便益の合計額に対する割合（以下「予測便益割合」という。）によって分担することを取り決め、当該研究開発等の活動から生じる新たな成果の持分を各参加者のそれぞれの分担額に応じて取得することとする契約をい」うとして、具体的には「例えば、新製品の製造技術の開発に当たり、法人及び国外関連者のそれぞれが当該製造技術を用いて製造する新製品の販売によって享受するであろう予測便益を基礎として算定した予測便益割合を用いて、当該製造技術の開発に要する費用を法人と国外関連者との間で分担することを取り決め、当該製造技術の開発から生じる新たな無形資産の持分をそれぞれの分担額に応じて取得することとする契約がこれに該当する。」としています。

　これによれば、活動範囲を明確にする必要があります。そして、計量的には算定できなくても、どのような便益があるかということを定性的に明らかにする必要があります。例えば、新製品の製造技術の開発、ブランドの育成、特許の取得、販売ネットワークの構築、製造ノーハウの開発、新たなソフトウェアの開発、等です。そして、これにより将来の収益の増加が見込めるとか、将来

の製造原価が減少するといった便益があるといったことが必要となります。

(2)　費用分担（コストシェアー）の範囲

　範囲は、直接経費のみならず間接経費も含めたところで負担するということです。また、例えば親会社が何らかの無形資産をプロジェクトに提供した場合には、その使用料の分担ルールも策定しなければなりません。それからコストシェアーは一種の組合契約ですので、途中での参加や離脱といったものがあり得ます。あるプロジェクトにおける無形資産の使用については当初からそれを含めた負担割合とすべきものとなりますし、途中での参加や離脱の場合の費用負担を支払い、受領するといったルールみたいなものを入れておく必要があると思われます。

(3)　税務上の要件

　税務上の要件を満たすためには契約だけでなく、①参加者名、資本関係、事業内容を記載した書類、②締結までの交渉経緯を記載した書類、③予測便益割合の算定方法とそれを用いることとした理由、④費用分担額及び予測便益に用いた会計基準、⑤予測と実現のかい離の場合の調整方法、⑥新規加入、離脱等があった場合の無形資産の価値の算定に関する細目、⑦契約条件の変更、費用分担契約の改定等に関する書類、が要求されています。さらに締結後においても、①プロジェクトの費用内訳、②予測便益と実現利益のかい離の程度を記載した書類、③開発された無形資産等の参加者の持ち分の移動状況を記載した書類等、④新規参加あるいは脱退した者がいる場合にその間の事情を記載した書類、その他既存の無形資産を使用した場合には、その状況、開発された無形資産を使用する予定者で費用分担契約に参加しない者の名称等が必要となります。（事務運営指針 3 − 19）

(4)　受益者負担の原則

　税務における費用分担契約では、例えば、親会社の国際関係に関する費用を一定の割合で子会社に分担させようとする考え方ではありません。あくまでも前提として何らかの共通の将来便益があるということが前提です。繰り返しに

なりますが、具体的な組織内容、プロジェクト内容が必要となるということです。そして、それが各社共通に将来にわたり便益をもたらすという前提です（これは無形資産の使用料の測定が困難な場合がほとんどなので、そうした問題を解決するために、あらかじめ事前の視点でシェアーを決めておいて将来の移転価格の問題を回避しようとする方法です）。

第7節　国外関連者に対する寄附金の損金不算入
（実際取引価格と独立企業間価格との差額の処理と寄附金の扱い）

1．概　説

　国外関連者との取引価格が独立企業間価格と異なる場合には、独立企業間価格で取引が行われたと見なして法人税法その他法人税に関する法令の規定を適用することとされています（措法66の4①）。したがって、実際の取引の価格と独立企業間価格との差額は、損金の額に算入されないこととされています（措法66の4④）。

　さらに、国外関連者に対してなされた寄附金（日本国内に支店等を有するためその国外関連者において課税対象とされるものは除かれます）は、その全額が損金の額に算入されないこととされています（措法66の4③）。

　具体的な例を低価販売で説明すると、法人が独立企業間価格＄100の棚卸資産を＄90で販売した場合には、＄100で販売したものとして差額＄10を収益として益金加算し、資産増加に結びつかない実際取引の対価の額＄90と独立企業間価格＄100との差額＄10については損金不算入の社外流出処分とすることになります。

　逆に、棚卸資産の高価買入を例にとると、法人が独立企業間価格＄100の棚卸資産を＄110で国外関連者から購入した場合に、その商品を＄100で購入したものとして棚卸資産の取得価額を計上し、差額＄10については、損金不算入の社外流出処分とすることになります。いずれの場合も、寄附金とはなりません。

　差額の取扱いに関して、その差額の全部又は一部を国外関連者から返還を受

けるかどうかにかかわらず、利益の社外流出として取り扱うこととされています（措通66の4(9)－1）。

　法人が合理的な期間内に国外関連者からその国外へ移転した所得の金額を取り戻すこととし、その旨を所轄税務署長（調査課法人の場合は、国税局長）に届出をした場合には、その取り戻すこととした金額は益金の額に算入しないことができるとされています（措通66の4(9)－2）。

2. 移転価格課税と寄附金課税の異同

　具体的な事例を挙げて説明します。例えば、関係会社間の低利融資のような案件において、適正金利と収受額との差額につき、どのような場合に寄附金となるのか、又はどのような場合に移転価格税制の対象となるのかというケースです。どちらで課税されても多くの場合に、時価と独立企業間利率とは、ほぼ一致するはずですので各事業年度における課税所得に与える影響度は、ほとんど変わりはないものと考えますが、両者を区分する実際上の事由としては、①更正期限の期間が前者は原則5年で後者は7年といった点が異なってはいます。また、さらに、②寄附金には子会社整理のための損失負担（法基通9－4－1）、子会社等再建のための無利息貸付等（法基通9－4－2）のように合理的な理由がある場合には、寄附金の額とせずに損失として損金算入と認めるという扱いがあります。しかしながら、移転価格税制においては、このような事情を斟酌して課税を猶予するという規定はありません。こうした扱いの違いはあります。

　なお、通常寄附金した場合と寄附金限度額計算をしますが、国外関連者に対しては全額損金不算入となりますので、時価と独立企業間利率が一致するような場合には課税額に違いはありません。

(1)　移転価格課税規定と寄附金規定の課税要件

①　租税特別措置法第66条の４第１項の課税要件

> a 国外関連取引（資産の販売、資産の購入、役務の提供その他の取引）につき、b 国外関連者から受ける対価の額が独立企業間価格に満たないとき、c 又は、国外関連者に支払う対価の額が独立企業間価格を超えるとき、d 当該国外関連取引が独立企業間価格で行われたものとみなして、法人税法等を適用する。

　この要件から明らかなように、例えば法人税法第132条においては租税回避の意図は主要事実となりますが、租税特別措置法第66条の４においては租税回避の意図等は要件とはなっていないことに留意すべきです。また、検討しようとする対象が国外関連取引に該当し、通常、対価（対価とは与える利益に対する報酬「見返り」として当事者で約束したものと解されています）を伴うものが要件となっていることに注目してください。

②　法人税法第37条第８項の課税要件

> a 内国法人が、b 資産の譲渡又は経済的な利益の供与をした場合において、c その譲渡又は供与の対価の額が当該資産のその譲渡の時における価額又は当該経済的な利益のその供与の時における価額に比して低いときは、d 当該対価の額と当該価額との差額のうち実質的に贈与又は無償の供与をしたと認められる金額は、前項の寄附金の額に含まれるものとする。

　この要件で大事なことは、「差額のうちに実質的に贈与又は無償の供与をしたと認められる金額」という文言です。この場合の「実質的」とは、「贈与」とは、「無償の供与」とは、具体的に何をいっているのかということが問題となります。

③　「実質的」「贈与」「無償の供与」の意義

　次に、「実質的」、「贈与」、「無償の供与」の言葉の意義については、法人税法上の固有概念ではないので、判決・裁決事例等からの検討を試みることとします。「法人税法37条8項は、内国法人が実質的に贈与又は無償の供与をしたと認められる金額は、寄附金の額に含まれる。と規定しているが、この場合、取引に伴う経済的効果が贈与等と同視しうるものであれば足り、贈与の意思や時価との差額の認識は必要ない。」（大阪地裁昭和58年2月8日判決）、「寄附金は民法上の贈与のそれと実質的には同一であり、ただ移転の対象となるものが財産に限定されず、財産以外の経済的利益を含むという違いがあるだけであると解するのが相当である。そして、民法上の贈与には、財産上の給付が『無償ニテ』なされることを要し、ここにいう無償とは何らの対価を伴わない種々のものがあるとしても給付自体に対して反対給付を伴わなければ無償というのを妨げないものと解される。」（大阪高裁昭和58年3月30日判決）と判示しています。

　法人税法第37条第8項の低廉譲渡の解釈について、武田昌輔氏によれば、「法人税法37条6項（旧条項で現在第8項）は、低廉譲渡の場合の低廉である部分は寄附金とする旨を明確にしている。低廉譲渡には、いわば譲渡と贈与との混合契約であって、その中には一部贈与が含まれていることになるので、これも寄附金に該当することになる。もっとも、単に低廉譲渡であるというだけでは、寄附金になるのではなく、『実質的に贈与又は無償の供与をしたと認められる金額』が寄附金となることを明らかにしている。つまり、その一部が贈与したものであることを立証する必要がある。また、その寄附とされる物品や、経済的利益は、時価によるのである。」（武田昌輔主編『注解　法人税法』国税庁153ページ）としています。

　このような解釈を基礎に、紹介した判決・裁決事例を参照すると、「実質的」とは、合理的な経済目的・理由の存否をいい、「贈与」とは財産の贈与を指し、民法第549条の適用を受けるものと解されます。そして、「供与」とは、経済的利益の場合の供与を指し、贈与の場合と同様に民法第549条の適用を受けるも

のと解されます。そして、低廉譲渡は譲渡と贈与との混合契約であって、その中には一部贈与あるいは無償の経済的利益の供与が含まれていることになるので、これらの提供について実質的に贈与若しくは無償の供与が許されるような理由、すなわち経済的合理性がない場合にはこれも寄附金に該当することになるものと解されます。

④　移転価格課税と寄附金課税要件の違い

　金銭貸付取引のような場合の寄附金課税は、貸付の対価である金利の額が支払期日の到来等により利息債権等として、相手方に請求できることが確定したもの（つまり、貸手側において利息債権等が単独の財産として任意の処分が可能となった状態）で、かつ、贈与又は経済的利益の無償の供与を目的としてその利息債権等の全部又は一部につき債務免除が行われたと認められる部分について行われるということになります。したがって、移転価格課税は、対価の額は与える利益に対する報酬「見返り」として当事者で約束したものですので、債務免除がなされる前において、課税関係を発生させるということになるものと考えます。

(2)　事実認定と適用法規の具体的適用

　例えば、低金利貸付等のケースを検討する場合には、適格な事実認定が重要となります。①当事者の対価の額（対価とは与える利益に対する報酬「見返り」として当事者で約束したもの）はどれかということが最初に問われます。貸付利率を５％として当初約束していたものを、３％に改定した場合には、対価の額は当初５％で、改定後は３％となります。②合意された貸付利率は５％の場合に、収受している受取利息は３％で、かつ、それを改定した合意も認められないような場合には、貸付を行っている者が収受できる利息を一部免除した（経済的利益を供与）したと認定することができます。この場合は、対価の額は５％として課税法規を適用することとなります。③移転価格税制においては、対価の額がいくらかということが問題となります。①の事実認定により、対価の額が３％と認定された場合には、移転価格税制の適用により、当該対価と独立企

業間利率との比較により、差額が課税対象となります。④寄附金課税においては、債務免除された金額があるのかないのかが問題となります。上記②において当事者で約束したものが５％で、実際に受け取っている利息相当が３％でこの差額（債務免除された金額）は、貸手の自らの財産である金銭債権の一部（２％相当額）が、債務免除という方法で相手方に経済的利益として無償で供与されたものであって、本来的に有償性のないものであると考えられますので、移転価格税制の適用はないということになります（独立企業間利率が５％を超えていると、ここは移転価格税制の適用となります）。

　この場合に、租税特別措置法第66条の４第３項が規定されたことによって、独立企業間価格との対価の額の差額に対して、優先的に移転価格税制が適用されるのか、それとは反対に租税特別措置法第66条の４第３項が規定されたことにより、時価と対価の額の差額を実質的に無償で供与している場合には、逆に寄附金課税規定の適用を受けるのかという問題があるものと考えます。

　この問題に対して、「参考事例集」108ページ事例28（国外関連者に対する寄附金）の解説では、どちらが優先的にという考え方はなく、差額全体が実質的に経済的利益の供与として事実認定できるのであれば、租税特別措置法第66条の４第３項は、寄附金となるものは移転価格税制の対象にしない趣旨と解されますので、そのような場合には、移転価格税制の適用はなく寄附金課税となるということです。

⑶　まとめ

　移転価格税制は対価性のあるすべての取引をその適用の対象としています。したがって、本来対価の授受を伴わない金銭の贈与等は移転価格税制の対象外となります。このことを前提にして、今般の改正における事務運営指針３−20イ〜ハに共通している「金銭その他の資産又は経済的な利益の贈与又は無償の供与に該当する」ときの概念を検証すると、従来からの寄附金に対して考えられてきた概念の枠組みを確認しているだけにすぎないことが理解できます。

　すなわち、贈与なら民法第549条の要件を満たしている場合に法人税法上の

寄附金となります。有形物を無償で渡して対価を得ていない場合、これは、契約は確認できないが双方とも贈与した、あるいは受贈したという認識はあったと認定できるものと考えます。他方、無償の供与も経済的に贈与等と同視できるかどうかで判断されることになるものと思われます。後者の場合に、例えば金銭の貸付あるいは役務提供があったことを双方認識していて、それに対する対価がないということは、双方とも経済的利益の無償の供与を認識しているともいえます。ここが「実質的に」という視点ではないかと考えています。そうすると、このような場合には経済的に贈与等と同視でき得るものと解することができます（調査官がこうした点の指摘をできない場合は寄附金とは認定できないということでしょう。営利事業体である会社においては、外見上対価性がなくてもそれが過去の取引の精算と将来の事業の結びつき等関連づけることが可能の場合があるのではないかと推測します。つまり、双方認識していない場合の抗弁としてはこのような点がいえるかどうかということになります）。

寄附金等の認定は、課税関係前の私法関係において、贈与契約あるいはそれと同視し得る状況下にあることが前提となるはずです。

米国では APA（Advance pricing agreements：事前確認）等を締結した場合には、私法上の契約の変更をも要求していますが、我が国では、税務における処理の考え方が私法の関係にまで影響を及ぼすことはありません。つまり、APAで合意した利益率で申告を行うということで、実際の取引額との乖離の是正までは要求されません。

ですので、我が国の場合は、移転価格税制の場合にその前提が私法関係に依拠していながら課税の前提となる私法関係がはっきりしないときに「実質的に」という概念で課税関係を決め、しかもその意義について租税法の中では定義していないことが問題だと考えます。

さらにいえば、深刻な問題は低価販売等の場合です。法人税法第37条第8項の「時価と対価の差額」と「独立企業間価格と対価の差額」の違いは外観的事象としては明確ではありません。

　したがって、これまで述べてきたように契約等で差額が贈与等であることを証明することができる場合、もっとも贈与若しくは無償の供与の動機に経済的合理性がある場合には、寄附金の範ちゅうで課税関係を決定するということが可能となりますが、実質的に見ても贈与若しくは無償の供与と認められない場合には、結局のところ独立企業間価格（測定できるとして）との差額として移転価格税制の適用範囲となるものと考えます。

第8節 第三者介在取引への措置法66条の4の適用と独立企業間価格の推定による認定課税

1. 第三者介在取引と租税回避

(1)　概　要

　移転価格課税制度は、法人と国外関連者との取引価格が独立企業間価格によっていない場合に、独立企業間価格に引き直して課税するという仕組みを採っていますが、法人と国外関連者との間に非関連企業を介在させることにより移転価格課税を回避することが可能となります。そこでこのようなループホールを遮断するため、法人が国外関連者との取引を、非関連者を通じて行っている場合には、当該法人と非関連者との取引は、当該法人の国外関連取引とみなして、移転価格課税制度を適用することとしています（措法66の4⑤）。

(2)　第三者介在取引となる要件

　そこで、どのような場合に、「通じて行う」ことになるのかが問題となりますが、法人（又は国外関連者）と非関連者との間の取引の対象となる資産が国外関連者（又は法人）に販売、譲渡、貸付又は提供されることが取引を行った時に契約その他であらかじめ定まっている場合で、かつ、販売、譲渡、貸付又は提供に係る対価の額が法人と国外関連者との間で実質的に決定されていると認められる場合がこれに当たります（措令39の12⑨）。

　法人と非関連者との取引が、国外関連取引と認められた場合は、例えば法人が非関連者に＄80で販売した商品の独立企業間価格が＄100であるとき、非関

970

連者が果たした機能について、実質当該法人が果たしているとすると差額＄20は所得移転があったとされます。なお、措法通達66の４⑿－１では、例えば、再保険契約のように取引対象が保険リスクであり、同様の保険リスクを第三者を介して国外関連者が負担することとする取引が含まれることを明らかにしています。

(3)　みなし国外関連取引の独立企業間価格

第三者介在取引とされる場合には、当該非関連者を国外関連者と見なして独立企業間価格を算定するのではなく、法人と非関連者との取引が直接法人と関連者との間で行われたものとみなして独立企業間価格を算定するのです（措令39の12⑩）。

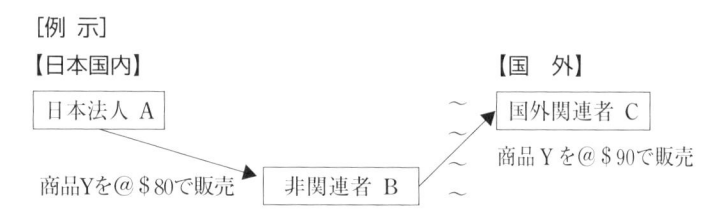

［例　示］

日本法人Ａと国外関連者Ｃとの取引における独立企業間価格（ALP）を＠＄100とすると、差額は、＄100－（＄90－＄80）－＄80＝＄10となります。したがって、国外関連取引とみなされる法人と非関連者との取引に係る独立企業間価格は、＄90となります。すなわち、非関連者Ｂを通じることにより本来＄100で輸出すべきところ、国外関連者Ｃには＄90で販売し結果として＄10の所得移転が行われたこととなります。

2.　独立企業間価格の推定による課税の適用

法人が独立企業間価格を算定するために必要と認められる書類、帳簿又はこれらの写しを課税当局が求めた場合に、遅滞なく提示又は提出しなかった場合には、税務署長は、次に掲げる方法により算定した金額を独立企業間価格と推

定して更正又は決定をすることができるとされています（措法66の4⑧）。

　⑴　法人が国外関連者と行った取引に係る事業と同種の事業を営む法人で事業規模その他の事業の内容が類似するものの売上総利益率又はこれに準ずる割合を用いて算定した金額を再販売価格基準法、原価基準法若しくはこれらの方法と同等の方法

　これに準ずる割合とは、売上総利益の額に対する総収入金額又は総原価の額に対する割合とされています（措令39の12⑲）。

　⑵　その他政令に定める方法とこれらの方法に類するものとして政令で定める方法

　その他政令で定める方法とは、棚卸資産の場合は、以下の①から⑦に掲げる方法（ただし、⑥及び⑥に準ずる方法は、①から⑤及びこれらに準ずる方法が用いることができない場合に適用できる。）とし、棚卸資産以外の場合は、①又は⑧の方法とします（ただし、⑥に掲げる方法と同等の方法は、⑦と同等の①から⑤までの方法と同等の方法が用いることができない場合に限り適用できます。）（措令39の12⑳）。

　①　寄与度利益分割法に類似した方法

　　企業集団の財産及び損益の状況を連結した決算書類による所得を国外関連取引に係る事業の費用、使用した固定資産の価額その他これらの者が当該所得に寄与した程度を推測するに足りる要因に応じてこれらの者に帰属するものとして計算した金額を対価の額とする方法

　②　再販売価格基準法に類似した方法

　　国外関連取引に係る棚卸資産の買手が非関連者に対して当該棚卸資産を販売した価格から、当該価格に次のイに掲げる金額にロに掲げる金額に対する割合を乗じて計算した金額に当該国外関連取引に係る棚卸資産の販売に要した販売費及び一般管理費を加算した金額を控除した金額をもって、当該国外関連取引の対価の額とする方法

　　イ　当該国外関連取引に係る事業と同種又は類似の事業を営む法人で事業

規模その他の事業内容が類似するものの当該国外関連取引が行われた日を含む事業年度又はこれに準ずる期間の当該比較対象事業年度に係る棚卸資産の販売による営業利益の合計

ロ　当該比較対象事業年度の当該比較対象事業に係る棚卸資産の販売による収入金額の合計額

③　原価基準法に類似した方法

国外関連取引に係る棚卸資産の売手の購入、製造その他の行為による取得の原価に、次のイに掲げる金額にロに掲げる金額のハに掲げる金額に対する割合を乗じて計算した金額及びイ⑵に掲げる金額の合計額を加算した金額をもって当該国外関連取引の対価の額とする方法

イ　次に掲げる金額の合計額

⑴当該取得原価

⑵当該国外関連取引に係る棚卸資産の販売に要した販売費及び一般管理費

ロ　当該国外関連取引に係る事業と同種又は類似の事業を営む法人で事業規模その他の事業内容が類似するものの当該国外関連取引が行われた日を含む事業年度又はこれに準ずる期間の当該比較対象事業年度に係る棚卸資産の販売による営業利益の合計額

ハ　当該比較対象事業年度に係る当該比較対象事業に係る棚卸資産の販売に係る棚卸資産の販売による収入金額の合計額からロに掲げる金額を控除した金額

④　再販売価格から、次のイに掲げるロの割合を販売費及び一般管理費の合計に乗じて算出された金額を控除した金額を対価の額とする方法

イ　当該国外関連取引に係る事業と同種又は類似の事業を営む法人の当該国外関連取引が行われた日を含む事業年度等に係る棚卸資産の販売による営業利益

ロ　当該比較対象事業年度に係る棚卸資産の販売のために要した販売費及

び一般管理費

⑤　取得原価に次のイに掲げるロの割合を販売費及び一般管理費の合計に乗じて算出された金額を加算した金額を対価の額とする方法

　　イ　当該国外関連取引に係る事業と同種又は類似の事業を営む法人で事業規模その他の事業の内容が類似するものの当該比較対象事業年度に係る棚卸資産の販売による営業利益の合計額

　　ロ　当該比較対象事業年度に係る棚卸資産の販売のために要した販売費及び一般管理費の額

⑥　DCF法

　　当該棚卸資産の販売時又は購入時のその棚卸資産の使用その他の行為による利益が生ずることが予測される期間内の当該利益を合理的な割引率を用いて販売時又は購入時の現在価値として割り引いた金額の合計額をもって、当該国外関連者との取引の対価の額とする方法です。

⑦　②③④⑤⑥に掲げる方法に準ずる方法

　　②③④⑤⑥に掲げる方法に準ずる方法が認められています。できるだけ独立企業間価格の算出が可能となるような規定ぶりです。

⑧　②③④⑤⑥に掲げる方法と同等の方法

　　適用順位をまとめますと、以下のようになります。

　　（第一順位）再販売価格基準法に対応する方法又はこれに準ずる方法（これらと同等の方法を含みます。）、原価基準法に対応する方法又はこれに準ずる方法（これらの方法と同等の方法を含みます。）

　　（第二順位）利益分割法、取引単位営業利益法に対応する方法又はこれに準ずる方法（これらの方法と同等の方法を含みます。）

　　（第三順位）DCF法に対応する方法又はこれに準ずる方法（これらの方法と同等の方法を含みます。）

この規定の趣旨は、移転価格税制は多様な要因で決定される取引価格の妥当

性を問題とするものであることから、問題となる取引価格の決定根拠やその他の資料について納税者及びその取引相手方である国外関連者の協力が不可欠であることから、納税者側の協力を担保し、この制度の適正公平な執行の確保と実行可能ならしめるため設けられたものです。

　独立企業間価格算定に必要とされる書類等とは、用いる方法により必要となる書類も異なりますが、CUP法であれば、法人が第三者と行った取引に関する資料がそれに該当するということになります。書類等を提示すべき時期は、提出を求められてから可及的速やかにということになりますが、求められた資料の内容と量からどれだけの時間を要するかということが計られ、それによって判定されることとなるものと考えます。推定にあたって、「同種の事業を営む法人で事業規模その他の事業の内容が類似するもの」と比較することとなりますが、比較可能性は個々の事案により検討されることとなります。一般的には、単に卸売業とか製造業とかといった広い尺度でとらえるのではなく、問題となっている取引の対象資産と類似の資産の卸売業者、あるいは製造業者と比較するということになるものと考えます。事業内容についても、粗利益率でそれほど差異が見込まれないような同業者の利益率を採用することになります。

　この推定課税が適法になされた場合には、納税者は自己の主張する価格が法定された方法による独立企業間価格であることを立証しない限り、課税当局の算定した価格が独立企業間価格ということになります（推定規定に関する裁決平成18年9月4日裁決（「裁決事例集」72集424ページ））。

移転価格税制に係る納税の猶予制度

1. 制度創設の趣旨

　クロスボーダー取引に対する移転価格税制の適用は、企業に経済的二重課税の負担を生じさせることとなります。その二重課税は、多くの場合相互協議によって、二国間の課税権が調整され、一方の国の増額課税と他方の国の減額処理によって解消されるわけですが、合意に至る間（通常 2 ～ 3 年ほど要するといわれていますが）、二重課税に係わる企業の資金負担は、その課税が巨額になる傾向にありました。このような二重課税による資金負担を軽減するために納税を猶予すべきとの指摘が税制調査会で指摘されていました。また、諸外国においても、米、英、独、仏をはじめ多くの国において相互協議期間の納税を猶予しています。また、OECD 租税委員会は、2007年 1 月に「効果的な相互協議マニュアル」を承認し 2 月に公表しています。その中で、「租税の徴収を二重課税排除の手続きに入る条件とすることは、一般的に不合理なものと考えられる。」と記述しています（「改正税法のすべて（平成19年版）」大蔵財務協会　545ページ）。こうした趣旨から、平成19年度税制改正により一定の要件の下で制度導入が図られました。

2. 制度内容

　移転価格税制の更正又は決定を受けた者が、租税条約に規定する協議、相互協議といいますが、申立てをした上で申請をしたときは、移転価格税制の更正

又は決定に係る法人税（相互協議の対象となるものに限られます）及びその加算税の納税を猶予することとされました。納税の猶予は納期限又は納税の猶予の申請の日のいずれか遅い日を始期とし、相互協議の合意に基づく更正があった日の翌日から1か月を経過する日を終期とする期間について認められます。ただし、納税の猶予をする場合には、猶予する金額に相当する担保が徴されることとされています。また、納税の猶予をした国税に係る延滞税のうち猶予期間に対応する部分は免除することとされました。

　適用対象者は、移転価格税制の更正又は決定を受けた内国法人のうち、租税条約の規定に基づき国税庁長官に対してその租税条約に規定する申立てをした者とされています（措法66の4の2①）。また、我が国において、移転価格税制の更正又は決定を受けた外国法人が租税条約の規定に基づきその本店所在地国の権限ある当局に対して相互協議の申立てをした場合にも納税の猶予を受けることができます。ただし、他に国税の滞納がある場合は猶予は受けることはできません。

　税務署長等は、納税の猶予をする場合には、その猶予に係る金額に相当する担保を徴さなければならないこととされています（措法66の4の2②）。また、担保を徴する場合に、その猶予に係る法人税につき滞納処分により差し押さえた財産があるときは、その担保額は、その猶予をする金額からその財産の価額を控除した金額を限度とすることとされています（措法66の4の2③）。納税の猶予をする場合には、税務署長等はその旨、猶予に係る金額、猶予期間その他必要事項を納税者に通知することとされています（措法66の4の2④）。次の事項に該当する場合は、税務署長等は、その猶予を取り消すことができることとされています（措法66の4の2⑤）。①相互協議の申立てを取り下げたとき、②相互協議に必要な書類の提出につき協力しないとき、③繰上請求に該当する事実がある場合において、その者がその猶予に係る法人税を猶予期間内に完納することができないと認められるとき、④その猶予に係る法人税につき提供された担保について、税務署長等がした担保変更命令に応じないとき、⑤そのほか、

その者の財産の状況その他の事情の変化によりその猶予を継続することが適当でないと認められるとき。なお、取り消すときは、あらかじめ、その猶予を受けた者の弁明を聞かなければならないことと、その通知をすることとされています。納税の猶予をした法人税に係る延滞税のうち、納税の猶予期間に対応する部分の金額は免除することとしています（措法66の4の2⑦）。納税の猶予を受けようとする者は、相互協議の申立てをしたことを証する書類を添付し、税務署長に申請書を提出しなければなりません（措法66の4の2⑧）。平成19年4月1日以後に移転価格税制に係る納税の猶予の申請が行われる場合に適用されています（改正法附則98、121）。

第10節 事前確認（事前確認方式導入の趣旨、手続）

1. 確認方式導入の趣旨

　個別通達（昭62・4　査調5-1　外2　共同「独立企業間価格の算定方法等の確認について」通達）は、いわゆる確認方式導入の趣旨について、次のように述べています。

　　「租税特別措置法第66条の5第2項《国外関連者との取引に係る課税の特例》に規定する独立企業間価格の算定方法（以下「独立企業間価格の算定方法」という。）に関して、法人の申出を受けて、当該法人が採用する最も合理的と認められる独立企業間価格の算定方法等を確認することにより、移転価格税制の適正、円滑な執行を図ることとするものである。

　　我が国の移転価格税制は、申告型調整方式の制度を採用している。この制度の下では、法人は法人税の申告に当たっては、国外関連者との取引につき自ら独立企業間価格を算定し、それに基づいて当該国外関連取引が行われたかどうかを検討し、異なることにより所得が減少している場合には、自ら算定した独立企業間価格に置き直して所得計算し申告することとなる。」

　国外関連取引に付された価格等が独立企業間価格で行われたかどうかを検証するにあたって、企業内部に比較可能な非関連取引が存在すれば問題はないと考えますが、非関連取引がなく基本三法による検証を行おうとすると外部情報の入手に努めなくてはならないこととなります。すなわち、第三者間の外部取引情報の把握が必要となります。一般に第三者間の取引情報を所有している企

業は、当該企業にとって競争者です。課税当局には質問検査権に基づく情報入
手が可能であるが質問検査権のない企業にとって販売価格、売上原価利益率等
の情報を競争者から入手することは困難と考えられます。

　そこで、当局との間で法人自身が選定した算定方法について事前に確認をす
ることは、法人の予測可能性、法的安定性といった視点からきわめて重要な手
続と考えられます。

2. 確認の手続

① 　確認の対象

　法人は、国外関連取引の全部又は一部の取引の独立企業間価格の算定に関し
て、次に掲げる事項につき所轄税務署長（調査課所管法人にあっては所轄国税局
長）に対し、確認を求めることができます。

　　i 　当該法人が採用する最も合理的な独立企業間価格の算定方法

　　ii 　i を証明するために必要な資料

② 　資料の提出

　事前確認の申出は、確認を受けようとする事業年度の開始の日までに所轄税
務署長に提出するものとされています。

　所轄税務署長は、法人から確認の申出を受けた場合には、当該法人及び当該
法人が属する産業における価格形成の実態を利用し得るあらゆる資料情報を
使ってできるだけ正確に把握し、申出に係る国外関連取引と比較する取引の適
否及び当該国外関連取引との各種の差異の調整等について当該法人と協議する
こととしています。このため所轄税務署長は、当該法人に対し、申出に係る国
外関連取引と比較対象取引との比較及び比較する際に必要な差異の調整につい
て検証等が行えるよう資料の提出を求めるものとされています。

③ 　審査結果の通知

　所轄税務署長は、確認の申出を行った法人に対して、当該申出の審査の結果
を文書で通知するものとされています。

④　確認の改定及び取消し

　所轄税務署長は、法人から事情の変更により確認の改定の申出があった場合には、これを受理し、所要の処理を行うものとされています。また、所轄税務署長は、確認の基礎となった事実関係の変化及び新たな資料の把握等により、既に確認した独立企業間価格の算定方法が「最も合理的な方法」ではないと認められる場合には、当該確認を将来に向かって取り消すものとされています。ただし、当該確認の基礎とした事実関係が真実でないときは、遡及して取り消すことができるものとされています。

⑤　確認申出書の様式

　法人が独立企業間価格の算定方法等について確認の申出を行う場合には、所定の「独立企業間価格の算定方法等の確認に関する申出書」の様式に必要事項を記載して所轄税務署長もしくは国税局長に提出することとされています。

3. 確認方式の効果

　課税当局が確認する行為は、個別通達に基づき行う行政上の事実行為であって、法令に基づくものではありません。しかし、確認した事柄については信義則上それに拘束されることとなります。すなわち、確認された方法により申告がなされている限りにおいて調査で問題となることはありません。その意味で、法人にとっては無用な心配がなくなることになるでしょう。

　この確認方式の効果は、我が国の課税当局と法人との合意に基づくものであるから、その効果は、外国の課税当局にまで及ぶものではなく又拘束するものでもありません。しかし、仮に外国の課税当局において我が国で確認された方法と異なる方法で課税がされた場合においては、相互協議等の場で我が国の課税当局が確認をした方法で課税されるよう外国の課税当局に理解を求めていくことになるものと考えます。

4. 相互協議との関係

　事前確認における当局との合意だけでは、外国政府を拘束しませんので、移転価格税制による課税リスクは払拭できません。そこで、事前確認の方式でよいかどうかの協議を国外子会社の存在国の政府との間で行い確認ができれば企業にとって最も望ましいものとなります。そこで租税条約の規定に基づいて、事前確認の申出により二国間ないしは多国間で確認内容について相互協議を行い、我が国、外国課税当局間で合意した内容に基づいて決定された算定手法、その具体的な内容をもって、今後国外関連者との間の価格を決定して取引を行うということになります。具体的な手続は、「移転価格事務運営要領第6章事前確認手続」に従って行われます。次の24項目が規定されています。

　「事前確認の方針、事前確認の申出、資料の添付、翻訳文の添付、確認申出書の補正、確認申出書の送付等、確認対象事業年度、事前確認の申出の修正、事前確認の申出の取下げ、事前相談、事前確認審査、事前確認に係る相互協議、局担当課又は庁担当課と庁相互協議室との協議・連絡、事前確認を行うこと又は事前確認審査を開始することが適当でない場合、事前確認の通知、事前確認の効果、報告書の提出、報告書の取扱い、事前確認に基づく調整等、事前確認の改定、事前確認の取消し、事前確認の更新、確認対象事業年度前の各事業年度への準用、法人が連結グループに加入した場合等の取扱い」

第11節　その他の規定

1. 国外資料の入手義務

　平成28年改正前においては、税務職員は、法人と国外関連者との取引に関する調査について必要があるときは、当該法人に対してその国外関連者が保存する書類若しくは帳簿又はこれらの写しの提示を求めることができ、法人は要求のあった書類等の入手に努めなければならないとされていました（旧措法66の4⑧）。

　これは、国内にある法人が保有する資料等については提示等を受ける状況にありますが、国外関連者が保有する資料等については必ずしもそのような状況にないことから規定されたものです。この規定は努力規定であるから特に罰則等はありませんでした。平成28年度改正において、入手努力義務から「当該国外関連者が保存する帳簿書類又はその写しの提示又は提出を求めることができる。」と義務化されました（措法66の4⑯）。

2. 比較対象企業に対する質問検査権限

　法人税法第154条は「法人に対し、金銭の支払若しくは物品の譲渡をする義務があると認められる者又は金銭の支払若しくは物品の譲渡を受ける権利があると認められる者に質問し、又はその事業に関する帳簿書類を検査することができる。」と規定（平成23年11月改正により削除。次ページ参照）し、調査法人と取引関係にある者のいわゆる反面調査ができることとされています。

　ところで、移転価格税制においては法人と関連者との取引価格の妥当性を検討するためには、どうしても類似の商品等を取り扱う同業者等から第三者との取引に関する情報を入手する必要があります。

　法人税法の規定では、取引関係にない者に対する調査権限は認められていません。そこで本税制においては、法人が独立企業間価格を算定するために必要と認められる書類、帳簿又はこれらの写しを課税当局が求めた場合に、遅滞なく提示又は提出しなかった場合には、その必要と認められる範囲内において、当該国外関連者との取引に係る事業と同種の事業を営む者に質問し又は当該事業に関する帳簿の検査をすることができるとされ、この質問に対して答弁を拒否、妨げ、忌避をした者、17項18項の規定による帳簿書類等の提示又は提出の要求に対してこれに応じず、又は偽りの記載若しくは記録をした帳簿書類（その写しを含む）を提示若しくは提出した者には、罰金が課せられることとされています（措法66の4㉒）。

　この他、質問検査権限規定に関して、職員の身分証明書の携帯・提示義務規定、罰則、法人の代表者に対する両罰規定等が定められています（措法66の4㉑㉒㉓）。

　なお、平成23年11月30日に成立した「経済社会の構造の変化に対応した税制の構築を図るための所得税法等の一部を改正する法律」（平成23年12月2日公布）により、国税通則法第74条の7が新たに規定され、税務職員は調査において必要があるときは、提出物件を留め置くことができることとされました。これを受けて新租税特別措置法第66条の4（移転価格税制）第13項においても、「独立企業間価格を算定するために必要があるときは、前項の規定に基づき提出された帳簿書類（その写しを含む）を留め置くことができる。」と規定されました。この改正は平成25年1月1日以後に同種の事業を営む帳簿書類について適用されます（附則第68条、84条関係）。また、更正の請求期間が1年から6年に延長されますが、この法律の公布日以後法定申告期限が到来する法人税について適用されます（附則第68条、84条関係）。

3. 国外関連者に関する明細書の添付

　法人は、各事業年度において国外関連者との取引がある場合には、当該国外関連者の名称及び本店等の所在地その他事項を記載した書類を確定申告書に添付しなければなりません（措法66の4㉕、同規22の10）。

4. タックス・ヘイブン税制との関係

　移転価格税制でいう国外関連者がタックス・ヘイブン税制でいう特定外国子会社等に該当する場合には、内国法人に対する移転価格税制による所得の増額課税とタックス・ヘイブン税制による特定外国子会社等の留保所得金額の合算課税とが二重に行われるのかの疑問が生じますので整理する必要があります。

⑴　国外関連者と特定外国子会社等の異同

　国外関連者とは、法人との間に次の関係のある外国法人をいいます。

　　①一方の法人が他方の法人の株式等の50％以上を直接・間接に保有する関係

　　②両方の法人が同一の者によってそれぞれその株式等の50％以上を直接・間接に保有される関係

　　③一方の法人が他方の法人の事業方針の全部又は一部につき実質的に決定できる関係

　一方、特定外国子会社等とは、次の要件を備える外国法人をいいます。

　　①その発行済株式等の50％超が内国法人等によって直接及び間接に保有されていること

　　②軽課税国に本店又は主たる事務所を有すること

　株式の保有関係では、国外関連者が「50％以上」が要件となり、特定外国子会社等では「50％超」が要件となっていることから、例えば51％の保有関係がある場合に、両税制が二重に適用可能となります。

⑵　二重課税の排除の方法

　当該外国子会社等に係る内国法人との間の取引につき、移転価格税制を適用

985

した場合には、当該取引が独立企業間価格で行われたものとして、当該外国子会社等に係る所得の計算をすることとして移転価格税制とタックス・ヘイブン税制による二重課税が排除されています（措令39の15①一（　）書）。

［例 示］

ALP（独立企業間価格）＄100

| 日本法人 A | → | 特定外国子会社
（100％子会社）す
べて利益は留保 | → | 第 三 者 |

　　　　　輸出価格＄80　　　　　　　　　　　　　　　販売価格＄120
　　　　　　　　　　　　　　　　　　　　　　　　　　＊＄1＝100円とします。

　第一段階として、日本法人Aにおいては移転価格により2,000円（＄100－＄80＝＄20）加算することとなります。第二段階として、日本法人Aにおいてタックス・ヘイブン税制により留保所得4,000円（＄120－＄80）が合算されることとなります。ここで課税留保所得4,000円のうち2,000円は、このまま合算されると二重課税の状態となるので、特定外国子会社の未処分所得から2,000円を控除した残高2,000円を合算課税の対象となる課税対象金額とすることになります。

5. 移転価格税制の更正等の期間制限

　課税当局が更正できる期間については、国税通則法第70条に規定されています。偽りその他不正行為がある場合は7年、その他の場合は5年とされています。したがって、移転価格に伴う更正についても原則は5年経過すると行えないこととなります。一般に、移転価格事案においては、独立企業間価格の算定に長期間を要すること、諸外国における時効制度の違いから、更正決定できる期間が5年から6年に延長されていました。さらに、令和元年度税制改正で7年に延長されました。すなわち、移転価格税制に基づいて行われる法人税の更正決定及び加算税の賦課決定の期間制限は7年となっています（措法66の4㉖）。

6．国税徴収権の消滅時効

　国税徴収権についても、国税通則法第72条により原則として法定納期限から5年で時効により消滅すると規定されています。

　移転価格事案においては、更正決定できる期間が6年に延長されているところから、国税徴収権の消滅時効が完成する期間についても法定納期限から6年とされています。

　すなわち、法人が国外関連者との取引を独立企業間価格と異なる対価の額で行ったことに伴い、納付すべき税額が過少となったり、還付金の額が過大となった法人税に係る国税の徴収権の時効は、法人税の法定納期限から2年間は進行しないこととされています（措法66の4㉘）。

7．書類の保存期間

　青色申告法人は、貸借対照表、損益計算書その他帳簿書類を7年間保存しなければなりません。ただし、取引に関して受け取った注文書、契約書、送り状等の書類については5年とされています（法規59①）。

　移転価格事案に関して、更正決定の期間制限が6年に延長されることに伴い、1億円以下の法人等が保存する注文書、見積書、契約書、請求書、領収書等の書類についても、国外関連者との取引に関して作成し受領した書類（棚卸資産の引渡し又は受入れに際して作成されたものは除かれます）に関しては7年間保存する必要があります（措規22の10⑦）。

第12節　外国法人の内部取引に係る移転価格税制の適用

1．制度の概要

　恒久的施設を有する外国法人の平成28年 4 月 1 日以後開始する各事業年度において、当該外国法人の本店等と当該恒久的施設との間の内部取引の対価の額が、独立企業間価格と異なることにより、当該外国法人の恒久的施設に帰属する所得が過少となるときは、当該外国法人の国内源泉所得に係る法人税に関する法令の規定の適用については、独立企業間価格により計算した金額により課税するという制度です（措法66の 4 の 3 ①）。

2．外国法人の本店等

　外国法人の本店等とは、法人税法138条 1 項 1 号に規定する当該法人の本店、支店、工場その他これらに準ずるものであって当該恒久的施設以外のものをいうとされています（措法66の 4 の 3 ①かっこ書）。

3．独立企業間価格

　内部取引が次の取引のいずれかに該当するかに応じて、それぞれに定める方法のうち、当該内部取引の内容、当事者が果たす機能その他の事情を勘案して、当該内部取引が独立の事業者の間で通常の取引の条件で行われるとした場合の当該内部取引の対価の額とされる額です（措法66の 4 の 3 ②）。

① 棚卸資産

　イ　独立価格比準法

　ロ　再販売価格基準法

　ハ　原価基準法

　ニ　イからハに掲げる方法に準ずる方法その他の方法等

② 棚卸資産以外の取引

　①に掲げる方法と同等の方法

4. 国外関連者に対する寄附金

　恒久的施設と本店等との間の寄附金に相当する内部取引がある場合は、全額損金不算入となります（措法66の4の3③）。

5. 同時文書化義務

　当該内部取引がある外国法人は、租税特別措置法第66条の4の3①に規定する独立企業間価格を算定するために必要と認められる書類として財務省令に定める書類を申告書提出期限までに作成し、保存しなければなりません（措法66の4の3④）。

6. 同時文書化義務の免除

　次の要件に該当するときは、同文書化義務は免除されます（措法66の4の3⑤）。

① 内部取引の対価の額の合計額が50億円未満であること

② 内部取引（無形資産（有形資産及び金融資産以外の資産として政令で定めるものを含む）の譲渡若しくは貸付（資産に係る権利の設定その他他の者に資産を使用させる一切の行為を含む）又はこれらに類似する取引に相当するものに限る。）の対価の額とした額の合計額が3億円未満であること

7. 独立企業間価格算定書類等の提出等がない場合の同業者調査の明確化

① 同時文書化対象国外関連取引に係る同業者調査

　国税庁等職員が同時文書化対象国外関連取引に係る同時文書化が義務付けられている書類の提出を求めた場合は、求めた日から45日を超えない範囲内においてその求めた書類、その写し、もしくは提出の準備に通常要する日数を勘案して当該職員が指定する日までにこれらの書類の提示若しくは提出がなかったとき、又は法人に当該国外取引に係る独立企業間価格を算定するために重要と認められる書類、又はその写しの提示若しくは提出を求めた日から60日超えない範囲内に提出準備に通常要する日を勘案した日までに提示若しくは提出がなかったときは、当該法人の該当同時文書化対象国外関連取引に係る事業と同種の事業を営む者に質問し、当該事業に関する帳簿書類を検査し、又は当該帳簿書類の提示若しくは提出を求めることができることとされました（措法66の4の3⑥）。

② 同時文書化免除国外関連取引に係る同業者調査

　国税庁等職員が同時文書化対象国外関連取引に係る独立企業間価格を算定するために重要と認められる書類の提出又は提示を求めた場合は、求めた日から60日を超えない範囲内に、提出等の準備に要する日を勘案して当該職員が指定する日までにこれらの書類の提示若しくは提出がなかったときは、当該法人の該当同時文書化対象国外関連取引に係る事業と同種の事業を営む者に質問し、当該事業に関する帳簿書類を検査し、又は当該帳簿書類の提示若しくは提出を求めることができることとされました（措法66の4の3⑦）。

8. 帳簿書類の留め置き

　国税庁の当該職員又は法人の納税地の所轄税務署若しくは所轄国税局の当該職員が外国法人の内部取引に係る第1項に規定する独立企業間価格を算定する

ために必要があるときは、上記 7 の規定に基づき提出された帳簿書類（その写しを含む）を留め置くことができます（措法66の 4 の 3 ⑧）。

9．質問検査権

ここでの質問検査権は、犯罪捜査のために認められたものと解してはならないとされています。したがって、あくまでも移転価格調査は、行政処分を目的としたものですので、この質問検査権により収集した資料等は、脱税事件といった刑事処分を目的としての証拠とはなり得ないことを意味します（措法66の 4 の 3 ⑨）。

10．身分証明書の提示

質問検査権を行使する課税庁職員は、その行使の際に、身分証明書を携行し請求があったときはこれを提示しなければならないとしています（措法66の 4 の 3 ⑩）。

11．罰則規定

質問検査権の行使を妨げる、偽りの答弁をする、忌避等、又は偽りの書類提示等をした場合は30万円以下の罰金が課されます（措法66の 4 の 3 ⑪）。

12．罰則規定が適用される行為者

法人の代表者又は法人若しくは人の代理人、使用人その他の従業者が、その法人又は人の業務に関して上記11に反する行為をしたときは、その行為者を罰するほか、その法人又は人に対して上記11に規定する刑を科するとしています（措法66の 4 の 3 ⑫）。

13．人格のない社団等の取扱い

人格のない社団等に対して第12項の適用がある場合は、その代表者又は管理

人がその訴訟行為につきその人格のない社団等を代表するほか、法人を被告人又は被疑者とする場合の刑事訴訟に関する法律の規定を準用すると規定しています（措法66の 4 の 3 ⑬）。

14．移転価格税制の規定の準用

　内部取引につき、この条文を発動するときには、移転価格税制と同様にその規定を準用することとされています（措法66の 4 の 3 ⑭）。

　なお、令和元年度の税制改正において、措法66の 4 が改正されましたが、本条項も同様に改正が行われています。

15．文書化

　移転価格税制と同様に外国法人の内部取引に係る独立企業間価格の算定に必要な書類については、提示されるべき書類は規定されています（措規22の10の 3 ）。

①　内部取引を記載した書類（措規22の10の 3 ①一）

　イ　当該内部取引に係る資産の明細及び役務の内容を記載した書類

　ロ　当該内部取引に係る外国本店等及び恒久的施設が果たす機能並びに当該国外関連取引において当該外国法人の外国本店等及び恒久的施設が負担するリスク（為替相場の変動、市場金利の変動、経済事情の変化その他の要因による当該内部取引に係る利益又は損失の増加又は減少の生ずる恐れ及び当該外国法人の事業再編（合併、分割、事業の譲渡、事業上の構造の変更をいいます。）により当該内部取引において当該外国法人の恒久的施設若しくは本店等が果たす機能又は当該内部取引において当該恒久的施設若しくは本店等が負担するリスクに変更があった場合には、その事業再編の内容及びその機能及びリスクの変更内容を含みます。）に係る事項を記載した書類

　ハ　外国法人の恒久的施設及び本店等が当該内部取引において使用した無形固定資産の内容を記載した書類

ニ　内部取引に該当する資産の移転、役務の提供その他の事実を記載した契約書又はこれに相当する書類

ホ　内部取引に係る対価の額の設定方法及び当該設定に係る交渉内容を記載した書類

ヘ　外国法人の外国本店等及び恒久的施設に係る損益の明細を記載した書類及びその計算過程を記載した書類

ト　内部取引に係る資産の販売、資産の購入、役務の提供その他の取引について行われた市場に関する分析を記載した書類

チ　恒久的施設を有する外国法人の事業方針並びに当該外国法人の恒久的施設及び本店等の業務の内容を記載した書類

リ　内部取引と密接に関連する他の取引の有無及びその取引と密接に関連する事情を記載した書類

② 独立企業間価格を算定するための書類（措規22の10の3①二）

イ　外国法人が採用した当該国外関連取引に係る比較対象取引の選定に係る事項及び当該比較対象取引等の明細（当該比較対象取引等の財務情報を含む）を記載した書類

ロ　租税特別措置法施行規則第22条の10第1項第2号ロ～ホまでに掲げる書類に準ずる書類

非居住者の内部取引に係る移転価格税制の適用

1. 制度の概要

　恒久的施設を有する非居住者の平成29年以後の各年において、当該非居住者の事業場等と当該恒久的施設との間の内部取引の対価の額が、独立企業間価格と異なることにより、当該非居住者の恒久的施設に帰属する国内源泉所得が過少となるときは、当該非居住者の国内源泉所得に係る所得税に関する法令の規定の適用については、独立企業間価格により計算した金額により課税するという制度です（措法40の 3 の 3 ①）。

2. 非居住者の事業場等

　非居住者の事業場等とは、所得税法第161条第 1 項第 1 号に規定する当該事業場をいうとされています（措法40の 3 の 3 ①かっこ書）。

3. 独立企業間価格

　内部取引が次の取引のいずれかに該当するかに応じて、それぞれに定める方法のうち、当該内部取引の内容、当事者が果たす機能その他の事情を勘案して、当該内部取引が独立の事業者の間で通常の取引の条件で行われるとした場合の当該内部取引の対価の額とされる額です（措法40の 3 の 3 ②）。

① 棚卸資産

　イ　独立価格比準法

ロ　再販売価格基準法

ハ　原価基準法

ニ　イからハに掲げる方法に準ずる方法その他政令で定める方法等

② 棚卸資産以外の取引

①に掲げる方法と同等の方法

4. 同時文書化義務

当該内部取引がある外国法人は、租税特別措置法第40条の３の３①に規定する独立企業間価格を算定するために必要と認められる書類として財務省令に定める書類を確定申告期限までに作成し、保存しなければなりません（措法40の３の３③）。

5. 同時文書化義務の免除（措法40の３の３④）

非居住者のその前年の内部取引（その年に恒久的施設を有することとなった場合にはその年の内部取引）が次のいずれにも該当する場合には、１項に規定する独立企業間価格を算定するために必要と認められる書類については、３項の規定は適用されません。

① 内部取引の対価の額の合計額が50億円未満であること

② 内部取引（無形資産の譲渡若しくは貸付け（無形資産に係る権利の設定その他他の者に無形資産を使用させる一切の行為を含む。））の対価の額の合計額が３億円未満であること

6. 価格調整措置による更正

恒久的施設を有する非居住者の事業場等と恒久的施設との間の特定無形資産内部取引について、特定無形資産（取引時に価格を評価することが困難な無形資産をいいます。）の譲渡等を行ったものについて、そのときの対価の額を算定する際の前提となった事項（取引時に予測したものに限定）につき、その内容と相

違する事実（以下、相違事由といいます。）が判明した場合には、税務署長は、当該特定無形資産取引の内容、当事者が果たす機能その他の事情を勘案して、独立に事業者間で通常の取引の条件で行われる場合に支払われるべき対価の額を算定するための、最も適切な方法により算定した金額を独立企業間価格とみなして、更正又は決定をすることができるとしています。ただし、施行令39の12⑯で定める場合に該当する場合はこれに限られないとしています。つまり、算定法の再構成権を税務署長に与えています（措法40の3の3⑤）。

　相違事由としては、当初取引時において「ユニークな価値のないもの」と判断し予測をしない方式で対価の額を算定したときに、後日多額の利益を生じることとなった場合は特定無形資産国外関連取引の対価の額を算定する前提と事項内容が相違するということなります。また、法人がDCF法以外の方法で取引価格を算定していたときに、課税庁がDCF法で更正処分を行う場合は、取引時において用いるべきであった予測の内容を証明しそれに基づき独立企業間価格を算定する必要があります（「改正税法のすべて（令和元年版）」大蔵財務協会編595ページ）。

7.　適用免除規定1

　5項の規定についての適用除外規定です。特定無形資産国外関連取引を行った事業年度に次に掲げる書類を作成しまた取得している場合は、5項は適用しないとしています（措法40の3の3⑥）。

① 　当該特定無形資産国外取引の対価の額を算定する前提となった事項の内容（財務省令で定める事項）

② 　当該特定無形資産国外取引の対価の額を算定するための前提となった事項についてその内容と相違する事実が判明した場合におけるその相違することとなった事由が災害等によってその発生を予測困難であったこと、または相違事由の発生可能性（政令で定める要件を満たすもの）を勘案して当該特定無形資産国外取引の対価の額を算定していたこと

8.　適用除外規定 2

　5項の適用除外規定です。当該特定無形資産国外取引に係る判定期間（収入が最初に生じた日を含む事業年度開始の日から5年を経過する日まで）に、当該特定無形資産国外取引の使用その他の行為により生ずることが予測された利益の額と当該判定期間に当該特定無形資産の使用その他の行為により生じた利益の額と著しく相違ない場合として政令（後述する政令37の12⑱を参照）で定める場合に該当するときは、当該判定期間経過後において、当該特定無形資産国外関連取引については、5項の規定は、適用されません（措法40の3の3⑦）。

9.　特定無形資産内部取引に係る文書提出

　6項7項の適用除外が適用されない場合の要件を定めています。国税庁、国税局、税務署の職員が、非居住者に対して6項7項の適用除外規定の適用があることを明らかにする書類又はその写しの提示又は提出を求めた場合において、求めた日から60日（6項に規定する同時文書化保存対象の文書に該当する場合は45日）を超えない範囲内において提出準備に通常要する日数を勘案した指定する日までに提出がなかった場合には、6項7項の適用除外が適用されません（措法40の3の3⑧）。

10.　独立企業間価格算定書類等の提出等がない場合の推定課税 （措法40の3の3⑨）

　非居住者に対して、同時文書化対象内部取引に係る第3項（独立企業間価格を算定するために必要と認められる）の書類若しくはその写しを国税庁等職員が提示若しくは提出を求めた日から45日を超えない範囲内においてその求めた書類若しくは提出の準備に通常要する日数を勘案して指定した日までに提示若しくは提出がなかったとき、又は、同時文書化対象国外関連取引に係る第1項に規定する独立企業間価格（5項でみなされる金額も含む）を算定するために重要と

認められる書類（規則18の19の3①一二参照）若しくはその写しを提示若しくは
提出を求めた日から60日を超えない範囲内においてその求めた書類若しくは提
出の準備に通常要する日数を勘案して指定した日までに提示若しくは提出がな
かったときには、税務署長は、同種の事業を営む個人で事業規模その他の事業
の内容が類似する者の売上総利益率等、又はこれと同等の方法で算出した金額
をもって独立企業間価格とみなして更正決定できると規定しています。

①　内部取引に係る事業と同種の事業を営む個人で事業規模等が類似するもの
　　の売上総利益率又はこれに準ずる割合として政令で定める割合を基準とした
　　再販売価格基準法若しくは原価基準法

②　基本三法に準ずる方法又はその他の方法に類する方法で政令で定める方法

11．推定規定適用の特例

　措法40の3の3⑨の規定は、同時文書化対象内部取引につき同条⑦の適用が
ある場合には同項の経過日数は適用されません（措法40の3の3⑩）。

12．独立企業間価格算定書類等の提出等がない場合の推定課税
（措法40の3の3⑪）

　非居住者に対して、同時文書化免除内部取引に係る第1項に規定する独立企
業間価格を算定するために重要と認められる書類（規則18の19の3⑪参照）若
しくはその写しを国税庁等職員が提示若しくは提出を求めた日から60日を超え
ない範囲内においてその求めた書類若しくは提出の準備に通常要する日数を勘
案して指定した日までに提示若しくは提出がなかったときは、税務署長は、9
項（推定規定）に掲げる方法により算定した金額を独立企業間価格とみなして
更正決定できると規定しています。ただし、その年分において、同時文書化免
除内部取引につき5項6項に該当する場合はこの規定は適用されません。

13. 同時文書化免除内部取引の取扱い

11項の本文は、同時文書化免除内部取引につき7項の適用がある場合は同項に規定する経過日数は適用されません（措法40の3の3⑫）。

14. 国税庁等の職員の質問検査権

同時文書化内部取引につき、非居住者が財務省令で定めるもの又はその写しを45日に提出に通常要する日を勘案した指定日までに提示し又は提出がなかったとき、また60日を超えない範囲以内に提示若しくは提出がなかったときは、必要と認められる範囲で当該内部取引に事業と同種の事業を営む者に質問し、当該事業に関する帳簿書類を検査し、又は当該帳簿書類の提示若しくは提出を求めることができることとされました（措法40の3の3⑬）。

15. 国税庁等の職員の質問検査権

同時文書化免除内部取引につき、非居住者が財務省令で定めるもの又はその写しを60日を超えない範囲以内に提示若しくは提出がなかったときは、必要と認められる範囲で当該内部取引に事業と同種の事業を営む者に質問し、当該事業に関する帳簿書類を検査し、又は当該帳簿書類の提示若しくは提出を求めることができることとされました（措法40の3の3⑭）

16. 留め置き

国税庁の当該職員又は非居住者の納税地の所轄税務署若しくは所轄国税局の当該職員が非居住者の内部取引に係る第1項に規定する独立企業間価格を算定するために必要があるときは、上記15の規定に基づき提出された帳簿書類（その写しを含む。）を留め置くことができます（措法40の3の3⑮）。

17．質問検査権

　ここでの質問検査権は、犯罪捜査のために認められたものと解してはならないとされています。したがって、あくまでも移転価格調査は、行政処分を目的としたものですので、この質問検査権により収集した資料等は、脱税事件といった刑事処分を目的としての証拠とはなり得ないことを意味します（措法40の3の3⑯）。

18．身分証明書の提示

　質問検査権を行使する課税庁職員は、その行使の際に、身分証明書を携行し請求があったときはこれを提示しなければならないとしています（措法40の3の3⑰）。

19．罰則規定

　質問検査権の行使を妨げる、偽りの答弁をする、忌避等、又は偽りの書類提示等をした場合は30万円以下の罰金が課されます（措法40の3の3⑱）。

20．罰則規定が適用される行為者

　法人の代表者又は法人若しくは人の代理人、使用人その他の従業者が、その法人又は人の業務に関して上記9に反する行為をしたときは、その行為者を罰するほか、その法人又は人に対して上記9に規定する刑を科するとしています（措法40の3の3⑲）。

21．人格のない社団等の取扱い

　人格のない社団等に対して上記10の適用がある場合は、その代表者又は管理人がその訴訟行為につきその人格のない社団等を代表するほか、法人を被告人又は被疑者とする場合の刑事訴訟に関する法律の規定を準用すると規定してい

ます（措法40の3の3⑳）。

22．除斥期間

移転価格税制の除斥期間を7年とすると改正されました（措法40の3の3㉑）。

23．移転価格税制の規定の準用

内部取引につき、この条文を発動するときには、国税通則法の規定の扱いに関して移転価格税制と同様な規定がおかれています（措法40の3の3㉒〜㉕）。また、租税条約に基づく合意をした場合の当該非居住者の所得税に係る延滞税についても、租税特別措置法66の4㉕と同様に免除することができるとされています（措法40の3の3㉖）。

なお、令和元年度税制改正において措置法66条の4が改正されましたが、本条項においても同様の改正が行われています。おって、非居住者の内部取引が行われた場合の当該内部取引に係る事項に関する確定申告書への書類添付義務が課されていません。そのため、確定申告書に特定の書類を添付せずとも、無形資産内部取引に係る価格調整措置の適用免除の対象となります。

24．文書化

移転価格税制と同様に外国法人の内部取引に係る独立企業間価格の算定に必要な書類については、提示されるべき書類は規定されています（措規18の19の3）。

①　内部取引を記載した書類（措規18の19の3①一）

　イ　当該内部取引に係る資産の明細及び役務の内容を記載した書類

　ロ　当該内部取引に係る非居住者の恒久的施設及び事業場等が果たす機能並びに当該内部取引において当該非居住者の恒久的施設と事業場等が負担するリスク（為替相場の変動、市場金利の変動、経済事情の変化その他の要因による当該内部取引に係る利益又は損失の増加又は減少の生ずる恐れをいう。）に係る事項を記載した書類

　　ハ　非居住者の恒久的施設又は事業場等が当該内部取引において使用した無
　　　形固定資産その他の無形資産の内容を記載した書類

　　ニ　内部取引に該当する資産の移転、役務の提供その他の事実を記載した契
　　　約書又はこれに相当する書類

　　ホ　内部取引に係る対価の額の設定方法及び当該設定に係る交渉内容を記載
　　　した書類

　　ヘ　非居住者の恒久的施設及び事業場等の損益の明細を記載した書類及びそ
　　　の計算過程を記載した書類

　　ト　内部取引に係る資産の販売、資産の購入、役務の提供その他の取引につ
　　　いて行われた市場に関する分析を記載した書類

　　チ　非居住者の恒久的施設及び事業場等の事業方針並びに業務の内容を記載
　　　した書類

　　リ　内部取引と密接に関連する他の取引の有無及びその取引と密接に関連す
　　　る事情を記載した書類

②　独立企業間価格を算定するための書類（措規18の19の3①二）

　　イ　非居住者が選定した租税特別措置法第40条の3の3第2項に規定する算
　　　定方法及びその選定理由を記載した書類その他独立企業間価格を算定する
　　　にあたり作成した書類

　　ロ　非居住者が採用した当該内部取引に係る比較対象取引の選定に係る事項
　　　及び当該比較対象取引等の明細を記載した書類

　　ハ　当該非居住者が租税特別措置法施行令第25条の18の3（利益分割法等の
　　　算定法）の方法を選定した場合における計算した金額を算出するための書
　　　類

　　ニ　当該非居住者が複数の内容取引を一の内部取引として独立企業間価格の
　　　算定を行った場合のその理由とその取引内容を記載した書類

　　ホ　比較対象取引等の差異調整を行った場合のその理由、調整等の方法を記
　　　載した書類

第14節 内国法人の国外所得の計算
（外国税額控除制度）

1. 制度の概要

　外国税額控除制度における国外源泉所得の計算において、内国法人の本店等と国外事業者等との間の内部取引に関して、内国法人が、国外事業所を通じて事業を行う場合（法法69④）において、当該国外事業所等が当該内国法人から独立して事業を行う事業者であるとしたならば、これらの事業者間で資産の販売、資産の購入、役務の提供その他の取引（資金の借入れに係る債務保証、保険契約に係る保険責任についての再保険の引き受けその他これに類する取引として政令で定めるものは除かれる。）が行われたものと認められるものを内部取引というとされています（法法69⑤）。

　国外事業所等帰属所得に関し、本店等と国外事業所等の間の内部取引の対価の額が独立企業間価格と異なることにより、国外所得金額の計算上、その内部取引に係る収益の額が過大となるとき、又は損失等の金額が過少となるときは、その内国法人のその事業年度の国外所得金額の計算については、その内部取引は独立企業間価格によるものとされています（措法67の18①）。

　なお、内部取引に係る独立企業間価格は、外国法人の内部取引に係る独立企業間価格の算定方法に準じて計算するとされています（措法67の18②）。

2. 同時文書化義務等

　内部取引に係る独立企業間価格を算定するために必要とされる書類は、申告

書の提出期限までに取得し保存しなければなりません。ただし、内部取引の額の合計額が50億円未満、内部取引（無形資産若しくは貸付（資産に係る権利の設定その他他の者に資産を使用させる一切の行為を含む）又はこれらに類似する取引に相当するものに限られる。）の対価の額とした額の合計額が3億円未満である場合は適用されません（措法67の18③、④）。

3. 独立企業間価格算定書類等の提出等がない場合の同業者調査の明確化

① 同時文書化対象国外関連取引に係る同業者調査（措法67の18⑤）

　国税庁等職員が同時文書化対象国外関連取引に係る同時文書化が義務付けられている書類の提出を求めた場合は、求めた日から45日を超えない範囲内においてその求めた書類、その写し、若しくは提出の準備に通常要する日数を勘案して当該職員が指定する日までにこれらの書類の提示若しくは提出がなかったとき、又は法人に当該国外取引に係る独立企業間価格を算定するために重要と認められる書類、又はその写しの提示若しくは提出を求めた日から60日超えない範囲内に提出準備に通常要する日を勘案した日までに提示若しくは提出がなかったときは、当該法人の当該同時文書化対象国外関連取引に係る事業と同種の事業を営む者に質問し、当該事業に関する帳簿書類を検査し、又は当該帳簿書類の提示若しくは提出を求めることができることとされました。

② 同時文書化免除国外関連取引に係る同業者調査（措法67の18⑥）

　国税庁等職員が同時文書化対象国外関連取引に係る独立企業間価格を算定するために重要と認められる書類の提出又は提示を求めた場合は、求めた日から60日を超えない範囲内に、提出等の準備に要する日を勘案して当該職員が指定する日までにこれらの書類の提示若しくは提出がなかったときは、当該法人の当該同時文書化対象国外関連取引に係る事業と同種の事業を営む者に質問し、当該事業に関する帳簿書類を検査し、又は当該帳簿書類の提示若しくは提出を求めることができることとされました。

4. 帳簿書類の留め置き

　国税庁の当該職員又は法人の納税地の所轄税務署若しくは所轄国税局の当該職員が内国法人の内部取引に係る第1項に規定する独立企業間価格を算定するために必要があるときは、上記3の規定に基づき提出された帳簿書類（その写しを含む。）を留め置くことができます（措法67の18⑦）。

5. 質問検査権

　ここでの質問検査権は、犯罪捜査のために認められたものと解してはならないとされています。したがって、あくまでも移転価格調査は、行政処分を目的としたものですので、この質問検査権により収集した資料等は、脱税事件といった刑事処分を目的としての証拠とはなり得ないことを意味します（措法67の18⑧）。

6. 身分証明書の提示

　質問検査権を行使する課税庁職員は、その行使の際に、身分証明書を携行し請求があったときはこれを提示しなければならないとしています（措法67の18⑨）。

7. 罰則規定

　質問検査権の行使を妨げる、偽りの答弁をする、忌避等、又は偽りの書類提示等をした場合は30万円以下の罰金が課されます（措法67の18⑩）。

8. 罰則規定が適用される行為者

　法人の代表者又は法人若しくは人の代理人、使用人その他の従業者が、その法人又は人の業務に関して上記7に反する行為をしたときは、その行為者を罰するほか、その法人又は人に対して上記7に規定する刑を科するとしています

（措法67の18⑪）。

9. 人格のない社団等の取扱い

人格のない社団等に対して上記8の適用がある場合は、その代表者又は管理人がその訴訟行為につきその人格のない社団等を代表するほか、法人を被告人又は被疑者とする場合の刑事訴訟に関する法律の規定を準用すると規定しています（措法67の18⑫）。

10. 移転価格税制の規定の準用

内部取引につき、この条文を発動するときには、移転価格税制と同様にその規定を準用することとされています（措法67の18⑬）。

令和元年度の税制改正において、措置法66条の4が改正されました。本条項においても、同様の改正条項を準用することとなります。おって、国外所得の計算に当たり内部取引が行われた場合の当該内部取引に係る事項に関する確定申告書への書類添付義務が課されていません。そのため、特定無形資産内部取引に係る価格調整措置の適用はありません。

11. 文書化

移転価格税制と同様に内国法人の内部取引に係る独立企業間価格の算定に必要な書類については、提示されるべき書類は規定されています（措規22の19の4）。

① 内部取引を記載した書類（措規22の19の4①一）

　　イ　当該内部取引に係る資産の明細及び役務の内容を記載した書類

　　ロ　当該内部取引に係る内国法人本店等及び恒久的施設が果たす機能並びに当該国外関連取引において当該内国法人の本店等及び国外事業所等が負担するリスク（為替相場の変動、市場金利の変動、経済事情の変化その他の要因による当該内部取引に係る利益又は損失の増加又は減少の生ずる恐れ及び当該

外国法人の事業再編（合併、分割、事業の譲渡、事業上の構造の変更をいう。）により当該内部取引において当該外国法人の恒久的施設若しくは本店等が果たす機能又は当該内部取引において当該恒久的施設若しくは本店等が負担するリスクに変更があった場合には、その事業再編の内容及びその機能及びリスクの変更内容を含む。）に係る事項を記載した書類

ハ　内国法人本店等及び国外事業所が当該内部取引において使用した無形資産の内容を記載した書類

ニ　内部取引に該当する資産の移転、役務の提供その他の事実を記載した契約書又はこれに相当する書類

ホ　内部取引に係る対価の額の設定方法及び当該設定に係る交渉内容を記載した書類

ヘ　内国法人の外国本店等及び国外事業所に係る損益の明細を記載した書類及びその計算過程を記載した書類

ト　内部取引に係る資産の販売、資産の購入、役務の提供その他の取引について行われた市場に関する分析を記載した書類

チ　内国法人の事業方針並びに当該内国法人の本店等及び国外事業者の業務の内容を記載した書類

リ　内部取引と密接に関連する他の取引の有無及びその取引と密接に関連する事情を記載した書類

② 独立企業間価格を算定するための書類（措規22の19の4①二）

租税特別措置法第67条の18第1項の内国法人が内部取引に係る独立企業間価格を算定するための書類として次に掲げる書類

イ　租税特別措置法第66条の4の3②に規定する方法に準じて独立企業間価格を算定する場合における当該内国法人が選定した同項に規定する算定方法、その選定に係る重要な前提条件及びその選定の理由を記載した書類その他当該内国法人が独立企業間価格を算定するに当たり作成した書類（次のロに掲げる書類を除く。）

　　ロ　租税特別措置法施行規則第22条の10第 6 項第 2 号ロ～トまでに掲げる書
　　　類に準ずる書類

（執筆：吉川保弘）

第9章

移転価格税制等に係る文書化

 **第1節 概 説**

財務省が策定した平成28年度「税制改正のすべて」では、移転価格文書化制度の制定の趣旨について以下のように述べています[1]。

「多国籍企業グループの活動はグローバルである一方、税務当局はあくまでも国単位で情報収集・調査を行い、課税することが基本であることから、企業と税務当局との間には大きな情報の非対称性が生じます。BEPSプロジェクト[2]においては、こうした情報の非対称性を解消するため、各国が協調して情報を共用することが合意されました。……BEPSプロジェクトにおいては、こうした経済界のコンプライアンス・コスト[3]に配慮しつつ、移転価格文書制度に関するルールが整備されました。」

BEPSプロジェクトの合意を受けて我が国においても、平成28年度税制改正においてBEPSプロジェクトの最終報告書（行動13）に勧告されている3つの情報を他国籍企業は、税務当局に提供する制度の整備を行ったというものです。3つの情報とは、①関連者との取引における独立企業間価格を算定するための詳細な情報（ローカルファイルといいます。）、②多国籍企業グループの国ごとの活動状況に関する情報（国別報告書といいます。）、③多国籍企業グループのグローバルな事業活動の全体像に関する情報（マスターファイルといいます。）を指します。そして、三つの文書から構成されるので三層構造アプローチと呼ばれています[4]。

本章では、創設された我が国の移転価格文書制度について解説します。

[1] 平成28年度「税制改正のすべて」財務省 565ページ

[2]　平成27年10月に G20／OECD がとりまとめた「税源浸食と利益移転（BEPS：Bese Erosion and Profit Shifting）プロジェクト」とは、「他国籍企業が（課税実態とルールの間の）ずれを利用することで、課税所得を人為的に操作し、課税逃れを行うことがないよう、他国籍企業の透明性を高めるとともに、各国の税制や国際課税ルールを現代のグローバルなビジネスモデルに適合するよう再構築する仕組み」です。
平成28年度「税制改正のすべて」財務省 565ページ

[3]　作成には専門家の助力を相当必要とするのが現在における実態です。

[4]　OECD 移転価格ガイドラインパラグラフ5.16

第2節 独立企業間価格を算定するために必要と認められる書類に関する同時文書化義務

1．改正前の制度概要

　法人が独立企業間価格を算定するために必要と認められる書類、帳簿又はこれらの写しを課税当局が求めた場合に、遅滞なく提示又は提出しなかったときは、税務署長は、次に掲げる方法により算定した金額を独立企業間価格と推定して更正または決定をすることができるとされています（旧措法66の4⑦）。独立企業間価格算定文書作成を間接的に強制させる規定ぶりとなっていました。

⑴　法人が国外関連者と行った取引に係る事業と同種の事業を営む法人で事業規模その他の事業の内容が類似するものの売上総利益率またはこれに準ずる割合を用いて算定した金額を再販売価格基準法、原価基準法若しくはこれらの方法と同等の方法

　これに準ずる割合とは、売上総利益の額に対する総収入金額又は総原価の額に対する割合とされています（旧措令39の12⑪）。

⑵　その他政令に定める方法とこれらの方法に類するものとして政令で定める方法

　その他政令で定める方法とは、棚卸資産の場合は、①から④に掲げる方法、それ以外の取引の場合は、①又は⑤に掲げる方法とされています（旧措令39の12⑫）。

①　企業集団の財産及び損益の状況を連結した決算書類による所得を国外関連取引に係る事業の費用、使用した固定資産の価額その他これらの者が当

該所得に寄与した程度を推測するに足りる要因に応じてこれらの者に帰属するものとして計算した金額を対価の額とする方法

② 国外関連取引に係る棚卸資産の買手が非関連者に対して当該棚卸資産を販売した価格から、当該価格に次のイに掲げる金額にロに掲げる金額に対する割合を乗じて計算した金額に当該国外関連取引に係る棚卸資産の販売に要した販売費及び一般管理費を加算した金額を控除した金額をもって、当該国外関連取引の対価の額とする方法

   イ．当該国外関連取引に係る事業と同種又は類似の事業を営む法人で事業規模その他の事業内容が類似するものの当該国外関連取引が行われた日を含む事業年度又はこれに準ずる期間の当該比較対象事業年度に係る棚卸資産の販売による営業利益の合計額

   ロ．当該比較対象事業年度の当該比較対象事業に係る棚卸資産の販売による収入金額の合計額

③ 国外関連取引に係る棚卸資産の売手の購入、製造その他の行為による取得の原価に、次のイに掲げる金額にロに掲げる金額のハに掲げる金額に対する割合を乗じて計算した金額及びイ(2)に掲げる金額の合計額を加算した金額をもって当該国外関連取引の対価の額とする方法

   イ．次に掲げる金額の合計額、(1)当該取得原価、(2)当該国外関連取引に係る棚卸資産の販売に要した販売費及び一般管理費

   ロ．当該国外関連取引に係る事業と同種又は類似の事業を営む法人で事業規模その他の事業内容が類似するものの当該国外関連取引が行われた日を含む事業年度又はこれに準ずる期間の当該比較対象事業年度に係る棚卸資産の販売による営業利益の合計額

   ハ．当該比較対象事業年度に係る当該比較対象事業に係る棚卸資産の販売に係る棚卸資産の販売による収入金額の合計額ロに掲げる金額を控除した金額

④ 前二号に掲げる方法に準ずる方法

⑤　前三号に掲げる方法と同等の方法

　この規定の趣旨は、移転価格税制は多様な要因で決定される取引価格の妥当性を問題とするものであることから、問題となる取引価格の決定根拠やその他の資料について納税者及びその取引相手方である国外関連者の協力が不可欠で、そのためには納税者側の協力を担保し、この制度の適正公平な執行の確保と実行可能ならしめるため設けられたものです。

　独立企業間価格算定に必要とされる書類等とは、用いる方法により必要となる書類も異なりますが、CUP法であれば、法人が第三者と行った取引に関する資料がそれに該当するということになります。

　改正前制度では、書類等を提示すべき時期は、提出を求められてから可及的速やかにということになりますが、求められた資料の内容と量からどれだけの時間を要するかということが図られそれによって判定されることとなっていました。

　推定にあたって、「同種の事業を営む法人で事業規模その他の事業の内容が類似するもの」と比較することとなりますが、比較可能性は個々の事案により検討されることとなります。一般的には、単に卸売業や製造業といった広い尺度で捉えるのではなく、問題となっている取引の対象資産と類似の資産の卸売業者や製造業者と比較するということになるものと考えます。事業内容についても、粗利益率でそれほど差異が見込まれないような同業者の利益率を採用することになります。

　この推定課税が適法になされた場合には、納税者は自己の主張する価格が法定された方法による独立企業間価格であることを立証しない限り、課税当局の算定した価格が独立企業間価格ということになります。

　国外資料の入手については、次のようになっていました。

　税務職員は、法人と国外関連者との取引に関する調査について必要があるときは、当該法人に対してその国外関連者が保存する書類若しくは帳簿又はこれらの写しの提示を求めることができ、法人は要求のあった書類等の入手に努め

なければならないとされています（旧措法66の4⑧）。

　これは、国内にある法人が保有する資料等については提示等を受ける状況にあるが、国外関連者が保有する資料等については必ずしもそのような状況にないことから規定されたものです。この規定は努力規定であるから特に罰則等はありませんが、その求められた資料等が独立企業間価格を算定するために必要な資料である場合には、提示等がなかった場合には、推定課税が行われることとなります。

　国税通則法74条の2二は、イにおいて法人に対して質問検査ができるとしたうえで、ロにおいて「イに掲げる者に対し、金銭の支払若しくは物品の譲渡をする義務があると認められる者又は金銭の支払若しくは物品の譲渡を受ける権利があると認められる者」と規定し、調査法人と取引関係にある者のいわゆる反面調査ができることとされています。

　移転価格税制においては法人と関連者との取引価格の妥当性を検討するためには、どうしても類似の商品等を取り扱う同業者等から第三者との取引に関する情報を入手する必要があります。

　国税通則法の規定では、取引関係にない者に対する調査権限は認められていません。そこで本税制においては、法人が独立企業間価格を算定するために必要と認められる書類、帳簿又はこれらの写しを課税当局が求めた場合に、遅滞なく提示又は提出しなかった場合には、その必要と認められる範囲内において、当該国外関連者との取引に係る事業と同種の事業を営む者に質問し又は当該事業に関する帳簿の検査をすることができるとされ、この質問に対して答弁を拒否、妨げ、偽り等をした場合には、罰金が課せられることとされています（旧措法66の4⑨）。

　こうした規定の構成をみますと、提示若しくは提出がない場合には推定課税若しくは同業者への反面調査が行われるということで独立企業間価格文書の作成保存を間接的に担保するという仕組みでした。

　この他、質問検査権限規定に関して、職員の身分証明書の携帯・提示義務規

定、罰則、法人の代表者に対する両罰規定等が定められています（措法66の4⑩⑪⑫⑬⑭）。

2．平成28年度改正の内容

⑴　同時文書化義務

　同時文書化義務とは、取引時又は申告時において合理的に入手可能情報に基づいて独立企業間算定文書を確定申告書の提出期限までに作成し、又は習得し、これを保存することをいいます[5]。

　　[5]　「平成28年度税制改正」財務省　569ページ

　平成28年度改正前までは、税務職員が提示又は提出を求めた場合に速やかに提示提出ができれば、推定課税、同業者調査を避けることができました。

　今般のBEPSプロジェクトの最終報告では、納税者は①通常、取引価格の設定前に税務上移転価格が適切か否かを検討し、②税務申告時においては財務成績が独立企業間原則に即したものとなっているかどうかを確認することが求められているとされているところから、同時文書化の実施が望ましいとされました。これを受けて、我が国においても移転価格税制の適正な執行を担保する観点から、独立企業間価格を算定するために必要な書類については、確定申告書の提出期限までに作成取得することが義務付けられました（措法66の4⑥、措規22の10⑥）。

　これらの書類は、確定申告書提出期限の翌日から7年間（措規22条の10⑦、欠損金額が生じた事業年度に係る書類にあっては10年間）納税地等に保存することとなります。

　なお、これまでも、移転価格事務運営要領において、OECDガイドラインを参照して調査を行うとありましたが、法令に取り入れられたことは評価されるべきことと考えます。

　おって、平成28年度税制改正において、移転価格税制に係る文書化制度が整備され、同時文書化義務が規定されました。国税庁は、同時文書化義務の対象

となる企業の「独立企業間価格を算定するために必要と認められる書類」（ローカルファイルといいます。）の作成等を支援し、企業の移転価格税制に関する自発的な税務コンプライアンスの維持・向上を図るため、平成29年7月から同時文書化対象取引に関する個別照会の相談窓口が設置されています。

⑵　**独立企業間価格を算定するために必要と認められる書類（ローカルファイル）**

①　国外関連取引の内容を記載した書類（措規22の10⑥一）

イ．国外関連取引に係る資産の明細及び役務の内容を記載した書類

ロ．国外関連取引において法人及び国外関連者が果たす機能（研究開発、設計、調達、製造、組立、技術指導、市場開拓、広告宣伝、販売、アフターサービス等をいいます。）並びに当該国外関連取引において当該法人及び当該国外関連者が負担するリスク（為替相場の変動、市場金利の変動、経済事情の変化その他の要因による当該国外関連取引に係る利益又は損失の増加又は減少の生ずる恐れをいいます。）に係る事項を記載した書類

ハ．法人又は国外関連者が国外関連取引において使用した無形固定資産その他の無形資産の内容を記載した書類

ニ．国外関連取引に係る契約書又は契約内容を記載した書類

ホ．法人が国外関連取引において国外関連者から支払を受ける対価の額又は当該関連者に支払う対価の額の明細、当該支払を受ける対価の額又は当該支払う対価の額の設定の方法及び当該設定に係る交渉内容を記載した書類、並びに当該支払を受ける対価の額又は当該支払う対価の額に係る独立企業間価格の算定方法及び当該国外関連者取引に関する事項についての我が国以外の国又は地域の権限ある当局による確認がある場合における当該確認内容を記載した書類

ヘ．法人及び国外関連者の国外関連取引に係る損益の明細並びに当該損益の額の計算の過程を記載した書類

ト．国外関連取引に係る資産の販売、資産の購入、役務の提供その他の取

引に係る市場に関する分析（当該市場の特性が当該国外関連取引に係る対価の額又は損益の額に与える影響に関する分析を含みます。）その他当該市場に関する事項を記載した書類

チ．当該法人及び国外関連者の事業内容、事業の方針及び組織の系統を記載した書類

リ．国外関連取引と密接に関連する他の取引の有無及びその取引の内容並びにその取引が当該国外関連取引と密接に関連する他の事情を記載した書類

②　独立企業間価格を算定するための書類（措規22の10⑥二）

イ．法人が選定した独立企業間価格の算定方法、その選定に係る重要な前提条件及びその選定理由を記載した書類その他当該法人が独立企業間価格を算定するに当たり作成した書類（以下のロからホに掲げる書類を除きます。）

ロ．法人が採用した国外関連取引に係る比較対象等の選定に係る事項及び当該比較対象取引等の明細（当該比較対象取引等の財務情報を含みます。）を記載した書類

ハ．法人が利益分割法又はこれに準ずる方法を選定した場合におけるこれらの方法により当該法人及び国外関連者に帰属するものとして計算した金額を算出するための書類（ロ及びホに掲げる書類を除きます。）

ニ．法人が複数の国外関連取引を一の取引として独立企業間価格の算定を行った場合のその理由及び各取引の内容を記載した書類

ホ．比較対象取引等について差異調整等を行った場合のその理由及び当該差異調整等の方法を記載した書類

なお、上記資料は（国内に所在する）当該法人が作成するものですが、国外関連者が作成した文書でも、イからホに掲げる「独立企業間価格を算定するために必要と認められる書類」に該当する場合には、法人が当該国外関連者の作成した書類を取得し、保存していることをもって、当該法人は同時文書化義務

を果たしているものと考えられます[6]。

[6]　平成28年版「改正税法のすべて」大蔵財務協会　572ページ

(3)　同時文書化義務が免除される国外関連取引

　当該法人のその前日を含む事業年度等（以下、前事業年度等といいます。）において、一の国外関連取引が次の①及び②のいずれにも該当する場合又は当該法人が前事業年度等において当該一の国外関連者との間で行った国外関連取引がない場合には、当該法人が当該事業年度において当該一の国外関連者との間で行った国外関連取引に係る前述した(2)①及び②に掲げる書類については、独立企業間価格を算定するために必要と認められる書類に係る同時文書化義務による作成、取得、保存の義務を免除することとしています（措法66の4⑦）。

① 一の国外関連者との間で行った国外関連取引につき、当該一の国外関連者から支払いを受ける対価の額及び当該一の国外関連者に支払う対価の額の合計額が50億円未満であること

② 一の国外関連者との間で行った国外関連取引（無形資産（有形資産及び金融資産以外の資産で特許権、実用新案件等その他の譲渡若しくは貸付（資産に係る権利の設定その他他の者に資産を使用させる一切の行為を含みます。）又はこれらに類する取引に限ります。））につき、当該一の国外関連者から支払いを受ける対価の額及び当該一の国外関連者に支払う対価の額が3億円未満であること

　上記金額基準は、前事業年度において国外関連者との間で行われた国外関連取引ですが、次のケースにおいては、当該事業年度におけるそれぞれの金額基準で判断することとなります（措令39の12⑪）。

① 新設により国外関連取引を行った法人の前事業年度等がない場合

② 当該法人の期中に国外関連者が設立された場合、又は株式の買収等で国外関連者に該当することとなった場合における例のように前事業年度において国外関連取引がない場合

　大事なことは、同時文書化義務が免除されたとしても、税務調査で独立企業

間価格を算定するための文書を求められた場合は、遅滞なく提出をする必要があるということです。

⑷　国外関連者が保存する帳簿書類の入手努力義務規定の削除

今般の文書化制度の構築に当たり、ローカルファイルの作成、取得、保存が義務化されることとの整合性、推定課税及び同業者調査は納税者が国外関連者が保有する帳簿書類の入手努力を尽くさないことを要件としていないことを明確化するという理由から、当該規定は削除されました。

⑸　独立企業間価格算定書類等の提出等がない場合の推定課税要件の明確化

改正前の推定課税要件は、「遅滞なく」独立企業間価格算定書類等の提出等がない場合とされ、この「遅滞なく」という要件は、要求後可及的速やかにということを意味していましたが、具体的に日数が明らかではありませんでした。今改正において、これまでの執行経験、諸外国での状況等を踏まえて、具体的に日数が定められています。

①　同時文書化対象国外関連取引の場合

国税庁等職員が同時文書化対象国外関連取引に係る同時文書化が義務付けられている書類の提出を求めた場合は、求めた日から45日を超えない範囲内においてその求めた書類、その写し、若しくは提出の準備に通常要する日数を勘案して当該職員が指定する日までにこれらの書類の提示若しくは提出がなかったとき、又は法人に当該国外取引に係る独立企業間価格を算定するために重要と認められる書類、又はその写しの提示若しくは提出を求めた日から60日を超えない範囲内に提出準備に通常要する日を勘案した日までに提示若しくは提出がなかったときは、税務署長は所定の方法で算定した金額を独立企業間価格と推定して更正決定することができることとなりました（措法66の4⑫、措規22の10⑪⑪）。

②　同時文書化免除国外関連取引の場合

国税庁等職員が同時文書化対象国外関連取引に係る独立企業間価格を算定

するために重要と認められる書類の提出又は提示を求めた場合は、求めた日から60日を超えない範囲内に、提出等の準備に要する日を勘案して当該職員が指定する日までにこれらの書類の提示若しくは提出がなかったとき、税務署長は所定の方法で算定した金額を独立企業間価格と推定して更正決定することができることとなりました（措法66の4⑭、措規22の10⑫）。

⑹　**独立企業間価格算定書類等の提出等がない場合の同業者調査の明確化**

独立企業間価格を算定するために必要と認められる書類等の提出等がない場合の同業者調査の要件についても、その発動要件が明確化するための改正が行われました[7]。

①　同時文書化対象国外関連取引に係る同業者調査

国税庁等職員が同時文書化対象国外関連取引に係る同時文書化が義務付けられている書類の提出を求めた場合は、求めた日から45日を超えない範囲内においてその求めた書類、その写し、若しくは提出の準備に通常要する日数を勘案して当該職員が指定する日までにこれらの書類の提示若しくは提出がなかったとき、又は法人に当該国外取引に係る独立企業間価格を算定するために重要と認められる書類、又はその写しの提示若しくは提出を求めた日から60日[8]を超えない範囲内に提出準備に通常要する日を勘案した日までに提示若しくは提出がなかったときは、当該法人の当該同時文書化対象国外関連取引に係る事業と同種の事業を営む者に質問し、当該事業に関する帳簿書類を検査し、又は当該帳簿書類の提示若しくは提出を求めることができることとされました（措法66の4⑰、措規22の10⑥）。

同業者調査で得られた価格等を独立企業間価格として課税するのですが、税務職員には守秘義務が課されているので納税者には、比較対象者名が開示されません。そのため、納税者自身がその課税内容を検証することができません。これをシークレットコンパラブルによる課税といいますが、移転価格税制に内在する問題です。

[7]　移転価格税制外の法人税の扱いでは、確定申告内容について、課税要件違反がない

かの検討をしますが、本税制では申告後の対応について提出等を怠ったときに、こうした行動の発動要件が成就するという仕組みになっているところに本税制の特異性が見られます。

[8]　独立企業間価格を算定するために重要と認められる書類は同時文書化義務が免除されているため、同時文書化が義務とされる独立企業間価格算定資料より長い日数を定めているものと考えます。

② 同時文書化免除国外関連取引に係る同業者調査

　国税庁等職員が同時化対象国外関連取引に係る独立企業間価格を算定するために重要と認められる書類の提出又は提示を求めた場合は、求めた日から60日を超えない範囲内に、提出等の準備に要する日を勘案して当該職員が指定する日までにこれらの書類の提示若しくは提出がなかったときは、当該法人の当該同時文書化対象国外関連取引に係る事業と同種の事業を営む者に質問し、当該事業に関する帳簿書類を検査し、又は当該帳簿書類の提示若しくは提出を求めることができることとされました（措法66の4⑱、措規22の10⑫）。

3. 外国法人の内部取引に係る課税の特例等に係る文書化

　既に記述がありますように、外国法人の内部取引、内国法人の国外所得金額の計算、連結法人の国外関連者との取引、連結法人の連結国外所得の計算、非居住者の内部取引、居住者の国外所得の計算においては、独立企業間原則によるとの税制改正がなされました。このときの文書の作成、保存等については、移転価格税制を準用することとされ、具体的な内容については、上記2の令和元年度改正の内容と同様のものとなっています（措法40の3の3、41の19の5、66の4の3、67の18、68の88、68の107の2）。

10

特定多国籍企業グループに係る国別報告事項の提供制度の創設

第3節

1. 平成28年度改正の概要

⑴　最終親会社等又は代理親会社等による国別報告事項の提供

　BEPS プロジェクトにおいて、多国籍企業グループの親会社所在地国の税務当局は、多国籍企業グループの親会社に対し、当該グループの事業活動が行われている国又は地域ごとの所得金額、納付税額の配分状況等に関する情報の提供を求めることができる旨合意されました。この合意に基づく情報提供を条約方式に基づく国別報告事項の提供といいます。

　具体的には、特定多国籍企業グループの構成会社等である内国法人（最終親会社等又は代理親会社等に該当するものに限定されます。）は、各最終親会社会計年度終了の日の翌日から１年以内に所轄税務署長に国別報告事項を提供しなければならないこととされました。

　我が国の税務当局においては、各国等税務当局と情報を共有することで高度な移転価格リスクの存在の有無の評価等に用いることが期待されているものと考えられます。

⑵　最終親会社等又は代理親会社等以外の構成会社による国別報告事項の提供

　BEPS プロジェクトにおいては、親会社所在地国の税務当局が我が国の税務当局に多国籍企業グループの情報を提供できないといった限定的な場面に限って、子会社所在地国の税務当局は、直接その子会社に対して情報提供を求める

ことができる旨が合意されました。我が国では、特定多国籍企業グループの構成会社等である内国法人又は当該構成会社等である恒久的施設を有する外国法人は、最終親会社等の居住地国の税務当局が国別報告事項に相当する情報の提供を行うことができないと認められる場合には各最終親会社会計年度終了の翌日から1年以内に税務署長宛てに提出しなければなりません。

(3)　最終親会社等届出事項の提供

　特定多国籍企業グループの構成会社等である内国法人又は当該構成会社等である恒久的施設を有する外国法人は、当該特定多国籍企業グループの親会社等届出を各最終親会社会計年度終了の日までに税務署長宛てに提出しなければなりません。

(4)　国別報告事項の不提供に係る罰則

　正当な理由なく国別報告事項を提供期限までに税務署長宛てに提出しなかった場合は、30万円以下の罰金が科されます。

2．具体的な制度内容

(1)　最終親会社等又は代理親会社等による国別報告事項の提供

　多国籍企業グループの構成会社等である内国法人は、当該特定多国籍企業グループの各親会計年度に係る国別報告事項を、各親会計年度終了の日の翌日から1年以内に、e-Tax（特定電子情報処理組織を利用する方法）で、所轄税務署長に提供しなければなりません（措法66の4の4①）。この報告は英語で行うこととされています（措規22の10の4④）。

　この提供方式を「条約方式」による国別報告事項の提供といいます。以下用語の解説をします。

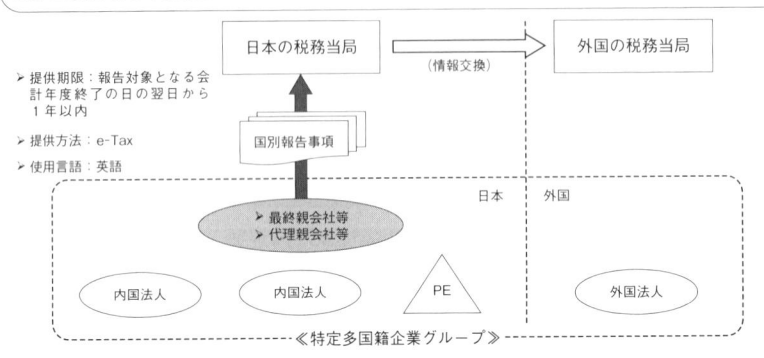

「平成28年度税制改正のすべて」579ページより引用

① 　国別報告事項（措法66の4の4①、措規22の10の4①）

　　イ．特定多国籍企業グループの構成会社等の居住地ごとの収入金額（グルー
　　　プ内の取引金額及びグループ外の者との取引金額を含む）、税引前当期利益の
　　　額、納付税額、資本金の額又は出資の額、利益剰余金の額、従業員数、有
　　　形固定資産（現金及び同等価物を除く）の額

　　ロ．特定多国籍企業グループの構成会社等の居住地ごとの当該構成会社等の
　　　名称、構成会社等の居住地国と本店又は主たる事務所の所在する国地域（以
　　　下国等という）が異なる場合の本店等が所在する国等の名称、主たる事業
　　　内容

　　ハ．イ及びロに関して参考となる事項

【国別報告事項の提供様式】

表１　居住地国等における収入金額、納付税額等の配分及び事業活動の概要
Table 1. Overview of allocation of income, taxes and business activities by tax jurisdiction

	多国籍企業グループ名　Name of the MNE group： 対象事業年度　Fiscal year concerned　： 使用通貨　Currency used　：								
居住地国等 Tax Jurisdiction	収入金額 Revenues			税引前 当期利益 （損失）の額 Profit(Loss) before Income Tax	納付税額 Income Tax Paid (on Cash Basis)	発生税額 Income Tax Accrued- Current Year	資本金の額 Stated Capital	利益剰余金 の額 Accumulated Earnings	従業員の数 Number of Employees	有形資産（現金及び現 金同等物を除く）の額 Tangible Assets other than Cash and Cash Equivalents
	非関連者 Unrelated Party	関連者 Related Party	合計 Total							

29.12改正

表２　居住地国等における多国籍企業グループの構成会社等一覧
Table 2. List of all the Constituent Entities of the MNE group included in each aggregation per tax jurisdiction

			主要な事業活動 Main business activity（ies）														
居住地国等 Tax Jurisdiction	居住地国等に所在 する構成会社等 Constituent Entities Resident in the Tax Jurisdiction	居住地国等が構 成会社等の所在 地と異なる場合 の居住地国等 Tax Jurisdiction of Organisation or Incorporation if Different from Tax Jurisdiction of Residence	研究開発 Research and Development	知的財産の保有又は管理 Holding or Managing Intellectual Property	購買又は調達 Purchasing or Procurement	製造又は生産 Manufacturing or Production	販売、マーケティング又は物流 Sales, Marketing or Distribution	管理、運営又はサポート・サービス Administrative, Management or Support Services	非関連者への役務提供 Provision of Services to Unrelated Parties	グループ内金融 Internal Group Finance	規制金融サービス Regulated Financial Services	保険 Insurance	株式・その他の持分の保有 Holding Shares or Other Equity Instruments	休眠会社 Dormant	その他 Other[1]
	1.														
	2.														
	3.														
	1.														
	2.														
	3.														

（多国籍企業グループ名　Name of the MNE group：／対象事業年度　Fiscal year concerned）

1　構成会社等の事業活動の性質について、「追加情報」の欄に明記してください。
　Please specify the nature of the activity of the Constituent Entity in the "Additional Information" section.

表３　追加情報
Table 3. Additional Information

多国籍企業グループ名　Name of the MNE group： 対象事業年度　Fiscal year concerned　：
（必要と考えられる追加の情報や国別報告事項に記載された情報への理解を円滑にする説明等を英語で記載してください。） Please include any further breif information or explanation you consider necessary or that would facilitate the understanding of the compulsory information provided in the Country-by-Country Report.

②　企業グループ

　イ．企業集団のうち、その企業集団の連結財務諸表が作成されるもの（次に掲げる企業集団は除かれます。）

　　（イ）　企業集団における支配会社等の財産及び損益の状況は他の企業集団の連結財務諸表に連結して記載される場合におけるその企業集団

　　（ロ）　企業集団における支配会社等の財産及び損益の状況が他の企業集団における支配下会社等の株式又は出資を金融商品取引所等に上場するとしたならば作成されることとなる連結財務諸表に連結して記載される場合におけるその企業集団

　ロ．企業集団のうち、その企業集団における支配会社等株式又は出資を金融商品取引等に上場するとしたならばその企業集団の連結財務諸表が作成されることとなるもの（上記イ（イ）（ロ）に掲げる企業集団は除かれます。）

　なお、支配会社等とは、企業集団の他の会社等の意思決定機関を支配している会社等（親会社等）で、その企業集団にその親会社等がないものをいいます。

　おって、連結財務諸表を作成している上場子会社を頂点とした企業集団は、その上場子会社の財産及び損益の状況が他の企業集団の連結財務諸表に連結して記載される場合は対象となる企業グループには該当しません[9]。

　　[9]　平成28年版「改正税法のすべて」大蔵財務協会　580ページ

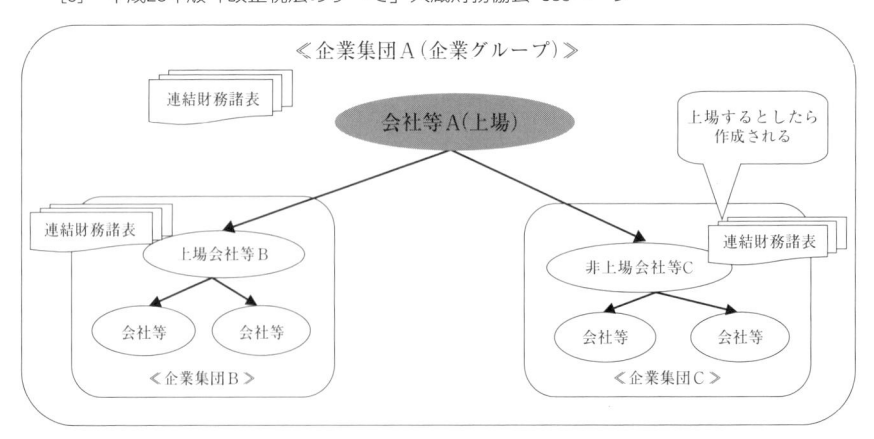

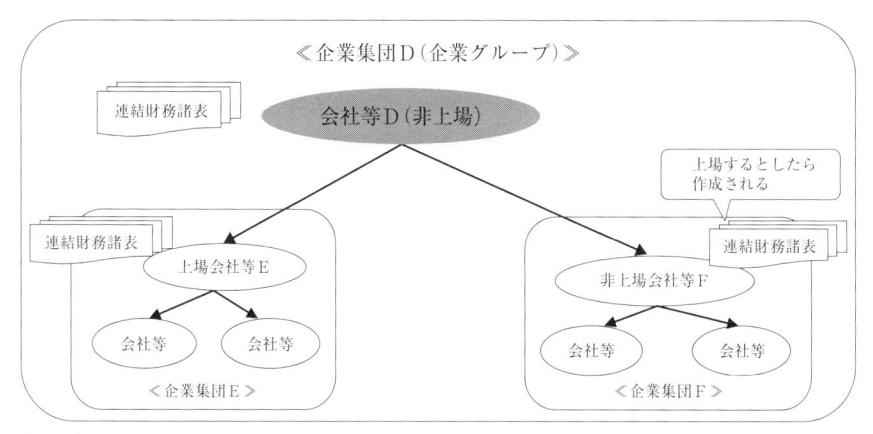

《解説》　支配会社等である会社等Ｂ・Ｃ・Ｅ・Ｆの財産及び損益の状況は企業集団Ａ
又は企業集団Ｄの連結財務諸表に連結して記載されるため、Ｂ・Ｃ・Ｅ・Ｆは
企業グループには該当しません。

③　多国籍企業グループ

　本制度は、企業集団の国又は地域ごとの所得金額や納付税額の配分状況等に
関する情報の提供を求めるものであるため、二以上の国又は地域において構成
会社等又は恒久的施設若しくはこれに相当するものを通じた事業活動が行われ
る企業グループのみが対象となります（措法66の４の４④二、措令39の12の４③）。

④　特定多国籍企業グループ

　特定多国籍企業グループとは、多国籍企業グループのうち、直前の最終親会
計年度における多国籍企業グループの連結財務諸表における売上金額、収入金
額その他の収益の額の合計額が1,000億円以上であるものをいいます（措法66
の４の４④三、措規22の10の４⑦）。なお、有価証券や固定資産などの売却益が
ネットで計上されている場合はそのネットの金額で、グロスで計上されている
場合はグロス金額を用いて計算することになるとされています[10]。

　　[10]　平成28年版「改正税法のすべて」大蔵財務協会　582ページ

企業グループのイメージ
（平成28年版「改正税法のすべて」大蔵財務協会 583ページより引用）

≪企業集団≫

≪企業グループ≫
企業グループのうち連結財務諸表が作成されるもの

≪多国籍企業グループ≫
企業グループのうち構成会社等の居住地国が二以上あるもの

≪特定多国籍企業グループ≫
多国籍企業グループのうち直前会計年度の
多国籍企業グループの総収入金額1,000億円以上であるもの

⑤　構成会社等

　次に掲げる会社等をいいます（措法66の4の4④、措令39の12の4④）。

イ．企業グループの連結財務諸表にその財産及び損益の状況が連結されて記載される会社等

ロ．企業グループの連結財務諸表において重要性の乏しいことを理由として連結の範囲から除かれる会社等

ハ．企業グループにおける株式又は出資を金融商品取引所等に上場するとしたならば作成されることとなるその企業グループの連結財務諸表にその財産及び損益の状況が連結して記載される会社等

ニ．企業グループにおける支配会社等の株式又は出資を金融商品取引所等に上場するとしたならば作成されることとなるその企業グループの連結財務諸表において重要性の乏しいことを理由として連結の範囲から除かれる会社等

（注1）　重要性が乏しいとは、会社等の資産、売上等からみて連結の範囲等から除いても企業グループの財政状態及びキャッシュフローの状況に関する合理的な判断を妨げない程度に重要性が乏しいことをいうとされています（措規22の10の4⑧）。

（注2）　支配会社等は、議決権の過半数を所有している等当該他の会社等の意思決定機関を支配しているものをいいます。

（注3）　上場されることになるかどうかの基準は、当該支配会社等の所在地国の金融商品取引所に上場するとした場合に適用される会計原則により判定されることとなります。なお、会計上の非連結子会社に該当する会社等であっても、重要性の観点から連結対象から外れた会社は構成会社等に該当することとなります[11]。

[11]　平成28年版「改正税法のすべて」大蔵財務協会　584ページ

⑥　最終親会社等

最終親会社等とは、企業グループの構成会社等のうち、その企業グループの他の構成会社等の意思決定機関を議決権等の過半数を所有しているなどで支配している会社等をいい、その親会社等がないものをいいます（措法66の4の4④五、措令39の12の4⑤）。

⑦　代理親会社等

代理親会社等とは、特定多国籍企業グループの親会社等以外の構成会社等で、国別報告事項等を租税執行機関に提出するものとして、当該最終親会社等が指定した会社をいいます（措法66の4④六）。

⑧　最終親会計年度

最終親会社等の財産及び損益の計算の単位となる期間をいいます（措法66の4④七）。

⑨　居住地国

会社等の居住地国は、次に掲げる会社等の区分に応じて、それぞれの国又は地域とされます（措法66の4④八）。

区　　分	居住地国
①国内に本店等を有する会社等	日本
②外国に本店等を有する会社等（③に掲げる会社等を除く）	当該外国
③外国の法令において当該外国に本店等、管理支配の場所又はこれらに類する場所等を有することより、法人税相当税を課されている会社等	当該外国

平成28年版「改正税法のすべて」大蔵財務協会　585ページから引用

(2)　最終親会社等又は代理親会社等以外による国別報告事項の提供

　我が国では、特定多国籍企業グループの構成会社等である内国法人又は当該構成会社等である恒久的施設を有する外国法人は、最終親会社等の居住地国の税務当局が国別報告事項に相当する情報の提供を行うことができないと認められる場合には各最終親会社会計年度終了の翌日から1年以内にe-Taxで税務署長宛てに提出しなければなりません。

　また、国別報告事項の提供は英語により行うこととされています（措規22の10の4④）。

　おって、最終親会社等の居住地国の税務当局が国別報告事項に相当する情報の提供を行うことができないと認められる場合とは次に掲げる場合とされています（措令39の12の4①）。

①　特定多国籍企業グループの最終親会社等居住地国において、対象となる各最終親会計年度に係る国別報告事項に相当する事項の提供を求めるための必要な措置が講じられていない場合

②　財務大臣と居住地国の権限ある当局との間において適格な当局間合意がない場合

③　特定多国籍企業グループの最終親会社等の居住地国が、わが国に対して国別報告事項に相当する事項を提供できないと認められる場合として国税庁長官が指定する国等に該当する場合

　BEPSプロジェクトによる情報提供方式は、特定多国籍企業グループの最終親会社等の居住地国と我が国との間において租税条約等を締結している国等に限定されます。

　したがって、条約締結国で何らかの事情で当該居住地国の税務当局が我が国に対して提供できないと認められる限定的な場合に限ってこれらの法人に提供を求めることとされています。この方式を子会社方式による国別報告事項の提供といいます。

　なお、我が国では、提供できないかどうかの判定を行うため、平成28年4月

１日から平成29年３月31日までの間に開始する最終親会計年度においては、特定多国籍企業グループの構成会社等である内国法人又は恒久的施設を有する外国法人は、この③に該当する場合は、国別報告事項の提供をしなければならないとされています（平成28年度改正附則23）

(3)　子会社方式により国別報告事項を提供すべき法人が複数ある場合の取扱い

いずれかの内国法人又は外国法人の一が代表して国別報告事項を所轄税務署長に提出したときは他の法人等は当該国別報告事項の提供義務はありません（措法66の４の４③）。

(4)　最終親会社等届出事項の提供

特定多国籍企業グループの構成会社等である内国法人又は当該構成会社等である恒久的施設を有する外国法人は、当該特定多国籍企業グループの各最終親会計年度に係る最終親会社等届出事項を、最終親会計年度終了の日までに、e-Tax によりそれぞれ所轄税務署長に提供しなければなりません（措法66の４の４⑤）。

届出事項とは、最終親会社等の居住地が内国である場合は、名称、本店又は主たる事務所の所在地、法人番号、代表者氏名です。最終親会社等の居住地が外国である場合は、本店等所在地あるいは管理支配地、法人番号、代表者氏名です。

【最終親会社等届出事項の概要】[12]

提供義務者	特定多国籍企業グループの構成会社等である内国法人又は恒久的施設を有する外国法人
届出項目	最終親会社等及び代理親会社等の①名称、②本店又は主たる事務所の所在地（最終親会社等の居住地国が外国である場合は本店若しくは主たる事務所又はその事業が管理され、かつ、支配されている場所の所在地）、③法人番号、④代表者の氏名
届出様式	国税庁ホームページの多国籍企業情報の報告に関するサイトに掲載
提供期限	最終親会計年度終了の日までに e-Tax により所轄税務署長に提供

提供義務の免除	直前の最終親会計年度の連結総収入金額が1,000億円未満の多国籍企業グループ
適用開始	平成28年4月1日以後開始する最終親会計年度

[12]　「移転価格税制に係る文書化制度に関する改正のあらまし」平成28年6月国税庁3ページ

(5)　最終親会社等又は代理親会社等による国別報告事項の提供すべき法人が複数ある場合の扱い

いずれかの内国法人又は外国法人の一が代表して最終親会社等届出事項を提供する法人の名称、その他の事項を当該法人等の所轄税務署長に提出したときは他の法人等は最終親会社等届出事項を提供する必要はありません（措法66の4の4⑥）。

(6)　国別報告事項の不提供に係る罰則

国別報告事項の提供に関して本制度の実効性を担保するため、正当な理由なくして国別報告事項をその提供期限までに提供しなかった場合には、法人の代表者、代理人、使用人その他の従業者でその違反行為をした者は、30万円以下の罰金を科することとされています（措法66の4の4⑦）。

(7)　適用関係

以上の改正事項は、平成28年4月1日以後開始する最終親会社会計年度に係る国別報告事項に適用されます（平成28年改正法附則⑤）。

【国別報告事項の概要】[13]

提供義務者	《条約方式》 特定多国籍企業グループの構成会社等である内国法人（最終親会社等又は代理親会社等に限ります） 《子会社方式》 特定多国籍企業グループの構成会社等である内国法人（最終親会社等又は代理親会社等を除きます。）又は恒久的施設を有する外国法人
報告項目	特定多国籍企業グループの構成会社等の事業が行われる国又は地域ごとの

	①収入金額、税引前当期利益の額、納付税額、発生税額、資本金の額又は出資金の額、利益剰余金の額、従業員の数及び有形資産（現金及び現金等価物を除きます。）の額 ②構成会社等の名称、構成会社等の居住地国と本店所在地国が異なる場合のその本店所在地国（本店所在地国と設立された国又は地域が異なる場合は、設立された国又は地域）の名称及び構成会社等の主たる事業内容 ③上記事項についての参考となるべき事項（措規22の10の４①）
報告様式	国税庁ホームページの多国籍企業情報の報告に関するサイトに掲載されています。
提供期限	最終親会計年度終了の日の翌日から１年以内に e-Tax により所轄税務署長に提供（事業概況報告事項と同じ）
提供義務の免除	直前の最終会計年度の連結総収入金額1,000億円未満の多国籍企業グループ（事業概況報告事項と同じ）
使用言語	英語（措規22の10の４④）
罰則	正当な理由なく国別報告事項を期限内に税務署長に提出しなかった場合には、30万円以下の罰金（措法66の４の４⑦）（事業概況報告事項と同じ）
適用開始	平成28年４月１日以降に開始する最終親会計年度（事業概況報告事項と同じ）

（注）　国別報告事項については、一定の様式に記載する情報を XML 又は CSV の形式により提供する必要があります。

　　［13］　移転価格税制に係る文書化制度に関する改正のあらまし」平成28年６月国税庁　5ページ

 **第4節 特定多国籍企業グループに係る事業概況報告事項の提供制度の創設**[14]

1. 制度概要

(1) 事業概況報告事項

　BEPS プロジェクトの合意を受けて、我が国においては、特定多国籍企業グループの構成会社等である内国法人又は当該構成会社等である恒久的施設を有する外国法人は、当該特定多国籍企業グループの組織概要、事業概要、財務状況等の事業概況報告事項を各最終親会計年度終了の日の翌日から1年以内に、所轄税務署長に提供しなければならないものとされました。

(2) 不提供に係る罰則

　正当な理由なくして事業概況報告事項をその提供期限までに税務署長に提供しなかった者は、30万円以下の罰金を科することとされました。

---

　[14]　国税庁元相互協議室長であった角田伸広氏は、『「国別報告事項」と「事業概況報告事項」の提供制度は、わが国の制度になかった全く新しいものです。これらは、わが国の税務当局による独立企業間価格の算定とは直接のかかわりをもたず、むしろ、外国の税務当局への情報提供を主たる目的とした制度と理解することができます。』と述べています。「移転価格税制の実務詳解≫中央経済社 32ページ　仮にこうした位置づけの文書とすると提供内容については十分に検討し留意する必要があるということになろう。」さらに同氏は、「新興国等においては、移転価格課税において、比較対象取引が見つからないため、利益分割法的な考え方を採る傾向は増しており、その延長として定期配分方式による課税が行われるおそれもあり注意が必要です。」と警告を発しています。同書62ページ。

2．制度の内容

⑴　事業概況報告事項の提供

　特定多国籍企業グループの構成会社等である内国法人又は当該構成会社等である恒久的施設を有する外国法人は、当該特定多国籍企業グループに係る事業概況報告事項を各最終親会計年度終了の日の翌日から1年以内に、e-Taxで、日本語又は英語により所轄税務署長に提供しなければならないものとされました（措法66の4の5①、措規22の10の5②）。

　事業概況報告事項とは次に掲げる事項です。

① 　特定多国籍企業グループの構成会社等の名称、本店又は主たる事務所の所在地、当該構成会社等の系統的に示した図

② 　特定多国籍企業グループの構成会社等の事業概況として次に掲げる事項

　・当該特定多国籍企業グループの構成会社等の売上、収入その他の収益の重要な源泉

　・特定多国籍企業グループの主要な5種類の商品若しくは製品又は役務の販売又は提供に至るサプライ・チェーン（消費者に至るまでの一連の流通プロセスをいう。）の概要及び当該商品若しくは製品又は役務の販売又は提供に関する地理的な市場の概要

　・特定多国籍企業グループの商品若しくは製品又は役務の販売又は提供に係る売上高、収入金額その他の収益の合計額のうちに当該合計額を商品、製品又は役務の提供の種類ごとに区分した金額の割合が5％を超えることとなる商品、製品、役務の販売、提供に係るサプライ・チェーン概要及び当該商品若しくは製品又は役務の販売又は提供に関する地理的な市場の概要

　・特定多国籍企業グループの構成会社等間で行われる役務の提供（研究開発に係るものは除く。）に関する重要な取決めの一覧表及び取決めの概要（当該役務に係る対価の額の設定の方針概要、費用負担の方針概要、提供が行われる主要な拠点の機能概要を含む。）

・特定多国籍企業グループの構成会社等が付加価値の創出に果たす主たる機能、負担する重要なリスク（為替相場の変動、市場金利の変動、経済事情の変化その他の要因による利益又は損失の増加又は減少の生ずるおそれをいう。）、使用する重要な資産その他当該構成会社等が付加価値の創出に果たす主要な役割の概要

・特定多国籍企業グループの構成会社等に係る事業上の重要な合併、分割、事業譲渡その他の行為の概要

③　特定多国籍企業グループの無形固定資産の研究開発、所有及び使用に関する包括的な戦略の概要並びに当該無形資産の研究開発用主要施設の所在地、開発を管理する場所の所在地

④　特定多国籍企業グループの構成会社等の間で行われる取引において使用される重要な無形資産の一覧表及び当該無形資産を所有する当該構成会社等の一覧表

⑤　特定多国籍企業グループの構成会社等の間の無形資産の研究開発に要する費用の額の負担に関する重要な取決めの一覧表、当該無形資産の使用許諾に関する重要な取決めの一覧表その他当該構成会社等の間の無形資産に関する重要な取決めの一覧表

⑥　特定多国籍企業グループの構成会社等の間の研究開発及び無形資産に関連する取引に係る対価の額の設定方針の概要

⑦　特定多国籍企業グループの構成会社等の間で行われた重要な無形資産（持ち分を含む。）の移転に関係する当該構成会社等の名称、本店等所在地、当該移転に係る無形資産の内容並びに対価の額その他当該構成会社等の間で行われた当該移転の概要

⑧　特定多国籍企業グループの構成会社等の資金調達方法の概要（当該特定多国籍企業グループの構成会社等以外の者からの資金調達に関する重要な取決めの概要を含む。）

⑨　特定多国籍企業グループの構成会社等のうち、当該特定多国籍企業グルー

プに係る中心的な金融機能を果たすものの名称、本店等所在地

⑩　特定多国籍企業グループの構成会社等間で行われる資金の貸借に係る対価の額の設定方針の概要

⑪　特定多国籍企業グループの連結財務諸表（ない場合はグループの財産、損益の状況を明らかにした書類）に記載された損益及び財産の状況

⑫　特定多国籍企業グループの居住地国を異にする構成会社等の間で行われる取引に係る対価の額とすべき額の算定の方法その他の当該構成会社等の間の所得配分に関する事項について当該グループの一構成会社等の居住地国の権限ある当局のみによる確認がある場合における当該確認内容

⑬　①から⑫までに掲げる事項の参考となるべき事項

　なお、こうした企業のコンプライアンス・コストについては、できる限りBEPS プロジェクトにおいて、各国の共通項目となるよう、OECD 移転価格ガイドライン第 5 章規定案別添 1 の記載項目と同じとされています。また、かなり詳細なものですが、構成会社等の情報を除いて特定多国籍企業グループの実情に応じて判断されるべきものと考えられるとしています。

　しかしながら、報告事項に盛り込むべき情報レベルに関して、財務省は実情に応じて企業グループが判断すべきとしていますが、どこまで記載を省くことができるかは、通達等で限界を明示すべきものと考えます[15]。

[15]　平成28年版「改正税法のすべて」大蔵財務協会　594ページ

⑵　事業概況報告事項を提供すべき法人が複数ある場合の特例

　事業概況報告事項を提供しなければならない内国法人又は外国法人が複数ある時は、各最終親会計年度終了の日の翌日から 1 年以内に、e-Tax で内国法人又は外国法人の一が代表して事業概況報告事項を所轄税務署長に提供したときは他の法人等は当該事業概況報告事項の提供は要しません（措法66の 4 の 5 ②）。

3. 事業概況報告事項の不提供に係る罰則

　事業概況報告事項の提供に関して本制度の実効性を担保するため、正当な理

由なくして事業概況報告事項をその提供期限までに提供しなかった場合には、法人の代表者（人格のない社団等の管理人を含みます。）、代理人、使用人その他の従業者でその違反行為をした者は、30万円以下の罰金を科することとされています（措法66の4の5③）。

【移転価格税制等に係る文書化制度の整備の概要】

	独立企業間価格を算定するために必要な書類（ローカルファイル）	国別報告事項	事業概況報告事項（マスターファイル）
目的・文書化すべき内容	・個々の関連取引に関する詳細な情報を提供 ・特定の取引に関する財務情報、比較可能性分析、最適な移転価格算定手法の選定及び適用に関する情報を記載	・ハイレベル移転価格リスク評価に有用な情報を提供 ・多国籍企業グループの事業が行われる国ごとの収入金額、税引前当期利益の額、納付税額等に関する情報を記載	・税務当局が重要な移転価格リスクを特定できるようグループ全体の「青写真」を提供 ・多国籍企業グループの組織構造、事業の概要、財務状況等に関する情報を記載
作成義務・作成期限	確定申告書の提出期限までの作成義務	（提供義務・提供期限でカバー）	（提供義務・提供期限でカバー）
当局への提出の態様・提出期限	当局の要請に基づき提出（45日以内の当局が指定する日 ※ローカルファイル以外の関連事項等については、60日以内の当局が指定する日）	【最終親会社等が内国法人の場合】 ・最終親会社等の会計年度終了後1年以内に提供 【最終親会社等が外国法人の場合】 ・原則として提供義務なし（情報交換により入手） ・（限定的な場面で）子会社等に提出義務を課す	最終親会社等の会計年度終了後1年以内に提供
提出義務者	調査対象法人	・内国法人である最終親会社等	グループの内国法人（又は在日PEを有

		・（限定的な場面で）外国法人である最終親会社等の在日子会社（又は在日PEを有する外国法人）	する外国法人）
適用除外	一定の少額取引（前期の取引合計額50億円未満、かつ無形資産の取引合計額3億円未満。※個々の国外関連取引者毎に判定）	連結グループ収入1,000億円未満	連結グループ収入1,000億円未満
文書の保存義務・保存年限・保存場所	原則として7年間／国内保存	―	―
文書化の実効性の担保策	当局の要請後一定の範囲内の当該職員の指定する日までに文書提出がない場合の推定課税	30万円以下の罰金	30万円以下の罰金
使用言語	特段指定ない	英語	日本語または英語
提出方法	紙（電磁的記録を含む）	電子データ（e-Tax）	電子データ（e-Tax）
適用時期	H29.4.1以後開始する事業年度	H28.4.1以後開始する最終親会社等の会計年度分	H28.4.1以後開始する最終親会社等の会計年度分

財務省作成「平成28年度版改正税法のすべて」大蔵財務協会編 566ページから引用

第5節　独立企業間価格を算定するために必要と認められる書類（ローカルファイル）

1. 制度概要

　平成28年度改正において独立企業間価格を算定するために必要と認められる書類（ローカルファイルといいます。）について、改正前は間接的に作成保存を義務付けていたものを、移転価格税制を適切に執行するために、取引時又は申告時において合理的に入手可能な情報に基づいて独立価格算定文書を確定申告書提出期限までに作成し、又は取得し、保存すること（これを同時文書化という。）が法人に義務付けられました（措法66の4⑥）。

　令和元年度の税制改正において、価格算定方法にDCF法が追加されたことに伴い、価格算定文書の同時文書化制度（確定申告書の提出期限までに同時文書化対象国外関連取引に係る独立企業間価格を算定するために必要と認められる書類（ローカルファイル）の作成）について、次の改正が行われました。

① 　法人が国外関連者取引に係る最適な価格算定方法としてDCF法を選定した場合は、当該国外関連取引を行った時の現在価値として割り引いた金額の合計額を算出することとなります。この金額を算定するための書類を同時文書化制度の対象とすることとされました（措規22の10⑥二ニ）。

② 　法人がDCF法を採用しない場合であっても、独立企業間価格の算定に予測を用いる場合も想定されることから、そうした予測方法等を記載した書類についても同時文書化制度の対象とすることとされました（措規22の10二ホ）。

【ローカルファイルの概要】

作成義務者	国外関連取引を行った法人
作成等期限	確定申告書の提出期限
作成書類	独立企業間価格を算定するために必要と認められる書類（措規22の10①各号に掲げる書類）[注1]
保存期間	原則として確定申告書の提出期限の翌日から7年間、国外関連取引を行った法人の国内事務所で保存（措規22の10②）
同時文書化義務の免除	次の場合には、当該事業年度の一の国外関連者との国外関連取引について、同時文書化義務を免除[注2] ①　当該一の国外関連者との間の前事業年度（前事業年度がない場合には当該事業年度）の取引金額（受払合計）が50億円未満、かつ、 ②　当該一の国外関連者との間の前事業年度（前事業年度がない場合には当該事業年度）の無形資産取引金額（受払合計）が3億円未満である場合
提出期限	調査に於いて提示又は提出を求めた日から一定期日[注3]
使用言語	指定なし
適用開始	平成29年4月1日以後に開始する事業年度

国税庁「移転価格税制に係る文書化制度に関する改正のあらまし」平成28年6月7ページより参照

（注1）　第8章移転価格税制3⑶措置法規則措規22の10各号において必要とされる書類を提示していますので参照してください。

（注2）　同時文書化が免除されたとしても、移転価格税制の対象ですので、税務調査時には書類の提示提出を求められます。

（注3）　提出期限の一覧（国税庁「移転価格税制に係る文書化制度に関する改正のあらまし」平成28年6月7ページより）

【国外関連取引を行った法人が作成する書類(ローカルファイルを含む)の提出期限】
　同時文書化の対象取引かどうかの区分により、次のとおり書類の提出期限が異なります。

2. 独立企業間価格を算定するために必要と認められる書類の具体的事例の簡記

　以下の記述は、国税庁が平成28年6月に公表した例示集によっています。

(1)　資産及び役務の内容（措規22の10①一号イ）

①　国外関連取引が棚卸資産の売買の場合

　棚卸資産の種類（性状、構造、機能等）、主要売上先（及びエンドユーザー）、

主要仕入先、取引条件（単価、通貨、貿易条件）、取引の開始時期

②　国外関連取引が役務提供の場合

　役務の内容（性質等）、主要役務提供先、（提供している役務を外注している場合）主要外注先、取引条件（単価、通貨等）、役務取引の開始時期及び期間等

③　国外関連取引が金銭の貸借の場合

　元本及び金利の金額及び通貨、貸借時期及び期間、担保及び保証の有無等

④　国外関連取引が無形資産の使用許諾の場合

　無形資産の内容、使用許諾の開始時期及び期間

⑤　国外関連取引が無形資産の譲渡の場合

　無形資産の内容、譲渡の理由及びその時期、取得価格（構築費用）及びその計算過程

⑥　国外関連取引がグローバルトレーディングの場合

　取引内容、関与する拠点（名称、所在する国又は地域、職制別人員等）及びその役割

⑦　国外関連取引が事業譲渡の場合

　譲渡対象となる事業内容、取引当事者の名称、事業譲渡の時期等

　準備する書類として、有価証券報告書、営業報告書、会社案内、商品パンフレット、カタログ、プライスリスト、法人及び国外関連者間の契約書等があります。

(2)　**機能及びリスク（措規22の10①一号ロ）**

①　機能とは、研究開発、設計、調達、製造、組立、技術指導、市場開拓、広告宣伝、販売、アフターサービス等をいいます。その際の機能を果たす重要な判断決定を誰がどこでどのように行っているか、費用負担はだれがどのように行っているか、その機能が基本的活動を行う法人とは異なる独自の機能と判断した理由を記載する必要があります。

　国外関連取引に関係する法人及び国外関連者の主たる部署の名称並びに当該部署が国外関連取引において果たす役割を記載する必要があります。

②　事業遂行に当たり想定されるリスク例として、次のものが挙げられます。

　貸倒リスク、在庫リスク、研究開発リスク、品質保証リスク、製造物責任リスク、為替変動リスク、市場価格（相場）変動リスク、経営上の事業リスク

　準備する書類として、法人及び国外関連者の経営組織図、所属員数表、業務分掌表、業務フロー、有価証券報告書、会社案内及びホームページのアウトプット、法人及び国外関連者間の契約書、取引フロー図、稟議書、各種会議資料及び議事録、投資計画書、研究開発計画書、事業再編等に係る計画書、会議資料等があります。

(3)　使用した無形資産（措規22の10①一号ハ）

　法人又は国外関連者が所有及び登録し、又は使用許諾している無形資産のうち、国外関連取引において使用した無形資産の種類、内容、契約条件などを説明する書類です。貸借対照表に計上されていない場合、法的所有権がない場合であっても使用した無形資産については記載する必要があります。

　事務運営指針３−11では、例示として次に掲げる重要な価値を有し所得の源泉となるものを総合勘案することとしています。技術革新を要因として形成される特許権、営業秘密等、従業員等が経営、営業、生産、研究開発、販売促進等の企業活動における経験等を通じて形成したノウハウ等、生産工程、交渉手順及び開発、販売、資金調達等に係る取引網等。

　必要な情報として、国外関連取引で使用した無形資産の種類及びその内容、使用に係る契約条件、使用開始時期及び使用料の額、無形資産の形成、開発、改善、維持、保護、使用に寄与、貢献した事実（意思決定、役務提供、費用負担、リスク管理をそれぞれ誰がどこで行ったか等）、国外関連取引と無形資産との関連性、重要な無形資産に該当すると判断して理由を例として挙げています。

　準備する書類としては、保有する無形資産リスト、登録されている特許権商標等、使用に関する契約書、稟議書、無形資産の形成に寄与した部署及びその業務内容を記載した書類、有価証券報告書（無形資産の記述部分）、販売網が無形資産の場合の営業部署の業務内容、店舗一覧、代理店一覧、ブランド維持又

は向上に係る広告宣伝の企画書類等があります。

(4)　契約関係（措規22の10①一号ニ）

　国外関連取引に係る契約書、取引条件が口頭やメールで定められている場合、特に契約書で記載されていなくても国外関連者との間において遵守することとしている条件（社内規定を含む）がある場合、これらの事項を説明した書類、裏付け資料を用意する必要があります。

　準備する書類としては、契約関係に必要な情報が記載されている書類、例えば契約書及び付属書類、契約内容を記載した書類等です。

(5)　取引価格の設定、事前確認の状況（措規22の10①一号ホ）

　国外関連取引において受払する対価の額の明細を説明する書類、交渉経緯内容を説明する書類です。

　必要な情報としては次のものがあります。

①　国外関連取引が棚卸資産の売買の場合

　単価（取引相場を含む）、取引数量、取引価格及び取引通貨、年間取引金額、対価の設定方法

②　国外関連取引が役務の場合

　取引価格、その計算方法（相場の有無）及び取引通貨性質等、年間取引金額、対価の設定方法

③　国外関連取引が金銭の貸借の場合

　受払した金利の額、その設定方式（変動、固定）利率、利払方法及び取引通貨、元本額及び取引通貨、対価の額の設定方法

④　国外関連取引が無形資産の使用許諾の場合

　取引価格、年間取引金額、対価の設定方法

⑤　国外関連取引が無形資産の譲渡の場合

　譲渡対価の額、取引通貨、取引価格、対価の計算方法及び計算過程（収益還元法を用いている場合の各種情報など）、年間取引金額、対価の設定方法

⑥　国外関連取引がグローバルトレーディングの場合

　関与する拠点に配分される対価の額、その計算方法及び取引通貨

⑦　国外関連取引が事業譲渡の場合

　事業譲渡等の対価の額及び取引通貨、対価の計算方法及び計算過程（収益還元法を用いている場合の各種情報など）

　準備する書類としては、契約関係に必要な情報が記載されている書類、商品パンフレット、カタログ、又はプライスリスト、契約締結に係る会議議事録、稟議書、承認に関する書類、対価の額の設定及び改定に係る利用した資料、対価決定に係る交渉経緯、経緯記録メモ及び社内メール、移転価格設定ポリシーを記載した文書、過去の対価の額の推移がわかる資料等です。

　次に事前確認に係る資料です。

　必要な情報としては、事前確認等の国外関連者の名称、所在する国、地域の税務当局名、その中で確認を受けた又は取り決められた内容、関連する取引がある場合その取引と関連内容等があります。

　準備する書類としては、関係各国の税務当局事前確認、相互協議を伴う事前確認、税務ルーリングがある場合のその内容を記載した書類です。

⑹　**国外関連取引に係る損益の切出し（措規22の10①一号ヘ）**

　法人及び国外関連者双方の国外関連取引に係る損益（原則営業損益）及びその計算過程を説明する書類です。独立企業間価格は、原則として取引単位ごとに算定しますので、取引単位に区分し切り出された損益（切出損益という。）の資料が必要となります。最初に、単体の損益計算書から国外関連取引に係る損益を切り出します。次に、明確に区分できない費用、これを共通経費といいますが、合理的な基準で費用配分を行い、営業損益まで算出します。なお、国外関連者の仕入がすべて当該法人との取引である場合は、国外関連者の会社単位の損益を用いることができます。

　必要な情報としては、売上、売上原価、売上総利益、販売費及び一般管理費、営業損益の切出しの数値が必要となります。加えて、為替相場、切出基準と用

いた基準の理由。算出過程、共通費用、本店から配賦される費用の計算方法及び計算過程、配賦に係る役務の内容、会計処理の変更、セグメントの変更等、前事業年度の損益と比較する場合に参考とすべき事項が挙げられています。

準備する書類としては、単体ベースの監査済財務諸表、セグメント損益、管理会計で用いている事業部単位切出損益及びその作成過程に係るものが挙げられています。

(7) 市場の状況（措規22の10①一号ト）

国外関連取引の対象となる商品、製品、役務等に係る地理的市場等の特性、政府の政策（例として、優遇税制、使用料の支払規制、ダンピング規制、外為管理などです。）、及び為替変動の影響等を説明する書類です。具体的には、市場規模、シェア、地理的な特有事情、許認可の状況、為替の影響、取引段階の区別等があります。

必要な情報としては、

① 国外関連取引の対象となる商品若しくは製品が販売されている又は役務が提供されている地理的市場に係る情報（需要、市場規模、地理的に特異な事情（人件費水準、市場価格水準、需要の変動、顧客の嗜好）、許認可の状況など）

② 市場の競争概要（法人グループ及び競合他社のシェア、競合他社の名称）

③ 市場における政府の政策（関税の優遇）の内容と価格又は損益に与える影響

④ 為替の変動状況

⑤ その他国外関連取引に係る対価の額等に影響を与える市場の要因情報

⑥ 計算している場合は、その影響額

などです。

準備する書類としては、有価証券報告書、年次報告書、市場分析資料、市販の市場分析資料などの参考文献、優遇税制の概要などがあります。

(8) 事業内容、事業方針及び組織の系統（措規22の10①一号チ）

法人及び国外関連者が行っている事業の詳細、事業方針、事業戦略、それぞ

れの組織を説明する書類です。

　例えば、「市場シェアの獲得を目的に競争相手より安価な小売価格とするため、国外関連者に輸出する価格については戦略的に〇%程度低い販売価格を設定している。」、「市場に参入したばかりの段階のため、市場に浸透しブランドイメージを構築するために広告宣伝や販売促進を増加させている。」、「現地政府の優遇税制を享受するため事業再編を行って機能を変更している。」といった事業方針、事業戦略の詳細を記載することとなります。

　必要な情報としては、双方の事業内容の詳細、主な部署の業務内容及び所属人員、事業方針、事業戦略及びそれが双方の損益に及ぼす影響額又は率です。

　準備する書類としては、双方の経営組織図、所属人員数、業務分掌表（規則）、業務フロー図、有価証券報告書、年次報告書、会社案内、ホームページのアウトプット資料、中期経営計画書、事業計画書、これらに係る会議資料、稟議書です。

⑼　密接に関連する他の取引（措規22の10①一号リ）

　具体的には次のような例があげられています。

①　法人がX国の国外関連者S1に基幹部品を輸出し、S1は使用許諾された製造技術を使用して製品を製造し、Y国の国外関連者S2に輸出し、S2はそれをY国のエンドユーザーに販売する場合です。連鎖取引の場合が挙げられています。

②　法人がX国の国外関連者S1に、コーヒーマシンを販売し、X国の国外関連者S2にマシン専用コーヒーパックを販売している場合です。

③　法人が、X国の国外関連者にアフターサービスが必要な製品を販売し、さらにそのアフターサービスに係る役務提供を行っている場合です。製品の販売取引と役務提供取引を一体として行っていることから、2つの取引は密接に関連しているといえます。

　必要な情報としては、取引の対象内容、取引金額、取引に係る損益等です。

　準備する書類としては、情報が記載されている書類となります。

3. 独立企業間価格の算定書類（措規22の10①二）

⑴　選定した独立企業間価格の算定方法と選定理由（措規22の10①二号イ）

　法人が選定した独立企業間価格の算定方法の内容とその方法が最も適切であると判断した理由を説明する書類です。

①　選定する手順は、事例集事例1に掲げている流れに沿って検討することとなります（参考事例集6ページ参照）。

②　留意すべき事項として措置法通達66の4⑵-1を参照することとされています。

（参考）
～措置法通達66の4⑵-1　（最も適切な算定方法の選定に当たって留意すべき事項）（抄）～

　措置法第66条の4第2項に規定する「最も適切な方法」の選定に当たり、同項の「当該国外関連取引の内容及び当該国外関連取引の当事者が果たす機能その他の事情を勘案して」とは、国外関連取引及び非関連者取引に係る～（略）～次に掲げる点を勘案することをいうのであるから留意する。
⑴　独立企業間価格の算定方法の長所及び短所
⑵　国外関連取引の内容及び当該国外関連取引の当事者の果たす機能等に対する独立企業間価格の算定方法の適合性
⑶　独立企業間価格の算定方法を適用するために必要な情報の入手可能性
⑷　国外関連取引と非関連者間取引との類似性の程度

---

③　最も適切な独立企業間価格の算定の方法が複数ある場合は、事務運営指針4-2を参照することとされています。

④　準ずる方法を用いる場合は、その合理性の記載が必要となります。事例集1参考3．措置法通達66の4⑹-1を参照してください。

⑤　一般的に需要の変化、製品のライフサイクル等により価格が相当程度変動することにより各事業年度の情報のみでは適当でないと考えられる場合は、当該事業年度の前後の合理的な期間における比較対象取引の候補と考えられる取引の額又は利益率等の平均値等を基礎として検討することができます。

この場合複数年度のデータを用いる場合のその合理性を説明する必要があります。

⑥　重要な前提がある場合その説明が必要となります。

必要な情報の例として、次の場合を挙げています。

・選定した算定方法とその選定過程（選定理由、勘案すべき事項の検討内容を含む。）」

・利益率法を採用する場合の検証当事者の名称及びその当事者を検証対象とした理由、利益水準指標及びそれを採用した理由

・法人が選定した方法で適用した計算結果（切出し売上高・売上原価額・売上総利益高、販売費及び一般管理費、営業利益、利益率、各項目の算出過程、使用した財務データ）、切出し損益算出に当たり調整した項目がある場合その調整方法、その調整理由、取引に密接な関連がある複数の取引の損益を一の取引の損益として扱う場合としての合算損益の情報

・独立企業間価格で取引されていなかった場合の価格調整法（具体的な調整計算法、価格調整額、相手の国外関連者の名称等）

・最も適切な方法が準ずる方法である場合、本方法からかい離しない合理的な方法であるとの理由

・複数年度データを使用する場合の採用理由、適用する比較対象取引年度

・選定した方法に前提がある場合の前提に関する説明資料

準備する書類としては、上記情報が記載されている書類となります。

【法人が選定した独立企業間価格の算定方法及び選定理由等を説明する書類の例】

（前提とした取引）
当社がX国に所在する国外関係者S社に、当社が製造した製品を輸出する取引

項目	内容
1　独立企業間価格の算定方法	取引単位営業利益法に準ずる方法 （検証対象：S社、検証する利益水準指標：売上高営業利益率）

2 1が最も適切である理由等	独立価格比準法、再販売価格基準法及び原価基準法については、比較可能な取引を把握できなかったことから適用できない。利益分割法については、比較対象取引に係る所得の配分に関する割合及び対象国外関連取引に係る所得の発生に寄与した程度を推測するに足りる要因がそれぞれ把握できなかったため適用できない。よって上記1の方法が最も適切と判断した。 　また、Ｓ社の主な機能は再販売であり、当社に比べてより単純な機能を果たしていることから、Ｓ社を検証対象とし、さらに、Ｓ社は第三者に販売していることから、検証する利益水準指標は売上高営業利益率が適切である。 　なお、準ずる方法を合理的と判断した理由は、事例集【事例1】（参考3）基本三法に準ずる方法のとおり。 【補足資料】 　・上記検討を行った際の資料
3 独立企業間価格の算定方法を当該国外関連取引に適用した算定結果	取引単位営業利益法に準ずる方法に基づき算出した比較対象取引に係る営業利益率は○○％〜△△％の範囲であり、Ｓ社の×年×期の営業利益率●●％はその範囲内にあることから、本件取引は独立企業間価格で行われたと言える。 取引単位営業利益法に準ずる方法に基づき算出した比較対象取引に係る営業利益率は○○％〜△△％の範囲であり、Ｓ社の×年×期の営業利益率は期末時点で●●％とその範囲を下回っていたことから、予め定めていたとおり期末において上記範囲の平均値である◎◎％となるように価格調整金として▲▲円を当社がＳ社に支払うこととした。 【補足資料】 　・検証に用いた資料 　・検証した結果を示す資料 　・価格調整金計算資料 　　価格調整金の計上及び支出を示す資料　　等
4 その他の項目	選定した独立企業間価格の算定方法を適用するに当たり重要な前提条件となるような重要な事業上又は経済上の条件はない。

※平成28年6月国税庁「移転価格税制に係る文書化制度に関するあらまし」27ページより引用。

(2)　比較対象取引の選定（措規22の10①二号ロ）

　必要な情報としては、内部取引から比較対象取引を選定した場合、その内容、比較対象取引における当事者の機能等、利用可能と判断した理由、検討過程、選定した時期（最新の情報であること）、比較対象取引の価格、利益率、使用した財務データ等で、外部比較対象取引を選定した場合は、その選定過程・理由・基準、基準を設けた理由、選定時期（利用可能な最新情報）、比較対象取引の内容、その両当事者の機能等（公開情報で入手可能な程度）、利用可能と判断した理由、採用した取引価格、利益率、その計算に使用した財務データです。

　準備する書類としては、上記情報が記載されている書類となります。

【比較対象取引の選定に係る事項及び比較対象取引等の明細を記載した書類の例】

（前提とした取引）
当社がＸ国に所在する国外関係者Ｓ社に、当社が製造した製品を輸出する取引

項目	内容
1　比較対象取引の選定に係る事項	(1)　比較対象取引候補の特定 　　以下のような企業を比較対象取引候補の母集団とした。 　　・Ｘ国におけるＳ社の所属する業界団体の名簿や業界情報誌に掲載されている企業のうち、上場企業等で企業データを入手できる企業 　　・Ｘ国におけるＳ社の競合会社である企業のうち、上場企業等で企業データを入手できる企業 　　・△年△月時点の企業情報データベースである○○を用いて、業種分類コード（SIC コード）を参考に、×××、×××、×××及び×××といった業種に属する企業 (2)　比較対象取引の選定過程 　　選定に当たっては、定量基準及び定性基準に基づいて比較可能性のない法人を除外し、最終的に△社（企業数）を選定した（分析時期○年○月）。 　　イ　定量基準 　　　①　・・・・ 　　　②　・・・・

	③　・・・・ ロ　定性基準 　①　・・・・ 　②　・・・・ 　③　・・・・ 【補足資料】 ・母集団の法人リスト（法人名、事業概況、検証指標の利益率を明示） ・選定基準及びその選定基準を設けた理由 ・選定除外法人リスト（法人名及び除外理由を明示） ・選定に用いた資料　等
2　比較対象取引等の明細	(1)　比較対象取引を行う法人数：△社 (2)　検証に用いる利益率：比較対象取引を行う△社の平成×年の売上高営業利益率により　○○％〜△△％（平均値：◎◎％）という利益率の範囲を求め、当該利益率の範囲を独立企業間価格の幅としてS社の売上高営業利益率を検証した。 【補足資料】 ・比較対象取引を行う法人の概要資料（事業概要・取扱製品・機能・市場・決算期・損益等） ・国外関連取引と比較対象取引との比較可能性に関する検討資料 ・利益率の範囲の算定資料 ・その他検討に当たり作成、参照した資料　等

※平成28年 6 月国税庁「移転価格税制に係る文書化制度に関するあらまし」30ページより引用。

(3)　利益分割法を用いた場合の計算（措規22の10①二号ハ）

　必要な情報としては、①合算損益（国外関連取引に係る両当事者の損益の合計）、②財務諸表から切り出した損益の場合の各財務データ（売上、原価、売上総利益、販売費及び一般管理費、営業損益並びに各項目の算出過程、使用した財務データ）、③切り出した損益に調整を加えた項目とその調整方法、調整理由、④残余利益分割法の場合の基本利益の算出過程と使用した財務データ、⑤採用した利益水準指標とその採用理由並びにその利益率の算出過程、⑥分割要因（○○

部署の人件費、○○製品に係る研究開発費）及びそれがどの部署の何の費用なのかを記載した書類、⑦分割要因が寄与すると判断した理由、が挙げられています。

　準備する書類としては、上記情報が記載されている書類となります。

⑷　複数取引を一の取引とした場合の合理性（措規22の10①二号ニ）

　同一製品に関して、例えば、部品輸出、製造ノウハウ、技術指導がそれぞれの価格設定に影響を与える場合があります。

　必要な情報としては、① 一の取引を構成する各国外関連取引の内容と関連性、② 一の取引として独立企業間価格の算定を行うこととした検討過程、が挙げられています。

　準備する書類としては、上記情報が記載されている書類となります。

⑸　差異調整（措規22の10①二号ホ）

　必要な情報としては、①再調整の対象となる項目（例：貿易条件、決済条件）、差異の内容、その差異が取引価格、利益率に及ぼすことが客観的に明らかであると判断した理由、②具体的な調整方法、その調整が適切であると判断した理由、その調整に使用した財務データ、③再調整を行った結果の取引価格又は利益率、が挙げられています。

　準備する書類としては、上記情報が記載されている書類となります。

（参考）
〜事務運営指針4−3（差異の調整方法）（抄）〜

　国外関連取引と、比較対象取引又は措置法通達66の4（3）−1（5）に掲げる取引との差異について調整を行う場合には、例えば次に掲げる場合に応じ、それぞれ次に定める方法により行うことができることに留意する。

　なお、差異の調整は、その差異が措置法第66条の4第2項第1号イに規定する対価の額若しくは同号ロ及びハに規定する通常の利益率の算定又は措置法施行令第39条の12第8項第2号から第5号までに規定する割合の算定に影響を及ぼすことが客観的に明らかである場合に行うことに留意する（措置法第66条の4第2項第2号の規定の適用において同じ。）。

（1）　貿易条件について、一方の取引がFOB（本船渡し）であり、他方の取引がCIF（運賃、保険料込み渡し）である場合　比較対象取引の対価の額に運賃及び保険料相当額を加減算する方法
（2）　決済条件における手形一覧後の期間について、国外関連取引と比較対象取引に差異がある場合　手形一覧から決済までの期間の差に係る金利相当額を比較対象取引の対価の額に加減算する方法
（3）　比較対象取引に係る契約条件に取引数量に応じた値引き、割戻し等がある場合　国外関連取引の取引数量を比較対象取引の値引き、割戻し等の条件に当てはめた場合における比較対象取引の対価の額を用いる方法
（4）　機能又はリスクに係る差異があり、その機能又はリスクの程度を国外関連取引及び比較対象取引の当事者が当該機能又はリスクに関し支払った費用の額により測定できると認められる場合　当該費用の額が当該国外関連取引及び比較対象取引に係る売上又は売上原価に占める割合を用いて調整する方法

※平成28年6月国税庁「移転価格税制に係る文書化制度に関するあらまし」34ページより引用。

（執筆：吉川保弘）

第10章

支払利子規制税制

第1節 過少資本税制

1. 過少資本とは何か

　企業が事業を遂行するためには、必要な資金を調達しなければなりません。企業の資金調達源泉としては、自己資本と他人資本があります。前者は資本主に帰属し後者は資本主以外に帰属します。自己資本は貸借対照表の資本の部に相当し、他人資本は負債の部に相当します。一般に、自己資本は他人資本が将来返済しなくてはならないのに対して返済を考えなくてもよいものです。自己資本コストは資本調達諸費用と所要支払配当で、他人資本コストは調達経費及び支払利子が基本的要素です。支払配当は利益からの分配であるのに対して支払利子は日々発生し日数に応じて欠損であっても必ず払わなくてはなりません。したがって、企業が事業を遂行するとき、必要資金がすべて自己資本で構成されることが望ましいのですが、資金調達源泉は自己資本となる株式だけに限られず、社債、借入金等があり、その調達源泉はその時々の金融市場等、法人そのものの信用力等が大きく影響するものと考えられます。すなわち、ある企業にとって、あるべき負債と自己資本比率が存在するものと考えられます。このあるべき自己資本比率の水準から乖離し、他人資本に傾く状態を過少資本の状態にあるものと考えられます。

2. 過少資本によりどのような租税回避が発生するのか

　法人税の計算上、借入金の利子は損金として計上できますが、配当金は損金

となりません。このため、企業が所要資金を出資という形ではなく借入金として調達すれば（経営の安定という点の問題を別にすれば）、税務上は借入金の支払利息を発生時に損金として処理することができます。融資元が内国法人であれば受入利息として計上されて益金に算入され、法人税が課されることとなります。仮に、融資元が海外に拠点のある外国法人であれば、借入金の支払利息に対して、源泉徴収課税は行われるものの法人税課税は行われないこととなります。そこで、外資系企業が所要資金を調達する場合、親会社からの出資を少なくしその分借入金を多くすれば、日本における租税負担を意図的に少なくすることが可能となります。このようなことから過少資本を利用したタックス・プランニングは、国際的な租税回避行為の一つといわれる所以です。

3. 過少資本税制の創設の経緯

過少資本問題については、OECD 租税委員会で議論され、1987年に「Thin Capitalization」という形でその結果が公表されています。これらの議論を通じ、過少資本を利用した租税回避行為を防止する必要性が求められたことから、諸外国においては欧米諸国を中心として過少資本対策税制が1980年代後半に整備されていきました。日本としても、国際的に容認されている同制度を平成４年に導入し課税の適正・明確化を図ったものです（「改正税法のすべて（平成４年版）」国税庁195ページ）。

4. 我が国の過少資本税制

内国法人が各事業年度において、国外支配株式等又は資金供与者等に対して負債利子を支払う場合に、国外支配株主等及び資金供与者等に対する当該事業年度の負債に係る平均残高が国外支配株主等の当該内国法人の資本持分の３倍に相当する金額を超えるときは、当該国外支配株主等に支払う負債利子の額のうち、その超える部分に対応する金額は、損金の額に算入されません。ただし、（当該内国法人の当該事業年度の）利子の支払の起因となる負債総額に係る平均

負債残高が自己資本の額の3倍に相当する金額以下であれば、「国外支配株主等に係る負債の利子の課税の特例制度（以下、過少資本税制という）」は適用せず、支払利子の損金算入を認めるとされています（措法66の5①）。

また、内国法人が国外支配株主等の資本持分及び自己資本の額に係る各倍数に代えて、当該内国法人と同種の事業を営む内国法人で事業規模その他の状況が類似するものの総負債の額に対する比率に照らし妥当と認められる倍数により申告することができます（この規定は申告要件とされています（措法66の5③））。

以上の規定は、外国法人が支払う負債の利子についても準用されます。

5. 過少資本税制の対象となる法人と国外支配株主等の範囲

(1) 過少資本税制の対象となる法人

我が国において納税義務のある法人で、かつ、国外支配株主等又は資金供与者等に対して負債利子がある法人で、外資系内国法人、内資系法人で海外の関係会社からの借入の大きい法人が対象法人となり、内国法人の各事業年度の次の比率のいずれもが3倍を超える場合にこの制度の適用を受けます。ただし、類似法人の倍数を用いる場合には、その倍数を超える場合には、その倍数を超える場合とされています。

なお、平成26年度税制改正において、外国法人が在日支店等が支払う負債利子等については、本税制を準用するという規定が削除されました（旧措法66の5⑩）。

$$\text{国外支配株主等に}\atop\text{・係る利付負債と自己}\atop\text{資本持分との比率} = \frac{\text{当該事業年度の国外支配株主等に}\ \text{対する利付負債に係る平均負債残高}}{\text{当該事業年度の国外支配株主等の}\ \text{当該内国法人に係る資本持分}}$$

$$\text{・}{\text{総利付負債と}\atop\text{自己資本との比率}} = \frac{\text{当該事業年度の総利付負債に係る平均負債残高}}{\text{当該事業年度の自己資本の額}}$$

次に、この算式で使用される用語について説明します。

① 「利付負債及び負債利子等」の意義

負債とは、「利子の支払の基因となる負債」をいい、ここでは簡略化して利付負債と称しています。ここの利子には、手形の割引料、社債発行差金その他経済的に性質が利子に準ずるものも含まれます（措令39の13⑮）。また、債務の保証料、債券現先取引に係る債権使用料も負債利子等として扱われます（措令39の13⑯）。さらに、当該内国法人に係る国外支配株主等が第三者を通じて当該内国法人に対して供与したと認められる資金に係る負債及びその負債利子も含まれるものとされています（措令39の13⑭一）。すなわち、負債には実質的に国外支配株主等が当該内国法人に対して融資したと認められる資金に係る負債も含まれます。したがって、国外支配株主等が第三者を経由する迂回融資はこの負債に含まれることとなります。

内国法人に係る国外支配株主等が第三者に対して債務保証することにより、第三者が内国法人に対して資金を供与したと認められる場合におけるその資金に係る負債等も既述したように含まれます（措令39の13⑭二）。

除外される負債としては、国外支配株主等が国内に支店等として恒久的施設を有し、受取利子が恒久的施設に帰属し法人税の課税対象となる場合の利付負債があります。ただし、租税条約の規定により法人税が軽減され、または免除される所得は除くこととされています（措令39の13㉙）。これは、課税上内国法人間の取引と同じであることから、過少資本による税負担回避行為はないと考えているのです。

② 「平均負債残高」の意義とその算定方法

平均負債残高とは、当該事業年度の負債の帳簿価額の平均的な残高として合理的な方法で計算した金額です（措令39の13⑲）。

例えば、負債の帳簿価額の日々の平均残高又は各月末の平均残高等、その事業年度を通じた負債の帳簿価額の平均的な残高をいうものとされています（措通66の5－13）。

　そして、この場合の負債の帳簿価額は計算の簡便化を考慮し内国法人がその会計帳簿に記載してある金額をもって算定することとしています。

　なお、その事業年度の開始の時及び終了の時における負債の帳簿価額の平均額は残高として合理的な方法により計算した金額には該当しないこととされています（措通66の5－13注書）。

③　「自己資本の額」の意義とその算定方法

　自己資本の額とは、計算の対象となる事業年度の内国法人の純資産をいい、次の一号から二号を控除して算定した残額をいいます。

　ただし、その差額が当該法人の当該事業年度終了の日の資本金等の額に満たない場合には、資本金等の金額をもって自己資本とすることとされています（措令39の13㉓本文（　）書）。さらに、当該資本金等の額が資本金の額又は出資金の額に満たない場合は、当該資本金の額又は出資金の額とします。

一　号	二　号
内国法人の当該事業年度の総資産の帳簿価額を平均的な残高として合理的な方法により計算した金額	内国法人の当該事業年度の総負債の帳簿価額を平均的な残高として合理的な方法により計算した金額

　ただし、固定資産の帳簿価額を損金経理により減額することに代えて引当金あるいは積立金に経理している場合や特別償却準備金として経理している金額は総資産の額から除かれることとされています（措令39の13㉓一（　）書）。

　なお、この場合の総資産及び総負債の帳簿価額も計算の簡便化を考慮し内国法人がその会計帳簿に記載してある金額をもって算定することとしています（措令39の13㉔）。

　「総負債の範囲」には、外部負債、内部負債を問わず賞与引当金や退職給与引当金等だけでなく、税務計算上損金の額に算入されないものであっても、法人が損金経理により計上した税金未払金、各種引当金も含まれます（措通66の5－14）。

　自己資本の額を計算する場合の総資産の帳簿価額及び総負債の帳簿価額につ

いては、会計帳簿に記載ある金額によるものとされており、税務計算上否認額があっても関係させないことに留意を要します（措通66の5-16）。

「平均的な残高として合理的な方法により計算した金額」とは、例えば、総資産の帳簿価額の日々の平均残高又は各月残高又は各月末の平均残高等、その事業年度を通じた総資産の帳簿価額の平均的な残高をいいます（措通66の5-17）。

「資本等の金額」とは、税務上の計算上の金額によるものとされており、例えば、資本の金額、出資金額又は資本積立金額に税務計算上の払込否認金額がある場合には、当該払込否認金額を控除した金額とされています（措通66の5-18）。

④　国外支配株主等の資本持分

国外支配株主等の資本持分は、次の算定式により計算されます（措令39の13⑳）。

$$\text{当該内国法人の当該事業年度に係る自己資本の額} \times \frac{\text{当該事業年度終了の日において国外支配株主等の有する当該内国法人に係る直接及び間接保有の株式等}}{\text{当該内国法人の発行済株式の総数又は出資金額}}$$

直接及び間接保有の株式等とは、直接保有する株式等と間接保有の株式等との合計をいいます（措令39の13㉑）。直接保有する株式等とは国外支配株主等である非居住者又は外国法人が当該内国法人の株式等を所有する場合をいい、間接保有の株式等とは非居住者又は外国法人が当該内国法人の株式等を他の内国法人を通じて所有する場合をいいます。そして、間接保有分は各段階の持株割合を乗じて計算することとなります。

【計算例】外国法人 ➡ 内国法人 ➡ 内国法人（発行済1,000株）
　　　　　　　　　　出資90%　　出資80%

　　　間接保有分 ＝ 1,000株 × 90% × 80% ＝ 720株

(2)　国外支配株主等の範囲

「国外支配株主等」とは、非居住者又は外国法人で当該内国法人との間に、非居住者又は外国法人が当該内国法人の発行済株式の総数又は出資金額の50／

100以上の株式の数又は出資の金額を直接又は間接に保有する関係その他特殊な関係にあるものをいうとされています（措法66の5⑤一）。

「発行済株式」には、自己株式が含まれない扱いとなっていることに留意してください（措法66の5⑤一（　）書）。

(3)　特殊の関係

ここでいう「その他特殊な関係にあるもの」とは非居住者又は外国法人で当該内国法人との間に次の関係があるものをいうとされています（措令39の13⑫）。

① 　当該内国法人の発行済株式の総額又は出資金額の50／100以上の直接又は間接に保有される関係。例として親会社がこれに該当します。

② 　当該内国法人と外国法人が同一の者によってそれぞれ発行済株式の総額又は出資金額の50／100以上の直接又は間接に保有される場合の法人の関係。例として兄弟会社がこれに該当します。

③ 　次に掲げる事実その他これに類する事実が存在することにより非居住者等が当該内国法人の事業方針の全部又は一部につき実質的に決定できる関係。

イ　事業の相当部分を非居住者等との取引に依存していること。

ロ　事業活動に必要な資金の相当部分を非居住者等からの借入、保証で調達していること。

ハ　役員の1／2以上又は代表者が当該外国法人の役員又は使用人を兼務している者又は役員又は使用人を兼務していた者。

なお、「その他これに類する事実」とは、次に掲げるような事実をいうとされています（措通66の5－4）。

㈤　法人が非居住者又は外国法人（当該法人が外国法人の場合には、他の外国法人）から提供される事業活動の基本となる工業所有権（特許権、実用新案権、意匠権及び商標権をいいます）、ノーハウ等に依存してその活動を行っていること。

㈲　法人の役員の1／2以上又は代表する権限を有する役員が非居住者又は

外国法人（当該法人が外国法人の場合には、他の外国法人）によって実質的に決定されていると認められる事実があること。

⑷　50／100以上の株式等を直接又は間接に保有される関係の判定

50／100以上の株式等を直接又は間接に保有される関係の判定は、移転価格税制と同様の取扱いとなっています（措令39の13⑬）。

すなわち、直接保有割合と間接保有割合とを合計した割合で判定することとしています。間接保有割合については、一方の法人から直接又は間接に50％以上の株式等の保有による連鎖関係が他方の法人の株主等に繋がっている場合には、当該他方の法人の株主等が有する他方の法人の株式等保有割合をもって、一方の法人が他方の法人について有する保有割合とします。

⑸　払込未済株式がある場合の直接又は間接割合

非居住者又は他の外国法人が外国法人との間に出資関係を通じて両者間に特殊な関係の有無の判定において、当該非居住者又は他の外国法人が直接又は間接に保有する株式には、その発行価額の全部又は一部について払込みが行われていないものが含まれるものとされています（措通66の5－1）。

名義株については、その実際の権利者が所有するものとして租税特別措置法第66条の5第4項に規定する特殊関係を検討することとなります（措通66の5－3）。

⑹　外国法人の在日支店への適用（平成26年度改正において削除。平成28年4月1以前開始事業年度は従前通りとされています（平成26年改正附則93））

本制度は、国内において事業を行う外国法人についても適用があります（旧措法66の5⑨）。本制度の在日支店への適用は、在日支店を有する外国法人の国外関係会社（国外支配株主等）からの借入額が妥当であるかどうかを検討するのであって、本店等との貸借を検討するのではありません。すなわち、本支店間の内部利子は、損金に算入されないのが原則であることと、他の法人に対する利子の支払の配賦額は損金に算入が可能であるからです。

(7)　国外支配株主等の対象となる外国法人の払込未済株式の扱い

当該外国法人の株式の発行価額の全部又は一部について払込みがない株式であっても、含めて判定することとしています（措通66の5－2）。

国によっては、株式の発行価額の全部又は一部について払込を留保する旨の規定があります。その場合であっても、株主たる地位が存在することが通例とされていることによります。

6. 過少資本課税制度上の用語の意義

過少資本課税制度上の用語の意義については、次に掲げるものとされています（措法66の5④）。

(1)　国外支配株主等

「国外支配株主等」とは、非居住者又は外国法人で当該内国法人との間に、非居住者又は外国法人が当該内国法人の発行済株式の総数又は出資金額の50／100以上の株式の数又は出資の金額を直接又は間接に保有する関係その他特殊な関係にあるものをいうとされています（措法66の5⑤一）。

(2)　資金供与者等

内国法人に資金を供与する者及びその資金の供与に関係のある者をいい、具体的には次の者をいいます（措令39の13⑭）。

① 　国外支配株主等が第三者を通じて内国法人に対して資金を供与したと認められる場合におけるその第三者

② 　内国法人に係る国外支配株主等が第三者に対して債務の保証をすることにより第三者が内国法人に対して資金を供与したと認められる場合における第三者

③ 　内国法人に係る国外支配株主等からその内国法人に対して貸し付けられた債券（国外支配株主等が内国法人の債務の保証をすることにより第三者から内国法人に貸し付けられた債券を含みます）が、他の第三者に担保として提供され、債券現先取引で譲渡され、又は現金担保付債券貸借取引で貸し付

けられることにより、当該他の第三者が内国法人に対して資金を供与した
と認められる場合における他の第三者

(3)　負債の利子等

　対象となる負債は、利子の支払の基因となる負債（有利子負債）とされてい
ます。経済的性質が利子に準ずるものとして借入金の利子、手形の割引料、社
債発行差金を含みます。又、当該内国法人に係る国外支配株主等が第三者を通
じて当該内国法人に対して供与したと認められる資金に係る負債及びその負債
利子も含まれるものとされています（措令39の13⑭）。すなわち、負債には実質
的に国外支配株主等が当該内国法人に対して融資したと認められる資金に係る
負債も含まれます。したがって、国外支配株主等が第三者を経由する迂回融資
はこの負債に含まれることとなるものと考えます。

　除外される負債としては、国外支配株主等が国内に支店等として恒久的施設
を有し、受取利子が恒久的施設に帰属し法人税の課税対象となる場合の利付負
債があります。ただし、租税条約の規定により法人税が軽減され、または免除
される所得は除くこととされています（措令39の13㉙）。これは、課税上内国法
人間の取引と同じであることから、過少資本による税負担回避行為はないと考
えているものと思われます。

　平成18年度改正により、本制度の対象となる負債及び負債利子が追加されま
した（措法66の5⑤二～四、措令39の13⑭～⑰）。

① 追加負債の範囲

　イ　内国法人に係る国外支配株主等が第三者に対して債務保証することによ
　　り、第三者が内国法人に対して資金を供与したと認められる場合における
　　その資金に係る負債

　ロ　内国法人に係る国外支配株主等からその内国法人に貸し付けられた債券
　　（国外支配株主等が内国法人の債務の保証をすることにより、第三者からその内
　　国法人に貸し付けられた債券を含む。）が、他の第三者に担保として提供さ
　　れ、債券現先取引で譲渡され、又は現金担保付債券貸借取引で貸し付けら

れることにより、当該他の第三者が内国法人に対して資金を供与したと認められる場合におけるその資金の負債

② 　対象となる負債の利子及び資金調達に係る費用

　イ　上記①イの場合において、国外支配株主等に支払う債務の保証料及び第三者に支払う負債の利子

　ロ　上記①ロの場合において、国外支配株主等に支払う債券の使用料及び債務の保証料並びに他の第三者に支払う負債の利子

③ 　なお、公共法人等への支払負債利子は除かれます。

(4)　国外支配株主等及び資金供与者等に対する負債

　国外支配株主等に対する負債及び上記(2)の①から③までの場合におけるこれらの資金に係る負債をいいます（措令39の13⑱）。

(5)　平均負債残高

　平均負債残高については、2(1)②を参照してください（措令39の13⑲）。

(6)　国外支配株主等の資本持分

　内国法人の自己資本の額に国外支配株主等の内国法人に対する直接及び間接の持分割合を乗じた金額をいいます（措令39の13⑳）。

(7)　自己資本の額

　内国法人の総資産の帳簿価額（平均的な残高として合理的に計算した金額）から総負債の帳簿価額（平均的な残高として合理的な方法により計算した金額）を控除した残額（その金額が法人税法に規定する資本金等の額に満たない場合には、資本金等の額とし、さらに、当該資本金等の額が資本金の額に満たないときは、当該資本金の額又は出資金の額とします）をいいます（措令39の13㉓）。なお、当該内国法人がその会計帳簿に記載した資産又は負債の金額とします（措令39の13㉔）。

(8)　特定債券現先取引等

　債券現先取引及び現金担保付債券貸借取引のうち、現金担保付債券貸借取引で借り入れた債券又は債券現先取引で購入した債券を、現金担保付債券貸借取引で貸し付ける場合又は債券現先取引で譲渡する場合におけるその現金担保付

債券貸借取引又は債券現先取引をいいます（措令39の13㉘）。

7．社債発行差金、短期前払利息の取扱い

　法人が、その発行した社債のうち国外支配株主等の有するものにつき、社債発行差金の償却費を計上した場合又はその償還により償還差損を計上した場合には、その計上した当該償却費又は当該償還差損の額は、当該国外支配株主等に支払う負債の利子額に含まれることとされています（措通66の5－5）。

　また、法人税基本通達2－2－14により損金に算入した短期前払利息も、当該国外支配株主等に支払う負債の利子額に含まれることとされています（措通66の5－6）。

8．負債利子に含まれる経済的性質が利子に準ずるもの

　次に掲げるようなものも、負債利子の範囲に含められます（措通66の5－7）。

① 　買掛金を手形によって支払った場合において、国外支配株主等に対して当該手形の割引料を負担した場合のその負担した割引料相当額

② 　営業保証金、敷金その他これらに類する預り金の利子

③ 　金融機関の預金利息及び給付補てん準備金繰入額（準ずる繰入額を含む。）

9．原価に算入した負債利子

　法人が発生した負債利子を固定資産の取得価額に算入した場合であっても、「当該国外支配株主等に支払う負債の利子等の額」に含まれることになります（措通66の5－8）。なお、この結果、当税制が適用されて損金に算入されない額については、当該事業年度の確定申告書において当該原価算入額のうち、損金不算入額を限度として、当該事業年度終了の時における固定資産の取得価額から減算することができます（措通66の5－9）。

10. 自己資本額の計算の特例（ループホール閉鎖の措置）

【例】

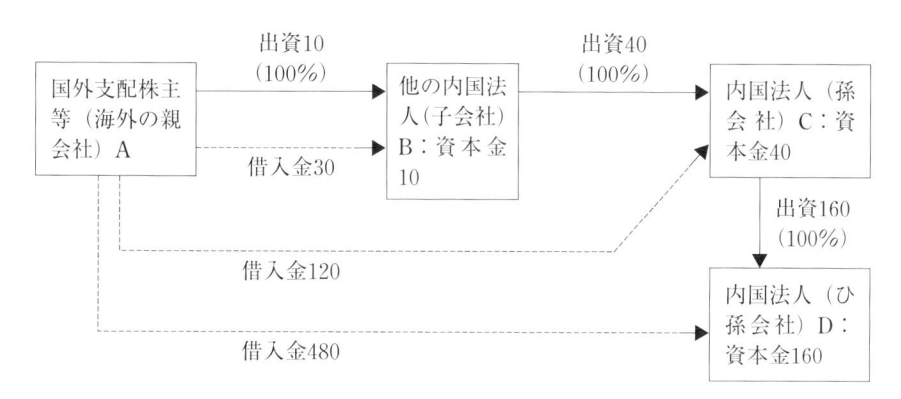

　当該内国法人Cと当該内国法人に係る国外支配株主等Aとの間に当該内国法人の株主等である他の内国法人B又は出資関連内国法人が介在している場合において、当該内国法人Cの当該事業年度終了の日における資本金等の額（40とします）に当該他の内国法人又は出資関連内国法人の当該内国法人に係る持株割合（100％）を乗じて計算した金額（40）が、当該他の内国法人B又は出資関連内国法人の（同日における）資本金等の額（10とします）を超えるとき、当該内国法人Cの自己資本の額は、当該自己資本の額から、その超える金額（30）と、当該他の内国法人B又は出資関連内国法人の（同日における）当該国外支配株主等Aに対する負債の額、すなわち外国法人Aからの負債額（30）とのいずれか少ない金額を内国法人Cの資本金額40から控除した残額(10)を内国法人C資本金として過少資本かどうかを検討するとされています（措令39の13㉕）。

　さらに、当該出資関連内国法人が上記当該内国法人であるとした場合に、当該出資関連内国法人に係る控除対象金額があるときは、当該出資関連内国法人の資本金等の額は、当該資本金等の金額から当該控除対象金額を控除した残額

とし、当該出資関連内国法人の当該国外支配株主等及び資金供与者等に対する負債の額は、当該負債の額に当該控除対象金額を加算した金額とすることとされています（措令39の13㉖）。

　当該事業年度における当該内国法人Ｃの総利付負債を120とすると、当該事業年度における当該内国法人Ｃの自己資本等の額は、上記検討により10であるから、総利付負債と自己資本との比率は12倍となります。また、国外支配株主等に係る利付負債と自己資本持分との比率は、外国法人Ａからの借入金120と自己資本持分10（内国法人Ｃの資本金10×100%）とで表され12倍となります。この結果、当該内国法人Ｃの負債利子は損金算入が認められないこととなります。

　なお、この規定上当該内国法人Ｃの資本金等の金額は、内国法人Ｃの資本金40から30を控除した10とし、控除対象金額30を外国法人Ａからの借入金に加算することとされています。

　さらに、外国法人Ａと内国法人Ｄとの関係でみると、

・内国法人Ｃ・内国法人Ｄの持分超過額　$160 - (40 - 30) = 150$
・（外国法人Ａからの内国法人Ｃの借入金）＋（内国法人Ｃの控除対象金額）$120 + 30 = 150$
・内国法人Ｄの控除対象金額は150であるから、内国法人Ｄの資本金は、$160 - 150 = 10$となります。
・総利付負債：自己資本比率は、借入金480：自己資本10、から48倍となります。また、利付負債：資本持分比率は、借入金480：（10×100%）、から48倍となります。

11. 具体的な損金不算入額の計算

　損金不算入額の計算は、次の区分に応じて、当該事業年度の国外支配株主等及び資金供与者等に支払う負債の利子等の額のうち、国外支配株主等及び資金供与者等に対する負債に係る平均負債残高の超過額に対応する金額が損金不算

入となります（措令39の13①）。

① 国外支配株主等及び資金供与者等に対する負債に係る平均負債残高から国内の資金供与者等に対する負債に係る平均負債残高を控除した金額（基準平均負債残高という。）が、国外支配株主等の資本持分の3倍以下である場合

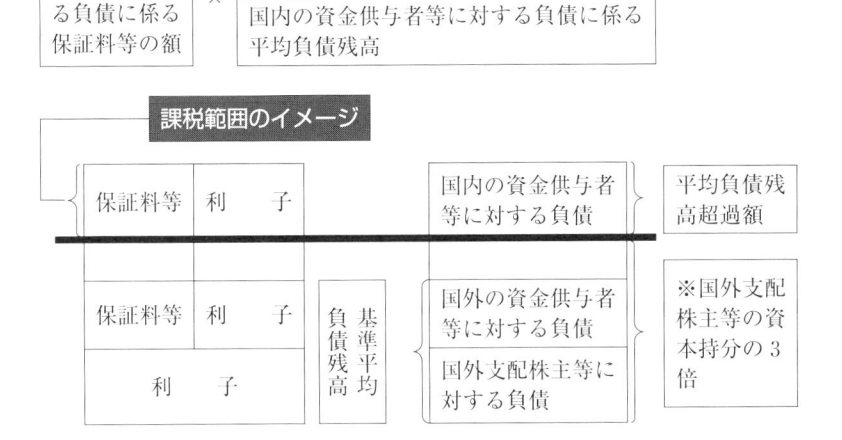

※類似法人基準を用いる場合には、類似法人の負債・資本倍率（「改正税法のすべて（平成18年版）」457ページから引用。ただし、課税範囲のイメージは筆者が加えたものです。）

② 基準平均負債残高が国外支配株主等の資本持分の３倍を超える場合

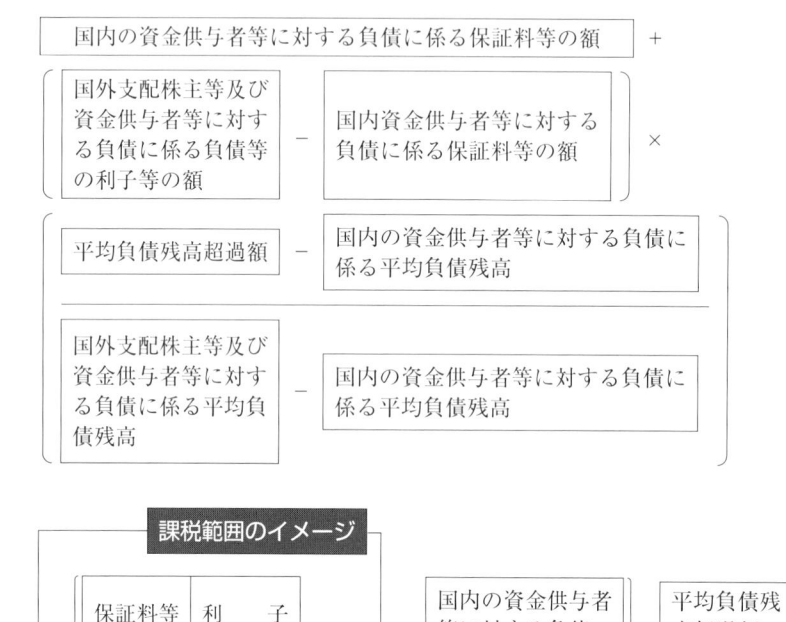

※類似法人基準を用いる場合には、類似法人の負債・資本倍率（「改正税法のすべて（平成18年版）」458ページから引用。ただし、課税範囲のイメージは筆者が加えたものです。）

　負債利子等のうち、その支払を受ける者の課税所得を構成するものは、その取引は国内取引と同じであるから、その負債利子は本制度の対象から除かれています。国外の資金供与者等に対する負債に対応する支払利子及び保証料のうち、基準平均負債残高が３倍を超える部分の利子及び保証料は、損金に算入さ

れないということです。また、基準平均負債残高が国外支配株主等の資本持分の３倍を超える場合の、国内の資金供与者等に対する負債に対応する保証料は、すべて損金に算入されないこととなります。

12. 類似法人の負債・資本比率の適用

(1) 類似法人の負債・資本比率の適用の概要

　資本持分等の３倍に代えて、内国法人と同種の事業を営む内国法人で事業規模その他の状況が類似するもの（以下、類似法人といいます）の負債・資本比率に照らし妥当な倍数によることを認めています（措法66の５③）。

　具体的には、適用を受けようとする内国法人のその事業年度終了の日以前３年内に終了した類似法人の各事業年度又は各連結事業年度のうちいずれかの事業年度又は連結事業年度終了の日における総負債の額の同日における資本金、法定準備金及び剰余金の合計額に対する比率とされています（措令39の13⑩）。この場合、当該比率に小数点以下２位未満の端数があるときは、これを切り上げるものとされています。類似法人の負債・資本比率によるときは、申告要件とされその旨を記載した書面を申告書に添付し、かつ、その用いる倍数が妥当なものであることを明らかにする書類その他の資料を保存する必要があります（措法66の５⑧）。

　ただし、書面添付又は保存要件を満たさなかった場合に、税務署長がやむを得ない事情があると認めた場合には、ただちには３倍基準は適用せず類似法人の負債・資本比率を採用することができるとされています（措法66の５⑨）。

(2) 類似法人の負債・資本比率の適用制度を認める趣旨

　我が国の過少資本税制は、基本的には次のような仕組みを採用しています。

　すなわち、「内国法人が各事業年度において、国外支配株主等の負債利子を支払う場合において、国外支配株主等に対する当該事業年度の負債に係る平均負債残高が国外支配株主等の当該内国法人の資本持分の３倍を超えるときは、当該国外支配株主等に支払う負債利子の額のうち、その超える部分に対応する

金額は、損金の額に算入しない。」。

　この仕組みの基本は、負債総額を規制するということにあることから一般に総量規制型の制度と呼ばれています。

　しかし、国外関連会社に限定するとはいえ、３倍という一定値が必ずしも科学的根拠のある合理的な数値とはいえません。したがって、資本の内外無差別という租税条約上の原則に触れることを避けるという観点から、企業が妥当な数値を算定し、それを証明した場合には、それを採用する余地を残すこととしているのです。

13. 国外支配株主等が複数ある場合の計算
（海外の企業グループでの出資、融資がある場合）

　当該内国法人に係る国外支配株主等が二以上ある場合のこの規定の適用は、国外支配株主等に対する負債に係る平均負債残高、国外支配株主等の資本持分、国外支配株主等に支払う負債の利子の額は、それらの額を合計して計算するものとされています（措令39の13④）。

14. 国外支配株主等に支払う負債利子から控除される特定現先取引等に係るもの

⑴　概　要

　我が国制度では負債と資本との関係を総量で判定するため、金融機関においては、国外支配株主等により債券現先取引等により借り入れた資金を自らの事業に使用せず、国内の金融機関に対して貸し付ける取引が一般に行われており、そうした場合にも、国外支配株主等に係る負債に対する国外支配株主等に係る自己資本の割合が３倍を超える事態が発生します。

　そこで、借入と貸付の対応関係が明らかな債券現先取引等に係る負債等がある場合には、国外関連者支配株主等及び資金供与者等に対する負債並びに支払う利子等の額から控除されることとされています（措法66の５②）。平成18年度

改正でこのような弊害を是正したものです。

　この場合に、制度適用がないとされる国外支配株主等及び資金供与者等に対する負債に係る平均残高の国外支配株主等の資本持分に対する倍数及び総負債に係る平均残高の自己資本の額に対する倍数は、2倍以内（特例がない場合は3倍以内）とされます。なお、本特例の適用を受ける場合においても、2倍という倍数に代えて、類似法人の負債・自己資本比率に照らして妥当な倍数を用いることができることとされています。

⑵　国外支配株主等及び資金供与者等に対する負債等の計算

①　国外支配株主等及び資金供与者等に対する負債に係る平均負債残高

　国外支配株主等及び資金供与者等に対する平均負債残高は、その平均負債残高から、国外支配株主等及び資金供与者等に対する負債のうち特定債券現先取引等に係るものに係る平均負債残高（平均負債残高が特定債券現先取引等に係る資産に係る平均資産残高を超える場合には、平均資産残高。以下の④⑤においては、調整後平均負債残高という。）を控除して計算した金額です（措令39の13⑤）。

　この意味は次のように説明されます。債券現先取引等の対象となる債券の種類・名称ごとに、その平均負債残高及び平均資産残高を計算して、いずれか少ない金額を控除する特定債券現先取引等に係る平均負債残高とすることとされています。原則として、借入と貸付の対応関係が明らかな債券現先取引等を控除すべきですが、計算の簡便性に考慮し、債券の種類・名称ごとに、その平均残高で計算することを認めることとしたものです（「改正税法のすべて（平成18年版）」459ページ）。

②　当該事業年度の総負債に係る平均負債残高

　当該事業年度の総負債に係る平均負債残高は、その平均負債残高から、当該事業年度の総負債のうち特定債券現先取引等に係るものに係る平均負債残高（平均負債残高が特定債券現先取引等に係る平均残高を超える場合には、平均資産残高）を控除した金額となります（措令39の13⑥）。

③　国外支配株主等の資本持分に係る倍数及び自己資本の額に係る倍数

　国外支配株主等の資本持分に係る倍数は、①の国外支配株主等及び資金供与者等に対する負債に係る平均負債残高を国外支配株主等の資本持分で除して計算した倍数とされ、自己資本の額に係る倍数は②の当該事業年度の総負債に係る平均負債残高を自己資本の額で除して計算した倍数とされました（措令39の13⑦）。

④　国外支配株主等及び資金供与者等に支払う負債の利子等の額

　国外支配株主等及び資金供与者等に支払う負債の利子等の額は、その金額から、国外支配株主等及び資金供与者等に支払う負債の利子等の額のうち特定債券現先取引等に係るものに、調整後平均負債残高を特定債券現先取引等に係る負債に係る平均負債残高で除して得た割合を乗じて計算した金額を控除して計算した金額とされました（措令39の13⑧）。

⑤　課税対象所得に係る保証料等の金額

　課税対象所得に係る保証料等の金額は、その金額から、課税対象所得に係る保証料等の金額のうち特定債券現先取引等に係るものに、その金額に係る負債に係る調整後平均負債残高をその負債のうち特定債券現先取引等に係るものに係る平均負債残高を除して得た割合を乗じて計算した金額を控除して計算した金額とされました（措令39の13⑨）。

⑥　類似法人の総負債の額

　類似法人の負債資本比率を使用する場合の総負債の額は、次のうちいずれか少ない金額を控除して算出するとされています（措令39の13⑩、同規22の10の6）。

　　イ　債券現先取引等に係る借入金の金額（債券現先取引等に係る借入金の額が他の借入金の金額と区分されていない場合には、債券現先取引等に係る借入金の金額を含む勘定科目に計上されている金額）

　　ロ　債券現先取引等に係る貸付金の金額（債券現先取引等に係る貸付金の金額が他の貸付金の金額と区分されていない場合には、債券現先取引等に係る貸付金の金額を含む勘定科目に計上されている金額）

(3)　申告及び保存要件

　特定債券現先取引等に係る負債がある場合の特例は、その旨を記載した書面並びに特定債券現先取引等に係る負債に係る平均負債残高及び負債に係る利子等の額の計算に関する明細書を確定申告書に添付し、その計算に関する書類を保存している場合に限り、適用を受けることができます(措法66の5⑥)。なお、添付又は計算書類の保存しなかったことにおけるやむを得ない事情がある場合に税務署長の判断により適用が認められることとされました（措法66の5⑦）。

15. 適用法人が外国法人の場合の特則（平成26年度改正で削除）

　適用法人が外国法人の場合については、その特殊性から特則が定められています（旧措令39の13㉙）。

(1)　負債の範囲

　国外支配株主等に対する利付負債及び国外支配株主等に支払う負債の利子は、いずれも外国法人の国内において行う事業に係るものに限られます。在日支店の本店勘定は同一法人間の貸借勘定にすぎないので、ここでいう負債には含まれません。本店勘定に利子を付す場合は外国法人の利付負債に含められますが、直ちに国外支配株主等に支払う負債の利子となるわけではなく、国内の支店等のために国外支配株主等から供与された部分が国外支配株主等に対する負債となり、その負債に生じた利子が国外支配株主等に支払う負債の利子となります。

　本支店間で明確に国内の支店等のために供与された部分が区分されていないときは、合理的な算定方法（例えば、在日支店に供与した資金のうち国外支配株主等から調達した資金からなる部分を第三者から調達した資金と支配株主等から調達した資金構成比で算定する。）により区分することとなるでしょう。

(2)　自己資本の額及び国外支配株主等の資本持分

　外国法人の自己資本の額は、その基礎となる総資産と総負債は、いずれも国内において行う事業に係るものに限られます。

　自己資本の額の下限となる資本等の金額は、当該外国法人の資本等の金額に総資産の帳簿価額のうちに占める国内事業に係る資産の帳簿価額の割合を乗じて計算した金額とされています。

　国外支配株主等の資本持分は、100％子会社と同様に自己資本の額と同額とされています。

(3)　財務諸表の円換算

　期末において当該外国法人が外貨表示により貸借対照表に記載した場合の換算については、当該事業年度終了の日の電信売買相場の仲値により換算した円換算額によるものとされています（措通66の5－19）。

16. 適用法人が人格のない社団等又は公益法人の場合の特則

　適用法人が人格のない社団等又は公益法人の場合の自己資本の額及び国外支配株主等の資本持分は、次の算式で計算される自己資本の額に総資産の価額の占める収益事業に係る資産の価額の割合を乗じて計算した金額とされています（措令39の13㉖）。

「自己資本の額」の算定式（一号から二号を控除した金額）

一　号	二　号
内国法人の当該事業年度の総資産の帳簿価額を平均的な残高として合理的方法により計算した金額	内国法人の当該事業年度の総負債の帳簿価額を平均的な残高として合理的な方法により計算した金額

　ただし、固定資産の帳簿価額を損金経理により減額することに代えて引当金あるいは積立金に経理している場合や特別償却準備金として経理している金額は総資産の額から除かれることとされています。

　なお、この場合の総資産及び総負債の帳簿価額も計算の簡便化を考慮し内国法人がその会計帳簿に記載してある金額をもって算定することとしています。また、適用法人が人格のない社団等又は公益法人の場合の損金不算入とされる負債利子は、受取配当益金不算入制度における負債利子及び資産按分総資産か

ら損金不算入とされる負債利子及びその負債相当額が控除されます（旧措令39の13㉚）。

 第2節　過大支払利子税制

1. 具体的な利子配当を巡る問題

　平成26年7月19日、OECDは、多国籍企業による「Base Erosion and Profit Shifting（以下、BEPSという。）」、すなわち「税源浸食と利益移転」に係る行動計画を発表しました。それによると各国の税制の違いにより税源の浸食又は利益移転が生じる取引に焦点を当て課題への対応を検討することとしています。具体的には、15項目による行動計画の内容とその作業完了予定期日が決められています。

　その中の第4項目（Limit base erosion via interest deduction and other financial payments[1]）において、利子若しくは他の金融費用を通じた税源浸食の防止について、加盟国は、国内ルールに関する勧告を2015年9月までに、移転価格ガイドラインの変更については、2015年12月を期限（Deadline）として行うとされています。具体的な例示としては、関連企業、第三者を通じた過度な利子の控除、免税あるいは繰延所得の発生を伴う債務の製造、その他金融費用で支払利子と経済的に同質な金融支払による税源浸食を挙げています。

　この利子の扱いについては、これまでアウトバウンド、インバウンドのどちらかの立場に立って別々に検討されてきた経緯から相互関連性を検討することにより利子の直截的な損金扱いに問題が生じてきていると幾つかの点で指摘されています[2]。

・国内借入金で調達されたアウトバウンド投資による稼得国外源泉所得の繰

延、低税率課税の事実による居住地国における利子控除の制限

・EC内インバウンド投資に関して、親会社がドイツ法人でないドイツ子会社の支払利子の損金制限が過少資本として否認されながら、ドイツ子会社がドイツ親会社に支払う場合の損金算入是認の非対称性

・支払利子に対する高率な源泉徴収課税は、利子控除の否認措置の代替策となること

以上のような多国籍企業を巡る利子配当の具体的な問題については、増井教授は、次のように説明します[3]。

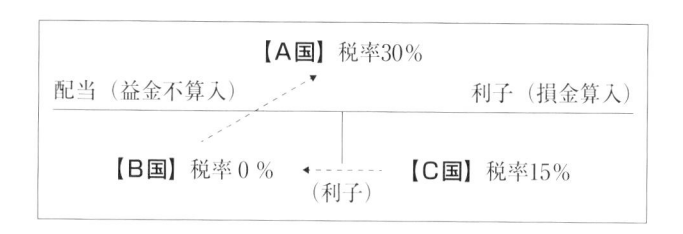

仮に多国籍企業をXとします。Xとしては、税引後の利益が最大となる行動としては、B国で収益を上げることがベストです。費用の負担の点からは、A国で損金を発生させることがベストです。これらを組み合わせるとアービトラジ（裁定）取引が可能となります。

①A国親会社において借入100を実行する。②B国子会社資本金を100増資する。③B国子会社は、C国子会社に対して100貸付ける。④C国で利子の損金算入可、B国では原則0％課税、A国では、受取配当は益金不算入である一方利子の損金算入が実現される。この結果、連結ベースでは、利子の二重控除と益金不算入が実現することとなります。

増井教授は、これはA国における補助金を与えていることと同視と主張します。

[1]　OECD「Action Plan on Base Erosion and Profit Shifting」17ページ, 29ページ

　　[2]　青山慶二訳稿「所得課税における利子費用の取扱いの多国間解決方法」租税研究
　　　　2009.11 173ページ
　　[3]　増井良啓稿「多国籍企業の利子費用控除に関する最近の議論」H25.9.10租税研究
　　　　会大会資料１ページより

2．過大支払利子税制の創設の経緯

　企業の所得計算上、支払利子が損金に算入されることを利用して、過大な支払利子を損金に計上することで、税負担を圧縮する租税回避が可能です。近年、主要先進国では、支払利子の損金算入制限措置を強化する傾向にありますが、こうした各国の制度を参考にすると、過大な支払利子への対応手段としては、大きく分けて①過大な利率への対応手段、②資本に比して過大な負債の利子に対応する手法、③所得金額に比し過大な支払利子に対応する手法という３つの手法が考えられます。我が国おいては、①については移転価格税制、②については過少資本税制で対応していますが、①の過大な利率に着目する手法は、利率の水準が独立企業間原則に照らして高い場合には対応できるものの、過大な量の支払利子には対応するのが困難という欠点があります。

　②の負債の水準が資本に比して過大な利子に対する手法は、借入と同時に資本を増やすことで支払利子の量を増やすことができるという欠点があります。

　この点、利子を支払った側の法人の利子支払い前の所得と対比して過大な支払利子を認定し、損金算入を制限する③の手法は、①及び②の手法の欠点を補完し、過大な支払利子による課税ベースの浸食を防止するためのより直接的、かつ、効果的な措置になるものと考えられます。我が国は、③に対する制度を有しておらず、過大な量の支払利子を通じて税負担を圧縮する租税回避に脆弱であるといえます。

　特に、企業グループ内のような関連者間においては、借入れを比較的容易に設定できるため、過大な支払利子を通じた税負担の圧縮は、関連者間の租税回避の手段として用いられる恐れが高いといえます。

　さらに近年、主要先進国は、利子に関して租税条約において源泉地国免税を

導入しており、我が国にとっても、国際的投資交流の促進の観点から、検討課題になるものと考えられます。一方で、利子に関する源泉地国課税が免除される場合には、過大な支払利子による国際的な租税回避のリスクが一段と高まるという側面も生じさせます。

　以上のような状況を踏まえ、企業の事業実態にも配慮しながら、関連者間において所得金額に比して過大な利子を支払うことを通じた租税回避を防止し、我が国の課税ベースの浸食を防止するための措置が講じられることとされました[4]。

【租税回避の想定事例】[5]

　グループ内で資金を循環させる中で日本法人において過大な支払利子を創出し損金算入することで、課税所得を圧縮することができるとされています。

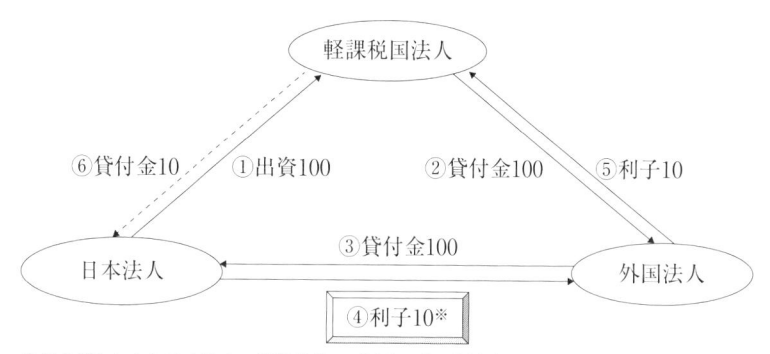

※損金算入により日本法人の課税所得の圧縮が可能（**軽課税国法人が非合算法人**）

　この事例では、日本法人の軽課税国法人への出資が外国法人を通じて借入金となっています（新税制におけるポイントは、軽課税国法人への出資がない場合であっても所得に占める利子が多い場合にも課税がなされるということです。）。

　[4]　「改正税法のすべて─平成24年度国税・地方税の改正点の詳解─」558ページ参照
　[5]　平成25年6月財務省主税局「平成25年度税制改正及び租税条約等の最近の動向について」5ページ参照

　令和元年度において、過大利子税制は大幅な改正がなされました。改正の意

図について次のように述べています（「令和元年版改正税法のすべて」大蔵財務協会編565ページ）。

　「BEPS プロジェクトの最終報告書（行動 4「利子控除制限ルール」）において第三者への支払利子を含めて、企業が損金算入可能な利子の額を所得の一定割合に制限する、利子控除制度の導入を勧告がされました。日本の過大利子税制は、基本的に BEPS プロジェクトの最終報告書の勧告と同様の考え方に基づくものですが、勧告内容と比べ制限対象となる支払利子の範囲が狭い等の相違がありました。このため、今般、通常の経済活動に与える影響に配意しつつ、より的確に BEPS リスクに対応できるよう、勧告を踏まえた見直しが行われました。」

　つづけて、見直しのポイントとして、次の 2 点を挙げています（「令和元年版改正税法のすべて」大蔵財務協会編566ページ）。

　　イ　日本の「過大利子税制」は、勧告と同様の考え方に基づく制度であるが、
　　　①対象利子、②調整所得の定義、③基準値について勧告内容と異なること。
　　ロ　通常の経済活動に与える影響（国内銀行からの借入等）に配意しつつ、
　　　BEPS（税源浸食・利益移転）リスクに的確に対応できるよう勧告を踏まえ
　　　た見直しを行うこと。

　なお、2015年 BEPS プロジェクトの最終報告書の行動 4 序章（国税庁ホームページに掲載されています。）をお読みいただくとより理解が高まると思います。

3.　過大支払利子税制の基本的な仕組み

(1)　税制の概要

　対象純支払利子等の合計額が、当該事業年度の調整所得の20％に相当する金額を超える場合には、超える部分の金額は当該事業年度の所得の金額の計算上損金の額に算入しないこととするものです（措法66条の 5 の 2 ①）。

【過大利子税制の概要（改正後）施行：令和2年4月】

調整所得（②）　　　　　　　　　　　　損金算入限度額

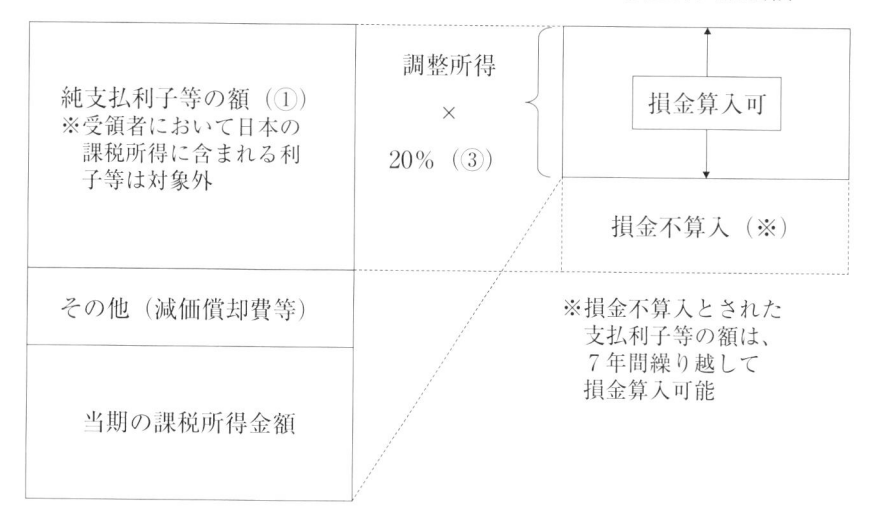

【過大利子税制の主な見直し内容】

改正前	改正後
①対象とする利子 　関係者純支払利子等のみ（受領者において日本の課税所得に含まれる利子等は対象外）	①対象とする利子 　純支払利子等（第三者を含む）（受領者において日本の課税所得に含まれる利子等は対象外）
②課税所得 　利子・税・減価償却前所得（国内外の受取配当益金不算入額を加算）	②課税所得 　利子・税・減価償却前所得（国内外の受取配当益金不算入額を加算しない）
③基準値 　50%	③基準値 　20%
〈適用除外〉 　・関係者純支払利子額等が1千万円以下 　・関係者への支払利子額等の額が純支払利子等の額の50%以下	〈適用除外〉 　・純支払利子等の額が2千万円以下 　・国内企業グループ（持株割合50%超）の合算調整所得の20%以下

※参考：「令和元年版改正税法のすべて」大蔵財務協会編566ページ

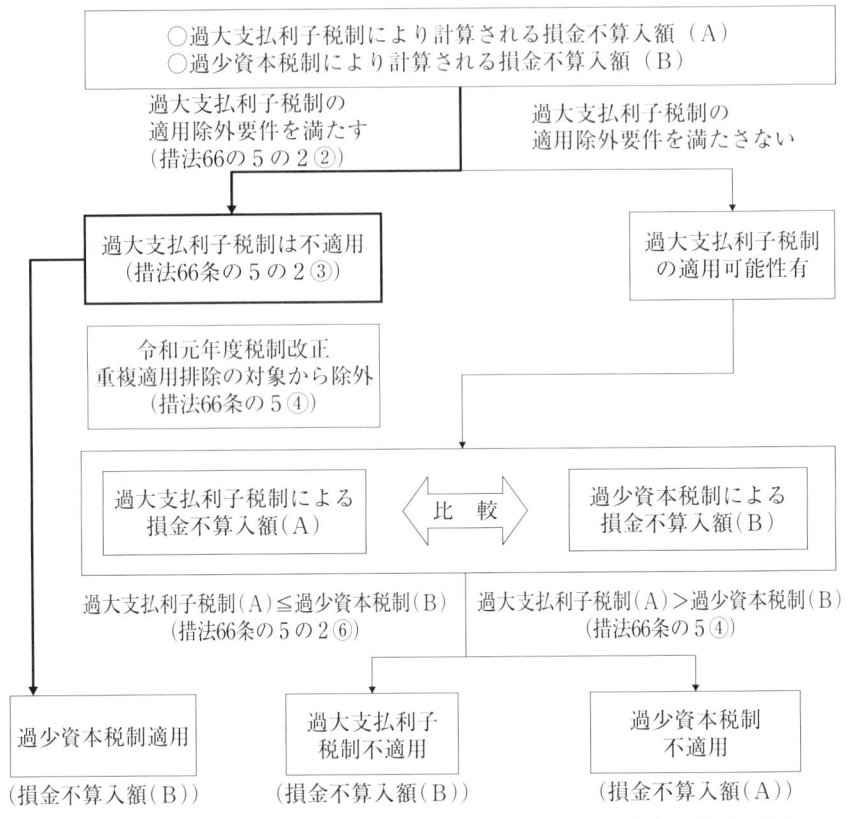

（図は、平成25年6月財務省主税局「平成25年度税制改正及び租税条約等の最近の動向について」7ページ参照）

(2)　要件の定義

①　関連者等

　関連者等の範囲は、直接・間接の持株割合50％以上の関係、実質支配・被支配の関係にある関連者、これらの関連者により債務保証を受けて資金を供与したと認められる一定の第三者等とされています（措法66条の5の2②一、二）。国内関連者等とは、その法人に係る関連者等のうち居住者、内国法人、所得税法164条1項各号に規定する非居住者（PEあり）又は法人税法141条1項各号

に規定する外国法人（PEあり）に規定する法人（措令39の2④）、関連者が第三者を通じて資金を供与した者と認められる場合の第三者等（同令⑬）をいいます。すなわち、関連者等とは、国内関連者を除いた法人となります。

(イ)　法人である関連者の範囲（令39条の13の2⑮一）[6]

(a)　持株関係

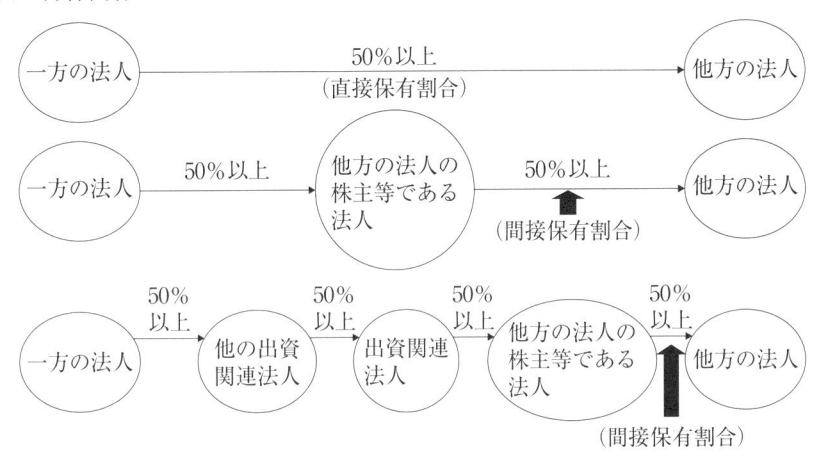

(b)　持株姉妹関係

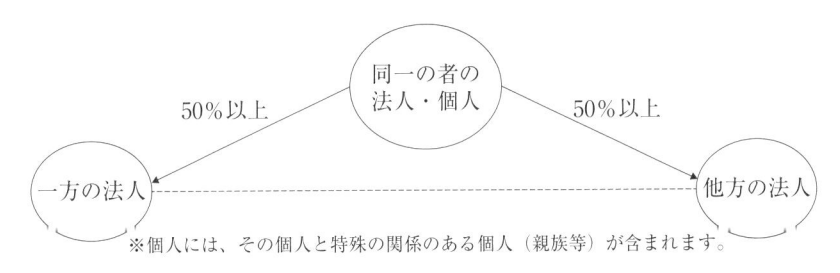

※個人には、その個人と特殊の関係のある個人（親族等）が含まれます。

(c)　実質支配関係

次の事実その他これに類する事実が存在することにより二の法人のいず

れか一方の法人が他方の法人の事業の方針の全部又は一部につき実質的に決定できる関係

(ⅰ)　その他方の法人の役員の2分の1以上又は代表する権限を有する役員若しくは使用人を兼務している者又はその一方の法人の役員若しくは使用人であった者

(ⅱ)　その他法の法人がその事業活動の相当部分をその一方の法人との取引に依存して行っていること

(ⅲ)　その他方の法人がその事業活動に必要とされる資金の相当部分をその一方の法人から借入れにより、又はその一方の法人の保証を受けて調達していること

[6]　「改正税法のすべて　平成24年版」562ページ参照

(ロ)　個人である関連者の範囲（措令39条の13の2⑰一）[7]

(a)　持株関係

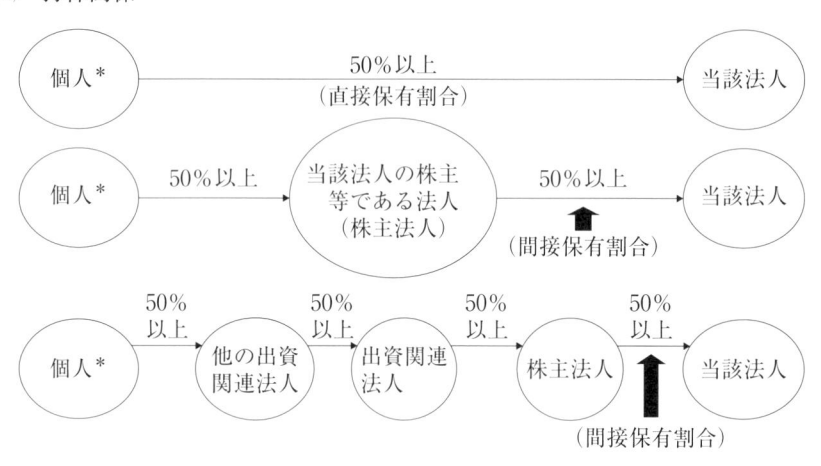

(b)　実質支配関係

法人と個人との間に次の事実その他これに類する事実が存在することにより、その個人がその法人の事業の方針の全部又は一部につき実質的に決定できる関係（個人の場合）

(i)　法人がその事業活動の相当部分をその個人との取引に依存して行っていること

(ii)　法人がその事業活動に必要とされる資金の相当部分をその個人から借入れにより、又はその個人の保証を受けて調達していること

＊個人には、その個人と特殊の関係のある個人（親族等）が含まれます。

[7]　「改正税法のすべて　平成24年版」563ページ参照

② 対象となる純支払利子等の額

令和元年度の改正で、対象となる純支払利子等の額の範囲が見直され、関連者等に対する支払利子等のほか、第三者への支払利子で我が国で課税とされないものが、追加されました。具体的には、損金不算入となる支払利子等の額は、対象純支払利子等の額とされました（措法66の5の2①）。

《計算式》
対象純支払利子等の額＝対象支払利子等合計額－控除対象受取利子等合計額

イ　対象支払利子等合計額とは、その事業年度の対象支払利子等の額の合計額をいいます（措法66の5の2①、②一）。

ロ　対象外支払利子等の額とは、次の表の支払利子等の区分に応じそれぞれ次の表の金額となります。

(注)　次のいずれかに該当する支払利子等の額は、次の表の支払利子等から除かれます（対象外支払利子等の額とはなりません。）（措法66の5の2②三、措令39の13の2④⑤、措規22の10の7①）。

(イ)　一定の関連者が一定の非関連者を通じて資金を供与したと認められる場合におけるその非関連者に対する支払利子等

(ロ)　一定の非関連者が有する一定債権に係る経済的利益を受ける権利が貸出参加契約その他により一定の他の非関連者に移転することがあらかじめ定まっている場合におけるその非関連者に対する支払利子等

※参考：「令和元年度法人税関係法令の改正の概要」国税庁編21ページ

支払利子等の区分	対象外支払利子等の額
㈭　支払利子等を受ける者の課税対象所得[※]に含まれる支払利子等（㈡に該当するものを除きます。） （※）　課税対象所得とは、個人または法人の課税標準となるべき一定の所得をいいます。	その支払利子等を受ける者の課税対象所得に含まれる支払利子等の額
㈥　一定の公共法人（沖縄振興開発金融公庫、㈱国際協力銀行、㈱日本政策金融公庫及び一定の独立行政法人）に対する支払利子等（㈡に該当するものを除きます。）	その公共法人に対する支払利子等の額
㈧　除外対象特定債券現先取引等[※]に係る支払利子等（㈥及び㈡に該当するものを除きます。） （※）　除外対象特定債券現先取引とは、同取引に係る支払利子等で、支払利子等を受ける者の課税所得に含まれないものをいいます。	除外対象特定債券現先取引等に係る支払利子等の額に、除外対象特定債券現先取引等に係る調整後平均負債残高^(注1)を除外対象特定債券現先取引に係る平均負債残高^(注2)で除して得た割合を乗じて計算した金額 （注1）　除外対象特定債券現先取引等に係る調整後平均負債残高とは、除外対象特定債券現先取引等に係る平均負債残高が除外対象特定債券現先取引等に係る対応債券現先取引に係る資産に係る平均資産残高を超える場合に、平均資産残高を上限とする調整を加えた後の除外対象特定債券現先取引等に係る平均負債残高をいいます。 （注2）　除外対象特定債券現先取引等に係る負債に係る平均負債残高とは、その事業年度の負債の帳簿価額の平均的な残高として合理的な方法により計算した金額をいいます。
㈡　法人が発行した債券（その取得した者が実質的に多数でない一定の債券を除きます。）に係る支払利子等で非関連者に対するもの（以下、「特定債券利子等」といいます。）	債券の銘柄ごとに次の（1）又は（2）のいずれかの金額 （1）　その支払又は交付の際、所得税法等の規定により所得税の徴収が行われ、又は特定債券利子等を受ける者の課税対象所得に含まれる特定債券利子等の額と上記（㈥）に定める公共法人に対する特定債券利子等（その支払又は交付の際、所得税法その他所得税に関する法令により所得税の徴収が行われるものを除きます。）の額の合計額 （2）　次の債券の区分に応じ計算された金額 　　イ　国内において発行された債券…特定債券利子等の合計額の95％相当額 　　ロ　国外において発行された債券…特定債券利子等の合計の25％相当額

ハ　控除対象受取利子等合計額（措法66の５の２②六・七、措令39の13の２㉑㉒）

《計算式》

$$\left\{ \begin{array}{c} \text{法人が非国内関連者から受ける受取利子等の額}^{(注1,2)} \end{array} + \begin{array}{l} \text{法人が国内関連者}^{(注4)}\text{から受ける受取利子等の額}^{(注1,2)}\text{と法人の事業年度の期間と同一期間で国内関連者が非国内関連者から受けた受取利子等の額とのうちいずれか少ない金額} \end{array} \right\}$$

$$\times \frac{\text{対象支払利子等合計額}}{\text{法人の支払利子等の額の合計額}^{(注3)}} = \text{控除対象受取利子等合計額}$$

（注１）　法人との間に連結完全支配関係がある連結法人からの受取利子等は除きます。

（注２）　控除対象特定債券現先取引等に係る対応債券現先取引等に係る受取利子等の額は、控除します。

（注３）　上記支払利子等の区分(ハ)の除外対象特定債券現先取引等に係る利子等の額を除外します。

（注４）　国内関連者とは、その法人に係る関連者のうち居住者、内国法人、恒久的施設を有する非居住者又は恒久的施設を有する外国法人をいい、非国内関連者とは、「その法人とその法人に係る他の国内関連者」以外の者をいいます。

過大支払利子税制においては、損金不算入の対象となる支払利子等が関連者等への支払利子等に限定されていますので、純支払利子等の計算において控除の対象となる受取利子等についても何らかの基準で限定をかける必要があります。

そこで、支払利子等と受取利子等との関係を特定することができるのであればよいのですが、困難を伴います。一定の合理性のある方法として上記にあるような比例按分方式を認めているものと考えます。

【特定債権利子等に係る対象外支払利子等の額の判定】

銘柄	発行年月日	発行地	発行総額	発行価額	償還期限	利率	判定方法	社債保有者	特定債券利子等の額	備考	対象外支払利子等の額
第1回社債	20X1/10/1	国内	10,000	2,500	20X3/10/1	4％	原則法	A	100	Aの課税対象所得に含まれる	300（A、B、C）
								B	100	Bへの支払の際に源泉徴収有	
								C	100	Cは一定の公共法人	
								D	100	Dは非居住者（我が国課税及び源泉税は無）	
第2回社債	20X1/11/1	国外	10,000	2,500	20X3/11/1	4％	簡便法	E	100	400×25％	100
								F	100		
								G	100		
								H	100		

（「令和元年版改正税法のすべて」大蔵財務協会編572ページ）

③ 調整所得

調整所得は、いわゆる「利払前所得」として税務上の課税所得に純支払利子等の額を加えたものを基礎として、受取配当等の益金不算入額や繰越欠損金の当期控除額その他の特別に配慮する益金損金を繰り戻して、算出されています。

受取配当等の益金不算入額を除外する趣旨として、BEPSは「税率の高い国で借り入れを行い、税率の低いところに出資することで、損金算入額や益金不算入額を増加させる懸念、課税所得金額を増やさずに本税制における損金限度額を引き上げる操作可能性の懸念」を勧告しており、これを踏まえたものとされています（「令和元年版改正税法のすべて」大蔵財務協会編575ページ）。

また、前制度においては、源泉徴収税を損金不算入としない金額、つまり源泉税控除後の金額とされていました。他方、法人税は控除しない金額となっているところ源泉税は法人税の前取りという考え方があり、法人税法40条と整合性をとり源泉税を控除しない金額とされました。

おって、匿名組合契約等については、特定目的会社等とのバランスから損金算入される分配すべき利益の額は調整所得に加算し、損失は調整所得から減算することとされました（「令和元年版改正税法のすべて」大蔵財務協会編575ページ）。

調整所得金額[注3] =	①所得金額 青色欠損金控除など[注1]を適用せず、寄附金を損金算入した所得金額（欠損金の場合はマイナス金額）	+	②加算金額 対象純利子等の額、減価償却費、貸倒損失及び匿名組合契約等に係る分配金の損金算入額	−	③減算金額[注2] 外国関係会社又は外国関係法人に係る課税対象金額又は部分課税対象金額又は金融子会社部分等部分対象金額等及び匿名組合契約等損失

(注1) 措令39条の13の2①に規定する適用しないこととされている規定をいいます。
(注2) 減算金額とは措法66条の5の2⑦、措法66条の5の2②の適用があるものに限定されます。
(注3) 調整所得がマイナスになる場合は、その事業年度の調整所得金額はゼロとして本制度を適用します。

(参考:「令和元年度法人税関係法令の改正の概要」国税庁編22ページ)

④　損金不算入額（措法66の5の2①）

　BEPSプロジェクトの最終報告書において、調整所得の10%から30%に制限するように勧告をしていることを踏まえて、令和元年度税制において、調整所得金額が50%から20%に引き下げられました。

《イメージ図》

　（改正前）

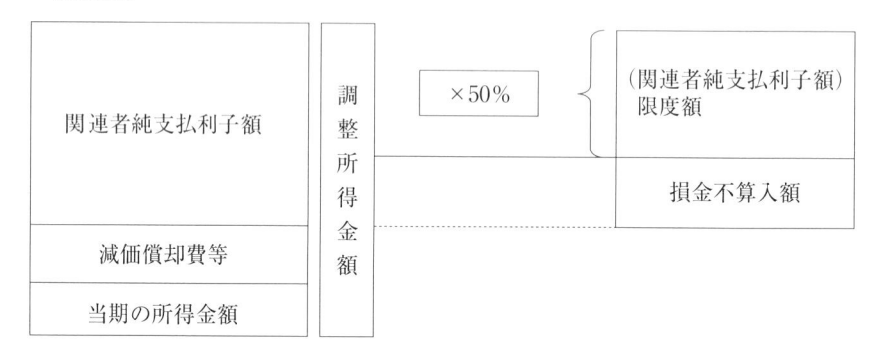

　（改正後）

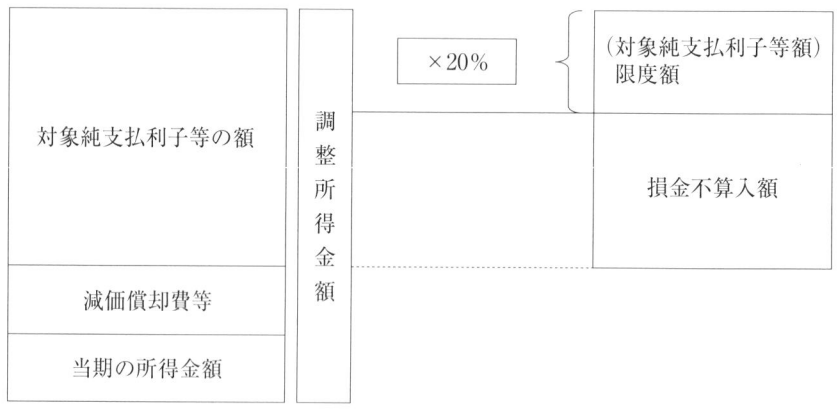

（参考：「令和元年度法人税関係法令の改正の概要」国税庁編23ページ）

⑤　適用免除基準（措法66の5の2③、措令39の13の2㉓から㉗）

　イ　その事業年度における対象支払利子等の額が2,000万円以下であること

　　→改正前は1,000万円以下でしたので、緩和されています。

　ロ　内国法人及びその内国法人に50％超を間接直接に保有する等の関係のある一定の内国法人は次の㈠に掲げる金額の㈡に掲げる金額の20％に相当する金額を超えないこと

　　㈠　対象純支払利子等合計額から対象純受取利子等合計額を控除した残額

　　㈡　調整所得金額の合計額から調整損失金額の合計額を控除した残額

【適用免除基準における特定資本関係】

○特定資本関係とは、①当事者間の特定資本関係又は②一の内国法人との間に当事者間の特定資本関係がある内国法人相互の関係をいいます。

○当事者間の特定資本関係とは、一の内国法人が他の内国法人の発行済株式等の総数又は総額の50%を超える数又は金額の株式又は出資を直接又は間接に保有する場合におけるその一の内国法人と他の内国法人との間の関係をいう。

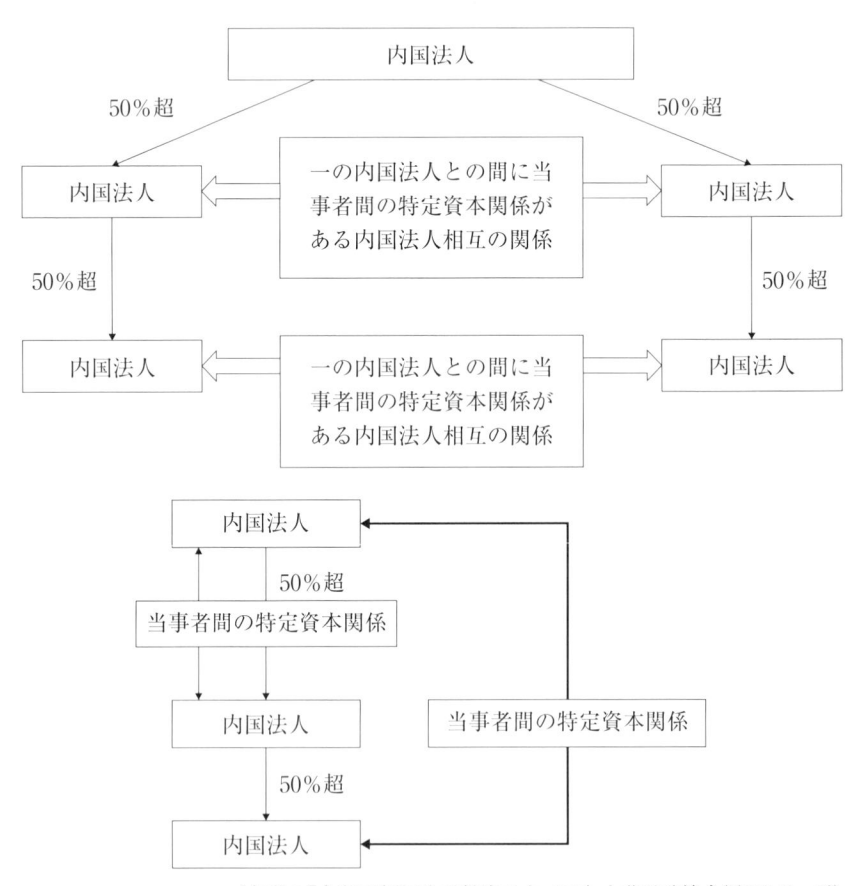

（参考：「令和元年版改正税法のすべて」大蔵財務協会編579ページ）

⑶　超過利子額の損金算入額(令和元年度の税制改正で見直しがなされました)

　その事業年度における対象純支払利子等の額が調整所得金額の20%未満の場合は、前 7 年以内に開始した事業年度に過大支払利子税制の適用により損金不算入とされた金額（超過利子額といいます。）があるときは、その対象純支払利子等の額と調整所得金額の20%に相当する金額との差額を限度として、その超過利子額に相当する金額を損金算入することが認められています（措法66の 5 の 3 ①）。

　なお、修正申告書又は更正請求書に損金の額に算入できる金額等を記載した書類の添付がある場合にもこの適用を受けることができることとされました（措法66の 5 の 3 ⑧）。

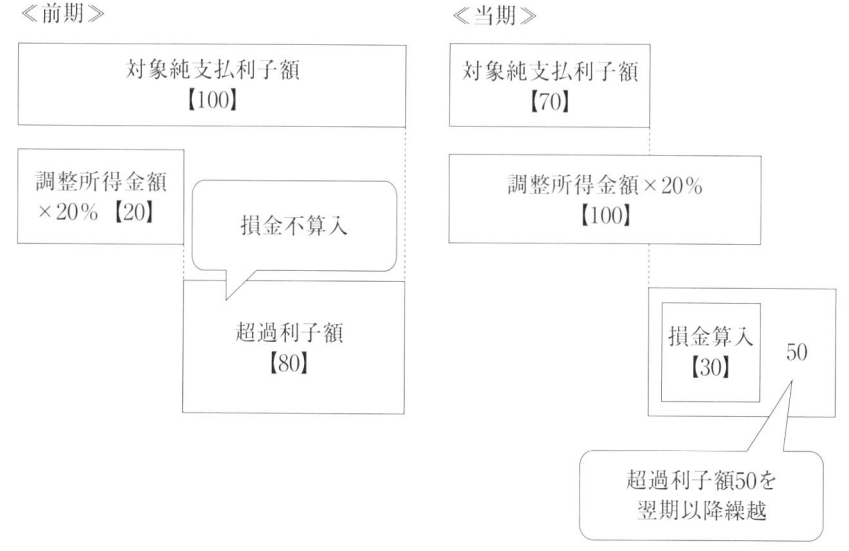

（参考：「令和元年版改正税法のすべて」大蔵財務協会編581ページ）

4.　他の税制との調整

⑴　外国子会社合算税制との調整の概要

　外国関係会社に支払う利子を有している法人においては、本税制において損

金不算入となる金額がある場合に、その支払利子を受けた外国関係会社の所得相当額を当該法人において合算課税され、かつ、支払利子についても損金不算入となることから、二重課税状態が生じることとなります。そこで、こうした二重課税の排除のための調整規定が設けられています（措法66条の5の2⑦）^[8]。

　例えば、次図のように、本制度により損金不算入とされる金額を有する内国法人Aが、外国関係会社Bに対して調整事業年度のうち特定子法人事業年度の期間内に支払う対象支払利子等の額100を有する場合において、調整事業年度において外国関係会社Bが外国子会社合算税制の適用対象となるときは、本制度と外国子会社合算税制による二重課税の状態が生じます。したがって、本制度により損金不算入とされる金額80から、40（調整対象金額40と外国関係会社に係る課税対象金額50のうちいずれか少ない金額）が控除されます（措令39の13の2㉙）。

[8]　「改正税法のすべて　平成24年版」576ページ参照

※図は「改正税法のすべて　平成24年版」を引用していますが、内容は現行法に置きかえています。

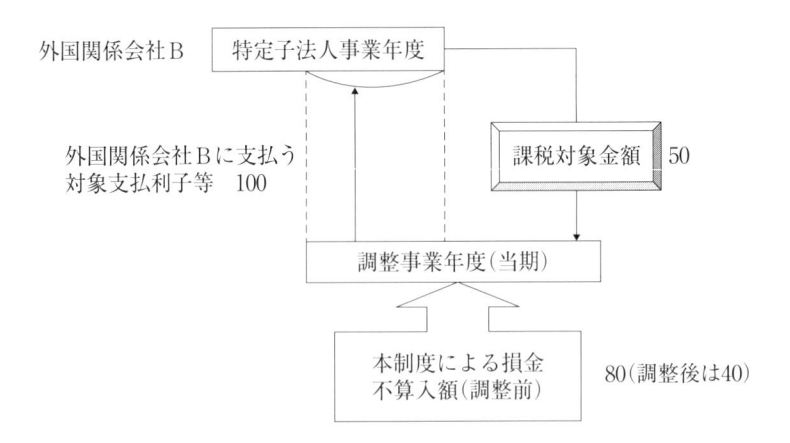

① 調整対象金額　⇒　40

$$\text{本制度による損金不算入額（80）} \times \frac{\text{特定子法人事業年度の期間}^{(注)}\text{に支払う対象支払利子等の額（100）}}{\text{当該調整年度における対象支払利子等の額（200）}}$$

② 外国関係会社に係る課税対象金額　⇒　50

(注)　調整事業年度開始の日前の期間を除きます（調整事業年度に対応する特定子法人事業年度をいいます）。調整事業年度というのは、当該内国法人の事業年度における本制度により損金不算入とされる金額がある場合において、その事業年度をいいます。したがって、特定子法人の事業年度のうち調整事業年度と重なる部分の事業年度において受け入れた利子額を対象とするという意味です。

(2)　本制度における超過利子額と外国子会社合算税制との適用調整

　例えば、次図のように、対象事業年度に係る超過利子額を有する内国法人Ａが、外国関係会社Ｂに対して対象事業年度のうち特定子法人事業年度の期間内に支払う対象支払利子等の額を有する場合において、その対象事業年度の期間を含む外国関係会社Ｂの特定子法人事業年度が外国子会社合算税制の適用対象となるときは、本制度と外国子会社合算税制による二重課税状態となります。

　したがって、超過利子額80のうち50（調整対象超過利子額50と外国関係会社に係る課税対象金額100のうちいずれか少ない金額）が調整事業年度において損金算入されます。なお、この措置は、超過利子額に係る事業年度のうち最も古い事業年度以後の各事業年度の確定申告書にその超過利子額に関する明細書の添付があり、かつ、この措置の適用を受けようとする事業年度の確定申告書（中間申告書を含む。）に、適用を受ける金額の申告の記載及び計算に関する明細書の添付がある場合に限り適用されます（措法66条の５の３⑦）。

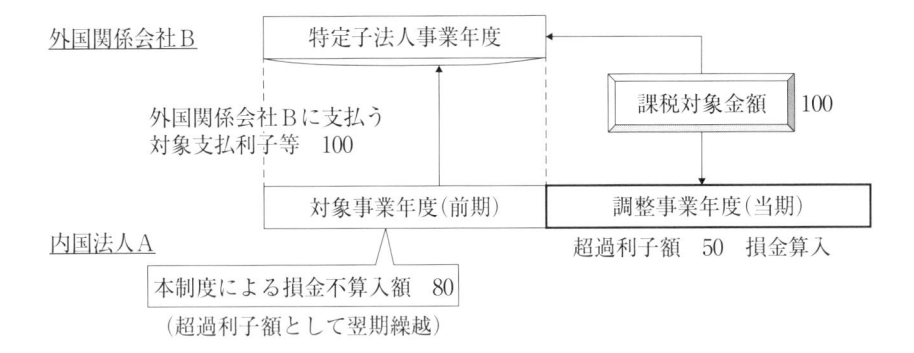

① 　調整対象超過利子等　⇒　50

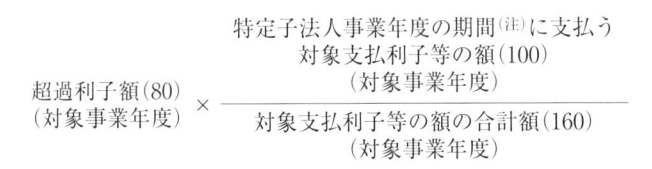

② 　外国関係会社に係る課税対象金額　⇒　100

（注）　対象事業年度終了の日後の期間を除きます。対象事業年度とは、外国関係会社の特定
　　　子法人事業年度（その法人の調整事業年度開始の日以後に開始するものを除きます。）
　　　の期間内の日を含むその法人の事業年度（調整事業年度に該当するものを除きます。）
　　　をいいます（措令39条の13の3②）。
　　　　（本事例ではAとBの事業年度が一致していますが、Aの事業年度内において開始し
　　　たBの事業年度に係る分は合算の対象外となるため除きます。）

5. その他の税制との調整

　本制度の適用により損金不算入とされる金額は、特定同族会社の特別税率の
適用対象となる留保所得計算上の所得等の金額に、利益積立金額の計算上の所
得の金額に含まれることとされ（措令39条の13の3⑥⑦）、受取配当益金不算入
制度における負債利子に加算されます（措令39条の13の3⑧）。

　移転価格事務運営要領2-25によれば、移転価格税制とともに過少資本税制
を適用する場合には、過少資本税制に適用される「負債利子」の算定にあたっ

ては、独立企業間価格を超える部分の「負債利子」は含めないこととして扱うこととされています。つまり、移転価格税制を優先して扱うこととされています。

6. 平成26年度改正について

⑴　帰属主義への移行に伴い、関連者支払利子等の額は外国法人の恒久的施設を通じて行う事業に限られることとなりました（措法66条の5の2⑧一）。

⑵　また、本店等と恒久的施設との間の内部取引を認識することとしたことに伴い、恒久的施設から外国の本店等に対するいわゆる内部利子の額について、本制度の対象となる対象支払利子等の額に含まれることとなりました（措法66条の5の2⑧一イ）。

⑶　外国銀行等については、外国銀行等の資本に係る負債の利子の損金算入制度により一定の負債の利子の金額の計算上損金に算入されることとなりましたが、この損金算入される負債の利子額のうち関連者等に対する支払利子に相当するものについて、本制度の適用対象となる対象支払利子等の額から除くこととなりました（措法66条の5の2⑧一ロ）。

⑷　控除対象受取利子等合計額、対象純支払利子等の額及び支払利子等の額は、外国法人の恒久的施設を通じて行う事業に係るものに限ることとされました（措法66条の5の2⑧二）。

⑸　調整所得金額は、外国法人の恒久的施設帰属所得に係る所得の金額に係るものに限ることとされました（措法66条の5の2⑧三）。

⑹　外国法人に対しては、過少資本税制に代えて、法人税法142条の4の規定による利子損金不算入制度が適用されることとなったことに伴い、本制度と同条の重複適用の排除を図るため外国法人のその事業年度に係る本制度により計算された金額がその事業年度に係る同条の規定により計算される金額以下となる場合は、本制度は適用されないこととなりました（措法66条の5の2⑨）。

(7)　法人のその事業年度に係る本制度により計算された金額が、同条の規定で計算した金額を超える場合は、同条の規定は適用されません（措法66条の5の2⑩）。

(8)　平成26年度改正については、令和元年度の税制改正で条項及び名称等の変更がありました。

（執筆：吉川保弘）

第11章

国際税務に関する
その他の制度

 ## 第1節 国外送金等調書提出制度

1. 国外送金等調書提出制度の創設とその目的

　国外送金等調書提出制度は、正確には「内国税の適正な課税の確保を図るための国外送金等に係る調書の提出等に関する法律」（以下、「国外送金等調書提出法」）といいます。平成9年12月5日法律第110号として成立し、翌平成10年4月1日に施行されました。

⑴　国外送金等調書提出制度の創設の経緯

　法律制定の背景については、次のように述べられています（「改正税法のすべて（平成10年版）」国税庁246ページ）。

　「現在、政府は、"フリー"（市場原理が働く自由な市場に）、"フェア"（透明で信頼できる市場に）、グローバル（国際的で時代を先取りする市場に）の原則に則り、平成13年（2001年）までに我が国の金融市場をニューヨーク、ロンドンと並ぶ国際金融市場として再生することを目指し、金融システム改革、いわゆる『日本版ビックバン』を進めております。この金融システム改革のフロントランナーとして、昨年（平成9年）5月に『外国為替及び外国貿易管理法（外為法）の一部を改正する法律』（平成9年法律第59号）が可決・成立し、平成10年4月1日から施行されています。新しい外為法の下では、これまでの許可・事前届出制度が原則として廃止されること等により、例えば海外の銀行に預金口座を持つことや、海外にある預金口座を通じて海外の債券や株式などに投資することなどが自由にできるようになります。このよう

に新しい外為法の施行により内外の資金移動が大幅に自由化される一方で、国際的な"税逃れ"までが自由に行われるようになってしまっては、"フェア"な市場としての信頼性を損なわれることになりかねません。そこで、国境を越える資金移動が大幅に自由化される中で適正な課税の確保を図る観点から、国際的な取引や海外での資産形成など国税当局による把握の端緒とするための資料情報制度を整備するため、昨年（平成9年）秋の臨時国会（第141回）において、銀行等の金融機関や郵政官署がその顧客の国外送金等に係る調書を税務署に提出すること等を『内国税の適正な課税の確保を図るための国外送金等に係る調書の提出等に関する法律』が可決・成立し以下の関係政省令等とともに、平成10年4月1日から施行されております。」

(2)　国外送金等調書提出法の目的（国外送金等調書提出法第1条）

第1条において、この法律は、納税義務者の外国為替その他の対外取引及び国外にある財産及び債務の国税当局による把握に資するため、国外送金等に係る調書も提出等に関する制度を整備し、もって所得税、法人税、相続税その他の内国税の適正な課税の確保を図ることを目的とすると規定され、(1)での経緯が反映していることが汲み取れます。平成27年度改正において、債務が挿入されて平成28年1月1日から施行されました。

2.　国外送金等調書提出制度の概要

(1)　国外送金等をする者による告知書の提出

個人や法人などは、国外送金等（送金と受領を意味します。特に断りがない場合は以下同様の意味となります）をする際に、その氏名・名称及び住所等の一定の事項を記載した告知書を銀行などの金融機関の営業所等又は郵便局の長に提出しなければなりません。ただし、本人確認の済んだ一定の口座（本人口座）を通じて国外送金等をする場合には、この告知書は不要です。

(2)　銀行などによる本人確認

告知書の提出を受けた銀行などの金融機関の営業所等又は郵便局の長は、(1)

の告知書を提出する者（顧客）から住民票の写しや運転免許証、法人登記簿の謄抄本や国税・地方税の領収書などの一定の公的書類の提示を受けて、告知書に記載された顧客の氏名・名称及び住所を確認しなければなりません。

(3)　銀行などによる国外送金等調書の税務署提出

　銀行などによる金融機関又は郵政官署は、取り扱った顧客の国外送金等のうち送金額が100万円（国外送金等調書提出法令8条）を超えるものについて、その顧客の氏名・名称、住所、送金金額等の一定の事項を記載した調書（国外送金等調書）を税務署に提出しなければなりません。

3. 国外送金等調書提出法における用語の意味（国外送金等調書提出法第2条）

① 　国内（同条一号）

　この法律の施行地をいいます。

② 　国外（同条二号）

　この法律の施行地外の地域をいいます。

③ 　金融機関（同条三号）

　これらの金融機関が本制度において調書の提出義務等を負うこととなります。

　イ　銀行、長期信用銀行、外国為替銀行、信用金庫、信用金庫連合会、労働金庫、労働金庫連合会、信用協同組合及び中小企業等協同組合、信用共同組合連合会

　ロ　業として貯金の受入ができる農業協同組合、農業協同組合連合会、漁業協同組合、漁業協同組合連合会、水産加工業協同組合、水産加工業協同組合連合会

　ハ　日本銀行、農林中央金庫、株式会社日本政策金融公庫、株式会社商工組合中央金庫、株式会社日本政策投資銀行

④　国外送金（同条四号）

　国外送金とは、金融機関又は郵政官署が行う為替取引によって行われる国内から国外への送金をいいます。具体的には、小切手送金、小切手・手形の取立てに対する支払、国際郵便為替、国際郵便振替等が該当しますが、国際クレジットを海外で利用した場合の代金支払、トラベラーズ・チェックの購入に係る支払は該当しません（「改正税法のすべて（平成10年版）」国税庁247ページ）。

　本制度の対象とならないものとして、①輸入貨物に係るに為替手形に基づく支払、②船荷証券、航空運送状等の一定の運送書類とインボイスに基づく受取証書に基づく取立てによる支払（銀行間で荷為替手形と同じに扱われている慣行があるので同様に扱う趣旨です）があります。

　注意すべきは、銀行等が顧客から電信送金等の依頼を受ける際に、船荷証券等の貿易関係書類の提示を受けたとしても、当該荷為替手形等の取立てによる支払でない以上、本制度の対象となります。

⑤　国外からの送金等の受領（同条五号）

　次に掲げる受領をいいます。①金融機関又は郵政官署が行う為替取引によって行われる国外から国内への支払の受領をいいます。具体的には、小切手送金、小切手・手形の取立てに対する支払、国際郵便為替、国際郵便振替等が該当します。②金融機関が行う小切手、為替手形その他これらに準ずるもの（国外で支払われるものに限る。約束手形が該当する）の買取りに係る対価の受領をいいます。具体的には、外国の企業等を支払者とする小切手、為替手形等を国内にある銀行などの支店に持ち込んで、買い取ってもらう場合がこれらに該当します。

　制度の対象外となるものとして、輸出貨物に係る荷為替手形に基づく取立てによる支払の受領及び当該荷為替手形の買取りに係る対価の受領があります。また、送金と同じく、船荷証券、航空運送状等の一定の運送書類とインボイスに基づく受取証書に基づく取立てによる受領も本制度の対象外です。

⑥　本人口座（同条六号）

　具体的には、次に掲げる口座をいいます。なお、以下の確認は口座開設時に限定されているわけではなく、その受送金をするときまでに行われていればよいとされています。

　イ　金融機関の国内の営業所等又は郵便局に国外送金等をする者の本人名義で開設されている預貯金の口座（郵便振替口座を含みます）

　ロ　その口座の名義となっている氏名又は名称及び住所（国内に住所を有しない者にあっては、居所等の一定の場所）及び個人番号、法人番号が、当該金融機関の営業所等の長又は郵便局長により運転免許証、国税・地方税の領収証書等の一定の公的書類によって確認されているもの

4. 国外送金等をする者の告知書の提出
（国外送金等調書提出法第3条）

　国外送金等をする者は、原則として送金等の際に、その氏名又は名称、住所等を記載した告知書を銀行等に提出しなくてはなりません。

　告知書の様式は、法令上特段の定めはありませんので、必要な事項が記載されていれば、その様式は問わないこととされています（「改正税法のすべて（平成10年版）」国税庁251ページ）。ですので、銀行などで現在使用されている外国送金依頼書等をこの告知書と兼ねることも可能です。

⑴　告知書の提出義務者

　国外送金をする者、国外からの送金等を受領する者は、原則として、告知書の提出義務があります。その際、個人、法人の別、居住者、非居住者の別、内国法人、外国法人の別を問いません。なお、外為法では、例えば、非居住者の国内預金から非居住者の海外預金口座間の振替は規制の対象とされていませんが、本制度は適用になります。逆に、国内間の送金が外為法上の居住者と非居住者との間で行われる場合に外為法上規制の対象となる場合がありますが、こうした場合は本制度の対象外です「改正税法のすべて（平成10年版）」国税庁248

ページ。

(2)　告知書の記載事項

①　国外送金する場合

イ　氏名又は名称、住所（国内に住所を有しない者にあっては、居所等の一定の場所）及び個人番号又は法人番号（措規6②一）

ロ　当該国外送金の原因となる取引又は行為の内容（措規6②二）

ハ　国税通則法の規定による納税管理人の届出をしている場合は、その納税管理人の氏名又は名称及び住所（国内に住所を有しない者にあっては、居所等の一定の場所）（措規6②三）

ニ　国外送金する者が法人課税信託の受託者である場合は、当該信託の名称及び受託営業所の所在地（措規6②四）

ホ　その他参考となる事項（措規6②五）

②　国外からの送金等の受領をする場合

イ　氏名又は名称、住所（国内に住所を有しない者にあっては、居所等の一定の場所）及び個人番号又は法人番号（措規6③一）

ロ　国税通則法の規定による納税管理人の届出をしている場合は、その納税管理人の氏名又は名称及び住所（国内に住所を有しない者にあっては、居所等の一定の場所）（措規6③二）

ハ　国外から送金等の受領をする者が法人課税信託の受託者である場合は、当該信託の名称及び受託営業所の所在地（措規6③三）

ニ　その他参考となる事項（措規6③四）

(3)　告知書の提出を要しない国外送金等

次の国外送金等については、告知書の提出は必要ないとされています。

①　「特定送金」又は「特定受領」に該当する国外送金等

「特定送金」とは、次に掲げる国外送金をいいます（国外送金等調書提出法3②一）。

イ　本人口座から振り替えられる国外送金

　　ロ　本人口座からの預貯金の払い出しによりされる国外送金

　　　　なお、いったんＡＴＭ等で預貯金の口座から引き出してその現金を窓
　　　口に持ち込んで送金するような場合には、その口座が本人口座であって
　　　も、「特定送金」には該当しませんので、窓口での告知書の提出が必要
　　　となります。

　　　　「特定受領」とは、次に掲げる国外送金をいいます（国外送金等調書提
　　　出法 3 ②二、同令 7 ②、同規 7 ②③）。

　　イ　その国外から送金等の受領をする者の本人口座においてなされる国外
　　　から送金等の受領

　　ロ　銀行業を営む者の国外にある営業所等に開設されている預金口座で国
　　　外からの送金等の受領をする者が名義人となっているものからの払い出
　　　しによりされる国外からの送金等の受領で、国内に設置されたＡＴＭ等
　　　を通じてなされるもの（国外送金等調書提出法令 7 ②）

②　告知書の提出義務のない公共法人等の範囲（国外送金等調書提出法令 4 ）
　　次に掲げる者が行う国外送金等が該当します。

　　イ　国

　　ロ　法人税法別表第一に掲げる公共法人

　　ハ　特別の法律で設立された法人

　　ニ　上記 3 ③に掲げる金融機関

　　ホ　金融商品取引法28条 1 項に規定する金融商品取引業者

　　ヘ　外国政府、外国の地方公共団体、外国の中央銀行、我が国が加盟して
　　　いる国際機関

⑷　取次ぎの場合の告知書の提出

　取次ぎとは、別法人である金融機関同士の取次ぎ（国外送金等調書提出法 3 ①）
をいい、同一金融機関の支店間で行われる取次ぎは、ここでいう取次ぎに該当
しません。

　ある者が外国送金をするときに訪問したＢ銀行が自らでは外国為替の取引が

行えないため、その外国送金をする者から依頼を受けてＡ銀行に取り次ぐ場合には、その外国送金をする者は、Ｂ銀行経由で、Ａ銀行に告知書を提出しなければなりません。

5.　告知書の提出を受ける金融機関等による本人確認

　告知書を提出する者は、原則としてその提出の際に、住民票の写しや運転免許証、法人登記簿の謄抄本や国税・地方税の領収書などの一定の公的書類を提示し、又は署名用電子証明書等を送信しなければなりません。一方、告知書の提出を受けた金融機関の営業所等又は郵政官署の長は、この提示を受けた確認書類により、その告知書に記載された顧客告知書の提出を受けた金融機関の営業所等又は郵政官署の長は、顧客の氏名、名称、住所、個人番号及び法人番号を当該書類又は署名用電子証明書若しくは行政手続における特定の個人を識別するために公表された当該法人の名称、住所及び法人番号と照合する方法等により確認しなくてはなりません（国外送金等調書提出法３①、同令５②）。

　なお、告知書の提出を受けた金融機関の営業所等又は郵政官署の長は、国外送金等の者の顧客の氏名、名称、住所、個人番号、法人番号を確認すればよく、その他の事項、例えば、送金原因の確認は必要ありません。確認した確認書類の名称は告知書に記載しておくこととされています（同令６③）。

(1)　確認書類（国外送金等調書提出法令５①、同規４①）

　①　国内に住所を有する個人の場合（国外送金等調書提出法規４①一）

　　　次に掲げるいずれかの書類（当該個人の氏名及び住所の記載のあるものに限る）

　　イ　個人番号カード（提示時において有効なもの）

　　ロ　特定個人識別法７条に規定する通知カード及び住所等確認書類

　　ハ　住民票の写し、住民票の記載事項証明書、戸籍の付票の写し又は印鑑証明書（ただし、提示６か月以内に作成されたもの）

　　　※住所等確認書類とは次に掲げる書類をいいます（国外送金等調書提出

法令5①、同規4②)。

(イ)　個人番号カード

(ロ)　住民票の写し、住民票の記載事項証明書、戸籍の付票の写し又は印鑑証明書（ただし、提示6か月以内に作成されたもの）

(ハ)　戸籍の附票の写し又は印鑑証明書

(ニ)　国民健康保険、健康保険、船員保険の非保険者証、健康保険日雇特例保険者手帳、国家公務員共済組合・地方公務員共済組合の組合員証、私立学校教職員共済制度の加入証

(ホ)　国民年金手帳、児童扶養手当証書、身体障害者手帳、母子手帳、精神障害者保健福祉手帳、戦傷病者手帳

(ヘ)　運転免許証、運転経歴証明書

(ト)　旅券

(チ)　在留カード、特別永住者証明書

(リ)　国税・地方税の領収証書、納税証明書又は社会保険料の領収証書（日付印があるもので、提示6か月以内に作成されたものに限る）

(ヌ)　上記の他、官公署から交付され、発行され、又は発給された書類その他これらに類するもの（提示6か月以内に作成されたもの、有効期限があるものは、提示時に有効なもの）

② 国内に住所を有しない個人（国外送金等調書提出法規4①二）

住所等確認書類、個人番号を有する者は、通知カード、個人番号カード、情報提供ネットワークシステム省令に規定する通知カード・個人番号カード

③ 番号既告知者（国外送金等調書提出法規4①三）

住所等確認書類

④ 非居住者（国外送金等調書提出法規4①四）

当該非居住者の旅券、乗員手帳

⑤　内国法人で法人番号を有する法人の場合（国外送金等調書提出法規4③一）

イ　法人番号通知書

ロ　法人番号通知書（イを除く）及び法人確認書類

※法人確認書類とは次に掲げる書類をいいます（国外送金等調書提出法令5①、同規4④）。

　(イ)　設立登記に係る登記簿の謄本若しくは抄本

　(ロ)　国税・地方税の領収証書、納税証明書又は社会保険料の領収証書（日付印があるもので、提示6か月以内に作成されたものに限る）

ハ　行政手続における法人番号印刷書類及び法人確認書類

⑥　法人番号を有しない法人（国外送金等調書提出法規4③二）

当該法人の法人確認書類

⑦　人格なき社団（国外送金等調書提出法規4④二）

(イ)　当該人格なき社団等の定款、寄付行為、規則又は規約の写しで、代表者又は管理人の当該人格のない社団等である旨を証する事項のあるもの

(ロ)　国税・地方税の領収証書、納税証明書又は社会保険料の領収証書（日付印があるもので、提示6か月以内に作成されたものに限る）

⑧　外国法人の場合（国外送金等調書提出法規4④三）

(イ)　当該外国法人の商法又は民法の規定による登記に係る登記簿の謄本若しくは抄本（提示6か月以内に作成されたものに限る）

(ロ)　国税・地方税の領収証書、納税証明書又は社会保険料の領収証書（日付印があるもので、提示6か月以内に作成されたものに限る）

(ハ)　官公庁から発行され、又は発給された書類その他これらに類するもの（提示6か月以内に作成されたもの、有効期限があるものは、提示時に有効なものに限る）

(2)　確認書類の提示を要しない場合（国外送金等調書提出法規5）

①　その国外送金等をする前に当該国外送金等に係る金融機関の営業所等又は郵便局を通じてした他の国外送金等につきその金融機関に営業所等又は

郵便局で本人確認を受けた者

②　その国外送金等に係る告知書の提出を受ける金融機関の営業所等又は郵便局で所得税法上の利子等の受領に係る本人確認を受けた者

③　その国外送金等に係る告知書の提出を受ける金融機関の営業所等又は郵便局で老人等の少額預金利子非課税制度を受ける者

⑶　取次ぎの場合の本人確認（国外送金等調書提出法 3 ①括弧書）

　その取次ぎに係る金融機関の営業所等においてこの本人確認を行うこととなります。

6. 金融機関又は郵政官署による国外送金等の調書の提出

　金融機関又は郵政官署は、その顧客が当該金融機関の営業所等又は郵便局を通じてする国外送金等に係る為替取引を行ったときは、その国外送金等のうち送金額が100万円を超えるものについて、その国外送金等ごとに、その顧客の氏名又は名称、住所(国内に住所を有しない者にあっては、居所等の一定の場所)、送金金額等の一定の事項を記載した調書（国外送金等調書）を、その国外送金等に係る金銭を顧客との間で受け払いした日などの為替取引を行った日の属する月の翌月末日までに、当該為替取引に係る金融機関の営業所等又は郵便局の所在地の所轄税務署長に提出しなければならないこととされています（国外送金等調書提出法 4 ①、同規 8 ）。

⑴　国外送金等の調書の提出義務者

　金融機関又は郵政官署が対象となります。

⑵　国外送金等調書の記載事項

　国外送金等調書には、 1 回の国外送金等ごとに、次に掲げる事項を記載しなければなりません（国外送金等調書提出法 4 ①、同規10）。

①　国外送金の場合

　イ　その国外送金をした顧客の氏名又は名称及び個人番号又は法人番号（ない場合は氏名・名称）

ロ　その国外送金をした顧客の住所（国内に住所を有しない者にあっては、居所等の一定の場所）

ハ　その国外送金の金額

ニ　その国外送金をした年月日

ホ　その国外送金に係る告知書に記載されている送金原因

ヘ　その国外送金の相手方の氏名又は名称

ト　その国外送金に係る為替取引に係る銀行業を営む者の国外にある営業所等の名称

チ　その国外送金に係る相手国名

リ　その国外送金に係る為替取引が取次ぎによってなされる場合には、その取次ぎをする金融機関の営業所等の名称

ヌ　その国外送金に係る告知書に記載されている納税管理人の氏名及び住所（国内に住所を有しない者にあっては、居所等の一定の場所）

ル　法人課税信託の名称及び受託営業所の住所

ヲ　その他参考となる事項

② 国外からの送金等の受領の場合

イ　その国外からの送金等の受領をした顧客の氏名又は名称

ロ　その国外からの送金等の受領をした顧客の住所（国内に住所を有しない者にあっては、居所等の一定の場所）

ハ　その国外からの送金等の受領をした金額

ニ　その国外からの送金等の受領をした年月日

ホ　その国外からの送金等の受領の相手方の氏名又は名称

ヘ　その国外からの送金等の受領に係る為替取引に係る銀行業を営む者の国外にある営業所等の名称

ト　その国外からの送金等の受領に係る相手国名

チ　その国外からの送金等の受領に係る為替取引が取次ぎによってなされる場合には、その取次ぎをする金融機関の営業所等の名称

リ　その国外からの送金等の受領に係る告知書に記載されている納税管理
人の氏名及び住所（国内に住所を有しない者にあっては、居所等の一定の場
所）

ヌ　法人課税信託の名称及び受託営業所の住所

ル　その他参考となる事項

(3)　提出を要しない国外送金等

①　公共法人等がする国外送金等

②　送金金額が100万円以下の国外送金等

この場合の送金金額が100万円以下であるかどうかは1回の国外送金等
ごとに判定することとされています。外貨建てで国外送金等がされる場合
には、次の外国為替相場を用いて換算した金額により、その送金金額が100
万円以下であるかどうかを判定することとされています（国外送金等調書
提出法令8②、同規9）。

イ　金融機関を通じての国外送金等の場合

　(イ)　その国外送金等が本邦通貨と外国通貨との売買を伴うものである場
合……当該売買について適用された外国為替の対顧客売買相場

　(ロ)　(イ)以外の場合……外国為替の取引等の報告に関する省令の規定によ
り、財務大臣が定めるところに従い日本銀行において1か月ごとに公
示される相場

ロ　郵便局を通じての国外送金等の場合

　(イ)　国際郵便為替の場合（国際郵便為替規則7）……a）本邦から振り
出される国際郵便為替の場合は振出時の振出換算割合、b）外国から
振り出された国際郵便為替の場合はその為替到着時の到着換算割合

　(ロ)　国際郵便振替の場合（同規則9）……a）本邦の郵便為替口座から
振替又は払出の場合は振替又は払出の請求の受付時の振出換算割合、
b）本邦から外国の郵便振替口座に宛てる振込みの場合は振込時の振
出換算割合、c）外国郵便振替口座から本邦の郵便振替口座に宛てた

振替又は外国から本邦の郵便振替口座に宛てた振込みの場合は振替又は振込の到着時の到着換算割合

(4)　国外送金調書の提出期限

　国外送金等調書は、その国外送金等に係る金銭を顧客との間で受け払いした日などの為替取引を行った日の属する月の翌月末日までに、当該為替取引に係る金融機関の営業所等又は郵便局の所在地の所轄税務署長に提出しなければならないこととされています（国外送金等調書提出法4①、同規8）。

　なお、前々年の1月1日から12月31日までの間に提出する国外送金等調書の枚数が100以上の場合は、①あらかじめ届出した電子情報処理組織を使用した方法又は②光ディスク等を利用した記録用媒体で提出する方法、のいずれかの方法により提出しなければなりません（国外送金等調書提出法4②、同規⑩）。

7. その他

(1)　当該職員の質問検査権

　国税庁、国税局又は税務署の当該職員は、国外送金等調書の提出に関する調査について必要があるときは、当該国外送金等調書を提出する義務がある者に質問し、又はその者の国外送金等に係る為替取引に関する帳簿書類その他の物件を検査することができるとされています（国外送金等調書提出法7①）。

(2)　告知書、国外送金等調書の提出義務に係る罰則

　本制度では、次の違反があった場合には、その違反した行為をした者は、1年以下の懲役又は50万円以下の罰金に処することとされています（国外送金等調書提出法9）。

①　告知書の不提出及び虚偽記載による提出

②　国外送金等調書の不提出又は虚偽記載による提出

③　当該職員の質問検査に対する不答弁若しくは虚偽答弁又は検査の拒否、妨害若しくは忌避

④　当該職員の検査に関する虚偽記載の帳簿書類の提示

(3)　両罰規定

　法人の代表者又は法人若しくは人の代理人、使用人その他の従業員がその法人又は人の業務又は財産に関して上記(2)の違反をしたときは、その行為者を罰する他、その法人又は人に対して上記(2)の罰金刑を科することとされています（国外送金等調書提出法11①）。

(4)　国外送金等調書の様式

　様式350として日本工業規格Ｂ６サイズと規定されています。

令和　　年分　国　外　送　金　等　調　書

国内の送金者又は受領者	住所(居所)又は所在地					
	氏名又は名称			個人番号又は法人番号		
国外送金等区分		1. 国外送金・2. 国外からの送金等の受領	国外送金等年月日	年　　　月　　　日		
国外の送金者又は受領者の氏名又は名称						
国外の銀行等の営業所等の名称						
取次ぎ等に係る金融機関の営業所等の名称						
国外送金等に係る相手国名						
本人口座の種類	普通預金・当座預金・その他(　　　)		本人の口座番号			
国外送金等の金額	外貨額	外貨名	送金原因			
	円換算額	(円)				
(備考)						
提出者	住所(居所)又は所在地					
	氏名又は名称	(電話)		個人番号又は法人番号		
整理欄	①		②			

右側注記：○個人番号又は法人番号欄に個人番号（12桁）を記載する場合には、右詰で記載します

350

第2節　財産債務調書制度の創設

1．財産債務調書制度の創設の経緯

　平成27年度税制改正により「財産債務調書制度」が創設されました。制度創設の背景について、立法担当者は次のように述べています（平成27年版「改正税法のすべて」大蔵財務協会編 890ページ）。

「所得金額が2,000万円を超える者については、「財産債務明細書」の提出が認められていたところですが、その保有財産の記載内容は「株式」「土地」など概括的であるうえ、金額等の記載がないものも多いところから、税務当局において申告内容の検証に活用することが不十分であることに加え、提出率も4割程度にとどまっていることとの課題があったところです。また、国外転出をする場合の譲渡所得等の特例の創設に際し、適正公平な課税を確保する有価証券の情報把握が不可欠であるところ、従前の「財産債務明細書」では、時価等が不明なケースも多いところから、十分なものでないと考えられる状況にあったところです。こうした課題に対応するため、今回の改正では、「財産債務明細書」の提出制度を見直し、従前からの提出基準（改正前：所得基準のみ）に資産基準（総資産3億円以上又は有価証券等1億円以上）を追加することにより対象者を限定した上で、財産の詳しい内容を時価で記載させるなど記載内容を充実させるとともに、その適正な記載及び提出を確保するため、加算税の加減算によるインセンティブ措置を設けた「財産債務調書」として整備することとされました。」

　なお、これまでの「財産債務明細書」は、所得税法の中で規定されていましたが、今般の改正により「国外送金等調書提出法」に定めることとされました。

2．財産債務調書制度の概要

　所得税の申告書を提出すべき者は、その申告書に記載すべきその年分の総所得金額及び山林所得金額の合計額が2,000万円を超え、かつ、その年の12月31日においてその価額の合計額が3億円以上の財産又はその価額の合計額が1億円以上の国外転出特例対象財産を有する場合には、その財産の種類、数量及び価額並びに債務の金額その他必要な事項を記載した財産債務調書を翌年の3月31日までに、所得税の納税地である所轄税務署長に提出しなければなりません（国外送金等調書提出法6の2①）。

　なお、申告分離課税となる所得がある場合における総所得金額及び山林所得金額の合計額は、この合計額に次の金額を加算することとされています（国外送金等調書提出法令12の2⑤）。

①	上場株式等に係る配当所得等の金額	措法8の4①
②	土地等に係る事業所得等の金額	措法28の4①
③	特別控除後の長期譲渡所得の金額	措法31①
④	特別控除後の短期譲渡所得の金額	措法32①
⑤	一般株式等に係る譲渡所得等の金額	措法37の10①
⑥	上場株式等に係る譲渡所得等の金額	措法37の11①
⑦	一般株式等の譲渡に係る国内源泉所得の金額	措法37の12①
⑧	上場株式等の譲渡に係る国内源泉所得の金額	措法37の12③
⑨	先物取引に係る雑所得等の金額	措法41の14①
⑩	申告不要第三国団体配当等に係る利子所得又は配当所得の金額	外国居住者等の所得に対する相互主義による非課税等に関する法7条⑧
⑪	特定対象利子にかかる利子所得の金額	外国居住者等の所得に対する相互主義による非課税等に関する法7条⑩後段

⑫	特定対象収益分配に係る配当所得の金額	外国居住者等の所得に対する相互主義による非課税等に関する法7条⑫後段
⑬	申告不要特定対象配当等に係る利子所得又は配当所得の金額	外国居住者等の所得に対する相互主義による非課税等に関する法7条⑭後段
⑭	特定懸賞金等に係る一時所得の金額	外国居住者等の所得に対する相互主義による非課税等に関する法7条⑯後段
⑮	特定給付補填金等に係る雑所得等の金額	外国居住者等の所得に対する相互主義による非課税等に関する法7条⑱後段
⑯	申告不要第三国団体配当等に係る利子所得又は配当所得の金額	実施特例法3の2⑭
⑰	特定対象利子にかかる利子所得の金額	実施特例法3の2⑯後段
⑱	特定対象収益分配に係る配当所得の金額	実施特例法3の2⑱後段
⑲	申告不要特定対象配当等に係る利子所得又は配当所得の金額	実施特例法3の2⑳後段
⑳	特定懸賞金等に係る一時所得の金額	実施特例法3の2㉒後段
㉑	特定給付補填金等に係る雑所得等の金額	実施特例法3の2㉔後段

3. 財産価額・債務金額

　財産の価額については、その年の12月31日における①時価又は②時価に準ずるものとして見積価額により評価することとされています（国外送金等調書提出法6の2③、同令12の2②、同規12⑤、15④）。また、財産価額又は債務の金額が外国通貨で表示される場合の邦貨換算については、その年の12月31日における外国為替の売買相場により行うこととされています（国外送金等調書提出法6の2③、同令10⑤、12の2③）。この場合の売買相場ですが、金融機関における対顧客直物電信買相場になるとされています。

4．財産の所在

　財産の所在判定については、国外財産調書に記載すべき国外財産の所在判定と同様とされています。また、財産を相続等により取得した場合は相続税の財産所在を定める相続税法第10条の規定によることとされています（国外送金等調書提出法令10①）。

5．財産債務調書の記載事項

　記載事項は、　次の事項とされています（国外送金等調書提出法6の2①本文③、同令12の2⑥、同規15①・別表第三）。

(1)　適用対象者の氏名、住所又は居所及び個人番号（個人番号を有しない場合は氏名及び住所又は居所）

(2)　財産の種類、数量、価額及び所在その他必要事項

(3)　債務の種類、数量、金額及び所在その他必要事項

　なお、国外送金法別表第三によりますと、(2)の記載にあっては、「土地」「建物」「山林」「現金」「預貯金」「有価証券」「匿名組合契約の出資の持分」「未決済信用取引等に係る権利」「未決済デリバティブ取引に係る権利」「貸付金」「未収入金」「書画骨董及び美術工芸品」「貴金属類」「その他動産」又は「その他の財産」に応じて、「種類別」「用途別」（一般及び事業用の別。以下同じ。）及び「所在地別」の数量及び価額を記載することとされています。

　※　「財産債務調書」の記載例（「財産債務調書の提出制度（FAQ）平成28年11月28日国税庁9ページから引用）

6．相続財産債務

　相続開始年分の総所得金額等の合計額が2千万円を超え、かつ、相続開始年の12月31日においてその価額の合計額が3億円以上の財産又はその価額の合計額が1億円以上の国外転出特例対象財産を有する相続人は、相続開始年の年分

の財産債務調書については、その相続又は遺贈により取得した財産又は債務（相続財産債務といいます。）を除外したところで、1項の規定（財産債務調書の提出）を適用することができます（国外送金等調書提出法6の2②）。

　この場合に、1項で「の財産」とあるのを「の財産（相続又は遺贈により取得した財産（相続開始の日の属する年に取得したものに限ります。）をのぞき）」とし、「権利を言う。次項及び次条2項1号において同じ」とあるのを「権利をいい、相続又は遺贈により取得した財産を除く」とします。

7. 国外財産調書の取扱い

その年の12月31日において、その価額の合計額が5,000万円を超える国外財産を有する居住者は、その財産の種類、数量及び価額の他必要事項を記載した国外財産調書を、翌年3月15日までに所轄税務署長に提出することとなりますが、財産債務調書についても提出しなければならない居住者については、国外財産に関する事項はその財産債務調書への記載を要しないこととされています（国外送金等調書提出法6の2③）。

具体的には、財産債務調書の備考欄に「国外財産調書に記載のとおり」と記載することとされています（平成27年版「改正税法のすべて」大蔵財務協会編 896ページ）。

8. 過少申告加算税の特例

財産債務調書を提出した場合に、記載された財産又は債務に関して所得税、相続税の申告漏れがあった場合に、加算税を5％軽減する一方、財産債務調書の提出がない場合又は提出された財産債務調書に財産若しくは債務の記載がない場合（記載が不十分な場合を含む。）に所得税の申告漏れが生じたときは、加算税を5％加重することとされています（国外送金等調書提出法6の3）。

この趣旨は、「財産債務調書制度は、自己の保有する財産及び債務に関する情報を納税者本人から提出する仕組みですが、本制度の趣旨を全うするためには、適正な提出を確保するための措置が必要となります。」と述べて、国外財産調書制度と同様の加算税の優遇加重措置を設けたと説明されています（平成27年「版改正税法のすべて」大蔵財務協会編 896ページ）。

6条3項（加算税の増額）及び4項（「過少申告加算税等の加重措置」で規定する国外財産調書）の規定は、財産債務に係る所得税に関し修正申告等（死亡した者に係るものを除きます。）があり、過少申告加算税又不納付加算税の適用がある場合において、次に掲げる場合のいずれかに該当する時について準用します。

① 　6条の2①（財産債務調書の提出）の規定する財産債務調書の提出がない場合（国外送金等調書提出法6の3②一）

(ただし、当該財産債務調書の提出期限の属する年の前年12月末において相続財産債務を有する者（その財産債務の合計額が3億円以上の財産で相続若しくは相続又は遺贈で取得した財産以外のもの又はその価額の合計額が1億円以上の国外転出特例対象財産で相続若しくは相続又遺贈で取得した財産以外のものを有する者を除きます。）の責めに帰すべき事由がない場合を除きます。)

② 　提出期限内に提出された当該修正申告書等の基因となる財産又は債務について記載がない場合（国外送金等調書提出法6の3二）

(ただし、当該財産債務調書に修正申告書等の基因となる財産又は債務について記載すべき事項のうち重要なものの記載が不十分であると認められる場合を含むものとし、当該財産債務調書に記載すべき当該修正申告書等の基因となる相続国外財産の記載がない場合（当該相続財産債務を有する者の責めに帰すべき事由がない場合に限ります。）を除きます。)

なお期限後に提出された財産債務調書について、その財産債務に係る所得税又は財産に対する相続税について調査があったことによる更正又は決定を予知したものでないときは、「提出期限内に提出されたもの」とみなして過少申告加算税の特例を適用するとされています(国外送金等調書提出法6④、6の3③)。

9. 財産債務調書の提出に関する調査に係る質問検査権

所得税の申告書の添付書類としての位置づけから、今般独立した一つの法定調書として整理されたことに伴い、その質問検査権も国外財産調書と同様に、独立した質問検査権として位置付けられました(国外送金等調書提出法7②③)。

第3節　国外財産調書提出制度

1. 概　要

(1) 国外財産調書提出制度の創設の趣旨

　平成24年「改正税法のすべて」制度創設の背景等（616ページ）によれば、次のように説明されています。

　「国外に所在する財産から生じる所得等については、従来から国外送金等調書をはじめ、税務調査その他の調査において収集した情報や、外国当局との情報交換により得た情報に基づき、適正な課税の確保に努めてきているところです。しかしながら、こうした国外財産については、①日本の税務当局が外国金融機関等に調査権限を行使することや、資料情報の提出を求めることは執行管轄権の制約から困難であり、また②条約に基づく情報交換により網羅的に納税者情報を求めることは困難であるなど、その把握体制には限界もあるところです。このような状況の下、近年、国外財産の保有が増加傾向にある中で、国外財産に係る所得税や相続税の課税漏れが増加してきており、国外財産に係る課税の適正化が喫緊の課題とされ、直近の平成22年度・23年度税制改正大綱においても、国外財産に係る情報の把握について具体的な方策の検討の必要性が示されてきたところです。今回の改正では、こうした点を踏まえ、適切な課税・徴収の確保の観点から、国外財産に係る情報の的確な把握への対応として、諸外国の例を参考にしつつ、納税者本人から国外財産の保有について申告を求める仕組みとして「国外財産調書提出制度」を創設することとされたところです。」

⑵　国外財産に係る情報の把握の限界[1]

　国外財産に係る情報については、①執行管轄権の制約から、国外の金融機関等に対して調書の提出を求めることや税務調査権限を行使することは困難であり、また②租税条約等に基づく外国当局との情報交換でも網羅的に納税者の情報の提供を要請することは困難であるなど国内財産に比べて把握体制が脆弱と考えられています。

　　[1]　平成24年「改正税法のすべて」617ページ（参考図表1）より

⑶　国外財産調書提出制度のイメージ図[2]

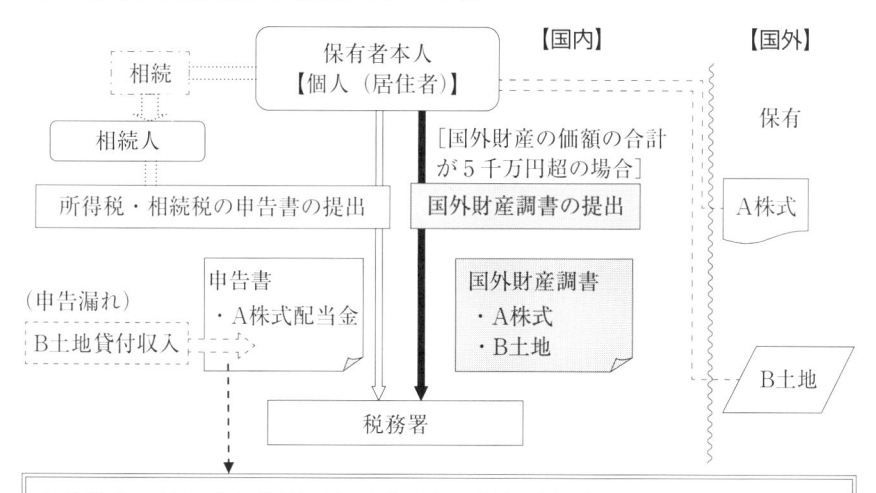

　　[2]　平成24年「改正税法のすべて」618ページ（参考図表4）より

2. 国外財産調書の提出制度の概要

　その年の12月31日において、価額の合計額が5,000万円を超える国外財産を保有する居住者（非永住者を除く。）は、翌年の3月15日までに当該国外財産の種類、数量及び価額その他必要な事項を記載した「国外財産調書」を、住所地（国内に住所地がない場合は居所地）を所轄する税務署長に提出しなければならないこととされています（国外送金等調書提出法5①）。

(1)　国外財産調書の提出が必要な者の判定

　国外財産調書の提出が必要な者とは、5,000万円を超える国外財産を保有する居住者（非永住者を除く。）とされています。ここでいう「居住者」「非永住者」とは、所得税法に定める居住者及び非永住者をいい、居住者かどうかの判定は、その年の12月31日の現況により判定することとされています（国外送金等調書提出法5①、同通5-1）。

　所得税法に定める「居住者」とは、国内に住所を有し、又は現在まで引き続いて1年以上居所を有する個人をいい、「非永住者」とは、居住者のうち日本国籍を有しておらず、かつ、過去10年以内において国内に住所又は居所を有していた期間が5年以下である個人をいいます（所法2①三、四）。

　なお、国外財産調書の提出期限までの間（その年の翌年3月15日までの間）に、国外財産調書を提出しないで死亡し、又は所得税法第2条第1項第42号に規定する（国内に住所及び居所を有しなくなる）出国をしたときは、国外財産調書の提出は要しないこととされています（国外送金等調書提出法5①ただし書）。

　※令和2年度の税制改正において、相続の開始の日の属する年の12月31日においてその価額が5,000万円を超える国外財産を保有する相続人（遺贈により財産を取得した者を含みます。）は、相続開始年分の国外財産調書については、その相続又は遺贈により取得した国外財産（相続国外財産といいます。）を除外したところにより国外送金等調書提出法5①の規定を適用することができると規定されました（国外送金等調書提出法5②）。

　なお、国外財産の所在及び価額については政令で規定されています（国外送金等調書提出法 5 ③）。

(2)　国外財産の所在地の判定

　国外財産調書の対象となる「国外財産」とは、「国外にある財産をいう」とされています（国外送金等調書提出法 2 十四）。

　財産が「国外にある」かどうかの判定については、基本的には財産の所在の判定について定める相続税法第10条の規定によることとされ、同条第 1 項（動産、不動産等13項目の財産区分に従い、財産の所在地を定めている）及び同上第 2 項（国債、地方債はこの法律の施行地に、外国又は外国地方公共団体その他これに準ずるものの発行する公債は、当該外国にあるものとする）については、これらの規定に定めるところとされています（国外送金等調書提出法 5 ③、同令10①）。

　なお、有価証券等が金融商品取引業者等の営業所等に開設された口座に係る振替口座に記載等がされているものである場合等におけるその有価証券等の所在については、相続税法第10条の規定にかかわらず、その口座の開設された金融商品取引業者等の営業所等の所在によることとされています（国外送金等調書提出法 5 ③、同令10②）。

(3)　相続税法以外の規定により所在を判定する社債、株式等

　相続税法第10条第 1 項及び第 2 項に規定する財産以外の財産で次に掲げる財産については、国外送金等調書提出法規則第12条第 3 項の規定によりそれぞれ次によりその所在を判定します。

　①　預託金又は預託証拠金その他の保証金

　　預託金又は預託証拠金その他の保証金の受入れをした営業所又は事務所の所在により判定します。

　②　有価証券（金融商品取引法 2 条①16号・17号に掲げるもの）

　　抵当証券又はオプションを表示する証券若しくは証書等

　　これらの有価証券の発行者の本店又は主たる事務所の所在により判定します（国外送金等調書提出法規12③二）。

③　組合契約等に基づく出資

これらの契約に基づいて事業を行う主たる事務所、事業所その他これらに準ずる者の所在により判定します（国外送金等調書提出法規12③三）。

④　信託に関する権利（集団投資信託又は法人課税信託に関する権利及び上記①から③までの財産に該当するものを除く。）

その信託の引受けをした営業所、事務所その他これらに準ずる者の所在により判定します（国外送金等調書提出法規12③四）。

⑤　国外転出をする場合の譲渡所得の特例に規定する未決済デリバティブ取引に係る権利については、これらの取引に係る契約の相手方である金融商品取引業者等の営業所、事務所その他これらに類するものの所在により判定します（国外送金等調書提出法規12③五）。

⑥　上記以外の財産

その財産を有する方の住所（住所を有しない方にあっては、居所）の所在により判定します（国外送金等調書提出法規12③六）。

なお、上記②から④の財産に係る有価証券のうち一定のものについては、国外送金等調書規則12③ただし書の規定により所在を判定します。

⑷　有価証券等の所在地の判定基準

財産が、「国外にある」かどうかの所在の判定については、基本的には財産の所在の判定について定める相続税法第10条第1項及び第2項の規定によることとされ、これらの項に規定する財産については、これらの項の定めるところによることとされています（国外送金等調書提出法5③、同令10①）。

ただし、社債、株式等の有価証券等（以下、「有価証券等」といいます）が金融商品取引業者等の営業所等に開設された口座に係る振替口座簿に記載等されているものである場合におけるその有価証券等の所在については、その口座が開設された金融商品取引業者等の営業所等の所在により判定することとされています（国外送金等調書提出法令10②、同規12③ただし書）。

有価証券等に係る所在の判定の取扱いを整理すると次のとおりとなります。

	国内有価証券等	国外有価証券等
国内金融機関の口座で管理	調書の**対象外**	調書の**対象外**
国外金融機関の口座で管理	調書の**対象**	調書の**対象**
上記以外	調書の**対象外**	調書の**対象**

（注1）　「国内有価証券等」とは、本店又は主たる事務所が国内に所在する法人が発行する有価証券をいいます。

（注2）　「国外有価証券等」とは、本店又は主たる事務所が国外に所在する法人が発行する有価証券をいいます。

（注3）　「国内金融機関の口座」とは、国内にある金融商品取引業者等の営業所等に開設した口座をいいます。

（注4）　「国外金融機関の口座」とは、国外にある金融商品取引業者等の営業所等に開設した口座をいいます。

(5)　外貨預金が対象国外資産となるかどうかの基準

　金融機関に預け入れている預貯金が「国外にある」かどうかについては、円建て、外貨建てであるかどうかを問わず、その預金等の受入れをした金融機関の営業所又は事業所の所在地で判定することとされています（国外送金等調書提出法令10①、相法10①四、相令1の13）。

　国内支店に開設した口座に預け入れしているものは、国外財産調書の対象にはなりません。

（注）　銀行法第47条に規定する外国銀行の国内支店に預け入れている預金についても、同様に判定します（国外財産調書の対象にはなりません）。

(6)　国外にある不動産

　保有する不動産が「国外にある」かどうかについては、その不動産の所在地により判定することとされており、不動産は国外に所在する場合は、国外財産調書の対象となります（国外送金等調書提出法令10①、相法10①一）。

(7)　国外に設立した法人に対し貸し付けた事業運転資金

　貸付金（貸付金債権）が「国外にある」かどうかについては、その貸付金の債務者である法人の本店等の所在により判定することとされています（国外送

金等調書提出法令10①、相法10①七）。

(8)　国外財産調書の記載事項

　国外財産調書には、その者の氏名、住所、個人番号並びに国外財産の種類、数量、価額及び所在その他必要な事項を記載することとされています。

　具体的には、国外送金等調書規則別表第一上覧に規定する財産の区分に応じて、「種類別」、「用途別」（一般用及び事業用の別）及び「所在別」に、その財産の「数量」及び「価額」を記入します（国外送金等調書提出法５①、国外送金等調書提出法令10⑦、国外送金等調書提出法規12①）。

　なお、「事業用」とは、この国外財産調書を提出する方の不動産所得、事業所得又は山林所得を生ずべき事業又は業務の用に供することをいい、「一般用」とは、当該事業又は業務以外の用に供することをいいます。

[参考] 財産の区分及び記載事項（国外送金等調書規則別表第一抜粋）

財産の区分	記載事項
（一）　土地	用途別及び所在別の地所数、面積及び価額
（二）　建物	用途別及び所在別の戸数、床面積及び価額
（三）　山林	用途別及び所在別の面積及び価額
（四）　現金	用途別及び所在別の価額
（五）　預貯金	種類別（当座預金、普通預金、定期預金等の別）、用途別及び所在別の価額
（六）　有価証券	種類別（株式、公社債、投資信託、特定受益証券発行信託、貸付信託等の別及び銘柄の別）、用途別及び所在別の数量及び価額並びに取得価額(注1)
（七）　匿名組合契約の出資の持分	種類別（匿名組合の別）、用途別及び所在別の数量及び価額並びに取得価額(注1)
（八）　未決済信用取引等に係る権利	種類別（信用取引及び発行日取引の別並びに銘柄の別）、用途別及び所在別の数量及び価額並びに取得価額(注1)
（九）　未決済デリバティブ取引に係る権利	種類別（先物取引、オプション取引、スワップ取引等の別及び銘柄の別）、用途別及び所在別の数量及び価額並びに取得価額(注1)
（十）　貸付金	用途別及び所在別の価額

（十一） 未収入金（受取手形を含む。）	用途別及び所在別の価額
（十二） 書画骨とう及び美術工芸品	種類別（書画、骨とう及び美術工芸品の別）、用途別及び所在別の数量及び価額（１点10万円未満のものを除く。）
（十三） 貴金属類	種類別（金、白金、ダイヤモンド等の別）、用途別及び所在別の数量及び価額
（十四） （四）、（十二）及び（十三）に掲げる財産以外の動産	種類別（（四）、（十二）及び（十三）に掲げる財産以外の動産について、適宜に設けた区分）、用途別及び所在別の数量及び価額（１個又は１組の価額が10万円未満のものを除く。）
（十五） その他の財産	種類別（（一）から（十四）までに掲げる財産以外の財産について、預託金、保険の契約に関する権利等の適宜に設けた区分）、用途別及び所在別の数量及び価額

（注） 1 「（六）有価証券」、「（七）匿名組合契約の出資の持分」、「（八）未決済信用取引等に係る権利」及び「（九）未決済デリバティブ取引に係る権利」に区分される財産に係る「取得価額」は、財産債務調書を提出し、国外送金等調書法第６条の２第２項の規定により、その財産債務調書にこれらの財産についての記載を要しないとされた方が記載することとなります。

　　　　 なお、特定有価証券[注2]については、財産債務調書を提出し、国外送金等調書法第６条の２第２項の規定により、その財産債務調書にこれらの財産についての記載を要しないとされた方であっても、取得価額の記載は要しません。

　　　 2 「特定有価証券」とは所得税法施行令第170条第１項に規定する有価証券をいい、具体的には、新株予約権その他これに類する権利で株式を無償又は有利な価額により取得することができるもののうち、その行使による所得の全部又は一部が国内源泉所得となるものをいいます（国外送金等調書規則別表第三備考三）。

　　　　 なお、本規定は平成29年１月１日から施行され、平成28年12月31日分財産債務調書から適用されることとなります。

　　　　 なお、（十五）その他の財産には、仮想通貨等の暗号資産が加えられました（国外送金等調書法通達６の２－２）。

　また、上記財産の区分（国外送金等調書規則別表第一上欄）のうち、次に掲げる財産の区分に該当する財産の「所在」の記載に当たっては、「その他必要な事項」として、国名及び所在地のほか、債務者等の氏名又は名称を記載することとなります（国外送金等調書法５①、通達５－４(3)）。

[参考] 国外財産の所在（氏名又は名称）の記載要領

財産の区分	氏名又は名称
（五）　預貯金	預貯金を預け入れている金融機関の名称及び支店名
（六）　有価証券	有価証券の保管等を委託している場合には、有価証券取引に係る金融機関の名称及び支店名
（七）　匿名組合契約の出資の持分	金融機関に取引を委託している場合には、その名称及び支店名
（八）　未決済信用取引等に係る権利	金融機関に取引を委託している場合には、信用取引等に係る金融機関の名称及び支店名
（九）　未決済デリバティブ取引に係る権利	金融機関に取引を委託している場合には、デリバティブ取引に係る金融機関の名称及び支店名
（十）　貸付金	貸付金に係る債務者の氏名又は名称
（十一）　未収入金（受取手形を含む。）	未収入金に係る債務者の氏名又は名称
（十五）　その他の財産	預託金等の預入れ先の氏名又は名称

　国外財産調書の記載例については、国税庁ホームページ（www.nta.go.jp）の《申告手続・用紙（法定調書関係）》に掲載されていますので、ご覧ください。

⑼　保有する財産の用途が「一般用」又は「事業用」の区分基準

　国外財産調書に記載する国外財産の種類、数量、価額、所在等は、その国外財産の用途別（一般用及び事業用の別）に記載することとされています。

　また、国外財産調書に記載すべき財産の用途が「一般用」であるのか、「事業用」であるのかについては、次のとおり判定します。

　事業用の国外財産とは、その国外財産を、国外財産調書を提出する方の不動産所得、事業所得又は山林所得を生ずべき事業又は事業の用に供している財産をいいます。

　また、一般用の国外財産とは、当該事業又は事業用の国外財産以外の国外財産をいいます（国外送金等調書提出法規別表第一備考１）。

⑽　「一般用」及び「事業用」の兼用である場合の国外財産調書の記載

　国外財産調書に記載する国外財産の種類、数量、価額及び所在等については、

国外送金等調書提出法規則別表第一に規定する財産の区分に応じて、同別表の「記載事項」に規定する、「種類別」、「用途別」（一般用及び事業用の別）及び「所在別」に記載することとされています（国外送金等調書提出法5①③、同令10⑦、同規12①）。

なお、国外財産調書に記載すべき財産の用途が、「一般用」及び「事業用」の兼用である場合には、国外財産調書を提出する方の事務負担を軽減する観点から、一般用部分と事業用部分とを区別することなく、国外財産調書に記載することができます（国外送金等調書提出法通5－4(1)）。

したがって、国外財産調書の記載にあたり、「用途」欄には「一般用、事業用」と記載し、「価額」欄は、用途別に区分することなく算定した価額を記載して差し支えありません。

⑾　土地付建物の国外財産調書への記載方法

国外財産調書に記載する国外財産の種類、数量、価額及び所在等については、国外送金等調書規則別表第一に規定する財産の区分に応じて、同別表の「記載事項」に規定する「種類別」、「用途別」（一般用及び事業用の別）及び「所在別」に記載することとされています（国外送金等調書提出法5①②、同令10⑦、同規12①）。

なお、国外財産調書に記載すべき国外財産が同別表に規定する2以上の財産の区分から成る財産で、それぞれの財産の区分に分けて価額を算定することが困難な場合には、国外財産調書を提出される方の事務負担を軽減する観点から、これらの財産は一体のものとしてその価額を算定し、いずれかの財産の区分にまとめて記載することができます（国外送金等調書提出法通5－4(2)）。

【参考】2以上の財産から成る国外財産に係る国外財産調書（各欄）の記載要領

各欄	記載事項
国外財産の区分	「建物」
用途	「一般用」
所在	コンドミニアムを所有する「国名」及び「住所」
数量	上段に戸数、下段に床面積
価額	建物及び土地の合計額
備考	価額には「土地を含む」旨

⑿　国名の記載方法

「国名」の記載にあたっては、一般的に広く使用されている略称で記載しても差し支えないものとされています（国外送金等調書提出法通5－4⑶）。

⒀　財産及び債務の明細書との関係

確定申告書の提出の際に「財産及び債務の明細書」の提出が必要な方^(注)で、その年の12月31日において、その価額の合計額が5,000万円を超える国外財産を有する方は、国外財産調書の提出が必要になります（国外送金等調書提出法5①）。

この場合、法令の規則上、「財産及び債務の明細書」には国外財産に関する事項の記載は要しないこととされていますが（国外送金等調書提出法6の2②）、これまで提出されている「財産及び債務の明細書」の記載内容との連続性等との観点から、「財産債務調書」に係る国外財産の価額の記載箇所及び財産債務調書合計表に係る国外財産の価額の記載箇所に記載することとなります。

なお、国外に存する債務に係る「財産及び債務の明細書」の記載は、これまでと同様に記載する必要があります。

(注)　「財産及び債務の明細書」の提出が必要な方とは、確定申告書を提出しなければならない方で、その年分の各種の所得金額の合計額が2,000万円を超え、かつその年の12月31日においてその価額の合計数が3億円以上の財産又はその価額の合計数が1億円以上の国外転出特例対象財産を有する方です（国外送金等調書提出法6の2①）。

なお、「所得金額」には、①源泉分離課税の所得、②少額な配当所得のうち確定申告

をしないことを選択したもの、③内国法人から支払を受ける一定の上場株式のうち確定申告をしないことを選択したもの、④源泉徴収を選択した特定口座内保管上場株式等の譲渡による所得のうち確定申告をしないことを選択したもの、⑤退職所得の金額は含まれません。

⑭　国外財産調書合計表の添付

国外財産調書の提出にあたっては、国外財産調書に記載した財産の価額をその種類ごとに合計した金額を価格欄の上段に外書して記載した「国外財産調書合計表」を添付する必要があります（国外送金等調書提出法規則別表第二備考 3 、4 ）。

「国外送金等調書合計表」は、税務署の窓口で入手することができます。

また、国税庁のホームページ（https://www.nta.go.jp/）の《申請・届出様式（法定調書関係）》にも掲載されており、カラープリンタで出力した「国外送金等調書合計表」はそのまま提出することができます。

⑮　国外財産の価額（基本的な考え方）

国外財産調書に記載する国外財産の価額は、その年の12月31日における「時価」又は時価に準ずるものとして「見積価額」によることとされています（国外送金等調書提出法 5 ②、同令10④、同規12⑤）。

これは、国外財産の価額について、その年の12月31日における「時価」の算定が困難な場合等も考えられることから、国外財産調書を提出される方の事務負担等を軽減する観点から時価に準ずるものとして「見積価額」によることを認めることとしているものです。

したがって、国外財産調書に記載する財産の価額は、その財産の「時価」ではなく「見積価額」を算定して記載しても差し支えないとされています。

⑯　国外財産の「時価」

国外財産の「時価」とは、その年の12月31日における国外財産の現況に応じ、不特定多数の当事者間で自由な取引が行われる場合に通常成立すると認められる価額をいいます（国外送金等調書提出法通 5 − 7 前段）。

その価額は、国外財産の種類に応じて、動産及び不動産等については専門家

による鑑定評価額、上場株式等については、金融商品取引所等^(注)の公表する同日の最終価格等となります。

(注)　「金融商品取引所等」とは、金融商品取引所のほか、店頭登録等の公表相場があるものを指します。

⒄　国外財産の「見積価額」の定義

国外財産の「見積価額」とは、その国外財産の種類等に応じて、次の方法で算出した価額をいいます（国外送金等調書提出法規12⑤、同通 5 － 4 後段、 5 － 9 (2)）。

① 　事業所得の基因となる棚卸資産

その年の12月31日における「棚卸資産の評価額」

② 　不動産所得、事業所得、山林所得又は雑所得に係る減価償却資産

その年の12月31日における「減価償却資産の償却後の価額」

③ 　上記①及び②以外の財産

その年の12月31日における「国外財産の現況に応じ、その財産の取得価額や売買実例価額などを基に、合理的な方法により算出した価額」

⒅　国外財産の評価

財産評価基本通達では、相続税及び贈与税の課税価格計算の基礎となる各財産の評価方法に共通する原則や各種財産の評価単位ごとの評価の方法を定めています。

国外財産調書に記載する国外財産の価額についても、財産評価基本通達で定める方法により評価した価額として差し支えないものとされています。

⒆　国外財産の見積価額

国外財産調書に記載すべき国外財産（事業所得の基因となる棚卸資産及び不動産所得、事業所得、雑所得又山林所得に係る減価償却資産を除く。）の「見積価額」については、その年の12月31日における国外財産の現況に応じ、その財産の取得価額や売買実例価額などを基に、合理的な方法により算定する必要があります。

　合理的な方法により算定された国外財産の「見積価額」とは、例えば次のような方法により算定された価額をいいます（国外送金等調書提出法通5－8）。

国外財産の種類	見積価額の算定方法
土地	次のいずれかの方法により算定した価額 (1)　外国又は外国の地方公共団体の定める法令により固定資産税に相当する租税が課せられる場合には、その年の12月31日が属する年中に課せられた当該租税の計算の基となる課税標準額 (2)　取得価額を基にその取得後における価額の変動を合理的な方法によって見積もって算出した価額 　(注)　具体的には取得価額に合理的な価格変動率を乗じて、その年の12月31日における見積価額を算定します。この場合の合理的な価格変動率は、その国の統計機関（統計局、統計庁など）が公表する不動産に関する統計指標等を参考に求めることができます。 　　　なお、統計機関は、様々な統計指標をインターネット上に公表しており（国により掲載情報は異なります）、日本の総務省統計局のホームページ上に、「外国政府の統計機関」として、様々な国の統計機関のホームページへのリンクが掲載されています。 　　　(http://www.stat.go.jp/info/link/5.htm) (3)　その年の翌年1月1日から国外財産調書の提出期限までにその財産を譲渡した場合における譲渡価額
建物	次のいずれかの方法により算定した価額 (1)　外国又は外国の地方公共団体の定める法令により固定資産税に相当する租税が課せられる場合には、その年の12月31日が属する年中に課せられた当該租税の計算の基となる課税標準額 (2)　取得価額を基にその取得後における価額の変動を合理的な方法によって見積もって算出した価額 (3)　その年の翌年1月1日から国外財産調書の提出期限までにその財産を譲渡した場合における譲渡価額 (4)　業務の用に供する資産以外のものである場合は、取得価額から、その年の12月31日における経過年数に応ずる償却費の額を控除した金額 　(注)　「経過年数に応ずる償却費の額」は、その財産の取得又は建築の時からその年の12月31日までの期間（その期間に1年未満の端数があるときは、その端数は1年として計算します）

	の償却費の額の合計額。また、償却方法は定額法によるものとし、耐用年数は、減価償却資産の耐用年数等に関する省令に規定する耐用年数によります。
山林	次のいずれかの方法により算定した価額 (1)　外国又は外国の地方公共団体の定める法令により固定資産税に相当する租税が課せられる場合には、その年の12月31日が属する年中に課せられた当該租税の計算の基となる課税標準額 (2)　取得価額を基にその取得後における価額の変動を合理的な方法によって見積もって算出した価額 (3)　その年の翌年1月1日から国外財産調書の提出期限までにその財産を譲渡した場合における譲渡価額
現金	その年の12月31日における有り高
預貯金	その年の12月31日における預入高
有価証券 （金融商品取引所等に上場等されている有価証券以外の有価証券）	次の(1)、(2)又は(3)の方法により算定した価額 (1)　その年の12月31日における売買実例価額（同日における売買実例価額がない場合には、同日前の同日に最も近い日におけるその年中の売買実例価額）のうち、適正と認められる売買実例価額 (2)　(1)による価額がない場合には、その年の翌年1月1日から国外財産調書の提出期限までにその財産を譲渡した場合における譲渡価額 (3)　(1)及び(2)による価額がない場合には、取得価額
貸付金	その年の12月31日における貸付金の元本の額
未収入金 （受取手形を含む）	その年の12月31日における未収入金の元本の額
書画骨とう及び美術工芸品	次の(1)、(2)又は(3)の方法により算定した価額 (1)　その年の12月31日における売買実例価額（同日における売買実例価額がない場合には、同日前の同日に最も近い日におけるその年中の売買実例価額）のうち、適正と認められる売買実例価額 (2)　(1)による価額がない場合には、その年の翌年1月1日から国外財産調書の提出期限までにその財産を譲渡した場合における譲渡価額 (3)　(1)及び(2)による価額がない場合には、取得価額
貴金属類	次の(1)、(2)又は(3)の方法により算定した価額 (1)　その年の12月31日における売買実例価額（同日における売買実例価額がない場合には、同日前の同日に最も近い日にお

	けるその年中の売買実例価額）のうち、適正と認められる売買実例価額 (2)　(1)による価額がない場合には、その年の翌年 1 月 1 日から国外財産調書の提出期限までにその財産を譲渡した場合における譲渡価額 (3)　(1)及び(2)による価額がない場合には、取得価額
家庭用動産 （現金、書画骨とう、美術工芸品、貴金属類を除く）	家具、什器備品、自動車、船舶や航空機などの動産で、業務の用に供する資産以外の資産である場合は、取得価額から、その年の12月31日における経過年数に応ずる償却費の額を控除した金額 (注)　「経過年数に応ずる償却費の額」はその財産の取得又は建築の時からその年の12月31日までの期間（その期間に 1 年未満の端数があるときは、その端数を 1 年として計算します）の償却費の合計額。 　また、償却方法は、定額法によるものとし、耐用年数は、減価償却資産の耐用年数等に関する省令に規定する耐用年数によります。

⒇　保険に関する権利の価額

　保険（共済を含む）に関する権利の価額は、その年の12月31日にその生命保険契約が解約することとした場合に支払われることとなる解約返戻金の額をその財産の価額として差し支えありません。

　なお、加入している生命保険契約が、満期返戻金を定期金（年金形式）で受け取ることができる内容のものであっても同様の方法により価額を算定します。

（注）　損害保険契約に関する権利の価額についても同様の方法で算定します。

㉑　定期金に関する権利の価額

　給付事由が発生している生命保険契約に基づく定期金についても、保険（共済を含む）に関する権利の価額は、その年の12月31日にその生命保険契約を解約したこととした場合に支払われることとなる解約返戻金の額をその財産の価額として差し支えありません。

（注）　損害保険契約に関する権利の価額についても同様の方法で算定します。

⑵　ストックオプションに関する権利の価額

ストックオプションに関する権利の価額については、その目的となっている株式の種類に応じて、例えば、次の算式で計算した金額をその財産の価額として差し支えありません。

【計算式】

$$\left(\begin{array}{l}\text{その年の12月31日におけ}\\\text{るストックオプションの}\\\text{対象となる株式の価額}\end{array}\ -\ \begin{array}{l}1\text{株当たりの}\\\text{権利行使価額}\end{array}\right)\times\ \begin{array}{l}\text{権利行使により取得す}\\\text{ることができる株式数}\end{array}$$

また、上記算式の「その年の12月31日におけるストックオプションの対象となる株式の価額」については、例えば、金融商品取引所等に上場されている株式の場合には、金融商品取引所等が公表するその年の12月31日の最終価格により、また、金融商品取引所等に上場されていない株式の場合には、適正と認められる売買実例価額などによって価額を算定します。

⑵　民法に規定する組合契約等その他これらに類する契約に基づく出資の価額

民法に規定する組合契約等に類する外国のパートナーシップのように、そのパートナーシップ自体が営利を目的として事業を行うことができる事業体に対する出資の価額は、その事業体の実情に応じて、例えば、次の金額をその財産の価額として差し支えありません。

⑴　その事業体が行う事業に係る計算書等の送付等がある場合

「その年の12月31日又は同日前の最も近い日において終了した計算書等に基づき計算したその事業体の純資産価額又は利益の額」×「自己の出資割合」

⑵　その事業体が行う事業に係る計算書等の送付等がない場合

「出資額」

⑵　信託に関する権利の価額

信託の利益を受ける権利には、信託財産の運用等によって生ずる利益を受け

る権利と、信託終了後において信託財産自体を受ける権利とがあり、前者を収益の受益権、後者を元本の受益権といい、両者を含めて信託受益権といいます。

　信託受益権の価額は、次に掲げる区分に従い、それぞれ次に掲げる方法により価額を算定することとして差し支えありません。

(1)　元本と収益との受益者が同一人である場合

　「信託財産の見積価額」

> (注)　信託財産の見積価額は、信託財産の種類に応じて、前述「国外財産調書に記載すべき国外財産の見積価額の算定方法」に準じて算定して差し支えありません。

(2)　元本と収益との受益者が元本及び収益の一部を受ける場合

　「(1)の価額」×「受益割合」

(3)　元本の受益者と収益の受益者とが異なる場合

　①　元本を受益する場合

　　「(1)の価額」－「②により算定した価額」

　②　収益を受益する場合

　　次のいずれかの方法により算定した価額

　(イ)　受益者が将来受けると見込まれる利益の額の複利現価の額の合計額

　(ロ)　「その年中に給付を受けた利益の額」×「信託契約の残存年数」

【参考】「複利現価の額の合計額」とは

> 　「複利現価の額の合計額」とは、信託受益権に基づき将来受ける利益の額を次の算式によって計算した金額をいいます。
>
> (1)　「第1年目の利益の年額」×「1年後の複利現価率」＝A
>
> 　　「第2年目の利益の年額」×「2年後の複利現価率」＝B
>
> 　　　↓
>
> 　　「第n年目の利益の年額」×「n年後の複利現価率」＝N
>
> (2)　「A＋B＋………………＋N」＝信託受益権の価額
>
> 　　(注1)　上の算式中の「第1年目」及び「1年後」とは、それぞれ、その

　　　　　　年の12月31日の翌日から１年を経過する日まで及びその１年を経過
　　　　　　した日の翌日をいいます。
　（注２）　複利現価率については、その国の国債利回り等を基に計算した複
　　　　　　利現価率によることとして差し支えありません。

㉕　**預託金等の価額（「国外財産調書の提出制度」（FAQ）35ページより）**

　外国にあるリゾート施設を利用するための会員権の取得に際し支払った預託
金又は委託証拠金その他の保証金（以下「預託金等」といいます）で、その年の
12月31日において退会することとした場合、ただちに返還を受けることができ
るものについては国外財産調書に記載すべき財産に該当します。

　また、国外財産調書に記載する財産の価額は、その年の12月31日に返還を受
けることができる預託金等の額によることとして差し支えありません。

㉖　**無体財産権の価額（「国外財産調書の提出制度」（FAQ）36ページ）**

　特許権等の無体財産権の価額は、次のいずれかの方法で算定することとして
差し支えありません。

　①　その権利に基づき将来を受けると見込まれる補填料の額の複利現価の額
　　　の合計額

　②　「その年中に受けた補填料の額」×「その権利の存続期間」

【参考】「複利現価の額の合計額」とは

　「複利現価の額の合計額」とは、特許権等の無体財産権に基づき将来
受けると見込まれる補填料の額を次の算式によって計算した金額をいい
ます。

⑴　「第１年目の補填料の年額」×「１年後の複利現価率」＝Ａ
　　「第２年目の補填料の年額」×「２年後の複利現価率」＝Ｂ
　　　　↓
　　「第ｎ年目の補填料の年額」×「ｎ年後の複利現価率」＝Ｎ

⑵　「Ａ＋Ｂ＋…………………＋Ｎ」＝将来受ける見込まれる補填料の価額

⑵⑺　共有財産の価額

　国外財産調書に記載する国外財産が共有財産である場合は、その財産の価額
は次により算定します（国外送金等調書提出法通5－12）。

　①　持分が定まっている場合

　　　その財産の価額をその共有者の持分に応じて按分した価額

　②　持分が定まっていない場合（持分が明らかでない場合を含む）

　　　その財産の価額を各共有者の持分は相等しいものと推定し、その推定し
　　た持分に応じて按分した価額

　したがって、持分が明らかでない共有財産である別荘の価額については、各
共有者の持分は相等しいものと推定し、その時価又は見積価額の2分の1の価
額を国外財産調書に記載します。

⑵⑻　借入金で取得した国外財産の価額

　国外財産の価額は、時価又は時価に準ずるものとして「見積価額」によるこ
ととされています（国外送金等調書提出法5③、同令10④、同規12⑤）。

　また、国外財産の「時価」又は「見積価額」の意義については、次のとおり
とされています（国外送金等調書提出法通5－7）。

　①　国外財産の「時価」

　　　その年の12月31日における国外財産の現況に応じ、不特定多数の当事者間
　　で自由な取引が行われる場合に通常成立すると認められる価額をいいます。

　②　国外財産の「見積価額」

　　　その年の12月31日における国外財産の現況に応じ、その財産の取得価額や
　　売買実例価額などを基に、合理的な方法により算定した価額をいいます。

　したがって、国外財産を借入金で取得した場合であっても、その国外財産の

「時価」又は「見積価額」の価額の算定に当たり、借入金の元本を差し引くことはできません。

㉙　外貨で表示されている国外財産の邦貨換算の方法

　国外財産の価額が外国通貨で表示される場合における当該国外財産の価額の邦貨通貨への換算は、その年の12月31日における外国為替の売買相場によるものとされています（国外送金等調書提出法令10⑤）。

　具体的には、国外財産調書を提出する方の取引金融機関が公表するその年の12月31日における最終の対顧客直物電信買相場又はこれに準ずる相場（同日に当該相場がない場合には、同日前の当該相場のうち、同日に最も近い日の当該相場）により邦貨に換算し、国外財産調書に記載することとされています（国外送金等調書提出法通5－11）。

　なお、国外財産が預貯金等で、特定金融機関が特定されている場合には、その預貯金等を預け入れている金融機関が公表する上記の相場により邦貨に換算します。

㉚　過少申告加算税等の特例

　国外財産調書の提出制度は、保有する国外財産の種類、数量及び価額等の情報の提出をその財産を保有する方ご本人から求めるものです。

　本制度においては、国外財産調書の適正な提出に向けたインセンティブとして、過少申告加算税及び無申告加算税（以下「過少申告加算税等」といいます。）の特例措置が設けられています（国外送金等調書提出法6）。

　具体的には、次のような措置が講じられています。

①　過少申告加算税等の優遇措置

　国外財産調書を提出期限内に提出した場合には、国外財産調書に記載がある国外財産に関する所得税及び復興特別所得税（以下「所得税等」といいます。）又は相続税の申告漏れが生じたときであっても、その国外財産に関する申告漏れに係る部分の過少申告加算税等について、5％減額されます（国外送金等調書提出法6①）。

この場合に所得税に関する修正申告については、当該修正申告に係る年分の国外財産調書を、相続税に関する修正申告書については、次に掲げる国外財産調書のいずれかとします（国外送金等調書提出法6②）。

イ　被相続人の相続開始年の前年分の国外財産調書（被相続人が当該調書提出期限までに提出しないで死亡した場合は前々年の調書とします）

ロ　当該相続税に係る相続人の相続開始年の年分の国外財産調書

ハ　当該相続税に係る相続人の相続開始年の翌年分の国外財産調書

②　過少申告加算税等の加重措置

国外財産に係る所得税又は国外財産に対する相続税に関し修正申告書等（死亡した方に係るものを除く。）があり、過少申告加算税又は無申告加算税が課される場合に次に掲げる場合のいずれかに該当するときは、当該過少申告加算税又は無申告加算税の計算の基礎となるべき税額に5％を乗じて計算した金額を加算します（国外送金等調書提出法6③）。

イ　国外財産調書提出制度に基づく国外財産調書について提出期限内に提出がない場合（提出期限の属する年の前年12月末において相続国外財産を有する者の責めに帰すべき事由がない場合を除きます。ただし、その相続国外財産の合計額が5千万円を超える国外相続財産で相続国外財産以外のものを有する者は除かれます。）

ロ　提出期限内に提出された国外財産調書に記載すべき当該修正申告等の基因となる国外財産について記載がない場合

（国外財産調書に当該修正申告等の基因となる国外財産について記載すべき事項のうち重要なものの記載が不十分であると認められる場合を含むものとし、当該国外財産調書に記載すべき相続国外財産についての記載がない場合を除きます。ただし、当該相続財産を有する者の責めに帰すべき事由がない場合に限られます。）

(31)　**過少申告加算税等の加重措置で規定する国外財産調書（国外送金等調書提出法6④）**

　上記（30）「過少申告加算税等の加重措置」で規定する国外財産調書とは、次に掲げる場合の区分に応じて定めるものとします。

　イ　前項の修正申告書等が所得税に関するものである場合（同法6④一）

　　　当該修正申告書等に係る年分の国外財産調書（ただし、当該年分の中途において修正申告の基因となる国外財産を有しないこととなった場合における国外財産にあっては当該年分の前年分の国外財産調書とし、当該修正申告等の基因となる相続国外財産にあっては相続開始年分の国外財産調書を除きますが、相続開始年に取得したものに限定されています。）

　ロ　前項の修正申告書等が相続税に関するものである場合（同法6④二）

　　　次に掲げる国外財産調書の全てに該当する場合とします。

　　(イ)　当該相続税に係る被相続人の相続開始年の前年分の国外財産調書（被相続人がその提出期限までに相続開始年の前年分の国外財産調書を提出しないで死亡した場合にあっては、被相続人の前々年分の国外財産調書）

　　(ロ)　当該相続に係る相続人の相続開始年の年分の国外財産調書

　　(ハ)　当該相続に係る相続人の相続開始年の翌年分の国外財産調書

(32)　**相続税に関する「過少申告加算税等の加重措置」の適用除外者（同法6⑤）**

　次に掲げる者とします。

　イ　相続税に関する相続人で5条1項（国外財産調書の提出義務）により提出すべき相続開始年の翌年分の国外財産調書がないもの

　ロ　相続税に係る相続人で相続開始年の翌年の12月31日において当該修正申告書等の基因となる相続国外財産を有しないもの

(33)　**提出期限後に提出された国外財産調書の取扱い**

　提出期限後に国外財産調書を提出した場合であっても、その国外財産に関する所得税等又は相続税について、調査があったことにより更正又は決定がある

べきことを予知してされたものでないときは、その国外財産調書は提出期限内に提出されたものとみなして、過少申告加算税等の特例を適用することとされています（国外送金等調書提出法6⑥）。

　したがって、提出期限後に国外財産調書を提出した場合であっても、国外財産等に関する所得税等又は相続税について申告漏れが生じた場合における過少申告加算税等の優遇措置の適用を受けることができる場合があります。

㉞　修正申告書提出前に行われた税務職員からの書類等の提示若しくは提出の求め（国外送金等調書提出法6⑦）

　国外財産に係る所得税又は相続税に関し修正申告書等が行われ、過少申告加算税若しくは不納付加算税が課される者が、当該修正申告等があった日前に税務職員から2項若しくは4項に規定する国外財産調書に記載すべき国外財産の取得、運用又は処分に係る書類として財務省令で定める書類又はその写しの提示若しくは提出が求められた日から60日を超えない範囲内においてその提示若しくは提出の準備に通常要する日数を勘案して当該職員が指定する日までに提示若しくは提出をしなかったとき（当該居住者の責めに帰すべき事由がない場合を除きます。）における1項（加算税の減額）又は3項（加算税の増額）の適用は次に掲げるところとします。

①　1項（加算税の減額）の適用はしません。

②　3項（加算税の増額）中「5％」とあるのは、「10％（3項一号に該当することにつき同号の国外財産調書の提出期限の属する前年の12月31日において相続国外財産を有する者（その合計額が5千万円を超える国外財産で相続国外財産以外のものを有する者を除きます。）の責めに帰すべき事由がない場合又は同項2号に掲げる場合のうち同号の国外財産調書に記載すべき当該修正申告等の基因となる相続国外財産についての記載がない場合（当該相続国外財産を有する者の責めに帰すべき事由がない場合に限ります。）には、5％とします。）と、3項一号中「場合（当該相続国外財産調書の提出期限の属する年の前年の12月31日において相続財産を有する者（その

価額の合計額が5千万円を超える国外財産で相続国外財産以外のものを有する者を除きます。）の責めに帰すべき事由がない場合を除きます。）」とあるのは、「場合」と、同項2号中「含むものとし、当該国外財産調書に記載すべき当該修正申告等の基因となる相続国外財産についての記載がない場合（当該相続国外財産を有する者の責めに帰すべき事由がない場合に限ります。）を除く」とあるは、「含む」とします。

⑶⑸　**罰　則**

国外財産調書の提出制度においては、故意に、次の行為をした場合には、1年以下の懲役又は50万円以下の罰金に処することとされています（国外送金等調書提出法10①②本文）。

①　偽りの記載をした国外財産調書を提出した場合

②　正当な理由がなく提出期限内に国外財産調書を提出しなかった場合

(注)　上記のほか、国外送金等調書提出法第9条第3号及び第4号の規定に該当する行為が認められた場合にも、同様の罰則が課されることとされています。

国外送金等調書提出法第9条第3号の規定に該当する行為が認められた場合とは、国外財調書の提出に関する調査について行う当該職員の質問に対して答弁せず、若しくは偽りの答弁をし、又は検査を拒み、妨げ、若しくは忌避したときをいい、同条第4号の規定に該当する行為が認められた場合とは、国外財産調書の提出に関する調査について行う物件の提示又は提出の要求に対し、正当な理由がなくこれに応じず、又は偽りの記載若しくは記録をした帳簿書類その他の物件（その写しを含む。）を提示し、若しくは提出したときをいいます。

なお、上記②の罪については、情状により処罰する必要がないと認められるときには、刑を免除することができるとされています（国外送金等調書提出法10②ただし書）。

また、この罰則の規定の適用については、国外財産調書の提出制度について十分な周知期間を確保し、本制度の円滑な導入に万全を期す観点から、適用を本制度の導入時期より1年後ろ倒しし、平成27年1月1日以後に提出すべき国外財産調書に係る違反行為について適用することとされています。

したがって、平成26年3月17日までに提出すべき国外財産調書については、

上記罰則の適用はありません。

(注)　国外送金等調書提出法第 9 条第 3 号及び第 4 号の規定に該当する行為が認められた場合に課される罰則の適用は、平成26年 1 月 1 日以後に提出すべき国外財産調書に係る違反行為について適用されます。

(執筆：吉川保弘)

【著者プロフィール】

遠藤 克博（えんどう かつひろ）

東北大学経済学部卒業。1978年東京国税局入局。国税庁調査課からロンドン長期出張、移転価格事前確認審査担当専門官、国際調査課課長補佐、税務大学校研究部教授、主任国際税務専門官。2008年遠藤克博税理士事務所開設。2009年ローランドディー．ジー．㈱社外監査役、社外取締役、2011年千代田インテグレ㈱社外監査役（現任）、2015年青山学院大学大学院客員教授、2016年明治海運㈱社外監査役（現任）。主な著作に『パススルーエンティティをめぐる国際課税問題』（日税連懸賞論文）、『移転価格税制と寄附金課税』（税務大学校論叢33号）『Q&A 外国法人所得課税の実務』（清文社）、『税務調査対応と文書化の実務』（大蔵財務協会）、『BEPS 文書作成マニュアル』（大蔵財務協会）等

多田 雄司（ただ ゆうじ）

1972年慶應義塾大学経済学部卒業。1977年税理士試験合格。1979年税理士事務所開業。現在、東京税理士会会員相談室委員（面接担当、法人税）、日本税務会計学会顧問。著書に『消費税なんでもチェックリスト』（日本法令1989年）、『入門 税金のすべてがわかる実務事典』（日本法令1993年）、『法人税申告の実務全書』（共著、日本実業出版社1993年〜）、『土地譲渡益重課制度』（中央経済社1995年）、『5％対応改正消費税』（税務経理協会1996年）、『仕入税額控除』（中央経済社1997年）、『詳解 法人税改革の要点』（税務研究会出版局1998年）、『検証 外形標準課税』（税務研究会出版局2000年）、『イミダス（税金）』（集英社2003年〜）、『外形標準課税の申告実務ガイド』（税務研究会出版局2004年〜）、『実務で気になる法律・会計制度＆税務事例』（編著、清文社2006年）、『事例でわかる「貸倒損失」処理の実務』（監修、日本実業出版社2016年〜）、『詳解 消費税 軽減税率とインボイス方式の理論と実務』（日本実業出版社2019年〜）、『詳解 合併・分割の会社法、会計、法人税の実務』（税務経理協会2020年〜）

幕内 浩（まくうち ひろし）

2002年、東京大学法学部卒業、同年、社団法人 経済団体連合会（現：一般社団法人 日本経済団体連合会）。2010年から経済基盤本部で税制を担当、2018年4月から同本部主幹、現在に至る。著書に『早わかり グループ通算制度のポイント』（共著、清文社2020年）、『平成29・30年度税制改正対応 外国子会社合算税制』（清文社2018年）、『税制改正の要点解説』（共著、清文社、平成23〜令和2年度税制改正）、『株式交換・株式移転の理論・実務と書式』（共著、民事法研究会2016年）、『BEPS Q&A 新しい国際課税の潮流と企業に求められる対応』（共著、経団連出版2016年）、『企業再編の理論と実務』（共著、商事法務2014年）等。

望月 文夫（もちづき ふみお）

明治大学大学院経営学研究科博士後期課程修了、博士（経営学）。東京国税局、国税庁、上武大学教授などを経て、現在、埼玉学園大学大学院特任教授、税理士（松岡大江伊勢税理士法人）。日本税務会計学会国際部門常任委員、東京税理士会会員相談室相談委員、一般社団法人企業研究会　企業税務研究会　研究協力委員。著書に『図解　国際税務』（平成20年版、以降毎年改訂）、『タックス・ヘイブン税制の実務と申告』（2019年）、『日米移転価格税制の制度と適用』（2007年、第17回租税資料館賞受賞、以上、大蔵財務協会）等。

吉川 保弘（よしかわ やすひろ）

1973年中央大学商学部卒。東京国税局調査一部特官付調査官・主査、国際情報専門官（移転価格調査担当）、研究部教授、調査情報部門統括官（移転価格調査担当）、課税第一部主任訟務官（国際課税班担当）、研究部主任教授、四谷税務署長、駿河台大学法学部（租税法担当）非常勤講師、日本大学法科大学院非常勤講師を経て、聖学院大学大学院特任教授、現在、税理士、聖学院大学大学院客員教授、埼玉税法研究会会長等。著書に、『国際課税質疑応答集』（法令出版2010年）、『非居住者税制と源泉徴収質疑応答集』（法令出版2019年）、主な論文等「外国税額控除制度とタックスヘイブン税制を巡る諸問題」「トランスファープライシングと我が国の規制税制」「同族会社の国際的租税回避を巡る諸問題」「過少資本税制の理念と課題」「事前確認制度の現状と課題」「我が国の移転価格税制を巡る諸問題」「海外子会社への出向社員が引き起こす所得移転の問題」等

2020年版［詳解］国際税務

2020年10月8日　発行

著　者　遠藤 克博／多田 雄司／幕内 浩／望月 文夫／吉川 保弘 ©

発行者　小泉 定裕

発行所　株式会社 清文社

東京都千代田区内神田1−6−6（MIF ビル）
〒101-0047　電話 03（6273）7946　FAX 03（3518）0299
大阪市北区天神橋 2 丁目北2−6（大和南森町ビル）
〒530-0041　電話 06（6135）4050　FAX 06（6135）4059
URL http://www.skattsei.co.jp/

印刷：亜細亜印刷㈱

ISBN978-4-433-71440-6